Der Prinz von Berlin

D1499819

Das Buch

Jamal Kassim, ein junger Libanese, wird von seiner Familie zum Studium nach Berlin geschickt. Seine Lust auf ein selbstbestimmtes Großstadtleben verstört seinen tyrannischen Onkel bald ebenso wie seine Ostberliner Freundin. Jamal schlägt sich jedoch tapfer durch das Dickicht der Metropole: Er entdeckt seine Homosexualität, stilisiert sich als schönes, exotisches Fabelwesen, surft durch die Clubs und Bars der Stadt, verbringt fast keine Nacht allein – und muß am Ende erkennen, daß seine Freiheit einen hohen Preis hat. Denn die einzige Möglichkeit für ihn, eine unbefristete Aufenthaltsgenehmigung zu bekommen, ist die Scheinehe: 10 000 DM soll es kosten, eine Frau zu »kaufen« und die wollen verdient sein. Jamal schuftet als Partykellner für die aufgeplusterte Berliner Kulturszene; als illegaler Bauarbeiter am Potsdamer Platz schaufelt er die Fundamente neuer Glitzerpaläste. Nun ist der arabische Märchenprinz wieder ganz unten angekommen, und dennoch bemüht er sich nach Kräften, seinem Traum von Berlin treu zu bleiben ...

Der Autor

Marko Martin, geboren 1970 in Burgstädt/Sachsen, wurde in der DDR aus politischen Gründen nicht zum Hochschulstudium zugelassen und siedelte als Kriegsdienstverweigerer im Mai 1989 in die Bundesrepublik über. Er studierte in Berlin und San Francisco und lebte mehrere Jahre in Paris. Er veröffentlichte Artikel u.a. in *Kursbuch, Die Welt, taz* und *Die Zeit* sowie eigene Essay- und Prosasammlungen.

Marko Martin

Der Prinz von Berlin

Roman

List Taschenbuch

List Taschenbücher erscheinen im Ullstein Taschenbuchverlag,
einem Unternehmen der Econ Ullstein List
Verlag GmbH & Co. KG, München
1. Auflage 2002
© 2000 by Econ Ullstein List Verlag GmbH & Co. KG, München /
Quadriga Verlag
Umschlagkonzept: HildenDesign, München – Stefan Hilden
Umschlaggestaltung: HildenDesign, München
Titelabbildung: Herbert Tobias, *Night in Frankfurt* (Berlinische Galerie,
Landesmuseum für moderne Kunst, Photographie und Architektur)
Druck und Bindearbeiten: Clausen & Bosse, Leck
Printed in Germany
ISBN 3-548-60162-6

Inhalt

Ein Fremder ist ein Mensch,
den man einen Fremden nennt.

BERNARD MALAMUD, *The Tenants*

Unsere Versuche sind
ein schwer durchschaubares Durcheinander
von Anpassung
verbindlichen Abmachungen
und Träumen
sehr unterschiedlich
Stichworte
manchmal irreführend datiert.

GASTON SALVATORE, *Versuche über uns*

ADIEU, BERLIN, DACHTE JAMAL. ES WAR VORBEI. DAS Zimmer aufgeräumt, Poster und Gardinen abgehängt, der Koffer gepackt und auf dem Fußboden ein Telefon, das noch immer schwieg. Kleine rote Digitalzahlen zeigten die genaue Zeit an, aber auch das war inzwischen überflüssig geworden.

Wenn Katja jetzt noch da wäre, könnte er sogar das passende Gedicht dazu zitieren.

Ihr Gedicht. Gott, was hatte sie sich für Mühe gegeben, ihm die Pausen, diese verdammt bedeutungsvollen Pausen zwischen den Strophen beizubringen, ihm den Schweinsgalopp auszutreiben. *Den Schweinsgalopp austreiben*, dachte Jamal, auch das war wieder eine so unnachahmlich deutsche Formulierung. Obwohl sie brutal klang, hatte er darüber lachen müssen. Hatte sich mit Katja auf der Couch gewälzt, ein irres Gelächter gegen seine Panik, von hier fortzumüssen; Teil der Komödie, die zu spielen war. Und dann im Duett die hohen Worte herausgeprustet: »Wer jetzt kein Haus hat, baut sich keines mehr./Wer jetzt allein ist, wird es lange bleiben,/wird wachen, lesen, lange Briefe schreiben . . .«

»Und?« Jamal hatte Katja fragend angesehen. »Wie soll das jetzt weitergehen?«

»Laß mich überlegen«, hatte sie gesagt und die Stirn kraus gezogen.

»Okay, ich hab's. Jamal, paß auf: Blablabla und lange Briefe *schreiben*/Und es bis zur nächsten Saison mit keiner mehr *treiben*.« Sie waren wieder in Gelächter ausgebrochen, und Katja hatte Jamals Hand gedrückt, als müßte sie sich wie bei einer Achterbahnfahrt an ihm festhalten. Und plötzlich hatte sie ihn mit gespieltem Entsetzen angesehen und gesagt: »Vergiß es, alles falsch. Bei dir muß es doch heißen: Mit *keinem* mehr treiben.«

»Aber das würde ich deiner Mutter nicht unbedingt sagen.«

»Doch«, widersprach Katja, »nur das Wort *treiben* sollten wir vermeiden. Für Mama ist so was Ausdruck maskuliner Dominanzrhetorik. Lesben haben da ein waches Ohr dafür.«

»Aber gegen eine Heirat ist sie nicht?« hatte Jamal gefragt. Er versuchte, sich seine Unruhe nicht anmerken zu lassen und blätterte weiter in dem alten Reclam-Bändchen mit den Rilke-Gedichten. Katja strich sich ihr langes braunes Haar hinter die Ohren zurück und lächelte. »Noch immer Angst, was? Wenn ich's dir doch sage. Sie ist *nicht* dagegen. Aber jeder hat nun mal seinen Tick, besonders in dieser Stadt. Mama möchte Jamal, den Träumer, den Musisch-Sensiblen aus dem Morgenland, der unserer Hilfe bedarf; was weiß ich. Ist ja schließlich nicht meine Schuld, daß sie nichts von deiner Lage versteht. Fristen, Aufenthaltsgenehmigungen und Ausweisungsbescheide sind für sie Worte aus einer anderen Welt.«

»Ich mache dir keine Vorwürfe«, hatte Jamal leise gesagt. Das war jetzt wieder genau einer dieser Momente, wo man aufpassen mußte, um nichts Falsches zu sagen, um die zerbrechliche Komplizenschaft zwischen ihnen nicht zu zerstören. Und so hatten sie weiter für den großen Auftritt geprobt und einträchtig rezitiert: »Herr: es ist Zeit. Der Sommer war sehr groß ...«

Jamal sah nach draußen. Er hatte die Fensterscheiben, so wie es die Wohnungsverwaltung gefordert hatte, geputzt, bis auch die letzten Schlieren verschwunden waren. Die Bäume vor dem Fenster trugen schon die ersten Blätter, der Frühling kündigte sich dieses Jahr zeitiger als sonst an. Auf dem Fußweg sah Jamal ein paar Leute, sonnensüchtige deutsche Passanten, die ihre schweren Wintermäntel gegen beigefarbene Blousons getauscht hatten. Weniger mürrisch als sonst hielten sie ihre Gesichter den ersten zaghaften Sonnenstrahlen entgegen.

Jamal grinste. Spätestens in ein paar Tagen würden sie die Arztpraxen der Stadt füllen, niesend, hustend, und unter lautstarken Klagen die Zeitungen befingern, die in den Wartezimmern auslagen. Wieder mußte er auf das Telefon starren. Bis jetzt hatte er es nicht fertiggebracht, die Leitung sperren zu lassen und seine Nummer abzumelden. Falls Katja doch noch ... Blödsinn, seit Wochen hatte er nichts mehr von ihr gehört. Seit dem Tag, an dem er – meine Güte, was war er für ein Idiot! – alles verpatzt hatte. Wieviel Zeit blieb ihm noch? In drei Wochen lief die Aufenthaltsgenehmigung ab, und zwar endgültig.

Keine Aussicht auf Verlängerung, die Konditionen waren klar von Anfang an, weshalb also beklagen sich Monsieur? Wenn jeder Student nach Abschluß seines Studiums hier bei uns bleiben wollte, ach Gottchen, wo kämen wir da hin. Beirut, sagten Sie *Beirut*? Na, wenigstens nicht Belfast. Haha, der war gut, oder? Sehen Sie, bei Ihnen ist wenigstens der Krieg schon zu Ende, dort haben Sie Ihre Familie und dann die Sonne und das Meer – Monsieur, Sie sind ein Glückspilz!

Der Glückspilz lächelte. Zumindest solche Kommentare würde er in Zukunft nicht mehr hören müssen. Die Beamten auf dem Flughafen Schönefeld, daran zweifelte er nicht, würden seine Aufenthaltsgenehmigung ohne weitere Bemerkungen entgegennehmen. Vielleicht würden sie ihm sogar, während sie das Dokument auf ewig zwischen anderen Papieren verschwinden ließen, einen guten Flug und eine fröhliche Heimkehr wünschen. Junger libanesischer Student kehrt zurück, was war schon dabei? Und seine feuchten Augen auf einmal, hatte der Typ etwa Flugangst?

Jamal zwang sich, an etwas anderes zu denken. Immerhin ging er drei Wochen vor der Zeit. Er war nicht verpflichtet, morgen schon die S-Bahn zum Flughafen zu nehmen. Die Miete war bis Monatsende bezahlt, und jeder Tag bis dahin würde noch ihm gehören, Hunderte von Stunden, in denen er wie alle anderen frei durch seine Stadt, durch Berlin laufen könnte. Es ist meine eigene Entscheidung, sagte er sich. Im gleichen Moment wußte er, daß er sich belog. Ob heute oder erst in ein paar Tagen: Als ob dies etwas ändern würde.

Und trotzdem: Drei Wochen, in denen man den genauen Hochzeitstermin erfahren hätte, sämtliche Geld- und Steuerangelegenheiten regeln könnte, legal und ohne jede Eile … Jamal, vergiß es. Sieh dich in deinem Zimmer um und halte dich an den Dingen fest, die du nie wieder sehen wirst. Sie erzählen deine Geschichte.

Die Turnschuhe

ES IST ZEIT«, HATTE ONKEL ZIYAD GESAGT UND NERVÖS auf seine Rolex gesehen.

»In fünf Minuten bist du fort.«

Jamal hatte in ihrem gemeinsamen Zimmer auf dem Teppichboden gekniet und sich die Turnschuhe zugebunden. Es waren kantige Exemplare aus gräulichem Segeltuchstoff, die er haßte. Keine Nikes, mit denen man vom Boden hochschnellen konnte, als habe man Sprungfedern unter den Füßen, und auch keine abgepolsterten Adidas-Schuhe, die nur darauf zu warten schienen, daß man in sie hineinschlüpfte, damit sie einen über die asphaltierten Straßen der Stadt trugen, mühelos und schwebend.

Statt dessen diese verdammten Latschen, die ihm der Onkel wenige Tage nach seiner Ankunft triumphierend aus einer der Ramschkisten am Ku'damm herausgefischt und mit großer Geste überreicht hatte.

»Damit der Sohn meiner Schwester in der Fremde laufen lernt.«

Von wegen, alter Schwätzer.

Die Sohlen waren dünn wie Fladenbrot und jeder Schritt, den er tat, ein Martyrium. Jamal wunderte sich, daß seine Füße noch nicht geschwollen waren vom vielen Herumlaufen in der Stadt, zu dem ihn sein Onkel in Abständen, die immer kürzer wurden, drängte.

»Bist du bald fertig?«

»Wenn ich richtige Schnürsenkel statt dieser Ziegenstricke hätte, ginge es bestimmt schneller.«

Jamal erhob sich und rieb seine Finger. Sein Gesicht war gerötet, eine schwarze Haarlocke klebte an der schwitzenden Stirn. Wieder fühlte er diese Mischung aus Verlegenheit und Wut in sich aufsteigen, die ihn jedesmal völlig fertigmachte. Aber auch diesmal keine Chance, der lächelnden Überlegenheit von Onkel Ziyad etwas entgegenzusetzen.

»Du bist ihm zu Dank verpflichtet«, flötete seine Mutter jedesmal, wenn sie spätabends aus Beirut anrief und über Tausende von Kilometern hinweg nichts hörte als ein Rauschen und das verletzte Schweigen ihres Sohnes. »Dein Onkel hat dich in der fremden Stadt aufgenommen, sogar sein Zimmer teilt er mit dir. Du wirst dich doch gut benehmen; Jamal, hörst du mir zu? Ich weiß, es ist schwer in der Fremde, aber deine Familie ist doch immer...«

Jamal schwieg. Vielleicht sollte ich einmal eine Liste anlegen, dachte er, auf der ich festhalte, wieviele Male sie *fremde Stadt, Fremde, deine Familie* und *gut benehmen* sagen, wenn sie mit mir sprechen.

Er teilt sogar sein Zimmer mit dir. Na toll, aber wenn der Onkel ficken will – und das will er fast jeden Tag, und zwar mit ständig wechselnden Frauen, *ungläubigen* Frauen, dann mußte sein Neffe raus aus dem Zimmer, dann muß er mit Ausschußware an den Füßen bis Mitternacht durch die Stadt trotten, denn selbstverständlich sind U-Bahn und Bus zu teuer; *wir sind doch keine Ölscheichs.*

»Und wie lange diesmal?« fragte Jamal und versuchte, seine Schultern zu straffen.

»Sagen wir zehn Uhr, mein Freund«, schlug Ziyad vor und wedelte kurz mit seiner beringten Hand, als signalisiere er einen Kompromiß.

»Aber es ist erst Nachmittag.«

»Zehn Uhr, sagt dein Onkel.«

Die Stimme war um eine Nuance schärfer geworden. Aber Ziyad lächelte noch immer und sah Jamal, wie er da mürrisch wie ein Kind neben der Tür stand, belustigt an.

»Du bist gerade mal zwanzig«, hatte er ihm kürzlich bei einer ähnlichen Gelegenheit erklärt. »Glaubst du, daß ich es in diesem Alter anders besorgt bekam als durch meine beiden Hände? Obwohl...« Hier hatte der Onkel rätselhaft gelächelt und sich in irgendeine amouröse Erinnerung versenkt, die er allerdings eifersüchtig für sich behielt.

Wieder einer seiner Bluffs, hatte Jamal gedacht, um Überlegenheit zu demonstrieren.

Früher, als Kind im Libanon, hatte er Ziyad bewundert, wenn er in der Wohnung der Familie herumstolziert war, mit mehreren Orangen gleichzeitig jonglierte oder am Balkongitter Armbeugen vollführte. Manchmal hatte er dem jungen Neffen sogar erlaubt, seinen Bizeps zu fühlen und ihm danach in seiner nachlässigen Art über den Kopf gestrichen. Damals hatte Jamal das Gefühl gehabt, an der Vitalität des Onkels teilzuhaben und durch einen geheimnisvollen Stromstoß zu einem Wesen aufgeladen zu werden, das genau weiß, was es kann und will.

Inzwischen war seine Begeisterung gründlich gewichen. Schon mit ansehen zu müssen, wie der Onkel, ein fünfunddreißigjähriger Macho, jetzt in diesen lächerlich enganliegenden Jeans auf dem Bett thronte, das er in Erwartung deutschen Damenbesuchs mit Decken und Kissen zum exotischen Diwan umstaffiert hatte!

Und wo war die Matratze geblieben, auf der er selbst normalerweise schlief? Jamal blickte sich suchend im Zimmer um, bis er schließlich ein Stück von ihr entdeckte – verschämt in den schmalen Spalt zwischen Wand und Kleiderschrank geschoben. Sieh an, sieh an; der Onkel hatte tatsächlich nichts dem Zufall überlassen. Auf der Ablage neben dem Kühlschrank, auf dem sich sonst die zerlesenen Exemplare von *Al-Hayat* stapelten, stand nun eine Schale mit Obst und verbreitete einen süßlichen Geruch. Aus dem fleckigen Waschbecken stieg der Zitronenduft von Ziyads Rasierwasser auf, das er verschüttet haben mußte, als er sich vor dem Spiegel in Hochform brachte. Sein üppiges Haar war mit Kokosfett eingestrichen (jede Strähne in Richtung Mekka geschleimt, dachte Jamal mit hilflosem Spott), und sogar der breite Schnauzbart war peinlich genau gestutzt worden. Ein offenes weißes Hemd entblößte zur Hälfte seine behaarte Brust, über der an einem Kettchen ein silbriges, fein gehämmertes Medaillon baumelte, das die Umrisse des Libanon zeigte.

Zweifellos, bei Onkel Ziyad trafen sich die Welten. Arabische Tradition und westliche Freizügigkeit, Freitagsgebet und Wochenendfick, eine Miniaturausgabe der Al-Aqsa auf dem Nachttischschränkchen und die verzückten Körper von Ulrike, Beate & Ute zwischen den Bettlaken.

Als Dank für das Angebot, den Neffen eine Weile in seinem Zimmer in Berlin (»Er wird sehen, Moabit ist ein wunderbares Viertel!«) wohnen zu lassen, hatte sich Ziyad letzten Sommer in

Beirut, als der Familienrat über Jamals Abreise debattierte, noch mit dem gerührten Augenaufschlag von Vater, Mutter und Schwester zufriedengegeben. Jetzt aber, wo Jamal hier war, hatte er dem Onkel absolute Verschwiegenheit schwören müssen, um auch weiterhin das Privileg zu behalten, auf einer Matratze – ein libanesischer Freund hatte das gebrauchte Stück auf einem souk-ähnlichen Flohmarkt hinter dem Potsdamer Platz aufgetrieben – zu seinen Füßen nächtigen zu dürfen.

»Starr mir nicht so zwischen die Beine, das schickt sich nicht.«

Jamal hob überrascht den Kopf. Er öffnete den Mund in versuchter Abwehr, gab es aber im gleichen Moment auf, als er die dunklen Augen des Onkels spöttisch auf sich ruhen sah.

»Und mach keine Dummheiten, Habibi, solange du draußen bist. Die Stadt steckt voller Verbrecher.«

»Natürlich«, antwortete Jamal gehorsam.

Das beherrschen sie blendend, dachte er. Angst vor der Welt da draußen machen, *gib acht in der Fremde*, und dir gleichzeitig zu bedeuten, daß du störst; *Habibi, es ist Zeit*. Schnippen dich weg wie einen alten Kaugummi und lassen dich doch nicht los, ziehen dich mit Schmatzen und Schluchzen wieder zurück, herzen und kneten dich, bis du windelweich bist und reif für den großen Schoß der Familie. Scheiße!

Doch als Jamal schließlich Protest, irgendeinen Widerspruch anmelden wollte, fiel ihm wieder nichts anderes ein, als über die gehaßten Schuhe zu nörgeln.

»Verrate mir bitte, wie ich mit *diesen Sohlen* durch die Stadt laufen soll! Ich könnte gleich barfuß gehen.«

»Wahrhaftig«, entgegnete Ziyad mit ausdrucksloser Miene, »das Verlangen nach Bequemlichkeit tötet die Leidenschaft der Seele und folgt dann grinsend ihrem Leichenzug.«

»Was?«

»Das sind die Worte des Propheten Almustafa«, sagte der Onkel belehrend, »uns zur Besinnung aufgezeichnet vom großen Khalil Gibran.«

»Na, wenn das so ist ...« Jamal hatte die Türklinke schon in der Hand.

»Ja, mein Lieber, genau so ist es.«

Ziyad war auf dem Bett ein Stück nach vorn gerutscht, so daß seine nackten Füße knapp über dem Teppich hin und her baumelten. Bedeutungsvoll tippte er auf die Uhr.

Jamal quälte sich ein komplizenhaftes Lächeln ab und verließ das Zimmer.

Im Treppenhaus roch es nach Pisse und kaltem Rauch. Auf den Stufen, von denen sich das Linoleum in immer größeren Flecken löste, lag trübes Nachmittagslicht. Gelangweilt schaute er die unleserlichen Graffiti an, die irgendwer über die Briefkästen gesprüht hatte, und trat auf die Straße hinaus.

Sonntag in Moabit. *Ein wunderbares Viertel, du wirst sehen.*

Vor den geschlossenen Türen des Bolle-Supermarktes fuhren ein paar Kids auf Fahrrädern. Sie trugen verkehrt herum aufgesetzte Baseballmützen, deren herunterlappende Schilder ihre Nacken bedeckten. Mit hellen, aggressiven Stimmen riefen sie in den ereignislosen Tag hinein. Jamal konnte sehen, wie sie keuchend ihre Räder hochrissen, bis sie auf gleiche Höhe mit den quadratischen weißen Zetteln kamen, die an der roten Backsteinmauer des Supermarktes klebten. Werbung für die Sonderangebote des gestrigen Tages.

Auch aus den Spielsalons und Billardkneipen – was bedeutete wohl dieses seltsame DART-Schild an jeder Tür, Werbung für eine Partei? – drangen Geräusche. Jamal konnte sie inzwischen ganz gut einordnen. Kugeln, die über rissigem grünem Velour dumpf aufeinanderprallten, unsinnig fiepende Melodien, die von einem Automaten im Rhythmus einer Reihe rot aufleuchtender Punkte freigesetzt wurden und manchmal Geld ankündigten – ein paar deutsche Münzen, die scheppernd in eine vom vielen Herumfingern ganz glatt gewordene Ausbuchtung fielen.

Er hatte keine Lust, da hineinzugehen. Es reizte ihn nicht, den schweren Bierdunst und den Zigarettenqualm einatmen zu müssen und auf einem dieser zerschlissenen Lederhocker anderen dabei zuzusehen, wie sie den Tag herumzubringen versuchten.

Jamal blieb auf der Straße. Er überholte ein paar türkische Familien, die hier regelmäßig ums Karree liefen; der Vater, Hände in den Taschen, vorne weg, dann die Söhne, die auch schon diesen wiegenden Ich-bin-der-Chef-Schritt probten, am Schluß der Prozession Mutter und Tochter.

Zu Hause, beim Schlendern über die Corniche, war es lebhafter zugegangen. Wenn der Wind günstig war und nicht aus Richtung Osten wehte, wo man den Strand in eine riesige Müllhalde verwandelt hatte, drang vom Meer der Duft frischen Salzwassers in die Nase, vermischte sich mit dem Geruch von Falafel und dickflüssigem Traubensaft. Selbst die verschleierten Frauen aus dem muslimischen Stadtviertel, wo auch er herkam, bewegten sich frei und ungezwungen. Manche hatte Jamal sogar Zigaretten rauchen sehen. Es war, als wollten sie den überall herumpatroullierenden syrischen Soldaten mitsamt deren Anhang, nervenden Händlern, die immer die gleichen schadhaften Madonna- und Springsteen-Kassetten feilboten, deutlich zeigen, daß mit ihnen zu rechnen sein würde, daß *sie* es waren, denen das Land gehörte.

Hier in Berlin aber gab es weder Promenaden noch Pinien oder gar eine frische Meeresbrise; nur diese türkischen Familien, die entlang der alten Hausfassaden ihre Runden zogen; in völligem Schweigen oder sich halblaut mit Worten verständigend, die Jamal nicht verstand.

Manchmal passierte es, daß ihm einer der Familienväter bedächtig zunickte. Jamal nickte dann bedächtig zurück. Beide schienen sich so zu bestätigen, daß der Weg, den sie gerade gingen, nicht ziellos sei, daß sie sich auskannten und alles unter Kontrolle hatten – sogar jetzt, an diesem öden Sonntag inmitten der fremden Stadt Berlin.

In den Straßencafés – eigentlich waren es eher Ansammlungen von Tischen und Stühlen aus billigem Plastik, die man zwischen Hauswand und Bordstein aufs Trottoir gestellt hatte – sah Jamal immer nur deutsche Männer. In den ersten Tagen seines Hierseins hatte er sie noch neugierig gemustert. Jetzt genügte ihm ein kurzer, prüfender Blick auf ihre immensen Bäuche, die sich unter Hemden und Pullovern zu Wülsten formten; den Rest konnte man sich sparen.

War es Ulrike, Beate & Ute zu verdenken, daß sie von diesen Fettpaketen ohne Manieren längst keine Befriedigung mehr erwarteten, sondern lieber den Aufstieg in das dritte Stockwerk eines graffittibesprühten Neubaus wagten, um dort in Ziyads Zimmer bisher ungeahnte Wonnen zu genießen? Man durfte ihnen keinen Vorwurf machen.

Aber hätten sie nicht nebenbei ein bißchen Geld für ein paar anständige Turnschuhe locker machen können? Schließlich war es Jamals Abwesenheit, der sie ihre nahöstlich multiplen Orgasmen verdankten. Wahrscheinlich wußten sie nicht einmal etwas von seiner Existenz. Es war Onkel Ziyad zuzutrauen, daß er seinen Neffen mit der gleichen Geschwindigkeit verleugnete, wie er dessen Schlafmatratze hinter dem Schrank versteckt hatte.

Während Jamal die Straße hinunterschlenderte, hielt er Ausschau nach einer von jenen Frauen, die gewöhnlich für einen streckbanklangen Nachmittag seinen Onkel besuchten. Die Straße war wie leergefegt. Nirgends eine blonde Dame, die sich immer wieder nervös an die Schulter greift, um am Riemen ihrer Handtasche herumzunesteln oder sich mit dezent lila lackierten Fingernägeln über ihre unauffällig hellrot geschminkten Lippen streicht. Keine Tussi weit und breit, dachte Jamal. Mußten die etwa jetzt auch sonntags in ihren Frisörläden schuften, oder hatte ihn, er biß bei diesem Gedanken die Zähne vor Wut zusammen, Ziyad einfach nur verarscht?

Vielleicht kam der Besuch diesmal aus der Gegenrichtung und trug Birkenstocksandalen, um nicht aufzufallen. Das Klippklapp der halbhohen, mit schwarzen Lederfransen verzierten Damenstiefel – Fickmich-Stiefel hießen sie in Jamals Privatsprache – hätte er jedenfalls über Hunderte von Metern gehört.

Jamal gab die Suche auf. Er bog in eine Querstraße ein, die zur U-Bahn-Station in der Birkenstraße führte. Und da sah er die Omas wieder. Natürlich, die Omas!

Ein Wunder, daß sie erst jetzt seinen Weg kreuzten. Tatsächlich waren sie es, die unter der Berliner Bevölkerung die Mehrheit zu stellen schienen, klapprige, stets mißtrauisch um sich blickende Alte, die mit ihren Hunden wortlos durch die Straßen und Parks der Stadt zogen, eine *Dog-Parade*, bei der es statt Technoklängen nur Darmblähungen und Gekläff zu hören gab. Und wie die Köter an den Leinen zerrten! Fast mußte man fürchten, daß dadurch die Arme ihrer Besitzerinnen noch dünner und knotiger würden.

Jamal erinnerte sich, was Yousuf einmal darüber gesagt hatte.

»Diese deutschen Hunde sind ein Ersatz, denn die Ehemänner sind als Hitler-Soldaten im Krieg verreckt. Seitdem lassen es sich die Oma-Witwen von Hundeschnauzen besorgen.« Jamal hatte Yousuf ungläubig und erschrocken angesehen, aber der riß nur die Augen weit auf und grinste ihn an: Wenn ich's dir doch schwöre!

In solchen Momenten der Überrumplung war Jamal nahe daran, all seine Schüchternheit zu vergessen und Yousufs lachendes Gesicht zu berühren. Nun, vielleicht nicht gleich das Gesicht, aber sein Kraushaar schon und die Hände sowieso, denn das taten auch die anderen von ihrem Deutschkurs im Goethe-Institut, da hätte er ein Alibi gehabt. *Yousuf, Hände hoch!* Handteller, Handrücken, ein einziges Kreisen und Drehen. Schneller als seine Mutter daheim die Omeletts in der Pfanne gewendet hatte, vor allem kontrastreicher. Das war ja unglaublich: schwarz, weiß, weiß, schwarz, weiß, schwarz. Und das Rosa der Fingerkuppen. Und Yousufs Augen. Und die weißen Zähne, die sich öffneten, um irgendwelche Worte herauszulassen, die bei Jamal regelmäßig Lachkrämpfe auslösten.

Wenn sie zusammen durch die Stadt gezogen waren, hatte er sich nicht mehr allein gefühlt. Die Blicke, die sie beide auf sich zogen, machten ihn stolz. Endlich wahrgenommen werden, kein Neffe mehr sein, kein Schwesternsohn, keine Nummer beim Ausländeramt, sondern einfach ein Typ mit hellbraunem Blouson (und, aber was sollte man tun, ziemlich beschissenen Turnschuhen), der mit seinem Kumpel, einem wahnsinnig gutaussehenden Neger in Jeans und knallgelbem Gewand, an irgendeiner Station in die U-Bahn tänzelt, immer wachsam nach Kontrolleuren Ausschau hält und dann am Zoo wieder aus dem Wagen springt, um oben bei McDonald's dieses gigantische Eis mit Karamelsoße zu schlürfen.

»Und hör auf, mich Neger zu nennen.«

»Okay, Afrikaner«, lenkte Jamal ein.

»Hey man.« Yousuf kniff die Augen zusammen, hielt den Kopf schief und wuchtete sich einen imaginären Ghettoblaster auf die Schulter. Er bog seinen Oberkörper vor und zurück, so daß sich der Stoff seines Kaftans bauschte.

»Meine Mom kommt aus Brooklyn«, knurrte er und hörte nicht auf, sich vor Jamal in einem Rhythmus, den nur er allein im Ohr hatte, hin und her zu wiegen. »Fällt dir nichts Beßres ein?« Jamal überlegte. Dann fragte er, vorsichtig geworden: »Vielleicht Senegalist?«

»Oh my God et Mon Dieu, hör dir's an. Senegalist, sagt er. Er sagt's wirklich! What for a name, what for a shame.«

Ohne auf die vorbeieilenden Passanten zu achten, die ihnen schon verwunderte Blicke zuwarfen, setzte Yousuf seine Show fort, die Hände noch immer theatralisch einen halben Meter über der Schulter, um seine Dröhnmaschine festzuhalten. Ohne Zweifel, er hatte den Dreh raus.

»Senegalese, du Armleuchter!«

»Heiße Jamal«, sagte Jamal trotzig. Normalerweise war *er* es, der Yousuf Deutsch beizubringen hatte. Manchmal mußte er sogar in den verschütteten Resten seiner Französischkenntnisse aus der Schulzeit kramen, um es Yousuf leichter zu machen, sich im Irrgarten der deutschen Grammatik zurechtzufinden. Da sie aber immer erst ein paar Minuten vor Kursbeginn an die Korrektur der Hausaufgaben dachten, blieb ihnen nie genug Zeit, den Code für all die Konjugationen und Deklinationen endgültig zu knacken. Ich mich, dessen wessen, deiner feiner.

»Gut. Und ich bin Yousuf – vastehste? Mich nicht machen wollen zu blöde Fremdling, nix noch mal sage Nigger.«

Yousuf kehrte blitzschnell in seine normale Ausgangsstellung zurück und strich sich den Kaftan glatt.

»Danke für die Show«, sagte Jamal.

»War mehr als nur 'ne Show«, sagte Yousuf leise.

»Weiß ich doch.«

Jamal sah Yousufs Lächeln, faßte ihn an den Schultern und wollte schon irgendeine Entschuldigung stammeln, als er plötzlich nach vorn gezogen wurde.

Yousuf umarmte ihn, und Jamal spürte für einen kurzen, erregenden Moment die zwei harten Brustwarzen, die sich unter dem gelben Kaftanstoff abzeichneten.

Um nicht vor Freude heulen zu müssen, begann er herumzuschniefen.

»Nimmste etwa Cool water, Alter?« fragte er und strich wie absichtslos über Yousufs Hals.

»Azarro«, antwortete Yousuf und drehte wie absichtslos seinen Hals ein wenig zur Seite.

Dann waren sie zu McDonald's Eis essen gegangen.

Jamal sah auf die Uhr. Es war noch nicht einmal eine halbe Stunde vergangen. Er stieg nicht in die U-Bahn hinunter, sondern beschloß, in Richtung Hansaplatz zu laufen. Vielleicht könnte er danach noch ein bißchen im Tiergarten herumschlendern, um sich die Zeit zu vertreiben. Schmerzhaft spürte er seine Zehen, eng aneinandergedrückt, als hätte man sie in eine Sardinenbüchse gestopft. Er verfluchte seinen Onkel ein weiteres Mal.

Zu dumm nur, daß er das jetzt allein tun mußte; Yousuf war

ein so verdammt guter Zuhörer gewesen. Tolle Arbeitsteilung, dachte Jamal. Ich jammere ihm regelmäßig von Ziyad und diesem beschissenen kleinen Zimmer vor, und Yousuf versucht genauso regelmäßig, mir Mut zu machen.

Er erzählte ihm von der Wohnung in Beirut, den Geschäftssorgen des Vaters, dem Gequengel der jüngeren Geschwister, der Hoffnung, da herauszukommen und der Situation jetzt, wo er sich erneut als Gefangener fühlen mußte.

Aber Yousuf hatte ihn auf andere Gedanken gebracht. Es genügte, daß er von den Schiffen zu erzählen begann, die im Hafen von Dakar ankerten oder die Jogger beschrieb, die im ersten Morgenlicht mit ihrem Walkman in den Ohren über die Brooklyn Bridge hinüber nach Manhattan trabten.

»Das muß Spaß machen«, sagte Jamal. »Zumindest dann, wenn man gute Schuhe hat.«

Yousuf hatte darauf nichts geantwortet. Wahrscheinlich mit Recht. Es ging ja gar nicht um die Turnschuhe. Obwohl ihm Yousuf natürlich spielend richtige Nikes hätte verschaffen können – er besaß in Schöneberg ein eigenes Zimmer, und seine geschiedenen Eltern ließen ihm aus zwei verschiedenen Erdteilen reichlich Geldüberweisungen und Freßpakete zukommen. *Das* war nicht das Problem. Auch wenn sie zusammen weggingen, etwa in dieses Afrika-Restaurant mit den ockerfarben gestrichenen Wänden, irgendwo in einer Seitenstraße hinter dem Hermannplatz, um Pfefferhühner, Yams und Maniok in sich hineinzustopfen, war es am Ende immer Yousuf, der anstandslos die Rechnung beglich. Ohne Kommentar. Aber von neuen Turnschuhen war nie die Rede.

Vielleicht hielt Yousuf die dauernden Klagen über die alten, kneifenden Latschen auch nur für ein Alibi, für ein bequemes Schimpfen über Offensichtliches, das verhinderte, dem wirklich Entscheidenden ins Auge zu sehen.

Und was war *das wirklich Entscheidende*, bitte? Jamal mußte nie lange überlegen, um die Antwort zu finden, auch wenn sie heiße Wellen von Scham in ihm hochpumpte. Seine Abhängigkeit von Ziyad war das Problem, seine Minderwertigkeitskomplexe, das feige Einverständnis, daß der Onkel sein Geld verwaltete, seine Briefe und Schrankfächer öffnete und ihn stundenlang wie ein unartiges Kind auf die Straße schicken konnte ... Was waren dagegen schon irgendwelche piefigen Turnschuhe?

»Und bring in Zukunft keine Nigger mehr hierher«, hatte Ziyad ganz beiläufig eines Abends gesagt, während er *Al-Hayat* durchblätterte.

Am Nachmittag des gleichen Tages war Jamal mit Yousuf nach Hause gekommen, um gemeinsam deutsche Grammatik zu lernen. Unerwarteterweise war der Onkel auch schon da, der ihnen, den unverschämten, unerwünschten Eindringlingen, feindselige Blicke zuwarf. Nach ein paar Minuten aggressiven Schweigens, das auch durch das Murmeln harmloser Dativdeklinationen nicht aufgelockert werden konnte, hatten sie aufgegeben. Sie packten ihre Bücher und verließen mit gesenkten Köpfen das Zimmer. Yousuf wollte etwas sagen, aber Jamal winkte resigniert ab. Es hatte keinen Sinn.

In dem kleinen Park an der Ecke zwischen Bremer- und Wiclef-straße setzten sie sich schweigend auf eine Bank und blätterten unlustig in ihren Büchern. Hier hockten normalerweise die etwas bessergestellten Alkoholiker, die es sich leisten konnten, ihr Bier bei Edeka schräg gegenüber einzukaufen. Aber an diesem Tag fehlten sie ebenso wie die Berliner Damen mit den Hündchen. Jamal und Yousuf unternahmen noch ein paar Versuche, ihre Übungen fortzusetzen, doch die Lust an der Grammatik war ihnen gründlich vergangen.

Als Jamal dann abends zurückkam, hatte ihn sein Onkel mit diesem Satz empfangen. *Und bring in Zukunft keine Nigger mehr hierher.*

»Aus welchem Dschungel kommt der überhaupt?«

»Aus dem Senegal«, sagte Jamal ärgerlich. »Und seine Mutter kommt aus New York.«

»Saubere Mischung.« Der Onkel zog abschätzig die Mund-winkel herab.

»Außerdem ist Yousuf Moslem.«

»Das behaupten die Nigger alle«, sagte Ziyad und vertiefte sich wieder in seine Zeitung.

»Michael Jackson behauptet das nicht«, entgegnete Jamal und freute sich schon, Ziyad schachmatt gesetzt zu haben.

»Michael Jackson ist 'ne Tunte«, murmelte Ziyad mit einem provozierenden Grinsen. In diesem Augenblick hätte ihn Jamal erschlagen können. Was nichts daran änderte, daß auch dieses Gespräch wieder zugunsten seines Onkels ausgegangen war.

Jamal hatte nichts mehr darauf geantwortet und sprach auch

später mit Yousuf nie darüber. Es war dieses unerklärliche Gefühl, versagt zu haben.

Am meisten aber beunruhigte ihn, daß Ziyad das Wort Tunte, *Schaz*, benutzt hatte. Sollte das eine Anspielung sein? Es klang häßlich und verletzend.

Einer der gefickt wird, *Schaz*. Oder *Manyouk*, Stricher, Schlampe. Es gab im Arabischen keine anderen Worte dafür. Worte wofür?

Dafür, daß Jamal jeden Morgen, ehe er zum Goethe-Institut ging, eine Unmenge Zeit vor dem Spiegel verbrachte und sein widerspenstiges Haar mit Ziyads Gel – immer nur zwei Fingerspitzen voll, dann würde der Onkel nichts bemerken – in Form zu bringen versuchte? Dafür, daß er sich einen Dreitagebart stehen ließ und vor jedem Ausgehen verschiedene T-Shirts durchprobierte, bis er sich für ein körperbetontes Teil mit V-Ausschnitt entschied, daß ihm seine Mutter damals in der Hamra Street gekauft hatte?

War es das, wofür es nur bösartige Worte gab, die wie Messerspitzen unter die Haut fuhren? Aber was war so schlimm daran, wenn er sich vor dem Spiegel hin und her drehte, um beruhigt zu sein, daß er noch keinen Bauchansatz sah, und in leichte Panik zu geraten, wenn er bemerkte, daß seine Schultern nach wie vor nach vorn sackten wie bei einem Schlottergreis?

Übrigens war der Spiegel neben dem Waschbecken gar nicht schlecht. Er zeigte Jamals Körper nur bis zu den Knien und brach dann die Observierung gnädig ab, das heißt, er blieb blicklos in seinem breiten Holzrahmen hocken, der mit einer Unmenge von Rhomben und verschlungenen Ornamenten besetzt war. Guter Spiegel, zeig mir nie die Segeltuchschuhe. Deren Gummirand war inzwischen vom vielen Herumlaufen schmutzig und rissig geworden und drohte immer wieder, zumindest bildete Jamal sich das ein, seine äußere Erscheinung zu stören und sie herunterzuziehen auf ein Niveau, wo ein kleiner Neffe seinem großen Onkel ewiglich zur Dankbarkeit verpflichtet war.

Warum nur war Yousuf nicht mehr da? Jamal steckte die Hände in die Taschen seiner Jeans, um zu vermeiden, wieder auf die Uhr sehen zu müssen. Was schnell vorbeigehen soll, dachte er, dehnt sich wie ein ausgeleierter Schnippgummi, aber das, was zur Ab-

24

wechslung einmal dauern könnte, rinnt dir noch im gleichen Augenblick durch die Finger. Und sein Freund Yousuf war nicht mehr da.

Guck mal, der Araber und der Schwarze.

Asien hatte sich anfangs vor Erstaunen gar nicht mehr einkriegen können. Die Studenten aus Indonesien, China und Malaysia, die während der Deutschkurse die hintersten Bankreihen bevölkerten, waren verblüfft gewesen. So eine Freundschaft hatten sie nicht für möglich gehalten.

Ein Libanese, bei dem man nie wußte, ob sein ernstes Gesicht Arroganz oder Schüchternheit ausdrückte, und ein Schwarzer, der über seinen – sie preßten kichernd die Hände vor den Mund – *schwarzen* Calvin-Klein-Jeans einen knallgelben Kaftan mit Drachenmuster trug und die Angewohnheit hatte, ziemlich unverschämt blonden Frauen hinterherzupfeifen; wie konnten sich die beiden so gut verstehen?

Wahrscheinlich hatten Schwarze in ihrer Vorstellung nur als kopfhängerische, in Ketten aneinandergeschmiedete Sklaven existiert, auf deren schweißnassen Rücken die Peitschen von dickbäuchigen Menschenhändlern aus Arabien herabsausten.

»Das ist ihr Problem. Sollen lieber ihre süßsauren Suppen löffeln und aufhören, dämlich zu grinsen«, hatte Yousuf genervt gesagt, als ihn Jamal einmal auf die nicht allzu fröhliche arabisch-afrikanische Vergangenheit angesprochen hatte. »Das ist vorbei. Nur die Alten geilen sich noch an diesen Geschichten auf, um uns Junge zu beherrschen – überall.«

Jamal sah ihn mit großen Augen an. Sein Adamsapfel hob und senkte sich vor Aufregung. Mann, wie der reden konnte, so gelassen, so souverän! Was für ein Glück, einen so freien Menschen zum Kumpel zu haben. Und so schön, mit ihm in der zweiten Bankreihe zu sitzen, lachend und übermütig, oder manchmal ihre beiden Gesichter auch angespannt vor Konzentration, wenn die Lehrerin wie ein Hamas-Attentäter ohne Vorwarnung ihre unregelmäßigen Verbformen in den Raum feuerte.

War es das, was ihn glücklich machte? Was wünschte er sich wirklich?

Manchmal stellte er sich vor, was passiert wäre, wenn er einfach die Hand, die starke und doch feingliedrige Hand des anderen genommen hätte, um sie an sein Gesicht zu pressen. Was wäre gewesen, hätte er sich getraut, Yousufs Lippen mit seinen

Fingern zu berühren, an den Wimpern entlangzustreichen, den Augenbrauen, der Stirn und nicht nur blöde auf die weißen Innenflächen der Hände zu glotzen, wie sie das alle, einschließlich der Kicher-Fraktion aus Asien, taten, ohne von ihm mit mehr bestraft zu werden als mit einem mitleidigen Blick?

Jamal nahm sich in acht. Solch einen Blick wollte er aus Yousufs Augen *nie* auffangen. Keine Zurückweisung, keine Irritation, keine Fremdheit. Wenn Yousuf geahnt hätte, was in Jamal vorging, wenn er ihm in absichtsloser Freude seinen Arm um die Schultern legte oder ihm mit dem Zeigefinger auf den Brustkorb tippte! Eine elektrische Aufladung, die ihn zusammenzucken ließ und nicht nur dieses Kreiseln im Magen verursachte, sondern überdies drohte, ihm peinliche Tränenflüssigkeit in die Augen schießen zu lassen. Besser, er ließ sich nichts anmerken.

»Gib auf dich acht, beherrsch dich und sei ein Mann.« Zu jedem Moment ein passender Spruch, o Weisheit jahrtausendealter Tradition.

Sein Vater hatte ihm ernst die Hand gedrückt, bevor sie sich auf dem Flughafen in Beirut ein letztes Mal umarmten und Jamal mit seinem prall gefüllten Reisekoffer über das noch von Granateneinschlägen rissige Betonfeld marschierte, um in die alte klapprige MEA-Maschine nach Berlin einzusteigen.

Der Vater konnte zufrieden sein. Jamal war ein guter Sohn.

Die Frage war nur, was er dafür bekam. Wo blieb der Lohn, der Dank für all seinen Gehorsam, für sein *Ja, Onkel* und *Aber sicher, Vater*, was erhielt er als Gegenleistung? Das Gefühl, dazuzugehören, zu einem Land, einer Familie, *zu unserer Kultur*? Aber er stieg doch kofferbepackt in ein Flugzeug, das ihn nach Berlin brachte. Aber er mußte ja immer hinunter auf die Straße, um Onkel Ziyad nicht beim Vögeln zu stören.

Gehorsam macht häßlich, dachte Jamal, und seine Blicke wanderten, er konnte das verdammt noch mal nicht ändern, hinunter zu den Turnschuhen. Bitte, das beste Beispiel: Du trägst sie geduldig und brav, um jetzt durch den ganzen Tiergarten zu latschen, die Alleen vor und zurück (und nicht in der Nähe der Siegessäule herumlungern, hatte ihn der Onkel einmal grinsend gewarnt, denn dort trieben sich die *Verbrecher* herum) und immer wieder im Kreis. Wie damals in Beirut.

»Eh, nimm den Ball an – spiel ihn rüber – kick ihn endlich weg – mach Beine oder biste 'ne Sissi.«

Der Hof, in dem sie Fußball spielten, war eng umzirkelt. Ringsherum die Mauern des Schulgebäudes, von oben das Licht der Sonne wie eine Feuergarbe. Seit die Israelis den Sportplatz in einen einzigen Bombentrichter verwandelt hatten und auf den Ruinen der früheren Umkleidehäuschen schon wieder Gras und stachlige Gewächse wucherten, fand der Turnunterricht auf dem Schulhof statt.

Jamal machte das traurig. Jetzt konnte er sich nicht mehr vorstellen, daß die Aschenbahn für die Sprinter, die das Fußball-feld umgrenzte, irgendwo hinführte, wohin die Trillerpfeife und die anfeuernden Rufe seiner Mitschüler nicht mehr drangen, daß jenseits der Pinien nicht nur das Meer leuchtete, sondern auch ein anderes Leben, in dem Freistöße, Elfmeter, Fouls und bedroh-lich auf seine Lendengegend zusausende Lederbälle nicht vorka-men. Hinter der Aschenbahn hätte vielleicht das Leben gewartet, aber auch das war mitten in diesem Bombentrichter verschwun-den.

Zwischen den Mauern sammelte sich die Hitze. Die Schreie und der Schweißgeruch der Spielwütigen wurden stärker und sein eigenes Versagen immer offenbarer. Wie sollte er das nur anstellen? Rennen und dabei den Ball zwischen den Füßen hal-ten, sich nach allen Seiten drehen, damit er die, denen er den Ball zuspielen sollte, von denen unterschied, die ihm als Gegner das runde Mistding nur wegnehmen wollten, um es in das durch zwei Ziegelsteine markierte Tor seiner Mannschaft zu schießen. Ein Idiotenspiel. Dennoch rannte Jamal, er schwitzte, er fluchte – und konnte die ganze Aufregung nie verstehen.

Sollten sie mehr Bälle austeilen, dann hätte jeder einen. Soll-ten sie ihn nicht Sissi rufen, nur weil er irgendein Zuspiel ver-geigt hatte. Sollten sie ihn doch endlich alle in Ruhe lassen.

Warum nur war Yousuf verschwunden? Ihm, dachte Jamal, ihm hätte ich das alles erzählen können. Vielleicht.

Er kniff die Augen zusammen, wie jedesmal, wenn er spürte, daß sie langsam feucht zu werden drohten. So umstandslos, wie ihre Freundschaft begonnen hatte – »Sorry, was labert die da vorn mit ihren Partizipbeugungen?« –, war sie auch zu Ende gegangen.

»Du, ich hab mich verliebt.«

Die irre Hoffnung, die für den Bruchteil einer Sekunde in

Jamal aufgetaucht war, hatte nicht einmal Zeit gehabt, in seinen Kopf zu wandern und dort zu einem Gedanken zu werden.

»Sie heißt Silvia, und sie hat ...« Yousuf erzählte schnell, vielleicht zu schnell, er sprudelte förmlich über, und so blieb Jamal nur dieses Gefühl, das irgendwo zwischen Herz und Magen hockte und die widersprüchlichsten Signale sendete.

»Eine Deutsche?« fragte er höflichkeitshalber, um den Lobgesang zu unterbrechen. »Ja, aber sie hat eine italienische Mutter.«

Wie Yousufs Augen glänzten!

»Wo hast du sie kennengelernt?« Vielleicht merkt er, dachte Jamal, wie gepreßt meine Stimme klingt. Fehlanzeige, denn Yousuf antwortete mit dem strahlendsten Gesicht der Welt: »Im Mandingo. Erinnerst du dich an den Club, wo sie freitags immer Reggae und Makassa spielen? Silvia war mit ein paar Freundinnen da, und dann ...«

Und dann will ich gar nicht wissen, dachte Jamal und sah in Yousufs vor Begeisterung weit aufgerissene Augen. »Erinnere mich nur nicht daran. Ich hasse dieses Bob-Marley-Getue.«

Es war Yousufs Idee gewesen, Jamal mit in diesen Club am Mehringdamm zu schleifen. *Keine* tolle Idee. Dröhnende Musik, bekiffte schwarze Studenten im Rasta-Look oder irgendwelche schnieken afrikanischen Diplomatensöhne, die die gleiche Rolex wie Onkel Ziyad trugen und wahrscheinlich auch auf genau den gleichen Frauentyp abfuhren. Entsprechend zahlreich waren die Blondinen – Naturhaar oder gefärbt, Jamal konnte es nicht unterscheiden –, die hier in jeder Alters- und Aussehenskombination herumsaßen und lässig an ihren Piña Coladas nippten.

»Ganz wie draußen die Omas mit ihren Hunden, oder?«

»Was?« Yousuf hatte die Hand hinter sein linkes Ohr gelegt, denn natürlich bekam man inmitten all dieser *I shot the Sheriff*-Kacke, die sogar die Gehäuse der Lautsprecher zum Zittern brachte, nicht das geringste Wort mehr mit. Schon gar nicht die Bemerkung eines Freundes, der langsam begriff, daß diese Art von Humor heute abend nicht gefragt war.

»Was hast du gesagt?« fragte Yousuf noch einmal.

»Nichts«, antwortete Jamal.

Das hier war für ihn fremdes Territorium, definitiv. Die Musik, die Tanzbewegungen und die dauernden Peace-Zeichen mit den Fingern, die die Blondinen auf unerklärliche Weise anzulocken schien; all das bereitete Jamal Unbehagen, fast Angst. Zeit, daß er abhaute.

»Ich glaube, ich gehe jetzt besser«, schrie er in Yousufs Ohr und versuchte verkrampft, gelangweilt auszusehen.

»Wirklich? Wir sind gerade mal vor 'ner Stunde gekommen. Schon müde?«

Yousufs Versuch, Jamal zum Bleiben zu ermuntern, war halbherzig; bestenfalls. Noch während er redete, schaute er sich weiter nach den Frauen um, blinzelte nach rechts, machte eine Handbewegung nach links. Und keine einzige der Gesten war für Jamal bestimmt.

Is this love, is this love, what I'm feeling? O Gott, nur nicht das!

Yousuf nickte ihm flüchtig zu und bewegte sich in Richtung Tanzfläche. Sanft und gierig wie ein Panther, dachte Jamal. Und Yousuf tanzte. Sein Körper wiegte sich im Rhythmus der Musik, die Augen halb geschlossen, die Arme in imaginärer Umarmung weit ausgestreckt. Das gilt nicht mir, sagte sich Jamal. Das galt *nie* mir.

Gib auf dich acht, beherrsch dich und sei ein Mann. Danke, Vater.

Er ging auf Yousuf zu, berührte ihn an der Schulter und verabschiedete sich wortlos. Er war noch nicht zur Tür hinaus, als sie plötzlich alle zu singen begannen. Schöne Stimmen, dunkle Stimmen, heiseres Gekrächz, aber alle im Chor zu den gleichen Worten. *No Woman no cry.* Das gab ihm den Rest, das hatte noch gefehlt, um das Fiasko vollständig zu machen. Als er mit eng zugekniffenen Augen ins Freie stürzte, sah ihm der Türsteher verwundert nach.

Drüben vom Kreuzberg wehten die Musikfetzen irgendeines Open-Air-Konzertes herüber. Heute schien sich die ganze Stadt zu amüsieren; *Get up stand up.* Jamal hockte sich auf den Bürgersteig neben der Fahrbahn und versuchte erfolglos, an nichts mehr zu denken. Dabei gelang es ihm nicht einmal, seine Tränen zurückzuhalten.

Als Yousuf ihm dann Tage später erzählte, daß er Silvia genau an diesem Abend im Mandingo kennengelernt hatte, war Jamal auf zerknirschte Weise fast beruhigt. Nur gut, daß er das wegen seines überstürzten Aufbruchs nicht mehr mitbekommen hatte.

»Eine Blonde?« fragte er lächelnd.

Yousuf schüttelte den Kopf. »Silvia ist schwarzhaarig.«

»Und – ist sie geil?« In dem Moment, als Jamal das fragte, bereute er es schon. Das war nicht der Ton, in dem sie bisher miteinander gesprochen hatten, ganz sicher nicht. Das war Anmaßung und Verachtung, und insgeheim hoffte er, daß Yousuf ihm Vorwürfe machen würde. Doch alles, was er erntete, war nur ein mildes Lächeln.

»Silvia ist wunderbar«, antwortete Yousuf leise. Jamal zuckte unmerklich zusammen. Die Information war klar: *Sie* war nicht irgendwer, sondern Silvia. Außerdem war sie nicht geil, sondern wunderbar. Wunderbar! Und Jamal nicht mehr als ein Freund, ein Kumpel, der sich mit seinen dämlichen Fragen gerade ziemlich enttäuschend aufführte.

Jamal spürte, wie es knirschte. Hier war etwas dabei zu zerbrechen.

Sie standen vor der Tür des Goethe-Instituts, und auf der Kochstraße rauschte der Nachmittagsverkehr an ihnen vorbei. Wenn ich mich jetzt mit einem dahingemurmelten *Good luck* aus dem Staub mache, dachte Jamal, dann wird dieser Moment vorbeigehen, als hätte es ihn nie gegeben. Wir würden uns morgen wiedersehen, ich könnte irgendeine Entschuldigung murmeln, Yousuf schlüge mir auf die Schulter, würde mir bald sogar Silvia vorstellen, und zu dritt könnten wir abends weggehen, vielleicht ins Cinema Paris, wo alle Filme im französischen Original laufen oder – warum nicht, alles ist möglich – sogar ins Mandingo, und ich lerne, endlich Bob Marley zu mögen ...

Aber noch während dies vor seinem inneren Auge vorbeizog, wußte er, daß es nicht funktionieren konnte. Es ging weder um Bob Marley noch um Silvia. Es ging um Yousuf, und der hatte ihm bereits sein gefürchtetes Lächeln gezeigt. Es war vorbei.

»Na ja«, sagte er, und ein verzerrtes Grinsen huschte über sein Gesicht, »gratuliere. Hoffe nur, daß dir deine Silvia außer Sex auch noch deutsche Papiere verschaffen kann.«

Er wollte sich wegdrehen, aber Yousuf war schneller. Wortlos wandte er sich ab und lief davon. Auf dem Rücken seines Kaftans spie der Drache Feuer. Jamal war unfähig, sich zu rühren. Mit zusammengebissenen Zähnen blickte er Yousuf nach, bis seine Gestalt immer kleiner wurde und schließlich im Gewirr der Baustellen am Checkpoint Charlie verschwand. Er kniff hastig die Augen zusammen, aber auch diesmal war es zu spät. Tränen liefen ihm über das Gesicht, auf seinen Lippen spürte er die trostlose, salzige Flüssigkeit.

Am nächsten Morgen blieb neben ihm Yousufs Platz leer, am Tag darauf ebenfalls.

Jamal wagte nicht, ihn in seinem Zimmer in Schöneberg zu besuchen, sondern erkundigte sich so beiläufig wie möglich bei der Lehrerin ihres Kurses. Er wurde achselzuckend ans Sekretariat des Instituts verwiesen, und dort erhielt er eine seltsame Auskunft, die ihm wie eine letzte unversöhnliche Botschaft Yousufs vorkam: »Wechsel der Sprachschule aufgrund von Niveauunterschieden.«

Seitdem hatten sie sich nie wiedergesehen.

Biste 'ne Sissi, hatten die Schulkameraden in Beirut gerufen. Es wird Zeit, sagte Onkel Ziyad. Ich hab mich verliebt, erzählte Yousuf. Und alle warteten sie auf eine Reaktion. Scham, Gehorsam, gespielte Freude. Sollten sie ihn doch alle aus ihrem Gedächtnis streichen und verschwinden. Es kann auch schön sein, allein durch die Straßen der Stadt zu laufen. Was sonst sollte er denn auch tun? Sich wehren, sich erklären, oder »Einspruch!« schreien wie dieses Bubi-Face auf RTL, dessen hochdramatisches Gefasel er manchmal angeschaltet hatte, in der Hoffnung, auch einmal solche schneidenden Deutschsätze von sich geben zu können? Vergiß es.

Es wurde langsam dunkel, und Jamal mußte bis zur nächsten Laterne laufen, um noch etwas auf dem Zifferblatt seiner Uhr zu erkennen. Viertel nach neun. Hinter den Baumstämmen und Hecken des Tiergartens blitzten die Scheinwerfer der Autos auf, die die Straße des 17. Juni hinunterrasten, Motorenlärm fraß sich durch die Nacht. Dann wurde es wieder still, und das einzige Geräusch, das er noch hörte, war das Knirschen des Kieses unter seinen Schuhen.

An einer Weggabelung kam ihm eine Gruppe Radfahrer entgegen, die ihm im letzten Moment auswichen; sie bremsten kurz ab und lachten. Schnell wurden sie von der Dunkelheit verschluckt.

Im Gebüsch jenseits des Weges begann es zu rascheln.

Jamal war nicht überrascht. Er wußte Bescheid. Die hier zugange waren, suchten keinen Himmel zum Träumen, eher einen Pimmel – er freute sich über das Wortspiel, selten genug in der klobigen Sprache der Deutschen –, den es aus fremden Hosenschlitzen herauszuholen galt.

Jetzt war er also doch in Richtung Siegessäule gelaufen, dem grell angestrahlten Phallussymbol, um das noch spätnachts der Autoverkehr kreiste und, in einigem Abstand auf den Spazierwegen und hinter den Gebüschen, die Schwulen. Zumindest diejenigen von ihnen, die auf Pirschjagd im Dunkeln standen.

Verbrecher, hatte Onkel Ziyad gesagt. Die Frage war nur, wie ausgerechnet er dazu kam, sich mit solchen Dingen zu beschäftigen. Was hatte ihn angetrieben, in seiner lässigen, herablassenden Art Jamal mehrfach zu warnen?

Was für eine Fürsorge, dachte er. Sogar vor meinen eigenen Erektionen werde ich geschützt.

Nur – so funktionierte das nicht. Zumindest dieser Teil seines Körpers war nicht fremdbestimmt. Sollte er sich auch noch vorschreiben lassen, wann er 'nen Steifen haben durfte und wann nicht?

Obwohl – Jamal war stehengeblieben und entschied, hier, genau hier an dieser Stelle, umzukehren – eigentlich waren die huschenden Schatten zwischen den Parkbänken alles andere als erregend. Sich im Stehen gegenseitig einen runterholen und dabei riskieren, sich den Arsch durch Mückenstiche oder Brennesseln ruinieren zu lassen? Er konnte sich besseres vorstellen. Aber, *archouma*, wirklich auch nur *vorstellen*. Außerdem – hier sah man ja nicht einmal Gesichter. Und was ist schon ein Körper ohne Gesicht? Und auf Gesichter fuhr er nun einmal ab. *Auf Männergesichter?*

Dumme Frage. Jamal schüttelte den Kopf. Die Antwort wurde wieder einmal vertagt.

Als er nach Hause kam, war es Punkt zehn Uhr.

Er wartete noch einige Zeit im Hausflur, bis das Minutenlicht mit einem dumpfen Knacken verloschen war, dann klopfte er an die Tür. Zwar besaß er einen Zimmerschlüssel, doch der Onkel hatte ihm befohlen, zuerst zu klopfen. *Für alle Fälle.*

Es war vorgekommen, daß Jamal zu zeitig zurückgekehrt war. Aber da hatte er nicht geklopft; die Geräusche, die aus dem Zimmer drangen, waren eindeutig genug gewesen. Wenn er nichts als dieses Keuchen und Stöhnen hörte, trampelte er mißmutig durchs Treppenhaus wieder nach unten und zündete sich auf der Straße eine Zigarette an, um die Wartezeit abzukürzen. Wenn er Glück hatte, war aber schon das Rauschen des Wasserhahns zu vernehmen – Ulrike, Beate & Ute vollzogen dann ihre postkoitalen Waschungen, während höchstwahrscheinlich des Paschas Augen müde und befriedigt auf ihren nackten Körpern ruhten. In solchen Fällen dauerte es nur noch Minuten, ehe die Tür aufging und das Klappern der berühmten Stiefel ertönte; höchste Zeit für Jamal, sich zu verdrücken und ein Stockwerk höher zu steigen. Im gleichen Augenblick hörte er dann einen schmatzenden Kuß, ein gezwitschertes »Tschaui, mein Lieber« und Ziyads Standardsatz für solche Momente: »Bis bald. Du, (hier senkte der Onkel die Stimme und machte sie künstlich tiefer, als sie in Wahrheit war) du bist einzigartig, so ganz anders als andere.«

Unglaublich, aber die Masche verfing jedesmal aufs neue. Vielleicht war so etwas auch nur in einem Land möglich, dessen männliche Eingeborene in ihrer Bräsigkeit nicht einmal wußten, wie man das Wort Kompliment überhaupt buchstabiert. Kein Wunder, daß die Frauen auf den erstbesten Schwindler hereinfielen und in ein dämliches Lachen ausbrachen, anstatt diesem Arschloch von Onkel ordentlich in die Eier zu treten.

Du bist anders als andere. Und alle nicken und verschlucken sich fast vor Jubel über dieses abgedroschene Zeug.

Wahrscheinlich bin ich der einzige, dachte Jamal, der genau weiß, daß er *nicht* anders ist. Noch lange nicht. Daß er noch immer genau der ist, der er, irgendwelchen absurden Weisungen folgend, zu sein hatte. Wie wäre es wohl, dachte er, wenn er ab jetzt versuchen würde, einen anderen Jamal aus seiner Haut herauszuschälen, der – und das war das Zauberkunststück – ihm selbst viel mehr glich? Waren es nur Turnschuhe, die ihn daran hinderten?

Jamal klopfte.

»*Marhaba*, Habibi. Tritt ein und sei willkommen«, flötete Ziyads Stimme hinter der Tür.

Germanische Wochenendficks schienen die morgenländische Heiterkeit des Onkels beträchtlich zu stimulieren.

❏

Jamal nahm die Turnschuhe in die Hand und ließ sie an ihren Schnürsenkeln vor sich pendeln. Hin und her, vor und zurück.

Mit ihnen hatte alles begonnen. Nun trug er sie schon seit Jahren nicht mehr, er war aus ihnen herausgewachsen, und doch blieben sie ein Teil von ihm, ein Stück seines Lebens.

Er bedauerte es nicht. Wenigstens die Erinnerungen konnte ihm so niemand mehr nehmen. Nicht die Beamten, die bald am Check-in-Schalter in Schönefeld seine Aufenthaltserlaubnis einstecken und für immer in ihren Aktenmappen beerdigen würden, und auch nicht die Familie, die sicher schon jetzt das große Heimkehreressen vorbereitete und für die Wiedersehenszeremonie auf dem Flughafen in Beirut reichlich Tränenflüssigkeit speicherte.

Er war mit einem Koffer in der Hand weggegangen, und mit einem Koffer – genau dem gleichen – kehrte er zurück. Dazwischen aber hatte es sein Leben hier in Berlin gegeben und mit ihm all die Dinge, die damit verbunden waren.

Keine schlechte Idee, sagte sich Jamal, während er die Schuhe vor sich schaukeln ließ, diese blöden Latschen aufgehoben zu haben. Noch immer rochen sie nach Unwohlsein und Abhängigkeit, aber danach hatte er andere Gerüche kennengelernt, schwindelerregende Düfte darunter, und das nicht zu knapp.

Er war ganz ruhig. Er erwartete nichts und konnte sogar verhindern, daß seine Augen beständig in Richtung Telefon wanderten. Die Illusionen lagen hinter ihm.

Die letzte Stimme, die er seit Tagen gehört hatte, war die einer Angestellten der Wohnungsgenossenschaft gewesen. *Mietvertragsverpflichtungen*, hatte sie gesagt und von einer »besenreinen Wohnungsübergabe« gesprochen. Jamal kicherte leise.

»Machen Sie sich über mich lustig?« Die Stimme aus dem Hörer klang mißtrauisch.

»Ich? O nein, im Gegenteil, ich nehme das sehr ernst. Es ist bloß . . . Ja, wissen Sie, all diese zusammengesetzten Wortungetüme, Mietvertragsverpflichtungsinformation und so, die werden mir bald fehlen.«

»Det sind keine Wortunjetüme, sondern Klauseln!« Jetzt war die Stimme ernstlich böse geworden.

»Klauen?« fragte Jamal, den plötzlich eine seltsame Heiterkeit überkam.

»Klauseln, hab ick jesagt, Klauseln! Und ick empfehle Ihnen, sie nich zu verletzen. Könnte sonst teuer werden, Meester!«

»Aber nicht doch, wo kämen wir denn da hin.« Jamal kicherte noch immer. Die Angestellte hatte nichts mehr gesagt und ihren Hörer am anderen Ende der Leitung geräuschvoll aufgeknallt.

Und gleich neben dem Telefon lag die alte Dose.

Er hatte sie gestern beim Ausmisten seines Bettkastens wiedergefunden. Florena-Körpercreme aus irgendeinem VEB sonstwas. Ein unvergeßliches Souvenir.

Mein Gott, diese Berliner Frauen! Unglaublich, was er ihnen zu verdanken hatte.

Ihre natürliche Ruppigkeit ersetzte Tausend kostspielige Therapien, die um die Frage der sexuellen Orientierung kreisten, und machte alle schlapprigen Coming-out-Initiativen völlig überflüssig.

Eigentlich, dachte Jamal, müßte man jeden jungen Mann auf der Welt, der noch nicht weiß, zu wem er ins Bett gehört, gleich nach Berlin schicken. Direkt an die Front.

Am besten geeignet wäre vielleicht zuerst ein Besuch bei den Verkäuferinnen im Kaufhof am Alexanderplatz, vormaliges Kaufhaus des Volkes, aber auch eine U-Bahn-Fahrt auf der Linie 1 nach Kreuzberg könnte nicht schaden. Jamal dachte dabei nicht einmal an die alten Witwen der Nazi-Soldaten, eher schon an deren Töchter und Enkelinnen. Solche, die in Ostberlin zu ihrer Dauerwelle blümchengemusterte Kittelschürzen trugen und im Westteil der Stadt angeschmuddelte Jeans und Rollkragenpullover; nicht zu verachten war dort auch der Kontrast zwischen den schwarzen Trauerrändern ihrer Fingernägel und ihren Silberringen, die mit Totenköpfen in den verschiedensten Variationen verziert waren. Manchmal waren auch noch Vierbeiner im Spiel, süße massige Schäferhunde, die die Schnürstiefel ihrer Besitzerinnen mit einer Unmenge Speichel geschmeidig hielten. So ein Trip, und die ganze Sache mit den Männern und Frauen war gegessen. Auch wenn die meisten Männer hier um keinen Deut attraktiver waren. Zumindest lernte man in Berlin immer schnell, mit wem man *nicht* in Berührung kommen wollte. Welche andere Stadt auf der Welt konnte sich rühmen, ähnlich schnell für Klarheit zu sorgen?

»Machoschwein«, hatte Katja lächelnd gesagt, wenn Jamal von seinen Beobachtungen berichtete. Er hatte heftig protestiert.

»Wieso Machoschwein? Machos wollen Frauen doch nur besteigen und beherrschen. Ich würde ihnen am liebsten aber nur entkommen.«

»Sind die Berliner Männer etwa besser?« hatte Katja spöttisch gefragt.

»Um Gott's willen, das sind die häßlichsten Vögel des ganzen

Universums«, antwortete Jamal, wobei er seine Augenbrauen erschrocken hochzog. Katja hatte ihre Finger in sein schwarzes Haar vergraben und den arabischen Akzent nachgeahmt: »Uhms Godds willn. Du bist schon 'n Typ.«

»Wär lieber Ehemann.«

Jamal bereute die Worte im gleichen Moment, wie sie über seine Lippen gekommen waren. Katja hatte nichts geantwortet und sich wieder in den Kokon ihres Schweigens zurückgezogen, mitfühlend und unverbindlich. Dann hatten sie, fast wie Geschwister, Hand in Hand auf der Couch gesessen und CDs gehört.

Als es im Zimmer dunkel zu werden begann, waren sie aufgestanden und ins Kino gegangen.

Philadelphia, ausgerechnet. Eine super Idee, um auf andere Gedanken zu kommen.

Jamal überlegte. Auf welchem Weg hatte sich diese Erinnerung eingeschlichen? Die wollte er nämlich jetzt gar nicht haben, nicht in diesem Augenblick, wo er sich bemühte, wenigstens halbwegs relaxed zu sein.

Die Dose, genau. Die Dose war's.

Auch mit ihr hatte etwas begonnen, etwas wahnsinnig Wichtiges sogar. Vielleicht hatte mit all den Dingen, die sich hier stapelten und die er unmöglich in den Libanon mitschleppen konnte, etwas Wichtiges begonnen. Zu dumm, daß erst so ein Abschied kommen mußte, um das zu bemerken. Nun, wo alles zu spät war.

Stop. Jamal schlug sich mit der flachen Hand auf die Wange. Kein Gegrübel!

Er nahm die Florena-Dose zwischen seine Handteller und begann sie zu drehen. Sie war leer, aber, das wußte er genau, sie hatte es noch immer in sich; er mußte sie nur öffnen.

Auf der Spiegelfläche des Dosenbodens, der mit einem fettigen Film überzogen war, wurde sofort Kerstin Dembruschkat sichtbar, die sich lasziv auf der Wachstuchdecke ihres Hellersdorfer Küchentischs räkelte. Es schien, als läge sie seit einer Ewigkeit so da, ja, als wohnte sie in dieser Dose gleich den Mini-Prinzessinnen, die Jamal einmal im Museum gesehen hatte, Porzellanpüppchen in Rokoko-Kleidern, die sich unter der Glasglocke einer Spieluhr gelangweilt drehten, hin und her.

Lob und Preis den deutschen Frauen, einschließlich eines unvergeßlichen Mädels aus den fünf teuren Ländern!

Die Florena-Dose

DAS ZIMMER LAG IM OBERSTEN STOCK EINES STUDEN-
tenwohnheims hinter dem Wittenbergplatz. An diesem Abend
war es hier ziemlich eng geworden. Jamal zählte ungefähr zehn
Personen im Raum. Sie lungerten auf der Couch, hockten auf
kleinen Campingstühlen, lehnten an den posterverzierten Wänden oder rauchten Zigaretten und Joints draußen auf dem Balkon. Von dort hatte man eine tolle Aussicht auf die Stadt, man
konnte die beleuchtete Gedächtniskirche sehen und den silbernen Mercedes-Stern, der auf dem Dach eines Hochhauses funkel-
te. Der Lärm der Autos unten auf der Straße war hier oben nur
noch als dumpfes Rauschen zu hören; ein Geräusch, das dramatische Veränderungen anzukündigen schien und Jamal später an
diesem Abend erinnern würde. Es war ein eindeutig deutsches, ein
Berliner Geräusch, und es war stärker als die arabische Musik,
die Wassim in seinem krächzenden Kassettenrecorder angestellt
hatte.

Wassim war der einzige im Raum, den Jamal kannte.

Sie hatten sich in der Cafeteria der Technischen Universität
draußen am Ernst-Reuter-Platz kennengelernt, wo Jamal im
Auftrag des Onkels seine freien Nachmittage verbrachte. Er studierte die Vorlesungsverzeichnisse und kreuzte alle Veranstaltungen an, die etwas mit dem Beruf zu tun zu haben schienen,
den der Familienrat in Beirut für ihn festgelegt hatte: Bauingenieur.

»Der Krieg ist zu Ende, und Tausende von Häusern müssen
wieder aufgebaut werden. Wohnblocks, Hotels, Fabriken, sogar
Teile des Regierungspalastes. Das wird der richtige Beruf sein,
denn so wird er sich nie über Mangel an Arbeit beklagen können.« Onkel Ziyad hatte gesprochen, Jamals Vater stimmte wort-

reich zu, und nur die Mutter hatte leise gemurmelt, daß auch ein Arzttitel für ihren Erstgeborenen nicht schlecht gewesen wäre. Jamal wurde bei alldem nicht gefragt, so daß bereits in Beirut alles für ihn geplant gewesen war: Abreise nach Berlin, Deutsch-Kurs im Goethe-Institut, Studium für Bauingenieure, Diplom, Abreise aus Berlin.

Nur von den Wochenenden, an denen er *in* Berlin allein herumlaufen mußte, um die Diwan-Nachmittage seines Onkels nicht zu stören, hatte man nicht gesprochen. Vielleicht war es Ziyads Art gewesen, seinem Neffen etwas Gutes zu tun, indem er ihm plötzlich die Cafeteria der Technischen Universität anpries und von *all unseren Landsleuten* schwärmte, die man dort problemlos treffen könne.

»Setz dich hin, verschaff dir im Vorlesungsverzeichnis (Ziyad sprach das Wort auf deutsch aus) einen Eindruck von den Veranstaltungen, die du später besuchen wirst, trinke Kaffee und mache Bekanntschaften. Du wirst es nicht bereuen, Habibi. Unsere Jungs werden dir schon beibringen, was du in der großen Stadt wissen solltest.«

Und Jamal gehorchte. Er vertiefte sich in Kurs-Ankündigungen über die chemischen Voraussetzungen der Zementherstellung, informierte sich über Statik und Raumberechnungs-Seminare und kreuzte Praktika für Bohrtechnik an. Dazu setzte er sich auf eine der vollgeritzten Cafeteria-Bänke und schlürfte aus einem Plastikbecher durchsichtigen Kaffee.

So hatte er schließlich die Bekanntschaft mit Wassim gemacht. Sie hatten sich gegenübergesessen, und spätestens bei der Frage »Bist du neu hier?« hatte sich alles geklärt.

Wie von selbst war ein Mechanismus in Bewegung geraten, von dem Jamal ahnte, daß es der gleiche war, der vor vielen Jahren auch Onkel Ziyads Initiation in *ein arabisches Leben in der Fremde* bedeutet hatte.

Wassim reichte ihm die Hand, an der ein wuchtiges Goldkettchen klirrte. Sein Haar glänzte, wie das Onkel Ziyads, voller Gel, aber die Augen, die ihn unter den dichten Brauen musterten, erinnerten eher an Abenteuerlust als an kalten Spott.

Sofort hatten sie sich in ein lebhaftes, auf arabisch geführtes Gespräch gestürzt, von dem die um sie herumsitzenden deutschen Studenten – mürrische Nickelbrillenträger mit nachlässigem Aussehen oder Ziegenbärte im universitär abgemilderten

Raver-Look – allein die Worte *Aufenthaltserlaubnis, Wohnheim* und *TUSMA*, den Namen der studentischen Jobvermittlungsstelle, aufschnappen konnten.

Wie mochte wohl das Leben in Berlin sein, dachte Jamal, wenn Stockfremde nur deshalb so schnell miteinander ins Gespräch kamen, weil sie zufällig aus dem gleichen Land stammten? Was war mit den Einheimischen? Und was mit den anderen Fremden? Er mußte wieder an Yousuf und Silvia denken.

»Entschuldigung, was hast du eben gesagt?« fragte Jamal und riß sich aus seinen Gedanken.

»Daß du nicht sehr glücklich aussiehst.« Wassim sagte es nicht als Vorwurf, er stellte es mit einem leichten Ton des Bedauerns fest.

»Ich, ich ...« antwortete Jamal, und dies war nun tatsächlich keine sehr glückliche Entgegnung.

Wassim wiegte mit bärenartiger Langsamkeit seinen Kopf, als müßte er etwas Entscheidendes überdenken. Jamal fiel auf, daß er einen Quadratschädel hatte, der an beiden Seiten von kurzen, aber breiten Koteletten eingerahmt war. Todsicher der gleiche Macher-Typ wie Ziyad, dachte er, vielleicht jedoch die sympathischere Variante.

»Jamal, hör zu. Du kommst am Samstag einfach mal zu mir. Abends lade ich da immer Freunde ein, Landsleute von uns. Und dazu, rate mal, Habibi« – Wassim hatte kurz die Augen geschlossen, Zeige- und Mittelfinger an den Daumen gepreßt und sie mit einem genießerischen Schmatzen an seine Lippen geführt –, »deutsche Frauen, die besten *Mädels* von Berlin. Glaub mir, die sind alle auf Araber scharf, und auf die Neuzugänge ganz besonders; wart's ab!«

So hatte Jamal Kerstin Dembruschkat kennengelernt.

Sie lehnte in der Ecke zwischen der Balkontür und der mit einem verblichenen Vorkriegs-Poster der MEA bespannten Wand und unterhielt sich mit einer Freundin. Beide rauchten, beide trugen Dauerwelle.

»Ich sag dir's, Bruder«, flüsterte ihm Wassim ins Ohr, »die Ossiweiber sind die schärfsten. Völlig ausgehungert, frustriert von ihren häßlichen Mackern und immer scharf auf 'ne Exotik-Nummer. Sieh zu, daß du in die Gänge kommst.«

»Woher weißt du das alles?« fragte Jamal und ärgerte sich im gleichen Moment über die Frage. Was sollte nur aus ihm werden, wenn andere Menschen dauernd in ihm lesen konnten wie in einem offenen Buch? Wassims Hand legte sich beruhigend auf seine Schulter, Parfümgeruch und Zigarettenqualm kitzelten seine Nase.

»Weil ich sie alle schon hatte; alle, die hier herumstehen.«

»Wirklich alle?« fragte Jamal ungläubig.

»Na ja, außer der da drüben in der Ecke. Dauerwelle zwei.«

Jamal bemerkte, daß die junge Frau in diesem Moment zu ihm herübersah und ihn anlächelte. Er lächelte zurück.

»Na los«, drängte Wassim und fuhr sich mit seiner fleischigen Hand unter das halbgeöffnete Hawai-Hemd. »Keine Angst, einmal ist immer das erste Mal.«

Jamal fürchtete, daß man ihn beobachten und sich über seine zaghaften Schritte auf unbekanntem Terrain lustig machen könnte. Aber außer Wassim, dem Kenner und Kuppler, schien sich niemand um ihn zu scheren. Man gestikulierte, rief sich auf arabisch kurze, ohne Unterschied höchst zweideutige Äußerungen zu, lachte auf, die Mädchen kicherten, Gläser klirrten, zusammen mit dem Zigarettenqualm zogen die monotonen Geigenklänge aus dem Kassettenrecorder durchs Zimmer, und von tief unten drang das nie nachlassende Geräusch der vorbeifahrenden Autos herauf.

»Na«, sagte Jamal und gab Kerstin die Hand. Schon falsch, zischte ihm eine innere Stimme zu, mit solch altmodischem Getue kommst du nie zum Zug.

»Selber na«, antwortete Kerstin leichthin, während sich ihre Freundin mit einem Grinsen im Gesicht in eine andere Zimmerecke bewegte.

»Ich bin das erste Mal da, außer Wassim kenne ich hier keinen Menschen«, sagte Jamal.

»Ist das der Muskelprotz mit diesem Jürgen-von-der-Lippe-Hemd?« Kerstin drehte ihren Kopf neugierig zur Seite.

Obwohl Jamal nicht wußte, was ein Jürgen-von-der-Lippe-Hemd war, nickte er.

Sah ganz so aus, als hätte er hier keine Chance. Kerstin sah ihn lächelnd an und spitzte ihre Lippen, die leicht violett geschminkt waren.

»Es müssen ja nich immer Muskeln sein, wa?«

Jamal machte eine vage Handbewegung. *Hassans* Muskeln waren damals gar nicht schlecht gewesen, aber das war eine Erinnerung, von der ihn Berlin hoffentlich heilen würde.

»Du hast so schöne Mandelaugen.«

»Du auch«, sagte Jamal, dessen Deutschkenntnisse gerade hier versagten. Erst später war er sich über die Bedeutung des Wortes *Mandelaugen* klar geworden, aber da nützte ihm das nichts mehr, denn zu diesem Zeitpunkt war Kerstin Dembruschkat schon seit langem mit einem Türknall, der durchs ganze Hellersdorfer Treppenhaus hallte, aus seinem Leben verschwunden.

»Icke?« Die junge Frau beugte sich lachend zurück, und Jamal konnte unter ihrer durchsichtigen weißen Bluse einen Büstenhalter erkennen, der offensichtlich eine ganze Menge zu halten hatte. »Icke und Mandelaugen? Du hast vielleicht Humor. Weeßte, wie sie mich inner Schule uffjezogen ham? Glubschi ham sie mich jenannt. Von wegen *Mandelaugen!*«

An diesem Abend hatte Jamal ebenfalls noch nicht gewußt, daß in Deutschland jene Augen, die kullerrund waren und wie Melonen in ihren Höhlen saßen, Glubschaugen genannt wurden. Um ehrlich zu sein, er hatte noch vieles nicht gewußt, aber manches, das hatte er da oben in Wassims Zimmer entschieden, würde ihm diese Kerstin bestimmt beibringen können. Wer, wenn nicht sie, könnte ihn schnell zum Mann machen und ihn damit endlich seinem Onkel, diesem Bock, gleichstellen?

Jamal wurde plötzlich ganz ruhig. Wie eine sanfte Welle spürte er eine neue, unbekannte Gelassenheit in sich aufsteigen. Ohne die Augen niederzuschlagen, begegnete er Kerstins aufmerksamem Blick. Aber schön ist sie eigentlich nicht, dachte er.

Ein wenig erinnerte sie ihn an die Frauen, die er manchmal in den U-Bahn-Linien im Ostteil der Stadt zusteigen sah: Frauen in kniehohen Stiefeln oder Halbschuhen mit ledernen Bommeln; Frauen in Anoraks und Mänteln mit Kapuzen aus falschem Pelzbesatz; Frauen in lila Pullovern, auf die mit Silberfäden Blumenmuster gestickt waren.

Kerstin hätte die Tochter einer dieser Frauen sein können, so wie sie jetzt vor ihm stand, leicht fröstelnd in der Abendluft, die vom Balkon herein ins Zimmer drang, ihre lackierten Fingernägel von Zeit zu Zeit in den engen Taschen ihrer *stone-washed*-Jeans versteckend und unschlüssig, was sie als nächstes tun sollte. Mit Jamal in der Küche eine ruhige Ecke zum Reden suchen? Aber es gab keine Küche, nur diese winzige Kochnische hinter dem Kleiderschrank, und in der stand gerade ein sehnsüchtig blickender *Landsmann* von Jamal und verfolgte neugierig, für wen sich Kerstin an diesem Abend entscheiden würde. Oder sollten sie sich, verschämt händchenhaltend, aufs Sofa setzen? Dort aber thronte schon Wassim. Neben ihm saß eine junge Deutsche mit kurzgeschnittenem blonden Haar, die ihm gerade etwas sehr Stimulierendes ins Ohr geflüstert haben mußte, denn Wassim legte ihr sofort seine breite Goldkettchen-Pranke um den Nacken.

»Ich komme aus Beirut«, sagte Jamal. »Aber vielleicht weißt du das ja schon.«

»Woher soll ick det wissen?« fragte Kerstin überrascht. »Meine Freundin hat mir nur gesagt, daß ick einfach mal zu den Wüstenscheichs vom Wittenbergplatz mitkommen soll. Und da bin ick nun.« Jamal sah sie fragend an, und lachend fügte sie hinzu: »Die Wüstenscheichs oder die wüsten Scheichs, vastehste?«

Jamal verstand gar nichts, gab sich aber den Anschein, sich höllisch zu amüsieren. Wenn ich sie heute abend nicht kriege, dachte er, schau ich sofort in meinem Wörterbuch nach.

Kerstins resolute Art zu sprechen stand in einem bemerkenswerten Gegensatz zu ihrem sonstigen Verhalten, ihrem nervös nach allen Seiten gedrehten Kopf, den in regelmäßigen Abständen gesenkten Wimpern, dem Verstecken und Hervorzaubern ihrer Fingernägel, von denen Jamal irgendwann sah, daß sie nicht nur lackiert waren, sondern auch aus besonders gebogenen Plastikaufsätzen bestanden.

Erregt mich das, dachte er. Quatsch. Aber irgendwie gefällt's mir. Die ist genauso aufgeregt wie ich, bei der blamier ich mich bestimmt nicht.

Er versuchte ihr ein wenig von Beirut zu erzählen, vom Mittelmeer und den Bergen, von seiner Kindheit und den ewigen Bombardements, die die Familie dazu gezwungen hatten, nächtelang im Keller ihres Hauses zu bleiben und zu flüstern und zu beten; all das eben, von dem er annahm, daß es Deutsche vielleicht interessieren könnte. Aber er bemerkte, daß Kerstins Interesse rasch nachließ.

Sie nickte geistesabwesend, betätschelte dann begütigend seine Hände und sagte: »Haste Montag mittag frei? Früher geht's nich, an den Wochenenden hocken meine Alten die ganze Zeit zu Hause. Aber sonst kommen die immer erst nach fünf von der Arbeit. Haste 'n jutes Adressenjedächtnis?«

»Na logo«, antwortete Jamal und war stolz, endlich einmal eine jener Formulierungen anbringen zu können, die sie im Goethe-Institut unter der Rubrik *Jugendsprache* auswendig gelernt hatten.

»Denn isses jut«, sagte Kerstin. »Janz einfach zu finden: Berlin-Hellersdorf, Kaulsdorf Nord raus aus der U 5, dann in den Juri-Gagarin-Weg 17, Block C. Bei Dembruschkat zweimal klingeln.«

»Wer war Juri Gagarin?« fragte Jamal.

»Fragen haste druff«, sagte Kerstin anerkennend. »Det war'n sowjetischer Astronaut, der erste Typ im Weltraum überhaupt. Aber ick muß mich jetzt mal um meine Freundin kümmern, klaro? Also dann bis Montag mittag. Vergißet nich!«

Jamal traute sich nicht, Kerstin zum Abschied einen Kuß zu geben. Statt dessen reichte er ihr seine Hand, die sie sofort ergriff und dabei ihren kleinen Finger um seinen kleinen Finger hakte, daran zog und mit diesem Ziehen gleichzeitig ihren Körper auf Abstand brachte. »Na denn tschaui«, sagte sie und ging zu ihrer Freundin, die an der gegenüberliegenden Zimmerwand auch gerade einen *Wüstenscheich* in der Mangel hatte.

Jamal wunderte sich, was es in diesem Land so alles für merkwürdige Riten gab. Irgendwann würde er Wassim fragen müssen, ob das typisch für den Osten war oder ob sich Deutsche allgemein so verhielten.

Jedenfalls fühlte er sich nicht schlecht an diesem Abend, und das war schon eine Meldung wert. Yousuf begann aus seinem Gedächtnis zu verschwinden, zumindest bildete er sich das im Moment ein, und die Aussicht auf einen Fick – den ersten Fick seines Lebens; Leute, aufgepaßt! – bot eine Unzahl von Möglichkeiten für sein späteres Leben. Irgendwann würde *er* statt diesem lächerlichen Onkel Ziyad auf dem Diwan in Moabit sitzen und Frauen empfangen, *er* würde der wüste Scheich vom Dienst sein, und er würde genug Geld haben, um diese verdammten Turnschuhe durch ganz edle Treter zu ersetzen.

»Schau mal diskret da rüber.«

Neben ihm war Wassim aufgetaucht. Er hielt eine Flasche Bier in der Hand und zeigte kurz auf Kerstin und ihre Freundin, die noch immer energisch auf den jungen Araber einredete. Ob auch sie dabei Wörter wie *klaro* und *tschaui* verwendete?

»Die eine heißt Kerstin«, sagte Jamal mit gewissem Stolz. »Die andere ist ihre Freundin, aber ich kenne ihren Namen nicht.«

»Mir fällt er auch nicht ein, obwohl ich mal über sie drübergerutscht bin. Nennen wir sie Dauerwelle eins, oder?« Wassim stieß ein meckerndes Lachen aus, das Jamal widerwärtig fand.

»Aber die zwei zählen nicht. Guck dir mal den Typen in der Mitte an, ja, den Schlanken mit den schulterlangen Haaren. Keine Angst, das ist keine Schwuchtel. Er heißt Karim, seine Mutter ist Tunesierin und der Vater irgendein deutscher Bauunternehmer mit mordsmäßigen Beziehungen. Halt dich da ran, sag ich dir. Karim ist 'ne Charaktersau, der kann nur quatschen und Weiber vögeln, aber«, Wassim senkte die Stimme und stieß seine Bierflasche vertraulich gegen Jamals Schulter, »der Typ ist 'ne Goldgrube. Wenn du ein Zimmer suchst oder schnell 'ne Schwarzarbeit brauchst, Karim, das heißt, sein allmächtiger Papa, kann's richten. Natürlich nicht umsonst, aber immerhin. Also behalt den Kerl im Gedächtnis, aber laß dir nie einfallen, über seine Jeans und diese dämlichen Cowboystiefel, in denen er rumlatscht, zu spotten. Karim und sein Messer sind genau so schnell wie Karim und sein Papa, aber das mußt du eigentlich gar nicht wissen.«

»Wo kann ich ihn treffen, falls ich was von ihm will?« fragte Jamal.

»Na, wo schon«, sagte Wassim und zuckte mit den Schultern. »Jeden Samstagabend hier auf der Fickbörse hinterm Wittenbergplatz.«

❏

Verdammt noch mal, er dachte das Wort auf *deutsch!*

Schwul, zeitweilig in Berlin aufenthaltsberechtigter Jamal, du bist schwul! Von wegen *schaz* oder *manyouk*, schwul biste. *Ja, Allah*, schwul. Und zwar hundert Prozent. Schwul schwul schwul.

Jamals Lippen versuchten das Wort zu formen; es klappte tadellos.

»O ja – jaahh!« seufzte Kerstin, die anscheinend sein Gegrummel für raffinierte arabische Brunstgeräusche hielt. Sie ballte ihre beringten Finger – kein Silberschmuck, sondern Imitation, wie er sofort festgestellt hatte – zu zwei Fäusten und fuhrwerkte damit trommelnd auf seinem nassen Rücken herum. Ostberlin-Hellersdorf vereinigte sich mit Beirut-West; nun hatte Kerstin ihren ersten Araber und Jamal seine erste Frau, nun entdeckte er, daß er schwul war, und sie, sie schwebte in den Wolken.

Sie lag auf dem Küchentisch der elterlichen Wohnung, beide Beine weit ausgestreckt und dazwischen Jamal, splitternackt und wie ein Schwerstarbeiter schwitzend. »Fick, fick, fick rein!«

Schwul, schwul, schwul biste.

Ihre beiden Vorstellungen lagen denkbar weit auseinander. Aber weshalb trafen sie sich trotzdem, hier in dieser Hellersdorfer Wohnung, wo hinter den von Zigarettenrauch gelb gewordenen Dederongardinen nichts zu sehen war als unzählige weitere Häuserblöcke; graue Klötze, die den Horizont versperrten?

Jamal war im Moment zu beschäftigt, um sich zu fragen, wie er in diese Geschichte hineingeraten war. Hineingerutscht, genauer gesagt, und das direkt zwischen Kerstins Beine, die ihn wie zwei Schraubzwingen umklammert hielten.

Nein, es war nicht nur dieses dauernde *Fick, fick tiefer*, das Jamal zum ersten Mal aus dem Mund einer Frau hörte und das ihm Kopfzerbrechen bereitete, denn weiter rein ging es wirklich nicht.

Auch anderes kam ihm exotisch vor. Da war dieses scharfe Zischeln der pickligen Jugendlichen vor der Haustür des Block C gewesen, als er an ihnen vorbei kam. Sie hatten ihn nicht beschimpft und waren zur Seite gerückt, als er zwischen ihnen die Treppe hochgestiegen war und auf dem ellenlangen Klingelbrett nach dem unaussprechlichen Dembruschkat in der fünften Etage gesucht hatte. Kein böses Wort, nur dieses unartikulierte Zischeln. Ob sich alle eingeborenen Hellersdorfer so untereinander verständigten?

Das Tütüttü-Li der Klingel an der Wohnungstür überraschte ihn nicht minder, es klang wie die Sirene eines Polizeiautos für Kinder.

»Den Schnickschnack haben meine Alten irgendwann drüben bei den Polacken uffjegabelt«, wurde Jamal von Kerstin knapp informiert, als sie sein verdutztes Gesicht sah.

Sie begrüßte ihn lachend mit einem schmatzenden Kuß und führte ihn stracks vom Wohnungsflur in die Küche.

Zu seiner Überraschung begann sie, sich unverzüglich auszuziehen. Anscheinend schien sie es noch eiliger zu haben als er selbst. Als sie sich das neonfarbene T-Shirt über den Kopf gezogen hatte, war ihr helles, sommersprossiges Gesicht gerötet. Sie stand mit ihrem roséfarbenen Büstenhalter vor Jamal und sagte herausfordernd: »Mach's uff!«

Er küßte sie nochmals auf ihre geschminkten Lippen und fummelte mit seinen vor Aufregung feucht gewordenen Fingern ungeschickt und verwundert am Verschluß ihres Büstenhalters herum. Das ging so lange, bis Kerstin gereizt sagte: »Gib's uff!«

Jamal überlegte, wo er diese Uff-Aussprüche schon einmal gehört hatte, konnte sich augenblicklich aber nicht erinnern. Es gab Wichtigeres zu tun. Er mußte ein Mann werden, und zwar jetzt. Und zwar in Hellersdorf. Und zwar mit Kerstin Dembruschkat aus dem Juri-Gagarin-Weg, Block C, fünfte Etage. Das hatte er doch gewollt, oder? Und es ließ sich ja auch nicht schlecht an, da konnte man nichts sagen. Diese Kerstin wußte, was sie wollte.

»Abgeschnitten«, sagte sie bewundernd, während sie Jamals Schwanz aus seinem Slip befreite. »*Be*schnitten«, korrigierte er sie und streifte den Slip mitsamt den Jeans, die in seinen Kniekehlen hingen, endgültig ab. Kerstins Shorts, orange leuchtende Bermudas, lagen längst zusammengeknüllt auf dem Küchenboden.

»Was sagste?« Kerstin ließ seinen Schwanz nicht aus den Augen und fuhr mit ihren Fingern langsam über die Eichel, die so an Umfang beträchtlich zunahm.

»Bei uns sagt man *be*schnitten dazu«, wiederholte Jamal atemlos und strich sich wieder einmal verwirrt das schwarze Haar aus der Stirn.

»Aber jetzt biste hier.« Ein kleines triumphierendes Lächeln überzog Kerstins Gesicht. »Det is das erste Mal, daß ick so was inner Hand hab.«

Jamal schwieg. Dann packte er sie in einer Anwandlung männlicher Entscheidungsfreude an den Schultern, drängte sie auf den Küchentisch und bog ihren Oberkörper nach hinten.

»O ja, uff 'n Tisch!« Uff.

Verflucht, jetzt erinnerte er sich. War das nicht ... ja genau die, die solche Uff-Sätze immer in die Kameras losließ? Jamal gab sich einen Ruck. Nein, das war zu absurd. Sollte Kerstin ... Nein, da war er sich absolut sicher, das tat sie nicht. Wie auch? Sie war Anfang Zwanzig und bestimmt aus Hellersdorf bisher kaum herausgekommen. Außerdem hatte sie kein schütteres graublondes, sondern volles dunkelblondes Haar, das in Dauerwellen auf ihrem Kopf wogte. Jetzt hatte er 'nen Steifen, und in wenigen Sekunden würde er ein Mann, ja, ein *richtiger Mann* geworden sein. Fast hätte er vor Erleichterung *uff* gebrüllt.

Oh, dieses schwarze Büschel zwischen Kerstins weit geöffneten Schenkeln, *Maasalama*, unberührter Jamal! Jetzt ging's los. Er näherte sich Zentimeter für Zentimeter.

Er konnte den Druck seines nackten Fußballens auf dem Linoleum des Küchenbodens spüren, von da bis zu seinem Halswirbel eine einzige vor Anspannung zitternde Linie. Wie ein Glasfiberstab oder eine Raumkapsel. Captain Kirks Mannschaft startet ins All, Mister Spock legt die Ohren an, und Kerstins Schamhaare kitzeln schon Jamals Eichel. Two, näher ran, one, näher!, zero!

Uff, meldete eine meckernde Stimme irgendwo aus dem Hintergrund Vollzug, aber da konnte schon nichts mehr schiefgehen.

Ich bin drin, dachte Jamal, ich bin in einer Frau. *Wahnsinn!* Und wie warm und angenehm feucht es da war, wie mühelos sein Schwanz sich darin bewegte! Als wäre er ein Fisch, der durch die Felshöhlen unterhalb der Beiruter Corniche gleitet.

Halt, das war ein falsches Bild. An dieser versifften Stelle schwammen schon lange keine Fische mehr vorbei. Nur Müllsäcke und defekte Ölfässer entließen ihren stinkenden Unrat ins Meer, und vorher, im Bürgerkrieg, hatten dort die maronitischen *Forces Libanaises* ihre muslimischen Gefangenen abgemetzelt und anschließend ins Wasser geworfen; noch heute lagen auf dem Meeresgrund Schädel und Skelette.

Jamal schloß die Augen und bewegte sich schneller. Keine Felshöhle, jetzt war nur noch er im All unterwegs, Captain Kirk und Juri Gagarin in einer Person.

Plötzlich klemmte irgend etwas seinen Schwanz ein. Eine kleine Faust, die mich melkt, dachte er erstaunt. Dann wurde er auch schon wieder freigelassen, stieß bei seinen Bewegungen an Wände aus Watte, die ihn gleichzeitig umhüllten und vor ihm zurückwichen, ihm den Weg versperrten und in neue Labyrinthe lotsten. Eine irre Reise, Steven Spielberg war nichts dagegen.

Jamal kam sich vor, als sitze, liege, schwebe er in einem dreidimensionalen Hamam, wo wunderschöne nackte Gestalten mit blütenweißen Tüchern wedelten, mit ihnen seine Haut streichelten, sie ihm auf den Körper drückten, bis er zu ersticken glaubte, und danach die Stoffbahnen luftig in immer neuen Formationen wallen ließen. Wie die Halstücher der syrischen Jungpioniere anläßlich der Geburtstage des Genossen Hafis al-Assad, nur daß die dort blutrot leuchteten.

»Fick, fick, fick rein«, rief, nein, schrie Kerstin. Ob sie in ihrer Kindheit auch mit wedelnden Halstüchern Erfahrungen gesammelt hatte?

Für Jamal blieben nur noch zwei, höchstens drei Minuten, bis er dachte: Schwul, zeitweilig in Berlin aufenthaltsberechtigter Jamal Kassim, du bist schwul! Dabei war bis jetzt alles gutgegangen. Kerstin sah ihn mit ihren wasserblauen Augen begeistert an, schob ihm ihr Becken entgegen und ließ ihre Zungenspitze zwischen linkem und rechtem Mundwinkel kreisen.

Flutsch, schlurp, klatsch. Was für ein merkwürdiges Geräusch! Beunruhigt schaute Jamal an sich herunter. Schlurp! Wegen Kerstins lebhafter Körperdynamik war die grünbraun gemusterte Wachstuchdecke von der Tischplatte auf den Boden geglitten, wo sie mit schmatzendem Lärm an Jamal hängenblieb, wenn ihr seine zitternden Füße zu nahe kamen. Flutsch!

Jamal riß die Augen weit auf. Er mußte sehen, was hier vorging.

»Du hast so schöne Mandelaugen«, hatte ihm Kerstin bei ihrer ersten Begegnung zugehaucht. Davon konnte jetzt keine Rede mehr sein. Ich werde zum Mann in Ostberlin, dachte er, während er sich weiter zwischen Kerstins Beinen bewegte, aber ich glotze ängstlich wie E. T.

In diesem Moment jagte der Vogel heran. Auf einer Metallschiene raste er nach vorn und schrie mit krächzender Stimme *Kuckuck.*

Augenblicklich wurde Jamal aus dem dunklen Hamam mit den feuchten Tüchern hinauskatapultiert und sah sich mit schreckgeweiteten Augen einem Monster gegenüber, das ohne Unterlaß *Kuckuck* schrie. Wie hätte er ahnen sollen, was sich in dem verzierten Holzhäuschen verbarg, das da so unschuldig an der Wand hoch oben über dem Küchentisch hing? *Kuckuck!* Und zwar vierzehnmal, denn Kerstin hatte ihn für die Zeit nach Mittag zu sich bestellt: »Da is jenug Zeit, ehe meine Alten gegen fünf eintrudeln.«

Hoffentlich scheißt mich das Biest nicht voll, dachte er. Zum Glück blieb das vierzehnte Kreischen das vorläufig letzte. Der

Vogel verstummte, schnellte auf seiner Metallschiene zurück und verschwand hinter einem Türchen, das die Form eines braunen Tannenzapfens hatte.

Fick, fick ... Das war wieder Kerstin. Wie beruhigend. Der Vogel, die Vögel, Vögeln. Jamal zog es nun vor, dies mit geschlossenen Augen zu tun; vielleicht kam er ja so wieder in seinen Hamam zurück. Aber auch dort erwartete ihn eine Überraschung. Durch die Dunkelheit irrlichterten auf einmal Strahlen und beleuchteten die Gestalten, die ihn eben noch mit ihren Tüchern verzaubert hatten. Teufel noch mal, trugen die etwa *Männergesichter?* Jamal stürzte sich in die Tücher, vergrub sich in ihnen, stöhnte und beschloß, blind zu bleiben.

Wieso waren ihm die Gesichter so bekannt vorgekommen? Und wer war der schlanke Mann, dessen nackte Brust mit unzähligen kleinen Härchen besetzt war, die im diffusen Licht des Dampfraums bläulich schimmerten? Wie sanft und erregend seine Berührungen waren ... Jamal konnte die Augen noch so fest zudrücken, der andere war da, schon saß er innen auf seiner Netzhaut, machte einladende Gesten und lächelte, lächelte.

Wo war er hier hingeraten, wohin würde ihn die Reise führen?

Auf dem Hellersdorfer Küchentisch wurden jedenfalls alle Anstrengungen verdoppelt, einen jungen Libanesen vom anderen Ufer fernzuhalten. Kerstins Finger zwickten Jamals harte Brustwarzen, Kerstins Fäuste trommelten auf seinem Rücken, Kerstins Füße überkreuzten sich auf seinem Hintern, um ihm noch ein paar zusätzliche Stöße zu verpassen, Kerstins Hände zogen an seinen Eiern, als wären es Bowlingkugeln, und dann hob Kerstin ihren Kopf, um Jamals vor lauter Speichel glänzenden Lippen näher zu kommen, und eine keuchende Stimme sagte: »Und mach die Augen uff!«

Da war es unwiderruflich geschehen. Regine Hildebrandt!

Jetzt war kein Zweifel mehr möglich, Jamal fickte Regine Hildebrandt! Uff Uff Uff. Wer außer der brandenburgischen Ministerin mit dem Raubvogelgesicht verwendete schon solche Ausdrücke? O nein, Jamal irrte sich nicht. Schließlich war er ein aufmerksamer Fernsehzuschauer – auch wenn er sich Besseres vorstellen konnte, als neben Onkel Ziyad, der wieder einmal seine schweigende Überlegenheit kultivierte, auf dem Teppichboden ihres Moabiter Zimmers vor der Glotze zu hocken und deutsche Sender durchzuzappen. Da sie keinen Kabelanschluß hatten, war die Auswahl ohnehin beschränkt. Regine aber war immer zu sehen und tobte auf allen verfügbaren Kanälen, daß es grusliger war als Jurassic Park I und II zusammen.

Von Hans Meiser und Kerner bis hin zu diesem schleimigen Bio – Jamal konnte inzwischen alle diese Namen und Gesichter peinlich genau unterscheiden – akzeptierte jeder sein eigenes Revier, wo man ihn zum Labern hinbestellt hatte; nur diese brandenburgische Regine scherte sich nicht darum. *Sie* schien jede Tageszeit und jeden Sendeplatz okkupiert zu haben, wo sie den verdutzten Westlern ihre Sprüche um die Ohren hauen konnte und sie geräuschvoll Mores lehrte: »Ach, hörense uff!«

Jamal verstand nicht in allen Fällen – wenn er ehrlich war, fast nie –, warum der Raubvogel so keifte, aber dieses *Uff* hatte sich ihm eingeprägt.

Als die die Mauer uffmachten, wa, wußten wir ja jarnich, was uff der andren Seite so uff uns wartet. Keen blassen Schimmer hatt'n wa von die janze Geldrangelei da draußen!

Von wegen Geldrangelei. In Regines Ländchen wurde alles fein säuberlich verteilt. Aufbau-Ost-Gelder. O ja, Jamal kannte die komplizierten Wörter auswendig – für die Einheimischen, Essenscoupons und Gutscheine für die Asylanten, und wem's nicht paßt, der kriegt eens uff die Rübe, wa.

Und in Berlin war es nicht unbedingt besser. Um von Ziyad unabhängig zu werden, hatte sich Jamal schon einmal nach Jobs erkundigt, aber es war immer das gleiche gewesen. Ob Fließband-Maloche draußen bei Siemens in Spandau oder irgendwelche Transportarbeiten in den Supermärkten, immer zogen sie einem von den lumpigen zwölf Mark Stundenlohn auch noch Rentenbeiträge ab. Rentenbeiträge! Als ob er tatsächlich in Berlin seinen Lebensabend zubringen dürfte! Als würde man ihm in Wirklichkeit nicht, penibel und gut organisiert, wie sie hier nun einmal waren, den gnädig zugestandenen Aufenthalt nach vier Jahren Studium wieder gnadenlos entziehen. Beitragszahlung hin, Beitragszahlung her, die Frist war abgelaufen und deshalb tschüs. Oder, wenn es ihm besser gefiel, *tschaui*. Jedenfalls würde nicht ihm, dem Ausländer, sondern den garantiert rein deutschen Omas das Geld zufallen, damit sie es fröhlich verbraten konnten oder Gebratenes kauften für ihre unsterblichen Hunde.

Solche Wortspiele bereiteten ihm Spaß, und doch waren sie nur ein schwacher Trost dafür, hier in Deutschland als Fremder allein dann wahrgenommen zu werden, wenn man etwas von ihm forderte. Oder, auch das kam vor, wenn man ihn als Feind betrachtete.

Vor ein paar Wochen hätte ihm das fast einen zertrümmerten Schädel eingebrockt.

Auch in Potsdam hatte man ihn nämlich keineswegs übersehen. Nicht ihn und auch nicht Drajenka. Mit ihr, einer Banknachbarin, die er mochte, hatte er sich nach dem Ende des Deutschkurses verabredet. Zusammen waren sie mit der S-Bahn aus Berlin hinausgefahren, um sich den Park von Sanssouci anzuschauen. Auf dem Rückweg war es dann passiert.

»He, Araber, willste Itakerweiber ficken, wa?«

Er hatte Drajenka nur mit Mühe zurückhalten können, sich dem glatzköpfigen Rudel, das da auf dem Marktplatz neben einem *Hallo-Imbiß* herumlungerte, als *Kroatin* vorzustellen, als in Deutschland aufenthaltsberechtigte Zagreber Kunststudentin bitteschön, die sich solche Worte doch, bitte schön, verbitte. Jamal hatte bereits davon gehört, wie man in Brandenburg auf Fremde reagierte. Am besten, man kehrte sofort in Richtung Zivilisation zurück.

»Keine Diskussion, keine Diskussion.« Beschwörend hatte er Drajenka immer wieder die Lieblingsworte ihrer Lehrerin aus dem Goethe-Institut zugeraunt und sich bemüht, seine Ausflugspartnerin so schnell wie möglich aus dem Blickwinkel der bierverlilgenden Eingeborenen zu lotsen. Von wegen ficken, hatten die eine Ahnung.

Dann war plötzlich etwas auf seinen Rücken geprallt. Jamal spürte einen dumpfen Schmerz, hörte ein Klirren. Er blickte sich um. Sie hatten eine Bierflasche nach ihm geworfen. Drajenka und Jamal rasten los. Sahen nicht mehr hinter sich, krampften ihre Hände ineinander, japsten über den breiten Platz, die Straße runter, dann über die Brücke. Erst im Eingangsbereich der S-Bahn blieben sie stehen. Sie beugten sich vor und atmeten schwer. Jamal merkte, daß ihm Tränen der Wut in die Augen geschossen waren. Drajenka zitterte am ganzen Körper. Die Leute, die an ihnen vorübergingen, trugen Einkaufstüten oder Aktentaschen in den Händen. Sie sahen sie verständnislos an, und kein einziger blieb stehen.

Und auch die Glatzköpfe waren auf einmal wie vom Erdboden verschluckt gewesen, ein böser Spuk, vor dem sich anscheinend nur die Nicht-Brandenburger fürchten mußten. Aber das war schon wieder eine andere Geschichte. Wie kam er nur darauf, mitten im Schoß von Kerstin Dembruschkat?

Eben, denn hier begann die Unsicherheit. Wer konnte garantieren, daß Kerstin tatsächlich Kerstin war und nicht in Wirklichkeit diese schreckliche Regine Hildebrandt, die, vielleicht aus Überschuß an Osttrotz, plötzlich aus dem Bildschirm herausgestürzt war und nun – eine welkende, aber noch immer beängstigend behende *Purple Rose of Potsdam* – auf einem Hellersdorfer Küchentisch die Beine breitmachte und ohne Unterlaß *Uff* rief?

Hätte es nicht jemand anderes aus dem TV-Pogramm sein können, die schöne dunkelhaarige Arabella etwa (Aber hätte die sich nach Hellersdorf ins tiefste Ostberlin gewagt?), die sanfte Frau Schrowange, ja selbst Ilona Christen, die mit ihrem AOK-Brillengestell im *Fernsehgarten* herumlief? Selbst Brigitte Mira wäre noch zu ertragen gewesen, gutes altes geschminktes Muttchen aus irgendwelchen blöden Vorabend-Serien; aber nein, es mußte Regine sein, ausgerechnet die gestrenge Regine!

Doch wie war das wirklich? Bildete er sich nur ein, der Familien- und Sozialministerin beizuschlafen, um ein Alibi für das zu haben, das er noch gestern nicht einmal als Wort zu denken gewagt hatte? Ein Fick mit Regine, und du wirst schwul auf immerdar, war es das? Verließ er in diesen Momenten, sich zwischen Kerstins Schenkeln heftig bewegend und noch heftiger schwitzend, endgültig den heterosexuellen Teil der Menschheit?

Wahrscheinlich würde er es nie herausfinden können. *Schwul, du bist schwul.* Jamal wiederholte es immer wieder halblaut. Euphorisch, ängstlich, neugierig, verdutzt; er konnte nicht sagen, wie ihm gerade zumute war.

Zumindest eines war sicher: Von einem Hamam konnte keine Rede mehr sein. Nix Hamam, Du müssen jetzt bewegen in Potsdamer Staatskanzlei, vastehste? Jamal schloß ein weiteres Mal die Augen und begann zu driften. Sein Schwanz schürfte an den Kanten verschlossener Aktenschränke, schrammte an vertrockneten Blumentöpfen vorbei und hüpfte über die Tastatur von Computern, die wahrscheinlich aus Bundesmitteln angeschafft waren, um die altertümlichen Ostschreibmaschinen Marke »Erika« zu ersetzen. Seine Eichel verhedderte sich, eine der Tasten wurde gedrückt und auf dem Monitor erschien erneut Regine, ihre sehnigen Arme beschwörend in die Höhe reißend. *Globt Ihr wirklich, daß Ihr uns so einfach abspeisen könnt, wa? Jenau, jenau, so isses doch, Mensch Leute, macht die Augen uff.*

Ja, dachte Jamal entsetzt, so isses. Ich ficke Regine Hildebrandt, die brandenburgische Ministerin für Familien und abtötende Gesten, ich penetriere sie, bis sie immer lauter *Uff* schreit, ja bis sie selbst zu einem einzigen *Uff* wird auf allen Fernsehkanälen dieser Welt, inklusive des Hisbollah-Pogramms mit seinen Aufzeichnungen der Freitagsgebete.

Er kam mit einer Grimasse und zusammengebissenen Zähnen.

Langsam glitt er aus Kerstin heraus und schob behutsam ihre Füße auseinander, die noch immer auf seinem Rücken gekreuzt waren. Schon wollte er sich in wohliger Ermattung neben seiner Gespielin ausstrecken, als er bemerkte, daß der schmale Küchentisch dies nicht zuließ.

»Pass uff, daste nich uff 'n Boden knallst.«

Kerstin hatte den Kopf neugierig gehoben, ließ ihn aber schnell wieder auf die Tischplatte sinken. Dann begann sie, mit geschlossenen Augen ihre beiden Zeigefinger in ihren Unterleib einzuführen. Jamal starrte sie ungläubig an, wagte aber keine Fragen zu stellen.

Erst als sie nach zehn Minuten noch immer in sich herumrührte, wurde er ein wenig unruhig. Was sucht die denn da, etwa die Stasi-Verdienstmedaille, die ihr Chef angeblich nie bekommen hatte? Quatsch.

Oder machte sie es sich jetzt selbst, zum zweiten Mal? Für Jamal stand fest, daß eine Frau automatisch in jenem Moment ihren Orgasmus hat, in dem auch der Mann kommt. So hatte er das zumindest in der Schule aufgeschnappt, als er mit großen Augen und roten Ohren seinen Kameraden zuhörte, die sich gegenseitig mit ihren Ideen nur so überboten.

»Wichtig ist, daß der Mann spritzt, die Frau ist dann von allein im Paradies.«

»Spinnst du, Frauen können das auch allein; nur mit ihren Fingern.«

»*Ja-Allah*, was für eine Sauerei!«

»Sag nur, daß du es dir nie selbst machst.«

»Mit dir rede ich nicht mehr.«

»Ihr habt ja alle keine Ahnung. Es ist wie eine warme Dusche.

Du legst den Kopf unter ihre Muschi, und sie spritzt aus einem ihrer Löcher ab.«

»Bist du wahnsinnig, oder? *Unter* einer Frau! Niemals, das schwöre ich beim Namen meiner Mutter!«

»Bei deiner Mutter, was? Du bist ja der Schlimmste.«

»Schnauze. Außerdem liegt ein Mann nicht *unter* 'ner Frau.«

»Bist du etwa schon ein Mann?«

»Und du, he?«

Jamal erinnerte sich nur zu gut an all diese Gespräche, an die Sätze und die fordernden Gesten, die sie begleiteten. Herabgezogene Mundwinkel, zusammengekniffene Augen, in die Hüfte gestemmte Fäuste, theatralisch hervorgestreckte Handteller, all das. Er selbst hatte sich abseits gehalten, zu groß war seine Furcht gewesen, durch eine einzige Frage ein Gelächter auszulösen, dem er nie wieder entkommen könnte, das ihn begleiten würde sein ganzes Leben lang.

Blieb trotzdem herauszufinden, was Kerstin da Geheimnisvolles mit ihren Fingern anstellte, welche Stellen sie berührte oder kniff, um Lust zu verspüren. Besorgt sah ihr Jamal zu und begann sich seiner eigenen Nacktheit zu schämen. Und dann passierte es. Kerstin bäumte sich auf, biß auf ihre Lippen und öffnete dann den Mund, um ein langezogenes »Ohhhh!« hören zu lassen. Danach ließ sie ihren Oberkörper zurück auf die Wachstuchdecke fallen, so daß es erneut *flutsch-flutsch* machte. Seltsame Menschen, seltsame Bräuche, dachte Jamal.

Er sah, wie Kerstin ihre Finger, über denen ein milchiger, durchsichtiger Film lag, in die Höhe streckte und sie in Richtung *seines* Mundes führte. Entsetzt wich er zurück und stieß dabei mit dem Knie an den Küchentisch. Gerade noch verbiß er sich einen Klagelaut, aber da war Kerstin bereits eine neue Idee gekommen. Sie hatte sich vom Tisch erhoben und begann, mit ihren nassen Fingern über Jamals Glied zu streichen, das inzwischen geschrumpft war.

»Butzimann ist müde«, stellte sie fachmännisch fest.

»Wer ist Butzimann?« fragte Jamal.

»Dein Schwanz, Mensch«, sagte Kerstin herausfordernd, ehe sie Butzimann losließ und Jamal ihren Rücken zudrehte. Sie hat'n tollen Arsch, dachte er. Aber vielleicht hieß in Hellersdorf der Arsch gar nicht Arsch? Wenn sie hier schon den Schwanz Butzimann nennen . . . Vielleicht Abputzimann?

Plötzlich war er in Hochstimmung. Ohne Zweifel, er war perfekt! Ein Sprachspieler war er, ein Wort-Jongleur, ein Verführer! Einer, der vor ein paar Minuten in einer Frau gekommen war. Einer *Frau!*

Jetzt war klar, was seine Schulkameraden damals in Beirut so erhitzt hatte, jetzt begann er zu begreifen, was ein Butzimann so alles in einem Muschiwald anstellen konnte und was Frauenfinger sonst noch auf Lager hatten. Nützliche Informationen.

Und doch, erklärte das die Energie, die Lust und die Heimlichtuerei, mit der ausnahmslos alle von *der Sache* sprachen? Lohnte dieser Austausch von Körperflüssigkeiten wirklich den ganzen Aufwand?

Jamal überlegte. Wenn er ehrlich war, mußte er zugeben, daß sein Bedürfnis, hier weitere Forschungen zu betreiben, ziemlich gering war. Nicht auszudenken, eines Tages die Glubschaugen von Angela Merkel oder Herta Däubler-Gmelin an seinem nackten Körper entlangwandern zu sehen. *Dafür* würde seine Kraft bestimmt nicht mehr ausreichen, garantiert nicht.

Schwul, er probierte erneut diesen Gedanken aus, ja er war schwul. *Und ich hab ja gesagt ja ich will Ja.* Wahrscheinlich hätte er noch länger über all diese Merkwürdigkeiten nachgegrübelt, wäre nicht in diesem Moment Kerstin mit der Dose aufgetaucht.

Aus dem Schubfach des Küchentischs hatte sie eine *Florena-Körpercreme* hervorgezaubert, die sie ihm jetzt mit einem verführerischen Lächeln präsentierte.

Wortlos öffnete sie die Dose, und Jamal sah eine weiße gallertartige Masse, die zur Hälfte von einer zerknautschten Silberfolie bedeckt war.

Da scheint schon jemand Gebrauch davon gemacht zu haben, dachte er.

Kerstin bestrich die Kuppe ihres Zeigefingers mit der Creme und verrieb sie mit sanftem Kreisen auf Jamals Eichel.

Keine Wirkung.

»Dem helf ick schon noch uff«, sagte sie, und ihre Stimme hatte auf einmal ein ganz besonderes Timbre. Jamal wußte nicht, wie er sich erkenntlich zeigen sollte. In seinem Kopf kreisten die Ratschläge, die bei *Liebe Sünde* und auf Erika Bergers Couch gegeben wurden, aber das half nicht weiter. Ohne Zweifel, *sein* Fall war nirgends vorgesehen.

Kerstin hatte mit mehreren Fingern in die Dose gegriffen,

einen wabbeligen Klecks zutage gefördert und diesen auf ihren Brüsten verrieben. *Oh, Uff Uff.*

Ist das jetzt das Nach- oder schon wieder ein neues Vorspiel, fragte sich Jamal. Er hatte nicht die geringste Idee, wie er diesen Einreibe-Übungen begegnen sollte. Da stand er nun einfallslos in dieser Hellersdorfer Küche, leicht fröstelnd, splitterfasernackt, und sein Butzimann hing noch immer mickrig und traurig herunter. Was tun?

Zum Glück hatte Kerstin genug Ideen für zwei.

Mit dem Zeigefinger zog sie eine schmale weiße Creme-Spur auf ihrem Körper, vom Hals bis hinunter in die Vertiefung zwischen ihren Brüsten, von da weiter abwärts zum Bauchnabel, bis sie die ersten Ausläufer ihres Schamhaars erreichte. Die gekräuselten schwarzen Härchen legten sich unter dem Druck des Gallerts sogleich flach und richteten sich nach rechts und links aus wie die Eisenspäne in einem Magnetfeld. Kerstin unterzog sich dieser Körperbemalung mit großem Ernst und beachtete Jamal dabei kaum.

Das Pendel der Kuckucksuhr hörte nicht auf, hin und her zu schlagen, aber der Vogel ließ sich nicht mehr blicken. Die nachmittägliche Stille wurde nur durch die gedämpften Geräusche unterbrochen, die Kerstins Florena-Finger auf ihrem Körper verursachten.

»Willst du es nicht verreiben?« fragte Jamal zaghaft, als er sah, welche Kriegsbemalung sie inzwischen zierte. Die weißen Linien zogen sich nun sogar auf den Innenseiten ihrer Schenkel entlang, und ein Ende der Prozedur war nicht abzusehen.

»Bei uns sagt man: *Verstreichen!*« antwortete Kerstin und trat näher an Jamal heran. Unbeholfen legte er seine Hände auf ihre Brüste. Aber hatte er das nicht schon vorhin getan? Zeit, sich was Neues einfallen zu lassen, dachte er.

Mit seinem linken Daumen fuhr er die Cremespur abwärts und verwischte sie dabei, so daß sich auf beiden Seiten der Linie winzigkleine Florena-Inselchen mit auslaufenden Umrissen bildeten. Kerstin schloß die Augen.

Unterhalb ihres Bauchnabels stoppte er die Insel-Produktion.

»Weiter Jamal, Mensch weiter, hör nich uff. Steck ihn mir rin, janz tief.«

Was war »rin«, was war »janz«? Er verzichtete darauf, nachzufragen.

Nur eins war klar (*Klar wie Kloßbrühe*, hatte die Lehrerin im Goethe-Institut einmal gesagt und die Schüler den Ausdruck unter der Rubrik *Deutsche Redensarten* in ihre Vokabelhefte eintragen lassen): Sein Schwanz war meilenweit davon entfernt, stehen zu wollen.

Noch hatte Kerstin nichts bemerkt. Sie hielt ihre Augen geschlossen, tastete nach Jamals Hand und führte sie zwischen ihre Beine.

Sein Daumen glitt sofort ins Weiche. Tatsächlich, da war es ganz weich! Keine Aktenordner aus der Staatskanzlei versperrten ihm mehr den Weg, es war beruhigend dunkel und sanft und feucht; die Creme auf seinem Finger vermischte sich mit seinem und Kerstins Samen, den beide vor wenigen Minuten in diesem Labyrinth hinterlassen hatten.

»Det macht dich geil, wa?« flüsterte sie und nahm mit traumwandlerischer Sicherheit wieder ihre Position auf dem Küchentisch ein. Diesmal ganz sacht, damit die Wachstuchdecke nicht wieder *flutsch* machte.

Jamals Erregung kehrte zurück. Er ersetzte den Daumen durch seinen Schwanz und umklammerte mit seinen Händen Kerstins zuckende Waden.

Nun hatte er schon Übung, nun war er fast ein Profi. Rein-raus-vor-zurück-und-*Uff*-noch-mal-das-gleiche; gab es da noch mehr zu begreifen? Für den Moment war er zufrieden. Er konnte sich selbst sehen, und siehe, es war gut.

Und auf einmal war er ganz bei sich, spürte er jede Fiber und Zuckung seines Körpers, jede kleine Schweißperle auf seiner Haut und doch – er sah sich von außen. Er schwebte schon wieder durch den Raum!

Blitzschnell hatte sich Hellersdorf in Richtung Potsdam zurückgezogen und war zu einem winzigen Punkt im Universum geschrumpft. Mit der stöhnenden Kerstin war auch die keifende Regine hinter jenen dichten Nebelschwaden verschwunden, wie Jamal sie manchmal im Fernsehen über den brandenburgischen Seen und Wäldern hatte hängen sehen. Nur er war noch anwesend, er allein.

Mein Gott – Kindertraum – Trauergrund – Pickelverursacher – Wichsphantasie – jetzt endlich passierte es: Er, Jamal der Erste und Einzige, machte Liebe! Mit wem? Egal! Aber endlich *tat* er es, der verschüchterte Neffe von Onkel Ziyad, dem Wochenend-

Bock; ab jetzt würde er nicht mehr einsam die Berliner Straßen durchstreifen müssen, während sich die restliche Welt dumm und dämlich vögelte. Ab jetzt: *nie mehr*. Jetzt war *er* dran. Jetzt würden die anderen auf die Straße geschickt, aber paarweise und dalli-dalli!

Jamal hatte seine Hände unter Kerstins Beinen herausgezogen und begann einen sanften Angriff auf die restlichen Florena-Inseln und Archipele auf ihrer Haut.

Schweiß rann ihm am ganzen Körper herunter, er fühlte die Nässe zwischen seinen Schulterblättern, die Rinnsale, die die Wirbelsäule hinabliefen, und noch immer schwebte er.

War es nicht die beste Gelegenheit, seiner liebsten Erinnerung – seiner *bis jetzt* liebsten Erinnerung – einen letzten Gruß zu senden, über den Küchentisch, die Alpen und das Mittelmeer hinweg, zurück in eine ab nun endgültig vergangene Zeit, als es noch ein furchtsames Kind gab, das auf den Namen Jamal hörte?

Es war Sommer gewesen, und weil in Beirut der Strom ausgefallen war, die Hitze ins Unerträgliche stieg und die Milizen-Scharmützel in den Straßen kein Ende fanden, hatte sich die Familie in ihr Haus im Süden zurückziehen müssen. Es war ein weißgetünchter Betonklotz in einem Dorf nahe Tyros mit Terrasse und Garten. Ein paar Kilometer entfernt befanden sich schon die ersten Hisbollah-Stellungen. Sie wurden in regelmäßigen Abständen aus der Luft angegriffen, da von ihnen aus ebenso regelmäßig Dörfer in Nordisrael beschossen wurden. Einmal hatte Jamal im Garten ein merkwürdig verbogenes Eisenstück gefunden; wahrscheinlich Teil einer Granate, die sich aus unerklärlichen Gründen hierher verirrt hatte. Ansonsten war das Dorf eine friedliche Enklave gewesen – die einzige, die Jamal bis zum Ende des Krieges kannte. Die Hisbollah-Milizen hatten niemals von hier aus ihre Aktionen gestartet, und selbst in den Jahren der Besatzung hatte sich das israelische Militär im Ort darauf beschränkt, Straßensperren und Kontrollpunkte zu errichten. Nirgendwo waren Häuser und Autos in die Luft gesprengt worden.

Dafür duschten die Israelis jeden Morgen neben der Garage am Dorfplatz, wo sich ihr Fahrzeugpark befand. Einmal waren sie dabei von Jamal und seinem Cousin Hassan beobachtet worden. Die Soldaten räkelten sich nackt unter den Wasserschläuchen, die an Eisenstangen befestigt waren, seiften sich gegenseitig den Rücken ein, zogen sich an ihren Kraushaaren und ließen den

Badeschaum über ihre durchtrainierten Oberkörper laufen, hinein in ihre Schamhaare und entlang der Schenkel.

Und Hassan, dieser Idiot, wollte Steine nach ihnen werfen! Jamals Mund aber war plötzlich trocken geworden, jede Schluckbewegung bereitete Schmerzen. Er hatte das Gefühl, seine Augen würden brennen und er müßte sie, jetzt sofort, reiben, doch seine Arme und Hände waren schwer geworden und baumelten wie Eisengewichte an seinem schmalen Körper. Dann waren auch schon ihre Väter angejapst gekommen, den Israelis ihre erhobenen Hände als Zeichen der Arglosigkeit entgegenstreckend, mit schreckgeweiteten Augen auf ihre Söhne einredend und sie schnellstens aus dem Bannkreis der Feinde ziehend. Zu Hause jedoch tobten sie, während die Mütter weinten. Hassan hatte sich auf seinen Wunsch, Steine zu werfen, herausgeredet und war augenblicklich in sein Zimmer gesperrt worden, während Jamal nur schwieg und dieses verwirrende Bild nicht von der Netzhaut bekam: Er selbst auf der staubigen Dorfstraße, unter der Sonne einen zitternden Schatten werfend, und vor ihm die nackte Haut der Feinde. Und bei Gott, es waren so junge, schöne, braungebrannte, knackärschige Feinde! Damals war er dreizehn Jahre gewesen, und das Bild hatte ihn in den nächsten Jahren keine einzige Nacht mehr verlassen. Bis er mit Hassan irgendwann einmal hinunter zum Fluß gegangen war. Das heißt, sie waren *gerannt*. Wieder heraus aus dem Haus, über den gleißenden Asphalt der Dorfstraße und das Feld mit den verdorrten Feigenbäumen, dann den Pfad hinunter, wo die Luft nach Thymian und Minze roch und das einzige Geräusch das Halsglöckchen-Geklingel einer Ziegenherde war, die auf der gegenüberliegenden Bergseite graste. Sie waren in das schmale Tal gerannt, hatten sich am Fluß sofort ausgezogen und sich mit ihren verschwitzten Körpern ins klare Wasser gestürzt.

Nach einer Weile hatte Jamal dem Cousin gesagt, daß sie sich wahrscheinlich mitten im Visier der Israeli-Posten oben auf der Bergkuppe befanden. »Na und«, hatte Hassan entgegnet, »dann kriegen die in ihrem Kommandostand eben jetzt 'nen Ständer. Paß auf!«

Mit diesen Worten hatte er sich aus dem Wasser hochgestemmt, sich an einen der moosbewachsenen Felsen, die aus dem Flußbett herausragten, gelehnt und Jamal bedeutet, das gleiche zu tun. In Richtung der Berge starrend, wo sie die Posten der

Zahal und deren in Anschlag gebrachte Uzis vermuteten, begannen sie wie wild zu masturbieren. Die Luft flirrte, die Bergkette verlor ihre Konturen, und alles was Jamal fühlte, war die Bewegung von Hassans nacktem Körper direkt neben ihm. »Sperma für Sharon«, schrie Hassan und spritzte ins Wasser. Er hatte nicht einmal bemerkt, daß Jamal allein ihn angesehen hatte, während es ihm gekommen war.

Später sprachen sie nie wieder über diesen Nachmittag am Fluß, aber nun hatte Jamal eine zweite Erinnerung, die sich mühelos abrufen ließ. So lange, bis sein Kopf schmerzte und sich alles mehr und mehr verflüchtigte. Ein Gerücht, eine Episode, eine Halluzination und weiter nichts.

❏

Jamal überlegte. Irgendwo in einer Ecke seines Schrankes mußten noch diese rissigen, ölverschmierten Fausthandschuhe liegen, die man ihm damals auf einer der Baustellen am Potsdamer Platz in die Hand gedrückt hatte.

Wochenlang mit allen möglichen Schwarzarbeitern aus Osteuropa und dem Balkan Gräben schaufeln, Beton mischen, Dreck wegkarren und sich von deutsch-polnischen Vorarbeitern zusammenscheißen lassen – und das nur, weil er damals hoffte, mit genug Geld in der Tasche eine Frau zur Heirat überreden zu können.

Jamal seufzte. Wie naiv er all die Zeit über gewesen war! Als hätte ihn ausgerechnet dieser miese Job von Karim die dringend benötigten zehntausend Mark verdienen lassen. Nichts war davon geblieben, nichts als diese Fausthandschuhe. Eigentlich waren sie nur dazu gut gewesen, sich nicht die Handflächen an dem Holzzaun aufzureißen, über den er zusammen mit Besnik, dem Kosovaren geklettert war, um der Polizei-Razzia zu entkommen.

Heute fragte er sich, wer damals die Bullen informiert hatte. Karim, der sich in den Tagen vorher kaum hatte blicken lassen? Sein Vater, von dem er nie sprach?

Vom gehetzten Rennen keuchend und völlig dreckverschmiert, hatten Jamal und Besnik unten in der S-Bahn-Station Unter den Linden auf den ersten Morgenzug gewartet, der sie so schnell wie möglich aus dieser Falle herausbringen sollte.

Ihre Flüche wegen all des Geldes, um das man sie geprellt

hatte. Ihr bitteres Lachen, die Angst und der schale Triumph, den Polypen trotzdem entkommen zu sein; Seufzer und Wortfetzen, die schließlich vom Kreischen des einfahrenden Zuges der S 1 verschluckt worden waren.

»Ein surrealistisches Tableau«, hatte Katja gesagt, als sie ihn am Tag darauf auf dem Fußboden seines Zimmers sitzen gesehen hatte. Ein Paar Turnschuhe, eine leere Florena-Dose und zwei Fausthandschuhe, von Jamal mit müden Bewegungen hin und her geschoben.

Was ist ein surrealistisches Tableau? Zu dumm, daß er vergessen hatte, sie danach zu fragen. Er war wütend und schockiert gewesen, hätte sie in diesem Moment sogar ohrfeigen können für ihre Naivität, aber gleichzeitig wußte er, daß dies jetzt auch ein Beginn war. Er würde weinen, er *mußte* weinen über all das, was geschehen war, und genau das würde Katja die Augen öffnen. Sie waren doch Komplizen, er und Katja, Katja und er! So war es doch gewesen, oder?

❑

Ab da trafen sich Kerstin und Jamal mehrmals in der Woche.

Bei seinem ersten Besuch hatte er die letzten zwei Stunden im Kurs geschwänzt, jetzt richtete er es so ein, daß er Kerstin an jenen Tagen sah, an denen er ab Mittag ohnehin frei hatte. Auf ihren ausdrücklichen Wunsch hin trafen sie sich jedesmal in Hellersdorf. Von anderen Orten wollte sie nichts wissen.

»Was solln wir durch die Stadt tigern, wenn wir's auch hier jemütlich ham«, sagte sie, und dagegen wußte Jamal nichts einzuwenden. Manchmal bot er ihr an, in ein Café zu gehen, ins Kino oder vielleicht in ein libanesisches Imbißrestaurant – er hatte ausreichend Geld zusammengespart, um der *deutschen Frau* einmal ein richtiges Festessen mit Tabouleh und Schwarma und Gebäck und Minztee bieten zu können. Auch einfach durch die Straßen von Charlottenburg und Schöneberg zu schlendern, wäre nicht schlecht gewesen.

Aber Kerstin antwortete jedesmal mit dem gleichen Satz.

Als Jamal daraufhin vorgeschlagen hatte, statt dessen zum Mehringdamm zu fahren und in den Kreuzberger Trödelläden herumzukramen, hatte sie fast einen Wutanfall bekommen. Sie war hochrot im Gesicht geworden, hatte eine beleidigte Miene aufgesetzt und eine handfeste Schimpfkanonade gestartet. »Ausjerechnet Kreuzberg, det is wohl nich dein Ernst! Die Türken mit ihren Klappmessern da und dazu der janze Knoblauchduft, willste mich etwa da hinlotsen? Det is schlimmer wie inner Gaskammer, sagt mein Papa immer.«

Jamal hörte aufmerksam zu. Soviele Informationen kriegt man nicht jeden Tag auf – ja, wie sollte man sagen, *auf einen Schlag*. Kerstin mochte also keine Türken, und bei Papa Dembruschkat schien es nicht anders zu sein. Und er selbst, mochte er Türken? Jamal kannte keinen einzigen, aber von Anfang an hatten sie für ihn mit zur Stadt gehört. Ohne Kreuzberg und die Türken wäre Berlin nie Berlin gewesen. Er hatte sich keine weiteren Gedanken darüber gemacht. Im Unterschied zu ihm waren die Türken hier Einheimische, und all das, was er in der fremden Stadt lernen mußte, wußten sie längst. Und doch, für Kerstin schienen sie nichts zu sein als ungebetene Gäste, gefährliches, übelriechendes Geziefer. Warum lud sie dann ihn, Jamal Kassim, dreimal in der Woche zu sich, warum cremte sie sich voller Hingabe und bot ihm ihren nackten Körper, damit er es ihr besorgte? Nur deshalb, weil es außer ihren Freundinnen, die sie zu den Wüstenscheichs vom Wittenbergplatz mitgeschleift hatten, sonst nie jemand erfahren würde?

Später fragte sich Jamal, warum er nicht in diesem Moment Hellersdorf adieu gesagt hatte.

Sie waren gerade mit dem Sex fertig geworden, und Kerstin hatte die Florena-Dose wieder verschlossen und in der Schublade unter dem Küchentisch verstaut. Sie stand neben Jamal vor dem Waschbecken, um sich ihren verschwitzten, unter den Achseln und an den Brüsten seltsam geröteten Körper mit einer *Lux*-Seife zu waschen. *Sauberruppeln*, nannte sie diese Prozedur, und Jamal hatte sich das merkwürdige Wort in sein Vokabelheft notiert. Wahrscheinlich hätte es ihn nicht die geringste Mühe gekostet, sich anzuziehen, Kerstin die Florena-Reste von den Lippen zu küssen und sie dann für immer und ewig mit ihrer Kreuzberg-Phobie im Juri-Gagarin-Weg 17, Block C, allein zu lassen.

Jamal jedoch blieb und schwieg. Weshalb?

War der Zauber von Kerstin Dembruschkats Körper so stark geworden, daß er sich seinem Bann nicht mehr entziehen konnte?

Blödsinn. Aber soeben hatte er ein neues Wort gelernt, und das hatte es in sich. *Herumtigern. In der Stadt herumtigern.* Genau das hatte sie gesagt, und zwar mit Angst und Abscheu in der Stimme. Nachdenklich stand Jamal neben ihr vor dem Küchenspiegel, der seinen Körper nur bis zum Bauchnabel zeigte, und wiederholte für sich das Wort: Herumtigern, in der Stadt herumtigern. Wie ging das weiter? Ich tigere herum oder ich herumtigere oder ich würde herumgetigert worden sein? War das Verb reflexiv und trennbar? Jamal überlegte einen Moment, Kerstin danach zu fragen.

Irres Wort, das. Ein bißchen wild – das kam doch bestimmt vom Tiger im Zoo, oder? – ein bißchen dreckig und ganz schön geil. Fast so wie – Jamal senkte den Kopf und versuchte, im Waschbecken den Florenafilm von seinen Handflächen abzubekommen –, ja fast so wie *schwul.*

Auch in dieser Hinsicht war Bemerkenswertes geschehen. Das Delirium, das ihn an Regine Hildebrandt denken ließ, während er in Kerstin Dembruschkat eindrang, hatte sich nicht wiederholt, obwohl seine Tisch-Partnerin noch immer in regelmäßigen Abständen *Uff* rief und der Metallvogel dazu bei jeder vollen Stunde radauschlagend aus seinem fichtennadelverzierten Holzhäuschen raste.

Auch die Hamam-Phantasien und sein lautloses *Jaallah, ich bin schwul*-Gemurmel hatten keine Fortsetzung gefunden. Zumindest wußte er, daß er nach all den Jahren – was für eine Leistung! – unten am Fluß die Initiative hätte ergreifen sollen. Und zwar so, daß Hassan Hören und Sehen vergangen wäre, *tabaan!*

Ob Kerstin davon etwas mitbekam, während sie es auf dem Küchentisch miteinander trieben? Wahrscheinlich nicht, denn gerade heute, als er, wieder vorbei an den mürrischen Blicken der pickligen Jungs vor dem Hauseingang, bei Dembruschkat geklingelt und sie die weißgestrichene Tür mit der messingverzierten Klinke geöffnet hatte, hatte sie der Weg vom schmalen Wohnungsflur nicht sofort in die Küche, sondern direkt in ihr Zimmer geführt. Das war nach den drei Wochen, in denen sie sich regelmäßig sahen, das erste Mal. Eine Auszeichnung für gute Tischmanieren?

»Mein Reich«, sagte Kerstin und strahlte. Jamal sah sich neugierig um. Es war ein rechteckiges Zimmer, dessen eine Längsseite von einem bis an die Decke reichenden Schrank eingenommen wurde, der statt einer Tür eine riesige Platte aus Holzimitat an der Vorderseite hatte. »Eine Geheimtür?« fragte Jamal neugierig.

»Wenn de so willst«, sagte Kerstin. Sie griff in eine kleine Vertiefung in der Platte, die daraufhin mit einem Krächzen langsam auf den Boden klappte. Vor Jamals Augen wurde ein Bett sichtbar, an dessen Kopfseite sich ein zerknautschtes Gebirge aus blümchengemusterten Decken und Kissen erhob.

»Eigentlich müßte det Zeug seperat jelagert werden. Aber det is zuviel Schufterei. Siehste, wie ick den Trick raushab?« Kerstin zeigte auf das zerknautschte Gebirge. »Einfach in die Ecke pfeffern, und dann das Bett wieder hoch in die Luft! Mußt dann nur noch mal ranwummern, damit es dir nich zurück uff die Birne klatscht.«

Jamal hatte nur mit halbem Ohr zugehört. Die Holzimitatplatte war nicht das einzige, was es zu betrachten gab. In Kopfhöhe hingen Poster an den Wänden, die in der Mitte einen fast unsichtbaren weißen Strich hatten; bestimmt waren sie von Kerstin aus dem Mittelteil von Pop-Zeitschriften herausgetrennt worden. Jamal erkannte die schnieken Jungs von *Take That*, aber bei den anderen Postergesichtern – schwarze Rapper mit Baseballmützen, ein mit weißem Bodyshirt bekleideter Oberkörper namens *Nick Kamen* und ein schmachtender Blick plus Haartolle, über der *Shacky Stevens* geschrieben stand – mußte er passen.

»Bravo und Popcornposter«, sagte Kerstin. »Alte und neue. Vastehste – vor und nach '89. Die ersten im Schulranzen jeschmuggelt, die anderen am Kiosk käuflich erworben.«

»Käuflich erworben?« fragte Jamal.

»Na einfach gekooft, Mann.«

Kerstin ebnete das Blümchengebirge ein und begann sich auszuziehen. Obwohl er ahnte, daß dies ein unpassender Moment sein könnte, fragte Jamal: »Wie war das eigentlich früher? Ich meine, *vor 89*. Du könntest mir ruhig was davon erzählen.«

»Weßte noch nich jenug?« Kerstin war dabei, ihren Slip abzustreifen. Jamal zog sich sein T-Shirt über den Kopf und öffnete die Knöpfe seiner Jeans.

»Na ja, eigentlich hab' ich von dieser DDR bis jetzt nur eine Florena-Dose und diesen«, er drehte sich um, um den Namen an der Wand zu entziffern, »Shacky Stevens gesehen.«

Kerstin kicherte und kickte mit dem linken Fuß den Slip in eine Zimmerecke.

»Ick halt's nich aus, der Araber schmeißt alles zusamm. Erstens, Shacky Stevens kommt aus London, und die Florena-Creme wird heute noch produziert. Oder denkste etwa, ich schmier mich mit keimigem Zeug aus der Steinzeit ein? Nee, nee, mein Lieber, det is komplizierter. Aber trotzdem is hier in der Wohnung alles Ost. Sogar du!«

»Ich?« fragte Jamal und legte sich nackt neben Kerstin auf die blümchenbezogene Klappbettmatratze.

»Da kiekste, was? Nahost, sag ick nur. *Nah-Ost!* Oder biste etwa kein Wüstenscheich?«

Jamal schüttelte lächelnd den Kopf. Er fischte mit der Hand nach der Florena-Dose, die bereits auf einer kleinen Ablage über dem Bettkasten lag. »Du hast mir noch immer nicht gesagt, wie es früher bei euch war.«

»Wie soll's schon gewesen sein? Bissel viel grau, dafür aber ruhiger, viel ruhiger. Nich die janze Bambule von heute, Arbeitslose, Nutten, Aus ... Na ja, du weißt schon ...« Offensichtlich hatte sie keine Lust, weiter darüber zu sprechen.

»Ausländer?« ergänzte Jamal den abgebrochenen Satz.

Kerstin nahm ihm die Dose aus der Hand, öffnete sie und sah dabei ziemlich beschäftigt aus. »Ja, und? Natürlich nich alle. Du nich und auch nich deine Kumpels vom Wittenbergplatz, die janz bestimmt nicht. Ich mein eben die Kaffer, die Rumänen und Yugos, die Zuhälter-Typen mit den Hütchenspielen, weeßte.«

Während sie sprach, fuhr sie weiter mit ihren Fingern über die Creme in der Dose. Jamal schwieg.

»Warum sagst'n nischt? Du denkst doch jetzt nicht etwa ...« Kerstin stützte ihren Ellbogen auf und sah Jamal prüfend an. »Kiekst mich an, als wär ich 'n Rassist oder so wat. Läßt sich 'n Rassist etwa von 'nem Wüstenscheich nageln?«

»Nageln?«

Kerstin verschloß ihm mit ihren Florena-Fingern den Mund und drehte seinen nackten Körper zu sich herüber.

Als sie beide kurz vor sechzehn Uhr wieder vor dem Spiegel in der Küche standen und sich wuschen, hatte Jamal die Bedeutung eines weiteren neuen Wortes gelernt: Nageln. Ein typisches Florena-Wort, dachte er. Seltsam und dennoch ganz leicht zu enträtseln. Wurde es mit *sein* oder *haben* konjugiert? Ich habe vernagelt, werde genagelt, bin vernagelt?

Hauptsache überhaupt nageln, dachte Jamal und vereinbarte mit Kerstin den nächsten Termin.

Und was war mit dem Knoblauchgeruch der Türken, den Gaskammern, den Kaffern und Rumänen, was war mit dem Haß auf die große Stadt da draußen?

Ihr Problem, dachte Jamal und zündete sich auf dem Weg zur U-Bahn eine Zigarette an.

Onkel Ziyad empfing ihn ungnädig.

»Schön, daß der Herr sich mal sehen läßt«, knurrte er und drückte auf die Fernbedienung des Recorders.

Die zirpenden Geigenklänge, die Jamal gehört hatte, noch bevor er die Tür aufschloß, verstummten abrupt. Die plötzlich einsetzende Stille kam mit der Heftigkeit eines unerwarteten Schlages. Ziyad lächelte ihm tückisch zu.

Es war bereits Abend geworden. Der Onkel hatte die Jalousien des einzigen Zimmerfensters heruntergelassen und den großen Punktstrahler auf dem Tisch angeschaltet. Er teilte den Raum in scharf abgezirkelte Felder aus Licht und Schatten. Schachbrettmuster an allen Wänden, und König Ziyad saß, wie sollte es anders sein, mitten im Licht.

Überraschenderweise trug er nur einen grauen Jogginganzug und hockte mit mürrischem Gesicht auf der Couch. Jamal war erstaunt, wie alt ihm sein Onkel auf einmal vorkam. Vielleicht kam es daher, daß er sich seit Tagen nicht rasiert hatte und sein gebräuntes Vollmondgesicht immer stärker an einen vertrockneten Kaktus erinnerte.

»Alles klar?« fragte Jamal.

»Setz dich«, knurrte Ziyad und wies mit den beringten Fingern auf den Teppich zu seinen Füßen. Jamal wollte protestieren, ließ es aber sein. Seit einer ganzen Weile juckten ihn die Spielchen seines Onkels nicht mehr; warum also sollte er sich jetzt aufregen. Klaglos ließ er sich mit gekreuzten Beinen auf den Teppich nieder und beobachtete, wie oben auf der Couch der Onkel nervös an seinen Zehen drehte. Schweigen. Als Jamal dachte, es würde nie mehr enden, sagte der Onkel mit leiser Stimme: »So geht es nicht, Habibi, so nicht.« Ein nervöses Zukken umspielte seine Mundwinkel.

»Du beginnst dich in der fremden Stadt zurechtzufinden, gut so. Dann werde ich von dir wenigstens nicht mehr mit all den

Fragen nach Öffnungszeiten, Preisen, U-Bahnen und den verschiedenen Sprachausdrücken der Deutschen belästigt. Aber versteh mich recht, ich bin dein Onkel. Ich habe deiner Mutter gegenüber die Pflicht, dich mit Strenge und Liebe zu lehren und zu leiten.«

Jamal biß die Zähne zusammen. Was sollte der ölige Singsang? Nichts als Gerede, ungenießbar wie ein mit Glassplittern gespickter Honigtopf.

»Ja, Onkel«, sagte er.

Schadenfroh registrierte er, wie wichtig es für Ziyad sein mußte, seinen Neffen so still und gehorsam auf dem Teppich vor sich zu sehen. Armer Idiot, man sollte Mitleid mit dir haben, dachte er und hielt sein Gesicht dem Licht und dem Onkel entgegen.

»Nun gut, wo waren wir stehengeblieben? Ja, die Stadt ... die Stadt. Du beginnst deinen Weg in ihr zu finden und läßt deinem Onkel endlich Zeit, sich wieder um seine eigenen Belange zu kümmern. Ich sage dir, das ist notwendig, das ist gut, das ist wichtig. Sieh mal, es ist nicht einfach, hier als Ingenieur zu arbeiten, sich nützliche Kenntnisse anzueignen und Geld zu sparen für die Zeit danach in der Heimat. Die Deutschen schenken dir nichts und sehen dir nichts nach. Und glaub mir, für sie bleibst du immer ein Fremder, egal was du tust. Also mach deine Arbeit besser als sie und erwarte nichts darüber hinaus. Nun, was ich dir mit alldem sagen will, ist ... Auch ich habe ein Leben hier. In der Fremde ist es für keinen leicht, aber wir helfen uns, nicht wahr. Wozu sind wir denn eine Familie?«

Jamal spürte, daß eine Antwort von ihm erwartet wurde.

»Gewiß, Onkel.«

Ziyad atmete befriedigt durch. »Gut, daß du so schnell verstehst. In diesem Punkt sind wir uns also einig. Man muß miteinander reden, vom Älteren zum Jüngeren, voller Achtung, nicht wahr. Soll die Stimme in Eurer Stimme zum Ohr des Anderen Ohr sprechen, sagte schon der Prophet Almustafa in der Aufzeichnung des großen ...«

»Khalil Gibran?« rief Jamal.

Zerstreut nickte der Onkel. »Ja natürlich, Khalil Gibran, der weise Gibran ... Man muß sich verstehen, sage ich. Auch wenn – du weißt, was ich meine – es in der Vergangenheit zum Beispiel ... sagen wir zum Beispiel an den Wochenenden für dich nicht immer einfach gewesen sein mag, die ... Nun ja ...«

»Regelmäßig das Zimmer zu verlassen, damit du deine deutschen Freundinnen treffen konntest«, ergänzte Jamal und sah nun ohne jedes Mitleid, wie unangenehm Ziyad das war.

Der Onkel machte eine unwirsche Handbewegung. »Man muß nicht alles immer wieder breittreten. Also gut, es war nicht einfach. Übrigens für uns beide nicht. Aber auch das war eine vortreffliche Schule für dich, das kannst du mir glauben.«

»Sicher, Onkel«, sagte Jamal. Er brauchte nicht zu heucheln. *Und was es für eine vortreffliche Schule gewesen ist, du mieser Tyrann.*

»Bei all diesen Dingen aber müssen Regeln eingehalten werden. Regeln, mein Lieber, verstehst du? Dein Onkel hat sehr wohl bemerkt, daß du seit Wochen öfters abwesend bist. Und zwar zu einer Zeit, wo deine Kurse im Goethe-Institut längst zu Ende sind.«

»Ich, ich . . .« Jamal hätte sich ohrfeigen können, aber jetzt war er doch tatsächlich wieder ins Stottern geraten.

»Halt die Klappe«, schnitt ihm der Onkel gebieterisch das Wort ab. »Ich habe selbst dort angerufen und mich informiert. Versuch nicht, mich zu belügen.«

»Aber ich habe überhaupt nicht die Absicht, dich zu belügen«, entgegnete Jamal. Er hatte seine Stimme wieder unter Kontrolle. Vielleicht noch ein kleines Pochen zwischen Herz und Magen, ansonsten war er okay.

Ziyad musterte ihn mißtrauisch. Er hatte schon immer ein feines Ohr für Stimmungsumschwünge gehabt. Irgend etwas schien ihm zu sagen, daß es besser war, dem Gespräch eine andere Richtung zu geben.

»Was du in der Stadt machst, ist mir egal. Zumindest solange, wie du mich nicht um Geld anbettelst oder die Polizei hierher in mein Zimmer bringst. Ich habe keine Illusionen zu verlieren, mein Lieber. Ich weiß längst, daß du für deinen Onkel niemals die Dankbarkeit empfunden hast, die sonst jeder hat, der in der Fremde jemanden aus seiner Familie nahe bei sich weiß.«

Jamal sah zu seinem Onkel auf die Couch hoch. Sein Onkel blickte zu ihm auf den Teppich hinunter, und in seinen Augen flackerte Unsicherheit. Jamal fragte sich, ob er Ziyad den Gefallen tun sollte, zu widersprechen.

O nein, Onkel, im Gegenteil: Ich werde deine Worte und Taten im Gefühl ewiger Dankbarkeit baden, an den Schnürsenkeln

meiner Turnschuhe werde ich sie dann hochziehen und kreisen
lassen, damit ihre Tropfen durch den weiten Kosmos rinnen und
Khalil Gibran zu einem weiteren blöden Spruch inspirieren.

Er schwieg und sah Ziyad unverwandt an. Der Onkel wandte
sich ab und begann seine Zehen noch intensiver zu kneten.

»Deine Mutter hat angerufen«, sagte er schließlich nach einigem Zögern. »Sie wollte mit dir sprechen, aber du warst natürlich nicht da. Sie fragte mich, wo du bist, und ich wußte es nicht. Ich mußte schweigen und konnte ihr nicht einmal sagen, wo sich ihr eigener Sohn, mein mir anvertrauter Neffe gerade herumdrückt. Kannst du das verstehen?«

Ziyads Stimme war lauter geworden. Jamal zog es vor, schuldbewußt den Kopf zu senken.

»Wie stehe ich denn da, verdammt! Wie der letzte Idiot, genau so. Hätte ich deine Mutter etwa anlügen sollen und ihr erzählen, du seist einkaufen oder in der Moschee, die du doch in all den Monaten seit du hier bist, kein einziges Mal betreten hast? Ist es das, was du willst? Daß dein Onkel für dich zum Lügner wird? Antworte gefälligst!«

»Nein, Onkel«, sagte Jamal. »Es tut mir leid.«

»Daß ich nicht lache! Es tut dir leid, sagst du? Zu spät, Habibi. Viel zu spät! Deine Mutter ist nicht dumm, schließlich ist sie meine ältere Schwester. Natürlich hat sie mein Zögern gespürt. Dafür ist die Entfernung nach Beirut nicht groß genug, um so etwas nicht mitzukriegen, das kannst du mir glauben.«

Mit wachsender Faszination beobachtete Jamal, wie die Rede des Onkels zu einem Selbstgespräch wurde, wie er melancholisch seine Zehen fixierte und gar nicht mehr aufhörte, zu klagen. Noch ein paar solcher Sätze, dachte er, und ich bin frei. Dann verzeihe ich dir sogar die Turnschuhe und kaufe *dir* von meinem ersten Monatslohn ein Paar richtig geile, schwarze Lederschuhe, damit du deine Zehen verstecken kannst und weiterhin für Ulrike, Beate & Ute 'ne tolle Nummer bleibst, denn mit deinem Diwan-Getue allein wird das nicht mehr lange gehen, bestimmt nicht.

»Womöglich denkt sie jetzt, ich wäre dein Komplize bei irgendwelchen schlechten Sachen, über die man am besten nicht spricht. Sicher glaubt sie das, glaubt, daß du bei mir den Respekt vor der Familie und der Tradition verloren hast. Weshalb rufst du auch nie zu Hause an?«

»Weil du mir verboten hast, das Telefon für Anrufe zu benutzen. Weder für Stadtgespräche noch für Gespräche in den Libanon. Du hast selbst gesagt, daß das zu teuer sei und ich warten soll, bis uns jemand von daheim anruft.«

Ziyad schüttelte den Kopf. »Um keine Ausrede verlegen. Als ob dir deine Eltern nicht regelmäßig Geld geschickt hätten, um hier zurechtzukommen. Bist du niemals auf den Gedanken gekommen, dir davon eine Telefonkarte zu kaufen, um von einer Zelle aus nach Beirut zu telefonieren?«

»Du weißt selbst, daß *du* das Geld für mich verwaltet hast«, sagte Jamal leise. »Wenn ich es nicht einmal für Schuhe anrühren durfte, wie hätte ich da eine Telefonkarte bekommen sollen?«

Er spürte, wie die Wut wieder in ihm hochstieg. Sein Onkel schüttelte noch immer den Kopf, ganz langsam, als könnte er die Worte, die er hörte, nicht verstehen.

»Kommen jetzt die Beschuldigungen, ja? Paß auf, irgendwann wirst du noch sagen, ich hätte dich bestohlen! Bitte, erzähle es nur allen, dein Onkel, bei dem du wohnen, schlafen und essen konntest, hat dich wie einen Sklaven gehalten, nur zu! Das andere zählt ja nicht: wie ich mir extra von der Arbeit freigenommen habe, um die dich Papiere zu besorgen, die du für dein Studentenvisum gebraucht hast, wie ich alles an die deutsche Botschaft nach Beirut geschickt habe und dann über drei Monate warten mußte, bis eine Rückantwort kam. Aber damit nicht genug.«

Ziyad schnaufte, als gelte es ein Wettrennen zu gewinnen. An seinen Schläfen waren die Adern hervorgetreten.

»Nicht genug damit. Deinen Kurs im Goethe-Institut mußte ich anmelden, und jedesmal war ein Nachmittag weg, ehe ich alle Kopien zusammen hatte, die diese beschissenen Deutschen wollten, ehe sie mein Geld akzeptierten ...«

»Ich dachte, daß meine Eltern für die Kurse aufgekommen wären«, sagte Jamal kühl.

»Und was war mit den 750 Mark, die sofort bei Anmeldung fällig waren? Gut, die habe ich von dir, daß heißt *von deinen Eltern* zurückerstattet bekommen, aber zuerst einmal hieß es, aus eigener Tasche zu bezahlen. Du kannst dir ruhig dein dreckiges Grinsen sparen. Du wirst ja sehen, was es heißt, nichts auf dem Konto zu haben und deinen deutschen Chef um einen Vorschuß anbetteln zu müssen. *Vorschuß und betteln*; jawohl!«

Ziyad hielt kurz inne, um zu überlegen.

»Was ist nur aus dir geworden? Kommt wie ein verschüchtertes Lämmchen auf dem Flughafen draußen in Schönefeld an, spricht außer den paar Brocken, die er im Libanon gelernt hat, kaum deutsch, darf sich aber gleich bei seinem dummen Onkel ins gemachte Nest setzen, lernt die neue Sprache, ist ehrgeizig wie nur was, schaut bald nur noch zum Essen und Schlafen vorbei, spricht nur das Nötigste, tut alles, was man ihm sagt, mit einer schon beleidigenden Höflichkeit – und glaubt dann, seinen Onkel in den Dreck treten zu können. Ist es das, was dir Freude macht? Mich vor unserer Familie daheim komplett unmöglich zu machen?«

»Nein«, preßte Jamal heraus.

»Als ob es nicht schon schwer genug wäre. Für alle daheim bist du der reiche Ziyad aus Berlin, von dem möglichst jeden Monat ein Paket erwartet wird, während du hier auf der Arbeit, in den Ämtern, auf den Straßen ... Na, du wirst sehen, wie die Deutschen wirklich sind.«

»Ich habe keine Illusionen«, antwortete Jamal.

Ziyad sah ihn einen Augenblick erstaunt an, dann lachte er los. Es war ein freudloses Gelächter, das abrupt wieder abbrach.

»Ich habe keine Illusionen«, äffte er Jamal nach. »Als ob du auch nur im entferntesten wüßtest, was es heißt, in der Heimat fremd geworden zu sein und gleichzeitig hier in der Fremde niemals ... Ja, da brauchst du gar nicht zu versuchen, dein Grinsen zu verstecken, Klugscheißer. Noch glaubst du, das hättest du alles schon hundertmal gehört, das wäre nur das Gemurmel von zahnlosen Alten; aber du wirst sehen, glaub mir. Wenn Abu Jamal schon keine Illusionen mehr über diese Stadt hat, die er überhaupt nicht kennt, kann Abu Jamal seinem Onkel dann wenigstens verraten, was er in den letzten Wochen getrieben hat und woher diese plötzliche Munterkeit kommt?«

Ziyads Ton war mit jedem Satz weniger aggressiv geworden. Wahrscheinlich sollten die spöttischen Fragen eine Art Friedensangebot sein.

»Kein Problem«, antwortete Jamal. Jetzt würde er seine beste Karte ausspielen.

»Es ist einfach so ... Ich habe jemanden kennengelernt.«

»Eine *Frau?*« fragte Ziyad lauernd.

Vor Schreck hätte sich Jamal beinahe verschluckt.

»Natürlich, was sonst«, sagte er und spürte, daß sich sein

Gesicht wieder gerötet hatte. Ob sich diese verräterischen Farbenwechsel vermeiden ließen, wenn man sich regelmäßig weiße Florena-Creme aufpinselte?

»Was weiß ich denn«, orakelte der Onkel.

Jamal beschloß, sich nicht aus dem Konzept bringen zu lassen. Ganz gleich, was dieser Schwätzer andeuten oder ahnen mochte – es war *seine* Geschichte, *sein* Abenteuer, *seine* Eroberung. Schade, daß er Kerstins Dose nicht dabei hatte, das wäre der optimale Beweis seiner erotischen Aktivitäten gewesen.

Ziyad schwieg, während Jamal erzählte. Er hatte das Gesicht in die Fäuste gestützt und hörte mit geschlossenen Augen genießerisch zu. Je länger Jamal sprach, um so stärker fühlte er, daß sie beide, er und sein Onkel, in eine Intimität hineinglitten, die er lieber vermieden hätte. Aber bitte, wenn die Anerkennung durch Ziyad diesen Preis hatte ...

Natürlich verschwieg er die *Uff*-Rufe seiner Partnerin, verschwieg die eigenen Phantasien, während er sich in Kerstin bewegt hatte, er verschwieg Regine Hildebrandt, die Potsdamer Staatskanzlei, und vor allem verschwieg er die Erinnerung an Hassan und diese Geschichte am Fluß. Er beschrieb Kerstins Beine, ihre großen blauen Augen, die er Ziyad gegenüber *nicht* als »Glubschaugen« bezeichnete, beschrieb ihre kunstfertigen Finger und ihre braunen Brustwarzen, die unter seinen Berührungen hart geworden waren.

Nur einmal unterbrach ihn der Onkel. »Und du hast diese Frau tatsächlich bei Wassim kennengelernt?« fragte er mit träumerischer Stimme, ohne die Augen zu öffnen.

»Genau. Bei Wassim«, antwortete Jamal. »Auf der Fickbörse hinterm Wittenbergplatz. Danke für den Tip.«

Als hätte man einen Knopf betätigt, riß Ziyad seine Augen auf. »Nimm dir nur nicht zuviel heraus, Habibi! Von einer *Fickbörse* – Gott möge dich für solche Worte strafen – habe ich dir bestimmt nichts erzählt. Ich habe gesagt: Jamal, gehe zu Wassim, damit er dir hilft, in der Stadt zurechtzukommen. Alles andere ist deine eigene Angelegenheit, in die ich nicht mit hineingezogen werden will.« Er blickte Jamal eisig an.

»Ja, Onkel.«

Wie schnell es doch ging, die Hierarchie wiederherzustellen! Ein Anschiß von der Couch herunter genügte, und alles war fast wieder wie vorher. Dennoch erzählte Jamal weiter. Jetzt erst recht, dachte er und sprach mit einer trotzigen Genauigkeit, die ihn selbst überraschte, über den Rhythmus von Kerstins Beckenbewegungen, über ihre Art, die Creme auf dem Körper zu verteilen, über ihr Gesicht im Augenblick des Orgasmus.

Er erzählte alles und wußte doch, daß er nichts verriet. Er warf seinem Onkel alle Karten hin, um das As, den Joker, das wirkliche Geheimnis für sich bewahren zu können.

Und doch, am liebsten wäre er aufgesprungen, hätte sich vor Ziyad hingepflanzt und gerufen: *Onkel, ich bin schwul. Ich bin der wüste Scheich von Hellersdorf, der Kerstin-Beglücker und Florena-Zauberer, und siehe, dieser Zauberer ist schwul. Noch tue ich nicht das Verbotene, das man nicht einmal denken darf, aber es ist schon mehr als ein Traum, viel mehr. Mach also Platz auf dem Diwan in Moabit, rück zur Seite und rühr mich nicht an, denn du, großer Ziyad, mit dem breiten Schnauzbart und dem silbernen Libanon-Kettchen, du bist bestimmt nicht mein Typ.*

»Gratuliere«, sagte der Onkel. »Gratuliere, Jamal. Jetzt ist mein Neffe also ein Mann und weiß nun endlich, wo sich das Paradies der Frauen befindet. Dann muß er wenigstens nicht mehr mit irgendwelchen Niggern in der Wohnung seines Onkels aufkreuzen und mit Grammatikbüchern herumwedeln wie ... na ja, wie ein *schaz* mit seinem Tuntenfächer. Ist doch 'ne Entwicklung, oder?« Ziyad lächelte sarkastisch.

Ohne zu zögern, stand Jamal auf. In Sekundenschnelle war die Entscheidung getroffen.

Ohne eine hastige Bewegung erhob er sich vom Teppich und drehte seinem Onkel den Rücken zu. Entweder er oder ich. Solange Ziyad hier saß, würde er niemals der Diwan-Scheich von Moabit sein, immer nur der kleine, geduldete Verwandte, dessen Geschichte man sich anhört, um sie danach zu zerpflücken und Wort für Wort in giftige Pfeile zu verwandeln. Jamal spürte, wie sich sein Hals zuschnürte, wie ihm die Luft im Zimmer den Atem nahm und ihn die Stimme seines Onkels, diese so verflucht überlegene Stimme, in den Wahnsinn zu treiben begann.

»Ich gehe«, sagte er. Er öffnete den Kleiderschrank und griff nach seinem Reisekoffer, der dort leer und staubig auf dem Boden lag. Es würde nicht einmal fünf Minuten dauern, ehe er alle Sachen, die in diesem Zimmer wirklich ihm gehörten, zusammengesucht und eingepackt hätte.

»Was soll das?« fragte Ziyad erstaunt. Mit einem Satz war er von der Couch aufgesprungen.

»Habe ich gesagt, daß du gehen sollst? Nicht nötig. Ich erwarte heute abend keinen Besuch mehr. Setz dich wieder hin und warte, bis ich die Bohnen warm gemacht habe. Im Kühlschrank ist sogar noch etwas Tabouleh. Nicht schlecht, oder? Also stell die Tasche wieder zurück, wo sie hingehört.«

Heftig drehte sich Jamal um. Wütend strich er sich eine Haarsträhne aus der Stirn. Schließlich stieß er hervor: »Könnte es nicht meine eigene Entscheidung sein, zu gehen? Ist es zuviel verlangt, das zu kapieren?«

Als er sah, welche Überraschung sich auf dem Gesicht seines Onkels ausbreitete, schrie er noch einmal: »Meine eigene Entscheidung, hörst du das? *Meine eigene, ganz eigene Entscheidung.*«

So standen sie sich eine Weile gegenüber. Jamal kam es wie eine Ewigkeit vor.

Er wußte, daß er sofort zuschlagen würde, wäre es Ziyad eingefallen, die Situation wieder mit einer spöttischen Bemerkung für sich zu entscheiden zu wollen.

Ohne auf die Konsequenzen zu achten, hätte er mit all dem Haß, der sich seit Monaten aufgestaut hatte, zugeschlagen.

Mit einer resignativen Handbewegung wandte sich der Onkel ab.

»Bitte, bitte, ich sage ja schon gar nichts mehr. Nur keine Aufregung.«

Jamal zog die Tasche aus dem Schrank und begann zu packen. Er mußte weg. Unmöglich, noch eine Nacht in diesem Zimmer zu verbringen. Vielleicht würde ihm Wassim helfen, könnte herumtelefonieren, seine Kumpels fragen, eine Matratze in irgendeiner Wohnung besorgen. Das war nicht das Problem.

Er holte seine Bücher und Hefte aus einer Schublade unter dem Schreibtisch hervor, griff nach seinem Paß und der Aufenthaltsgenehmigung, verstaute alles im Koffer und drückte das Schloß zu. Das war das einzige Geräusch im Zimmer, und es kam ihm vor, als ritze es eine Trennlinie zwischen ihm und Ziyad quer durch die Luft. Eine mit Spitzen und Zacken besetzte Trennlinie, die der Onkel ab nun nie mehr überschreiten könnte.

»Geh nur, wenn es so eilig ist. Ich halte dich nicht auf. Der Herr denkt, daß er jetzt der King ist, nur weil er ein paarmal in 'ner

Möse war. Aber gut, kein Problem, dann ist mein Neffe ab heute der King. Ich weiß genau, was du denkst. Jetzt kannst du's diesem Scheißkerl von Onkel endlich zeigen, nicht wahr, jetzt bist du ihm gleichgestellt, denn jetzt vögelst auch du fröhlich in der Stadt herum. Ist es das? Natürlich ist es das.«

Ziyad hatte die Hände in den Taschen seiner Jogginghose vergraben und lief nachdenklich mit gesenktem Kopf im Zimmer umher. Jamal beachtete ihn nicht.

»Es ist nur so«, der Onkel war stehengeblieben und fixierte irgendeine Stelle an der Wand, wo sich Licht und Schatten kreuzten. »Es ist nur so, daß du irrst. Deine Rechnung geht nämlich nicht auf. Willst du wissen, warum? Weil das, was du jetzt als großen Durchbruch feierst, in Wirklichkeit nichts ist als ein Fliegenschiß. Sex als Befreiung von allem, was dich stört und bedrückt – glaubst du wirklich, ich hätte diesen Traum nicht auch geträumt? Guck nicht so dämlich, ich schwöre dir, daß es bei mir das gleiche war, haargenau das gleiche.«

Jamal schwieg noch immer, die Arme demonstrativ auf der Brust verschränkt. Mochte Ziyad ruhig ein bißchen labern und diese Vorstellung genießen. Er wußte selbst, daß es seine Abschiedsvorstellung war.

»Diese Deutsche wird dich bald fallenlassen, Habibi. Oder du wirst sie fallenlassen, was ist schon der Unterschied. Das ist nicht wichtig, denn nach ihr wirst du eine andere finden. Oder einen ... aber lassen wir das, ja? Du wirst dir den Verstand aus dem Schädel vögeln und erst spät, sehr spät merken, daß du trotzdem ein Fremder bleibst. Daß du die deutschen Weiber nur so stemmen kannst, daß dir deine Arbeitskollegen Bier spendieren und dich sogar zu ihren blöden Kegelabenden mitschleifen werden, daß das alles aber nichts zählt, wenn du nach drei Monaten wieder in aller Herrgottsfrühe in einer Menschenschlange vor dem *Ausländermeldeamt* (Ziyad verwendete mit Bitterkeit das deutsche Wort) in der Amrumer Straße stehst, um dir den Arsch abzufrieren und auf einen miesen kleinen Stempel zu warten. Aber selbst wenn du das jetzt begreifen könntest, würde es dir nichts nützen. Denn so oder so – Allahs Wege sind viel vorhersehbarer, als manche glauben – kommt irgendwann der Ruf von zu Hause. Dort bist du natürlich kein Fremder, dort bist du willkommen, aber der Preis dafür heißt Unterwerfung. *Unterwerfung*, mein Bester. Auch du wirst dann tun, was man dir sagt, das schwöre ich dir. Aber glaub nur nicht, daß mich das freut.«

»Ist das alles, was du zu sagen hast?« fragte Jamal.

Sein Onkel schien ihn nicht gehört zu haben. Düster starrte er auf die Wand und setzte mit leiser Stimme seinen Monolog fort, als spräche er tatsächlich gegen eine Mauer.

»Es ist das gleiche Spiel, immer und immer wieder, und wir spielen es seit Jahrhunderten. Aufbegehren und Kuscheln, Respekt und Tradition, Träumerei und Gehorsam. Und hier in Deutschland ist das nicht anders, hier tragen die Spielkarten nur andere Namen. Hier sind die Karten hübsch und handlich, manchmal sogar parfümiert, aber wenn du sie vor lauter Ekel wegwirfst, erwartet dich das gleiche Schicksal wie überall. Einsamkeit und Leere, bis dir der Kopf dröhnt und zerplatzt. Also nimmst du wieder die Karten in die Hand. Mach dir keine Sorgen, denn zumindest das ist ganz einfach: Deine Mitspieler erwarten dich schon, und in dem Moment, wo du wieder einsteckst, was sie dir in ihrem Großmut austeilen, verzeihen sie dir alles. Sie verzeihen alles, aber sie vergessen nichts. Auch dich, Habibi, werden sie nicht vergessen. Ob nach ein paar Wochen oder erst nach Jahren, irgendwann kehrst auch du zum Spieltisch zurück. Ich verspreche dir, er wird reich gedeckt sein für den verlorenen und wiedergefundenen Sohn. Solange, bis es Zeit wird, endgültig abzutreten. Aber das Spiel, vergiß das nie, das Spiel geht ewig weiter.«

Jamal entgegnete nichts. Er schulterte den Koffer und hielt seinem Onkel wortlos den Zimmerschlüssel hin.

Als Ziyad ihn ansah, waren seine Augen verschattet. Auf einmal schien sein Gesicht unter den wuchernden Bartstoppeln noch bleicher geworden zu sein.

»Ich will dir zum Abschied noch etwas sagen.«

»Ich höre«, sagte Jamal. Er fühlte sich unbehaglich. War das ein letzter Trick, um ihn doch noch unter Kontrolle zu kriegen?

»Ich höre«, wiederholte er ungeduldig.

Ziyad machte eine entschuldigende Geste. »Es dauert bestimmt nicht mehr lange«, sagte er leise. »Es ist nur so . . . Es war nicht nur deine Mutter, die mich angerufen hat.«

»Wieso? Hat auch Vater mit dir gesprochen?«

Normalerweise überließ der Vater unangenehme Fragen und beschwörende Ratschläge immer seiner Frau. Ein Mann hat sich nicht mit Kleinkram abzugeben. Seltsam, daß ausgerechnet er seinen Schwager in Berlin angerufen haben sollte, um sich nach Jamals Befinden zu erkundigen.

»Nicht dein Vater war am Telefon. Es war *mein* Vater, verstehst du?«

»Großvater Marwan?«

Ein Lächeln regte sich auf Ziyads Gesicht. »Großvater Marwan, wenn du so willst. Vater, Großvater, was macht das für einen Unterschied. Wichtig ist nur, was sie für uns entscheiden.«

Jamal schaute seinen Onkel verständnislos an. »Kannst du dich etwas klarer ausdrücken?«

»Zum Beispiel haben sie ein Wörtchen mitzureden, wenn es um so was wie die Heirat geht. Ist dir das schon aufgefallen, du Besserwisser? Mein Vater, Gott möge ihn schützen, hat jedenfalls entschieden, daß ich schnellstens in den Libanon zurückkehren soll.«

»Warum?«

»Warum wohl, was denkst du? Um Oliven zu pflücken? Weil sie eine Braut für mich gefunden haben! Weil es Zeit ist für deinen Onkel, aus der Fremde heimzukehren, in den Hafen der Ehe einzulaufen und seinen Samen in eine Tochter des eigenen Landes zu versenken.«

Die Last des Koffers machte sich bemerkbar. Jamal nahm ihn von der Schulter und stellte ihn zwischen seinen Beinen ab.

»Ich verstehe kein Wort«, sagte er.

Onkel Ziyad schüttelte den Kopf. Seine Lippen waren zusammengepreßt. »Und ob du das verstehst, Habibi. Erinnerst du dich daran, was ich dir über das Kartenspiel gesagt habe? Jetzt bin ich an der Reihe, draufzulegen; so einfach ist das. Der Flug nach Beirut ist schon gebucht, und auch Rabias Familie wartet sehnsüchtig auf mich. Es soll ja alles eine gewisse Form haben, nicht wahr?«

»Wer zum Teufel ist Rabia?« fragte Jamal.

»Paß auf deine Worte auf, Kleiner. Rabia ist die Tochter von Nizar. Und Nizar ist der Bruder von Hamid, dem Teilhaber am Geschäft deines Vaters.«

»Ich kann mich nicht erinnern, daß uns Hamid jemals seinen Bruder und dessen Tochter vorgestellt hätte«, sagte Jamal. Mit Widerwillen bemerkte er, wie seine Neugierde wuchs. Wenn das keine Sensation war: Onkel Ziyad wird zur Heirat mit einer ihm völlig Unbekannten gedrängt!

»Wie hätte er das auch tun sollen? Hamids Familie ist riesig, und außer Nizar hat er noch mindestens fünf andere Brüder, seine Schwestern und all deren Kinder gar nicht mitgerechnet.«

»Und du hast diese Rabia noch nie gesehen?« fragte Jamal.

»Na und?« Sein Onkel machte eine wegwerfende Geste.

»Weißt du nicht, daß Hochzeiten auch so beschlossen werden können? Stell dich nicht so an. Und überhaupt, mein Vater hat mir gesagt – das heißt, er hat es mir am Telefon *geschworen* –, daß Rabia schön ist. Glaubst du, jemand aus unserer Familie würde lügen? Das ist doch das Wichtigste, daß sie schön ist, habe ich recht? Selbstverständlich noch Jungfrau. 23 Jahre und ganz begierig, einen schönen Landsmann zu ehelichen, der dazu Ingenieur in Alemania gewesen ist.«

»Wer sagt das?«

»Dein Großvater sagt das, du Trottel. Und ich weiß, daß er recht hat. Er würde das nie entschieden haben, hätte er nicht vorher jede Menge Erkundigungen eingezogen. Rabias Vater arbeitet in der Verwaltung einer Baufirma, die vom Präsidenten persönlich mit dem Wiederaufbau der Strandhotels von Tyros beauftragt worden ist. *Persönlich!* Eine riesige Geldquelle. Eine prima Basis für mich, oder? Heimkehr zur Familie, eine Jungfrau im Arm und keine deutschen Kollegen, die dich voller Neid beobachten und dauernd Intrigen planen.«

Und leise setzte er hinzu: »Und auch keine verschlampten Wochenenden mehr.«

Ohne zu lächeln blinzelte Jamal ihm zu. »Ich hatte nie den Eindruck, daß du unter diesen *verschlampten Wochenenden* sehr gelitten hast.«

Ziyads Körper durchlief ein Zittern. Er hob seine beringte Hand, ließ sie aber wieder kraftlos sinken, als er Jamals gleichgültiges Gesicht sah.

Zeit zu gehen. Jamal legte den Schlüsselbund auf die Schreibtischplatte und beugte sich zu seinem Koffer, als ihn die Hand des Onkels am Arm berührte. Es war unerwartet sanft, fast ein Streicheln.

»Laß uns den Streit vergessen«, sagte Ziyad mit bittender Stimme. »Du bleibst heute nacht hier, und diesmal nehme *ich* die Matratze zum Schlafen. Du kannst das Bett haben – natürlich nur, wenn du willst. Ich will dich nicht zwingen. Und laß uns ab jetzt über andere Dinge reden.«

Schweigend ließ sich Jamal den Koffer aus der Hand nehmen. Behutsam stellte ihn sein Onkel vor den Schreibtisch.

»Sieh mal, da steht er. Wann immer du willst, kannst du ihn nehmen.«

Jamal nickte verwundert und bemühte sich, ein Würgen in seiner Kehle zu unterdrücken.

Als sie später das Licht gelöscht und sich schlafen gelegt hatten – Onkel Ziyad tatsächlich auf der schmalen Matratze –, hörte er im Halbschlaf ein paar gemurmelte Sätze.

»Jamal, ich weiß, daß du noch wach bist. Hör zu, ich mache dir einen Vorschlag. Es wäre schade, wenn ich unser Zimmer kündigen müßte. Vierhundert Mark Miete ist wenig Geld, und sogar Strom und Heizung sind schon dabei. Ich fürchte, daß du draußen in der Stadt nichts Günstigeres bekommst. Wenn du die Sprachprüfungen bestanden hast und im Herbst dein Studium beginnst, darfst du sogar offiziell arbeiten. *Studentischer Nebenverdienst* heißt das Wort bei denen; merk dir die Bezeichnung, sie ist wichtig. Mit diesem Geld und dem Geld, das deine Eltern dir schicken ... Du weißt, ich habe es für dich aufbewahrt, und außer deinem Miet- und Verpflegungsanteil keinen Pfennig davon genommen ... Ich meine, damit würdest du ohne Probleme hinkommen. Ich überschreib dir das Zimmer, und dann ist es dein's. Ist das ein gutes Angebot?«

»Ja«, murmelte Jamal schläfrig, den Kopf müde in die vielen kleinen Kopfkissen des Bettes vergraben. Noch vor ein paar Monaten hätte er für diese Worte alles gegeben. Jetzt waren sie bedeutungslos geworden.

»Das ist ein gutes Angebot, danke.«

Er wußte, daß er es nicht annehmen konnte. Nach dem Weggang seines Onkels würde er nie wieder hierher zurückkehren. Dieses Zimmer stank nur so nach Anmaßung, es stank nach Schweigen, Spott und Unterwerfung. Es stank aus allen Ritzen nach dem Kartenspiel, von dem sein Onkel gesprochen hatte. Wenn er an diesem Abend eines begriffen hatte, dann dies. Wenn er selbst keine Spielfigur mehr sein wollte, mußte er der Versuchung widerstehen, sich ausgerechnet hier als Ziyads Nachfolger niederzulassen. *Er* wollte weder Nachfolger noch irgendein Vorgänger sein, *er* wollte nie gezwungen werden, auf einen fordernden Anruf hin sein ganzes Leben ändern zu müssen. Und eigentlich wollte er auch kein Scheich sein.

Jamal zog die Bettdecke bis zu seinen Schultern und schloß die Augen. Es war gut, daß der Diwan in Moabit nun für immer leer bleiben würde.

Am nächsten Morgen stand er zeitig auf. Er stieg aus dem Bett und bemühte sich, Onkel Ziyad, der auf der Matratze mit offenem Mund schnarchte, nicht zu wecken. In der Waschnische drehte er den Wasserhahn nur halb auf und wusch sich so leise wie möglich. Sacht öffnete er den Spiegelschrank, um etwas vom Haargel und der Gesichtscreme des Onkels zu plündern. Als er die Pacco-Rabane-Parfümflasche zurückstellte, klirrte die Konsole. Jamal sah sich um. Keine Reaktion. Der Pascha, schräg auf seiner unbequemen Schlafstatt ausgestreckt, bewegte lediglich seinen Schnauzbart im Schlaf.

Jamal zog sich an und entschied nach kurzem Zögern, den Koffer im Zimmer stehenzulassen. Letzte Nacht war er endgültig aus diesem Zimmer weggegangen, hatte die Gefängniswände gesprengt; ab jetzt konnte er auf große Symbolik verzichten. Was nun in den restlichen Tagen bis zur Abreise seines Onkels folgen würde, war auch für ihn ein Abschied, und das stimmte ihn milde. Ich komme und gehe, finde ein neues Zimmer (oder vielleicht auch nicht) bin anwesend und freundlich und gleichzeitig schon weit, weit weg – weiter als Beirut jemals sein könnte, Onkel –, und kann es mir verdammt leicht leisten, meine Sachen noch hier zu lassen. Was sind schon *Sachen?*

Aber in einem hatte der Onkel recht gehabt. *Wenn du die Sprachprüfungen bestanden hast und im Herbst dein Studium beginnst.* An diesen Satz von letzter Nacht – und nicht an die nachfolgenden bettelnden Friedensangebote – mußte Jamal an diesem Morgen immer wieder denken, während er seinen kleinen Rucksack mit den Sprachbüchern füllte.

Na klar; Frühling-Sommer-Herbst-und-Winter und eine Zukunft in Berlin. Wie hatte er das jemals vergessen können? Berlin war mehr als Moabit und Hellersdorf, mehr als seines Onkels Zimmer, mehr als Kerstins Küchentisch. Wieviel mehr?

Jamal schnürte den Sack zu, schulterte ihn über seinen Blouson und zog die Tür hinter sich zu. Ziyad schnarchte noch immer.

Er war heute früh dran, doch für die Anmeldung konnte das nicht schaden.

Auf dem Weg zur U-Bahn rechnete er nach. Mit Grundstufe 1

hatte er im Goethe-Institut begonnen, nachdem er in Berlin angekommen war. Grundstufe 2 wegen guter Prüfungsergebnisse übersprungen, Numero 3 auch mit links geschafft und dann hinein in die drei Mittelstufenkurse, von denen ihm schließlich wieder einer erlassen wurde. Dann waren es schon zehn Monate, die er hier war? *Zehn Monate ...* Vom letzten Juli bis jetzt in den April. Sein Deutsch war jeden Tag besser geworden, aber was hatte sich sonst verändert? Was hatte er von der Stadt gesehen? Er war herumgelaufen, gewiß. Doch nie *herumgetigert.*

Gut, mit anderen Kursteilnehmern hatte er Exkursionen und Museumsbesuche hinter sich gebracht, mit Drajenka war er raus nach Potsdam gefahren. Aber dort hatte man Bierflaschen nach ihnen geworfen. Und Drajenka war kurz darauf aus dem Kurs ausgeschieden und nach München gezogen, wo ihre Mutter einen Job als Übersetzerin gefunden hatte. An den anderen Orten – Spaziergang durch Charlottenburg, Ausflug zur Pfaueninsel und Schiffsfahrt durch das historische Berlin, als die Spree schon fast zugefroren war und sich alle an Deck eisige Nasen geholt hatten –, an all diesen Orten war nichts Aufregendes passiert. Fast kam es ihm vor, als reduzierten sich Körperkontakte in Deutschland auf Rempeleien, Schlägereien und den Mundgeruch der Passagiere in der überfüllten U-Bahn.

Vielleicht wäre es ja mit der Musik spannender geworden: »Dix oder Eros und Tod« hatte eines der Balletts in der Staatsoper geheißen, für das ihr Kurs hätte Karten bekommen können. Jamal war nicht hingegangen. War er nach einem der *Nagel*-Nachmittage bei Kerstin zu müde gewesen, oder hatte ihm sein Onkel wieder einmal das wöchentliche Taschengeld zu knausrig bemessen und wollte nicht mit sich reden lassen? Er erinnerte sich nicht mehr daran. Genausowenig wie er sich an den Wechsel der Jahreszeiten erinnerte. In Beirut war es damals siedend heiß gewesen, aber als er in Schönefeld aus der MEA-Maschine stieg, wehte ihm trotz des Sommers ein kühler Wind entgegen. Dafür hatte es während des Berliner Winters kaum Schnee gegeben, nur Regen und glitschige Trottoirs.

Die Wagen der U 9 fuhren ein. Jamal zwängte sich zwischen die verschlafen und mürrisch aussehenden Fahrgäste und fuhr hoch bis zur Osloer Straße. In dem unterirdischen Labyrinth stieg er einen Stock tiefer und nahm die U 8 zum Moritzplatz.

Woher kam nur dieser Zwang, diese Verführung, sich immer

wieder klein zu machen und auf ausgetretenen Wegen zu laufen?

Wenn es ihn wenigstens befriedigt hätte! Wenn es beruhigend gewesen wäre, daß andere sein Leben planten, ihm Tickets, Visa und Bescheinigungen zuschoben und nur auf eine Unterschrift warteten, ja dann. Aber wo blieb bei ihm die Sicherheit all der anderen, die sich auf ihren Laufrädern und in ihren Käfigen so lustvoll bewegten, die sich in den ihnen zugemessenen Räumen spreizten und großtaten, die lärmten und sich wie die Kings aufführten? Warum war er zu solcher Selbsttäuschung nicht in der Lage?

Wer war er eigentlich? Ein Tagträumer, ein Pinkel, ein Querulant und eine Extrawurst? Oder eher ein Feigling, ein Angsthase, ein Weichei, ein Duckmäuser? Das Deutsche hatte dafür ebenso unendlich viele Worte wie seine Muttersprache. War es überall denn nur *Unterordnung*, die zählte? Dann schon lieber *schaz*.

Aber auch das ging nicht per Knopfdruck, als müßte man sich nur den passenden Fahrschein aussuchen; Zone AB, Zone BC, Wochen- oder Monatskarte.

Immerhin: Er hatte seinem Onkel Paroli geboten. War das nichts? Und doch hatte er das Gefühl, daß diese Stadt, daß Berlin es ihm schwer machen würde. Er konnte nur nicht genau sagen weshalb.

Vielleicht waren es die Textauszüge aus den Büchern, die man ihm im Kurs vorsetzte.

Die Gestalten, von deren Sorgen und Gedanken er da lesen mußte, konnte er sich nie körperlich vorstellen. Sie blieben Schemen, denen nur die dauernd tiefgefurchte Stirnfalte etwas scheinbar Lebendiges gab. Und er hatte den Eindruck, daß es mit jeder Kursstufe, die er absolvierte, noch schlimmer, das heißt noch vager und komplizierter wurde. Ingeborg Bachmann, Christa Wolf, Büchners *Lenz* – es war wie ein Sog, der von ihnen ausging. Nichts tun und darüber lange nachdenken. Das Leben und die Wirklichkeit eine Lüge, und Wahrheit nirgendwo als in den eigenen Gedanken. Hatte auch er sich davon anstecken lassen? Das alles war so völlig anders als die lauten mediterranen Worte, die Flüche, Segnungen und Beteuerungen, die großen Gesten unter einem ewig blauen Himmel. Die von Stockwerk zu Stockwerk geführten Unterhaltungen seiner Mutter mit den Nachbarinnen. Die theatralisch geschlossenen Augen von Vaters

Freunden, wenn sie unten im Laden nach Geschäftsschluß an ihren Wasserpfeifen zogen. Die Rufe der Limonadenverkäufer am Strand. Das schrille Hupen der Sammeltaxis. Die sich schnell zugeworfenen Spöttereien der Mädchen und Jungen, ihre sonnenhellen *Wenn ich's doch schwöre*-Ausrufe.

Hier dagegen immer das Verhangene, Triste, Diffuse, Melancholische. Fast hätte man es sensibel nennen können, wäre es nicht so verdammt selbstbezogen gewesen. Keine Kommunikation, kein Gelächter, keine vibrierenden Anbaggereien; kein Ort nirgends.

Und dann stehst du da, mit deinem Gegrübel ganz allein, durch solche Texte in deiner Unsicherheit noch zusätzlich bestärkt und auch schon so eine Schattengestalt, ein schwer atmendes Fragezeichen. Mißtrauisch und müde gemacht durch diesen Himmel und diese Bücher, und kein Ausweg weit und breit.

Jamal stieg aus der U-Bahn und lief über ein paar Treppen hoch ans Tageslicht. Gerade fuhr auf der Oranienstraße der Bus vorbei. Jamal sprintete los und schaffte es, gleichzeitig mit ihm an der Haltestelle anzukommen. Er beugte sich vor, stützte die Hände in die Hüften und sog mit vollen Zügen die Frühlingsluft ein. Er zeigte dem Fahrer seinen Ausweis und kraxelte hoch ins Oberdeck. Es waren nur wenige Stationen bis zum Goethe-Institut, aber für einen Rundumblick lohnte es sich. Die Kronen der Bäume im Waldeck-Park waren grün, ab und an zeigten sich schon weiße Blüten. Am Himmel keine einzige Wolke.

Und da war noch dieses andere Buch gewesen. Das heißt, der Auszug, den man ihnen in einer der Prüfungen vorgelegt hatte. *»Peter Schneider: ›Wann hört ein Staat auf und fängt ein Ich an?‹ (Seite 80) Erklären Sie aus der Erzählung ›Der Mauerspringer‹ heraus, warum diese Frage für den in Berlin lebenden Autor und seine Freunde so große Bedeutung hat.«*

Das Ganze hatte irgendwie mit dem Osten zu tun, das verstand er nicht, da hatte er keine Ahnung. Aber die Frage, die Frage war's. *Wann fängt ein Ich an?*

Auf so 'ne Formulierung mußte man erst einmal kommen. Und wann fängt's an? Bestimmt nicht erst dann, dachte Jamal, wenn man zu vögeln lernt, egal mit wem. Obwohl, so was war natürlich auch nicht zu verachten ...

Als er die Treppen des Instituts hochstieg, begegnete ihm niemand. Die Kursteilnehmer trudelten immer erst knapp vor Beginn ihrer Veranstaltungen ein, und dann war auf den Stufen und Gängen des Hauses, das sich plötzlich in einen lärmenden Bienenstock verwandelt hatte, kein Durchkommen mehr. Jamal tastete über die rauhe Schicht weißer, brauner und schwarzer Steinchen, die sich auf Schulterhöhe als Wandverzierung durchs ganze Treppenhaus zog. Er hatte ein gutes Gefühl. Ja, es war fast so, als würde das wirkliche Leben jetzt beginnen, in diesem Moment, wo er sich in diesem Haus nicht mehr als irgendein anonym hineingestelltes Element bewegte, sondern als der zukünftige Student, der nun entschied, daß es Zeit für eine Abschlußprüfung war.

Wie ein gestrandetes Ufo hockte der schwarze Gitterkasten des Aufzugs hinten in der Ecke jeder Etage, aber Jamal lief, fröhlich schnaufend, mehrere Stufen auf einmal nehmend, an ihm vorbei. Er hatte sich nicht getäuscht, jetzt war die beste Zeit. Das Sekretariat im zweiten Stock war schon besetzt, von Menschenschlangen und nervös an ihren leeren Kaffeebechern herumkauenden Schülern aber noch keine Spur. Leise surrten die Computer, manikürte Sekretärinnenfinger huschten professionell über die Tastatur; eine schöne, unaufdringliche Melodie, angereichert durch das Klirren der schmalen Silberarmbänder an den Handgelenken der Angestellten. Der Platz hinter dem Schreibtisch, an dem man sich für die Prüfungen einschreiben konnte, war zur Zeit leer. Jamal setzte sich auf einen der mit dunkelblauem Stoff bespannten Besucherstühle, die die Schmalseite des Raumes einnahmen. Sie waren von dürren Topfpflanzen eingerahmt, von denen die Deutschen wohl annahmen, sie seien oder ähnelten Palmen.

Von einem Tischchen nahm er sich ein paar Pogrammhefte, die über die Veranstaltungen, Konzerte und Kinofilme der nächsten Woche informierten. Wann war *er* eigentlich das letzte Mal abends weggewesen? Er konnte sich nur erinnern, wann er daran *gedacht* hatte, einmal ins Kino zu gehen – mit Yousuf und dessen neuer Flamme Silvia. Das war an dem Tag gewesen, als er alles verdorben hatte und Yousuf aus seinem Leben verschwunden war. Was half es, dies in Gedanken wieder und wieder durchzuspielen?

»Sind Sie wegen mir gekommen, Monsieur Kassim?«

Allah sei gepriesen, das war die Kokette. Frau Steiner, Jamals Lieblingssekretärin. »Ja«, sagte er lächelnd. Er stand auf, ging zum Schreibtisch, gab ihr die Hand. Eine kleine Parfümwolke segelte ihm entgegen, und die silbernen Reifen an Frau Steiners Handgelenk veranstalteten ein fröhliches Geklirr.

Während sie auf dem Schreibtisch ein paar Papiere ordnete, konnte Jamal im Ausschnitt ihres Kleides das *V* dezent gebräunter Haut sehen – kein Vergleich zu den Sonnenstudio-Grillhühnern an der Kasse bei Edeka in Moabit. Wenn er sich anstrengte, konnte er sogar den Beginn – oder besser: die Ahnung des Beginns – der Spalte sehen, die ihre Brüste voneinander trennte. Ob er im Bett mit ihr auch an Hamams gedacht hätte?

Heute trug Frau Steiner ihr schwarzes Haar nicht offen – unvergeßlich die Gesten, mit denen sie sich sonst ihre Locken aus der Stirn strich –, sondern straff nach hinten gekämmt und dort mit einer silbernen Spange zu einem kleinen Zopf befestigt. Dazu dieses graue Kleid mit einem Medaillon am Revers, das ebenfalls silbern glitzerte.

»Abchecken beendet? Setzen Sie sich lieber hin«, sagte die Sekretärin und blickte von ihren Akten auf. Jamal sah die kleinen Krähenfüße rund um ihre Augen, die auch das Make-up nicht mehr verdecken konnte. Sie ist nicht mehr die Jüngste, dachte er. Vielleicht Anfang, Mitte Vierzig. Aber was hatte nicht gleich dieses deutsche Sprichwort versprochen, das sie einmal im Kurs gelernt hatten: *Auch der Herbst hat noch schöne Tage.*

»Frau Steiner, Sie sollten eigentlich Frau Silber heißen«, sagte Jamal, während er auf dem Stuhl vor dem Schreibtisch Platz nahm.

Sie bedachte ihn mit einem leichten Kopfnicken. »Danke für das Kompliment am frühen Morgen. Sie sind ein richtiger Charmeur, Monsieur Kassim.«

So ging das noch eine ganze Weile, bis Frau Steiner mit der linken Hand – das heißt nur mit dem Handballen, denn ihre aneinandergelegten feingliedrigen Finger zeigten wie abschußbereite Raketen direkt auf Jamals Gesicht – sacht auf die Schreibunterlage ihres Ikea-Tisches klopfte und fragte: »Ich unterstelle mal, Sie sind nicht nur hier, um mir mit Ihren Schmeicheleien die Schamröte ins Gesicht zu treiben. Also was nun, junger Freund: ZMP oder ZOP?«

»ZOP«, antwortete Jamal, wie aus der Pistole geschossen. Wenn sie jemanden verblüffen wollte, hätte sie sich einen anderen aussuchen müssen, die Silbertigerin vom Einschreibbüro.

»Monsieur Kassim, ich weiß, daß Ihre Kursleistungen höchst bemerkenswert sind. Meine Kolleginnen, das heißt *Ihre* Lehrerinnen, haben mir immer wieder von Ihren Sprachspielen und unerwarteten Sinnverknüpfungen erzählt, die gewiß ein besonderes Gefühl fürs Deutsche voraussetzen. Aber die Zentrale Oberstufenprüfung verlangt noch mehr.«

»Das weiß ich«, entgegnete Jamal kühl. »Aber es ist doch so, daß ich mit dieser Prüfung direkt zur Uni kann und mir einen zweiten Sprachtest erspare?«

»Korrekt«, sagte Frau Steiner und begann zwischen Daumen und Zeigefinger einen scharf gespitzten Bleistift hin und her zu schieben. »Mit ZOP keine DSH mehr, mon cher. Die Prüfung zum Sprachnachweis an der Universität wäre vonnöten, wenn Sie hier mit ZMP, der Zentralen Mittelstufenprüfung herausgehen würden. Dafür ist sie entschieden einfacher.« Ein rätselhaftes Lächeln umspielte ihre Lippen.

Jamal strahlte sie an und brachte mit einer schnellen Kopfbewegung seine Haare in Ordnung, die in den letzten Wochen stark nachgewachsen und sofort wieder lockig geworden waren. »Ich habe mir alles genau überlegt. Ich wag's.«

»Schön, wie Sie das machen«, sagte die Sekretärin.

»Noch habe ich die Prüfung nicht bestanden.«

»Wer redet von der Prüfung? Ihre Haare, mein Lieber, Ihre Haare! Ich hab das nie hingekriegt, sie so elegant nach hinten zu befördern, bei mir mußten immer die Fingerchen mit ran.« Sie sah Jamal aufmerksam aus grüngrauen Augen an.

»Tja«, sagte er, dem dieser Ton gefiel, »solange ich mir keine Silberspangen leisten kann, muß ich mir eben so behelfen.«

Nun schien sie etwas irritiert. Ihr Zeigefinger drückte stärker auf die Bleistiftspitze, so daß Jamal schon darauf wartete, daß sie abknickte. Dann ließ Frau Steiner von dem Stift ab und entschloß sich zu einem Lächeln, das allerdings merklich geschäftlicher geworden war.

»Jedem Tierchen sein Pläsierchen, n'est-ce pas? Wie gesagt, Sie sind in Ihrer Entscheidung völlig frei. Der Anmeldeschluß für die ZOP ist nächste Woche. Aber da Sie nun einmal hier sind, können wir die Prozedur gleich hinter uns bringen. Ihnen bleiben dann auf den Tag genau drei Wochen zur Vorbereitung.«

Jamal nickte und unterschrieb ein Formular, daß sie ihm herübergeschoben hatte.

»Und, ach so, na ja . . .« Die Sekretärin imitierte die Imitation eines Zögerns, um die Frage etwas weniger förmlich klingen zu lassen. »Wir schaffen es doch, uns vorher die 80 DM Prüfungsgebühren anzuweisen oder direkt zu zahlen?«

Jamal grinste. »Natürlich schaffen *wir* das, *uns* etwas zu zahlen.«

Frau Steiner zog an einer der unteren Schubladen des Schreibtisches und entnahm ihr einige eng bedruckte Seiten grünen Papiers. Sie waren in der oberen Ecke links zusammengeheftet und trugen den Stempel des Goethe-Instituts.

»Das sind Prüfungsblätter aus vorangegangenen ZOPs«, sagte sie, wobei sie ihre Stimme senkte. »Eigentlich dürfte ich Ihnen die gar nicht geben. Aber so können Sie sich besser vorbereiten und wissen, was auf Sie zukommt. Und . . .« Sie legte einen Finger senkrecht über ihre Lippen, so daß die Fingerspitze ihre Nase berührte. »Das bleibt hoffentlich unter uns.«

»Wie soll ich Ihnen nur danken?« fragte Jamal mit ebenso gedämpfter Stimme.

»Indem Sie's schaffen«, sagte Frau Steiner und begann plötzlich, fahrig auf ihrem Schreibtisch Akten hin und her zu schieben.

Jamal murmelte ein Dankeschön und stand auf. Er sah auf die Uhr. Sein Kurs begann in einigen Minuten. Nur aus Pflichtgefühl wollte er ihn nicht verpassen, obwohl sie in den letzten Stunden ohnehin nichts Wichtiges mehr lernen würden.

Inzwischen hatte das übliche Gewusel eingesetzt. In gebrochenem Deutsch, manchmal auch in Englisch oder Französisch, fragten junge Leute nach der Etage und den Zimmernummern ihrer Kurse. Sie fragten nach Wechselgeld für die Kaffeeautomaten und piesackten die Sekretärinnen, die mit knappem Augenaufschlag – die Lider allesamt geschminkt und die Augenbrauen höchst geschmackvoll nachgezogen, wie Jamal bemerkte – kurze, korrekt abweisende Antworten von sich gaben.

Und doch, inmitten diesen Lärms, dieser lässig über die Schultern geworfenen bunten Rucksäcke, dieser internationalen Laute, Fragen, Zurufe und Verabredungen, gab es zwei deutlich voneinander getrennte Gruppen. Da waren die, die wie Jamal unbedingt einen guten Kursabschluß brauchten, um ein Studium zu beginnen, nach dessen Ende sie sofort wieder nach Hause zurückkehren mußten. Sie kamen selten zu spät und näherten sich den

Sekretärinnen fast immer mit einem Entschuldigungslächeln im Gesicht. Sie vergaßen nie ihre Unterlagen oder ihre halb aufgegessenen Sandwichs im Aufenthaltsraum oder in der Mediathek, und sie hatten etwas Gehetztes an sich, etwas Eilfertiges, das sie älter erscheinen ließ, als sie tatsächlich waren.

Und da waren, Jamal sah sie nicht ohne Neid, die anderen, jene *happy few*, die hier jedoch zahlreich vertreten waren. Entspannte, freundliche Kids aus den Staaten, Diplomatenkinder aus Südamerika, Sprößlinge von nie genannten, aber zweifellos reichen Eltern aus Osteuropa und sogar aus China, hochmütige Jugendliche aus den Golfstaaten, mit denen Jamal noch nie ein Wort gewechselt hatte. Manchmal hörte er mit, was sie in den Pausen besprachen: Mädchen und Eroberungen (wie spannend!) und Adressen, die in Jamals Kopf einen Wirbel verursachten. Da waren der Boulevard Raspail in Paris, wo man sich bei einem Kurs der Alliance Française kennengelernt hatte oder das siebte Arrondissement der Stadt, in dem sich das British Council befand, gar nicht zu reden vom Goethe-Institut nahe des Greenwich Village (Jamal begriff nicht gleich, daß sie gerade von New York – *New York!* – redeten) und andere Orte und Namen, die sie mit zwitschernder Stimme wie Roulettechips hin und her schoben.

Frau Steiner zwinkerte ihm noch einmal zu und setzte dann wieder ihre Geschäftsmaske auf, um einem schamhaft kichernden koreanischen Mädchen geduldig zu erklären, daß Kursgebühren nicht in Dollar, sondern in Deutschmark zu entrichten seien und es hier im Institut auch keine Geldwechselstelle gäbe, nie gegeben habe und auch nie geben würde; *Thank you for your comprehension.*

Jamal ging auf das Treppenhaus zu, als neben ihm die Toilettentür aufflog. Zwei junge Männer, einer hinter dem anderen, wurden sichtbar, schauten mit gerötetem Gesicht kurz nach links, kurz nach rechts und mischten sich dann unter die im Korridor hin und her eilenden Leute. Frau Steiner sprach noch immer mit herablassender Höflichkeit auf das koreanische Mädchen ein, die Toilettentür war wieder ins Schloß gefallen, und Jamal stand da, unfähig sich zu rühren. In diesem Moment drehte sich einer der Jungs um. Er hatte blonde Haare und ein hübsches Gesicht, auf dem sich schon Sonnenbräune zeigte. Sonnte er sich vielleicht zusammen mit Frau Steiner? Er war einen halben Kopf größer als Jamal und trug ein olivgrünes T-Shirt, das er gerade glattstrich und dabei ein Stück weiter nach unten zog. Es war – bei welcher Betätigung auch immer – aus den Jeans herausgerutscht und hatte für den Bruchteil einer Sekunde einen schmaler Streifen nackter Haut sichtbar werden lassen.

Der Blonde, Grübchen in seinen Mundwinkeln, sah Jamal noch immer an.

Sein Freund, ein muskulöser Asiate, auf den Jamal vorher nie geachtet hatte, schien sich nicht darum zu kümmern. Er war dabei, ein Geldstück in den Schlitz des roten Automaten in der Ecke zu werfen und konzentrierte sich darauf, den richtigen Knopf für die Getränkewahl zu drücken. Ringsherum drängten sich die anderen. Keiner hatte etwas bemerkt. Satzfetzen und Zurufe wie ein brandendes Meer, und zwei Menschen, nur wenige Meter voneinander getrennt, schauen sich an, Ein-Mann-Inseln, die nicht wissen, ob sie aufeinander zudriften sollen oder nicht. Das Lächeln war inzwischen aus dem Gesicht des Blonden verschwunden. Fast nachdenklich schaute er Jamal aus blauen Augen an. Seine Augenbrauen waren dunkel, die Wimpern ebenfalls. Was für ein Typ, dachte Jamal. Viel lebendiger als die anderen Blonden im Institut, blutleere, schlaksige Kids aus Skandinavien, die sich untereinander mit Lauten verständigten, die klangen, als spielten sie mit den Wörtern Bowling.

Dunkel und hell, hell und dunkel, groß und schlank und zwei Augen, die ihn noch immer ansahen.

Mit einem dampfenden Cappuccinobecher in der Hand kam der Asiate zurück. Er rief irgend etwas, aber Jamal hörte es nicht. Der Blonde senkte fast unmerklich die Augenlider und drehte sich weg. Der Asiate legte seine Hand auf den Rücken seines Freundes und dirigierte ihn, grinsend auf ihn einredend, in die andere Ecke des Raumes, wo sich eine Sitzgruppe mit kleinen Tischen befand. Auch sein Hemd baumelte lose über seinen Jeans.

Auf dem Weg nach unten mußte sich Jamal am Geländer festhalten. Er entschied, auf die letzte Kursstunde zu verzichten.

In den drei unterrichtsfreien Wochen las er alles, was auf den Prüfungsblättern erwähnt wurde. Er bestellte sich die Bücher in der Institutsbibliothek und las sich dort gleich in sie ein. Hier war es ruhiger als in dem Zimmer in Moabit, in dem der Onkel aufgeregt Sachen hin und her räumte und in Selbstgesprächen vor sich hin brabbelte, was er in den Libanon mitnehmen sollte, was später nachgeschickt werden könnte und was Jamal für ihn verkaufen müßte.

Aber der war ja kaum noch da, sondern saß in der Mediathek am Checkpoint Charlie. Anfangs hatte er noch nach dem Blonden Ausschau gehalten. Einmal wagte er sich sogar in die Toiletten und lief, jeden Moment bereit, sofort kehrtzumachen, an den Kabinen vorbei. Aber alle Türen standen offen und zeigten nur weiße gekachelte Zellen, in denen es nach Desinfektionsmitteln roch.

Es ist nicht die Zeit dafür, sagte sich Jamal und ging zurück zu seinem Platz, um sich in Theodor Storms *Pole Poppenspäler* zu versenken. Die Geschichte interessierte ihn nicht, er las quer und schaute immer wieder zu den Verständnis- und Intepretationsfragen auf dem grünen Zettel. Bald hatte er den Dreh heraus.

Die neuen Leiden des jungen W. las er schon mühelos an einem einzigen Vormittag. Er verdeckte den Antwortteil auf dem Prüfungsbogen mit einem Blatt Papier und schrieb auf, aus welchen Gründen dieser Edgar Wibeau von einem freieren Leben träumte.

Um ihn herum saßen andere Kursteilnehmer, mit ähnlichen Dingen beschäftigt. Allerdings hatten sie nicht den grünen Muster-Zettel unter ihren Unterlagen versteckt und wirkten deshalb ziemlich aufgeregt und fahrig. Manchmal gingen sie auf eine ihrer früheren Lehrerinnen zu, die in irgendwelchen Nachschlagewerken blätterten, und stellten flüsternd ihre Fragen. Jamal blickte nicht auf, sah nicht auf die Uhr und bemühte sich, alles, was ihn stören konnte, zu vergessen. Unter anderem vergaß er auch Kerstin.

Seit zwei Wochen hatte er sie nicht mehr besucht. Er hatte nicht einmal angerufen. Wenn er abends nach Hause kam, sah er nur Ziyads verdrießliches Gesicht, und das genügte. Schweigend aßen sie zu Abend. Der Onkel schaltete den Fernseher ein, drehte dabei sogar auf Jamals Wunsch den Ton leiser und zappte sich von seiner Matratze aus lustlos durch die Kanäle.

Ulrike, Beate & Ute waren und blieben verschwunden. Sie wurden nie wieder erwähnt, und wäre Jamal nicht vollständig mit seinen Prüfungsvorbereitungen beschäftigt gewesen, hätte er sich wundern müssen, wie schnell der herrische Onkel in sich zusammengesackt und zu einem jener farblosen Familienmitglieder geworden war, die wie Mäuse im Laufrad umherhuschen, um dem zu genügen, was man von ihnen fordert.

Fast schade, daß er nun auf dem Weg in eine andere Welt war und diese Entwicklung nur noch aus den Augenwinkeln heraus verfolgen konnte.

Nur einmal wachte Jamal mitten in der Nacht auf. Er hörte ein reibendes Geräusch, dazu ein gedämpftes Keuchen. Der Onkel lag seitlich auf seiner Matratze und bewegte ruckweise seinen Körper. Wenig später stand er im Dunkeln auf, ging zur Waschnische und wusch sein Geschlecht. Jamal war schon wieder am Einschlafen. Morgen würde erneut ein schwieriger Tag sein, eine Interpretation der Kaspar-Hauser-Geschichte, über die in einem Artikel der »Süddeutschen Zeitung« berichtet worden war. Wer war Kaspar Hauser?

Erklären Sie folgende Worte: »gehobene Kreise«, »stammelndes Sprechen«, »Verschwindenlassen«. Formen Sie die Textstellen um. Ersetzen Sie die Verben durch eine andere Ausdrucksweise, jedoch ohne Modalverben. Wie würden Sie selbst den »zahmen Wilden von Ansbach« beschreiben?

Nach ein paar Tagen beschloß er, Kerstin zu besuchen. Und der Blonde? Jamal wischte den Gedanken beiseite. Er hatte ihn nicht wiedergesehen, und damit basta. Vielleicht besuchte er ja gar keine Kurse, war ein Deutscher und nur eine Sex-Bekanntschaft des Asiaten. Komisch, daß ausgerechnet dieser Muskelprotz schwul sein sollte.

Jamal hatte eine Weile mit dem Gedanken gespielt, auf ihn zuzugehen und mit ihm zu reden. Schließlich hieß das ja, er war nicht allein, es gab noch andere, die Kerlen anstatt Mädchen hinterhersahen. Aber reichte das? Mußte er sich an Zufälligkeiten entlanghangeln, als wären sie sein letzter Rettungsanker?

Vielleicht würde es ihn auf andere Gedanken bringen, wenn er raus nach Hellersdorf fuhr.

Er sah sie, sobald die U-Bahn in der Station eingefahren war. Sie standen auf dem Bahnsteig und rauchten. Jamal zählte fünf oder sechs junge Männer. Ihre Köpfe waren ausnahmslos kahlrasiert. Sie trugen grüne Levis-Jacken und schwarze Hosen, die in knöchelhohen Schnürstiefeln steckten. Zwei von ihnen trugen Turnschuhe.

Sofort setzte das alte Alarmsystem wieder ein, als wäre es nie außer Betrieb gewesen.

Jamal wußte, daß er auf die Abzeichen auf ihrem Rücken achten mußte. Kreuze und schwarze Adler waren ein bedenkliches Signal, Hakenkreuze bedeuteten allerhöchste Gefahr – außer wenn eine rote Faust über das Zeichen genäht war.

»Entweder sie erschlagen mit der Stoffaust das Hakenkreuz auf *ihrem* Rücken, oder sie zerschlagen mit ihrer Faust *deinen* Rücken«, hatte ihm José einmal im Kurs erzählt.

José liebte solche Sätze. Er kam aus Costa Rica und lernte am Goethe-Institut Deutsch, um sich danach in einem Berliner Institut zum Entwicklungshelfer ausbilden zu lassen; so genau hatte das Jamal nicht verstanden. José redete ein bißchen zuviel. Vielleicht kam es daher, weil er zur Zeit in einem kleinen Neubauloch draußen in Marzahn hauste und aufpassen mußte, daß ihm, dem etwas korpulenten Dunkelhäutigen mit dem zum Pferdeschwanz gebundenen Haar, nichts passierte auf dem langen Weg hinunter nach Westberlin in die Kochstraße. Durchaus möglich, daß er mit dem dauernden Gerede die bösen Geister bannen wollte, die keineswegs nur in seiner Vorstellung existierten. Frau Lahrmann, eine der Lehrerinnen in der Grundstufe, hatte jedoch Josés Versuche, über seine Erlebnisse und Beobachtungen *da draußen* zu erzählen, stets abgeblockt.

»Es gibt bei uns kein *draußen und drinnen* mehr. Deutschland und Berlin sind längst nicht mehr geteilt, und das sollten wir doch alle in Rechnung stellen, nicht wahr?« Worauf jedesmal ein frostiges Lächeln auf ihrem Gesicht aufgetaucht war. Jamal hatte die Formulierung *in Rechnung stellen* in sein Vokabelheft eingetragen. Dort stand es als etwas vornehmere Wendung neben den deutschen Aufforderungen *Kapier das endlich* und *Schnall das gefälligst*. Über diese seltsamen Worte nachzudenken machte jedenfalls mehr Spaß, als Josés mißmutigen Erklärungen zuzuhören.

Nun bereute Jamal seine Unaufmerksamkeit. Wie war das nur, verdammt noch mal, mit den weißen Schnürsenkeln gewesen? Weiß ist die Farbe der Kapitulation, aber hier draußen – O Gott, auch dieses Hellersdorf war *draußen* – bedeutete es verschärften Haß, stand es für besonders harte Stiefeltritte.

Er stieg aus der U-Bahn und taxierte möglichst unauffällig die müßig herumlungernden Jugendlichen. Wahrscheinlich junge Arbeitslose, dachte Jamal. Ein paar von *unseren Menschen*, über deren schweres Schicksal im Fernsehen dieser kleine lächelnde

Advokat mit der Nickelbrille klagte, von dem es hieß, er habe früher für die Geheimpolizei des ostdeutschen Staates gearbeitet. Egal. Das waren Zeitungsschlagzeilen früh am Morgen oder schnelle Fernsehbilder abends kurz vor dem Einschlafen. Aber jetzt war er hier, das war *live*, das war kein Film. Außerdem wollte er so schnell wie möglich zu Kerstins Wohnung, er war sowieso schon zu spät dran.

Gib Gott, dachte Jamal, daß sie ruhig bleiben und nur auf ihren aufgerauchten Kippen herumtreten. Er zog seinen Kopf ein, ließ die Schultern wieder nach vorn sacken und versuchte, als anonyme Figur an ihnen vorbeizuschlurfen. Pech, daß kaum jemand mit ihm aus der U-Bahn ausgestiegen war. Scheiß Ostler, dachte er. Immer die falschen, mit denen man zu tun hat. Sind stumm, ziehen eine Fresse und verschwinden oder nölen herum und stehen bewegungslos da. Vielleicht hatte José mit seinen düsteren Zaubersprüchen doch ganz richtig gelegen.

Jamal setzte eine mürrische Miene auf. So würde er in dieser Gegend vielleicht ganz normal wirken. Und doch trafen ihn ihre Blicke. Gleichzeitig redeten sie weiter, das gedämpfte Gemurmel ihrer Stimmen hielt an. Ein gutes Zeichen. Jetzt mußte er nur noch den Ausgang da vorn erreichen, die Betontreppe hinunterlaufen, rechts am Zeitungskiosk und dem vietnamesischen Zigarettenhändler vorbei, der hier jeden Tag wie eine in den Norden verpflanzte Buddha-Statue stand. Jamal ertappte sich bei der erbärmlichen Hoffnung, die Skins im Falle einer Verfolgung auf ihn ablenken zu können, da der kleine Vietnamese bestimmt ein noch viel wehrloseres Prügelopfer abgeben würde als er selbst.

Er lief und lief. Neben ihm setzten sich die schmutziggelben Wagen der U 5 langsam in Bewegung, wurden dann schneller, überholten ihn und verschwanden in der Ferne.

Jetzt war er auf dem Bahnsteig mit den Kahlköpfigen ganz allein. Noch ein paar Meter, und er würde es geschafft haben. Jamal biß sich auf die Lippen und steigerte unmerklich das Tempo. In diesem Moment hörte er die Schritte. Das war kein Stiefelgeklapper, eher ein schlurfendes Geräusch. Er versuchte ruhig einzuatmen. Sie schlurfen wie du, dachte er, vielleicht haben wir ja alle die gleichen beschissenen Turnschuhe, ihr schlurft, wir schlurfen; alles ist gut, niemand wird dich bemerken, du wirst sie sehen, sie dich aber nicht. Und: *Da draußen* gibt es nicht mehr, wir haben doch alle die gleichen Sorgen, wir Schlürfer, ich mit meinem Onkel, die mit *ihren* Alten, und dann war da auch noch diese knifflige Sache mit dem Sex, wo kriegt man ihn her; wer wird da schon bei all dem, bei all dem ... Jamal: *Kuddelmuddel* ist das Wort, du hast es dir doch notiert – ja bei all dem *Kuddelmuddel* Zeit und Lust haben, sich zu prügeln. Keiner wird mich schlagen, keiner so feige sein, die Überlegenheit in der Gruppe auszunutzen, wir sind hier schließlich in Europa, Frau Lahrmann hatte es gesagt.

Sie waren direkt hinter ihm. Jamal hatte die erste Treppenstufe noch nicht erreicht, als er den harten Schlag auf seiner Schulter spürte. Er sah sich blitzschnell um. Zwei der Kahlen waren ihm gefolgt, der Rest kickte weiter unbeteiligt leere Coladosen vom Bahnsteig auf die Schienen.

»Haste mal 'ne Fluppe?«

Jamal sah, daß die rechte Augenbraue dessen, der gefragt hatte, von einer Platzwunde entstellt war. Braune Härchen mitten in einem Fleck aus getrocknetem Blut. Wie eklig, dachte er und fühlte sich bei diesem Gedanken fast erleichtert. Der Ekel überspielte die Angst. Aber was waren *Fluppen? Fleppen* waren Fahrzeugpapiere, zumindest in der Umgangssprache, *mach die Flocke* war eine der im Deutschen so zahlreichen Aufforderungen, wegzugehen. Aber *Fluppen?*

»Biste taub?« Die beim Sprechen sich nach oben und unten bewegende Wunde ganz nah vor seinem Gesicht, die Gestalt des anderen nur ein Schemen. Auf den mußt du aufpassen. Wer fragt, schlägt nicht gleichzeitig zu, aber wer wartet, der hat Zeit. Zeit genug, um loszudreschen.

Jamal klopfte mit beiden Händen auf seinen Blouson und machte eine bedauernde Miene. Und schütz dich mit deinen Händen, obwohl du nie so viele Hände haben wirst, wie sie Schläge haben. Damals hatte er darüber gelächelt. Was wußte schon dieser Wichtigtuer José? War er in Marzahn auch nur ein einziges Mal selbst verprügelt worden? Jamal würde jedenfalls mit seinen Händen etwas ganz anderes anstellen. Kerstins Brustwarzen steif machen, auf ihrem Körper Florena-Inselchen erschaffen, *das* würde er mit seinen Händen machen. Zumindest so lange, wie er sich nicht traute, das andere, das ganz und gar Verbotene und Undenkbare zu tun.

»Was glotzt'n so blöd? Bissel Scheiße drauf heute, hä?« Das war der andere.

War das einer von denen, die damals vor dem Hauseingang zu Block C gesessen und so merkwürdig gezischelt hatten, als er an ihnen vorbeiging? Langgezogenes Gesicht, Glatze mit winzigen Stoppelhaaren, grüne Jacke, aber auf der Jacke kein Symbol. Kein Symbol auf der Jacke, dachte Jamal, auf der Jacke kein Symbol. Bleib ruhig, da ist keine Gefahr weit und breit.

Eine Faust – wessen Faust, der eine, der andere, wer ist das jetzt? – packte ihn am Blouson. Ganz oben, da, wo der Reißverschluß endet. Jamal sah den Handrücken, direkt unter seinem Kinn. Weiße Haut mit rötlichen Härchen überzogen, an den Fingerknöcheln aufgerauht. Dieser Geruch von Zigaretten und Bier. Warum nehme ich das alles wahr, warum ist das kein Traum?

Er probierte ein Lächeln. »Keene Fluppen, sorry.«

Er zuckte mit den Schultern. Die Fingerknöchel streiften seinen Hals, zuckten zurück, rissen ihn mit seinem Blouson nach vorn.

»Tss.« Das war die Stimme des Typen mit der Platzwunde. »Läuft hier rum und hat nich mal Fluppen.« Waren Fluppen eine Art Ausweispapiere für bestimmte Viertel Ostberlins?

Und dann spürte Jamal, wie sich der Griff am Blouson ein wenig lockerte. Kurz darauf verschwand auch die Hand.

Vorsichtig trat er einen Schritt vor, den linken Fuß noch ein paar Zentimeter über dem Boden, bereit, sofort in seine Ausgangsstellung zurückzufallen. Nichts geschah. Wie in Zeitlupe setzte er den Fuß auf. Und noch ein Schritt. Jetzt nach links in Richtung Treppe. Niemand hielt ihn auf. Erste Stufe, zweite Stufe, dritte, vierte ... Und noch immer kein Tritt. Achte auf die Wirbelsäule, die ist bei so was am stärksten in Gefahr. O José, Josénito, wenn ich hier raus bin, erzähl ich dir alles; als *Mann der Praxis*, als *Surviver*. Auf einmal spürte er, wie es zwischen seinen Beinen feucht wurde. Er achtete nicht darauf. Hörte nur das Lachen der Typen in seinem Rücken und wußte, daß er es für diesmal geschafft hatte. Er stolperte die Treppe hinunter und hielt sich an der abgegriffenen Holzstange des Geländers fest. Hatte keine Augen für die zerfledderten Plakate, die an den Wänden der Unterführungsmauern hingen, hörte noch immer das Lachen. Mit jedem Schritt, den er tat, wurde es schwächer.

Fast erfüllte ihn Dankbarkeit. Fluppen hatten die doch nur haben wollen, die Jungs. Tss, da sieht man's ja. Man kann sich verständigen, gibst du mir, geb ich dir, leben und leben lassen, die deutsche Sprache war ja so sanft, für jede Situation ein gutes Wort. Alles halb so schlimm.

Als er den Ausgang zur Straße erreicht hatte, spürte er, daß auch sein Rücken naß war. Das Hemd klebte auf der Haut, aber das war nur der Schweiß. Seine Beine zitterten, als wollten sie im nächsten Augenblick zusammenklappen, und das war, gemessen an den Umständen, völlig normal.

Doch was sollte das mit seiner Hose, mit diesem Rinnsal, daß da von seinem Reißverschluß aus abwärtslief? Jamal fuhr sich verwirrt mit der Hand über die Stirn. Klatschnaß. Und jetzt kamen die Tränen, zu allem Überfluß auch noch Tränen.

Sie haben nicht mal zugeschlagen, dachte er voller Wut, aber mein Körper gibt trotzdem auf. Ist auf einmal nichts weiter als ein schwitzendes, bepißtes Etwas. O Jamal, dein Name heißt Schönheit, aber hier in Hellersdorf fragen sie dich nach Fluppen, und du beginnst zu stinken vor lauter Angst. Von wegen Weiber stemmen, großer Held. Noch immer suchst du dir die falschen Wege.

Er bückte sich und versuchte, seine feuchten Jeans von den Oberschenkeln wegzuziehen. Kaum hatte er losgelassen, sackte der Stoff wieder zurück. *Flutsch*, ein Geräusch wie auf Kerstins Küchentisch.

Sollte er etwa jetzt noch in den Juri-Gagarin-Weg gehen? Er hatte es immerhin versprochen. Aber war es nicht klüger, umzukehren, und zwar sofort?

Nein, ihr Schweine, dachte Jamal, diesen Triumph kriegt ihr nicht. Sucht mal ruhig nach euren blöden Fluppen, ich jedenfalls finde Kerstins Kitzler. Und wenn sie mich wegen der Hose auslacht, mich auf einmal nur noch lächerlich und erbärmlich findet?

Während er durch das halbdunkle Treppenhaus hinauf in den fünften Stock lief, zog er seine Jacke nach unten. Danach reichte sie ihm fast bis zu den Knien.

Vor der Tür mit dem Plastikschild *Dembruschkat* griff er in das mit abblätternder Goldbronze bemalte Löwenmaul und drückte den verborgenen Knopf. Kaum war das Tütüttü-Li erklungen, wurde die Tür aufgerissen und Kerstins Gesicht erschien.

Kerstins wütendes Gesicht.

»Komm rin«, zischte sie und vergewisserte sich mit einem

Blick in den Hausflur, ob irgendwelche Nachbarn ihre Türen geöffnet hätten. Aber ringsherum war absolute Stille, die Ruhe eines ereignislosen Nachmittags. Jamal trat über den ornament-verzierten *Willkommen-zu-Haus*-Fußabtreter und ging an Kerstin vorbei in den Flur. Als er sie auf die Wange küssen wollte, drehte sie ihren Kopf zur Seite und knallte mit beträchtlicher Energie die Wohnungstür zu.

»Was ist los?« Jamal hatte den Reißverschluß seines Blousons ein Stück geöffnet und sah mit Erleichterung, daß Kerstin das Flurlicht nicht anschaltete. Vielleicht hatte er Glück und konnte sich wie gewöhnlich nackt ausziehen, ohne daß sie etwas bemerk-te.

Aber, Scheiße noch mal, sie *sollte* etwas bemerken! Er wollte reden, und sie sollte ihm zuhören, und dann würden sie die vergangene Angst weglachen, übereinander herfallen und es trei-ben, bis die Erinnerung an die Demütigung verschwand, im Schweiß ihres Gerangels verdampfte oder sich durch Kerstins *Uff*-Rufe zu Tode erschrecken ließ. Seltsam, dachte Jamal, ich denke an Gerangel statt an Lust. Aber ich denke auch an Kerstins entkleideten Körper, an seine Bewegungen während des Sex. Entfaltete die Florena-Dose langsam ihren Zauber? Oder will ich nur etwas tun, egal was, egal mit wem, in irgendeine stöhnende Aktivität fallen, um das Geschehene zu vergessen: Es war ganz still auf dem Bahnsteig, und still und bewegungslos war auch ich, vor mir der schwere Atem der Glatzen und wie in Zeitlupe der wandernde rote Fleck über den Augen.

Haste Fluppen Nee Biste Scheiße drauf. Ja, genau das würde er jetzt aus sich herausficken, es fortschwemmen in irgendeinem grimmigen Orgasmus; er wußte keine bessere Lösung.

»Was stehst'n da wie anjewurzelt?« fragte Kerstin und schal-tete nun doch das Flurlicht ein.

»Deine Landsleute hätten mich fast erschlagen«, sagte Jamal und probierte ein Lächeln. Er merkte, daß es ihm zur Grimasse gerann. »Ich steige aus der U-Bahn, und auf einmal stehen da Glatzen. Laufen hinter mir her, wollen irgendwelche *Fluppen*; keine Ahnung, was das sollte. Packen mich am Kragen meiner Jacke und sind drauf und dran, mir eins in die Fresse zu geben. Aber ansonsten: Keine weiteren Vorkommnisse.«

Kerstin hatte ihm nur mit halbem Ohr zugehört. »Jamal, paß mal janz jenau uff.«

Ihre Stimme war eisig. Sie ging an ihm vorbei, öffnete die Tür zu ihrem Zimmer und blieb dort stehen, die Hand gegen den Türrahmen gestemmt, als gelte es einen Eindringling abzuwehren.

»Ich verstehe nicht, was du da wieder alles erzählst. Ich weiß nur, daß du dich tagelang, ja wochenlang nicht gemeldet hast. Und jetzt platzt du so mir-nichts-dir-nichts herein, und das auch noch zu spät für unsere normale Zeit. Über eine Stunde! Vielleicht ist das bei euch so Sitte, keine Ahnung. Fakt ist jedenfalls, daß meine Alten bald antanzen, und da will ich dich hier nicht mehr sehen.« Jamal registrierte die Erbitterung auf ihrem Gesicht, das Zittern ihres angewinkelten Knies.

Sollte das etwa das Mädel mit den kessen Sprüchen sein, das ihm das Vögeln beigebracht hatte? Mann o Mann, die hat doch mehr Angst als du selbst. Aber vor wem?

»Soll das heißen, daß du dich für mich schämst?« fragte er. Er war erstaunt, daß seine Stimme so neugierig klang. Von Zittern keine Spur.

Kerstin blickte kühl an ihm vorbei. »Scham und Stolz und solches Zeug is doch wohl eher bei euch zu Hause.«

»So philosophisch auf einmal?«

»Quatsch mit Soße.« Kerstins Gesicht zeigte unter dem Make-up den Anflug eines gequälten Lächelns. »Mona hat's mir erzählt.«

»Mona?«

»Na die, die damals in Wassims Bude neben mir stand, meine Freundin.«

Dauerwelle eins.

»Aber die kennt mich doch gar nicht!« Jamals Überraschung wuchs mit jedem Wort, das er hörte.

»Klaro, die kennt dich nicht. Nur so im allgemeinen. Scham, Stolz, eure ganze Tradition eben. Da muß man verteufelt uffpassen, sagt Mona.«

»Vor mir auf ... ehm, *uff*passen?« Er war perplex.

Kerstin winkelte das rechte Knie an, den Fußballen gegen den Rahmen gedrückt. Dafür stand nun ihr linker Fuß auf der Türschwelle, die nackten Zehen eingeringelt wie Schnecken während eines Regengusses.

»Na ja, nich direkt. Aber Mona sagt, ihr seht Deutsche immer nur als Sexobjekte und schert euch dann 'n Dreck um die Konsequenzen.«

»Bist du schwanger?« stieß Jamal entsetzt hervor.

Kerstin sah ihn mißbilligend an. »Hälste mich für so blöd? Ick nehm die Pille, seit ick denken kann. Damit das, waste mir rinlaufen läßt, sich nich irgendwann mal zu 'nem kleenen Ali mausert.«

»Kerstin«, sagte Jamal. »Um ehrlich zu sein, ich kapier kein Wort. Da oben an der U-Bahn-Station hätten mich irgendwelche Typen fast zusammengeschlagen, und alles, was ich von dir höre, sind Vorwürfe, die ich überhaupt nicht verstehe.«

»Wir sind schließlich kein Liebespaar«, stellte Kerstin fest. »Und außerdem, ick quatsch schon Opern: *Du bist zu spät!* Du Unglücksrabe bist drauf und dran, bei uns 'ne Krise auszulösen. Das isses, was mir stinkt. Und ...« Ihre Hand beschrieb eine ovale Linie rund um Jamals Körper, als wollte sie ihn wegzaubern, »und du stehst hier rum und denkst dabei noch, ich spinne. Aber, mein Gott, wenn Papa dich jetzt sähe ...«

Sie zog eine Schnute, die Streß signalisierte. Oder, wie man hier in Hellersdorf sagte – und auch daran erinnerte sich Jamal – *Bambule*.

»Wenn es wegen der Klamotten ist ...« sagte er zögernd. Am besten, ich erzähle die Sache mit der Hose gleich, ehe sie es sieht und wieder zu zetern beginnt.

»Quatsch mit Soße, Klamotten. *Dich* soll er nich sehen, vastehste. Icke mit 'nem Araber inner Wohnung beim Bumsen. Aber hallo, Jenosse.«

Jamal gab sich Mühe, aber der Ärger darüber, daß Kerstin ihn so unverhüllt abservierte, wollte sich überhaupt nicht einstellen. Sollte er versuchen, sich in eine empörte Stimmung hineinzusteigern? Dazu hätte er ein Macho-Arsch wie Onkel Ziyad sein müssen; *dem* wäre jetzt unter Garantie eine Welt zusammengekracht.

»Heißt das, daß ich nicht mehr wiederzukommen brauche?«

»Heeßtet *nich*.« Kerstin ging einen Schritt auf ihn zu, und Jamal nahm einen Duftrest von Parfüm wahr. Bestimmt hatte sie lange, zu lange auf ihn gewartet; kein Wunder, daß mit jedem Tag Schweigen und seiner heutigen Verspätung ihre Erbitterung gewachsen war.

»Heeßet wirklich nich, Jamal, det mußte einfach glauben. Wo's doch so gut flutscht zwischen uns, oder?« Komplizenhaft kniff sie ein Auge zu.

Dann wurde sie wieder nervös. »Aber nich auf diese Tour. Immer gleich nach Mittag, hab ick jesagt und dann isses auch so ...«

»Ich bin mit meinen Kursen fertig geworden und stecke gerade mitten in den Prüfungsvorbereitungen. Noch 'ne Woche, und es gibt was zu feiern! Dann ...«

»Interessiert mich nicht«, sagte Kerstin knapp. »Das hören wir schon jenug von den Wessis. Keene Zeit, keene Zeit, die Karriere ruft. Aber so läuft det nich.«

Sie sah schräg an ihm vorbei, während sie sprach. Sie stand noch immer abwehrbereit auf der Schwelle zu ihrem Zimmer, aber nun versteckte sie ihre Fingerkuppen in den Handflächen. Jamal schien es, als kneife sie sich, um ihre Wut unter Kontrolle zu halten.

»Wir waren immer 'ne janz tolle Familie. Sogar die Wende haben wir überstanden, als sie Vati aus der Behörde rausjekantet haben, diese Schweine, die dann überall Oberwasser kriegten. Von heute auf morgen arbeitslos, aber nie auch nur ein Tropfen Alk, kein Herumschreien, kein Hängenlassen – det kann ick dir sagen.«

»Aber dein Vater hat doch inzwischen wieder Arbeit gefunden?« fragte Jamal. Er hatte das Gefühl, in eine private Geschichtslektion hineinzustolpern; Szenen einer ostdeutschen Familie, dargeboten im wahrsten Wortsinn zwischen Tür und Angel.

»Klar hat er das. Zum Glück hatte er noch Freunde. Leute aus'm Arbeitsamt, die sich noch an früher erinnern und nich gleich Muffensausen kriegen vor den neuen Herren, die heute den Ton angeben. Auch Mutti hat's geschafft. Und sogar ich mußte nach der Schule nich etwa stempeln gehen, sondern kriegte gleich meine Schneiderlehre.«

Kerstin überlegte kurz, um den Faden des Gesprächs wiederzufinden.

Es war das erste Mal, daß Jamal außerhalb des Bettes und der Creme-Sessions etwas Persönliches von ihr erfuhr. Und in genau diesem Augenblick der Geständnisse entzog sich ihr Körper. Statt dessen hielt sie scharfkantige Stücke ihrer Familienbiographie hoch, Mauerreste voller Schießscharten.

»Det will ich nich aufgeben, det mußt du verstehen. Mein Jott, ich frag mich selbst, warum ich hier stehe und dir det alles zu erklären versuche. Is doch kein Thema, daß ich dich mag. Aber meine Leute sind nun mal auf Ausländer allergisch. Kann ick übrigens sogar kapieren, det sag ick klipp und klar. Kommen aus allen Himmelsrichtungen mit ihrem Bettel hierher, und wir sind wieder nur die blöden Ossis, Deutsche zweiter Klasse. Logo, daß man sauer wird.«

»Ich bekomme vom deutschen Staat keine Mark«, sagte Jamal. Zum besseren Verständnis fügte er hinzu: »Keene müde Mark, nischt.«

»Weß ick doch«, sagte Kerstin und probierte ebenfalls ein Grinsen, das aber auch ihr mißlang. »Trotzdem mußte weg, ehe meine Alten kommen.«

Unzählige Perlen von Schweiß hatten sich auf ihrer Stirn versammelt. Angstschweiß? fragte sich Jamal.

Er war sicher, daß Kerstins Vater einer von denen war, die diese dicken Brillen mit dem pißgelben Plastikgestell trugen, unförmige Männlein in dunklen Anoraks und mit Schirmmützen, die entweder den *Berliner Kurier* oder das *ND* lasen – er war ihnen immer wieder in der U 5 begegnet.

Vielleicht war es wirklich besser, wenn er sich verzog. Wahrscheinlich war auch das Rinnsal auf seiner Hose getrocknet. Warum also Streit riskieren? Er konnte sich die Schlagzeile am nächsten Morgen schon vorstellen.

»Familiendrama im Gagarin-Weg: Vater (52) erschlägt Tochter (23) mit einem Zehnerpack Florena-Dosen. Grund: Geliebter war Libanese mit Homo-Neigungen!« Und die Schirmmützen-Vatis würden sich die breiten Koteletten kraulen und ihren Bommelschuh-Muttis einen beunruhigten Blick zuwerfen: *Siehste, det kommt nu davon, wenn man so Sachen macht, wa.*

Kerstin streckte ihm ihre Hand entgegen: »Nimm's nich krumm, Jamal. Übermorgen dann wieder pünktlich; gleiche Welle, gleiche Stelle. Und zur Belohnung gibt's 'ne schöne feuchte Doppelnummer.«

»Sehe ich so ausgehungert aus?« fragte Jamal leise.

»Und ob«, stellte Kerstin fest und schob ihn sachte in Richtung Wohnungstür.

Jamal ergriff ihre Hand und drückte sie auf ziemlich förmliche Weise. Kerstin stellte sich auf die Zehenspitzen und drückte ihm einen Schmatz auf den Mund. Hoffentlich greift sie mir nicht zwischen die Beine und entdeckt die Katastrophe, dachte er und schloß für ein paar Sekunden die Augen. Er ließ seine Zunge zwischen ihre offenen Lippen gleiten und zog sie ebenso schnell wieder zurück. Adieu, Kerstin-Regine. Wir sind uns nichts schuldig geblieben.

»Du kommst doch wieder?« In ihrer Frage lag eine Bitte.

Jamal zuckte mit den Schultern. Er strich Kerstin mit der Hand über die Wange und öffnete wortlos die Tür. Er trat ins Treppenhaus und ging ohne Eile auf die Stufen zu. Seine Turnschuhe machten kein Geräusch. Hinter sich hörte er leise seinen Namen rufen, doch vielleicht bildete er sich das nur ein.

Aber der Knall, der jetzt durch das ganze Gebäude hallte, der war wirklich.

Er blickte sich um. Die Wohnungstür mit dem Plastikschild *Dembruschkat* war soeben mit Orkanlautstärke ins Schloß gefallen.

Auf dem Weg zur U-Bahn waren keine Skins zu sehen. Vielleicht waren sie ja wieder in ihre Plattenbaulöcher abgetaucht, um ihre nachmittägliche *beertime* zu halten.

Arbeiter und Angestellte hasteten die Straße entlang oder betraten eilig die Kaufhalle an der Ecke, einen langgestreckten Betonbau, vor dem eine Reihe ineinander geschobener Einkaufswagen an eine Straßensperre erinnerte.

Möglich, daß auch Mama und Papa Dembruschkat unter diesen Leuten waren, die, abgespannt von einem langen Tag, nur noch hofften, ihre ruhige Behausung schnell zu erreichen.

Was weiß ich von dieser Welt, dachte Jamal. Kerstin hatte nie darüber gesprochen, und er hatte nie gefragt. Weshalb auch? Sie hatte ihn entjungfert und abwechselnd amüsiert und genervt, und er hatte sie benutzt. Genau, *benutzt* war das Wort.

War er wirklich besser als sein Onkel, steckte er nicht in der gleichen Falle, nur mit dem Unterschied, daß er sich etwas auf die Ironie und seine Sprachspiele einbildete, während Ziyad schon hochzufrieden war, wenn er keuchte und seinen Schwanz in irgendeine Frau steckte, deren Gesicht er nie wahrnahm?

Und Kerstins Stirn hatte vor Angstschweiß geglänzt. Und sie hatte Sätze gesagt, Sätze herausgespuckt, in denen plötzlich von *Ihr* und *Wir* die Rede war. Von ihrer Panik gegenüber allen. Was sollte das? Drehte sich im Leben alles nur um Zuordnungen, war alles nur ein Kampf um die besten Punkte?

Ich weiß es nicht, dachte Jamal. Ich weiß es nicht.

Er fühlte sich müde. Der Gedanke, bis zur U-Bahn zu laufen, oben auf dem Bahnsteig ewig zu warten und dann die ellenlange Strecke bis hinunter zum Alexanderplatz fahren zu müssen, schreckte ihn ab. Er wollte sie nicht mehr sehen, all die verwinkelten Kleingartenhäuschen und verfallenen Industrieanlagen, an denen die U 5 vorbeiratterte, bis sie unter die Erde fuhr und ab Tierpark in jeder Station die schmutzigen, tristen Wandkacheln auftauchten, die ihn jedesmal an leere Karpfenbecken erinnerten, in denen brackiges Wasser seine Schlieren hinterlassen hatte. Und dann erst die Typen, die in der Magdalenenstraße aus- oder einstiegen! José, der wieder einmal alles wußte, hatte ihm erzählt, daß sie früher Geheimdienstler und Spitzel des alten Regimes gewesen waren. Wie auch immer, seine Entscheidung stand fest. *No Subway today.*

»Zum Ku'damm«, sagte Jamal, als er die Tür des Taxis öffnete. Es war der einzige Wagen, der vor dem Bahnhof wartete. Der Fahrer warf ihm im Rückspiegel einen prüfenden Blick zu.

»*Wohin* soll's denn gehen, Meister?«

»Zum Ku'damm«, wiederholte Jamal. Er wußte nicht, was er ausgerechnet da wollte. Hauptsache fahren. Außerdem war es das erste Mal, daß er in Berlin ein Taxi nahm. Er hatte noch einen Fünfziger in seiner Brieftasche. Der würde bestimmt drauf gehen, aber das war es wert.

Er machte es sich auf dem Ledersitz bequem, öffnete seinen Blouson und betrachtete die Hose. Keine Flecken mehr.

Als er nach draußen schaute, fuhren sie bereits die Frankfurter Allee entlang. Zu beiden Seiten der Straße gab es graue Häuserklötze, aber sie waren anders als die, die er in Hellersdorf gesehen hatte. Ihre Fassaden waren mit wuchtigen Verzierungen überzogen, als wäre hier irgendwann ein Monster mit einem riesigen Siphon vorbeigetrampelt, aus dem sich statt Sahne eine steinerne Pampe gekringelt hatte.

Der Große Stern erinnerte Jamal an irgendein Detail aus der Vergangenheit, aber damit wollte er sich jetzt nicht abgeben. Das Taxi fuhr die Hofjägerallee entlang und bog in die Budapester Straße ein, wo die kleineren Fluggesellschaften ihre Reisebüros hatten. Das geschwungene Pagodendach am Eingang des Zoologischen Gartens, die Gedächtniskirche, dann Bahnhof Zoo links abbiegen, in der Joachimsthaler Straße rechts ein Kaufhaus und nicht weit davon das Ku'damm-Eck.

»Sie können hier halten«, sagte Jamal. Der Fahrer bremste vor der Ampel ab.

»Macht dreißigzwo.«

Jamal reichte den Fünfzigmarkschein nach vorn. Er nahm das Wechselgeld entgegen, gab etwas Trinkgeld, wünschte einen schönen Tag, schälte sich aus dem tiefen Ledersitz heraus, öffnete die Tür und ließ sie mit einem fröhlichen Knall hinter sich ins Schloß fallen. Der Fahrer tippte jovial an seine nichtvorhandene Mütze und fuhr ab.

Nun hatte er wider Erwarten sogar noch etwas Geld. Fünfzehn Mark, das war nicht zu verachten. Jamals Blick fiel auf das Schild von H & M an der Ecke hinter dem Kranzler. Auf dem Bürgersteig vor dem Geschäft stand ein Metallkarussell voller Hemden; bunte, einfarbige, lang- und kurzärmlige. Es wurde ziemlich auffällig von einem dicklichen Mann in schwarzem Anzug bewacht, der wie bei einer Predigt die Hände auf dem Bauch verschränkt hielt und in seiner Montur mörderisch schwitzte.

Gleich neben der Tür, die jedesmal, wenn sie durch ein elektronisches Signal geöffnet wurde, einen schwachen Geruch von Parfüm und den Klang gedämpfter House-Musik hinausließ, befand sich ein breiter Wühltisch. Jamal griff in das Fach, über dem an einem Plastikstab ein Schildchen mit der Aufschrift *Men-Underwear* hing. Es gab verschiedenartig geschnittene Slips in den unterschiedlichsten Formen und Farben, weiß, tiefschwarz oder taubengrau. Er zog ein paar Exemplare heraus, prüfte den Bund und ließ seine Finger über den Schritt der Slips fahren.

In diesem Augenblick spürte er eine Hand auf seiner Schulter. Es war ein harter, schwerer Griff. Erschrocken ließ Jamal die Slips zurück in die Wühlkiste fallen und fuhr herum.

Vor ihm standen zwei Uniformierte.

Wie vor ein paar Minuten schon der Taxifahrer, legte einer von ihnen grüßend den Finger an seine diesmal real vorhandene Mütze.

»Dürften wir einmal Ihre Papiere haben?«

»Meine Papiere?« fragte Jamal. »Aber ich wollte überhaupt nichts stehlen, ich hab'mir hier nur die Sachen ...«

»Darum geht's nicht. Reine Routine-Kontrolle. Wenn Sie uns also bitte Ihre Papiere vorweisen würden.«

Er besah sich die zwei Polizisten. Unter der Uniformmütze des einen wucherte rötliches Haar. Aus kleinen wäßrigen Augen blickte er Jamal schläfrig, aber forschend an. Er sagte nichts. Sein Kollege, ein schlaksiger Typ mit dem Anflug eines Dreitagebartes, streckte ungeduldig seine Hand aus. »Aber nun ...«

Jamal griff in die Innentasche seines Blousons. Er nahm die Brieftasche heraus und legte die kleine Klappkarte, die ihn als Kursteilnehmer des Goethe-Instituts auswies, auf den Handteller des schlaksigen Polizisten.

»Papiere heißt Paß oder Personalausweis und sonst nichts.«

»Aber hier steht doch mein Name mit der Adresse, sogar mein Foto ist dabei.«

»Könnte gefälscht sein«, entgegnete der Polizist ungerührt, während sein Kollege geräuschvoll ausatmete.

Jamal sah nicht auf. Deshalb schien ihm, als würde dieser fordernd ausgestreckte Handteller sprechen, als kämen die unfreundlichen Signale direkt aus dem Labyrinth der Lebenslinien, die ihn durchzogen.

»Ich bin regulärer Teilnehmer dieses Sprachkurses. Ab Herbst erhalte ich meinen Studentenausweis. Wie hier steht, komme ich aus dem Libanon und lebe völlig legal in Berlin.«

»Den Paß!«

»Der Paß ist viel zu groß, um ihn jeden Tag mitzuschleppen. Was, wenn ich ihn verlieren sollte?«

Wort für Wort wurde Jamal sicherer. Jetzt sah er den beiden Uniformierten, die sich eben einen vielsagenden Blick zuwarfen, fest in die Augen. Erst dem Rotschopf, dann dem Schlaksigen.

Jamal sagte: »Wenn Sie mir nicht glauben, kommen Sie doch mit nach Moabit. Mein Onkel freut sich über Besuch. Er ist auch legal hier und arbeitet als Ingenieur, von seinen Arbeitskollegen geachtet, von den Frauen geliebt. Das heißt, natürlich nicht von den Frauen der Arbeitskollegen, so einer ist mein Onkel nicht. Aber jetzt geht er weg aus Deutschland, weil er im Libanon heiraten wird. Heiraten *muß*, aber das nur unter uns, ja? Übrigens verläßt er Deutschland völlig legal und ohne die geringsten Schulden zurückzulassen. Auch davon können Sie sich überzeugen. Wie hier zu lesen steht« – Jamal zeigte auf den Instituts-Ausweis, der noch immer unberührt in der flachen Hand des Beamten lag –, »wohnen wir in Moabit, nicht weit von hier. Falls Sie ein BVG-Ticket haben, sind es bis zur Birkenstraße nur vier Stationen. Natürlich ist auch der Bus ...«

»Ganz schön dreist«, sagte der mit dem rötlichen Wuschelhaar.

Er konnte sich ein Lächeln nicht verkneifen. Der Schlaksige reichte Jamal die Klappkarte zurück. Sein Gesicht blieb ausdruckslos.

»Sie kommen sich wohl ungeheuer witzig vor, oder? Wenn wir hier kontrollieren, tun wir das weder aus Schikane noch zum Zeitvertreib. Wie Sie wissen, zählt der Kurfürstendamm auf diesem Abschnitt zu den *gefährlichen Orten* der Stadt. Das ist behördlich so festgestellt und gibt uns das Recht, aber auch« – der Handteller zersprang und erlebte eine augenblickliche Wiedergeburt als hoch erhobener Zeigefinger –, »aber auch die Pflicht, hier auch dann zu kontrollieren, wenn keine konkreten Verdachtsmomente vorliegen.«

Jamal steckte seine Karte wieder ein und sagte: »Ich wußte gar nicht, daß H & M so gefährlich ist.«

»Quatsch, doch nicht H & M«, sagte der Schlaksige ungeduldig. »Die Gegend drumherum. Bis rüber zum Breitscheidplatz, wo die Dealer sitzen.«

»Trotzdem bin ich kein *gefährlicher Mensch.*«

Jamal hörte ein schallendes Gelächter.

Er mußte keine Sekunde überlegen, um es wiederzuerkennen. So feixte nur ein einziger Mensch in Berlin. In Zeitlupentempo drehte sich der Rothaarige um.

In der Eingangstür von H & M stand Yousuf und warf seinen Kopf vor und zurück.

Das erste, was Jamal auffiel, waren die buntgeflochtenen Rastalocken auf seinem Kopf.

Sich vor Lachen schüttelnd, kam Yousuf näher.

Theatralisch legte er die Hand auf seine Brust und sagte zu den Uniformierten, die ihn verwundert anstarrten: »Sie müssen die Heiterkeit verzeihen. Aber ... Steht der da und sagt *Aber ich bin kein gefährlicher Mensch!* Yeah, das isses. Und ich schwöre Ihnen, gefährlich ist der wirklich nicht. Da leg ich meine Hand dafür ins Feuer, denn wir kennen uns aus den Kursen im Goethe-Institut. Ich hab sogar noch diese alte Klappkarte bei mir, die mich identifiziert. Wollen Sie mal sehen?«

Während Yousuf mit den feingliedrigen Fingern auf die Taschen seiner Jeans trommelte, um sie nach dem Ausweis abzuklopfen, murmelte der schlaksige Polizist etwas von »Nur nicht zu übermütig werden« und gab seinem Kollegen einen Wink. Kopfschüttelnd tippten die beiden an ihre Mützen und entfernten sich ohne ein weiteres Wort.

Jamal und Yousuf fielen sich in die Arme. Dann trat Yousuf einen Schritt zurück und sah Jamal prüfend an. »Laß dich mal anschauen, Wühltischwühler. Siehst ja auf einmal fast wie 'n Erwachsener aus. Gelocktes Haar steht dir übrigens besser als vorher dieser abgeraspelte Bubi-Schnitt. Laß es wachsen, laß es sprießen, Bruder.«

Die leuchtenden Augen, die beim Lachen entblößten weißen Zähne, das feingeschnittene Gesicht, die ihm entgegengestreckten Arme; Jamal kriegte vor Begeisterung – oder war es Scheu, Scham angesichts ihres damaligen Abschieds – kein einziges Wort heraus.

»Yousuf, ich wollte dir zuerst einmal sagen, daß es mir wegen der blöden Sachen, die ich beim letzten Mal, als wir uns sahen, gesagt ...«

Yousuf unterbrach ihn. »Kurze Sätze!« sagte er beschwörend.

»Kurze Sätze verringern die Fehlerquote und erhöhen die *Verständlichkeit* – sag nicht, daß du vergessen hast, was sie uns damals im Kurs eingehämmert haben. Wie hieß die Tante, die Relativsätze so haßte?«

»Weiß nicht mehr«, sagte Jamal leise.

Yousuf schüttelte ihn mit beiden Händen an den Schultern. »Das ist endgültig vergessen. Kein Wort mehr, never again et plus jamais, klaro?«

Jamal nickte wortlos. Yousuf sah hinreißend aus in seinen Jeans und dem kragenlosen weißen Hemd, das seinen dunklen Hals und die Rastalocken noch zusätzlich betonte.

»Was hast du die letzten Monate über gemacht?« fragte Jamal.

»Pläne geschmiedet«, antwortete Yousuf. »Dableibpläne, Heiratspläne.«

»Heiratspläne?«

»Heiratspläne.« Yousuf stützte sich mit einer Hand an der Kante des Wühltischs ab.

»Manchmal erwischt's einen eben stärker, als man erwartet hat. Ich hoffe, du kriegst keine Krise, aber Silvia ist tatsächlich ...«

»Die Frau deines Lebens?« ergänzte Jamal vorsichtig. Yousuf sagte nichts, aber in seinen Augen lag ein Schimmer, der alles erklärte.

»Ich hoffe, du findest das nicht allzu kitschig«, sagte er nach einer Weile.

Auf dem Ku'damm schlängelten sich Passanten zwischen den hupenden Autos hindurch, doppelstöckige Busse hielten an den Haltestellen und fuhren wieder ab, die Digitaltafel auf dem Ku'dammeck gegenüber verkündete als Nachricht den bisher wärmsten Tag in diesem Jahr, vor dem Zeitungskiosk versuchte eine alte Frau, ihre Blumensträuße loszuwerden, und zwischen den Tischen vor dem Kranzler flitzten die Kellner hin und her, von gutgekleideten und durch die Sonne endlich einmal froh gestimmten Omas immer wieder um Nachschub für Kaffee und Kuchen gebeten.

Jamal war Yousufs Blick gefolgt. Er sagte: »Ich glaube, wenn ich irgendwann nicht mehr hier bin, werde ich diese blöde Stadt richtig vermissen.«

»Hm«, machte Yousuf, in Gedanken versunken. Er kratzte sich am Kopf und strahlte dann Jamal an. »Deshalb haben Silvia und ich beschlossen, die Hochzeit in richtig großem Stil zu feiern. Mom kommt sogar aus Brooklyn rüber, und Silvias Sippe rückt vereint aus Kreuzberg und Umbrien an. Wer noch fehlt, wäre ein zweiter Trauzeuge.«

Jamal öffnete überrascht den Mund, aber da hatte Yousuf schon die Hand gehoben. »Halt, zurück. Noch einmal: Wer noch fehlt – aber den ich, wenn mich nicht alles täuscht, gerade gefunden habe –, wäre natürlich der *erste* Trauzeuge. Nummer zwo hat schon zugesagt. Übrigens auch ein Ausländer aus der Kursbande, zur Abwechslung mal ein richtig Blonder. Blond, verdorben und *sehr* fröhlich, aber das nur nebenbei. Ihr zwei müßtet euch nur irgendwann und irgendwo direkt neben uns postieren, damit auf dem Amt alles seine Ordnung hat und die Sippe ihre Fotos schießen kann.«

Jamal war sprachlos. Yousuf gab ihm einen leichten Stups gegen die Brust. »Na los, was jetzt: ja oder ja?«

❏

Jamal sah aus dem Fenster. Draußen war ein Regenschauer niedergegangen, der die Passanten in Läden und Hauseingänge getrieben hatte.

Hätte mir das letzte Fensterputzen sparen können, dachte er. Er sah, wie unzählige kleine Rinnsale, schneller und schneller werdend, über die Glasscheibe liefen. Sie stauten sich am unteren Fensterrahmen, ganz so, als wüßten auch sie nicht wohin.

Es schien ihm, als würde sich ein Film zwischen ihn und die Welt da draußen schieben. Wo blieben die Konturen? Wie Fische in einem Aquarium schwammen auf der Straße die Schemen von Menschen vorbei, die nassen Autodächer wurden zu einer einzigen grauen zitternden Linie.

Sie tun alles, um mich draußen zu lassen, dachte Jamal. Oder drinnen. Auf jeden Fall isoliert und ohne Chance. Entweder sie rücken dir alle auf den Pelz, bis du nicht mehr atmen kannst, oder sie ziehen sich langsam, aber unaufhaltsam zurück, bis sie irgendwann nur noch ein Gerücht, eine blasse Spur sind, die dich in die Irre führt. Aber wer waren *sie*? Die Regentropfen, die Autofahrer, die Fußgänger, vielleicht sogar die Fensterscheiben? Lächerliche Idee.

Die anderen waren keine Spur, sondern Wesen aus Fleisch und Blut. Sie hatten es nur besser getroffen als er und mußten ihre Tage nicht damit zubringen, hinter Fensterscheiben trüben Gedanken nachzuhängen. Die anderen, das waren die, die da waren und immer da sein würden. Tätig, lächelnd, mitten im Leben. Wie sein Onkel, den er wohl schon morgen sehen würde. Jamal konnte sich bereits jetzt vorstellen, wie er fett und in seinem Jackett schwitzend in der Empfangshalle auf dem Beiruter Flughafen stehen würde, den Arm um die Hüfte seiner glücklich geschwängerten Frau gelegt und mit jeder Geste signalisierend, daß es ein Jubel und eine Lust sei, genau so zu existieren, wie es gefordert und erzwungen ist. Und sein Leben in Berlin und das Zimmer in Moabit würden längst zu einer gründlich abgelegten Vergangenheit geworden sein, über die man besser nicht mehr spricht.

Mit fahrigen Handbewegungen zündete sich Jamal eine Zigarette an und blies den Rauch gegen die schlierige Fensterscheibe.

Wenn ich mich nicht erinnere, dachte er, dann tut es keiner. Dann hätte es weder dieses Zimmer hier noch jenes in Moabit gegeben, dann hätte Kerstin nicht existiert, aber auch Yousuf und Silvia und sogar Göran wären niemals in sein Leben getreten. Und Katja und ihre Mutter – es wäre nie zu einem Skandal gekommen, denn beide wären gar nicht aufgetaucht. Vielleicht war er ja selbst eine Täuschung, eine Halluzination. Und Avif, was war mit Avif? Was *ist* mit ihm?

Wenn wirklich alles so passiert war, wie er es erlebt hatte, wo waren dann all diese Menschen? Ja, wo waren sie, all die guten

Deutschen und lieben *ausländischen Mitbürger*, die nur deshalb so lieb sein konnten, weil sie irgendwann doch noch eine Aufenthaltsgenehmigung abgegriffen hatten?

Jamal blies den Rauch aus. Nein, so einfach war das nicht. Keineswegs.

Aber wie war es dann?

»Ja oder ja?« Keine Chance, sich von Yousufs Begeisterung nicht anstecken zu lassen. Und doch hatte Jamal, wieder einmal mit sich selbst beschäftigt, gleich in den ersten Minuten des Wiedersehens sein Problem erwähnen müssen.

»Ich brauch 'ne Wohnung«, hatte er gesagt.

»Aye, aye, aye – 'ne Wohnung braucht er.« Yousuf griente. Heute hatte er eine Lösung für alles.

Jamal brachte zögernd einige Details vor. »Tja, sie sollte nicht teuer sein, schließlich hab ich als Student Arbeitsverbot. Vielleicht könnte ich mit jemand zusammenziehen oder in den Annoncen nachschauen ...«

Yousufs Grinsen wurde stärker. Schon näherten sich seine Mundwinkel bedrohlich den Ohren.

»Hör auf zu jammern, alter Knabe«, sagte er. »Ich hab da einen Kontakt. Willst du dich wirklich mit irgendwelchen Typen in eine WG quälen? U-Bahn, ich sag nur: U-Bahn. Erinnerst du dich noch an unsere Ausflüge?« Jamal nickte. »Na siehste. Die gleichen ungewaschenen Studis und Loosies und Psychos und Psychas, die wir dort mit ihren verkniffenen Gesichtern gesehen haben, hocken auch in den WGs; das schwör ich dir. Hallo, ich bin der Stephan, wenn du dich heute wieder nicht am Abwasch beteiligst, finde ich das schon nicht so toll, du.« Yousuf verdrehte die Augen. »Also vergiß es. Und in der *MoPo* und der *Zweiten Hand* Anzeigen ankreuzen und zu irgendwelchen Nazi-Vermietern hintrotten, die dir alles verbieten und dafür auch noch mordsmäßig Knete verlangen, ist auch nicht das Wahre. Aber Yousuf hat, Yousuf wiederholt es schon wieder, da einen Kontakt.«

Jamal ließ die Zigarette in dem leeren Weinglas, das auf dem Fensterbrett stand, verglimmen. Schnell wurde die dunkelrote Asche zu einem kleinen grauen Häufchen.

Was für ein Kontakt?

Ein ehemaliger Teilnehmer aus Yousufs Sprach-Kurs, dem

zweiten, dem Nach-Jamal-Kurs also: italienischer Student mit reichem Vater, der jetzt für ein paar Jährchen in London studiert, die Berliner Wohnung aber nicht aufgeben will und jemand Vertrauenswürdiges sucht, der für die halbe Miete – die halbe Miete, so generös können reiche Italos sein! – den Platz hält.

Und die Wohnung?

Eine gemütliche Bude am Kottbusser Tor.

Aber die Anmeldung? (Jamals Blick auf die Lederjacken-Rükken der zwei Polizisten, die nun breitbeinig an der Kreuzung zur Joachimsthaler Straße standen.)

Eine schlichte Anmeldung bei der Kreuzberger Polizei – als Mitbewohner braucht man nicht mal den Genehmigungswisch vom Wohnungsamt; null problemo dans tous les cas.

Aber das Arbeitsverbot und die gerade mal erlaubten, aber miserabel bezahlten Studentenjobs?

Und wozu gibt's dann Schwarz-Jobs? (Yousufs weiße Handflächen vor seinem Gesicht, in den Zwischenräumen zwischen Zeige- und Mittelfinger furchtsam umherhuschende Augen, gekonnt Jamals ewigen Halt-mich-nicht-ich-bin-kein-Dieb-Blick karrikierend.)

Er gab sich geschlagen. Gegen soviel Optimismus halfen keine Zweifel mehr.

»Der Zeuge hat jetzt also 'ne Wohnung«, resümierte Yousuf zufrieden. »Und was machen wir mit Onkel Ziyad?«

Sie waren beide in Richtung Fasanenstraße gegangen, und Jamal hatte trocken geantwortet: »Der Onkel wird heiraten.«

»Scheinheirat?«

»Schlimmer. Von der Familie *verheiratet* – im Libanon.«

»Das Arschloch wird *verheiratet?*«

»Das Arschloch zittert schon jetzt beim Furzen vor dem Schwiegervater.«

»Und beim Vögeln?«

»Vögeln is nicht mehr.«

An der Ecke zur Uhlandstraße sahen sie das gemalte Plakat über dem Eingang zum Cinema Paris. Hugh Grant zog ein bedeppertes Gesicht, und über seinem straff gezogenen Seitenscheitel stand in roten Lettern: »Vier Hochzeiten und ein Todesfall«. An diesem Tag brachten weder Yousuf noch Jamal ein einziges ernstes Wort heraus. Sie waren so aufgedreht, daß Jamal sogar vergaß zu erzählen, was ihm draußen in Hellersdorf widerfahren war.

Er nahm das Weinglas mit den Ascheresten und der Zigarettenkippe und trug es zu dem Müllbeutel neben der Tür. Er überlegte, auch gleich das Glas mit wegzuwerfen. Wozu brauchte er für den Tag, der ihm noch blieb, ein leeres Weinglas? Dann aber kippte er nur den Inhalt in den Beutel, trug das Glas in die Kochnische und ließ es in der Spüle mit heißem Wasser vollaufen. Er sah zu, wie sich das Glas füllte. Kleine schwarze Flocken trieben nach oben, wurden über den Rand geschwemmt, kreiselten im Spülbecken eine Weile sinnlos umher und verschwanden im Ausguß, ohne eine Spur zu hinterlassen.

Die Sache mit der Wohnung am Kottbusser Tor war eine Erfolgsgeschichte geworden, Yousuf hatte nicht übertrieben. Phänomenal, wie nach all den langen Monaten voller Zähigkeit, das Tempo des Lebens plötzlich anzuziehen begann. Als habe irgendwer auf einen unsichtbaren Knopf gedrückt und die Schubkraft ausgelöst. Und am Ende der Startbahn der Himmel oder eine eigene Wohnung. Die eigenen vier Wände, sein Königreich, wo ihn keiner mehr kommandieren konnte – zum ersten Mal, seit er in Berlin war. Ein Tummelplatz, manchmal auch Rückzugsgebiet für seine himmlischen Ausflüge. *Jamal in the sky with diamonds.*

Oder noch besser – er kniete vor seinem offenen Reisekoffer, in dem die CD ganz oben lag – oder noch viel besser: *Una storia importante.* Das war es, woran er sich erinnern wollte.

Die Heirats-Hymne *Ti sposerò perché*, die er später Katja in der Hoffnung vorgespielt hatte, daß sie verstünde, um was es ging, gehörte schon nicht mehr dazu. Ein anderer Song, eine andere Zeit, vor wenigen Tagen endgültig zu Ende gegangen. Jamal beschloß ein weiteres Mal, keine Gedanken mehr daran zu verschwenden.

Una storia importante, und unter dem Klingelknopf stand neben Giovanni, dem eigentlichen Mieter, auf einem kleinen rechteckigen Zettel, den er mit Reißzwecken angebracht hatte, sein Name: Jamal Kassim. Seht her, hieß das, alles legal. Und ich habe endlich einen Namen, *here I am.*

Jamal lächelte. Er nahm die CD aus dem Koffer, machte beim Gang durch das Zimmer einen großen Bogen um das Telefon und setzte sich auf die Couch. Unmöglich, dieses Teil – *diesen* Teil, Teil seines Lebens – hier in Berlin zu lassen. Auch wenn er seinen eigenen CD-Player längst hatte verkaufen müssen und er nicht glaubte, daß es im Haus seiner Eltern dergleichen gab; von dieser Best-of-Ramazzotti-Scheibe (irgendwo ohne Ortsangabe produziert, vielleicht eine von den Raubkopien, wie sie hier die Händler in den Hinterhöfen zu Dutzenden anboten) würde er sich nie mehr trennen.

Er drehte das magische Viereck mit dem mehrfach gesprungenen Plastikdeckel zwischen seinen Händen. Hätte es einen Schrein für die wichtigsten Symbole in seinem Leben gegeben, die Süßholzraspler-CD hätte ganz oben stehen müssen. *In certi momenti*, an die er sich bis an sein Lebensende erinnern würde. Die rauhe, bald einschmeichelnde, bald bittende Stimme des Sängers wäre genau die richtige, um ihm immer wieder zu beteuern, daß er nicht geträumt hatte, daß alles einmal Wirklichkeit gewesen war. Tage und Nächte, in denen er unsterblich war.

Er wischte verlegen über den Deckel. Schon hatte sich Staub angesammelt, und auch das Coverfoto des Sängers mit den schönen trotzigen Lippen – Jamal hatte es gefreut, wenn ihn andere auf die Ähnlichkeit mit ihm angesprochen hatten – war seit langem verschwunden. Aber das war nicht schlimm. In dieser Geschichte war der schöne Römer sowieso nur ein Statist gewesen.

Die Eros-Bude

MERHABA«, SAGTE DER ALTE MANN, DER IHNEN IM Fahrstuhl gegenüber stand. Er beobachtete sie und zog an seiner Zigarette.

»Merhaba«, antworteten Jamal und Yousuf. Sie gaben sich Mühe, daß die große Matratze, die sie hielten, nicht auf den Opa fiel.

Ab der fünften Etage waren sie allein im Lift. »Wie hoch soll das denn noch gehen?« fragte Jamal. Die langsame Fahrt in der ruckenden und nach kaltem Rauch riechenden Kabine machte ihn nervös.

»Bis in den Himmel der Seligkeit«, antwortete Yousuf.

Neben dem zerkratzten und mit Graffiti übersäten Spiegel zeigte in einem Kästchen eine matt glimmende Ziffer die neunte Etage an. Endstation. Als sie ausstiegen, standen sie kurz im Dunkeln, dann entdeckten sie den roten Leuchtpunkt des Lichtschalters gegenüber der Fahrstuhltür.

Sie liefen vorbei an grüngestrichenen Türen, auf denen türkische Namen standen und zogen weiter die plastikumhüllte Matratze hinter sich her. Plötzlich blieb Yousuf stehen und fischte einen Schlüsselbund aus seiner Hosentasche.

»Das isses«, sagte er. Er zeigte auf die Tür vor ihnen. Auch sie war grün gestrichen, im Unterschied zu den anderen Pforten aber mit leuchtend weißen Streifen bemalt. Auf dem Schild unter dem kleinen runden Türspion stand der Name Giovanni Pilati.

»Ist das Giovannis Zimmer?« fragte Jamal.

»Falsch«, sagte Yousuf und schloß auf, »das ist ab jetzt Abu Jamals Bude.«

In dem schmalen Flur, der ohne eine weitere Tür in eine Art großes Wohnzimmer überging, stellten sie die Matratze an die Wand. Das erste, was Jamal bemerkte, waren die Poster. Eros-

Ramazzotti-Bilder jeglichen Formats. Wie Tapeten waren sie auf die gesamte Dachschräge geklebt, zierten die Wände und hatten weder die Tür zur Küche noch die des Badezimmers, das links im Flur abging, verschont. Es war der reinste Ramazzotti-Wahn.

Eros als schüchternes Jüngelchen in San Remo. Eros mit strenger Wollmütze vor irgendeiner Werbefläche. Eros langmähnig mit Gitarre, und Eros kurzhaarig und in Shorts beim Fußballspiel. Eros mit pomadisiertem Haar, ein Glas Rotwein in die Kamera hebend (sinnigerweise klebte dieses Poster auf dem Kühlschrank). Eros in jeder Pose, jeder Kleidung, jeder Mimik.

»Das kommt natürlich weg«, sagte Jamal knapp.

Yousuf sah ihn überrascht an. »Willst du es durch MEA-Poster von Baalbek und Byblos ersetzen?«

»Quatsch. Ich will es durch gar nichts ersetzen. Die Wände werden alle geweißt.«

Yousuf pfiff belustigt durch die Zähne. »Buh. Alle Achtung, Mann. Der Herr ist noch keine Minute hier und entwickelt schon Chef-Allüren.«

Er zog die Matratze aus dem Flur ins Zimmer und legte sie auf den Fußboden unter die Dachschräge.

Ein großes Fenster nahm die ganze Schmalseite des Raums ein. Sie schoben die Gardinen – weißen durchsichtigen Stoff mit aufgenähten Sonnenblumen, die Atompilzen ähnelten – beiseite und sahen nach draußen.

Rechts gab es ein mehrstöckiges Sparkassengebäude, Typ Sechziger-Jahre-Bau und ebenso häßlich wie das Haus, in dem sie sich selbst befanden. Über der Straßenkreuzung, die die Reichenberger Straße mit der Adalbertstraße verband, zogen sich die graffitibesprühten Eisenverstrebungen hin, hinter denen die Gleise der Hochbahn lagen; Jamal konnte sehen, wie die gelben Wagen der U 1 in Richtung Schlesisches Tor durchs Tageslicht zitterten. Hier von der neunten Etage hatte er sogar einen Blick auf die drei U-Bahn-Eingänge, die den Platz säumten und hinunter zur U 8 führten.

Als sie die Fenster öffneten, drang warme Frühlingsluft herein, vermischt mit Straßenlärm und Stimmengewirr. Jamal und Yousuf lehnten sich hinaus. Sie konnten so hinter dem zweistöckigen Klotz eines Sportstudios, der an der Vorderfront des Gebäudes klebte, sogar die Marktstände und die fahrbaren Verkaufskabinen sehen, die sich bis an den Rand der Adalbertstraße hinzogen. Zwischen den Marktständen waren zahlreiche verschleierte Frauen unterwegs.

»Willkommen in Babylon, my dear«, sagte Yousuf. »Hier ist jeden Tag Markt – und am 1. Mai Randale mit den Bullen. Dann verziehen sich sogar die Junkies, die da drüben am Eingang von Kaiser's herumlungern.«

»Und warum heißt das Kottbusser Tor?« wollte Jamal wissen.

»Ich glaube, das war hier früher mal irgend so eine Stadtbegrenzung«, sagte Yousuf. »Dahinter kam gleich die Pampa. Aber jetzt ist das Tor weg, und die Türken sind da. Die Türken und wir.«

Mit weit geöffneten Augen versuchte Jamal alles in sich einzusaugen. Stundenlang hätte er so dastehen und über Kreuzberg schauen können. Er war sicher, daß er von hier oben den perfektesten Blick der ganzen Stadt hatte.

»Willst du die Wohnung ernsthaft in Friedhofs-Weiß tauchen?« fragte Yousuf schließlich und schloß das Fenster. »Laß es doch bunt, das killt Depressionen. Jamal – King of coloured Kreuzberg. Klingt doch geil, oder?«

»Prinz klingt besser.« Jamal lächelte.

»Wird schwierig sein, mich für all das zu revanchieren«, sagte er leise. »Das ist die erste eigene, jedenfalls *fast* eigene Wohnung in meinem Leben; ich kann's nicht glauben. Völlig irre: Jamal hat 'nen Schlüssel zu einer Bude, auf dem *sein eigener Name* steht! Und . . . und wem hab ich das zu verdanken?«

Um nicht zu zeigen, wie es ihn bewegte, wandte er sich schnell ab und schlüpfte durch den Vorhang, hinter dem sich die Küche befand.

Es fehlte an nichts. Ein kleiner Klapptisch an der Wand mit zwei Stühlen, dazu Geschirrschrank, Herd, Spüle, Kühlschrank. Sogar zwei Beutel mit roten Zwiebeln und getrocknetem Paprika hingen an einem Haken neben dem Fenster.

Im Badezimmer entdeckte er, versteckt hinter einem weinroten Vorhang, eine Wanne mit Duschvorrichtung. Unter dem Waschbecken mit dem kleinen Spiegelschrank stand ein bauchiger Wäschekorb aus Bast. Er war mit Abziehbildern beklebt, die sich an ihren Rändern schon ringelten. Jamal mußte nicht genauer hinschauen, um zu wissen, wen die Bildchen zeigten.

Über einen breiten Badeteppich laufend – rechts oben das FIAT-

Logo und dann auf ganzer Länge ein stilisierter Eros-Kopf –, kam er ins Wohnzimmer zurück.

Yousuf stand immer noch, die Hände in seinen Jeans vergraben, am Fenster und sah nach draußen.

»Sag mal«, begann Jamal so beiläufig wie möglich, »dieser Giovanni ist . . .« Er beendete den Satz nicht und schaute ebenfalls aus dem Fenster.

»Ist *nicht* schwul«, sagte Yousuf. »Und dieser Eros auch nicht, soweit ich weiß. Aber . . .« Er ging in die Hocke und begann, den Plastiküberzug der Matratze aufzureißen. »Schwul oder nicht schwul, was hat das schon zu sagen.«

»Für einige 'ne Menge.«

»Ja, aber ich bin eben auch nicht *einige*. Ich kann mit so was umgehen, zumindest werde ich mir immer Mühe geben.« Yousuf hatte die Plastikhülle zusammengerollt und war aufgestanden. Er legte seine Hand auf Jamals Schulter.

»Alles Worte, und man dreht sich im Kreis«, sagte er leise. Jamal konnte seinen Atem im Nacken spüren. Beide sahen sie aus dem Fenster hinaus auf die Stadt. Im Zimmer war es auf einmal ganz still geworden. Keiner von beiden bewegte sich.

Irgendwann sagte Yousuf, noch immer fast flüsternd: »Laß uns 'n neues Kapitel beginnen, Alter.«

Als Jamal sich zu ihm umdrehte, hatte er Tränen in den Augen. Er versuchte nicht, sie wegzuwischen. Auch Yousuf wandte den Blick nicht ab. Eine kleine Ewigkeit standen sie sich so gegenüber. Alles schien möglich zu sein – ein Abschied für immer oder erneut ein hilfloser Versuch Jamals, mehr zu bekommen als Yousufs Freundschaft. Der Engel, der in diesem Augenblick unsichtbar durchs Zimmer rauschte, riet Jamal, sich den Luxus des Schmerzempfindens für andere Gelegenheiten aufzuheben. Sei kein Frosch, raunte er in der Engelsprache, und wirf die Märtyrerkrone auf den Müll.

Jamal leckte sich die salzige Flüssigkeit von den Lippen. »Wird Zeit, daß wir über eure Hochzeit reden. Ich sterb schon vor Aufregung, die Zeremonie zu vermasseln.«

Yousuf schüttelte den Kopf, so daß die geflochtenen Rastalocken in alle Richtungen flogen. »Keine Panik, Mister. Der andere Zeuge wird dich, sorry, schon bei der Stange halten.«

Jamal grinste, und Yousuf strich über seine Locken. Diesmal hatten sie die rettenden Worte gefunden.

Als Yousuf nach unten ging, um zwei Kebabs für sie zu holen, hatte Jamal Zeit, sich genauer umzuschauen. Erst jetzt wurde ihm klar, daß er die Wohnung vollständig möbliert übernommen hatte. *Sich ins gemachte Nest setzen*, hieß die deutsche Formulierung für solche Fälle, oder?

Unter der Dachschräge lag eine olivgrün bespannte Matratze mit Decke und Kopfkissen; diesmal ohne Ramazzotti-Gesicht und wahrscheinlich sogar frisch bezogen. Direkt daneben hatte Yousuf das Teil plaziert, das sie heute in dem türkischen Bettengeschäft ganz unten am Kottbusser Damm gekauft und mit der U-Bahn hierher geschleppt hatten.

»Die haben Ausverkauf, da müssen wir uns ranhalten«, hatte Yousuf gesagt und sein verschwörerisches Blinzeln aufgesetzt. Was sollte das? Zwei Matratzen – nur für ihn allein? Als Jamal sich bückte, um sie zusammenzuschieben, sah er, daß sie die gleiche Höhe und Länge hatten. War auch das einer von Yousufs Hinweisen, daß er den Freund verstand – vielleicht sogar noch besser als der sich selbst – und ihm für alles viel Glück wünschte?

Als Yousuf mit zwei in Alufolie gewickelten, dampfenden Kebabs zur Tür hereinkam, murmelte Jamal nur: »Verdammt gute Idee. Ich meine, das mit der Matratze.«

»Will ich doch hoffen«, sagte Yousuf. Sie setzten sich mit gekreuzten Beinen auf den Teppich mitten ins Zimmer und bissen in die Kebabs.

Als es draußen langsam zu dunkeln begann, verließen sie die Wohnung und fuhren zu Ziyads Zimmer hoch nach Moabit.

Jamal klopfte an der Tür. Als er keine Antwort hörte, schloß er auf. Im Zimmer brannte das Licht einer nackten Glühbirne. Seit gestern, als er hier seine letzte Nacht verbracht hatte, war der Raum noch kahler geworden.

Wahrscheinlich war der Onkel bei den Trödlern in der Nachbarschaft unterwegs, um den Rest vom Mobiliar loszuschlagen. Schrank und Kühlschrank waren verschwunden, auch das Bett – Gott, wie leicht sich Statussymbole in Luft auflösen und zur Unkenntlichkeit schrumpfen konnten! – und der Schreibtisch standen nicht mehr da. Nur die Matratze, auf der Ziyad seit ihrer großen Auseinandersetzung genächtigt hatte, lag noch da, eingesperrt hinter einem ganzen Wall von Tüten, Koffern und Kartons.

Jamal konnte sich nicht vorstellen, wie sein Onkel all dieses Zeug bis zum Flughafen nach Schönefeld schleppen wollte. Vielleicht halfen ihm ein paar seiner tollen Landsleute. Aber auch die, da war er sich sicher, würden insgeheim grinsen über den tollen Hecht von Moabit, der nun ganz kleinlaut nach Hause schwamm, um in den Familiengewässern zu einem fetten Hauskarpfen zu werden.

Jamal lächelte, aber es war ein Lächeln ohne Hohn. Er spürte keinen Triumph beim Anblick dieses leergeräumten, trostlosen Zimmers, wo die abgehängten Bilder und Fotos an den Wänden nur helle Flecken, Reißzwecken und Reste von Klebestreifen hinterlassen hatten.

Cose della vita, er hatte jetzt ein anderes Leben. Kein Grund, sich wieder in Gedanken zu verlieren, die er schon viel zu oft gedacht hatte, weil der Überdruß, der Haß und die Angst, die sie wachriefen, lange Zeit das einzige gewesen waren, woran er sich hatte festhalten können.

»Los, mach. Der Nigger will dem Niggerhasser nicht noch mal auf den Müllmund unterm Saddam-Schnurrbart gucken und hören, wie da der Dreck sprudelt.«

Yousuf stand draußen im unbeleuchteten Treppenhaus und trat ungeduldig von einem Fuß auf den anderen.

»Eine Sekunde noch.«

Jamal riß einen Zettel von einem kleinen grauen Notizblock und schrieb ein paar Abschiedsworte für den Onkel, dem er Grüße für die ganze Familie in Beirut auftrug und für die Heirat Glück wünschte. (Komisch; jeder, den er kannte, steuerte auf eine Ehe zu.) Mehr gab es nicht zu sagen. Schon vor ein paar Tagen hatte er angedeutet, daß ihm Yousuf – Onkel, du erinnerst dich, der *schwarze* Yousuf, Yousuf, der *Schwarze* – eine günstige Wohnung besorgen würde. Der Onkel hatte zerstreut genickt. »Gut, dann kann ich beruhigt das Land verlassen.«

Jamal hatte mit Mühe ein Grinsen unterdrückt.

Bevor Ziyad es abschalten ließ, hatte er noch schnell zum Telefon gegriffen, um den Eltern Bescheid zu geben.

»Dürfen wir beruhigt sein?« hatte die Mutter gefragt und gleichzeitig mit gedämpfter Stimme die quengelnde Salima zurück zu den Hausaufgaben in ihr Zimmer geschickt.

»Alle können beruhigt sein! Grüß Vater und die ganze Verwandtschaft. Und einen Kuß für Salima, Nabir und Zarif«, antworte Jamal fröhlich und ließ gleich darauf mehrere *shukrom's* hören, als ihm seine Mutter mitteilte, daß die Familie – das hieß, dessen war er sich sicher, seine beste Mutter – entschieden habe, sein Monatsgeld aufzustocken. »Damit du dein Studium vernünftig beginnen kannst.« In der Leitung rauschte es, und ebenso rauschte der letzte unvermeidliche *Damit*-Satz in Jamals Ohr hinein und wieder hinaus. Was hieß schon *vernünftig?*

»Was jetzt?« Yousuf hatte es eilig, fortzukommen.

Jamal drückte ihm die Aktenmappe, in dem sich all seine Papiere, die Kurs-Aufzeichnungen und die Aufenthaltsgenehmigung befanden, in die Hand und griff nach seinem Koffer. Seit jener Nacht, als er den Onkel angeschrien hatte, stand er gepackt in einer Zimmerecke bereit.

Er legte den Zettel auf die Matratze, unter deren verschlissenem Bezug die Umrisse der Sprungfedern sichtbar wurden, und beschwerte ihn mit dem Wohnungsschlüssel. Das war der letzte Akt.

Unten auf der Straße pfiff Jamal mit zwei Fingern im Mund und gab das Signal, bis zur U-Bahn in der Birkenstraße zu rennen. Obwohl sein Koffer viel schwerer wog als die Aktenmappe, kam er vor Yousuf an. Ihr Keuchen und Lachen drang durch den ganzen Gang, und weit und breit war niemand zu sehen, der sie ärgerlich angeschaut hätte. In diesem Moment gehörte ihnen ganz Berlin.

Als sich die Fahrstuhltür mit einem metallischen Quietschen öffnete, schob Yousuf Jamal die Aktentasche unter den Arm, beugte sich vor und gab ihm zwei flüchtige Wangenküsse.

»Now it's up to you«, sagte er lächelnd und verschwand mit einem Winken. Jamal schaute ihm verdutzt nach und drückte den verschrammten Plastikknopf zur neunten Etage.

Während der Lift gemächlich nach oben ruckelte, begriff er, daß es gut war, ihn jetzt allein zu lassen. Das mußte man ihm lassen: Yousuf hatte das perfekte Gefühl für Timing.

Im Wohnzimmer ließ Jamal sein Gepäck auf die zwei Matratzen fallen. Er streifte sich die Schuhe von den Füßen und schaltete das mehrstöckige Gerät ein, das, eingerahmt von grün wuchernden Zimmerpflanzen in grauen Tontöpfen, wie ein Roboter auf Abruf in einer Zimmerecke wartete. Auf dem Oberdeck befand sich ein Plattenspieler, darunter das breite Fischmaul des

CD-Players und im Erdgeschoß die Klapptürchen für zwei Kassetten. Auf gut Glück drückte er eine der Tasten.

Gleich einer roten Raketenspur leuchteten die Dioden auf, und Eros' Stimme erfüllte das Zimmer. Jamal stöhnte auf, drückte die Vorspultaste, doch es war immer noch Ramazzotti. Er spulte ein paar Minuten weiter und drückte dann wieder auf *Play*. Erneut schwärmte die rauchige Stimme von einer *Terra promessa*.

Er erinnerte sich, die Songs des Italieners schon im Libanon gehört zu haben. Irgendwann in den Achtzigern, als Eros seine ersten Erfolge feierte, Jamal mitten in der Pubertät steckte und da ebensowenig herauskam wie sein Land aus dem Kreislauf von Milizen-Gemetzel, Israeli-Bombardements und den Machtansprüchen der Syrer. Während des immer wieder gebrochenen Waffenstillstandes gab es damals auf der Corniche aber Händler, und die hatten Ramazzotti-Raubkassetten angeboten.

Hatte er selbst eine davon gekauft? Er wußte es nicht mehr.

In einem Kiefernholzregal lagen zwischen alten *Tip-* und *Zitty*-Ausgaben ein paar zerlesene Taschenbücher, die Giovanni wahrscheinlich aus Platzgründen nicht mit nach London genommen hatte. Jamal las die Namen auf den Buchrücken. Soweit er sah, alles Italiener. Nadolny, Demski, Buzzati, Arjouni, Ungaretti, Bassani, Tondelli, Ungaretti, Kureishi. Nur ein Moravia und Kundera sowie ein Team namens Roco und Antonia, die ein Buch mit dem seltsamen deutschen Titel »Schweine mit Flügeln« verfaßt hatten, störten die Harmonie.

Er sah sich weiter um. *Musica è* und die Türen des Kleiderschranks aufgerissen, der mit seinen leeren Schachteln, dem Packpapier und ziemlich guten Klamotten eine seltsame Mischung zeigte. Mit schnellem Blick erkannte Jamal, daß ihm all die zurückgelassenen Polo-Hemden, T-Shirts, Jeans – sogar ein richtiger Anzug war dabei – wie angegossen passen würden. Komisch. Hieß es nicht, Italiener wären eher klein? Mit großen Nasen und krummen Fingern, die von ihrer ewigen Klauerei kamen? Aber so etwas sagte man im Libanon ja auch von den Juden.

Er klappte die zwei Schranktüren mit dem Handballen zu. Er fühlte sich wohl, verdammt wohl. Er tänzelte durchs Zimmer und schob den Lautstärkeregler des CD-Players weit nach oben. *Una storia importante.*

Es stellte sich heraus, daß der Ramazzotti-Fan sämtliche Platten oder CDs seines Idols nach London geschleppt haben mußte.

Die CD, die gerade lief – es kam Jamal vor, als würden alle an den Wänden klebenden Eros-Gesichter dazu unisono ihre Lippen bewegen –, war die einzige mit dessen Musik. Auch in dem verstaubten Plattenstapel, der neben dem Fernsehgerät lag, fand sich keine Scheibe italienischer Herkunft. Dafür Aufnahmen von Khaled, Fairuz und Dalida – und Dalida sogar mit ihren ägyptischen Songs. Seltsam.

Angesichts der wie zufällig hinterlassenen Objekte wollte sich nicht einmal das Gefühl eines Vakuums einstellen, das nun erst durch Jamals Anwesenheit gefüllt würde. Die Expedition ließ den Forscher ratlos zurück, der Wilde war nicht aufgetaucht, die fremden Tiere waren Parfüm-Fläschchen oder Kondome im Badeschrank und das Kolibrigekreisch italienischer Love-Songs aus den achtzigern. Und trotzdem paßte es zu seiner Stimmung, seinem Überrumpeltsein und der Lust auf Neues – was immer es sein mochte. Und *Adesso tu* klang so verdammt gut, daß man diese Sehnsucht auch dann begriff, wenn man keine Silbe der Sprache verstand.

Kurz vor Mitternacht klingelte das Telefon. Jamal hatte am Fenster gestanden und der gelben Zitterlinie der U-Bahn nachgesehen, die sich gegenüber am Kottbusser Tor in immer größer werdenden Abständen durch die Nacht zog.

Der kleine schwarze Apparat war von olivgrünen Schalen voller Teelichtern umstellt, die in Wasserlachen mit brackigem Geruch dahindümpelten. Jamal, überrascht über den Anruf, ließ es mehrmals läuten, ehe er abnahm.

»Hier ist Jamal Kassim«, sagte er mit fester Stimme.

»Und hier ist Silvia.« Die helle Stimme kitzelte in seinem Ohr. »Yousuf hat mir von eurer großen Aktion heute erzählt, und da wollte ich, na ja ... (Jamal stellte sich vor, daß sich jetzt ein Grübchen im Mundwinkel dieser Frau mit der so unerwartet freundlichen Stimme zeigte) ... Kurz und gut, es wurde Zeit, daß ich mich mal bei dir melde. Also, ich bin Silvia.«

»Und ich bin Jamal.« Sie lachten.

Jamal ging auf die Knie und legte sich danach auf den Boden. Er hatte das Gefühl, daß ihn die dunkelblauen Teppichfasern wie eine stille Bucht am Ende eines Sommertages umfingen. Er verschränkte den linken Arm hinter dem Kopf und hielt mit der rechten Hand den Hörer.

Silvia erzählte von den Hochzeitsvorbereitungen. Sie sprach, als würden sie sich seit Ewigkeiten kennen, von dem Standesamt in Schöneberg und einem gemieteten italienisch-indischen Restaurant in der Akazienstraße, redete von Einladungen, die verschickt werden mußten, von Anrufen aus dem Senegal, der USA und Italien, redete über billige Flüge und Familientickets der Bahn, ließ sich über Übernachtungsprobleme und ähnliche Dinge aus.

Ihre Aufzählung stoppte mit einem erneuten Lachen erst dann, als Jamal sagte, daß sie Gefahr lief, sogar ihm Lust aufs Heiraten zu machen.

Er fragte nach den Verwandten und hörte, daß nach einer Schreckminute – bei der Familie in Umbrien und im Senegal waren es eher Schrecktage gewesen – niemand mehr an der schnellen Hochzeit Anstoß nahm. Allein Yousufs Eltern hatten etwas distanziert reagiert, aber nur deshalb, weil sie – seit Jahren geschieden, in unterschiedlichen Kontinenten lebend und nur indirekt durch ihren Sohn miteinander kommunizierend – sich nun so unerwartet wieder begegnen sollten.

»Beziehungskisten sind viel kniffliger als der ganze Hautfarben- und Nationalitäten-Krimskrams«, sagte Silvia. Jamal bemerkte, daß auch sie schon Yousufs Redeweise beherrschte, die ihn selbst immer wieder aus seinen unfrohen Grübeleien gerissen hatte.

Ein paar Minuten später waren sie beide bereits damit beschäftigt, Vorschläge und Ideen auszutauschen, Pläne für Stadtbesichtigungen aller anreisenden Verwandten (die schließlich das ganze Fest finanzieren würden) zu schmieden, über die Speisenfolge zu diskutieren sowie den Gedanken einer viersprachigen Hochzeitszeitung zu entwickeln und gleich darauf wieder sterben zu lassen.

Irgendwann fragte Jamal: »Habt ihr keine Angst, eure Verwandtschaft zu überfordern?« Silvia lachte nur. »Mein Lieber, dafür sind Hochzeiten nun mal da – sie überfordern alle; Freund und Feind.«

Als sie sich verabschiedeten, war es fast ein Uhr, und Jamal stand vor der Aufgabe, bis morgen abend etwas *typisch Arabisches* aus dem Hut zaubern zu müssen. Silvia hatte sich und Yousuf zu einer Besichtigung der Eros-Bude (später würde sich Jamal daran erinnern, daß es Silvia gewesen war, die den Namen erfunden hatte) eingeladen und gleich noch angekündigt, auch den zweiten Trauzeugen mitzubringen.

»Er heißt Göran und ist ein richtiger Schwede.«

Sie hatte eine kleine Pause gemacht, in der sie auf Jamals Reaktion zu warten schien, aber er verstand die Doppelbedeutung nicht und sagte nur »aha.«

»Na, du wirst ja sehen. Ihr könnt euch dann morgen schon mal kennenlernen, damit der Standesbeamte nicht etwa denkt, wir hätten für 'ne Scheinheirat schnell zwei Typen von der Straße mit reingeschleppt.«

Wieder dieses Glucksen, das sich durch Jamals Gehörgänge schlängelte. Ob sie bekifft war? Vielleicht kitzelte Yousuf sie während des Gesprächs ja auch an allen unmöglichen, für ihn aber sehr wohl möglichen Stellen ihres Körpers? Der Gedanke daran kam und ging, ohne ein Gefühl der Bitterkeit zu hinterlassen.

Jamal versprach, für den kommenden Abend alles vorzubereiten. Silvia, die sich um die Getränke »und ein paar andere Kleinigkeiten« kümmern wollte, klang hochzufrieden. »See you later, alligator«, sagte sie zum Abschied und fügte, als Jamal nur verblüfft schwieg, mit künstlich tiefer Stimme hinzu: »At the Nile, my crocodile.«

Als Jamal den Hörer aufgelegt hatte, war er voller Euphorie.

Vielleicht war es das: Du gehörst zu etwas dazu, das mehr ist als nur eine zufällige Ansammlung verschiedener Personen. Eher etwas Atmosphärisches, das dich schützend umhüllt, ohne ein Zwang zu sein. Wie lange hatte er darauf gewartet!

Aber was hatte Silvia – als sie sich schon verabschieden wollten, dann jedoch durch ein paar unbedingt noch zu besprechende Hochzeitsdetails wieder in ihren Gesprächsfluß eingetaucht waren –, was hatte sie da gleich gesagt?

»Viel Spaß dann noch« waren ihre Worte gewesen, und auch Yousuf hatte im Hintergrund irgendeinen ähnlichen Wunsch gemurmelt.

Wieso wünschten ihm alle *Spaß*? Wirkte er so freudlos?

Jamal sprang auf und betrachtete sich im Spiegel des Kleiderschranks. Er drehte sich hin und her, dehnte sich, wippte auf seinen Fußballen, strich sich durchs Haar und dann über die Augenbrauen und kam zu dem beruhigenden Ergebnis, daß er sich gefiel. Viel Spaß. Aber wo? War Sex vielleicht Spaß? Seit er diesen Typen mit dem aus der Hose gerutschten T-Shirt aus der Institutstoilette hatte auftauchen sehen, hatte er immer wieder daran gedacht, sich jedoch bemüht, den Gedanken beiseite zu schieben. Der Abschied aus Kerstins Welt und der seines Onkels, die Prüfungsvorbereitungen, die Begegnung mit den Skins, die vollgepißte Hose und seine Angst, die er erst vergaß, als er auf dem Ku'damm Yousuf wiedersah, und nun dieser schnelle Umzug – wer hätte bei all diesen Veränderungen noch Zeit für Sex gefunden?

Jetzt aber hatte er Zeit. Und zwar unbegrenzt.

Er beschloß, es schnell hinter sich zu bringen. Wenn er weiter auf der ewigen Annäherungs- und Grübeltour bleiben würde, käme er nur in Gefahr, mehr und mehr diesen Pappkameraden aus den Literaturtexten seines Kurses zu ähneln, die auch immer ellenlang über das nachdachten, was sie schließlich doch nie taten. *Wann, wenn nicht jetzt* oder *Ich habe den Ton schon im Ohr, wenn auch noch nicht auf der Zunge* und dieser ganze Scheiß. Hoffentlich drückten sie ihm das nicht bei der ZOP Anfang Mai auf's Auge. Wie sollte er Inhaltsangaben zu Texten machen, in denen sowieso nichts passierte?

»Jump, baby jump«, predigte einer dieser Hip-Hop-Propheten im Radio. Er hatte *rs zwei* eingeschaltet, da er sich Ramazzotti nicht ohne Unterlaß antun wollte. Es war kurz nach ein Uhr, die U 1 müßte noch fahren, und Jamal, der im Grunde schon wußte, was er tun würde, begann das Buchstabenspiel.

Yo Man, HIJKLMN, dieser Rhythmus war genau das, was er jetzt brauchte, OPQRS ... S wie Spaß, S wie Speed. S wie Sex. Aber dann, aber dann? Wie ging's weiter, was sagte das Alphabet? OPQRS ... T. Genau, das war's. Das T war die Lösung!

T wie Tigern, Herumtigern. T wie Tom's Bar. Was sollte er tun, es war nicht seine Schuld, wenn alles aufs T hinauslief und nur Tom's Bar übrigblieb!

Verblüffend, wie schnell er auf den Namen dieses Ladens am Nollendorfplatz gekommen war. Bisher war er dort noch nie aufgetaucht, aber es mußte eine ziemlich abgefuckte Adresse sein. Das jedenfalls war sein Eindruck gewesen, wenn er in einem Café verschämt in der *Siegessäule* oder *Sergej* – zwei Zeitschriften, die sich weder mit Baudenkmälern noch mit russischer Kultur beschäftigten – herumgeblättert hatte und immer wieder auf reichlich verschattete Fotos von verrucht dreinblickenden Muskelpaketen gestoßen war, die für Tom's Bar Werbung machten. Und dazu all die anderen *locations* in der Stadt, unzählige Discotheken, Bars und Clubs, deren Vielfalt ihm fast Angst bereitete.

Und doch war es nicht nur einmal passiert, daß er diese Szene-Blätter so unauffällig wie möglich zusammengerollt hatte und mit ihnen auf der Toilette verschwunden war.

Triste Aktionen, die schon vom Standpunkt der Körperakrobatik ziemlich nervend waren. Wie schaffte man es, in einem Minimum von Zeit das richtige, ihn erregende Werbebild eines halbnackten Körpers zu finden, die auf dieses Foto zusammengefaltete Zeitung in der linken Hand zu halten, sich mit der rechten den Schwanz zu reiben und dabei darauf zu achten, daß das Geräusch seines heftigen Atmens nicht aus der Kabine herausdrang, sondern im Gurgeln der Klospülung unterging? Jamal kam sich vor wie der überforderte Pilot eines Raumschiffs, und auch das steigerte keineswegs seine Lust. Wenn es ihm nach quälend langen Minuten dann zu kommen begann, mußte er aufpassen, daß er mit seinen Schuhen nicht den Halt auf den klebrigen Fliesen verlor oder mit dem Kopf gegen die Kabinenwand fiel. Am Ende war das Zeitungsbild so zerknittert, daß der posierende Boy aussah wie einer dieser hundertjährigen, runzelübersäten Ziegenhirten aus dem Chouf-Gebirge. Nie zerbröselten Illusionen schneller, und das war der Grund, weshalb sich Jamal solche Sachen nur für jene Notfälle aufhob, bei denen es ihn geradezu magnetisch aus der dicken Luft seiner überheizten Kurs-Räume zog. Ob die Bedienung im Café Adler neben dem Institut in der Friedrichstraße je geahnt hatte, weshalb er jedesmal mit hochrotem Gesicht aus der Toilette kam und wie auf Stelzen zurück zu seinem Tisch wankte?

Er öffnete den Schrank und nahm eine von Giovannis Lederjacken vom Bügel. Mit ihren schrägen Revers und den breiten Reißverschlüssen paßte sie perfekt und ließ ihn zusammen mit den verwaschenen Jeans und seinen weißen Nikes – wie unspektakulär doch der langersehnte Schuhwechsel verlaufen war! – durchaus wie jemand aussehen, der den Namen *Jamal, Prince of Kreuzberg* verdiente. Ab jetzt wird das A des Café Adler nicht mehr für Kleine-Jungen-Spiele mißbraucht, nun ist der Weg frei, wer A sagt, muß auch T sagen, jetzt kommt Tom's Bar.

Jamal hoffte nur, daß dieser Tom keine Kurzform jenes berüchtigten Thomas Krüger war, eines extrem mageren, glubschäugigbärtigen SPD-Politikers aus Ostberlin, den er bei seinen Kerstin-Besuchen in Hellersdorf mehrfach nackt – völlig nackt! – von großformatigen Wahlplakaten herabgrinsen gesehen hatte. So etwas würde ihn glatt zum Hetero machen. Er steckte sich eine Packung Billy-Kondome aus Giovannis Nachlaß in die Hosentasche und ging los.

Als er aus dem Haus trat, glaubte er, plötzlich auf einem Gefängnishof zu sein. Die Verbindungsgänge des Gebäudes waren ebenso mit Eisentoren verrammelt wie der Durchgang, der unterhalb des Sportstudios zur Straße führte.

Herrschte hier nachts der Ausnahmezustand?

Jamal blieb nichts anderes übrig, als dem schmalen Weg zu folgen, der sich, Müllsäcke und zerrissene Verpackungen als gestrandete Fossilien an seinen Rändern, zwischen dem Haus und dem Sportstudioklotz dahinschlängelte.

Er passierte einen vergitterten Zeitungsladen und ein vergittertes Schlüsseldienstbüro mit einem kleinen Lämpchen über der Tür, das eine Notfall-Nummer anzeigte. In dem indischen Imbiß daneben wurden gerade die Stühle auf die Tische gestellt, eine typische Ungemütlichkeitsgeste, die Jamal bisher nur in deutschen Kneipen gesehen hatte. Die Behälter in der Auslage, die heute nachmittag noch voller Basmati-Reis und hellbraunem Chicken-Curry gewesen waren, waren nun leer; in ihren Innenwänden glänzte kaltes Laternenlicht.

Jamal ging vor zur Straße und überquerte die Kreuzung, über die selbst um diese Zeit noch Autos kurvten. Kurz vor der Treppe zur Hochbahn blieb er stehen und sah sich um.

Das Haus, in dem er ab jetzt wohnen würde, war über seine ganze Breite erhellt, wenn auch nicht regelmäßig. Von der linken Seite an der Reichenberger Straße bis hin zu der Stelle, wo sich das Gebäude quer über die Adalbertstraße zog, flackerte blaugraues Licht hinter den Gardinen. Wie ein riesiger Dampfer auf dem Trockenen, dachte Jamal. Eine grauweiße Fassade, nur durchbrochen von der Färbung der Fensterrahmen: dunkelgelbes Chicken-Curry. In allen Etagen hingen vor den Fenstern wie Schutzschilde die Satellitenschüsseln. Was wehrten sie ab, was fingen sie ein in ihren Höhlungen? Türkische Gesänge zu schmachtenden Geigenklängen, Imam-Predigten im Offenen Kanal, kurdische Tänze und Aufrufe – blöde RTL-Filme oder amerikanische Seifenopern?

Er konnte sich gut vorstellen, wie sie da alle vor ihren Fernsehern saßen; Deutsche und Türken, Männer und Frauen, Eltern und übernächtigte, greinende Kinder. Müde würden sie sein, reglos auf ihrer Couch hockend und zu kraftlos, um aufzustehen, die Fernbedienung auf Stop zu drücken und dann zu Bett zu gehen für einen weiteren Tag, der an seinem Ende – falls nichts Schlimmes geschah – genau wie dieser enden würde. Ob da wohl noch jemand Lust auf Sex hatte?

Jamal lächelte böse. In dieser Nacht war das *bad-boy-program* dran, und zwar definitiv und live. Und er selbst würde den Teufel tun, ängstlich weiterzuzappen hin zu beruhigenderen Kanälen. Man brauchte nur da hoch zu schauen, um zu ahnen, wie so das endete.

Auf dem Bahnsteig zündete er sich eine Zigarette an. Von hier oben aus konnte man in einer geraden Linie bis zum Görlitzer Bahnhof sehen. Auch dort liefen Gestalten hin und her, die nach den gelben Nachtaugen der U-Bahn Ausschau hielten. Aus der Entfernung konnte Jamal nicht erkennen, ob es Frauen oder Männer waren. Als die Bahn schließlich kam und mit dem ersten Wagen direkt vor ihm hielt, wußte er es: Es waren Männer, und sie schienen den gleichen Weg zu haben wie er.

Jamal achtete nicht auf sie. Er blieb an der Tür stehen und studierte vor dem Hintergrund der vorbeirauschenden Stationen sein eigenes Spiegelbild.

Sein erster Eindruck war: H & M. Scheiße, dachte er, ich bin in einem H & M-Clip gelandet.

Die Socken und Underwear-Auswahl war enorm. In die Luft gestreckte Beine – weiße Socken an den Füßen. Breitbeinige Haltung, den Körper senkrecht gegen eine Mauer gedrückt – schwarze Socken, mit Zentimentergenauigkeit auf beiden Seiten über schwarze, schwere Boots gerollt. Eine Hand auf einem Waschbrettbauch – das weiße Unterhemd mit den schmalen Trägern bis hoch zu den Schultern geschoben. Daumen und Zeigefinger zwirbeln eine Brustwarze – und dazwischen ein schwarzes T-Shirt, das gleich mitgezwirbelt wird. Ein Zweiergespräch auf Ledersesseln in einer Art Salon mit Kamin – aber irgendwann besteht die Kulisse nur noch aus zusammengeknüllten Hemden, über denen wie erstarrte Schlangen ein paar farbige Krawatten lagern. Und nicht zu vergessen die Handtücher, bestimmt alle feinstes Frottee. Saunahandtücher (um die Hüfte geschwungen, also bald über die Hüfte herabrutschend), Fitneßhandtücher (ein Stoffwust um den Hals, der sich hin und her drehen muß, damit Jeff-Joe-Rick den anderen Stoffwustträger an seinem Armhebel- und Fußstreckgerät auch richtig in den Blick kriegt), dazu Pool-handtücher (in Großaufnahme in gigantische Arschspalten fah-rend) und Jogginghandtücher, die im weiteren Verlauf der Hand-lung jedoch wie durch Zauberhand verschwinden. Waren Jog-ginghandtücher die Stiefkinder der Werbung?

Jamal starrte so ungläubig auf die Pornoleinwand im hinteren Teil der Bar, daß er die Blicke all der Männer um ihn herum kaum bemerkte. Er mußte sich bemühen, nicht laut loszulachen.

Trance-Techno und eine rot zuckende Diodenschrift, die unter-halb der Decke über die Wand lief, versuchten, den dunklen, nach Bier, Zigaretten und irgendeinem seltsamen Medikament rie-chenden Raum in eine rhythmische Schwingung zu versetzen. Männer unterschiedlichsten Alters und Aussehens lehnten an den Wänden, stützten sich mit dem Rücken gegen die Theke, wo es ein wenig heller war, saßen auf Barhockern oder liefen prüfend und schnuppernd durch die Gegend. Zwischen all den Bytes und wummernden Baßklängen, die aus den Lautsprechern drangen, versuchte sich eine Frauenstimme Gehör zu verschaffen, die im-mer wieder in gezügelter Emphase *encore une fois, encore une fois* mehr befahl als wirklich sang.

Vielleicht meint sie die Klamotten, dachte Jamal. Noch immer wurden diese auf der Leinwand von Dutzenden von Unterkör-pern gezerrt und anschließend kiloweise auf den Boden ge-schmissen.

Eindeutig, hier herrschte H & M. War nur zu hoffen, daß nicht wieder diese Polizisten mit Yousuf im Schlepptau auftauchten. Da bekommt man zu Mitternacht viel Spaß gewünscht, und so etwas war das Ergebnis!

Was war mit diesen Männer los, mit ihren Schwänzen wie Gummiknüppeln, mit Eiern, die an Bowlingkugeln erinnerten und geöffneten Arschlöchern vom Durchmesser eines Vulkan-kraters? Mußte er das geil finden?

Und dann diese Hisbollah-Fäuste, die zwar nicht zu herausge-brüllten Parolen geschüttelt wurden, dafür aber wie auf einem Verschiebebahnhof pausenlos erigierte Schwänze packten und drehten, vom Mund zum Arschloch und wieder retour. Auch mit der Motorik der Zungen, die in den bis zum Rachen aufgerissenen Mündern zuckten und züngelten, schien irgend etwas nicht zu stimmen. Vielleicht hatte man ja nur darauf geachtet, daß die H & M-Werbung gut rüberkam, ansonsten aber Kameraführung und Drehgeschwindigkeit gründlich verpatzt und sich gedacht, für die Berliner mit ihrem miesen Geschmack reiche das allemal. Möglich war es.

Jamal ahnte, daß er etwas tun mußte. Wenn er hier noch lange so stehenblieb und wie ein Kaninchen auf die Leinwand starrte, würde er noch Sehnsucht nach Kerstins Küchentisch bekommen. Er hatte nicht geahnt, daß alles so schwierig sein würde. Wenn er vorhin noch gefürchtet hatte, den Schritt von der Kreuzung Motz- und Eisenacher Straße hin zu dieser Bar nicht zu schaffen und niemals den Mut zu finden, auf den kleinen Klingelknopf neben dem dunklen Türknauf zu drücken, wenn er sich das Unbehagen ausgemalt hatte, mitten in einen halbdunklen Raum voll wildfremder, sexgeiler Typen zu treten, so machte sich nun bei ihm ein Gefühl der Enttäuschung breit.

Er lehnte noch immer an der Wand, rauchte die vierte Zigarette, sah mittlerweile den zehnten Porno und fühlte nichts, was auch nur im mindesten mit Lust in Verbindung zu bringen war. Weshalb dann dieser ganze Wirbel um schwulen Sex, wozu dieses Geraune und Getuschel, wozu die dunklen, warnenden Anspielungen seines Onkels, wenn das Ganze nichts weiter war als eine Art Arbeitstherapie?

Mein Gott, wie die schufteten und litten! Dauernd mußte sich einer an die Stirn greifen, weil es so entsetzlich *hot* war, aber anstatt das Fenster zu öffnen, kam sofort ein anderer mit sorgenerfülltem Gesicht näher und rieb sich den Schwanz. Die nächsten Szenen zeigten klatschnasse Haare, weit aufgerissene Augen und an den Schläfen heraustretende Adern. Und erst dieser stiere Blick einer entgleisten Lok! Absolut uncool. Endloses Geschiebe ohne wirkliche Berührungen, ein Rotieren ohne Lächeln oder Zärtlichkeit, Muskelspiele voll nervender Eindeutigkeit. Und ewig flatterte das Zeugs von H & M.

Vielleicht war das die Strategie des Unternehmens: Tragt lieber unsere Klamotten, sagten die Bilder, denn ihr seht, wie todernst es wird, wenn sie erst einmal ausgezogen sind, und es zur Sache geht.

Jamal überlegte, ob er nicht besser dabei bleiben sollte, es sich selbst zu machen. Da stand wenigstens keiner mit Regieanweisungen und einer unsichtbaren Stoppuhr dabei, der ihn zwang, wie ein Spastiker in Sekundenabständen den Mund zu *Oh yeah*, *Oh God* und *Mmmmmh!*-Ausrufen zu verziehen.

Was hatte er erwartet? Genau das war das Problem.

Was ihn hierher getrieben hatte, war, wenn er ehrlich war, ziemlich vage gewesen. Ein Pochen im Herzen, fast stärker noch als das Pochen in der Hose. Und bis jetzt war noch immer nichts passiert. Die Männer, die neben ihm gestanden oder regelmäßig sein Blickfeld kreuzend an ihm vorbeimarschiert waren, hatten inzwischen längst resigniert und ihre Anbagger-Versuche aufgegeben.

Jamal — so hatte er das bei den anderen gesehen, so schien es Sitte zu sein — warf die halb aufgerauchte Zigarette auf den Boden und trat sie mit einer Drehung seines Schuhabsatzes aus. Dann ging er quer durch den Raum auf die Treppe zu, die in den Keller führen mußte. Er konnte ein Gefühl des Ärgers nicht unterdrücken. Von wegen *verrufen!* Dieser Ort hier müßte eher *gerufen* heißen. *Oh yeah* formten die stumpfsinnigen H & Mler mit ihren dicken Leck-Lippen, und er selbst mußte wohl oder übel diesem Ruf folgen, wenn er noch ein bißchen Erregung spüren wollte.

Alles jedoch war so künstlich und lächerlich, daß er nicht überrascht war, als er merkte, daß dort, wo die schmale Treppe endete, nur das Begleitprogramm lief.

Zu den stummen Bildern gab es hier unten die Tonspur. Gott, das war ein einziges Rascheln und Stöhnen, ein Schmatzen und Trampeln, hin und wieder zerrissen vom Metallgeräusch eines aufgezogenen Reißverschlusses. Und natürlich war es furzdunkel.

Jamal bahnte sich einen Weg ins Labyrinth. Von Zeit zu Zeit zündete jemand ein Feuerzeug oder ein Streichholz an, und für die Dauer von Sekunden formten sich aus dem Dunkel Schemen von Körpern und Köpfen, die aber nie zu Gesichtern wurden. Jamal spürte weder Angst noch Lust, und genau das machte ihn unsicher.

Verhielt er sich falsch, benahm er sich daneben? Hoffentlich dachten diese Männer jetzt nicht schlecht von ihm. Ein Glück, daß sie so stark beschäftigt waren und ihn nicht sehen konnten, weil auch er für sie nur ein wandernder Schatten blieb. Nachdem er eine Zeitlang herumgetappt und immer wieder auf andere

Füße getreten war, um die sich heruntergelassene Jeans wie ein Wall bauschten, fand er in der Wand eine kleine Nische. Sie war unbesetzt.

Er stellte sich hinein und wartete. Nach einer Weile öffnete er seine Lederjacke und zog das Hemd aus der Hose. Wenn schon mit Unsichtbaren herummachen, dann wenigstens ohne dieses H & M-Casting als Vorspiel. Jamal gratulierte sich zu seinem Wandplatz. Von hier aus konnte er immerhin den schwachen Lichtschein sehen, in dem die Steinstufen der Treppe lagen. Wenn er dann noch ein wenig die Augen zusammenkniff, konnte er sogar erkennen, welche Typen von dort in die Dunkelheit eintauchten.

Leder- und Uniform-Träger – keine Chance. Dicke – vergiß es. Schmale und Dünne – Jamal mußte sofort an die schreckliche Krankheit denken, deren Namen er nicht kennen wollte, und wandte den Blick ab. Bärtige – non, merci. Junge Männer – ja wo blieben eigentlich die jungen Männer? Vielleicht hätte er sich oben umschauen sollen, anstatt auf die Videos zu starren.

Jamal spürte die Hand auf seinem Arm sofort. Er erstarrte und versuchte den Atem anzuhalten, was allerdings in der rauchgeschwängerten Luft hier unten schwierig war. Die Hand fühlte sich dadurch anscheinend ermutigt. Sie wanderte Jamals Arm hoch, hielt kurz an seinem Schlüsselbein inne, fuhr danach die Brust herunter, vermied, die Warzen zu zwirbeln – hatten die zur Hand dazugehörigen Augen etwa die Videos nicht gesehen? – glitt unter sein Hemd und begann die Fläche oberhalb es Bauchnabels zu streicheln.

Jamal spürte, daß er augenblicklich eine Erektion bekam. War es also doch so einfach, funktionierte das Drück- und Rubbelspiel auch bei ihm, war auch er nur eine Maschine, die sich auf ein bestimmtes Signal hin völlig vorhersehbar in Gang setzen ließ? Er griff nach der Hand – Allah schau nicht hin, das war jetzt seine erste wirkliche Männerberührung hier in Berlin – und prüfte sie. Strich über die Finger bis vor zu den Nägeln und versuchte herauszufinden, ob er nicht einen dieser Psychos mit aufgerissenem Nagelbett und abgekauten Fingernägeln vor sich hatte, die man immer wieder zeitunglesend oder mit ihren Hunden sprechend in der U-Bahn beobachten konnte. Fehlanzeige. Die Hand schien in Ordnung zu sein. Auf den Fingern steckte kein Ring, sie waren weder spinnig noch wurstig und liefen ohne Täler und

Hügel harmonisch in ihren Kuppen aus. Müßte ihm das nicht genügen? Ein Wunder, daß er noch den Nerv für solche Untersuchungen hatte.

Aber nein, es genügte nicht. Jamal trat einen Schritt vor, hielt sein Feuerzeug hoch und ließ es schnappen. Er hatte vorher den kleinen Hebel auf Plus geschoben, so daß sofort eine Stichflamme nach oben schoß. Sie reichte aus, um Jamal das Gesicht zur Hand erkennen zu lassen. Nackt schimmernde Kopfhaut, wie mit einem Kohlestift gestrichelte Augenbrauen (arabisch?), erschreckt aufgerissene Augen, die Konturen eines scharf geschnittenen Schnauz- und Kinnbartes.

Abwärts dann ein ebenfalls nackter, behaarter Oberkörper, von schwarzen Hosen begrenzt und wie ein Bild eingerahmt von den zwei Reißverschlußlinien einer offenen Adidas-Jacke. Noch ehe sich Jamal dazu beglückwünschen konnte, wieviel er in so kurzer Zeit mitbekam, sackte die Flamme in sich zusammen. Und die Augen, die ihn so ängstlich angeschaut hatten, waren auf einmal wichtiger als die Hand auf seinem Körper. Hatte er ein Recht, vor solchen Augen mit einem Feuerzeug herumzufuchteln? Über die Freude, einen so offenkundig gutaussehenden jungen Mann vor sich zu finden, legten sich die Skrupel, ihm mit diesem blitzenden Sekundenlicht Gewalt angetan zu haben.

Zögernd blieb Jamal stehen. Wie nun weiter?

Da griff der andere im Dunkeln nach seiner Hand und legte sie sich auf die Brust. Jamal streckte seine Finger aus, fuhr mit ihnen in Richtung Hals, dann wieder herunter bis zu der Stelle, wo der starke Brustkorb eine Art Plateau bildete, das sich zu einem flachen, fest angespannten Bauch hin neigte. Und überall kleine Härchen. Jamal zog ein bißchen an ihnen, bis der andere plötzlich sagte: »Nicht kitzeln, bitte!« Er hatte eine sonore, freundliche Stimme, und er sprach Deutsch ohne erkennbaren Akzent.

Welcher Idiot hatte behauptet, Worte zerstörten die Lust? Von wegen.

Jamal schaffte es gerade noch, ein »Okay« herauszupressen, dann hatte er schon seinen Kopf auf die Schulter des anderen gelegt, hatte ihm die Adidas-Jacke abgestreift und begonnen, ihm vom Hals über den Rücken zu streichen. Der andere knöpfte Jamals Hemd auf. Er beugte sich vor, um die Brustwarzen mit der Zungenspitze zu umfahren. Jamal zitterte am ganzen Körper. Es fehlte nicht viel, und er hätte sich an seinem unsichtbaren

Partner festhalten müssen, um nicht das Gleichgewicht zu verlieren.

Als er sich herabbeugen wollte, um die glatte, ihn erregende Kopfhaut des anderen zu küssen, fuhr dessen Kopf gerade nach oben und traf mit voller Wucht sein Kinn.

Er rief »Aj!«, und der andere sagte leise »Sorry!« Dann fuhr er Jamal mit der Hand übers Gesicht, berührte seine Stirn, die Wangen, strich ihm sanft über die Lippen und zog mit dem Finger eine Linie bis zum Kinn. Jamal spürte eine Welle von Geborgenheit in sich aufsteigen, und er mußte sich anstrengen, sie ebenso schnell wieder abebben zu lassen. Was glaubte er, wo er war? Lächerlich, sich ausgerechnet in einem Darkroom von ein paar Worten, die eher Formeln waren, zu einem Gefühl hinreißen zu lassen! Alles war so irritierend, denn obwohl der andere jetzt den Gürtel seiner Hose gelöst hatte und Jamals steifen Penis in die Hand nahm, wußte er, hoffte er, daß auch diese Berührung weit über den Wunsch, gemeinsam zu kommen, hinausging. Aber wo hinaus, in welche Richtung, welche Zukunft? Das war doch total absurd!

Jamal öffnete die Hose des anderen. Er zog den Reißverschluß herunter und war beruhigt, als er gar nicht erst auf einen Slip stieß, sondern seine Finger gleich über das Stachelfeld einer offenbar penibel rasierten Behaarung wandern konnten, ehe sie einen ebenfalls erigierten Schwanz fühlten. Ohne Slip hierher zu kommen, war doch eine ziemlich professionelle Abgefucktheit, oder etwa nicht? Um so besser. Nur keine falschen Erwartungen!

Sie berührten sich an allen Stellen ihrer Körper, die man in der Enge der Nische erreichen konnte, ohne aus dem Gleichgewicht zu geraten. Bei alldem vermieden sie es, sich zu küssen. Als sie fühlten, daß es ihnen kommen würde, stellten sie sich, was in diesem Hühnerverschlag gar nicht so einfach war, nebeneinander, umfaßten gegenseitig ihre Hüften und spritzten gegen die Wand.

Das Geräusch war ein ziemlich widerwärtiges Klatschen, und Jamal fühlte sich leer. Gleichzeitig war er erleichtert. Das hier hatte weder mit Zuneigung noch mit Sex zu tun. Es war wie eine verschärfte Kameraderie; statt gemeinsam pinkeln zu gehen, wichste man gegen eine Kellerwand. Na und? War das eine Schande? Vielleicht, vielleicht auch nicht. Zumindest ließ das, was es *nicht* war, ahnen, was möglich sein konnte, wenn zwei Männer einander gefielen. Und das war schon mehr, viel mehr als dieses Onanieren mit Hassan damals unten am Fluß. Nur das Licht vermißte er dabei, ein südliches Licht und einen weiten Himmel, dessen helles Blau fast schmerzte.

Auf einmal hatte es Jamal eilig. Er zog Slip und Jeans, die noch in den Kniekehlen hingen, rasch nach oben, steckte das Hemd in die Hose und ging ein paar Schritte zurück. Dann aber trat er noch einmal auf den anderen zu und küßte ihn auf den Nacken. So einfach zu verschwinden wäre ihm übel vorgekommen.

Der andere drehte ihm das Gesicht zu, und seine Augen schimmerten feucht. Oder bildete sich Jamal das nur ein? Ohne darauf zu achten, daß er die übrigen Männer im Raum rüde beiseite stieß, strebte er auf den Ausgang zu. Er blickte sich nicht mehr um und rannte die Treppe hoch.

Ihm war schwindlig. Sein Gaumen fühlte sich trocken an. Er hätte jetzt gern etwas getrunken und dazu eine Zigarette geraucht, um das Zittern seiner Hände wieder unter Kontrolle zu bekommen. Aber da hätte er zuerst einmal auf die Toilette gehen müssen – war denn das immer so *danach?* –, um den Druck in seiner Blase loszuwerden.

Er war gerade dabei, eine der Türen neben dem Tresen – an jeder hing das kleine Schild für Männertoiletten – zu öffnen, als sie von innen aufsprang und ihn ein Typ mit einer Bierflasche in der Hand beinahe über den Haufen rannte.

Später erinnerte sich Jamal daran, daß er in diesem Moment völlig überrascht war und nicht einmal mitbekommen hatte, ob sich noch eine zweite Person in der Kabine befand. Der Typ war blond und sonnengebräunt. Ohne einen Gesichtsmuskel zu verziehen, sahen sie einander an. Er hat noch immer blaue Augen, dachte Jamal, als hätte der andere mit den Toiletten, aus denen er auftauchte, auch jedesmal die Augenfarbe wechseln müssen.

Irgendwann – wie lange standen sie eigentlich so da? – probierte der Blonde ein Lächeln. Das war immerhin schon mehr, als er damals im Goethe-Institut zusammengebracht hatte. Jamal fiel nichts Besseres ein, als mit der Hand über seine Lederjacke zu fahren und sich die Haare zurückzustreichen.

Der Blonde, nun war sein Lächeln verschwunden, antwortete mit der gleichen Geste. An den Schläfen und im Nackenansatz waren seine Haare ausrasiert, aber von oben fielen sie ihm als Mittelscheitel in festen Strähnen in die Stirn. Sieht wie geleckt aus, der Nordmensch, dachte Jamal. Ein bißchen zu niedlich für diesen Ort mit seinem Brad-Pitt-Gesicht, in dem nur die starken Nasenflügel so etwas wie Entschiedenheit signalisierten. Dann sah er wieder die blauen Augen, deren kühles Glitzern alles Kindlich-Unschuldige zurücknahm. Und noch immer maßen sie sich wortlos mit ihren Blicken.

Schließlich war es Jamal, der sich mit einem Schulterzucken abwandte. Für einen einzigen Tag war das alles ein bißchen zuviel.

Hatte da irgendwer gesagt, es gäbe nichts Unkomplizierteres als Sex? Die Leute redeten zuviel, besonders die Alten. Doch die Jüngeren waren ja noch schlimmer: Sprachen nicht, tauchten überall in der Stadt aus Toiletten auf, herausgeputzt wie Mamas Liebling und dabei versaut bis auf die Knochen. *Die* waren es, die einem die Ruhe nahmen. Weil sie so verdammt ruhig waren und ohne Probleme zu tun schienen, was sie eben taten. Oder sie standen in irgendwelchen Nischen und starrten dich aus Augen an, die dich sofort an Liebe – ausgerechnet Liebe, du Schaf! – denken ließen. Der, na dieser … Jamal, *Kuddelmuddel* ist das Wort … ja, dieser Kuddelmuddel, hörte der denn nie auf? Wahrscheinlich trat er nur in immer neuere Phasen. Zu dumm, daß man erst später oder manchmal nie mitbekam, ob sie einen hochhoben oder nur langsam absacken ließen.

Zurück in seiner neuen Wohnung bereitete es ihm Mühe, die Klamotten von seinen schweren Gliedern herunter zu bekommen. Er ließ sich quer auf die beiden Matratzen fallen und drückte wahllos auf die Fernbedienung. Das kluge Tierchen entschied sich, es für heute mit Eros genug sein zu lassen und statt dessen das Radioprogramm in Gang zu setzen.

Gerade lief ein deutsches Lied, selten genug für die Sender in Berlin. Mitten im Wegdämmern fragte sich Jamal, wo er diese Stimme schon einmal gehört hatte. War das nicht die gleiche Frau, deren *ninety-nine balloons* vor vielen, vielen Jahren sogar den Weg in sein winzigkleines, im Sommer drückend-heißes Zimmer in Beirut gefunden hatte, zwischen Alarmsirenen und Israeli-Angriffen hindurch?

Manchmal ist ein Tag ein ganzes Leben/Manchmal werden alle Träume wahr. Daß immer alle übertreiben mußten, dachte Jamal. Zufrieden streckte er sich aus und drehte sich auf die andere Seite.

Zehn Stunden später sah er auf der Straße die Katastrophe. Tom's Bar war ihm gefolgt, und zwar direkt bis vor die Haustür am Kottbusser Tor. Während der letzten Nacht mußte sich der muffige Kasten ächzend, aber unaufhaltsam in Bewegung gesetzt und sein ganzes Personal abgeladen haben. Sie waren hier ausgestiegen und hatten sich sofort in Plakatgestalten verwandelt. Dabei hatten sie sich noch unansehnlicher gemacht, denn soviel düstere Schnauzbartträger, wie Jamal jetzt sah, hatte er gestern nicht bemerkt. Aber vielleicht hatten die ja nur in der hintersten Ecke des Darkrooms gewartet, um ihm später um so unauffälliger folgen zu können.

Jamal blinzelte unausgeschlafen ins Sonnenlicht. Es war schon Mittag, und noch immer war er todmüde. Er war es nicht gewöhnt, nach Mitternacht wegzugehen, um irgendwelche *entscheidenden Momente* zu erleben. Erst das Treppenhaus-Gebrüll der aus der Schule heimtrudelnden Kinder hatte ihn geweckt und ihn daran erinnert, daß er heute abend Gäste haben würde. Es gab eine Menge zu tun.

Er hatte sich hastig geduscht und war mit einer ellenlangen Einkaufsliste im Kopf aus der Wohnung gerast. *Ich habe den Geschmack schon auf der Zunge, die Fressalien aber lange noch nicht im Plastikbeutel.* Ja, *so* hätte diese verdrießliche Christa Wolf schreiben sollen, dann wäre man beim Durchackern ihrer Texte im Kurs auch nicht dauernd eingepennt.

Unten auf dem Vorplatz waren schon die Marktstände aufgebaut. Daß zwischen den Kartoffelsäcken und den Obst-Tischen viel mehr verschleierte Frauen herumliefen, als er es aus Beirut gewohnt war, störte ihn nicht im geringsten. Was ihn entsetzte, war die Anwesenheit dieser ganzen Tom's-Typen.

Kein Meter Hauswand, an dem sie nicht klebten. Einmal hielten sie, die Lippen zusammengepreßt, Waffen in den Händen, ein anderes Mal waren es Mikrofone. In diesen Fällen war ihr Mund so weit geöffnet, als wollten sie in die Kabel beißen; ihre rollenden Augen sahen aus, als hätten sie bereits einen kräftigen Stromschlag abbekommen. Häufig wurden auch Fäuste – zur Abwechslung einmal *ohne* darin versteckte Mega-Schwänze – auf Jamal herabgeschüttelt. Die untere Hälfte der zu den Fäusten gehörigen Gesichter war dann mit Tüchern verhüllt, die garantiert nicht aus der H & M-Produktion stammten. Auf einigen Bildern trug man auch Pluderhosen, stand stramm in einer Reihe und blies voller Elan auf klobigen Holzflöten. Ob es hier so etwas wie ein Kreuzberger Tunten-Orchester gab?

Manchmal hatte man quer über die Gesichter mit schwarzem Filzstift Sprüche gekritzelt, die, sofern sie nicht türkisch waren, regelmäßig mit *Scheiß* und *Raus* begannen. Vielleicht sollte es ja ursprünglich *Scheißhaus* heißen und war als Drohung für jene gedacht, die wie dieser WC-Brad-Pitt dauernd aus allen möglichen Toiletten stürmten. Geschah ihnen ganz recht. Konnte schwuler Konkurrenzkampf wirklich so rabiat sein?

Das wunderte Jamal, denn eigentlich sahen diese Typen an den Wänden *alle* ziemlich daneben aus. Nur die Breite ihrer Schnauzbärte differierte. An den Rändern der Plakate standen Kürzel wie TKF/ML oder KPD/ML oder PKK oder PDS. Auf dem PDS-Schild erkannte Jamal einen, der keinen Schnauzbart trug, sofort wieder. Der hockte nämlich nicht nur im Darkroom, sondern auch in den Talkshows des Fernsehens. Es war der kleine Advokat mit der Nickelbrille, der immer von *unseren Menschen* redete, außer wenn er zornig wurde und auf Nachfrage über sich selbst sprechen mußte. Dann begannen seine Sätze stets mit *Es gibt keine Beweise* oder *Es ist eine Lüge*. Was war eine Lüge? Daß dieser komische Ost-Macker auf all die Bärtigen abfuhr, daß er mitten in der Nacht zum Kottbusser Tor geflattert kam, um hier zwischen Döner-Imbiß und Telefonzelle zu posieren, bis Wind und Regen sein Bild zur Unkenntlichkeit entstellt haben würden?

Jamal fragte sich, was ausgerechnet der verkniffen lächelnde Öcalan in dieser Galerie zu suchen hatte. Der war ja bestimmt nicht schwul, obwohl er aussah wie einer dieser verklatschten Herrenfriseure in den endlosen ägyptischen Fernsehserien. Er hatte ihn manchmal in Onkel Ziyads Zimmer während der Nachrichten gesehen – und jedesmal im Zusammenhang mit Anschlägen und Selbstverbrennungen. Doch konnte man nie wissen. Schließlich hatte die rote Leuchtschrift in Tom's Bar andauernd die Zeile *The hottest place in town! The hottest place in town!* herabgefunkelt.

Quatsch. Alles Quatsch. Die mit den Waffen waren kurdische Widerstandskämpfer, die Mikro-Men dagegen türkische Schnulzensänger. Und die Pluderhosenmannschaft war wahrscheinlich gemischt. Um so besser für sie. Um so unblutiger, wenn sich auch ihre Üzlidibügli-Müzik noch grausam genug anhörte. Von wegen Tom's Bar! Wenn's hier zur Sache ging, ging es bestimmt um ganz andere Sachen. Es sei denn, die brauchten beim Sex jetzt schon Knarren und Folklore.

Jamal atmete tief durch. Hör auf zu spinnen und geh lieber einkaufen!

Was hatte Silvia mit *typisch arabisch* gemeint?

Türken, daß wußte er aus Moabit, waren beleidigt, wenn man sie Araber nannte. Und auch Algerier, Tunesier und Marokkaner hörten das nicht gern. *Nous venons du Maghreb, compris?* Sah alles danach aus, als würde das Wort wieder mal an ihm hängenbleiben. Kein Grund, sich dafür zu schämen. Auch wenn er, *zaama!*, Libanese war. Oder, wie Frau Lahrmann nach einem seiner Wortspiele, die im Kurs auf Beifall gestoßen waren, einmal mit säuerlichem Lächeln bemerkt hatte: Ein Levantiner. Wie auch immer, seine Gäste, die sich da bei ihm eingeladen hatten, würden heute abend garantiert etwas *typisch Libanesisches* vorfinden.

Jamal merkte bald, daß er nichts davon an den Verkaufsständen vor seinem Haus finden würde. Es sei denn, er wollte kiloweise Kartoffeln mit nach oben schleppen, in der Wanne des Eros-Bades in türkischem Öl schwimmen oder in der Küche Graupensuppe und Polenta fürs ganze Viertel kochen. Von alldem gab es hier Säcke und Flaschen, Tüten und Dosen in den unvorstellbarsten Formen und Größen. Und natürlich Sonnenblumenkerne. Sonnenblumenkerne durften nie fehlen. Damit man was zum Spucken hatte, zum Hinrotzen, falls den zahnlosen Mündern gerade die ewigen Weisheiten ausgegangen sein sollten. Jamal kannte das von einigen Verwandten zu Hause; hier sah er es bei den älteren Türken jeden Tag.

Es war nicht einmal dieses Spucken an sich, was ihn so aufbrachte, sondern die steinerne, die steindumme Gewißheit, die dahinter stand und die wohl nie aufhören würde zu keifen: So ist das Leben, mein Sohn – Pff! –, komm nur erst in unser Alter und – Pff! –, auch du wirst sehen, daß alles so ist – Pff, Pff! –, wie es ist, Allah sei gepriesen.

Aber was gab es schon zu preisen? Graupenbeutel, Sonnenblumenkerne und Leute, die Graupensuppe fraßen und Sonnenblumenkerne in der Gegend herumspuckten; Pff, Pff! Woher nahmen nur alle diese Energie her, entweder Blödsinn zu verbreiten oder sich klaglos Blödsinn anzuhören?

Ohne etwas gekauft zu haben, schlenderte er weiter.

Am Görlitzer Bahnhof entdeckte er einen Laden, über dessen Tür ein großes Schild mit dem Namen »Patisserie« hing. Nein, das war bestimmt nichts Französisches. So geschwungen, daß die Worte einer bombastischen Geste glichen, schrieben nur Araber ihre Schilder. Den Deutschen, gestreßt, verklemmt und scharfkantig wie sie waren, fehlte für solche Hochstapeleien entweder die Zeit oder der Mut. Fast war er gerührt, als er hinter dem Ladentisch neben der libanesischen Flagge auch eines der typischen Vorkriegsplakate hängen sah. Die Säulen von Baalbek unter einem Himmel, der schon ganz weiß und knittrig geworden war.

»Marhaba.«

Der Verkäufer, ein gedrungener Mann Mitte Vierzig, wischte sich die Hände an seiner Schürze ab und sah lächelnd auf. »Marhaba, mein Freund. Was soll's sein?«

Seit langer Zeit sprach Jamal wieder Arabisch, denn die wenigen Worte, die er in den letzten Wochen mit seinem Onkel gewechselt hatte, hatten kaum die Bezeichnung Sprechen verdient. Aber wenn schon ein Palaver, dann ein kunstvolles Hin und Her, ein Ach ja? und Aber nein!, ein kleines Lächeln und ein großes Erstauntsein, niemals jedoch dieses brabbelnde Gebetskranzgezähle und das pfeifende Spuckgeräusch, das nichts anderes war als die triste Begleitmusik zum dauerbeleidigten Schweigen der Deutschen.

Nach ein paar Minuten wußte Monsar, der Patisserie-Chef aus El Batroun, daß Jamal, der Student aus Beirut, erst ganz neu in dem Riesenhaus da drüben am Kotti wohnte, das aussah, als wäre sein Architekt, ich schwöre es dir, betrunken gewesen, und heute abend Freunde – ein Blinzeln, ein Schnalzen, ein Fingerreiben: Auch Freundinnen, he? – zu Besuch bekam, die unbedingt Libanesisches – da sind sie aber klug, Habibi; unsere Küche *ist* die Beste! – essen wollten, natürlich mit Dessert.

Stolz zeigte Monsar auf das, was er in den Glasbehältern unterhalb der Theke ausgebreitet hatte. Falafel, Shish Kebab und Shish Tawuk, Hummus und bereits fertig mit Zitrone angemachtes Tabouleh, Aish es Serail und Aishtha mit Orangenscheiben. Sogar Kibbeh, mit Spinat und Hackfleisch gefüllte Bällchen, die Jamal so mochte, fanden sich in der Vitrine.

Von allem, was er auswählte, packte ihm Monsar, jeden Protest ignorierend, das Doppelte auf die Waage. Habibi, keine Angst, Monsar wird dir schon nicht das Doppelte berechnen, aber wie sähe ich aus, wenn ich dich mit einem gotterbärmlich winzigen Häufchen aus dem Laden gehen ließe, wie es nur die grämlichen, geizigen, *kalorienbewußten* Deutschen liebten?

Jamal lachte. Mit einer prall gefüllten Plastiktüte – die zwei Fladenbrote mit den Sesamkörnern hatte es noch gratis dazu gegeben – verließ er den Laden.

»Paß auf dich auf, mein Sohn, bei Monsar bist du immer willkommen«, rief ihm der Händler hinterher. »Shukrom, Shukrom ktir«, brüllte Jamal zurück, hob winkend seine freie Hand und sah zu, daß er rechtzeitig vor dem bei der Ampel anrollenden Verkehr über die Straße kam.

Unterwegs holte er ein paar der gezuckerten und mit Pistazienkernen gespickten Stücke aus dem Beutel und schob sie sich in den Mund. Seit wievielen Monaten hatte er das nicht mehr gekostet? Es mußten einige sein, denn bei Onkel Ziyad kam nie etwas auf den Tisch, das auch nur im geringsten die Illusion hätte nähren können, daß an Jamals Wohlbefinden und Appetit gedacht würde. Hauptsache karg und knapp, damit den Neffen in der Fremde nicht etwa der Übermut packte. Arschloch.

Jamal stopfte ein Stück nach dem anderen in sich hinein und merkte zu spät, daß er das eher aus Trotz als aus Appetit tat. Aber da hockten die kleinen Bomben schon klebrig in seinem Bauch und dachten gar nicht daran, vor dem Verdauungsprozeß zu kapitulieren. *Festes Essen, gutes Essen* – auch das war wieder so ein Spruch.

An den Ständen vor dem Haus kaufte er noch ein paar Zitronen, Trauben und Minolas. Er ließ sich Oliven und Weichkäse in dickes, glänzendes Papier einwickeln und war überrascht, in einer Ecke sogar Hummus-Büchsen zu sehen. Zusammen mit den Zitronen und ein wenig Öl hatte er genug *Typisches* zusammen. Was fehlte?

»Tavluk-sosis – sehr gut«, sagte die Frau hinter der Theke des Verkaufswohnwagens, als sie sein Zögern bemerkte. Sie hatte ein robustes Bauerngesicht, und ihre Haare waren wie ein Expreßpaket fest in dunkelblaues Tuch verpackt, so daß keine einzige Strähne mehr hervorlugte.

Jamal sah sie fragend an. »Tavluk-sosis; na Geflügelwürstchen!« wiederholte sie eindringlich. »Nix da Schwein.«

Er überlegte. Wahrscheinlich hießen so die Makanek-Würstchen auf türkisch. Nix da Schwein, sehr gut na Geflügelwürstchen – das Abendessen war gerettet! Schnell alles warm gemacht und den Gastgeber gespielt, und wenn die drei nach Mitternacht wieder weg waren, vielleicht noch mal rein in Tom's Bar. Natürlich nur zum Gucken und Ablästern, das war ja klar. Nur – mit wem sollte er da lästern? Er konnte ja schlecht im Keller Selbstgespräche führen oder mit Sonnenblumenkernen auf die Video-Typen spucken.

»Zwei Dosen, bitte«, sagte er und griff nach dem Geld in seinen Jeans.

Es bestand kein Grund, schon jetzt die kommende Nacht zu verplanen.

»Und hier ist auch schon die Toilette.«

Jamal riß die Tür sperrangelweit auf und wies mit großer Geste auf das Badezimmer. »Am schönsten ist es aber, wenn man wieder rauskommt.«

Yousuf runzelte die Stirn. Silvia, die gerade dabei war, ihre Schuhe mit den quadratischen Säulenabsätzen abzustreifen, versuchte ein *Ach-wie-schräg*-Lächeln, während der schwedische Gast bis zu den Haarwurzeln errötete.

Yousuf sagte: »Also, das ist wie angekündigt Göran. Göran, das ist Jamal.«

»Ich glaube, *irgendwo* sind wir uns schon begegnet«, sagte Jamal leichthin und lotste seine Gäste hinein in das große Zimmer.

»Das ist ja ein Zufall«, flötete Silvia. »Und *wo* seid ihr euch begegnet?«

»Na, wo wohl. Natürlich«, Jamal sah Göran scharf in die Augen, »im Goethe-Institut.«

Er sah, wie ein erleichtertes Lächeln über das arrogante Gesicht des Blonden huschte. Aber Blondie hatte sich zu früh gefreut. »Goethe-Institut?« fragte Silvia. »Wieso im Goethe-Institut? Yousuf hat mir erzählt, daß du mit ihm auf der Hartnackschule warst und mit den ganzen Kursen längst fertig bist.«

Göran hatte sich gebückt, um seine Lederschuhe auszuziehen. Jamal sah, daß sie nicht mit Schnürsenkeln, sondern einem metallisch glänzenden Reißverschluß zu öffnen waren. Er hatte den richtigen Fisch an der Angel.

»Ich hatte noch einiges zu besorgen«, nuschelte er aus seiner knienden Position nach oben.

Jamal konnte nicht mehr an sich halten und prustete los.

Yousuf stand das pure Unverständnis ins Gesicht geschrieben. Allein Silvia schien zu wissen, was man tun mußte, um peinliche Situationen in die richtige Bahn zu lenken. In ihren durchsichtigen, an den Fesseln schwarzgemusterten Strümpfen schwebte sie durchs Zimmer und schob den Vorhang zur Küche beiseite. Sie begann geräuschvoll zu schnuppern. »Mann, das duftet! Kommt mal alle her und seht euch das an.«

Yousuf setzte sich in Bewegung und trabte hinter ihr her. Er trug ein großes, papierumwickeltes Paket und blinzelte Jamal in einer Weise zu, die nur *Sag mal, was soll der Scheiß?* bedeuten konnte.

Göran stand in Socken auf dem Teppich und wußte nicht, wohin er schauen sollte. »'tschuldigung«, sagte Jamal, noch immer übers ganze Gesicht grienend, »ich muß erst mal auf Toilette.«

Als er zurückkam, hatte er sich wieder einigermaßen unter Kontrolle. Seine Gäste hatten sich bereits häuslich eingerichtet. »Jamal, du mußt verzeihen«, hörte er Silvias helle Stimme aus der Küche, »aber Giovannis Bude hat soviel Eindruck gemacht, daß ich heute noch weiß, wo all das Zeugs fürs Essen lagert.«

»Giovanni hat uns ein paarmal eingeladen«, ergänzte Yousuf überflüssigerweise.

»Schön«, sagte Jamal. »Man lernt sich kennen, bei Licht oder im Dunkeln, und dann besucht man sich eben. 'ne gute Sache, oder?«

»Wieso im Dunkeln?« fragte Silvia, brach jedoch im gleichen Moment in begeisterte Rufe aus, die schnell in ein schmatzendes Geräusch übergingen. Sie hatte die Kibbeh und die Nixda-Schwein-Geflügel-Würstchen entdeckt. »Sag bloß, das hast du alles selbst gemacht.«

»Und ob«, sagte Jamal. Als er zu ihr in die Küche trat, sah er mit einem Seitenblick, wie Yousuf eine fragende Handbewegung hin zu Göran machte, der allerdings nicht darauf reagierte.

»Göran, sieh dir mal Giovannis Plattensammlung an. Total *strange* und durcheinandergemixt. Leg was Gutes auf. Das heißt« – kurzer Blick zu Jamal –, »das heißt, wenn der neue Hausherr nix dagegen hat.«

»Im Gegenteil«, sagte Jamal und versuchte, einen neuen Lach-
krampf niederzukämpfen. »Je lauter, desto besser. Da hört man
wenigstens die anderen Geräusche nicht.« Und zu Göran sagte
er: »Wähl aus, was du willst. Alles außer Trance-Techno. Bei dem
kommst du nur auf schlechte Gedanken.«

Silvia, die nicht im mindesten begriff, worum es hier ging,
kicherte. »Du bist ja 'ne Nummer. Yousuf, überlaß mir mal kurz
deinen Freund, ja? Mal sehen, ob er auch bei mir in der Küche
noch in Hochform bleibt.«

Aber da hätte sie sich keine Sorgen machen müssen. Jamal war
in *absoluter* Hochform. Und Silvia gefiel ihm auf Anhieb. Hoffentlich hatte ihr Yousuf nie erzählt, wie er reagiert hatte, als er
das erste Mal von ihrer Existenz erfuhr. *Vielleicht gibt sie dir
außer Sex dann sogar 'nen deutschen Paß.* Wie widerlich man
sein konnte, wenn man unbefriedigt war und sich dauernd als
Opfer betrachtete!

Er sah Silvia an und versuchte gleichzeitig, die Herdplatten
unter der Pfanne für die Kibbeh und dem Wassertopf für die
Makaneks einzuschalten.

»Was willst du anschauen, den Herd oder mich?« fragte Silvia.

Sie lehnte an der Fensterbank und hatte ihre Arme in die
Hüften gestemmt. Was man auch tut, dachte Jamal, irgend etwas
Schönes entgeht einem immer. Yousuf hatte nicht übertrieben.
Silvia *war* umwerfend.

Sie hatte ihr schwarzes Haar vom Mittelscheitel an nach
beiden Seiten heruntergekämmt. Schimmernde Spangen saßen
wie kleine Kolibris darin, und die Haarspitzen rollten sich ein
wie zurücklaufende Wellen. Ihr grünweißes Baumwollhemd
war so weit aufgeknöpft, daß es ihren feingliedrigen Hals und
eine Kette aus glänzenden Holzperlen zeigte. Ihre schwarzen
hautengen Jeans weiteten sich ab den Knöcheln wie ein Zelt, in
das man gern hineingekrochen wäre. Und erst ihre Augen mit
dem bald verträumten, bald angriffslustigen Blick, die Wangenknochen, sanft und doch sichtbar, das dunkle Rot auf ihren
Lippen!

»Du erinnerst mich an Juliette Binoche«, sagte Jamal.

»Soll das ein Kompliment sein?«

»Natürlich, ich schwöre.« Er streckte Silvia seine zusammen-
gepreßten Daumen, Zeige- und Mittelfinger entgegen und
merkte zu spät, daß er sich wahrscheinlich unmöglich aufführte.

»Turtelt ihr herum?« fragte Yousuf und schaute neugierig in die Küche. Jamal errötete.

Statt einer Antwort tippte Silvia mit dem Finger auf das Paket, das noch immer nicht ausgepackt war.

Während Yousuf das Papier zerknüllte und einen mit Alufolie bespannten Topf, mehrere zurechtgeschnittene Baguettes und drei Weinflaschen zutage förderte, sagte Silvia zu Jamal: »Das mußt du dir mal vorstellen. Yousuf, ausgerechnet Yousuf. Normalerweise kriegt er sich gar nicht wieder ein, wenn er über die Deutschen lästert. Über die Omas und ihre Hunde, über die Beamten und die U-Bahn-Fahrer, über die Studis und ihre WGs. Ich bin sicher, daß er dich auch damit tyrannisiert hat. Aber was tut er, wenn's mal eine Einladung für uns gibt oder wir uns selbst einladen? Schlägt vor, Nudelsalat mitzubringen! Nudelsalat, *der* Freßfetisch in allen WGs von Flensburg bis Oberbayern.«

»Ich wußte nicht, daß das dort gegessen wird«, sagte Jamal sachlich.

Silvia verzog ungläubig das Gesicht. »Hast du nie diese Feten erlebt, wo alle so deprimäßig herumhängen und sich auf den Papptellern dieser blöde Nudelsalat ringelt?«

»Ich war zu so was noch nie eingeladen«, sagte Jamal. »Bis jetzt jedenfalls nicht.«

Silvia hatte den Mund geöffnet, um irgend etwas Komisches loszuwerden, damit keine melancholische Stimmung aufkam. Aber Jamals Gesicht strahlte wie ein Honigkuchenpferd. Er schien keineswegs darunter zu leiden, daß ihm bisher die N-Erfahrung erspart geblieben war.

Yousuf zog die Alufolie über dem Topf ab. Sofort duftete es nach Ratatouille.

»Das ist auch nicht so wahnsinnig originell«, sagte er und drückte Silvia die Weinflaschen in die Hand.

»Hoffentlich ist das kein Schwedentrunk«, sagte sie leichthin, aber Jamal verstand die Bemerkung nicht. Er stellte die Herdtemperatur niedriger und ging hinüber zu Göran.

Blondie hatte gerade »Grease« aus dem Plattenstapel gezogen und sah nicht sehr glücklich damit aus. Er hielt sie schräg vor sich, als wäre sie eine Frisbee-Scheibe, die er gleich gegen Jamal werfen würde.

»Dieser Gino scheint einen komischen Geschmack zu haben«, sagte er. »Nur alte LPs und nichts Brauchbares dabei.«

»Der Typ heißt Giovanni«, verbesserte ihn Jamal. Er nahm ihm die Platte aus der Hand und legte sie auf. Sobald die Nadel über die Rillen zu kratzen begonnen hatte und die ersten Töne zu hören waren, hellte sich Görans Gesicht auf.

»Mensch, das kenn ich! Das steht bei uns zu Hause im Schrank. Gleich neben Vaters Abba-Sammlung.« Der Wiedererkennungseffekt schien seine Irritation von vorhin zum Verschwinden gebracht zu haben, denn auf einmal sah er Jamal kühl an und ging zum Angriff über.

»Wird für dich alles ziemlich neu sein, hier in Europa mit unserer Musik, oder?«

»Ich wußte gar nicht, daß John Travolta aus Schweden kommt«, gab Jamal zurück. »Ich hab nur mal gelesen, daß er in seiner Jugend in ganz üblen Homo-Pornos mitgespielt hat und sich nun dafür schämt. Man sagt, die hätten mit ihm da die wildesten Klo-Szenen gedreht.«

Er grinste breit, und Görans überlegene Miene löste sich zum zweiten Mal an diesem Abend in ein einziges Fragezeichen auf.

»Mittelstufe zwei, oder? Wir lernen, uns über ein frei gewähltes Thema zu unterhalten, zum Beispiel Musik.« Als Jamal sah, wie verständnislos er aus der Wäsche guckte, bekam Brad Pitt gleich noch eins auf die Nase: »Oder über andere *Hobbys* – je nachdem.« Und ehe Göran antworten konnte, formten Jamals Lippen lautlos: *Ich fick dich.*

Göran brauchte eine kleine Unendlichkeit, bis sein offener Mund wieder zuklappte.

Deutlich vernehmbar fragte Jamal dann, welche Gruppen außer Abba und Europe man sonst in Schweden hörte, oder ob die Leute lieber gleich in die Sauna gingen?

Göran hatte mit gekreuzten Beinen auf dem Teppich gehockt. Jetzt rutschte er unruhig hin und her und machte Anstalten, zu Silvia und Yousuf in die Küche zu flüchten.

Hiergeblieben, Freundchen.

Wieder nur eine stumme Bewegung von Jamals Lippen. Görans Gesicht hatte trotz seiner Bräune inzwischen auf kalkweiß gewechselt. Sogar die blauen Augen schienen an Farbintensität verloren zu haben.

Jamal ließ sich direkt ihm gegenüber auf dem Teppich nieder und sah ihn durchdringend an.

Heute tragen wir also kein T-Shirt, das uns leicht aus der Hose rutscht, na fein. Das würde die Auszieh-Aktion noch spannender machen. Er starrte auf den V-Ausschnitt des grauen Pullovers, der die gebräunte Haut unterhalb des Halses bis hin zu den Schlüsselbeinen sehen ließ, und dachte: Nicht schlecht, Herr Specht.

(Vokabelheft, Deutsche Ausdrücke, Kapitel: Überraschungen, freudige.)

Jamal spürte, daß er einen stehen hatte. Zum Glück trug er eine von Giovannis ausgebeulten Flanellhosen, in denen Erektionen nicht sofort sichtbar wurden. Und noch immer ließ er kein Auge von Blondie. Dessen Nase hatte gehörig von ihrem Stolz eingebüßt; sie saß jetzt wie bei anderen Menschen einfach mitten im Gesicht, ohne daß sich ihre Flügel respektheischend bewegen konnten. Zu dumm, wenn man plötzlich nur noch niedlich aussieht und die Kontrolle verliert . . .

Keiner von beiden sagte ein Wort. Jamal hatte seinen Oberkörper gestreckt und die Hände flach über die eingewinkelten Knie gelegt. Ein Indianer-Häuptling, der ungerührt zusieht, wie bei einem Fest seine Feinde grausam zu Tode gemartert werden.

Aber nicht nur Göran und Jamal schwiegen. Seit ein paar Minuten war auch aus der Küche nichts mehr zu hören. Weder Yousufs beruhigende, dunkle Stimme, noch Silvias Lachen. Absolute Stille.

Als Jamal sich umwandte, sah er zwei Augenpaare zwischen den Stoffstreifen des Küchenvorhangs; verwundert blickten sie ins Wohnzimmer. Im gleichen Moment hob sich die Nadel von der »Grease«-LP. Der Tonarm ruckte nach oben und blieb eine Weile in der gleichen schweigenden Anspannung wie die vier Personen in der Wohnung.

»Essen ist fertig«, rief Silvia zaghaft.

Göran ergriff die Chance und sprang auf. Nervös strich er mit den Händen über die Jeans und wollte sich in Richtung Küche bewegen. Da hatte Jamal aber schon die Platte gedreht und die Nadel erneut in die Rille gesetzt.

»There are worster things I could do«, drohte Olvia Newton-John in einem Meer aus Saxonphontönen. »Heute biste dran«, flüsterte Jamal Göran ins Ohr und fragte dann laut in Richtung Küche, ob er den Wein entkorken oder sich lieber um seine libanesischen Spezialitäten kümmern solle. Bei dem Wort *Spezialitäten* zuckte Brad Pitt erneut zusammen.

»Yeah, Kibbeh!« Das war jetzt Yousuf. »So was hab ich seit

Jahren nicht mehr gegessen. In New York gab es bei uns an der Straßenecke ein Deli, das einem Libanesen gehörte, der hatte das immer im Angebot.« Und Yousuf wiederholte, als könne allein das Wort seine Kindheit zurückbringen: »Kibbeh, Mann o Mann, Jamal hat tatsächlich Kibbeh aufgetrieben.«

Sie breiteten eines von den weißen Laken, die Silvia ganz oben in Giovannis Kleiderschrank gefunden hatte, auf dem Teppich aus. In der Mitte standen der Ratatouille-Topf mit einer Schöpfkelle, daneben ein Korb mit Baguette und Fladenbrot-Stücken sowie ein ovaler Teller mit den Kibbeh und Makaneks, die von Silvia noch mit Salatblättern und Tomatenscheiben garniert worden waren. Jeder von ihnen hatte einen Teller und Besteck vor sich, und am Rande des Lakens standen die gefüllten Weingläser in beträchtlicher Schieflage.

Silvia bestand darauf, endlich die Ramazzotti-CD zu hören.

»Zu einer Eros-Bude gehört Eros-Musik, oder was meint ihr?« Sie lächelte aufmunternd in die Runde und schien nicht zu bemerken, wie verdutzt Göran sie anstarrte.

Im Laufe der Unterhaltung zog er sich immer mehr in sich zurück; vielleicht hatte er ja ohnehin nichts zu sagen. Er bemühte sich jedoch – Jamal sah es mit Befriedigung zumindest durch Kauen, »Mmmh-das-ist-gut«-Laute und geräuschvollem Wein-Schlürfen –, seine physische Anwesenheit unter Beweis zu stellen.

Silvia und Yousuf überhäuften Jamal geradezu, sich einander ins Wort fallend oder lachend korrigierend, mit den Details ihrer Hochzeitsvorbereitung. *Hast du eine Ahnung, an was man alles denken muß.*

Namen von Tanten und Onkeln, von Nichten und Neffen wanderten durch den Raum und füllten ihn mit Episoden, Gerüchten, Erinnerungen. Jamal machte es froh. Er konnte nicht sagen, weshalb, aber in diesem Augenblick fühlte er sich geborgen. Silvias und Yousufs trotz aller Aufgeregtheit ruhige Stimmen, die Menschen, die sie in ihren Worten auftauchen ließen, das weiße Tuch voller Teller und Speisen, die rote Leuchtschrift des Sparkassen-Gebäudes, die von der gegenüberliegenden Straßenseite ins Zimmer fiel, selbst Görans lauernder Luchsblick – all das umgab ihn wie ein Schutzwall.

Wann hatte er das letzte Mal dieses Gefühl gehabt? Als er mit Yousuf durch Berlin gezogen war? Nein, das war etwas anderes,

Drängenderes, Beunruhigenderes gewesen. Als er nach dem Ende der Luftangriffe an der Hand seiner Mutter aus dem Keller stieg und über den blauen Himmel mit den weißen Kondensstreifen staunte, der nichts mehr von Tod und Verwüstung zeigte? Als er im Dorf – aber das war viel früher gewesen – mit seinen Großeltern auf dem Hof saß, die Großmutter eine Erbsenschüssel vor sich hatte, der abendliche Ruf des Muezzins ertönte und überall in den Hecken das Zirpen der Zikaden, ein Summen, das ihn gleichzeitig einschläferte und wach machte für die Schönheit des zu Ende gehenden Tages, die er nicht in Worte fassen konnte; war es damals gewesen, daß er dachte, so müßte es fürs ganze Leben sein? Ein Gespräch mit Menschen, die du liebst oder einfach das Geräusch einer Zikade, das noch in tausend Jahren nicht verstummt wäre?

Doch irgendwann hatte es aufgehört.

Man konnte nicht ewig die Hand der Mutter halten oder bei den Großeltern auf dem Hof sitzen. Man mußte größer werden, den vernünftigen Erstgeborenen und großen Bruder spielen, Pikkel bekommen, Pickel wegkratzen, sich dafür noch größere einhandeln, man mußte zeigen, daß man stark war und das verstecken, von dem man nicht einmal wußte, was es war. Es ging nicht um Männer. Es ging um den Traum, dasitzen zu können ohne Zwang, zuzuhören ohne Langweile, ohne Überdruß, Teil von etwas zu sein, das einem nicht die Luft abdrückte. Weil es doch etwas gab, geben mußte, was sich jenseits des Schweigens und der höhnischen Sprüche seines Onkels befand. Er mußte nur suchen. Und jetzt, heute abend, da hielt er plötzlich ein Stück dieses Traums in den Händen. Er mußte gut aufpassen, daß es ihm nicht verlorenging.

Aber was war mit seiner Mutter, was mit ihrer besorgten Stimme, die er bei jedem Telefongespräch im Ohr hatte? Hörte er da nicht das gleiche Mitgefühl, das Bemühen, durch Fragen und Warnungen und Vorschläge eine Sicherheit zu schaffen, einen Weg zu ebnen? Und doch war es nicht das gleiche.

Ihre Wege, dachte Jamal, immer waren es *ihre* Wege. Die Wege der Familie, der Tradition, die Wege eines Du-bist-vernünftig-und-wirst-das-doch-Verstehen. Auch seine Mutter war nur ein Medium, ein Verstärker für diese steinalten Sprüche, die daherkamen, als wären sie neu und gut und soeben ganz zu seinem Besten erdacht.

Silvia und Yousuf aber hatten sich frei entschieden.

Sie redeten weiter und lachten, irgendwann hatte Silvia Licht gemacht im Zimmer, und Yousuf zündete sich ein Zigarillo an. Eros sang etwas Schmalziges, und Göran sah Jamal aufmerksam an. Alles drehte sich im Raum, Worte, Gesten, Musik, das Klirren der Gläser und von unten die Straßengeräusche bremsender oder anfahrender Autos. Jamal dachte an das wattierte Schweigen, das ihn gestern im Keller dieser Bar am Nollendorfplatz umfangen hatte. Sollte *das* seine Zukunft sein, seine Entscheidung; voraussetzungslos, hoffnungslos? Könnte es nicht so bleiben, wie es jetzt war?

Oder zumindest werden könnte, denn jeder Seitenblick auf Göran ließ Jamals Wunsch wachsen, den arroganten Schweden in sein Bett zu bekommen für eine Nacht oder mehr. Aber auch da müßte die Musik weiterlaufen, und Silvias und Yousufs Stimmen müßten noch im Raum sein, so daß alles, was sonst fest und schwer und einsam am Boden klebte, miteinander in Verbindung trat, sich antippte und wieder abstieß und schwebte, einfach nur schwebte.

Wie ließ sich so etwas Wunderbares erschaffen? Allein dadurch, daß man Trauzeuge wurde, ein Gast aus der Fremde, der für eine Weile den Zugehörigen spielen durfte?

Silvias Fingerspitzen fuhren über Yousufs Rastalocken. Ab und zu sah sie verstohlen zu Jamal und Göran, die noch immer an den entgegengesetzten Rändern des weißen Tuchs saßen und an ihren Weingläsern nippten.

Sie erzählte, daß das Aufgebot — mußte es nicht *An*gebot heißen, dachte Jamal — beim Standesamt bestellt sei und die Namen der Trauzeugen schon in irgendwelche Papiere eingetragen wären. Nach der Zeremonie, die auf 13 Uhr festgesetzt war, sollten alle Gäste in das gemietete Lokal in die Akazienstraße verfrachtet werden — dort gäbe es, bestimmt nicht originell, aber ein Zugeständnis, damit sich niemand beklagen konnte, umbrische Spezialitäten ohne Schweinefleisch und Couscous mit Chianti.

»Ein richtiger Eintopf«, sagte Yousuf vergnügt.

»Und die Hochzeitsnacht?« fragte Göran. Es war das erste Mal, daß er sich am Gespräch beteiligte.

»Die Hochzeitsnacht verbringen wir in Yousufs kleiner Wohnung zur Abwechslung ganz allein«, sagte Silvia, und Jamal sah, wie Yousuf ihr einen strahlenden Blick zuwarf. »Am nächsten Morgen geht's mit dem Flieger nach Rom. Laßt uns beten, daß die ganze Korona genug Geldgeschenke daläßt, damit wir unsere Kontolöcher stopfen können. Hast du eine Ahnung, an was man in so kurzer Zeit alles denken muß.«

Jamal seufzte. Es mußte schön sein, unter solchen Umständen zu heiraten.

»Man muß an das Glück denken«, sagte er nachdenklich.

»Aber voll«, sagte Yousuf und gab ihm einen Knuff gegen die Schulter. Silvia begann das Geschirr in die Küche zu räumen. Jamal protestierte.

»Schon gut«, sagte sie. »Schließlich muß ich üben, wie sich eine treue Frau zu benehmen hat.«

Göran lachte, und Jamal fiel dankbar in das Gelächter ein. Als sie sich auf dem leergeräumten Teppich gegenüberstanden, hatte der Schwede die nächste geniale Idee.

»Ich muß kurz verschwinden. Ihr braucht nicht extra auf mich zu warten«, sagte er, und schon hatte er die Tür des Badezimmers hinter sich zugezogen. Silvia und Yousuf verzogen keine Miene, und auch Jamal gab sich Mühe, unbeteiligt dreinzuschauen.

Silvia verstaute den leeren Ratatouille-Topf in einem Plastiksack und gab Jamal einen Kuß. »Bist 'n Schatz.«

»Das sollten wir bei der Trauung vermeiden«, sagte Jamal. »Der Typ vom Standesamt könnte 'ne Krise bekommen.«

Er begleitete die beiden in den Korridor hinaus und wartete, bis sich der Lift mit ihnen in Bewegung gesetzt hatte. Ehe die Tür zufiel, hatte Yousuf noch ein Auge zugekniffen und mit den Fingern das Victory-Zeichen gemacht.

Am Vormittag des nächsten Tages wachte Jamal mit dem Gefühl auf, daß irgendwer seine Glieder durch einen Fleischwolf gedreht haben mußte.

Seine Arme waren schwer, und vom Rücken zog etwas, das er nicht zu deuten vermochte, bis in die Halswirbel hinauf. Auch ohne sie zu berühren, wußte er, daß sich seine Brustwarzen in den letzten Stunden gigantisch vergrößert hatten; sie glühten wie ein blubbernder Vulkansee. Jamal verbuchte es als Erfolg. Sogar die Taubheit, die er in den Beinen und seinem Geschlecht spürte, beunruhigte ihn nicht wirklich. Das mußte ein äußerst kundiger Fleischwolf gewesen sein, der ihn so zurückgelassen hatte.

Jamal hob ächzend den Kopf von der Matratze.

Er war völlig nackt, die Bettdecke bildete ein zerknautschtes Minigebirge am Fußende, und außer ihm war kein Mensch weit und breit zu sehen. Im Zimmer herrschte eine Stille, die ihm nach den Geräuschen der Nacht unwirklich erschien. Nur die Brustwarzen hörten nicht auf zu blubbern, und auch die schon ins bläulich-violette hinüberspielenden Knutschflecke, die seinen Körper bedeckten, erinnerten daran, daß er hier nicht die ganze Zeit allein gelegen hatte.

Als er die Hand ausstreckte, um das Radio anzustellen, glitten seine Finger über ein Blatt Papier. Er hob es auf und hielt es gegen das Licht, das mit voller Stärke ins Zimmer drang. Knallendes Sommerlicht, und das Ende April!

Die Buchstaben tanzten vor Jamals Augen, dunkle kleine Boote auf flirrenden Wellen. *War sehr schön mit Dir. Bleiben in Kontakt? G.* Dann folgte eine jener siebenstelligen Berliner Telefonnummern, die man sich mit ihrem holprigen Rhythmus so verdammt schlecht merken konnte; immer fehlte eine Zahl, oder es blieb ein Rest, bei dem man stockte.

Jamal rieb sich die Augen und las den Zettel, den Göran wahrscheinlich aus einem Notizbuch herausgerissen hatte, ein zweites Mal. Es blieben die gleichen Buchstaben, wenig genug waren es ja.

Bleiben in Kontakt? Natürlich bleiben in Kontakt. *One of us*, dachte Jamal und freute sich, daß ihm der ganze Abba-Scheiß sofort wieder einfiel, muß noch Deutsch lernen, das war eben *The name of the game*. Beruhigend, daß es zumindest etwas gab, in dem dieser Göran *nicht* perfekt war.

Unglaublich, was man alles in den wenigen Stunden von Mitternacht bis zum Morgengrauen anstellen konnte! Da reichte sogar der restliche Tag nicht mehr aus, um sich an jede Einzelheit zu erinnern. Die Nacht – ein Universum, eine ganze Welt voll versteckter Kontinente! Wenn er das den anderen weitersagen würde, dessen war er sich sicher, könnten Tom's Bar und alle ähnlichen Schuppen Konkurs anmelden. Was war das schon, dieses Weghetzen zwischen vorletzter und letzter U-Bahn, diese schnelle Befummelei im Dunkeln, dabei auch noch im Stehen und gegen eine schlierige Wand gelehnt? Ein Dreck war es.

Jamal verschränkte gähnend die Arme hinter dem Kopf – Mann, das zerrte! – und sah zur Dachschräge hoch. Es kam ihm vor, als trage auch sie noch die Spuren der Nacht. Statt mit Turnschuhen in Bierlachen und Zigarettenkippen herumzustehen, konnte man mit den Füßen, den *nackten* Füßen natürlich, soviel bessere Dinge anstellen. Die Zehen gespreizt und den Fußballen gegen die schräge Decke da oben gestemmt, die Knie angewinkelt und zwischen ihnen auftauchend ein blonder Kopf und blinzelnde Augen und Zunge und Lippen, die an den Beinen entlang nach oben fuhren, immer weiter, ihr Ziel schließlich fanden und leckend umkreisten und die Fußballen dazu brachten, wie besinnungslos an die Wand zu trommeln. Die Sparkassenschrift leuchtete die ganze Nacht und schickte durch die Gardinen rote Linien in den Raum, so daß man trotz der Dunkelheit sich und den anderen genau sah. Man mußte fest die Augen schließen, um ihn *noch* besser zu sehen und zu spüren, wie er ein Teil von einem selbst wurde.

Görans Mund über Jamals Penis, die aufsteigende Hitze, die ihn dazu brachte, etwas auf arabisch zu rufen, sich abrupt wegzudrehen und dann leise auf deutsch zu flüstern, noch nicht, laß uns Zeit, ja. Jamals suchende Finger, das Erstaunen, zum ersten Mal diese merkwürdige Vorhaut zu spüren, eine Schlange, die sich rollt. Oder Görans Beckenstöße über seinem Kopf; ein Unterleib, der sich einem Kopf entgegenhebt, keuchende Symmetrie, sich im letzten Augenblick voneinander reißend, ein weißer Salzsee auf den Wangen, heftiges Keuchen, das in flaches Atmen übergeht, wenn die Körper zu sich zurückkehren.

War sehr schön mit Dir.

Klingt nett, dachte Jamal. Doch die schönsten Sätze waren jene, die man in Berührungen nachts auf den Körper des anderen schrieb. Nur dort bekamen sie ihre volle Gültigkeit, in geschwungenen Streichellinien das Rückgrat entlang, in Ausrufezeichen unter einem festen Druck der Hände, in einer Frage, die sich in den Augen abzeichnete, wenn kurz vor der Ermattung ihr Atem noch einmal schwerer ging.

Hatten sie sich die ganze Nacht hindurch geliebt? Irgendwann hatte auf Jamals nie nachlassende Berührungen nur noch ein leises Murmeln geantwortet. Göran lag auf dem Bauch, die Beine angewinkelt, die Arme gebeugt über seinem Kopf, und schlief. Jamal küßte den hellen Flaum, der seinen Hintern bis zu den Beinen bedeckte, aber Göran bewegte sich nicht.

Ich fick dich, hatte er das tatsächlich geflüstert? Aber das war während des Abendessens geschehen, zu einer anderen Zeit, in einer anderen Welt. In der Nacht hatte er nicht mehr daran gedacht; so sensationell war es, plötzlich mit einem anderen Menschen nackt auf einer Matratze zu liegen. Dabei hatte Göran mehrfach seinen Rücken gegen Jamals Bauch gedrückt und mit ausgestreckter Hand nach etwas in seiner Hose gesucht, die zusammengeknüllt auf dem Teppich lag. Jamal ahnte, was er wollte, doch trotz seiner Erregung schien es ihm noch zu früh. Nicht jetzt, hatte er geflüstert, und Göran hatte sich schnell umgedreht und ihm die Zunge in den Mund geschoben.

Jamal war noch hellwach, als sein Gast längst schlief. Wie konnte man auch schlafen – nach allem, was sie soeben miteinander getan hatten? Er wischte den Gedanken beiseite, daß der Schwede ein ziemlicher Routinier sein mußte, wenn es ihm keine Mühe bereitete, nackt in einem fremden Bett in Tiefschlaf zu fallen.

Er streichelte Görans Körper, bis das rote Sparkassenlicht schwächer wurde und ein neuer Morgen langsam über Kreuzberg heraufzudämmern begann. Dann war auch er eingeschlafen, so fest, daß er nicht einmal bemerkte, wie der andere irgendwann aufgestanden war, sich angezogen und das Zimmer verlassen hatte.

Bleiben in Kontakt?

Jamal schloß erneut die Augen. Wieder und wieder sagte er sich, als könne er es nicht glauben, daß dies seine erste Nacht gewesen war. Seine allererste Nacht! Ab jetzt würde er wissen, wie man den Tag überlistet. Ab jetzt würden alle Gesetze und Regeln und Erwartungen, die während des Tages auf ihn herabprasselten, nie mehr ganz so schrecklich und einschüchternd sein können. Er wußte, daß sie ihre Macht verloren hatten. Und er glaubte, den Sinn des Wortes Eroberung, der sich in den Schwulen-Zeitschriften auf nahezu jeder Seite fand, endlich verstanden zu haben. Es ging nicht darum, jemanden anzugrabschen. Das war nur für die, die es nicht besser wußten. Nein, es war die Kombination des völlig Neuen, die zweite Erschaffung einer Welt von Gliedmaßen, die einzig den Namen Eroberung verdiente.

Ein Zeh auf dem Bauchnabel, zwei Finger und ein Schwanz im Mund, eine Zunge in den Achseln und Augenbrauen; selbst wenn es nur Sekunden dauerte, ehe die Körper wieder in neuer Form zueinander fanden, gab es einen Moment atemloser Ewigkeit darin. Ein Wunder, daß die Menschheit nicht süchtig danach wurde, sondern immer noch Zeit fand, ihre Fäuste zu schütteln, anstatt mit ihren Händen ganz andere Aktionen zu veranstalten.

Unklar blieb auch, was Göran in all den Toiletten der Stadt gesucht hatte. Ein Bett konnte sich jeden Augenblick in ein Sternenzelt verwandeln, aber ein Klo blieb auch bei geschlossenen Augen immer ein Klo, vom Gestank darin gar nicht zu reden. Jamal entschied, diese Frage für später aufzuheben. Überhaupt schien miteinander zu sprechen ein eben so großes Rätsel zu sein wie miteinander zu schlafen, und bestimmt war es noch schwerer zu lösen. Daß Wörter oft die Wahrheit verbargen, wußte er bereits. So blieb ihm vorerst nichts anderes übrig, als der Ehrlichkeit des Körpers zu vertrauen, die Unmöglichkeit, Geilheit zu kalkulieren. Der arrogante Brad Pitt war völlig verschwunden und herausgeschält hatte sich ein begehrenswerter Mensch, der auch ihn begehrenswert fand. Zwei Körper, die übereinander herfielen, egal was Kopf und Herz befahlen, konnten nicht lügen. Und sollte selbst das ein Traum sein, mußte man eben eines Tages aufzuwachen. Aber bis dahin war noch Zeit, unendlich viel Zeit.

Auch später, als ihm nichts mehr geblieben war außer seinen Erinnerungen, blieb Jamal sich sicher, daß diese Nacht alles verändert hatte. Die Welt hatte sich vor seinen Augen neu geordnet. Die Nacht, Zeit der Stille und des todähnlichen Schlafes, war plötzlich laut und schreiend und flüsternd und keuchend geworden, von tausendarmigen Tieren bevölkert, schmiegsam und auf erregende Weise gefährlich. Die Nacht wurde Teil seiner selbst, so wie auch er Teil der Nacht wurde. Ein neues Rätsel ... Was war schon der Tag dagegen? Nichts als eine Nacht, die sich versteckte. Doch wie der Tag sich auch sträubte und Pflichten und Wichtigkeit vortäuschte, er ging zu Ende, eine Sonne verschwand, und eine andere tauchte auf, und dies waren die Stunden, die wirklich zählten. Selbst zu ihnen aber führte allein eine siebenstellige Berliner Telefonnummer.

In den folgenden Tagen hatte er eine Menge zu erledigen gehabt, und doch waren es Vorwände, um die Stunden herumzubringen, bis es dunkel wurde und er sich mit Göran auf der Matratze wiederfinden konnte.

Die polizeiliche Ummeldung von Moabit nach Kreuzberg war ein Klacks gewesen. Er hatte seine Nikes so lange von den Zehenspitzen zum Fußballen rollen lassen, bis die graue Papiernummer, die er an dem Apparat neben der Tür gezogen hatte, mit einem scheppernden Geräusch als Digitalzahl auf der Anzeigetafel erschienen war. Ein Meer aus gebeugten Köpfen, schütteren grauen Haaren und Kopftüchern rund um ihn her, lief Jamal mit federndem Schritt in das Zimmer, das die Tafel anzeigte.

Der neue Prinz von Kreuzberg rauschte ein. Er nahm auf einem klapprigen Stuhl vor einem breiten Schreibtisch Platz und genoß es, dem mürrischen Beamten unzählige Detailfragen in gutem Deutsch zu stellen. Am Ende war er mehr Fragen losgeworden, als er Antworten gegeben hatte, hatte hier ein Kreuz gemacht und da eine Unterschrift geleistet und immer wieder ungeduldig auf die Uhr geschaut: Wieviel Stunden noch, bis er Göran nackt sah?

Der Beamte spulte lustlos den üblichen Text herunter.

»Neben dem Paß ist Ihr vorläufiges Personaldokument am wichtigsten; Sie sollten es in Ihrem eigenen Interesse stets bei sich tragen. Ich klebe jetzt Ihre neue Adresse auf. Das kostet zwanzig Deh-Emm, und Sie bekommen eine Quittung.«

»Ich bekomm gern die Quittung«, sagte Jamal. Er dachte daran, wie Göran sich auf sein Gesicht gesetzt und ihm so in der Nacht noch eine ganz andere Dunkelheit verschafft hatte, wie er seine Zunge wandern ließ und tief, immer tiefer eindrang, bis Blondie regelrecht auf ihm zu reiten begann und es ihm mit großem Getöse auf Jamals Bauch kam. Der Beamte mit dem verwaschenen lila Polo-Shirt und dem grauen Jackett sagte: »Was Sie wollen oder nicht wollen, Herr Kassim, spielt hier weniger eine Rolle, als Sie vielleicht denken. Eine Quittung ist eine gesetzlich festgelegte Regel und nicht irgendein Geschenk.«

Jamal grinste ihn entrückt an.

Später, viel später, fragte er sich, warum er in dieser Zeit nie an Liebe gedacht hatte. War es der Bann dieser so feigen und selbstgenügsamen deutschen Sprichwörter, die einem rieten, nur nichts zu überstürzen, sich nicht zu weit aus dem Fenster zu lehnen, vor allem aber nicht abzuheben und die behaupteten, man müsse erst mal kleine Brötchen backen, denn weniger sei mehr? Auch solche Erklärungen schienen in diesem Land die gesetzlich festgelegte Regel zu sein, denn ein Geschenk waren sie mit ihrem säuerlichen Geschmack nach Verzicht gewiß nicht.

Vielleicht war das Gefühl, endlich frei zu sein, zu stark gewesen. Angst und Überdruß hatten sich über Nacht aus seinem Leben verabschiedet und waren nur noch ein fernes Gerücht. Wie eine meterhohe Welle hatte sich die Begeisterung herangeschoben, pure Euphorie, die alles andere beiseite schwemmte. Wie konnte da Platz für so etwas Zerbrechliches wie Liebe sein?

So lautete Jahre danach Jamals Begründung für seine Stimmung in diesen Tagen, die zu Wochen, ja Monaten werden sollten, und Katja sagte ihm dann leise, daß dies völlig normal sei und sie ihn darum beneide. *Du hast diese Zeit für dich gebraucht.*

Aber die Abschlußprüfung bei Goethe? Aber die Imma-sonstwas an der Universität?

Schließlich war er doch nach Berlin gekommen, um eine gute Ausbildung zu erhalten. Besser: Schließlich hatte man ihn hierher verfrachtet, um einer Familienentscheidung Folge zu leisten »Habibi, ich schwör's, als Bauingenieur bist du mitten in den Goldquellen!«

Sollte dieses ganze Vorhaben, für das seine Eltern so tief in die Tasche gegriffen hatten, auf die Frage nach Terminen, Adressen, Fristen und unbedingt beizubringenden Stempeln und Papieren zusammengeschnurrt sein?

Genau so war es. Und Jamal beschloß, die Maschine anlaufen zu lassen. Er mußte nur versuchen, sie, so gut es ging, für *sich* arbeiten zu lassen und nie zu vergessen, daß eine Maschine – für die Karriere, für die Familie, für sein Land und seine eigene Zukunft, für was auch immer – nie etwas anderes sein konnte als eben eine Maschine. Es galt nur darauf zu achten, die Knöpfe in der richtigen Reihenfolge zu drücken und aufzupassen, daß man nicht in einem Moment der Unachtsamkeit unter die Räder kam. Und aufpassen mußte er, da hatte er keine Illusionen, als Fremder, als *zeitweilig Aufenthaltsberechtigter* in dieser Stadt sowieso jeden neuen Tag, den Gott werden ließ. Nur in der Nacht war das anders, da drohte keine Gefahr. Wer könnte ihn wohl jetzt wieder vertreiben aus diesem wundersamen Territorium der Lust?

Die grünen ZOP-Papiere, die ihm Frau Steiner mit verschwörerischer Miene über den Institutstisch geschoben hatte, erwiesen sich als nützlich und gaben eine Vorstellung davon, was ihn bei der Prüfung Anfang Mai erwarten würde.

Fremdheitserfahrung, Fremdsprachen, fremde Länder und deren Sitten – nach den immer wiederkehrenden Prüfungsthemen zu urteilen, mußten die Deutschen ein Volk sein, das geradezu süchtig auf Fremdes war. Ob in der Fickbörse oben bei Wassim am Wittenbergplatz, ob bei den Wochenendvögeleien seines Onkels – Allah möge ihm die Krätze schicken – auf Hellersdorfer Küchentischen, in den bunten, in allen Wartezimmern der Stadt ausliegenden Zeitschriften oder hier in diesen Prüfungsbögen: Sie kriechen ja fast vor allem, was weit weg ist (weit genug weg, um sie nicht stören zu können), dachte Jamal, sie bekommen glasige Augen und sabbernde Lippen bei allem, was ihnen *exotisch* scheint. Dazu gab es im Fernsehen noch Berichte über deutsche Männer, die mit ihren Arbeitskollegen in Charterflugzeugen nach Thailand flogen, während die Frauen in die Karibik reisten, um dort für zwei Wochen etwas Zuwendung und Lust zu erfahren. Weshalb erklärten sie dann aber regelmäßig und selbst, wenn sie schon heillos besoffen waren, mit so großer Ernsthaftigkeit vor der Kamera, daß sie, da sie nun in der Fremde seien, *endlich einmal die Sau rauslassen* müßten? Jamal fiel dabei immer der andere Ausdruck ein, den sie hier hatten: *Arme Schweine.*

Schade für die Deutschen, daß sie sich selbst so wenig mochten. Pech für sie, daß sie trotz ihrer vielen Reisen daheim nur maulhängend und böse in der U-Bahn und in den Bussen hockten, daß sie ohne jede Leichtigkeit durch die Straßen und Geschäfte der Stadt trampelten, daß sie ausgetrocknet waren und mißtrauisch und immer in der Furcht, daß man ihnen etwas wegnahm. Man müßte sehen, dachte er, wie sie sich aufregen würden, wenn die Ausländer, anstatt sich um Unsichtbarkeit zu bemühen, laut sagen würden, daß sie selbstverständlich hier seien, um einmal die Sau rauszulassen. Er war sicher, daß die Deutschen sofort zu schreien beginnen würden, und wer konnte wissen, ob dies ein Lustschrei oder ein Angstschrei war oder nicht wieder der alte Wutschrei, mit dem sie ihre Nachbarn früher in Angst und Schrecken versetzt hatten.

Aber das war nicht wirklich wichtig. Hauptsache, er verstand Aufgaben wie diese: *Ergänzen Sie die fehlenden Präpositionen (und wenn nötig den dazugehörenden Artikel). Beispiel: Der Wunsch, in ein Paradies auszuwandern, ist auch heute noch bei vielen Menschen lebendig.*

Der Text, den er dann zur eigentlichen Prüfung bekam, überraschte ihn nicht. Er wurde ihm von einer Kurslehrerin zugeteilt, die er vorher noch nie gesehen hatte. Sie lief mit gemessenen Schritten durch den Raum und achtete darauf, daß alle Ein-

Mann-Tische versetzt und asymmetrisch zueinander standen, so daß an Abschreiben und den flüsternden Austausch von Informationen nicht zu denken war. Die Frau befand sich offensichtlich in der Vor-Karibik-Phase und hatte noch keine Gelegenheit gehabt, die Sau herauszulassen. Dafür schien sie bereits Tage vorher die genaue Stellung der Tische auf einem Reißbrett festgelegt zu haben.

Jeder Prüfungsteilnehmer erhielt einen Duden aus der Institutsbibliothek, und das war gut so, denn Jamal hatte schon sein Hirn gemartert, um herauszufinden, was der Ausdruck *von dannen* bedeutete. »*O sprecht, warum zogt ihr von dannen*«, klagte einst der deutsche Dichter Ferdinand Freiligrath in einem Gedicht über die Auswanderer. Als er dann *veraltet für: von hier weg* gefunden hatte, ging alles wie von selbst. Der Text handelte von Deutschen, die entweder Not oder die Sehnsucht nach Sonne ins Ausland getrieben hatte, und endete mit dem warnenden Satz: *Es gibt inzwischen jedoch eine ganze Anzahl von frischgebackenen Einwanderern, die in ihrem neuen Heimatland ohne Arbeit dasitzen und wehmütig an ihren Arbeitsplatz in der Bundesrepublik zurückdenken.* Wahrscheinlich hieß das, daß man die Fick-Kicks auf die zwei, drei Urlaubswochen im Jahr beschränken sollte, anstatt gleich in die fernen Länder der heißen Blicke und großen Schwüre auszuwandern.

Jamal schrieb eine kurze Zusammenfassung, beantwortete mühelos die nachfolgenden Fragen nach Nomen/Verben/Präpositionen und verfaßte abschließend den geforderten *Eigenbeitrag*, der auf anderthalb Seiten um die Begriffe Heimat, Fremdheit und Toleranz kreisen sollte.

Erst als er mit allem fertig war und der Wärterin mit einem reizenden Lächeln, das nicht erwidert wurde, die zusammengefalteten und bis zur letzten Zeile ausgefüllten Prüfungsbögen zurückgab, sah er auf die Uhr. Er war eine Stunde vor der Zeit fertig geworden. Ohne auf die anderen zu achten, die mit panischer Miene im Duden herumblätterten oder nervös auf ihren Kugelschreibern herumkauten, schälte er sich aus seiner Sitzbank und schlenderte zur Tür hinaus.

Von jetzt bis zum Beginn des Unisemesters im Herbst lag eine Unmenge freier Zeit vor ihm. Er dachte: Wie die blaue, sonnenerwärmte Fläche des Mittelmeers bei Windstille. Es lag an ihm, den richtigen Wirbel zu veranstalten.

Schon in den Nachmittagen vor seiner Prüfung hatte Jamal, nachdem er die Nachtaktion in Tom's Bar glücklich hinter sich gebracht hatte, begonnen, die Gegend um den Nollendorfplatz zu erkunden. Mit der U-Bahn waren es vom Kottbusser Tor nur wenige Stationen, und das Viertel gefiel ihm. Er entdeckte die Trödelläden in der Maaßen- und Winterfeldtstraße, wühlte in verstaubten Schallplattenstapeln und freute sich, den Stars und Gruppen wiederzubegegnen, deren Musik er damals als Junge in Beirut gehört hatte. Depeche Mode, Limahl, Billy Idol; sogar die peinlichen Modern Talking fand er wieder. *You can win if you want*, und der blonde Deutsche winkelte den Arm und machte eine Faust wie die Bierdosensäufer vor Kaiser's Supermarkt am Kotti, wenn der Laden abends um halb sieben schloß. Obwohl die alten Platten sehr billig waren, nie mehr als fünf DM das Stück, vermied es Jamal, etwas zu kaufen; solange er noch keinen der von Yousuf erwähnten Schwarzjobs hatte, mußte er mit seinem Geld sparsam umgehen.

Aber die Cafés, die Cafés! *Frühstück bis 16 Uhr* stand mit weißer Kreide auf den Schiefertafeln, die draußen schräg neben den Eingangstüren lehnten, während das Sonnenlicht auf sie herabknallte. *Frühstück bis 16 Uhr*, das konnte nur eine geheime Formel für Leute sein, die genau wie er die Nacht zu etwas nutzten, von denen die anderen, die Ahnungslosen, die Frühaufsteher nicht die geringste Ahnung hatten! Vielleicht strichen die jungen Kellner in ihren blütenweißen Schürzen, die gut zu ihren dunkelblauen Hemden und T-Shirts paßten, ja auch deshalb so beiläufig den Gästen (natürlich nicht allen, das hatte Jamal schon bemerkt) über den Rücken; sozusagen als Lob und Ermutigung, diesen Lebensrhythmus beizubehalten. Das mußte es sein, denn außer dem Rückenstreichen gab es da noch hingehauchte Wangenküsse, ein ruckendes Kopfnicken bei gleichzeitig zugekniffenem rechtem Auge (diese Geste, anscheinend die unkörperlichste, schien Jamal auf noch viel Intimeres schließen zu lassen) sowie die Ach-du-mal-wieder-, Na-wie-geht's-, Hallo- und Hallöchen-Ausrufe, wobei Hallöchen den ganz speziellen Gästen vorbehalten war. Es handelte sich hierbei um ältere Tunten, die – Cappuccino-Tassen in der Hand, dabei so viele Finger wie möglich abgespreizt und ein seidenes Tüchlein um den Hals – auf den silberglänzenden Stühlen vor dem Café Berio saßen und ihre ergrauten oder durch das Solarium ledern gewordenen Schädel dem Berliner Himmel zuwandten, der mit jedem Tag blauer und wolkenloser wurde. Das heißt, ihr In-den-Himmel-Gucken war nur ein Vorwand, damit es nicht auffiel, wie ihre Raubtierköpfe mit verzweifelter Mechanik von rechts nach links schnellten, um keinen der jungen Männer, die auf dem Trottoir entlangliefen, zu versäumen. Jamal mochte ihre Blicke nicht. Sie waren nicht neugierig, sondern ordneten alles auf eine spöttische, mitleidlose Weise ein, und er hatte keine Lust, für alte Männer ein Insekt zu spielen, das mit Stielaugen aufgespießt wurde. Er schaute stets mit finsterem Gesicht zurück, so daß die Augen – schwuppdiwupp, hast-du's-nicht-gesehen – wieder zurück zum Himmel wanderten; schließlich konnte man nie sicher sein, ob der Fremdling mit dem schwarzen Haar und den schön geschwungenen Augenbrauen nicht ein ganz gefährlicher, Schöneberger Tucken fressender Killer war.

Aber das störte kaum; die meisten der hier sitzenden, zeitungslesenden und kaffeetrinkenden *night people* waren ohnehin in seinem Alter. Jedesmal, wenn er sie sah, durchzuckte Jamal der Gedanke, daß sie in ihrer unbesorgten Jugendlichkeit schon immer hier gesessen haben mußten; all die Tage hindurch, die er als Kind in Luftschutzkellern oder in der Einsamkeit siedendheißer Schulzimmer verbracht hatte, all die Stunden, als er in der Moschee betete oder dann später in Berlin jeden Sonntagnachmittag mit seinen flachen Turnschuhen durch die Stadt lief, um den Onkel nicht zu stören. Er gab sich Mühe, sich da nicht weiter hineinzusteigern, denn er ahnte, daß am Ende nur Haß dabei herauskäme – vielleicht sogar Haß auf diese gutaussehenden jungen Leute, die von nichts eine Ahnung hatten und sich mit hellen Stimmen ihre Verabredungen zuriefen.

Und schöne, helle Stimmen hatten sie, das war Tatsache. Bei seinen ersten Besuchen in den Cafés hatte er anfangs nicht gewußt, was ihm unangenehmer war, so einfach, und wenn es nur sieben Mark waren, Geld zu verpulvern, oder der Moment, wenn der Kellner kam, sich ihm mehrere Köpfe zudrehten und er mit seiner viel dunkleren, sonoren Stimme einen Milchkaffee bestellen mußte. Aber gerade dieses Timbre schien den anderen zu gefallen; es hatte nicht jenes forciert abgeklärte, fast leiernde Schleifen, das trotz aller Fröhlichkeit immer ein wenig schläfrig, ja destruktiv klang und von allen Schwulen hier leidenschaftlich kultiviert wurde.

Aber sprach Göran, den Akzent und die Deutschfehler einmal abgerechnet, nicht mit der gleichen verräterischen Coolness, in der sich Gleichgültigkeit und Verlangen auf unangenehme Weise mischten?

Jamal war überrascht, als er merkte, daß er darauf überhaupt keine Antwort zu geben wußte. Das kam, weil sie ohnehin nur wenig miteinander sprachen.

Göran war keiner, mit dem man so einfach durch die Stadt ziehen konnte. Er studierte seit letzten Herbst an einer Kunsthochschule Grafik und Design. Nebenbei jobbte er in einem Modegeschäft am oberen Ku'damm und schien einen Terminplan zu haben, in dem Spazierengehen und Herumschlendern ebenso selten vorkamen wie Gespräche, die über genau definierte Informationen hinausgingen: wohin, woher, wie lange, wie spät. Wahrscheinlich erklärte das auch die hastigen WC-Sessions, über die sie trotz aller körperlichen Intimität nie wieder gesprochen hatten.

Störte ihn das? Verspürte er den Wunsch, die jungen Typen in den Cafés anzusprechen und zu sich nach Hause zu locken?

Ihm kam nicht einmal der Gedanke daran. Später, als er immer häufiger wechselnde Nacht-Bekanntschaften machte, sollte er sich mit Wehmut an diese Zeit erinnern, als trotz aller Neugier nur Göran für ihn existiert hatte. Göran als ein noch im Moment der höchsten Ekstase stets distanzierter Spielgefährte, der ihn lehrte, seinen Körper zu spüren und ihn nicht weiter mit sich herumzuschleppen wie einen alten Rucksack voller alltäglichem Ramsch.

Aber es mußte doch noch andere Geheimnisse geben!

Schade, daß für ihn soviele Teile seines Lebens *nicht Rede wert* waren. Zu *nicht Rede wert* zählte die Familie in Schweden ebenso wie sein Leben in Berlin, das Studium und seine Jobs (Jamal wagte nicht, ihn nach anderen Freunden oder Affären zu fragen). Selbst das Zimmer in der Charlottenburger Wohngemeinschaft schien nichts als ein lästiges Detail, das zu erwähnen kaum lohnte. Göran ließ sich anrufen oder rief an, er kam spät am Abend, ging am nächsten Morgen früh aus dem Haus, und es war, als könnte ihn nur seine Nacktheit während der Liebe kurzzeitig in jemanden verwandeln, der mehr war als ein Schemen, eine gutaussehende, kalte Schaufensterpuppe ohne Hintergrund.

Auch wenn Jamal versuchte, selbst etwas zu sagen, was über

die Terminplanung ihrer nächtlichen Treffen hinausging, blockte der Schwede ab. Dabei hatte er – *Ya Allah!* – eine ganze Bibliothek zu erzählen, war er süchtig danach, sich zusammen mit einem anderen lautstark und lachend über sein beginnendes Berliner Leben zu wundern. Aber Görans Zigarette klebte bewegungslos in seinem herabgezogenen Mundwinkel, und die Atemstöße, die durch seine Nase kamen, waren von so provozierender Langsamkeit, als wollten auch sie sagen: *Nicht Rede wert*, nichts und niemand, heute nicht und auch nicht morgen. Ohne es sich wirklich einzugestehen, erbitterte Jamal diese Ignoranz. Mit Göran zu quatschen – er wählte mit Bedacht in Gedanken dieses unverfängliche, zu nichts verpflichtende deutsche Wort – hätte keinerlei Risiken geborgen. Die Wörter wären gekommen, für eine kleine Weile geblieben und hätten sich danach wieder entfernt, ohne zu schockieren, ohne um Freundschaft oder Liebe zu werben. Denn es gab keine Freundschaft und erst recht keine Liebe. Es gab Yousuf – ab jetzt: Yousuf & Silvia –, bei dem er dieses Gefühl zum ersten Mal entdeckt hatte, aber gerade hier durften sich die Wörter, falls es tatsächlich die richtigen geben sollte, nicht heraustrauen.

Statt dessen lag Göran neben ihm, ein schweigsamer Schwede mit einem braungebrannten Körper voll blondem Flaum in den Achseln und entlang der Schenkel. Göran, dessen blaue Augen Jamal ebenso wahnsinnig machten wie das dunkle Haarbüschel, dessen Ausläufer sich bis zum Bauchnabel hochzogen – eine erregende Regelverletzung, ein lockendes Hohngelächter auf die Vorstellung, die er sich bisher von Nordmenschen gemacht hatte. Hätte es dann also nicht noch ein bißchen mehr sein können?

Das Problem war nur, daß der Schwede geradezu störrisch darauf bestand, ein Körper und nichts als ein Körper zu bleiben, ein Gliedmaßenzauberer und Nachtmensch ohne Biographie.

Es rührte Jamal, wenn er spürte, daß Göran diesen Mangel in einem Unmaß an Berührungen und Küssen und Kicks, die ihn jedesmal aufs neue verblüfften, vergessen und wiedergutzumachen glaubte. Nach der Liebe hielt er Jamal wortlos in seinen Armen oder kuschelte sich an ihn, eingerollt und wehrlos wie ein Embryo.

Einmal sagte er, mit den Fingerkuppen über Jamals kurzrasiertes, fast drahtiges Brusthaar streichend: »Du hast 'nen Body wie ein Traum. Mach mal Fitneß, dann kannst du noch mehr rausholen.«

Das war seit seinem *Bleiben in Kontakt?*-Zettel das Persönlichste, was er bisher von sich gegeben hatte. Dankbar ließ sich Jamal darauf ein. So erfuhr er etwas über Muskeltraining, über verschiedene Techniken an Hebe- und Streckgeräten und Spritzen, die unbedingt zu meiden wären, da sie aus dem künstlich aufgepumpten Körper bald einen laschen Landsack machen würden.

Jamal suchte nach der Bedeutung des Wortes *Landsack*, fand dann *Sandsack* und sah, wie Göran das linke Bein über seine Knie schob und mit der Hand seinen Penis umfaßte. Dabei hörte er nicht auf zu sprechen, sondern begann, alle möglichen Fitneßstudios in der Stadt zu nennen und sogar Preisvergleiche anzustellen. Das letzte, was Jamal noch mitbekam, war die Adresse eines Studios am Rosenthaler Platz, wo Studenten angeblich riesige Ermäßigungen gewährt wurden. »Du zeigst einfach deinen Studi-Ausweis, und sie geben dir Nachlaß bei der Monatskarte«, sagte Göran und begann, Jamals Glied zu reiben.

Jamal trommelte mit den Fäusten auf die Matratze und schloß die Augen. Vielleicht war Reden ja doch nicht das Wahre.

Daß auch Görans Sinn für Humor gering ausgebildet war, hatte Jamal bereits am Vorabend seiner Goethe-Prüfung entdeckt.

Unten auf der Straße versuchte eine Gruppe Kreuzberger Autonomer, die Feiern zum 1. Mai auf ihre Weise ausklingen zu lassen und lieferte sich mit der eilends angerückten Polizei ein verbissenes Katz-und-Maus-Spiel. Während sie Flaschen auf grüne Polizeihelme warfen und die Bullen mit ihren Gummiknüppeln herumfuchtelten, stand Jamal nackt am Fenster seiner Wohnung und hielt Görans Becken umfaßt.

Er war froh, daß alles ganz anders gekommen war, als er es sich einmal vorgestellt hatte. Früher wäre es nur eine traurige Allmachtsphantasie geworden (»Wir Araber sind die Männer, die Stecher«, hätte im Traumnebel der blöde Onkel doziert), nach der am nächsten Morgen das Bettlaken fleckig gewesen wäre: Jamal, King of the town, steht in gleicher Höhe mit den Sternen im obersten Stock eines Gebäudes, ist in einem Typen drin, sieht kurzrasiertes blondes Nackenhaar vor sich, sieht, wie sich der andere vorbeugt und seine Hände auf dem Fensterbrett abstützt, läßt seinen Blick ins Weite schweifen und erkennt die nächtliche Stadt zu seinen Füßen, ehrfürchtig und stumm geworden vor der Kraft des unglaublichen Aktes.

Von wegen. *Hoch-die-in-ter-na-tio-na-le-So-li-da-ri-tät* skandierten die Autonomen im Schein des nächtlichen Straßenlichtes und duckten sich, wenn genervte Polizisten ein paar Becks-Flaschen zurückfeuerten. Kreuzberg dachte nicht daran, Jamals Akt – schon wieder ein erstes Mal, langsam bekam er Routine – mit ehrfürchtigem Schweigen zu begleiten. Kreuzberg machte Bambule. Kerstin hatte gut daran getan, diese aufrührerische Gegend zu meiden und die stillen Tage in Hellersdorf zu bevorzugen.

Jamal mußte aufpassen, daß er nicht lachte und dabei seine Erektion verlor. Es war schwer genug gewesen, zum ersten Mal in seinem Leben ein Kondom überzuziehen. Das Teil stammte aus Giovannis zurückgelassener Billy-Schachtel und gebärdete sich als äußerst störrisch, bis ihm Göran kurzentschlossen den Gummi aus den Fingern nahm und ihn mit der richtigen Seite über den Penis rollte, den er vorher mit seiner Zungenspitze angefeuchtet hatte. *Das* hätte Jamal schon gereicht; es erregte ihn, sein Glied zwischen Görans Lippen verschwinden und wieder auftauchen zu sehen, jedesmal glänzender und pulsierender.

Aber Göran wollte mehr. Die fordernden Gesten, die sein Verlangen begleiteten, ließen Jamal daran denken, wie sinnlos und blöde das meiste war, was er in den Schwulen-Zeitschriften damals im Café gelesen hatte. Passiv oder aktiv, Ficken oder Geficktwerden, top or bottom; lauter aufgeplusterte Worte, die in ihrer scheinbaren Brutalität nur verhüllten, daß sie nicht mehr zählten, wenn es wirklich zur Sache ging.

Im Augenblick hatte er nicht den Eindruck, daß sich der Schwede als passiv betrachtete. Im Gegenteil: Die Energie, mit der er Jamal dazu brachte, in ihn einzudringen, war an aktiver Willensstärke gar nicht zu überbieten. Selbst seine Einreibeübungen – er hatte auf einmal eine kleine Tube mit Gel in der Hand und verteilte den dickflüssigen Inhalt energisch zwischen seinen Backen – erinnerten eher an die ernsten Waschrituale muskulöser Arbeiter, die einen schweren Tag hinter sich gebracht hatten. Jedenfalls hatte es nichts Feminines.

Mal sehen, was noch kommt, dachte Jamal. Bis jetzt war alles zu technisch, als daß es ihn hätte wirklich erregen können. Görans blonder Kopf vorhin zwischen seinen Beinen und dabei der Blick auf die mit schwarzen Wollmützen vermummte internationale Solidarität: *Das* war es.

Als er dann in ihn eindrang, war er erstaunt, daß er auf keinerlei Widerstand stieß. Wie ein heißes Messer in ein Stück Butter, dachte er. Er drückte sich fest an Görans Rücken und flüsterte ihm ins Ohr: »Guck mal nach unten. Die machen sogar für uns die Begleitmusik.«

Keine Veränderung ohne Revolution! Nie wieder Deutschland! Deut-sche Poli-zisten schüt-zen die Fa-schi-sten! Nazis raus! Bullen raus! Hoch die interna ... Jamal hielt in seinen Beckenstößen inne und wartete auf Görans Reaktion. Blondie aber hielt weiter stur den Kopf gesenkt, stützte die Arme auf das Fensterbrett, bis die Adern heraustraten.

Lief das zwischen zwei Männern immer so formell ab?

Jetzt begannen unten die Bullen, mit der einen Hand die Plexiglasschilde in die Höhe zu wuchten, während sie mit der anderen ihre Gummiknüppel packten. Von der Reichenberger Straße rasten mit Sirenengeheul grünlackierte Einsatzwagen heran. Auf einen warnenden Pfiff zogen sich die Autonomen blitzartig zurück und überließen ihren Stützpunkt vor Kaiser's Supermarkt dem Feind, der die freigewordene Position in breiter Front überrannte. Dennoch prallten noch immer Flaschen auf die Polizeischilde, und die Sirenengeräusche schienen anzuschwellen. Von hier oben konnte Jamal nicht erkennen, aus welcher Deckung heraus die Wollmützigen ihre Becks warfen. Auch wenn sich Göran noch tiefer gebückt hätte, wäre es unmöglich gewesen, die Nie-wieder-Deutschland-Leute genau auszumachen. In ihrer dunklen Vermummung waren sie ein Teil der Nacht geworden, unsichtbar, aber doch präsent und mobil und wie raunende Geister ihre Beschimpfungen loslassend, die bei allem Haß auf das Land seltsamerweise in klarem, ein wenig schrill und abgehackt klingendem Deutsch skandiert wurden.

Einszwodrei: *Deut-sche Poli-zisten schüt-zen die Fa-schi-sten!* Auch wenn er nirgendwo Faschisten sah: Da war nichts zu sagen, der Satz hatte einen geilen Rhythmus. *Schützen die Faschisten ...* Jamal verstärkte seine Beckenstöße und nahm Görans Glied in die Hand. Die Vorhaut hatte sich zurückgezogen, und auch das war wieder so ein Rätsel, über das er gern mit dem Schweden gesprochen hätte. Zog sich bei den unbeschnittenen Europäern die Haut bei einer Erektion automatisch zurück oder gab es dafür irgendwelche Vorrichtungen und Tricks, von denen er nichts wußte?

Göran umkrampfte die Hand und drückte sich fester gegen

Jamals Körper. Jamal spürte, wie sein Bauch gegen Görans Rücken stieß, wie sein Kinn den Nacken des anderen berührte, sich hob und senkte, hob und senkte, und dann wurde alles immer schneller, immer lauter, lauter als die Rufe und das Geschrei von der Straße, es gab eine Explosion, und gleichzeitig wurde ihm schwarz vor Augen, als hätte jemand die Straßenbeleuchtung mit einem Stein zerschlagen.

Als er nach einer Weile schwer atmend wieder zu sich kam, sah er den Abdruck seiner Zähne in Görans Nacken, spürte die Feuchtigkeit in seiner Hand, die Blondies Glied gehalten hatte.

»Erst wenn wir kommen, kommt die Solidarität«, sagte er und zeigte mit der linken, weißglänzenden Hand auf den Platz unter ihnen, auf dem inzwischen die Kampfhandlungen beendet waren. Die Polizisten standen ratlos und übermüdet herum und warteten auf den Abtransport. Sie stützten sich auf ihre Schilder oder ließen die Gummiknüppel am Handgelenk rollen wie die bekifften englischen Jongleure, die man manchmal am Ku'damm um ein paar Mark betteln sah. Sehnsüchtig lärmte eine letzte Sirene.

Von den Autonomen war keine Spur. Entweder waren sie durch die Unterführungen in Richtung U-Bahn getürmt oder in die noch dichtere Dunkelheit der benachbarten Hausflure abgetaucht. Vielleicht aber hatten sie auch nur ihre antifaschistischen Wollmützen vom Kopf gezogen und sich in ihre VWs gesetzt, denn auf einmal kam der Nachtverkehr rund um das Kottbusser Tor wieder in Gang. Wagen an Wagen schob sich durch die Haupt- und Seitenstraßen und hupte wütend an den Kreuzungen. Die Polizisten hatten ihre Helme abgenommen und stiegen in die Bereitschaftswagen, wobei sie sich mit ihren Schildern und Knüppeln dauernd an die Knie stießen.

Jamal hatte den Sinn der ganzen Aufregung nicht verstanden. Daß hier in Deutschland jeder jeden als Faschisten bezeichnete, der ihm nicht paßte, hatte er inzwischen kapiert, dennoch war ihm unklar, wie man eine so schöne Nacht im Duell von Bierflaschen und Gummiknüppeln verschwenden konnte.

»Die sollten sich lieber ein Beispiel an uns nehmen.« Er fühlte, wie eine wunderbare Müdigkeit von ihm Besitz ergriff. Hätte Göran jetzt ein Wort erwidert oder auch nur gelächelt – alles wäre perfekt gewesen.

Aber er verzog keine Miene. Auch nicht schlimm, dachte Jamal. Bei dem sind eben die Arschmuskeln elastischer als die

Gesichtsmuskeln; so was kommt vor. Mit ernstem Gesicht ging der Schwede ins Bad, und mit ernstem Gesicht legte er sich danach auf die Matratze, wobei seine Hand automatisch zwischen Jamals Beine fiel.

Das war alles. Und so kam es, daß sich Jamal an diesem 1. Mai doch nicht ganz als Sieger fühlen durfte. Die Autonomen hatten sich still aus dem Staub gemacht, die Polizisten wurden in ihren Mannschaftswagen weggekarrt, und auch ihm kam es vor, als hätte irgend etwas – er konnte nicht sagen, was es war – viel zu zeitig aufgehört. Ein Gelächter saß in seinem Bauch und verstummte dort. Weil es oben im Mund und in den Augen nicht allein bleiben wollte, hatte es sich nicht herausgewagt.

Nicht der Rede wert, nicht des Lachens wert. War Sex also tatsächlich eine so todernste Sache, wie es die Pornos in Tom's Bar gezeigt hatten? Was war schon Befriedigung ohne Freude wert, was eine Nacht mit einem geilen Typen, wenn der geile Typ nur ein geiler Typ blieb?

Immerhin mehr als eine Nacht mit *keinem* geilen Typen, dachte Jamal. Besser ein schweigender Schwede mit geilen Arschbacken wie Granatäpfel als eine nach Berliner Schweiß stinkende Wollmütze mit zwei Augenschlitzen wie Schießscharten. Keine Veränderung ohne Revolution. Gott, waren die vielleicht blöd.

»Hier wird ganz anders geschossen«, murmelte er schläfrig und sah, nun schon halb im Traum, einen grinsenden nackten Jamal mit einer schönen fremden Hand zwischen seinen Beinen.

Gleich neben der Holztür mit dem Schild *Sterbebuchabteilung* konnte er lesen: *Rauchabschlußtür! Verkeilen, verstellen, festbinden o. ä. verboten.*

Jamal sah sich um. Außer ihm ließ sich kein Mensch auf dem langen Gang blicken. Und vor ihm befand sich diese grünmetallene *Rauchabschlußtür*, daneben im rechten Winkel die Sterbebuchabteilung. So stand es wirklich zu lesen: *Sterbebuchabteilung*. Wo war er hingeraten? Spielten die Deutschen wieder verrückt? Er lief ein paar Schritte zurück.

Auf der nächsten Tür stand auf einem Emaille-Schild *Randvermerke und Berichtigungen*. Bizarr, äußerst bizarr. Und nirgendwo ein Geräusch, ein Hinweis auf ein weiteres lebendes Wesen. Beunruhigt schaute er auf die Uhr. Fünf vor zwölf. Er rannte den ganzen Gang entlang – rechts die Türen, links eine

Reihe von Holzbänken, auf denen niemand saß –, bis er wieder die Haupthalle erreichte. Die abgewetzten roten Teppiche auf dem Terrazzoboden dämpften das dröhnende Geräusch seiner Schritte. Dafür war in der ganzen Halle deutlich zu vernehmen, daß er außer Puste war. In etwa fünf Metern Höhe zog sich ein von Backsteinsäulen getragener Balkon um die Wände herum und verstärkte Jamals Atmen wie ein Lautsprecher. Schon als er vor ein paar Minuten zum ersten Mal die Halle durchquert hatte, war ihm die ganze Ausstattung – Säulen und geschwungene Geländer, Backsteinrot und dazwischen weiße Fliesen – wie die Nobelversion eines dieser Tex-Mex-Imbisse vorgekommen. Fehlte nur noch irgendein Schnauzbart, der auf einer Gitarre klimperte. Ihm selbst würde man aber bestimmt keinen Taco, sondern eher eine saftige Verwarnung geben, wenn es ihm nicht bald gelang, das richtige Zimmer zu finden.

Neben der breiten Treppe, die hinaus ins Freie führte, befand sich ein kleines Pförtnerhäuschen, in dem er einen Beamten entdeckte.

Zaghaft klopfte Jamal an die Glasscheibe. Mit unendlicher Langsamkeit schob der Beamte seine Hornbrille in die Stirn und faltete die Zeitung zusammen, in der er gerade Kreuzworträtsel löste.

»Um was soll's denn gehen?« fragte er mürrisch.

»Guten Tag«, sagte Jamal. »Ich suche das Standesamt.«

Der ältere Mann musterte ihn, was wegen der ins strähnige, pomadisierte Haar hochgeschobenen Brille das nervöse Zukneifen des rechten, dann des linken Auges nötig machte. Schließlich fragte er lauernd: »Einbürgerungen?«

»Nein, ich suche das Standesamt«, wiederholte Jamal.

Der Pförtner, der über seinem blauen Pullover ein grobgliedriges Goldkettchen trug, lehnte sich in seinen Stuhl zurück. »Na, richtig informieren müßt ihr euch schon, Leute. Sonst kennt ihr euch bei den Ämtern, wo was zu holen ist, ja auch prima aus.«

Er seufzte. »Also junger Mann, damit Sie's wenigstens in Zukunft wissen: Einbürgerungen gehören zum Standesamt. Standesamt machen auch Einbürgerungen, klar?«

»Ich will mich nicht einbürgern lassen, sondern Trauzeuge sein«, sagte Jamal verzweifelt und schaute erneut auf die Uhr. Noch zwei Minuten!

Das ältere Männlein preßte sich ein Lächeln ab.

»Na, dann aber schnell, Meister. Bei uns feiern wir ja nich solche Elefanten-Hochzeiten wie anderswo, da geht das mit der Trauung ruckizucki und dauert nich ewig und drei Tage. Sie sollten sich ranhalten, nich wahr ...«

»Wo ist das Zimmer?« flehte Jamal. »Das Zimmer für die *Trauungen!*«

»Ach, das Zimmer. Das Zimmer also: Sie gehen die Halle quer durch, an den Klos vorbei – links vorbei, denn rechts sind da nur Fenster – und dann, ja dann also den Gang entlang, bis da eine Tür ...«

»Die Rauchabschlußtür?« fragte Jamal in der Hoffung, die Erklärung etwas abkürzen zu können.

Das Männlein hinter der Glasscheibe nickte befriedigt und drohte dann mit dem Zeigefinger. »Jenau. Vollkommen richtig. Wir kennen uns also doch aus, oder? Also, nach der Tür (*hinter der Tür muß es heißen*, dachte Jamal) jibt et noch 'nen Gang. Den immer gerade aus, bis er rechts um die Ecke biegt. Dann sehen Sie schon die offene Tür, wo sich alles staut. Eure Leute kommen ja immer in Massen, möcht ick mal so sagen. Garantiert nich zu übersehen.«

In erwachter Heiterkeit ruckte er mit dem Kopf, bis ihm die Hornbrille wieder auf die Nase rutschte. »Und eh ick's verjesse ...«

Aber da war Jamal schon fort. Er rannte zurück durch die Halle und nahm im Augenwinkel die Toilettentür wahr: B 19, WC-H. Flüchtig dachte er an Göran. Hoffentlich war wenigstens der pünktlich.

Als er japsend vor dem Raum mit der weit offenstehenden Tür ankam, fand er tatsächlich jede Menge Leute vor. Die meisten Männer trugen hellgraue Blousons, und die Frauen hatten ihr Haar in verschiedenfarbig schimmernde Dauerwellen gelegt. Das mußten deutsche Eltern sein. Ein schwerer Duft nach Parfüm und Blumen lag in der Luft, und inmitten der wartenden Gruppen sah Jamal auch drei junge Frauen mit weißem Schleier. Wo waren Silvia und Yousuf?

Jamal drängte sich, nach allen Seiten Entschuldigungen murmelnd, in den Raum. Um ihn herum wurde pausenlos geredet, gelacht und geflüstert und an Kleidern und Blumenbuketts herumgezupft.

Er hörte einen Pfiff und drehte sich um. Hinten am Fenster

stand Yousuf und winkte ihm zu. Er trug einen grauen Anzug, ein marineblaues Hemd mit weißem Kragen und dazu eine blaurot getupfte Krawatte. In den Rastalocken fehlten diesmal die roten Bändchen. Als er Jamals Kleidung sah, pfiff Yousuf ein zweites Mal. »Not so bad, mein Lieber. War das in Giovannis Schrank?«

Jamal nickte und zerrte nervös an seinem Schlips. Seit der Abschlußfeier im Lycée und dem Eröffnungszeremoniell für die Externen damals an der American University hatte er so etwas nicht mehr getragen. Vielleicht war der Gegensatz zwischen der roten Krawatte, dem schwarzen Seidenhemd und dem dunklen, speckig glänzenden Anzug ein bißchen zu schreiend. So edel wie Yousuf sah er in Giovannis Klamotten jedenfalls nicht aus.

»Der schönste Mafioso von ganz Berlin«, sagte Silvia. Bewundernd strich sie über sein Kraushaar, das er nur mit viel Mühe und Gel zu nach hinten gekämmten, einigermaßen parallelen Strähnen hatte ordnen können.

»Daß du nicht auf die Idee kommst, uns allein zu lassen«, flüsterte ihm Silvia zu. »Du bist unser Puffer zwischen den Kontinenten.«

Das Wort hatte Jamal noch nie gehört. Es erinnerte ihn an eine ähnliche Vokabel, die mit dem Wunsch der Braut bestimmt nichts zu tun hatte. Silvia ergriff seinen Arm und dirigierte ihn an ihren Berliner Freundinnen vorbei, die – in Pumps, mit hochgestecktem Haar und lässig geschminkt – Jamal begehrliche Blicke zuwarfen. Der arabische Hausfreund schien ihnen ebenso zu gefallen wie der dunkelhäutige Bräutigam, der sein Lächeln in alle Richtungen verströmte. Jamal wurde in eine Ecke geschoben, in der gerade eine riesige Neger-Mummy in beigefarbenem Gewand damit beschäftigt war, mit einem Fächer frische Luft heranzuwedeln.

»Well, this is Yousuf's mother, this our friend Jamal«, sagte Silvia in einem Englisch, dessen forcierter amerikanischer Akzent die Mutter offensichtlich amüsierte. Sie hatte die gleichen Begeisterungsgrübchen in ihren Mundwinkeln wie Yousuf, und Jamal war vom ersten Augenblick an von ihr hingerissen.

»Hi, nice to see you«, sagte sie. Ihre Stimme war dunkel und beruhigend, ihr Händedruck fest und zugleich sanft.

»Me too«, sagte Jamal. Und schon lief über das ganze Gesicht der Mummy ein Lachen – Gott, die Mummy hat Yousufs Lachen! –, das aussah, als würde es sich im nächsten Moment in Wellen über ihren voluminösen Körper fortsetzen und sich in einen einzigen, raum- und hauserschütternden Vulkan verwandeln. Sie hob eine fleischige, matt glänzende Hand und streckte den Zeigefinger, der wie alle anderen Finger rosa manikürt war, nach Jamal aus. »See you, Habibi«, sagte sie.

Mein Gott, weshalb nennt mich diese stockfremde Frau *Habibi?* Jamal fühlte sich überrumpelt und auf angenehme Weise erkannt, ohne daß er sagen konnte, was denn da erkannt worden war.

Kaum zu glauben, was es in diesem mit wartenden Familien überfüllten Raum, der mit seinem grünen Teppich und der Rauhfasertapete eher an die Lobby eines Bahnhofshotels erinnerte, alles zu sehen gab. Neben dem breiten Schreibtisch, auf dem eine mit einer Plastikhülle abgedeckte Schreibmaschine und eine Topfpflanze mit verwelkten gelblichbraunen Blättern stand, hatte man einen drehbaren Ständer plaziert. Er zeigte farbige Hochzeitsfotos, über denen fettgedruckt wie über Kinoplakaten zu lesen stand: *Internationale Hochzeiten im Rathaus Schöneberg.*

Jamal kniff die Augen zusammen und trat an das Drehgestell heran. Die Fotos zeigten Paare mit Hochzeitssträußen in den Händen und eingefrorenem Colgate-Lächeln im Gesicht. Schwarz heiratet Weiß, Gelb vermählt sich mit Braun, dann wieder mit Weiß oder Gelb, und das Standesamt im Schöneberger Rathaus hatte nichts dagegen.

Bevor Jamal noch Silvias Eltern und Yousufs senegalesischem Familienzweig mit seinem Vater und dessen ernst und würdig dreinblickenden Brüdern vorgestellt werden konnte, öffnete sich ein Flügel der breiten Nebentür. In die plötzlich einsetzende Stille hinein rief ein Standesbeamter den Namen des Brautpaars.

Während sich der ganze Familienanhang raunend und summend in Bewegung setzte, stellte sich Jamal auf die Zehenspitzen, um nach Göran Ausschau zu halten. Nirgends eine Spur von ihm.

Sie hatten bereits auf den mit rotem Stoff gepolsterten Stühlen mit den hohen Holzlehnen Platz genommen, als sich der Schwede noch schnell durch die Tür, die der Beamte eben bedächtig schließen wollte, hereindrängte. Dabei fummelte er nervös an seinem Reißverschluß herum. Außerdem sah Jamal, daß sein Gesicht gerötet war – wie jedesmal *danach.*

Ob er sogar hier im Schöneberger Rathaus ...?

Jamal wies Göran mit einem stummen Kopfnicken den Trauzeugenplatz neben Yousuf zu und kümmerte sich nicht weiter um ihn. Zumindest trug er heute einen Anzug mit dunkler Stoffhose, wenn auch nur mit einem seiner eng am Körper anliegenden Anbagger-Shirts unter dem Jackett. An den Füßen aber, Jamal beugte sich auf seinem Sitz vor, denn das war nicht zu glauben, hatte er Turnschuhe.

Turnschuhe! Hoffentlich bekommt die Familie nichts mit, dachte er. Er fühlte sich für den ungestörten Ablauf der Zeremonie mitverantwortlich. Man heiratete schließlich nicht aus einer Laune heraus und karrte nicht aus Spaß die ganze Verwandtschaft aus sämtlichen Erdteilen heran.

Silvia und Yousuf hatten einander fürs ganze Leben gewählt. Es war eine Entscheidung, die Jamal fast schwindlig machte. Und dann diese Turnschuhe! Ihr Armleuchter tretet auf der Stelle – er war sicher, daß sie genau das signalisieren sollten –, aber ich, ich bleibe in Bewegung.

Scheißkerl, dachte Jamal. Gleichzeitig wußte er, daß auch in ihm diese Sehnsucht war: Weggehen und nirgends länger zu bleiben als für die Dauer einer Berührung oder einer Nacht. Was er Göran übelnahm, war nur die Selbstverständlichkeit, mit der er sich dazu bekannte. Als gäbe es nicht auch den Wunsch, für immer mit einem anderen sein Leben zu teilen, als dürfte dies nicht sein, als wäre es nur lächerlich und gerade gut für eine Zeremonie in einem muffig riechenden Zimmer mit stuckverzierten Decken!

Der Standesbeamte war ein Herr mit grauem Anzug, graumeliertem Haar und Goldbrille, die er abwechselnd auf- und absetzte und an einer schmalen Kette über seiner Brust baumeln ließ. Die Nobelversion des Pförtners, schoß es Jamal durch den Kopf. Vorbei an Silvia und Yousuf, die ihre Hände ineinander verschlungen hatten, schielte er hinüber zu Göran. Auch er lauschte aufmerksam, hatte die Hände brav auf seine Knie gelegt und saß mit geradem Rücken reglos wie eine Statue da. Aber die Statue trug Turnschuhe und machte sich insgeheim bestimmt über alles lustig. Das war nicht allzu schwer, denn die Worte des Standesbeamten klangen verwirrend. Der Mann sprach in einem absurd hüpfenden, kurzatmigen Rhythmus, der immer wieder von geräuschvollem Räuspern unterbrochen wurde. Yousuf warf Jamal einen schnellen Blick zu.

»Und obwohl, liebes Brautpaar und sehr geehrte hier Versammelte, mit Herrn Jamal Kassim einer der Trauzeugen aus Kreuzberg kommt, findet in diesem Raum heute keine Herz-, sondern eine Hausbesetzung statt.«

Kurzes Schweigen, das auf seiten der hier versammelten Deutschsprachigen eher der Ruhe vor dem Sturm der Entrüstung glich. Der Standesbeamte blinzelte mit kurzsichtigen Augen auf die vollbesetzten Sitzreihen vor ihm, griff dann zur Brille und schüttelte seinen Kopf, auf dem das graue Haar säuberlich gescheitelt lag. »Sie entschuldigen«, sagte er lächelnd und von den giftigen Blicken, die ihm Silvias Mutter zuwarf, nicht im mindesten irritiert. »Ein kleiner Fehler im Eifer des Geschäfts, ähm ... Gefechts. Natürlich gibt es heute statt einer Hausbesetzung eine *Herzbesetzung!* Und zwar eine Herzbesetzung zwischen ...«

Er setzte die Brille wieder ab, beugte sich vor, schob die Krawatte, die ihm die Namen auf der Hochzeitsurkunde verdeckte, mit tödlicher Langsamkeit beiseite und richtete sich danach mit dem strahlendsten Lächeln der Welt auf. Unerwartet laut rief er Silvias und Yousufs Namen in den Raum.

Die Berliner ließen ein erleichtertes Raunen hören, das sich von Umbrien bis in den Senegal fortsetzte. Brooklyn klatschte begeistert in die Hände.

Aber – noch war nichts ausgestanden. Nach der Überprüfung der Personalien erfolgte die Frage nach der Religion. »Konfessionslos«, antworte Silvia und Yousuf sagte: »Moslem.«

»Islam«, verbesserte der Standesbeamte, der nun tief die Luft einzog, um etwas Wichtiges räusperfrei vorzutragen. »Es heißt korrekt: *Islam.* Sie entschuldigen« – die Brille, die auf die Nasenspitze gerutscht war, wurde energisch zurückgeschoben –, »entschuldigen Sie bitte vielmals, aber der Senat hat uns Beamte angehalten, bei solchen, nun ja ... gemischten Eheschließungen folgendes schon im voraus festzustellen: Viele Frauen, die mit Moslems – und in diesem Fall sagt man *Moslems* – verheiratet sind, werden von ihren Ehemännern und zugeheirateten Familien verpflichtet, einen Schleier, den sogenannten Tschador, zu tragen. Des weiteren muß, natürlich rein theoretisch, verstehen Sie mich recht, darauf hingewiesen werden, daß die Religion dem Mann erlaubt, mehrere Frauen zu haben. Aber das ist natürlich«, er zwinkerte der entgeisterten Silvia verschwörerisch zu, »nur eine Kann-Regel, die kaum noch angewandt wird.«

Jamal sah, wie Silvias Mutter, eine blonde, leicht zur Fülle neigende Deutsche, versuchte, einen Blick auf ihre Tochter zu erhaschen. Doch die stand mit dem Rücken zu ihr, so daß es für eine Warnung in letzter Minute zu spät war.

Statt dessen hielt Silvia tapfer Yousufs Hand und sagte mit fester Stimme: »Ist ja alles bekannt. Aber es gilt nicht für uns.«

Der Beamte war erleichtert. »Dann wäre ja alles paletti«, sagte er mit aufmunterndem Lächeln. Silvia, die sich zusammen mit Yousuf von ihrem Stuhl erhoben hatte und direkt vor dem Trauungstisch stand, schnupperte mit der Nase. Es roch komisch, und sie wußte sofort, was es war. Likör. Es roch nach süßlichem Likör im Trauungszimmer. Auch Yousuf nahm die Witterung auf. Eindeutig, das waren Likörschwaden, und sie entströmten dem goldzahnblitzenden Mund des Beamten.

Aus der zweiten Sitzreihe drang unterdrücktes Lachen. Jamal sah sich um. Er sah Silvias Vater, der einen hochroten Kopf hatte und gerade den Handrücken über den Mund legte. Dennoch wurde er seiner Heiterkeit nicht Herr, sehr zum Ärger seiner Frau, die ihre Arme über der Brust verschränkt hatte, so daß die Bluse knautschte, und bösen Auges nach vorn schaute. Silvia raunte Yousuf zu: »Der Typ ist völlig besoffen.«

»Dafür macht er aber seine Sache gar nicht schlecht«, flüsterte Yousuf zurück. Er stand in gespannter Erwartung vor dem Tisch, und das Spektakel schien wie für ihn geschaffen.

Jamal betrachtete das Ganze mit einer Mischung aus Faszination und Entsetzen.

Das glaubt mir zu Hause kein Mensch, dachte er.

Irgendwie hatte es der angesäuselte Beamte schließlich doch geschafft, ins Zeremoniell zurückzufinden. Ohne weitere Zwischenfälle fragte er Silvia und Yousuf nach ihrem gegenseitigen Einverständnis und nahm ihr Jawort ohne Kommentare zur Kenntnis. Danach wurden die Ringe getauscht, und die beiden küßten sich. Ihre Augen schimmerten feucht; es waren Lachtränen. Bei Silvias Mutter schienen es eher Tränen der Wut zu sein, dafür aber war bei der übrigen Familie die Ergriffenheit total.

Mitten in das Schniefen und die ersten Blitzlichter der Kameras hinein wurden Jamal und Göran aufgerufen. Es kam die Stunde der Trauzeugen.

Jamal zerrte an seiner Hose, bis sie die Knöchel bedeckte und übergab dem Graumelierten seinen Paß, dem er auch das Dokument der polizeilichen Anmeldung beigelegt hatte.

»Ach, der Herr Kassim«, sagte der Beamte mit jovialem Lächeln, als würden sie sich seit Ewigkeiten kennen. »Der Herr Kassim vom Kottbusser Tor aus Kreuzberg.« Mit Blick auf die restlichen Gäste betonte er, als gelte es auf einen verborgenen Sinn aufmerksam zu machen, die K-Laute der Worte mit überdeutlichem, schwerem Zungenschlag.

Mit lässiger Geste legte Göran seinen ledergebundenen schwedischen Reisepaß auf den Tisch. Der Standesbeamte blätterte darin und runzelte die Stirn. Erst als er den Zettel entdeckte, auf dem mit amtlichem Stempel Görans Berliner Adresse angeben war, glättete sich sein Gesicht. Er ließ einen leichten Pfeifton hören und stieß eine weitere Likörwolke aus.

»Sieh an, sieh an. Das ist also Zeuge Numero zwo, der Herr Göran Grönendahl aus der Gleditschstraße …« Er machte eine kleine Pause, in deren Verlauf Silvias Mutter erneut drohend ihre Augenbrauen hob. »Soviele *G*-Namen auf einem Haufen. Da fragt man sich fast, was da noch alles *g* sein mag.«

Silvia biß sich auf die Lippen und kniff Yousuf in den Arm. Yousuf grinste nur und schaute über die Schulter zu den hinteren Sitzreihen. Senegal und Umbrien verhielten sich weiterhin ruhig, seine Mom hatte die erwarteten dicken Freudentränen in den Augen, und Silvias Vater hielt mit seiner beringten Patschhand beruhigend das Knie seiner Frau umfaßt. So saßen sie alle da, wußten nicht, wie und was ihnen geschah oder waren einfach nur gespannt, der Zeremonie einer Trauung beizuwohnen, wie sie wohl üblich war in diesem kalten Land Deutschland, in dem es schon Mai war und der Wind trotzdem scharf und zugig um die Ecken all der grauen Häuser pfiff.

Jamal und Göran leisteten ihre Unterschrift. Der Daumen des Beamten drückte dabei so nah auf die Stelle, wo sie zu unterzeichnen hatten, daß sie ihn beinahe mit dem amtseigenen Füllfederhalter bemalten.

Gegen Ende der Trauung mußte der Beamte nun häufiger zwischen seinen zuckenden Augapfel und den Hemdkragen greifen, um den Sitz seiner unmäßig breiten Krawatte zu lockern. Nochmals wünschte er dem Brautpaar Glück und wies darauf hin, daß in der Vitrine draußen auf dem Gang eine CD ausgestellt sei, die für zehn Mark – bedenken Sie, nur zehn Mark! – das Freiheitsglockengeläut des Schöneberger Rathauses erklingen ließ. Diese CD sei im Nebenzimmer käuflich zu erwerben, aber all dies – mühsam hoben sich seine Augenlider zu einem freundlichen Blinzeln – sei keineswegs eine Verpflichtung.

»No obligation, pas d'obligation.« Wahrscheinlich hatte er erst jetzt bemerkt, daß die Mehrzahl seiner Zuhörer überhaupt kein Deutsch sprach.

Als er die Seitentür öffnete, um alle aus dem Trauungssaal zu entlassen, machte sich große Erleichterung breit. Mittlerweile hatte wohl auch Yousufs fröhliche Mom mitbekommen, daß mit dem Typen am Zeremonientisch nicht alles ganz allright war. Sie warf ihm einen drohenden Blick zu und rauschte fächerschlagend hinaus.

Unter dem Säulenportal am Eingang wurden sie alle vom Brautpaar in Empfang genommen.

Yousuf zeigte auf den Standesbeamten, der gerade eine neue Hochzeitstruppe begrüßte. Es waren ausnahmslos Deutsche, und man konnte wetten, daß sie ihm seine Bemerkungen mit Sicherheit nicht so einfach durchgehen lassen würden.

Silvia erzählte, inzwischen völlig aufgekratzt, etwas über einen Willy, der wirklich okay gewesen sei und über den es hier im Haus eine Ausstellung gäbe, die er, Jamal, sich doch unbedingt ansehen solle. An Göran wandte sie sich nicht; wahrscheinlich machte sie sich selbst in ihrer Hochzeits-Euphorie kaum Illusionen über dessen Interesse an außersexuellen Aktivitäten. Yousuf, die Stufen vor dem Portal hinabsteigend, klatschte in die Hände: Schnell, schnell, die Fototermine mußten absolviert werden!

Silvia und Yousuf vor dem Portal des Rathauses – klickklack. Dann die Braut allein, mit ihrem schönen hochgesteckten braunen Haar, die verwitterte grüne Tafel mit Kennedys Kopf verdeckend – klickklack. Silvia in der Mitte zwischen Göran und Jamal – das Foto kam sogar noch vor dem Familienbild – klickklack. Als sie aber Jamal neben Yousuf stellen wollte und ihrem verdutzten Vater schon die Kamera aus der Hand gerissen hatte, wehrte Jamal ab. »Silvia, nicht. Das ist *Eure* Hochzeit.«

Sie zuckte mit den Schultern, und schon drängte die Familie auf die breiten Stufen. Wer keinen Platz mehr gefunden hatte, machte Ah! und Oh! und griff nach Videokameras und Fotoapparaten.

Nachdem das Brautpaar mit Silvias Eltern, Yousufs steif lächelndem Vater und schließlich mit der strahlenden Mom vor den vielen Kameralinsen posiert hatte und noch immer kein Ende abzusehen war, wurde es Göran zuviel.

»Was jetzt?« fragte er leise. Er war wieder in sein infosüchtiges Sprechen zurückgefallen.

»Noch eine Sekunde«, bat Jamal. *Ihm* gefielen diese sich auflösenden und wieder neuordnenden Familienformationen, aus denen sich Silvia und Yousuf so sichtbar heraushoben; das Lachen, die Rufe in den verschiedenen Sprachen, die Griffe zur Kamera oder ins windzerzauste Haar. Er hörte Geräusche, und er sah Gesichter. Sie waren ihm weder fremd noch richtig vertraut. Es lag an ihm, einzig an ihm, wegzugehen oder dazuzutreten. Er mußte keine festgelegte Rolle annehmen wie bei den Festlichkeiten daheim, auch war es nicht dunkel wie in Tom's Bar. Eine merkwürdige Freude hatte ihn ergriffen, hier vor dem großen Haus mit seinen Eingangssäulen. Diese ganze Zeremonie betraf ihn nicht wirklich, und dennoch schickte sie ihn nicht ins Abseits. Bevor er wegging, wollte er sich noch einmal richtig daran satt sehen. Wie hielt es die Mom mit ihrem geschiedenen Mann und dessen Verwandten, die ihr – Jamal hatte es bemerkt – mißbilligende Blicke zuwarfen? Wie würden diese sich mit Silvias Eltern verstehen, auf deren Gesichtern noch immer die pure Überraschung zu lesen war? Wie war es eigentlich, das Leben?

»Jetzt auf die Brücke«, befahl Silvias Vater. Jamal hörte den singenden Akzent in seinen deutschen Worten. Und die Übersetzung für den Rest der Verwandtschaft. Die Brücke Il Ponte Le Pont The Bridge.

Alle hatten verstanden, alle setzten sich in Bewegung. Man stand zwischen den alten Gaslaternen oder setzte sich aufs Geländer, hinter sich den Park mit dem kleinen See, dessen Wasser der Wind kräuselte. Am Ufer standen ältere Leute, warfen den Enten Brotkrümel zu und betrachteten die Hochzeitsgesellschaft. Sahen sie auch Jamal Kassim, der ein Teil der Feiernden zu sein schien?

»Wir müssen noch mal kurz weg, fangt schon mit dem Essen an«, sagte Jamal, als immer weitere Familienmitglieder herandrängten und die Lage günstig wurde, um in diesem Trubel unbemerkt zu verschwinden. Silvia zog fragend die Augenbrauen hoch; sie wirkte enttäuscht. Yousuf sagte: »Schon gut, aber taucht wenigstens gegen Abend auf. Wir haben das Restaurant bis nach Mitternacht gemietet, ihr werdet euch amüsieren.«

»Bestimmt«, sagten Jamal und Göran wie aus einem Mund, und zumindest Jamal störte es, daß sie dabei wie verlogene Schulkinder klangen.

In der Eros-Bude liebten sie sich schweigend und heftiger als je zuvor.

Diesmal war es Jamal, der seine Hände um das Fensterbrett krallte. Göran hatte vorher etwas Gel verstrichen, so daß das plötzliche Gefühl arktischer Kälte auf der Haut stärker blieb als der Schmerz, als er in ihn eindrang. Jamal schloß die Augen. Da stand er, vornüber gebeugt vor dem Fenster seiner neuen Wohnung, völlig nackt, und hinter ihm, an ihn gepreßt, hörte er Görans schweren Atem.

Sobald sie die Wohnungstür hinter sich geschlossen hatten, hatte Göran sein Jackett auf den Boden geworfen und begonnen, Jamal auszuziehen. Er war so erregt, daß er keine Zeit verlieren wollte und sein T-Shirt nur hoch zog, wo es hinten auf den Schultern eine Wulst bildete. Auch die dunkle Stoffhose und seine Boxershorts ließ er allein bis zu den Kniekehlen herabrutschen.

Jamal bemerkte, daß Göran kein Präservativ übergezogen hatte, aber er sagte nichts. Statt dessen biß er die Zähne zusammen und ließ die Lust, die fordernder, brutaler war, als er es bis dahin erlebt hatte, durch seinen Körper wandern.

Es wurde Nachmittag, es wurde Abend und dann Nacht, und noch immer kamen sie nicht voneinander los. Göran hatte Silvia und Yousuf und ihre Feier längst vergessen. Nicht ein einziges Mal erwähnte er das Versprechen, doch noch in dem Restaurant in der Akazienstraße vorbeizuschauen. Es kam Jamal vor, als sei der Schwede noch nie so erfindungsreich und süchtig gewesen. Ob er wohl beweisen wollte, daß auch er, der gutaussehende, arrogante und wortkarge Göran, Feste zu feiern verstand, ja, daß seine Art, sich zu freuen, die wirklich umwerfende, prickelnde, unvergeßliche Form war, dem Leben große Momente zu stehlen?

Jedesmal, nachdem sie gekommen waren, lagen sie schweigend nebeneinander. Ihre Brustkörbe hoben und senkten sich, und ohne sich anzusehen spürten sie, daß sie schon bald neue Erektionen haben würden. So lange wir vögeln, dachte Jamal erleichtert und auch ein wenig traurig, so lange existiert nichts anderes. Die Ereignisse des Tages verschwammen zu einem Nebel und übrigblieb nur Görans Körper und vielleicht auch Görans Gesicht, aber auf dem lag wieder die Maske eines spöttischen, unbedingten Willens zur Lust.

Sie hielten sich aneinander fest, küßten und leckten und schlugen sich, und vielleicht war es gerade dieses Übermaß an Einsamkeit, daß sie so auszutreiben versuchten.

Es war früh am Morgen, Göran lag zusammengerollt und fest schlafend an seiner Seite, als Jamal zu weinen begann. Er weinte lautlos, die Tränen rannen ihm salzig über das Gesicht, liefen weiter, vermischten sich mit anderen, inzwischen getrockneten Flüssigkeiten, und sie fanden kein Ende. Was soll das, fragte er sich. Werde ich in dieser Stadt langsam hysterisch? Was suche ich hier – und wer sucht nach mir?

Draußen in Kreuzberg dämmerte langsam ein neuer Tag herauf.

❏

Ein Betrunkener auf dem Standesamt? Katja hatte ihn skeptisch angesehen. Die Augen katzenhaft zugekniffen, in der Wange ein Grübchen. Das war die Miene, mit der sie normalerweise signalisierte: Glaubst doch selbst nicht, was du da wieder erzählst ...

Jamal aber hatte darauf bestanden. »Wenn es doch genau so war! Ich kann dir's schwören. Und außerdem« – jetzt kniff *er* die Augen zusammen –, »war der Typ nicht betrunken, sondern besoffen. Rotzbesoffen, aber irgendwie cool.«

»*Betrunken* ist das bessere Wort«, insistierte Katja. Die Katzenschlitze hatten sich wieder zu sanften braunen Augen geöffnet, die Jamal liebevoll betrachteten. »Die brutalsten Wörter sind nicht immer die genauesten.«

Natürlich, sie mußte es ja wissen. Wenn man in einem Haus aufwuchs, hinter dessen Fenstern Girlanden aus bunten Papierfischen hingen, und es in allen Räumen nach Duftblüten, Duftstäbchen, Dufttüchern und Duftkerzen roch, wo alles so schön und glatt war, daß man höchstens über ein paar herzgroße Steine – aber auch die waren abgeschliffen, abgerundet, der *positiven*

Energie wegen – stolpern konnte, dann war es klar, daß brutale Worte einfach weggewedelt werden mußten. Und mit ihnen die brutale Wirklichkeit. Aber war dieses Harmoniegesäusel, das Katja wie auf Knopfdruck immer dann abließ, wenn sie nervös zu werden begann, war diese Sprech-Erbschaft ihrer Mutter etwa genauer?

Jamal erinnerte sich. Nein, damals war es nicht zum Streit gekommen. Nicht einmal eine Unstimmigkeit hatte es gegeben. Ein sanfter Hinweis war es gewesen, nichts weiter.

Sie saßen beide auf der Couch, und Jamal hatte zur Untermalung seiner Geschichte wieder mal die alte Eros-Kassette in den Recorder geschoben, denn auch Ramazzotti war unvergleichlich sanft. Sie hörten *Adesso tu* und suchten gemeinsam nach anderen Wörtern, die ebenfalls in Frage kamen: Angesäuselt, angeheitert, angedudelt und beschwipst. Bei jeder neuen Vokabel, die sie gefunden hatten, rückten sie näher zusammen. Jamal saß Katja mit gekreuzten Beinen gegenüber, er zog die Stirn in Falten, drückte seine Handballen auf der Suche nach dem richtigen Wort gegeneinander, und sie, sie sah ihn mit ihren glänzenden Augen an, als wäre es Liebe. Gut, daß er nichts von der Nacht mit Göran erzählt hatte. Nach dem Fest, als er es sich zum ersten Mal hinten reinstecken ließ. Welche Synonyme gab es dafür? Jedenfalls keines, das bei Katjas momentaner Stimmung nicht unter den Verdacht der Brutalität gefallen wäre. Jemanden kennenlernen, mit jemandem weggehen, zur Not auch *mit ihm eine Nacht verbringen*, aber das war schon das Maximum an Aussprechbarem.

Wie sie sich im Laufe der Monate verändert hatte ... Jedesmal, wenn sie länger zu Hause bei ihrer Mutter gewesen war, hatte sie sich dort den Bazillus dieser verdammten Betschwestern-Sanftheit geholt. Eine Reaktion auf den polternden Charakter der Frau Mama, ihre Flüche gegen Männerwelt und Patriarchat, vor allem aber gegen die männlichen Freunde ihrer Tochter? Vielleicht. Falsch: *Ganz sicher* war es so gelaufen. Doch jetzt, wo Jamal zu begreifen begann, war es längst zu spät. Die Freundin, die Komplizin war immer mehr zu einem warnenden, kopfschüttelnden Etwas mutiert, während er durch seine Bemerkungen, durch sein Drängen und seine verzweifelten Witze alles getan hatte, sie noch weiter in diese Rolle hineinzutreiben.

Jamal biß sich auf die Lippen. Es war so leicht, ungerecht zu sein. So einfach, nur die Fratze einer zerbrechenden Freundschaft zu sehen und alles, was zuvor geschehen war, zu vergessen. Wie war das mit dem feuerspeienden Drachen auf Yousufs Rücken gewesen, als sie sich am Checkpoint Charlie – Jahre war das her – im Zorn getrennt hatten? Und doch hatte es eine Fortsetzung gegeben. Um ehrlich zu sein, dachte Jamal, der Zufall hat es gut mit mir gemeint. Wenigstens bis jetzt.

Sollte er also darauf hoffen, Katja zufällig in der Stadt zu treffen und mit ihr zu reden? Was sollte dabei herauskommen? Wie sollte er Worte des Bedauerns finden, und wie sollte sie kapieren, daß die Zeit drängte und sie mit ihrer Unterschrift unter einen einfachen Wisch sein ganzes Leben ändern könnte? Er konnte sie nach allem, was passiert war, schlecht zwingen, mit ihm noch einmal die Ochsentour aufs Kammergericht zu unternehmen und anschließend das Aufgebot im Standesamt zu bestellen. Allein der Gedanke war absurd.

Dabei waren sie schon kurz davor gewesen! Hatte er denn Katjas Späße mit dem *treiben* in Rilkes Herbstgedicht nur geträumt? Nur geträumt ihren Ausflug in diesen abgefuckten *Kit Kat Club*, nur geträumt ihr Abendessen im *Oxymoron*, wo sie gemeinsam versucht hatten, den geilen Türsteher anzubaggern? Was hatte er angestellt, daß all dies nur noch eine ungenaue Erinnerung war? Was blieb, war allein der Moment, als die Mama mit dem Pagenschnitt vom Tisch aufstand, ihren Zeigefinger hob und ihre Warnungen gegen die Aggressionswut der Männerwelt ausstieß: Schluß mit lustig. Die Worte, die die Mama dann gebrauchte, um ihre Tochter abzuschrecken und den nun seinerseits wie wild tobenden Jamal als typischen Macho-Arsch vorzuführen, dröhnten noch immer in seinem Ohr.

In eine Scheiß-Geschichte hatte er sich da hineinlaviert! In den letzten Tagen hatte er oft daran gedacht, nochmals in dem netten kleinen Häuschen in Schmargendorf anzurufen, um sich ein letztes Mal auszukotzen. Egal vor wem, ob vor der lesbischen Übermutter oder ihrem sanften Töchterchen. Die eine hatte gefürchtet, daß der wilde Araber ihr liebstes Kind mit seinem riesigen Orient-Schwanz bedrohte, während das liebste Kind vielleicht gerade das erhofft hatte. Er hatte mit beiden noch eine Rechnung offen, noch längst war nicht alles gesagt. Andererseits – ihm war ja bereits das Kunststück gelungen, seine beste Freundin, seine Vertraute während so vieler Monate hier in Berlin, einzuschüchtern und fortzujagen wie eine Fremde. Je deutscher die beiden Frauen wurden, um so stärker hatte er jene Rolle zu spielen begonnen, in der in seiner Kindheit die männlichen Erwachsenen herumstolziert waren. Oder war es umgekehrt; hatte er angefangen, sich so zu verhalten und damit Katja in die Arme ihrer Mutter zurückgetrieben, die sich dann in zwei Zangen verwandelten, aus denen es kein Entkommen gab? Es müßte geredet werden, soviel war sicher. Aber es war zu spät. Der einzige, der ihm hätte helfen können, war Avif. Aber auch den, er sollte sich schlagen dafür, hatte er zurückgewiesen, gedemütigt, klein gemacht. So klein, wie er es nun selbst war. Zum Glück hatte er schon den Zimmerspiegel verkauft, da mußte er sich wenigstens nicht mehr in die Augen sehen.

Der Flug für morgen war gebucht, und in den nächsten Stunden würde er ein letztes Mal durch die Stadt laufen. Für die Ämter existierte er nicht mehr, war abgemeldet und abgeschrieben, eine Zeile weniger unter der Rubrik mit den K-Namen. Nach allem, was passiert war, war es wenig wahrscheinlich, daß ihm ausgerechnet in diesem Hexenhäuschen in Schmargendorf nachgeweint würde. Er erinnerte sich an Katjas schreckensstarres Gesicht, mit dem sie seinen Haßausbruch, seinen Versuch, tätlich zu werden, verfolgt hatte, und seine Wut verrann ebenso wie seine Hoffnung. Nur Müdigkeit blieb, totale Müdigkeit. Fast sehnte er den Moment herbei, wo das Flugzeug endlich abheben und über Schönefeld in den Wolken verschwinden würde.

Und Menton? Menton hatte er nie gesehen.

Es war nichts als eine Erinnerung geblieben – Katjas Erinnerung.

Auch das wieder typisch für sie: Das Glück, das es für ihn bedeutete, als Trauzeuge – nicht als fremder, zufälliger Gast, sondern als Eingeweihter, als intimer Freund! – an der Hochzeit teilzunehmen, hatte sie verstanden, aber von seiner Panik, in den großen Family-Organismus eingequirlt zu werden, hatte sie ebenso wenig kapiert wie von seinem Wunsch, Yousufs Mom kennenzulernen. Zuviel Widersprüchlichkeiten. Dabei hatte er die Lust, sofort abzuhauen, um mit Göran ins Bett zu steigen, nicht einmal erwähnt.

Er hatte von Verrat und der furchtbaren Einsamkeit gesprochen, mit der jede eigene Entscheidung bezahlt werden mußte, hatte von seiner Furcht vor dem Zwang geredet, der hinter jedem Zusammengehörigkeitsgefühl steckte, und je länger er sprach, um so wirrer kam es ihm vor. Empfand denn nur er so, fühlte nur er sich gleichzeitig kribbelnd vor Neugier und hilflos überfordert von der großen Stadt, ihren Menschen und Möglichkeiten? Lag es daran, daß er kein Deutscher war oder war es nicht eher so, daß Schwule anders waren, für die Mehrheit unverständlich? War Katja *die Mehrheit?*

Und weshalb hatte er das Gefühl gehabt, daß auch zwischen ihm und dem geilen, aber so unendlich maulfaulen Göran Meere und Welten lagen? Konnte gut sein, daß alles seine eigene Schuld war. Avif hätte es bezeugen können.

Seine Ängste und Phantasien, ehe er dem Onkel auch innerlich vom Diwan gerutscht war, seine Einteilungsraster in Tag- und Nachtmenschen, hie und da, dies und das – alles mußte bei ihm definiert sein, beschriftet werden und seinen Wert zugeordnet bekommen. Sah so der Einfluß der Deutschen aus?

Vielleicht war es nur der Preis seines neuen Lebens. Daheim, da hätte es diese Fragen gar nicht gegeben. Da war alles klar, da war er ein Kind, und das Kind mußte gehorchen, so wie auch die Erwachsenen einander gehorchten.

»Laß dich einfach fallen«, hatte Katja begütigend gemeint, aber das sagte sich leicht, wenn man wie sie in der mütterlichen Wohnung überall abgeschliffenen Parkettfußboden hatte, auf dem zusammengeflickte Stoffetzen lagen, die sie aus unerklärlichen Gründen Lima-Teppiche nannte.

Je länger er auf das Fenster starrte, um so mehr solcher Sachen fielen ihm ein. Wie bei alten Leuten kurz vor dem Abkratzen, dachte er.

Einer von Katjas verflossenen Freunden war Waldorf-Schüler gewesen (Jamal hatte sich geduldig das Wort und die Institution erklären lassen, denn seine Bemerkung – »So 'ne Art nichtreligiöse Imam-Schule, schätz ich« – wurde nicht gelten gelassen) und hatte in einem *Zukunftsprojekt* in Polen gearbeitet. Dort hatte er leider eine neue Freundin, ebenfalls eine junge Deutsche, kennengelernt. Damit war Katjas Liebe zu ihm erloschen, und auch zu dieser Geschichte wäre nichts weiter zu sagen gewesen, hätte Jamal, der um diese Zeit wegen Ermangelung interessanterer Kontakte zuviel Fernsehen schaute und schlecht gelaunt war, nicht gefragt: »War er etwa einer von denen, die in den KZs Gartenwege harken und Fenster putzen?«

Erst kurz zuvor hatte er eine Sendung gesehen, in der junge

Leute voller Begeisterung in einem alten Lager-Areal herummarschierten und – müde, aber froh auf ihre Spaten und Besen gestützt – von der Notwendigkeit einer Erinnerungsarbeit, sie sagten *Erinnerungsarbeit*, sprachen.

Jamal rechnete nach. Das war natürlich viel später gewesen, ungefähr zwei Jahre nach seiner Hochzeitsgeschichte mit dem besoffenen Beamten. Das wußte er genau, denn da hatte er Katja zum ersten Mal richtig zornig gesehen. Was bei einem Baum die Jahresringe waren, war bei ihr die zunehmende Verdüsterung ihrer Miene – Jamal konnte daran erkennen, zu welcher Zeit sich die einzelnen Geschichten zugetragen hatten.

»Es ist wohl von euch ein bißchen viel verlangt, Frauen zur Abwechslung einmal für voll zu nehmen?«

Jamal hatte überrascht entgegnet, wie sie dazu käme, *euch* zu sagen; soweit er sehe, wären sie nur zu zweit im Zimmer.

»Na fein«, antwortete Katja, und ihr Ton war ziemlich schnippisch geworden. »Wenn du dauernd *ihr* sagst, ist es ungeheuer komisch, nicht wahr. So lebendig und ursprünglich, daß uns verklemmten Deutschen nichts anderes übrigbleibt, als uns darüber halbtot zu lachen, darum geht es doch. Aber wenn wir auch nur einmal das gleiche tun, kommt *ihr* uns sofort mit Rassismus, der Vergangenheit und all dem Scheiß!«

Hoppla, da mußte sich ja eine ganze Menge angestaut haben. Jamal hatte Katja nie zuvor das Wort *Scheiß* benutzen hören. Es mußte ernste Gründe geben, daß sie auf einmal so wütend war. Sie saß auch nicht mehr auf der Couch, sondern lief aufgeregt im Zimmer umher, wobei sie ihre Finger in den weitläufigen Maschen ihres dunkelblauen Wollpullovers vergrub.

»Okay, okay«, meinte Jamal schließlich. »Dann *du*, bitte sehr. Tut mir leid, wenn ich mich falsch ausgedrückt habe. Aber, wie soll ich es sagen, es kam mir eben so vor, daß die Trennung – *deine* Trennung – von diesem Waldi aus dem Zukunftsprojekt nicht gerade tragisch war. Sieht ganz so aus, als ob du's bestens überstanden hättest.«

Katja, jetzt keine Katze mehr, sondern ein Raubtier, hatte ihn kalt angesehen und gesagt: »Tut mir leid für dich, mein Lieber. Tut mir ehrlich leid. Dein Pech, daß du in all den Jahren noch nicht geschnallt hast, daß sich hier Gefühle anders artikulieren. Oder *zeigen* – wenn es so verständlicher ist. Man braucht nicht dauernd höllische Tragik, Tränen und diese hysterischen *Ya-Al-*

lah-Ausrufe, um traurig zu sein. Und man muß auch nicht immer *spritzen*, um sich wie der Prinz im siebten Himmel zu fühlen. Bei uns gibt es zwischen Himmel und Hölle noch die Erde, und es sieht nicht so aus, als wäre diese Einsicht schon zu dir durchgedrungen. Außerdem hieß er nicht Waldi, sondern Ulf.«

Dann war sie wortlos gegangen, hatte die Tür hinter sich zugeknallt und Jamal völlig verdattert im Zimmer stehenlassen.

Schon am nächsten Tag aber telefonierten sie wieder miteinander und fielen sich mit ihren Entschuldigungen gegenseitig ins Wort.

»Wir hakeln uns wie Bruder und Schwester«, sagte Katja, die selbst keine Geschwister hatte. Und Jamal, der immer verzweifelter eine Frau suchte, um nicht das Land verlassen zu müssen, dachte: Vielleicht ist gerade das unser Problem.

Noch hatte der große Bruch nicht stattgefunden. Aber die ersten Risse waren unübersehbar. Sie wurden größer, je schwerer es Jamal fiel, das, was ihn nachts in schwitzende Alpträume trieb, konkret anzusprechen. Wahrscheinlich war das mit den genauen Wörtern keine schlechte Idee. Aber gerade dann, wenn es ernst wurde, wollten sie sich nicht einstellen. Je spöttischer er deshalb zu sein versuchte, um so mehr verletzte er Katja.

Doch war dies noch weit, weit weg, als sie ihm von Menton erzählt hatte.

Menton, eine Stadt in Südfrankreich, in unmittelbarer Nähe zur italienischen Grenze gelegen. Auch dort gab es ein Standesamt und einen Hochzeitssaal, dessen Wände ein Künstler namens Cocteau – Katja versuchte ihre Enttäuschung zu verbergen, als Jamal gestand, noch nie etwas von ihm gehört zu haben – nach seinen eigenen Vorstellungen bemalt hatte.

»Das durfte der?« fragte Jamal.

»Und ob«, hatte Katja gesagt. »Er hat viele Rathäuser ausgemalt, sogar Kapellen – zumindest die, in denen nicht gerade Picasso herumpinselte. Das mußt du gesehen haben, die ganze Côte d'Azur ist voll von diesen leuchtenden Farben.«

Jamal verstand nicht. Wieso *mußte* er das gesehen haben, wenn er noch gar nicht dort gewesen war? Katja lachte. »Wenn man sagt, man müsse etwas gesehen haben, ist das nichts, was sich auf Vergangenes bezieht, sondern nur so ein Tip für die Zukunft.« *Nur so ein Tip.*

Und schon sprach sie weiter und beschrieb ihm die Stadt, die nur wenige Zugminuten hinter Monte Carlo lag und an deren Straßen schon im Frühjahr reife Orangen in den Bäumen hingen. Jamal dachte: Für Katja ist das Gegenwart, sie spricht davon, als hätte sie die Wandmalereien erst vor wenigen Stunden gesehen. Wie leicht und mühelos! Die Vergangenheit konnte auf ein Fingerschnipsen hin wiederkehren, und das war auch gut so, denn sie hatte Orangen und phantastische Pinselstriche zu bieten: Sogar die Zukunft war nichts weiter als die Fortsetzung dieser Erlebnisse. Ich habe gesehen, ich werde sehen, ich werde gesehen haben. Menton, die andere Seite des Mittelmeers.

»Eigentlich nur ein bißchen schräg nach oben, bei dir gegenüber«, hatte sie gesagt. Schräg gegenüber dem Libanon, dachte er, liegt eine Welt, die ich nicht kenne. Werde ich sie jemals kennenlernen?

Die Aufenthaltsberechtigung galt nur für Deutschland, und sie war auf vier Jahre beschränkt. Wie sollte er in dieser Zeit genügend Geld auftreiben, um sich ein französisches Visum zu beschaffen und Urlaub zu machen in Menton? Urlaub, ein Wort, das nicht vorgekommen war, als man ihn in das Flugzeug nach Berlin gesetzt hatte. Du wirst Bauingenieur in Alemania und nach deiner Heimkehr ein reicher Mann, Habibi. Von bemalten Standesämtern hinter Monte Carlo war nie die Rede gewesen.

»Erzähl weiter«, bat er.

»Da gibt's nicht viel zu erzählen, man muß es selbst gesehen haben. Der Hochzeitssaal ist eigentlich gar keine Attraktion in der Stadt, er gehört ganz normal zu Menton. Wir haben ihn damals nur zufällig entdeckt.«

»Wir?« fragte Jamal.

»Na, ein paar Freunde aus meiner Abi-Klasse. Nachdem alle Prüfungen vorbei waren, haben wir eine Reise in den Süden gemacht. Mutter war dagegen, weil auch zwei Jungs mitkamen, aber schließlich leben wir nicht im 19. Jahrhundert. Steffen war gerade dabei, einen Studienplatz in Frankfurt zu suchen, und auf Hasch-Rainer wartete der Zivildienst. Damals habe ich das erste Mal gekifft, übrigens auch zum letzten Mal.«

Als Jamal wissen wollte, wie es gewesen sei, schüttelte Katja so übermütig den Kopf, daß ihr die Haarsträhnen ins Gesicht fielen. »Schwammig. Meine Beine waren nur noch ein X, nicht besonders erhebend. Aber wir waren eine tolle Truppe. Ich und zwei andere Mädchen hatten feste Au-pair-Stellen; bei mir sollte es doch nach London gehen.«

»Ach ja?« sagte Jamal. »Das hast du mir noch nie erzählt.«

Mit welcher Selbstverständlichkeit sie über Reisen, Freunde und Zukunftsentscheidungen sprach! Als wäre das Leben eine schöne Halskette voller sorgsam aneinandergereihter Perlen, die man sich selbst ausgesucht hat ...

Er fing Katjas überraschten Blick auf.

»Das ist doch völlig normal, jedenfalls« – sie lächelte entschuldigend –, »jedenfalls ist es hier in Deutschland nichts Besonderes. Aber dieser Saal – eine Wucht. Rednerpult, Tisch, davor die Stuhlreihen, alles wie überall. Aber die Wände, diese riesigen Bildtafeln! Links reiten nackte Menschen auf Pferden, und ihre Körper gehen in den Tierleibern auf. Verstehst du: Der Rücken eines Reiters verschmilzt mit dem eines Pferdes! Alles ist eine Einheit, und du denkst, jetzt kommt er auf dich zugewirbelt, ein ganzer Kosmos voller Körper. Da stehst du nur da und staunst.«

»Wie hieß der Maler noch mal?«

»Cocteau. Jean Cocteau. Und ...«, sie machte die Miene, die Jamal am meisten an ihr mochte, ein Kätzchen-Gesicht, schmeichlerisch, aber jeden Moment zum Kratzen bereit. »Und am besten war er dann, wenn er Männer malte. Reiter, Gitarrenspieler, Gigolos und Matrosen, deren Stirn plötzlich zu einer schräg aufgesetzten Mütze wird, während von hinten ein fremder Arm ins Bild drängt, der aber vielleicht gar kein Arm ist, sondern ein ausgestrecktes Bein.« Sie sah Jamal an und strich gedankenverloren über sein Handgelenk.

»Ich muß nach Menton«, sagte er und zog die Hand leicht zurück. »Hör auf, das kitzelt.«

Aber noch fehlte die rechte Saalwand. Laut Katja gab es dort gebräunte Frauen (endlich einmal Frauen!) mit Turban und wallenden Gewändern, die Ananasfrüchte auf ihrem Kopf trugen.

»Das Schönste ist das Bild an der Vorderseite, gleich hinter dem Rednerpult: Eine Frau küßt einen Mann, und die Nase des Mannes setzt sich fort in einem Sonnenstrahl, der wiederum den Kopf der Frau in helles Licht taucht.«

»So etwas müßten wir hier auch organisieren«, meinte Jamal und sah Katja von der Seite an. Sie nickte, aber es war nicht klar, ob sie verstanden hatte.

Sie sagte: »Das schönste Standesamt der Welt! Und dabei gar

nicht leicht zu finden. Erst im Cocteau-Museum unten am Hafen haben wir gehört, das es so etwas gibt. Das Museum ist ein altes Fort direkt am Meer. An den Steinwänden hängen die Bilder, und gleichzeitig kannst du durch die Fenster aufs Wasser schauen. Hellblauer Himmel, dunkelblaues Meer und dann die weiße Gischt, die bis hoch an die Glasscheiben spritzt.«

Jamal hatte den Mund ein wenig geöffnet. Er sah Katja an, sah durch sie hindurch.

A Menton, au soleil – à l'autre côté!

Ja, Katja hatte recht. Sie existierte, die Schönheit. Man mußte es nur richtig anstellen, und aus einem besoffenen Beamten-Schwätzer wurde ein angesäuselter Matrose mit einem Amulett auf der offenen Brust, der schlafend an einer Gitarre oder einem Pferd lehnte, während seine Haare zu Sonnenstrahlen wurden ...

Aber nicht in Berlin, nicht in dieser Stadt! Hier standen Schönheit und Harmonie unter Generalverdacht. Sogar die schicken Yuppies, die die neuen Cafés am Hackeschen Markt überschwemmten oder mit ihren Handys zwischen den Glasklötzen am Potsdamer Platz herumrasten, waren auf eine so aggressive, schuldbewußte und angelernte Art schick, daß es zum Kotzen war. Und dann dieses Pack auch noch nackt sehen müssen?

Gott bewahre! Von wegen Sonne und Gitarren und Pferde.

Von wegen *Integration*. Das war wieder etwas anderes, aber aus irgendeinem Grund mußte Jamal jetzt an die Hysterie im Fernsehen denken. Sie hatte in letzter Zeit immer mehr zugenommen, ganz so, als wolle sich Deutschland auf diese Weise von ihm verabschieden. Die Ausländer wollen sich nicht integrieren, jammerten scheinheilig die einen, während die anderen bedauernd darauf hinwiesen, daß die deutsche Gesellschaft dies auch gar nicht wolle.

Die wollen nicht und die können nicht, dachte Jamal. Ja, sollten sich die sogenannten Ausländer und ihre hier zur Welt gekommenen Kinder etwa diesen Currywurst-Atzes anpassen, die mit ihren fetten Bäuchen überall in der Stadt herumlatschten? Sollten sie mit ihnen auf den Plastikstühlen ihrer Straßenkneipen sitzen und deutsche Volksmusik hören, wie sie erbärmlicher nicht vorstellbar war?

Warum nicht. Sonst paßte sich ja auch alles auf niedrigstem Niveau an. Hier liefen die pickligen jungen Türken schon genauso breitbeinig wie ihre bärtigen Alten durch die Straßen, rotzten in jede Ecke und verdroschen die Kreuzberger Tunten, die – aber das nur nebenbei – auch jeden Tag für einen Häßlichkeitswettbewerb zu proben schienen. Hier lernten die blöde vor sich hin brabbelnden Anatolien-Omas außer *Sozialamt* kein einziges deutsches Wort, weil die Arschlöcher auf den Ämtern ebenfalls nur ihre Alien-Vokabeln drauf hatten. Hier zündete man türkische Häuser an, zündeten Türken kurdische Geschäfte an, und bestimmt waren die Kurden auch nur hier so dämlich, ausgerechnet Israelis zu attackieren oder sich selbst anzuzünden.

Geschah ihnen ganz recht, den Deutschen. Jedes Land kriegt die Zuwanderer, die es verdient. Und Piefke-Town, dachte Jamal, Piefke-Town verdient eben nur Rotzer und Hütchenspieler, auf deren vorstehenden Backenknochen man sogar Bierhumpen hätte balancieren können.

Da half nur eines: Man brauchte einen deutschen oder einen EG-Paß und ein bißchen Knete, um in die Gitarrenländer fahren zu können. Und wenn man zurückkam, und zurückkommen mußte man wohl irgendwann, hatte man einen Schatz im Kopf, einen leuchtenden Diamanten, den einem weder Bullen noch Junkies, weder Antifas noch Nazis, weder Beamte noch müffelnde Studis je wieder stehlen konnten.

Er selbst jedoch hatte nichts davon.

Das Wetter war nicht besser geworden, aber es sah nicht aus, als würde es gleich wieder regnen.

Jamal zog die Zimmertür hinter sich zu.

Der Geruch der Straße überraschte ihn. Von den Blättern der dürren Bäume am Straßenrand fielen zögernd die letzten Regentropfen aufs Trottoir, und die Luft war rein und würzig; Jamal sog sie in vollen Zügen ein. Er dachte: als hätte man die ganze Stadt durch den Vollwaschgang gejagt – mit Perwoll. Das war also Schönheit à la Berlin, natürlich wieder ohne Sonne. Besser als gar nichts.

Jamal atmete tief durch. Bilder zogen durch sein Gedächtnis, und er mußte aufpassen, bei Rot nicht über die Kreuzungen zu laufen und aus den noch regennassen Autos heraus wütend angehupt zu werden. Katja ist weg, Avif ist weg, Silvia und Yousuf wohnten seit einer ganzen Weile in New York, und der Luftpostbrief, in dem sie ihren Berlin-Besuch angekündigt hatten, hatte er dummerweise mit den anderen Papieren weggeschmissen, als er sein Zimmer für die Übergabe *besenrein* machte. Hätte er in der Mülltonne danach suchen sollen?

Hat schon seine Richtigkeit, dachte er. Besuche kündigt man nur Leuten an, die man auch wirklich treffen kann.

Er aber war fast schon nicht mehr da. Abgemeldet, ausradiert. Hatte es je diesen Herrn Kassim, wohnhaft in Kreuzberg gegeben, der den Trauzeugen spielte? Hatte wirklich mal einer existiert, der mit offenstehendem Mund von einer Frau namens Katja Lockendes über eine Stadt namens Menton gehört und von großartigen Reisen geträumt hatte? Der mit ihr – und Avif und Silvia und Yousuf – im GON-Club getanzt hatte und für Stunden, ja Tage der glücklichste Mensch der Welt gewesen war, bis er nach zwei Wochen wieder den Rappel bekam und alles zerstört hatte?

Jamal grinste böse. Es war ganz an ihm, zu entscheiden, ob das wirklich passiert war oder nicht. Die Versuchung, alles auszulöschen, war groß. Sollte er ihr nachgeben? Da hatte er sich solange durch alles, was ihm begegnet war, durchgedacht und durchgeträumt und durchgetanzt, durchgefickt und durchgeheult und durchgelacht; wollte er nun etwa so tun, als hätte nichts davon gezählt? O nein, und wie es zählte!

Jamal verwarf den Gedanken, nochmals seiner alten Eros-Bude einen Besuch abzustatten. Nein, *das* würde er sich nicht antun: Zwischen den Marktständen und den Türkenfrauen auf dem Trottoir stehen und die schmutzige gelbweiße Fassade des gestrandeten Dampfers entlangschielen, bis seine Augen die neunte Etage, sein Fenster – das *berühmte* Fenster – finden und erwartungsgemäß feucht werden würden bei dem Wissen, daß alles vorbei war.

Lieber lief er die Oranienstraße entlang, denn da wußte er, daß er sogar eine Art Wahl hatte. Mit dem 129er Bus zum Zoo – die Gegenrichtung Hermannplatz, wo die Klappen waren und die rumänischen Dealer herumlungerten, fiel aus –, mit der U-Bahn zum Nollendorfplatz (aber da müßte er vorher bis zum Kottbusser Tor laufen, dann würde er den Dampfer sehen und mit dem Taschentuch in der Hand eine dramatische Abschiedszene hinlegen müssen) oder, und das schien das beste zu sein, vor zum Moritzplatz laufen und dort in die U 8 Richtung Weinmeisterstraße einsteigen. Er hatte noch etwas Geld, und auch seine Ausgehklamotten konnten sich sehen lassen. Kein Problem, in einem der Cafés am Hackeschen Markt einen Fensterplatz zu ergattern, einen Kaffee zu bestellen, sich eine Zigarette anzuzünden, auf die belebten Straßen hinauszuschauen, das eigene Gesicht in den Scheiben der vorbeiratternden Straßenbahnen gespiegelt zu sehen und ... Ja, und was eigentlich?

Und sich zu erinnern; logisch. Wenn noch genügend Zeit gewesen wäre, hätte er vielleicht mit einem Spezialisten über diese Sache sprechen sollen. Natürlich nicht mit Katja, die bestimmt »Du erinnerst dich falsch« gesagt hätte, wie sie schon einmal »Du staunst falsch« bemerkt hatte. Und das nur, weil er hier in der Stadt anderes faszinierend fand, als sie erwartet hatte und gar nicht daran dachte, die gewünschte Dritte-Welt-Nummer (»Oh, welche Überfülle! Och, was für 'ne Seelenkälte!«) abzuziehen, die hier anscheinend alle von ihm erwarteten. Statt dessen hatte er Katja ohne Rücksicht auf Verluste mit seinen Beobachtungen und Bemerkungen gepiesackt, bis sie es nicht mehr aushielt. Du staunst falsch. Du scheißt auf unsere Erwartungen, ist es nicht so? – Ja, meine Liebe, so ist es. Oder vielmehr: War es. Na und?

Aber wie erinnert man sich, was läuft da oben im Gedächtnis ab, was nimmt solche Grautöne an, daß es sich irgendwann von selbst auflöst und was bleibt in grellen Farben haften wie mit Klebstoff aufgetragen? Und was ist mit der Zeit, weshalb dehnen sich Tage, ja Stunden endlos, während ganze Jahre auf ein, zwei Episoden zusammenschnurren und sich einrollen wie ein Kätzchen, das, müde geworden vom Jagen und Beißen, auf einmal nur noch schlafen will?

Verdammt, dachte Jamal, und jetzt war er wirklich zum Moritzplatz gelaufen und in die U-Bahn eingestiegen, wo sind meine zwei fetten Jahre geblieben?

Wieso hatte er bis zu diesem Moment kein einziges Mal an diese Zeit gedacht? Weil sich ihm der Schock, von hier wegzumüssen, in seine Gehirngänge gefressen hatte? Quatsch. Von Schock konnte keine Rede sein. Alles nur eiskalte Planung.

Ja, Jamal, das war das Wort: *eiskalte Planung.* Daran mußt du festhalten. Du gehst freiwillig, vor der ablaufenden Frist, und niemandem hast du den Triumph gegönnt, dir mit Ausweisungsbescheiden angst zu machen oder mit Handschellen für die Abschiebehaft herumzufuchteln. Nein, es ist *meine* Entscheidung, und auch darin bin ich euch zuvorgekommen.

Er spürte, wie er sich entspannte. Woran er sich jetzt zu erinnern beschloß, das war tatsächlich einsame Spitze gewesen. Eine Hochleistung, da gab es nichts zu sagen.

Denn in diesen zwei Jahren war er gesprungen, war durch die Stadt, ihre Menschen und deren Geschichten geglitten und hatte allen, die ihn halten wollten, ein Schnippchen geschlagen. Er hatte dafür bezahlt, okay. Würde er sonst allein in der U-Bahn sitzen, mit keiner anderen Hoffnung als der auf einen Fensterplatz in einem Café, wo man ihn in Ruhe nachdenken ließ?

Es war ein Versuch gewesen, er hatte ihn gewagt, und nun war das Spiel zu Ende. Anders als bei diesem lächerlichen deutschen Brettspiel, in dem es nur darum ging, einfach Menschen zu ärgern, hatten bei ihm spannendere Regeln gegolten. Stell dir eine Welt voller Zimmer, Wände und Türen vor, und du – wohlgemerkt ein lebendiges Wesen und nicht irgendein körperloses Etwas – treibst durch sie alle hindurch, bleibst und gehst, gehst und kehrst wieder, ganz unverhofft. Zwei Jahre lang.

Jamal

ALS SICH DIE EREIGNISSE HÄUFTEN – NEIN, SCHON
falsch: *Sich häufen* klang nach Verpackungsmüll, auch *sich überstürzen* war zu hektisch und völlig unpassend, weil alles viel
leichter gewesen war, federleicht und dennoch von Gewicht –
also, als alle diese Dinge passierten, hatte er daran gedacht, ein
Tagebuch zu beginnen. Oder besser: Ein Tag-Nacht-Buch. Jedenfalls so etwas in dieser Art. Nicht, daß er seine Gedanken dort
eintragen wollte. Er wußte, daß er sowieso zu viel nachdachte.
Der Versuch, all das, was er tagsüber gegrübelt hatte, nachts
aufzuschreiben, hätte ihn nur wertvolle Energie gekostet und
seine schönsten Stunden versaut. Nein, er hatte eher an
Schnappschüsse gedacht, auf Papier gebrachte Augenblicksbilder.

Eine Straße in Berlin, durch die er gegangen war. Die U-Bahn-
Station, in der er jemanden aufgegabelt hatte. Dessen Gesicht
davor und danach. Oder der Geruch – aber wie beschrieb man so
etwas – von Tafelkreide und Schweiß, der ihn regelmäßig aus den
Zeichenräumen im vierten Stock der Technischen Universität
getrieben hatte. Der Tiergarten und das Fraenkelufer im Sommer.
Der Grunewald im Winter, wenn die schneeschweren Äste die
dünne Eisschicht des Sees berührten. Die Leipziger Straße vor
dem *Tresor* und die Glogauer vor dem *Kit Kat Club*, vier Uhr
morgens, wenn außer dem Surren der Straßenreinigung und den
gedämpften, immer wieder abreißenden Gesprächen der verpeilten *Club People* absolute Weltraumstille herrschte.

Oder später: Katjas ungläubiges Lächeln, ihr Mund voll Staunen und Zuneigung, ihr dichtes, kastanienbraunes Haar. Und
Avifs Augen, seine wie mit Kohlestift gezeichneten Brauen, ihre
Umarmungen hoch oben vor dem Fenster seiner Eros-Bude. Ihre
ineinander verschränkten Arme, als sie im GON-Club über die

Tanzfläche rasten, direkt auf Silvia und Yousuf und Katja zu; all das eben.

Schließlich ließ Jamal es doch bleiben. Das war etwas für's Kino, für einen Roman. Und er war kein Roman. Ich bin kein *Bildungsroman*, hatte er später Katja sagen müssen, als sie ihn mit den ersten Lesefrüchten ihres Nebenfachs Germanistik bewarf und monierte, er, Jamal Kassim, bestünde nur aus aneinandergereihten Episoden.

Und wenn schon. Episoden waren nichts Schlechtes. Sie erinnerten ihn daran, wie er damals in der Schule jene Kinderbuch-Serie verschlungen hatte, mit der ihnen die Lehrerin die ersten französischen Worte beigebracht hatte. *Paul et Valérie. Paul et Valérie dans la ville. Paul et Valérie à la mer. Paul et Valérie dans la campagne et en voyage.* Hatten sich die beiden dabei *gebildet?*

Sie kamen durch und fügten keinem anderen Schaden zu; allein darauf kam es an.

Anstatt also wie diese pickligen Ami-Touristen die verschwitzten Beine zusammenzupressen und ein quadratisches *Note Book* über die Shorts zu legen, um darin mit einem Parker Kugelschreiber aus Daddys Bürobeständen alle Stationen der Berliner U-Bahn, die sie auf dem Weg zu McDonald's am Zoo gerade passierten, fein säuberlich aufzukritzeln und die Welt in Tage und Uhrzeiten einzuteilen, begnügte er sich damit, die Augen offen zu halten und die Bilder und Gedanken in seinem Gehirn einfach wachsen und sterben zu lassen.

Was hätte er auch schreiben sollen? Er war genug damit beschäftigt, zu leben, zu laufen. Nicht wie damals am unsichtbaren Hundehalsband von Onkel Ziyads Launen, sondern nach eigenem, hart erarbeitetem Programm. Da er nun schon einmal Bauingenieur werden mußte, konnte er wenigstens sein Talent im Konstruieren erweitern.

Bisher hatte seine Welt nur aus Zimmern, ihm *zugewiesenen* Zimmern bestanden. Das stickige Kabuff in Beirut, das Diwan-Geviert in Moabit, Kerstins Horrorkabinett in Hellersdorf. Der Kursraum im Goethe-Institut und all die Jahre in libanesischen Schulzimmern, die, wie ein Boot bei hohem Wellengang vom Bürgerkrieg umbrandet, immer wieder angeschossen und in ruhigere Viertel ausgelagert worden waren. Dabei machten ihm die Schule und das Studium nichts aus, er war weder klaustrophob noch ein Naturfanatiker. Auch die Bäume und Fick-Ecken im

Tiergarten konnten zu geschlossenen Räumen werden, wenn man nicht acht gab und sich zu lange darin aufhielt. Aber darauf kam es an: Das zu tun, was man leider tun mußte, anwesend zu sein, wann immer es gefordert war, in der restlichen Zeit, die einem blieb, jedoch zu vermeiden, sich zusätzlich zwischen Bänke, Wände und hinter Türen quetschen zu lassen.

Herausgehen, *herumtigern*, gucken, was sich tat, irgendwo eine Weile bleiben und dann wieder hinaus – so könnte es sich leben lassen. *I say Hello and I say Goodbye* und sich alle Optionen offenhalten. Berlin war die perfekte Stadt dafür. Kein Zentrum, keine eigentliche Schönheit, dafür eine Menge Viertel und Abertausende von Räumen, in denen gelebt und geatmet, gestorben, gevögelt oder getanzt wurde; er mußte sie nur entdecken, ohne sich von ihnen einfangen zu lassen. Und dafür brauchte er ganz bestimmt kein Tagebuch. Wenn alles zerfaserte, dann mußte er, Jamal Kassim, eben nach diesen Fasern greifen, sie befühlen und entlangstreifen und schauen, ob sich etwas darauf abgelagert hatte, was lohnte, mitgenommen zu werden.

Nein, er war weder ein Chronist noch The King of Kreuzberg, weder Eroberer noch Chef du Diwan. Das war Onkel-Gewäsch, das er endgültig vergessen mußte. Such die Fäden und geh dabei dir selbst nicht verloren!

Eigentlich brauchte man dazu nur eine Eros-Bude als Rückzugsgebiet und Abschlepp-Camp, eine Aufenthaltsgenehmigung und etwas Geld. Und etwas Geld, natürlich. Die Mutter hatte die monatlichen Überweisungen ein wenig aufgestockt, damit er besser zurechtkam.

Das fand er gut, wenngleich sich seine Dankbarkeit in Grenzen hielt. Schließlich hatten *sie* ihn hierher verfrachtet, ihm dieses Bauingenieursdingsbums angehängt und sich den Teufel darum geschert, wie es ihm in den ersten Monaten bei seinem Onkel ergangen war. Aber das war vorbei, Schnee von gestern.

Wenn er durch die Stadt lief, sah er die rotweißen Touristenbusse, von deren offenen Oberdecks eifrige Reiseführerstimmen in Deutsch, Englisch und Französisch herunterschallten. Aber was wußten die schon, die Guides, die Touristen. Er kümmerte sich nicht darum. Er war im Glück. Jamal im Glück, wirklich im Glück.

Natürlich nicht wie dieser deutsche Hans in jener so deutschen Goethekurs-Geschichte, in der davor gewarnt wurde, zuviel zu träumen ohne zu rechnen, zuviel zu probieren ohne den eigentlichen Geldwert einer Sache genau abzuchecken. Dabei tauschte auch er, aber er tauschte fröhlich um und ein, holte sich manches zurück, ließ anderes dafür fallen. Schlief auch schon mal ein paar Nächte allein, quer über seiner Doppelmatratze ausgestreckt, mied die Clubs und versenkte sich in seine Uni-Bücher, die so bescheuerte Titel wie *Homogene Schwingungssysteme und Wellenausbreitung im Baugrund* trugen. Er setzte sich freiwillig auf Diät, schuftete und schwitzte in dem von Göran empfohlenen Fitneßstudio am Rosenthaler Platz, ließ sich dann wieder in Restaurants einladen und begann, exzessiv loszuessen – und das alles in einem Rhythmus, den er selbst bestimmte.

Fünfmal am Tag in Richtung Mekka zu beten, jede Minute der geforderten Semesterstunden abzusitzen oder nach den Pogrammhinweisen in der »Siegessäule« die korrekte schwule Woche mit einer Fernsehaufzeichnung von irgendeinem Jimmy-Sommerville-Konzert oder einer Coming-out-Diskussion im Offenen Kanal zu beginnen und mit einer Naked Sex Party in einem sogar mit Telefonnummer angegebenen Prenzelberger Darkroom enden zu lassen – nein, für solche Maus-im-Laufrad-Spielchen mußten sie sich schon andere Idioten suchen.

Als im Herbst sein Studium begann, lag ein wunderbarer Berliner Sommer hinter ihm. Andere würden folgen, später ließen sie sich vielleicht gar nicht mehr auseinanderhalten. Als Katja in sein Leben trat – oder eher: auf seinen Schuh trampelte –, war es jedenfalls Winter gewesen, während die Begegnung mit Avif für einen kurzen Moment alle Jahreszeiten außer Kraft gesetzt hatte. Wie auch immer, dieser zweite Herbst seit seiner Ankunft in Berlin führte Jamal zuerst einmal zum Ernst-Reuter-Platz.

Bevor er das Hauptgebäude der Technischen Universität betrat, um an einem der Einführungskurse teilzunehmen, sah er sich ein bißchen in der Gegend um. Toll sah sie nicht aus. Ein mit Hochhäusern, die Wachtürmen ähnelten, umstellter Platz, über den um diese Jahreszeit schon eisige Zugluft pfiff, Wellen nie nachlassenden Verkehrs und dazwischen ein kleines dürres Inselchen, eine Insel-Parodie mit einem Wasserbecken ohne Wasser, dafür mit zersprungenen Kacheln und den ersten bräunlich gefärbten Blättern.

Dann begann es genau so, wie er es erwartet hatte. Penibel,

pünktlich und deutsch durchorganisiert. Bereits der Grundfach-stundenplan – so nannten sie das tatsächlich, *Grundfachstunden-plan* – ähnelte einem Gebäude, in dem nicht die kleinste Ritze dem Zufall überlassen worden war. Sterbenslangweilig. Der kurze Moment des Erschreckens lag da bereits hinter ihm.

Es war kurz vor Semesterbeginn gewesen, als man ihm bei der Studienberatung für Ausländer mitgeteilt hatte, daß die Dauer seines gewählten Studiums ungefähr fünf bis sieben Jahre betrage. Auch später war sich Jamal nicht sicher, was ihn an dieser Nachricht mehr geschockt hatte; die Aussicht, über ein halbes Jahrzehnt in diesem Beton-Ghetto zubringen zu müssen und sich allein von den Wellen einer Strömungsmechanik tragen zu lassen, oder die Tatsache, daß seine Aufenthaltsgenehmigung nur für *vier* Jahre und ein paar Monate gültig war.

Der Typ hinter dem Beratungstisch, ein schmuddlig und verschüchtert aussehender Sonst-was-Assistent, der ein schlabbriges T-Shirt mit der Aufschrift *Schnauze sonst Beule* trug, mußte schon mehrere solcher Geschichten gehört haben, denn als Jamal ihn auf das offenkundige Mißverständnis hinwies, zuckte er nur fatalistisch mit den Schultern.

Was sollte er tun? Die Eltern anrufen, mit der Ausländer-behörde verhandeln, schnell das Studienfach wechseln oder auf den Rat des *Schnauze sonst Beule*-Helfers hören, *die Sache zügig durchziehen* und sich um guten Kontakt zu seinen Profs bemühen? »Okay«, sagte Jamal. »Okay.« Schließlich war er inzwischen ein Fachmann im Kontaktherstellen geworden.

Erst viel später – und für ihn natürlich längst zu spät – erfuhr er, daß er bis zum dritten Semester noch hätte wechseln können, obwohl auch das mit Problemen verbunden gewesen wäre. Aber wohin hätte er gehen sollen? Vor zur Hochschule der Künste am Steinplatz und dem Pförtner sagen, Guten Tag, ich hab einen Sinn für Schönheit, lassen Sie mich rein? Nach Dahlem zur FU fahren und gucken, was sie dort anboten, da man hörte, daß dort eine *Massen-Uni* sei? Oder sollte er gleich die S-Bahn zur Friedrichstraße nehmen, um an der Humboldt-Uni nachzufragen, ob sie vielleicht ein paar Ethno-Kurse über das Paarungs- und Sozialverhalten der Brandenburger Regines sowie der Hellersdorfer Kerstins auf der Platte hatten?

Sein Vater hätte ihm in allen Fällen eins auf den Kopf und ins Gesicht gegeben und alle Register gezogen, um ihn lebenslang zu strafen. Nein, vier Jahre hin, sieben Jahre her, die Entscheidung war ihm bereits lange zuvor abgenommen worden. Und genau das war der Witz: Da hatten sie Geld, nach ihren Maßstäben sogar eine ganze Menge Geld, locker gemacht, vor den Nachbarn mit ihrem klugen Ingenieurs-Sohn geprahlt und dabei *Studium in Alemania, Studium in Alemania* wie eine Gebetsformel heruntergeleiert, und nun stellte sich heraus, daß das wirklich Entscheidende von niemandem bedacht worden war. Ein richtiger Witz. Fragte sich nur, wer zuletzt darüber lachen würde.

»Okay«, hatte Jamal noch einmal in diesem dunklen, nach Schweiß und dem Rauch selbstgedrehter Zigaretten riechenden Zimmer gesagt, und der Typ hatte ihm die Bescheinigung ausgestellt, daß ein Ingenieursstudent namens Jamal Kassim an der obligatorischen Studienfachberatung teilgenommen habe. »Das ist dann also schon mal mein erster Schein«, hatte Jamal im Wunsch, das Beste daraus zu machen, strahlend verkündet. *Schnauze sonst Beule* zuckte wiederum mit den Schultern. Wahrscheinlich lief seine persönliche Strömungsmechanik gerade nicht so ideal.

Nur gut, daß jetzt die Zeit dieser hektischen Überlegungen vorbei war und das Hauptprogramm endlich startete. Er besaß seinen ersten Schein und hatte von der Geburtsurkunde über das Abitur-Zeugnis bis hin zum ZOP-Nachweis des Goethe-Instituts und der polizeilichen Anmeldung alles amtlich übersetzen, überprüfen, beglaubigen und durch einen Senatsstempel zusätzlich absegnen lassen. Auch hatte er nicht vergessen, in zweifacher Ausführung zu unterschreiben, daß er von seinen Eltern unterstützt wurde und deshalb niemals – *niemals*, Herr Kassim, hören Sie? – eine staatliche Unterstützung beantragen konnte. Immerhin ließen sie ihn sechs Monate im Jahr arbeiten und zogen in ihrer Güte nur zehn Prozent für eine Rentenversicherung ab, von der er profitieren könnte, falls er in hundert Jahren als Sabbergreis durch Berlin tappen wollte. Das wiederum aber würde die wachsame Ausländerbehörde zu verhindern wissen. So war an alles gedacht, und auch seine Aufenthaltsgenehmigung mußte er erst in zwei Jahren wieder kontrollieren lassen.

Zwei Jahre, eine kleine Ewigkeit! Bis dahin wäre er längst ein Meister in Konsolidierungstheorie und könnte spielend so etwas wie den geheimnisvollen Erdwiderstand brechen und auch den tückischen Geländebruch besänftigen, damit seine Häuser nicht schon im Fundament zusammenkrachten.

Wie hieß das Lied, das in den Dokumentar-Sendungen des Fernsehens gespielt wurde, wenn man etwas über Kerstins verschwundenes Ostland zeigte?

Bau auf, bau auf, Freie Deutsche Jugend bau auf!

Ja, diese Universität war eine richtige Maschine. Humorlos, aber gut geölt. Es kam nur darauf an, die richtigen Knöpfe zu drücken, die richtigen Hebel zu bedienen, um nicht vor der Zeit zermahlen und aufgefressen zu werden.

Hilfe konnte er dabei keine erwarten. Die anderen Ausländer wieselten in den ersten Tagen genauso ratlos herum wie er, die deutschen Technik-Studis gaben sich ziemlich statisch, und jemand wie Göran kam für Tips schon gar nicht in Frage, denn der studierte irgend etwas Kunstvolleres an der HdK, hüllte sich in Schweigen und ließ Jamal nichts weiter als seinen nackten Body sehen. Überdies hatten sie sich in der letzten Zeit nur noch selten getroffen.

Nach Silvias und Yousufs Hochzeit hatte sich einiges verändert. Jamal fand es noch immer aufregend, mit diesem schwedischen Brad Pitt Sex zu haben, und doch ging ihm dessen maulfaule Art mehr und mehr auf den Nerv.

Die beiden Frischvermählten hatten sich währenddessen zuerst in die Flitterwochen und dann in ihr Eheleben verabschiedet, und Jamal, dem der Begriff völlig neu gewesen war, hatte die Chance genutzt, sich mit einem Wortspiel vor einer langsam, aber bedrohlich auf ihn zurollenden Melancholie in Sicherheit zu bringen. Flitterwochen für die Verheirateten, *Flatterjahre* für die Singles. Flatterjahre, das klang gut. Es galt, auch hier den Tatsachen ins Auge zu sehen. Herumgondeln in der Stadt, ohne Trauer zu tragen.

Bei all dem ging er systematisch vor. Er hatte keine Zeit zu verlieren. Selbst das Herumtigern mußte gelernt, mußte strukturiert werden, um es zu einem vollständigen Genuß zu machen. Anstatt wie ein orientierungsloser Tourist mit dem Bus oder der U-Bahn auf der Suche nach irgendeiner Sehenswürdigkeit durch die ganze Stadt zu rasen und bei diesem kopflosen Hin und Her schlaff und müde zu werden, arbeitete sich Jamal – wie ein Maulwurf, dachte er, wie ein *äußerst gutaussehender* Maulwurf

– in konzentrischen, immer weiter ausgreifenden Kreisen von seiner Eros-Bude aus vor.

Schaute den alten Türken im Café über der Adalbertstraße zu, wie sie in Mantel und schwarzem Hut Domino spielten, trank einen dieser bitteren, in kleinen Tassen mit abgeschürftem Rand servierten Mokkas, verabschiedete sich dann, prüfte im Spiegel an der Eingangstür von Kaiser's Supermarkt vor den verdutzten Mienen der dort herumhängenden Fixer sein Haar, sein Gesicht und schlenderte zufrieden hinüber zum Fraenkelufer.

Das sollte er in den nächsten Monaten noch oft tun – jedesmal, wenn der Blick aus seinem Fenster ihm nichts als häßliche Autoschlangen, graue graffitibeschmierte Häuser und darüber einen diesigen Himmel zeigte. Wenn er vom Fraenkelufer hinüber zum Paul-Lincke-Ufer spazierte, hatte er den Eindruck, die Welt würde ein kleines Stück größer. Manchmal stellte er sich vor, die berühmten Grachten von Amsterdam hätten sich nach Berlin verirrt.

Er sah Flechten von grünem Moos auf den steinernen Uferbefestigungen, sah weiße Schiffe mit winkenden Passagieren, sah die Lichtstreifen auf dem Fluß, die jeder seiner Biegungen folgten. Von den Bäumen auf den Uferwegen war Vogelgezwitscher zu hören, und auf dem schmiedeeisernen Geländer hatten sich Möwen und Tauben niedergelassen. Dort gurrten, flatterten und schissen sie um die Wette, und die weißen Krümel, die sie fallenließen, erinnerten an geheimnisvolle Hieroglyphen. Aber das eigentliche Geheimnis, das Jamal lockte, lag ein wenig entfernt von hier. Er mußte dem Uferweg noch eine Weile folgen, entlang der distanziert und edel wirkenden Häuser mit ihren ornamentverzierten Balkonen und Fensterbalustraden, wo kleine Gipsköpfe wachsam auf ihn heruntersahen.

Wäre toll, hier zu wohnen, dachte er. Ein großes Zimmer mit glänzender Holzdiele, Blick auf den Fluß und vor dem breiten Fenster gleich neben dem CD-Player ein ebenso breites Doppelbett. Vielleicht gelang es ihm einmal, sich von jemandem abschleppen zu lassen, der hinter einer dieser Fassaden lebte.

Jamal begann auch die Frauen zu bewundern, die hier flanierten. Sie saßen auf den Bänken zwischen den Bäumen und den zurechtgestutzten Büschen, schauten versonnen dem sich kringelnden Rauch ihrer Zigaretten nach oder blätterten in einem Buch. Das waren weder Kreuzberger Szene-Huschen mit Fahrrad und strähnigem Haar noch diese anatolischen Mannweiber mit der Grazie eines beweglichen Kühlschranks, die er jeden Tag im Fahrstuhl sah, sobald er seine Eros-Bude verließ.

Am Lincke-Ufer liefen nur schicke junge Türkinnen mit ihren Freundinnen entlang, richtige Berliner Ladys in offenen Ledermänteln, mit dezent geschminkten Lippen und kunstvoll zerwuseltem Haar. Ihr Stil und ihre Ungezwungenheit gefielen ihm. Oft sah er sie dann in den Cafés in der Nähe wieder; sie bestellten Cappuccino oder ein italienisches Frühstück, lasen die *taz* und erwiderten seine Blicke, wenn er sie zu lange anstarrte.

Ja, es mußte an einem dieser kühlen Frühsommertage gewesen sein, lange vor Beginn des Herbstsemesters, als er hier das erste Mal aufgetaucht war. War er damals schon von diesem Club, um den alle so einen Wirbel machten, besessen gewesen? Möglich, daß dies erst später passierte, als es in der Stadt schon entschieden wärmer geworden war.

Irgendwann saß er jedenfalls im *Senti*, einem seiner Lieblingscafés, und schaute auf die zwei Steinsäulen, die die Brücke zur Glogauer Straße flankierten. Nicht weit von hier lag der *Kit Kat Club*. Das Problem war nur die dortige Türsteherin, und Jamal überlegte, wie er sie wohl gnädig stimmen könnte. Nachdem letztes Wochenende weder Lächeln noch Bitten noch ein cool in den Türspalt gesetzter Fuß geholfen hatten, würde ihm nichts anderes übrigbleiben, als tief in die Tasche zu greifen und sich das von der Türsteherin mit stark bayerischem Akzent geforderte *errottic outfit* zu besorgen. Aber wo?

Jamal blickte auf den gemalten Eigelb-Ozean, der im *Senti* die Wände zierte, sah die konzentrierten Gesichter der Halma-Spieler vorn neben der Tür und hörte aus dem Radio das Gedudel leiser Jazzmusik. Er fragte sich, wann er endlich in diesen geilen, ungeheuer stimulierenden Trance-Rhythmus eintauchen könnte, dessen Schläge ihn nun schon seit Tagen verfolgten.

Es war früh am Morgen gewesen, er war gerade aus den Steinverliesen des *Tresor* gekommen, hatte in der kleinen Sauna in der Wilhelmstraße eine schnelle, ihn nur mäßig befriedigende Begegnung gehabt und war dann, die Haare naß vom Duschen, in den Ohren noch immer das Dröhnen der Bässe, an einem Gebäude mit protzigem Säulenportal vorbeigelaufen, in dem – falls er das aus seinem Goethe-Kurs richtig in Erinnerung behalten hatte – nacheinander ein Hitler-Minister, streikende ostdeutsche Arbeiter sowie eine westdeutsche Behörde gehaust hatten. Gleich in der Nähe befanden sich die neuen Glasgebäude des Checkpoint Charlie, aber auch ein alter Gestapo-Keller, während hinter ihm das Brandenburger Tor lag, um diese frühe Tageszeit von fotografierwütigen Touristen völlig verschont. Die Stadt schlief. Nur ein leises Vibrieren des Asphalts offenbarte, daß in den unterirdischen, hinter Abrißruinen versteckten Clubs noch getanzt wurde.

Schwer, verdammt schwer, in diesem Moment nicht wieder abzuheben. Jamal, Prinz von Berlin, gegen Ende des Jahrhunderts, ach was: des Jahrtausends, in der Mitte des alten, des irren, sich folternden, zerstörenden und dennoch jeden Selbstmordversuch immer wieder überlebenden Kontinents, dessen Verwicklungen er nicht bis ins einzelne begreifen konnte, begreifen wollte. Aber: Jamal mittendrin! Kurz nach sechs Uhr, wenn der ehemalige Mauerstreifen noch halb im Schatten liegt, als Passant auf der Leipziger Straße, vor einer Stunde noch einer der Tänzer in den Kellergewölben und im verwilderten Garten des *Tresor*, ein Techno-Jünger mit Dreitagebart und perfektem Raver-Outfit, ein paar Minuten später aber schon in einem anderen Haus, einer anderen Welt, nackt zusammen mit einem jungen Blonden, der es sich und ihm so schnell mit der Hand machte, daß es bei soviel Beschleunigung in den Haarwurzeln zu kribbeln begann und jetzt ... Und auch jetzt hast du freie Wahl. Also vor zur Ruine (Sagenhaft, die Ruinen-Liebe in dieser Stadt, die konnte ja mit Beirut in Konkurrenz treten!) am Anhalter Bahnhof, um einen der Frühbusse zum Görlitzer Bahnhof zu kriegen, von da ab weiter zu Fuß (dieses ewige Rauschen in den Ohren!) und hinein in die Glogauer zum *KKC*, von dem er so Paradiesisches hatte raunen hören.

Leider stand am Eingang kein Engel, sondern jenes bayerische Mädchen mit verhangenen Augen und gepierctem Bauchnabel, das von Jamals schwarzer Levis und seinem ärmellosen Shirt nicht im geringsten beeindruckt war und im Roman-Herzog-Sound immer wieder *errottic outfit, errottic outfit* von seinen Lippen rollte und grollte.

Errottic Outfit ... Da genügte kein H & M, das war klar.

Wo nur hatte er von diesem Shop gelesen, der *Schwarze Moden* hieß und in der Grunewaldstraße lag? Aber die Grunewaldstraße war endlos lang, und er kannte die Hausnummer nicht. Dafür hatte er gehört – o ja, er war ein guter Zuhörer, und das kam daher, daß er sein eigenes Speed war, weder E's schluckte noch sich mit Beck's vollkippte, sondern nur stinknormale Zigaretten rauchte, die Augen auf Flirt-Glanz brachte und ansonsten abseits der Tanzfläche den Monologen der Bekifften und Verkoksten lauschte –, also er hatte gehört, daß im Prenzlauer Berg in der Hufelandstraße, ganz leicht zu finden, ein neuer Laden namens *Two-Flag-Store* aufgemacht habe.

Vielleicht hätte er darauf achten sollen, daß die zwei Typen, die – war es in der *Arena* oder im *Ostgut?* – da mit schwerer Zunge ihre Infos austauschten, zwei heftig berlinernde und dazu völlig kahlgeschorene Gay-Skins waren. Egal, Jamal beschloß, sich in den nächsten Tagen einmal gründlich umzusehen.

Er hatte inzwischen gar nichts mehr gegen den Osten der Stadt. Die besten locations befanden sich dort; *Café Amsterdam*, *Tresor*, *Sage-Club* und und und. Sogar über die Oberbaumbrücke hatte er sich gewagt, um einen Abstecher – zweideutiges Wort in diesem Zusammenhang, fiel ihm auf – in die *Busche-Disco* zu unternehmen, wo er sich jedoch inmitten der kreischenden Legoland-Teenis wie ein alternder Päderast vorgekommen war. Aber der *Snax-Club*, nur ein paar hundert Meter weiter, versteckt hinter einem Areal von Containern und parkenden Lkws in einer riesigen Lagerhalle gelegen, war eine Entdeckung gewesen. *Quite strange.*

Zwischen den Leder- und Latextypen, die wegen ihrer Survival-Klamotten und Masken sofort ins Schwitzen gerieten, wenn ihr Reißverschluß klemmte, hatte er sich höllisch amüsiert und auf den scharf gezogenen weißen Kreisen, die die wandernden Punktstrahler auf dem Beton der Tanzfläche hinterließen, einfach abgetanzt. Zur Enttäuschung der anderen hatte er sich überhaupt nicht um das von Stöhnen untermalte Gerammel gekümmert, das in den mit Planen und schwarzen Netzen abgedeckten Nischen stattfand.

Und dann erst das *Lab.oratory*, gleich eine Eisentür weiter! Legoland, die zweite. Diesmal ungleich härter: Peitschen, Handschellen, Lederschlingen, verchromte Brustwarzenzwicker und dazu Kloschüsseln von der Größe eines Goldfischteichs. Wenn er sich die Gestalten ansah, die mit ihrem Spielzeug hier im Dunkeln herumhuschten – eine Menge Akademiker-Typen, dachte er, soviel Nickelbrillengefunkel vor und *in* soviel Pißbecken –, verging ihm die Lust, hier weiter Christoph Columbus zu spielen;

aber die lumpigen fünf Mark Eintritt waren die Erfahrung wert gewesen. Gucken, was abgeht. Infos, Eindrücke, Rhythmen und Gerüche sammeln und dann mit dem Taxi wieder auf die andere Seite der Spree, vielleicht ins *SO* oder ins *Club Culture House*. Oder einfach zurück in seine Eros-Bude, um bis zum Mittag des nächsten Tages zu schlafen – und zwar allein.

Also: Er hatte nichts gegen den Osten. Und dennoch war er am hellichten Tage die Hufelandstraße im Laufschritt bis hinunter zur Greifswalder gerannt, hatte gerade noch die Straßenbahn erwischt und seinen schweren Atem erst wieder unter Kontrolle gebracht, als die Bahn quietschend am Rosenthaler Platz gehalten hatte. Dabei hatte ihn niemand bedroht. Die ganze Gegend war voller Linker, Autonomer und Antifas, die in ihrem Zottel-Look Jamal bestimmt heldenhaft gegen irgendwelche Kurzgeschorenen verteidigt hätten. Aber dieser Laden da! Nazi-Klamotten hatte man ihm angeboten! Ausgerechnet *Nazi-Klamotten!*

»Vielleicht etwas Ausgefallenes?« hatte das Verkäufer-Männlein im Dämmerlicht des *Two-Flag-Store* gefragt, als Jamal vor dem Schild »Pfoten weg!« zurückgezuckt war, sich die Klamotten in den Regalen nur noch aus vorsichtiger Distanz angeschaut hatte und dann wissen wollte, welche *spezielle Kleidung* hier außerdem angeboten würde.

Spezielle Kleidung! Wahrscheinlich hatte er damit ein geheimes Paßwort ausgesprochen. Und das nur, weil er zu feige gewesen war, nach *errottic outfit* zu fragen. Selbst schuld, dann bekam er eben arisch reine *german fashion* auf den Ladentisch geknallt.

Der schmächtige Verkäufer zog eine untere Schublade auf und füllte den ganzen Tisch mit Klamotten, die Jamal in dieser Häufung nur aus dem Fernsehen kannte, und zwar aus Berichten über Wehrsportgruppen und marodierende Skins. Hier ein T-Shirt mit schwarzem Adler auf weißem Grund, dort eine gefleckte Army-Hose mit metallenem Gürtelkoppel, auf der *Gott mit uns* zu lesen war, dazu Bomberjacken mit aufgenähten *Landser-* und *Treu bis in den Tod*-Stickern. Das einzige Stück, das halbwegs sexy und *Kit-Kat*-kompatibel aussah, war ein tiefgeschnittenes, geripptes Body-Shirt, das es jedoch nur in der Farbkombination schwarz-weiß-rot gab.

Der Verkäufer strich behutsam über die Träger des Shirts. »Die Farben des alten Reichs«, sagte er.

Als er sah, wie verständnislos Jamal ihn anstarrte, begann er nervös zu hüsteln.

»Sie müssen ja nicht alles kaufen. Manchmal tut's auch eine nette Kleinigkeit.« Bei diesen Worten griff er, ohne sich umzudrehen, in die offene Glasvitrine hinter sich und entnahm ihr einen matt schimmernden Hammer aus undefinierbarem Material. Jamal erinnerte sich an die Klopfgeräte, die einem beim Arzt aufs Knie gewuchtet wurden, um die Reaktionsfähigkeit zu testen. Aber die hatten silbrig geglänzt und waren viel kleiner gewesen. Sollte er etwa in dieser Montur ins *Kit Kat* marschieren, um die verpeilten Tänzer gebührend auf sich aufmerksam zu machen?

»Ein Thorhammer«, sagte der Verkäufer andächtig.

Ein was? Wofür brauchte man um Himmels willen einen Torhammer? Hatten die Ossis am Eingang ihrer Höhlen weder Klinken noch Schlüssel, so daß sie gleich mit einem Hammer anrücken mußten?

Jamal merkte, wie ihn der Verkäufer mit einem kalten, mißtrauischen Blick bedachte. Im gleichen Moment hörte er zwei Männer den Laden betreten, so unverständlich berlinernd, daß er trotz ihrer Lautstärke kein Wort verstand.

»Kein Deutscher, was?« fragte der Verkäufer und war auf einmal überhaupt kein devotes Männlein mehr, sondern der aufgeregte, zirpende Hüter seltener Kostbarkeiten.

»Sie können den Torhammer wieder einpacken«, sagte Jamal ganz ruhig, einen schnellen Seitenblick auf die zwei neuen Kunden riskierend. »Bei mir zu Hause habe ich einen Türsummer, da braucht's das Werkzeug nicht mehr.«

Uff, das sollte ihm erst mal einer nachmachen: Von Torhammer auf Türsummer zu kommen und dazu noch *brauchen* ein Apostroph zu verpassen! Und schon hatte er auf dem Absatz kehrtgemacht und war nach draußen gestürmt.

Hinter der Glasscheibe sah er das verwirrte Gesicht des Verkäufers, eingerahmt von den offenstehenden Mündern der zwei anderen. Sie trugen Glatzen.

Jamal sprintete los. Sprang über Haufen von Prenzelberger Hundescheiße, wich schiefen Bordsteinplatten aus, die wie Abschußrampen in die Höhe ragten und dachte dabei weniger an sein Leben als an seine Geldbörse, die wegen der geplanten Anschaffung mit der halben Monatsrate vom Konto seiner Eltern gefüllt war. Stieß an Mülltonnen, die den Gehweg blockierten, rannte fast eine Oma um, die hinter ihm herkeifte, wurde in einer Querstraße von einem abrupt bremsenden Auto wütend angehupt und rannte noch immer. Blöde Nazis, da müßt ihr schon früher aufwachen, um mich zu kriegen.

Erst in der Straßenbahn zwang er sich zur Ruhe. Er hat nur etwas verkaufen wollen, dachte er. Nüchtern betrachtet, war das Männlein sogar recht höflich gewesen. Kein Vergleich zu den pampigen Kassen-Tussis von Bolle bis C & A. Und keiner hatte ihn bedroht, wenigstens nicht direkt. Nicht einmal fünf Minuten hatte es gedauert. Aber was jetzt, sollte er nun Dankbarkeit empfinden?

Er sollte wohl besser in die Grunewaldstraße fahren.

Der erste Shop war erneut ein Reinfall. Zwar gab es dort Leder in allen Farben, aber zusammengerollt auf meterlangen Bahnen. Jamal sah sich um. Schwarze Moden, schwarze Moden, wo also war das schwarze Leder? Sein Blick fiel auf eines der bis zur Decke reichenden Regale. Dort oben hing wie eine Vogelscheuche auf einem Bügel ein schwarzes Lederteil. Es hatte jedoch bereits seine Verwandlung in einen Herrenmantel hinter sich; hochgeschlagenes Revers, dunkle Knöpfe und klobig geschnittene Ärmel.

Nachdem er fast die gesamte Grunewaldstraße hinunterlaufen war, fand er auf der rechten Seite sein Geschäft. *Schwarze Moden*. Voilà! Jamal trat ein. Statt Klamotten entdeckte er jedoch nur S/M-Zubehör, genoppte Dildos zum Sonderpreis von 19,90 DM sowie Hard-Core-Pornos als Zeitschriften und Videos. Von Mode keine Spur. Er runzelte die Stirn. Wer wollte ihn hier die ganze Zeit verarschen?

»Gleicher Laden nächste Tür«, knurrte der Verkäufer, der hinter der Kasse seinem wuchernden Bauchfett eine Ruhepause gönnte und das schüttere Kopfhaar von einem kleinen Tischventilator durchwirbeln ließ.

Die nächste Tür entschädigte für alles.

Was sie hier auf Bügeln, in Regalen, vor Spiegeln und an der Wand hängen hatten, war so etwas wie ein Jahres-Abo für den *Kit Kat Club*. Und bestimmt genau so teuer.

Nichts überstürzen, sagte sich Jamal, du mußt sparen. Zu teuer waren: Masken – aber er hatte sowieso nicht die Absicht, sein Gesicht zu verstecken –, komplette schwarze Latexanzüge für die

Froschmänner unter den Club-Besuchern, *underwear* mit Hosenträgern, die wie riesige Strampelanzüge aussahen und mit gelben Baumwollsocken ausgestopfte dunkle *These-boots-are-made-for-fucking*-Schuhe in jeder Größe. Für die Füße könnten es auch ein paar schwarze Schnürstiefel aus dem *Humana*-Shop tun; das Roman-Girl würde ganz bestimmt keine Ganzkörperüberprüfung starten.

Schließlich entschied er sich für ein schwarzes Netzhemd mit kurzen Ärmeln, das in Höhe der Brustwarzen zwei kleine Reißverschlüsse besaß. Jamal marschierte mit dem Teil in eine Kabine, zog sich um und spielte *Kit-Kat*-Post: Kommen Sie, schieben Sie Finger und Zungen herein, dieser Brustkasten wird niemals geleert und steckt voller Überraschungen! Sobald er die Mini-Reißverschlüsse öffnete, sprangen zwei harte Brustwarzen heraus – der Kuckuck aus Kerstins Schwarzwalduhr war nichts dagegen.

»Haben Sie sich mit dem Hemd anfreunden können?« fragte von draußen die Verkäuferin. Sobald sie gesehen hatte, mit welcher Akribie er sich der Betrachtung der Preisschilder gewidmet hatte, war sie ihm wie ein Wiesel gefolgt.

Jamal zog sich wieder an und reichte ihr das Netzhemd. Es wurde wie ein Weihnachtsgeschenk verpackt, in einem *Schwarze Moden*-Einkaufsbeutel verstaut und kostete über hundert Mark. Klaglos zahlte er den Preis.

War er ein paar Tage danach, als das Wochenende gekommen war und man ihn endlich in den Club eingelassen hatte, dann enttäuscht, hatte er den Eindruck, all die Mühe sei vergebens gewesen und die Zeit vergeudet? Das teure Netzhemd, die Blicke der Verkäuferin bei *Humana*, als sie ihm mitten im Sommer schwarze Schnürstiefel verkaufen mußte, schließlich der modrige Geruch in der *Garage*, einem Laden hinter dem Nollendorfplatz, wo man die Secondhand-Klamotten nach Kilopreis berechnet bekam und Jamal eine Army-Hose kaufte, die zwar kein *Gott mit uns*-Koppel besaß, dafür aber statt Taschen nur Schlitze hatte. Na großartig, dachte er. Du greifst nach einem Taschentuch und hast statt dessen deine Eier in der Hand.

Hatte sich der Aufwand gelohnt?

Jamal hatte sich am Samstag kurz vor Mitternacht schlafen gelegt und den Wecker auf vier Uhr gestellt, die Zeit, in der, so jedenfalls die Gerüchte, im Club der Erregungspegel am höchsten stand. Im Schein der ersten fahlen Morgendämmerung zog er sich an, verstaute Geld und Wohnungsschlüssel in seinen dunkel gerippten Socken und verspürte im Lift wie auf der Straße die Angst, schief angeglotzt oder als Skin gejagt zu werden. Aber um diese Uhrzeit schlief sogar Kreuzberg. Trotzdem öffnete er, um seine Friedfertigkeit zu demonstrieren, vorsichtshalber die Reißverschlüsse. Statt eines Klappmessers sprangen seine Brustwarzen heraus. Wahre Skins wären niemals so locker die Reichenberger Straße hinuntermarschiert.

Das Roman-Girl bereitete diesmal keine Probleme. Kommentarlos ließ sie ihn ein und zeigte auf die Kasse, an der 25 Mark Eintritt fällig wurden. Und da war er auch schon, der Rhythmus, der ihn damals auf dem Hof fast wahnsinnig gemacht hatte. Das war etwas besonderes, da konnten die anderen Läden in der Stadt nicht mithalten.

Diese Verzögerungen, diese monotonen Vorspiele mit ihren Pausen, in denen nur der Atem der Tänzer zu hören war, dann die Steigerung, langsam, wieder zurückfallend, sich neu sammelnd, schneller und schneller werdend, *hands in the air*, eine Explosion von Bässen, und jeder plötzlich Teil eines größeren Körpers, ach was, eines undefinierbaren Elements, das sich in perfektem Gleichklang mit dem Lautsprechersound bewegt und sein eigenes Universum schafft.

Nein, das ließ sich nicht beschreiben. Jamal verschob seine übliche Abcheck-Tour und drängte sich, ein Lächeln auf den Lippen, mitten auf die Tanzfläche.

Wie lange blieb er da, drei Stunden oder vier?

Solange er tanzte, hatte er kein Zeitgefühl mehr, war Teil des anderen Universums. Und dennoch konnte er von einer Sekunde auf die nächste sofort aufhören, sich zu bewegen. Wie ein rotierendes Elektrogerät, dessen Stromzufuhr plötzlich abgestellt wurde. Mit dem entscheidenden Unterschied, daß er selbst den Off-Schalter knippste.

Als es vorbei war, erinnerte sein Briefkastenhemd an ein nasses Wischtuch. Jamal ging auf die Toilette, zog das Teil ächzend über den Kopf, wrang es über dem Waschbecken aus und schob es zwischen Hüfte und Hosenbund, bis nur noch ein kleines schwarzes Dreieck sichtbar blieb.

Hinter sich hörte er jemand pfeifen. Er blickte über die Schulter zur Tür. Da stand ein anderer Tänzer, ebenfalls schwitzend, ebenfalls in *errottic outfit*. Sogar sehr *errottic*: Bis auf seine Turnschuhe und ein grünschwarz gemustertes Lendentuch war er völlig nackt. Wieso hatte Jamal ihn auf der Tanzfläche nicht bemerkt? Sah ganz so aus, als hätte er seinen Off-Schalter im richtigen Moment gedrückt.

»Darf ich?« fragte der andere und drängte sich an Jamal vorbei zum Waschbecken. Es war eng, und Jamal spürte, wie das schlangengleich an der Haut anliegende Lendentuch an seiner Army-Hose entlangriffelte.

Und der Weber sagte: Sprich uns von den Kleidern. Und der Prophet Almustafa antwortete: Eure Kleider verbergen viel von eurer Schönheit, doch verstecken sie nicht das Unschöne. Einige von euch sagen: Der Nordwind hat die Kleider gewebt, die wir tragen. Und ich sage: Ja, es war der Nordwind, aber Scham war sein Webstuhl, und Schlaffheit sein Faden.

Ach, Khalil Gibran. Von wegen Schlaffheit! Der Stoff seiner Hose spannte bereits, und das hatte auch der andere mitgekriegt. Er drehte den Wasserhahn auf, hielt seine Hände darunter, sammelte die Flüssigkeit – und spritzte sie auf Jamals Oberkörper. Der war zu überrascht, um sofort reagieren zu können. Aber da hatte der Lendentuchträger schon die herablaufenden Rinnsale verteilt, massierte ihn mit der einen Hand, holte mit der anderen wieder etwas Wasser und bestrich Arme, Achseln, das widerspenstige kurze Haargekräusel auf der Brust, Brustwarzen, Bauch, Bauchnabel ...

Jamal preßte seinen Rücken gegen die Wand und verdrehte die Augen.

»Wenn ich weitermachen soll, dann lieber da drüben«, sagte der Typ und versuchte, ihn zu den Toilettenkabinen zu ziehen.

Jamal stöhnte. Nicht schon wieder Kabinen!

Seit die Geschichte mit Göran sang und klanglos zu Ende gegangen war, hatte er keinen mehr mit in seine Eros-Bude geschleppt. Sei es aus Scheu oder mangelnder Gelegenheit, die Doppelmatratze hatte er nun für sich ganz allein. Schnelle Begegnungen – er nannte sie »Begegnungen«, obwohl fast nie Worte fielen, er sich an die Gesichter kaum erinnerte und die Unterleibspartien einander verblüffend ähnelten –, ja, so etwas hatte er reichlich gehabt; in den Clubs, manchmal in einer Sauna oder draußen am Wannsee. Aber mit nach Hause genommen hatte er niemand.

Er schaute den Tänzer an. Schon wieder ein Blonder. Schmales Gesicht, schmaler Körper, aber keiner dieser kahlgeschorenen Hungerleider-Typen, die er in der Szene häufig sah und nur mit seinen bösen *Achtung, ich bin Abu Brutalo*-Blicken von sich fern halten konnte. Der hier war anders. Und dazu dieses Lendentuch!

»Ich wohne in der Nähe . . .« murmelte Jamal.

Bevor der andere antworten konnte, ging die Tür auf und ein gepierctes Pärchen taumelte mit einem großen Mulatten im Schlepptau in die Toilette. Der Lendentuchtänzer fiel gegen Jamal. »Huch«, sagte er mit ziemlich schleppender Stimme, faßte Jamal wie ein Roboter zwischen die Beine und verschwand urplötzlich mit einem dahingehauchten »Also tschaui« aus dem Raum.

Armer Bekiffter, dachte Jamal. Was dir alles entgeht!

Er drehte den Wasserhahn zu und betrachtete die psychedelischen Bilder an den Wänden. Leuchtende Linien und Kreise in Neonfarben, ineinander übergehend oder sich verzweigend, bis sie wie von selbst zu einer Brust, einer Vagina, einem Penis wurden und in verschlungenen Mündern und Gliedmaßen weiterwucherten. Nicht schlecht, dachte er. Schade, daß das hier keiner würdigte. Ein paar Meter weiter starrten zwei Typen auf die Zeichnungen, taten, als ob sie pinkeln wollten, hielten jedoch nur, bedröhnt grinsend und ohne sich zu berühren, ihre Schwänze in den Händen.

Autisten oder Massenkörper, dazwischen gab es nichts. Jamal störte es nicht, er beobachtete.

Mit dem Sex war es einfach Glückssache. Im *Kit Kat* ebenso wie in diesem *Club Culture House* in der Görlitzer. Zwei längliche, durch eine Treppe verbundene Räume, und auf den Matratzen entweder geile Spielchen oder schnarchende Schläfer, völlig nackt und in ihrer zusammengekrümmten Haltung an Gestalten in einem freigeschaufelten Massengrab erinnernd. Auch hier kam es darauf an, zeitig genug die Kurve zu kriegen und nicht festzuwachsen. Besonders auf dem swimmingpoolgroßen Spannbezug, der gegenüber dem Videogerät, das nur Pornos zeigte, ausgebreitet war, mußte man alle Sinne beieinander haben. Drei, vier oder noch mehr Typen auf dem Laken; Körperakrobatik, die an das Kopf- und Gliederrucken in indischen Tanzfilmen erinnerte, *Rama Rama Sita Rama*, und auf einmal ein einziges *Ahhhh!*, bei dem man sich blitzschnell an den Rand des Lakens wuchten mußte, um nicht vollgespritzt zu werden. Das war ziemlich witzig, obwohl anscheinend nur er das so empfand; die Gesichter der anderen wirkten ernst und abgekämpft.

Und wieder die Army-Hose hochziehen und raus auf die Straße. An der Tankstelle ein Bonaqua kaufen – den Appetit auf Mars redete er sich aus, wenn er weiter mobil und ansehnlich bleiben wollte, durfte er nicht soviel herumfressen – gähnen, die Arme ausstrecken, bis die Gelenke knackten, dann die Skalitzer Straße entlangschlendern, über sich den zart hellgrauen Berliner Himmel und die ersten Sonnenstrahlen. Oder die gelben Wagen der U-Bahn, die auf den Schienen der Hochbahn bis vor zum Kottbusser Tor rasten.

Out of Senti. Out of Kit Kat. Out of every house. Und doch mittendrin, ganz bei sich selbst, eine einzige Signallinie von seinem Kopf bis zu den Füßen, die in Schnürstiefeln oder bequemen Nikes steckten und keine Angst mehr hatten vor dem Asphalt.

So war es, und so war es gut. So hätte es aber noch besser sein können.

Zum Beispiel mit jemand anderem durch diesen Berliner Morgen laufen, vor sich ein paar schöne Stunden zu zweit in seiner Eros-Bude, und in den nächsten Tagen eine Fortsetzung, mit dem gleichen oder einem anderen. War er Göran also doch immer ähnlicher geworden? Jamal prustete eine Bonaqua-Fontäne aus dem Mund. Er wie Göran? Von wegen! *Er* konnte über sich lachen, und alles, was ihm geschah, war *Rede wert;* von einem Augenblick auf den nächsten konnte er neben sich treten, sich durch die Stadt hampeln sehen, darüber den Kopf schütteln oder beifällig grinsen. *Das* war der Unterschied. Und darauf war er verdammt stolz.

An *Liebe* aber dachte er in dieser Zeit fast nie. Liebe, das war noch immer ein Gefühl, ein Gedanke, in dem Yousuf vorkam, aber gerade das durfte nicht sein, das mußte er sich verbieten; so verhielt sich kein Trauzeuge, dieses Terrain war voller Minen. Und so mied Jamal, abgesehen von ein paar wenigen, durchaus fröhlich verlaufenen Besuchen und unregelmäßigen Telefonaten, Yousuf und Silvia ebenso wie zu intensive Wünsche nach etwas, das über einige gemeinsam verbrachte Nächte hinausgegangen wäre. Was war schlecht daran, jemanden nur für kurze Zeit, anstatt gleich für Monate oder Jahre haben zu wollen? Es war seine Art, die anderen zu respektieren.

War Jamal zum Einzelgänger geworden?

»Du hast diese Zeit für dich gebraucht«, hatte Katja später gesagt, therapeutisch und einfühlsam. Er hatte ihr von diesen Monaten erzählt, und wahrscheinlich hatte sie recht.

Es stimmte: Auch Techno-Beats konnten eine Form der Stille sein, Null-Botschaften, die ihn nicht mit irgendeiner Bedeutung, einer Definition terrorisierten. Aber es war schwer, darüber zu sprechen, mit den nachfolgenden Nachtbekanntschaften ebenso wie mit Katja oder den Kommilitonen an der Universität – es sei denn, sie kamen aus arabischen Ländern, aber dann waren sie entweder auf dem larmoyanten Oh-Bruder-Umarmungstrip oder sie gaben sich so abweisend und pflichtbewußt, daß es Jamal in ihrer Nähe unbehaglich wurde.

Wenn er Stille sagte, dachten die Deutschen natürlich gleich in so hochtrabenden Kategorien wie *Die Stille des Friedens* und nickten verständnisvoll. Die Stille des Friedens nach dem Inferno des Krieges. Dabei hatte er weder durch die Israeli-Bomben noch die Mörserattacken und MG-Salven, mit denen die verfeindeten Milizen untereinander kommunizierten, bleibende Gehörschäden erlitten. Er war – und das schien in Berlin aus unerfindlichen Gründen ein weiteres Lieblingswort zu sein – keineswegs *traumatisiert*. Niemand aus seiner Familie war umgekommen, nicht einmal die nächsten Nachbarn hatte es erwischt, weder in Beirut noch unten im Süden in ihrem Dorf.

Er war ein Glückspilz. Der kleine Jamal K., an der Hand seiner Mutter aus dem Keller ihres Hauses steigend, der nächtelang zu einem notdürftigen Luftschutzbunker geworden war, in dem inmitten alter Möbel geflüstert und gebetet wurde, sich die Kinder an ihre Eltern drängten und die Eltern wußten, daß es bei einem Einschlag mit ihnen allen vorbei sein würde, denn sie hockten direkt auf dem, was in der Sprache der Warnungen und Verbote *Brennbares Material* hieß. Gott, wir flehen Dich an, prüfe nicht, ob auch wir nur *Brennbares Material* sind!

Ja, genauso war es gewesen. Eine beschissene Kindheit. Aber überlebt. Mit Vater und Mutter aus dem Schacht herausgekraxelt, wegen des feinen Staubes, der aus einem der zerstörten Nachbarhäuser wehte, sogar geniest, sogar gelacht und sofort eine Ohrfeige bekommen, die ihn noch fröhlicher machte: Er lebte, sie alle waren am Leben, die Eltern, seine kleinen Brüder Nabir und Zarif und das Baby Salima, das sie in der Dunkelheit gestreichelt hatten, damit es nicht schrie und womöglich den Tod anlockte.

Aber das war vorbei, wenn auch nicht vergessen. Jamal glaubte nicht, daß er von diesen Erinnerungen besessen war. Er träumte fast nie davon, und als er in den Keller von Tom's Bar hinuntergestiegen war, hatte er an H & M, aber nicht an Bomben und Raketen gedacht. Hier in Berlin fanden ganz andere Explosionen statt, und das war gut.

Wenn es etwas gab, was noch heute einen Fluchtinstinkt auslöste und ihn geschlossene Räume meiden ließ, so waren das ganz andere Bilder und Geräusche. 1984 waren die Israelis aus der Hauptstadt abgezogen, der Krieg zwischen den Milizen und den Syrern ging weiter, aber die Bombardierungen hatten aufgehört. Heckenschützen, vereinzelte Detonationen unten am Hafen, die durch trockenes MG-Gebell zerrissene Stille eines Abends, Meldungen über wechselnde Bündnisse, Autobomben, Attentate und Geiselnahmen – das war der Hintergrundsound jener Jahre. Doch selbst das betraf ihn nicht direkt, ließ ihn nicht an die Wände seines Zimmers trommeln und vor Wut ins Kopfkissen beißen.

Was dann? Geräusche, die einzeln harmlos wirkten, in ihrer Gesamtheit aber zum Wahnsinn trieben; Friedensakkustik, die einen fertigmachte. Das unaufhörliche Rattern und Summen der Generatoren und Ventilatoren, die nichts gegen den klebrigen Schweißfilm auf der Haut ausrichten konnten. Das monotone Fernsehprogramm, die immer wieder in Rauschen und Nebel verschwindenden Clips von MTV. Die dramatisch zirpenden Fairuz-Gesänge, die aus den offenen Fenstern der Häuser drangen, sich den Weg über die mit Wäsche vollgehängten Balkone bahnten, »Beyrouth ya Beyrouth« kreischten, wild herumflatterten, sich mit dem wütenden Hupen der Taxis auf der Straße vermischten, mit dem Ruf des Muezzin oder dem trotzigen Läuten der Kirchenglocken drüben im Maronitenviertel. Die *Essen ist fertig*-Rufe der Mutter, die Riten des Kauens, Mampfens und bis zur Besinnungslosigkeit Fressens, die beweisen sollten, daß die größte Gefahr überstanden und das irdische Paradies wieder in Gestalt von Töpfen, vollen Tellern, Schüsseln und Süßigkeiten jeder Kaloriengröße zurückgekehrt war.

Und Jamal und all seine gleichaltrigen Freunde saßen zu Hause und aßen. Schauten im Wohnzimmer Fernsehen. Starben fast vor Langeweile. Schlossen sich im Bad ein, um zu wichsen, aber das fiel auf; weshalb ins Bad, riefen die Eltern und Geschwister, es läuft sowieso kein Wasser. Drehten sehnsüchtig an den Radios, um die internationalen Charts zu hören und bissen sich auf die Lippen, wenn gerade wieder die Stromsperre einsetzte. Warteten auf das Ende der Woche und trafen sich dann in der Moschee. Nicht, daß sie besonders religiös gewesen wären; keiner von ihnen trug einen Bart, und hätten sie Erfahrungen mit Sex gehabt, so hätten sie freimütig darüber gesprochen. Es gab aber keine Möglichkeit für solche Erfahrungen.

Nicht für sie, nicht im Beirut jener Jahre. Die Cafés waren zerstört oder in Munitionsdepots umgewandelt, und Discotheken existierten, den Gerüchten nach, nur im Ostteil der Stadt. In die Christenviertel aber durfte man sich nicht hineinwagen, außerdem, so hieß es, waren die Clubs nur für reiche alte Säcke und Milizenführer da, die ihre Dollarnoten schwedischen Prostituierten zwischen die Brüste schoben. So sagte man. Und so war es vielleicht. Darüber unterhielten sie sich, aber viel gab das Thema nicht her. Also gingen sie in die Moschee, beteten, hörten beim Freitagsgebet der Predigt zu oder auch nicht und saßen danach auf den Steinstufen. Sprachen über die Familie, das Essen, die wechselnden Lehrer in der Schule, das Fernsehprogramm, die Charts. Liehen einander Kassetten aus, überspielten sich Songs, fluchten – nicht zu laut, sie saßen im Vorhof der Moschee, weil das Meer und der Strand, nur ein paar lächerliche hundert Meter weg von ihnen, noch immer von Paramilitärs und Syrern versperrt wurden –, schwitzten und ließen eine große Flasche Mineralwasser herumgehen.

Dann sahen sie auf die Uhren – natürlich hatten sie Uhren und anständige Klamotten, sie waren keine Slumkinder aus der Dritten Welt und wußten, daß die Sperrstunde näher rückte. Ende des Vergnügens. Sie klatschten ihre Hände gegeneinander oder umarmten sich scheu, und bald darauf hörte jeder von ihnen das übliche Mutter-Geräusch vom Balkon. *Ya Allah* kommst du erst jetzt sag was ist passiert Vater ist ganz aufgeregt komm schnell hoch es gibt wieder Wasser Essen ist fertig. *ESSEN IST FERTIG, L'AKEHL, L'AKEHL!*

So vergingen die Jahre, die man in anderen Ländern Jugend nannte.

Gewiß: Das tödliche Zischen einschlagender Raketen, das Pfeifen der Projektile, der hilflose Sirenenlärm, all das war schlimmer. Und er, Jamal Kassim, er lebte. Hatte reichlich zu essen, konnte sich nicht beklagen. Schließlich hatten seine Eltern sogar genug Geld gespart, um ihn in Alemania zum Ingenieur machen zu lassen. Glückspilz.

Und doch und doch. Diese Starre, diese Stille damals und das Vorhersehbare jedes Geräuschs, das sie brach. Wem sollte er *das* in Berlin erklären?

Techno-Beats beruhigten ihn, das Chatten von Club zu Club, Raum zu Raum verschaffte ihm mehr Genuß als die Bekanntschaft von Leuten, und dennoch ließ er keine Gelegenheit aus, sich von Typen, die ihm gefielen, an die Hose fassen zu lassen. *Nachholbedarf*, das war das Wort, das die Deutschen dafür parat hatten.

Sie kapierten nichts.

War es sein dritter Berliner Winter gewesen, als Katja zuerst auf seinen Fuß gelatscht war und ihm dann mit ihrem schönsten Lächeln gesagt hatte, du entwickelst dich nicht? So mußte es gewesen sein. Sein dritter Winter, seit man ihn hierher geschickt hatte, und der zweite seines Glücks. Viel war bis dahin geschehen.

Jedesmal, wenn Jamal gegenüber seiner Eros-Bude auf dem Bahnsteig vom Kottbusser Tor wartete, überflutete ihn ein solches Gefühl der Befreiung, daß er fürchtete, einfach vom Bahnsteig weggewirbelt zu werden, mit dem Kopf an die verschmutzten Eisenträger an der Decke zu stoßen oder sich dank phantastischer Schubkraft auf dem ersten Wagen der U-Bahn wiederzufinden, um dort als feixende, lockende, träumende und grinsende Galionsfigur durch die ganze Stadt zu fahren: O Käpt'n, mein Käpt'n, die Fahrt beginnt, und ich bin das Schiff und das Wasser und der Himmel und die Welt!

Gut, daß er immer wieder auf die Erde zurückkatapultiert wurde. Entweder mußte er einer anatolischen Großfamilie ausweichen, die sich in breiter Angriffsfront mit Kinderwagen und roten Plastiksäcken voller Fladenbrote über den Bahnsteig wälzte, oder es war gerade noch Zeit, tätowierten Fixern und ihrer kläffenden Hundemeute aus dem Weg zu gehen; zwei, drei Schritte zurück, wo in zwölf von zehn Fällen schon ein deutscher Krückstock-Opa lauerte, der sofort in ohrenbetäubendes Gezeter ausbrach. Auch in der U-Bahn keifte er noch weiter, beschuldigte die Fixer, ihm seinen Sitzplatz streitig zu machen, reizte mit dem Krückstock die Hunde zum Bellen – und erging sich in Tiraden, die regelmäßig mit der Wendung *und überhaupt* endeten.

In der Kurfürstenstraße stieg manchmal ein Grüppchen Araber zu, zumeist Palästinenser; Jamal erkannte sie an ihrem Akzent. Kaum hatten sie sich hingesetzt, brachen sie auch schon in ihre erregten Dispute über *Sousou* und *Al-Aksch* aus.

Er hatte mehrmals in die U 1 oder die U 8 steigen müssen, bis er verstand. Tja, die Palästinenser waren clever. Cleverer jedenfalls als die Türken, die *üzlimüg düglu Sozialamt krötüg zirüzog Stütze* sagten und dabei ein zorniges Funkeln in den Augen der Deutschen provozierten, weil die sich wieder einmal um die Früchte von vierzig Jahren harter Arbeit betrogen sahen. Da Jamal es mühelos schaffte, sich schlafend zu stellen und so jeder Unterhaltung in seiner Nähe bis in die letzte Einzelheit zu folgen, konnte er irgendwann auch den Code der Palästinenser knacken. *Sou-sou* war ihr Kürzel für Sozialamt, während *Al-Aksch* – er staunte, denn das war feinstes Hocharabisch für ›*Der, der dich greift*‹ – ganz einfach Polizei bedeutete. Während sie aufeinander einredeten, drehten sie ihre Köpfe nervös hin und her, doch das nutzte nichts, denn in der U 8 und der U 1 hatten schöne Frauen Zusteigeverbot. So blieb ihnen in ihrer hoffnungslosen *Sou-sou-Al-Aksch*-Welt nicht einmal der Trost einer kleinen Ablenkung.

Und die jungen Türken waren nicht besser dran. Liefen breitbeinig über den Bahnsteig in der Turmstraße, saßen breitbeinig in der U-Bahn, zerrten an ihren fingerdicken Goldketten oder drückten sich Pickel aus, wippten voller Anspannung mit den Turnschuhen, und starrten – denn dies war jetzt die U 9, da sah es fallweise besser aus – mit offenem Mund die jungen Frauen an. Jeder, der nicht blind war, konnte sehen, wie sie kämpften, um den Überdruck in ihrer Hose auszuhalten. Für Jamal wurden sie mit der Zeit fast so etwas wie Helden.

Was für eine Anspannung und dennoch kein Terror! Ein paar Kurzmeldungen jeden Tag im Lokalteil der Zeitungen, kleine Diebstähle und Schulhofschlägereien, dagegen Morde und Raub fast nur im Drogen- und Zuhältermilieu, ansonsten aber ... *Frieden*. Frieden und Ruhe, neben ihrer harten Währung die wertvollsten Güter der Deutschen. Mann, dachte er, die ahnten gar nicht, wie dankbar sie sein konnten. Überließen die jungen Türken ihren Eltern, die jeden Tag von der Rückkehr in ihre stinkigen Bergdörfer schwafelten und für ihre Kinder solche tollen Berufe wie Kebab-Verkäufer oder Schwangere mit Kopftuch ausknobelten, taten nichts, um ihnen da herauszuhelfen, gaben ihnen nicht einmal einen deutschen Paß, greinten aber in Fernsehdiskussionen über *mangelnde Integrationsbereitschaft* und bekamen für all diese Schuftigkeit nicht etwa die Fresse poliert, sondern ... Blicke. Einfach Blicke. Abschätzige Macho-Blicke für die deutschen Männer, die in ihren Pullis und Hemden schon ab Mitte Dreißig aus dem Leim gingen, vor Geilheit triefende Macho-Blicke für die Frauen, solange sie attraktiv waren. Aber keine Eskalation, kein Krieg.

Jamal hatte eine ganze Weile gebraucht, um sich an diese jungen Männer zu gewöhnen. Schon wenn er seine Wohnung verließ, um zur Uni zu fahren, sah er sie im Fahrstuhl. Sie stiegen ein, grüßten ihn, hauten ihm auf die Schulter oder probierten ihre Ein-richtiger-Mann-muß-andere-ignorieren-können-Masche. Sie zogen den Rotz in der Nase hoch, kauten geräuschvoll Kaugummi, überprüften im verschmierten Spiegel des Lifts die gegelten Haarsträhnen und fuchtelten mit ihren Adidas-Taschen herum, falls sie gerade auf dem Weg ins Fitneßstudio waren.

Sportstudio, Kebabbude, Sozialamt. Und davor und danach und dazwischen die voller Mißbilligung schweigenden Eltern und ihre Schwestern, die sich heimlich schminkten und in ihren Taschen keine Hanteln oder Boxhandschuhe transportierten, sondern irgendwelche tief ausgeschnittenen Oberteile, die sie sich ebenfalls heimlich bei Peek & Cloppenburg gekauft hatten und nun verstecken mußten vor den Eltern und den großen Brüdern, die wiederum selbst ... Gott sei gesegnet, dachte Jamal, daß ich nicht in dieser Mühle bin. Kein Teilnehmer in diesem Endlos-Spiel aus Demütigungen, wechselnden Allianzen, enttäuschten Erwartungen und schalen Befriedigungen. Das war die Zeit gewesen, als er sie bemitleidete.

Jetzt bewunderte er sie. Nicht, daß er ihnen heimlich hinterherglotzte und wie die Kultur-Tunten aus Schöneberg fast lossabberte, wenn sich so ein Kerl auf den Sitzplatz gegenüber fläzte und durch seine Trainingshose an den Eiern kratzte. Aber Bewunderung, die empfand er bestimmt. Sie hielten durch. Die meisten von ihnen versuchten, sauber zu bleiben. Rasteten nicht aus, fielen nicht kollektiv über die deutschen Frauen her, feuerten in der Friedrichstraße, wo sie in den schicken neuen Läden nicht einmal als Verkäufer sichtbar waren, nicht in die Menge und knallten am Savignyplatz auch keinen von den grauhaarigen Snobs mit dem Schädel gegen die kleinen Modegeschäfte, die Antiquitätenläden, die italienischen Weinhandlungen und französischen Restaurants.

Jamal saß in der U-Bahn und dachte nach. Es wurde Zeit, daß er Spuren hinterließ. Daß er nicht nur angegrapscht, sondern auch angesprochen wurde. Vor allem sollten die Linien, auf denen er sich durch die Stadt bewegte, eine eigene Schönheit besitzen, eine Choreographie, die sich nicht in Hakenschlagen und kantigen Zickzackmustern erschöpfte. Die Techno- und Orgienschuppen waren okay, aber die kannte er – mit Ausnahme der Fist-, Spanking- und Goldenshower-Verliese, die Namen wie *Stahlrohr*, *Stiefelknecht* oder *Knast* trugen und ihn überhaupt nicht interessierten – inzwischen zur Genüge.

Ein bißchen edler dürfte es schon sein. Es hatte ihm Spaß gemacht, die körperliche Unförmigkeit der Deutschen zu beobachten und gleich den schnittigen Autos, mit denen sie herumfuhren, durch die Stadt zu gleiten; tänzelnd, lächelnd, ein personifiziertes Rollerblade, das sich von Bierbäuchen und Doppelkinn-Pyramiden nicht aufhalten ließ. Nur, wo wollte er hin? Jedes Wochenende in den *Kit Kat Club?* Zeit, eine neue Wirklichkeit aufzutun.

Zum Beispiel dieser *Sage-Club*. Eine unscheinbare Metalltür direkt neben dem Ausgang der U-Bahn an der Heine-Straße, davor ein roter Teppich und samstagnachts eine straff gespannte Schnur, um den Gästestrom zu kanalisieren: Ein wenig erinnerte es Jamal an die Fernsehbilder bei den Filmgalas in Cannes. Ein Fetzen Côte d'Azur in einem Abbruchgebäude gleich gegenüber den Plattenbauten aus Ost-Zeiten! Hinter der Tür dann dieser hochgewachsene Schwarze, der für jeden ein anzügliches Lächeln hatte und seine Hand auf Jamals Rücken einen winzigen Tick zu lang liegenließ, ehe er sie zurückzog und ein *Enjoy it* murmelte. Jamal zahlte den Eintritt – unverschämte zwanzig Mark, ein weiterer kleiner Kontokiller –, gab dem Schwarzen grinsend ein *Enjoy me* zurück und hörte die anderen in der Schlange, die Frauen ebenso wie die Männer, laut und beifällig lachen.

Damit begann das, was er später seine *Berliner Karriere* nennen würde.

Eine Zigarette in der Hand, inspizierte er den Club, ließ sich nahe der Tanzfläche auf einem Ledersessel nieder, wippte herum, stieg dann eine steile Treppe nach unten und nickte lässig, als wären es alte Bekannte, den jungen Leuten zu, die dort in den Nischen saßen und an ihren teuren Cocktails nippten. Ging wieder nach oben, wo er sich unterhalb einer riesigen, im Disco-Nebel rot aufleuchtenden Diodentafel positionierte, die alle bis zum Jahrtausendwechsel noch verbleibenden Tage, Minuten und Sekunden anzeigte. Die Zeit vergeht, aber wenn ihr euch ein wenig bemüht, kriegt ihr noch heute nacht Jamal Kassim – das war die Botschaft. Und sie wurde gehört.

»Mister Enjoy Me?« Ein Typ tippte ihm auf die Schulter. »Ja, bitte?« antwortete Jamal.

»Ach, du sprichst Deutsch«, sagte der andere, aber die Musik war zu laut, seine Worte erreichten nur in Fetzen Jamals Ohr, außerdem brachten die farbigen Kreise, die von den Deckenstrahlern auf die Tanzfläche und die Wände projiziert wurden, ihn schnell zum Schwitzen. Es folgte, was zu erwarten war. Eine mit nach oben gedrehtem Handgelenk signalisierte Einladung auf einen Cocktail, bei dem man – Finger an die Ohren, Finger auf die Lippen – sich besser verständigen könne. Die Ledercouch im anderen Raum, ein Glas mit brauner Flüssigkeit, gelber Zitronenscheibe und durchsichtigen Eiswürfeln, dazwischen der Austausch von Mini-Informationen und die Vorstellung neuer Leute; Namen über Namen, die Jamal sofort wieder vergaß, weil ihn die Begutachtung der Gesichter, die er vorher nur kurz inmitten der wartenden Schlange gesehen hatte, vollständig in Anspruch nahm. Verdammt, dachte er, die sehen *alle* gut aus. Die waren sogar gut gekleidet, die ruinierten ihr Konto bestimmt nicht in der Grunewaldstraße. Mochten sie sich aber noch so um ihn drängen – ein zu langer Blick von rechts, eine Ellbogenberührung von links –, mochten sie noch so sehr über ihren Fang erfreut sein – es war Jamal, der hier fischte. Der die Discothek in rauchigem Französisch als *Saasch-Clübb* anstatt als *Sejtsch-Clab* aussprach, mit dieser kalkulierten Nuance Bewunderungsrufe wie billige Glasperlen einsammelte und gleich darauf mit einem Wortspiel nachlegte, das sich um die Versöhnung von *sage* und *folle* drehte.

War er damit übers Ziel hinausgeschossen, hatte er die Truppe überfordert? Aber nein, einer von denen verstand bestimmt Französisch, und diesmal – Super-Bingo! – war es sogar der

Ansehnlichste unter ihnen, der sich als Frankophiler zu erkennen gab und anfing, von seinen *Jahren in Paris* zu schwärmen. In Jamals Kopf leuchtete ein Signal auf. *Achtung: Zukunftsplanung!* Klar, daß er von allen hier Herumstehenden ihn auswählte.

So begann es. Nach zwei gemeinsam verbrachten Nächten war zwar schon wieder Schluß, und auch Paris hatte sich nur als unverbindliche Andeutung – *Dort solltest du mal hingehen, Jamal; echt jetzt* – herausgestellt, aber das war keine wirkliche Enttäuschung. Es kam nur darauf an, genau den Zeitpunkt abzupassen, an dem sich der Reiz des Neuen, des exotisch Fremden, der so schön Deutsch sprechen konnte, verlor. Dann mußte er schneller sein, durfte nicht zulassen, von irgendeinem Deutschen kalt lächelnd abserviert zu werden, sondern mußte ihm mit den handelsüblichen Floskeln zuvorkommen. *Du, ich brauch gerade etwas Zeit für mich. Es wird mir irgendwie alles ein bißchen zuviel, aber laß uns telefonieren, ja.* Jamal war stolz auf sich: So etwas lernte man nicht im Goethe-Institut, sondern nur im Dschungel von Berlin: Zwei Tiere ziehen sich in ihre Reviere zurück und vermeiden dabei, sich zu beißen und zu kratzen; schließlich wußte man nie, ob man sich noch einmal über den Weg laufen würde. Es dauerte nicht lange, und diese Sätze gingen ihm so leicht von den Lippen wie die Erläuterungen zu den *Wegzuständen unter Berücksichtigung des Schnittprinzips nach der Analogie von Mohr,* wenn er in der Uni ein Referat über *Die Statik der Baukonstruktionen, Teil 1: Statisch bestimmte Stabtragwerke* zu halten hatte.

Natürlich mußte man aufpassen. Es kam nicht gut, wenn man in einem Club zu oft herumhing. Die pickligen Ossi-Kids in der *Busche* und die provinzgeschädigten Neuberliner im *Connection* begingen diesen Kapitalfehler, und das Resultat war zum Steinerweichen. Immer wieder andere locations einschieben, nicht zuzuordnen zu sein, auftauchen und verschwinden, nicht jedesmal einen abschleppen, auch in der Kleidung Variationen zulassen.

Ich müßte einen Survival-Guide schreiben, dachte Jamal. Variationen zulassen, das klang schon mal ganz gut. Mindestens so gut wie die *Nähe wollen, aber auch Distanz zulassen*-Sprüche in den Stammel-dich-frei-Psychokursen, für die hier in jeder zweiten Zeitungsannonce geworben wurde. *Ruf mich an* oder *Sprich dich aus*; wenn ihm irgendwann das Geld ausgehen sollte, würde er selbst eine Hotline einrichten und, je nach Bedarf, in den Hörer stöhnen oder Zuspruch spenden. Variationen zulassen, das war's!

Die Auswahl, die man hatte, war gigantisch. *Schwuz Connection Kalkscheune GMF Oxymoron* und ab und zu dieser verunstaltete Schuppen im Tiergarten, den sie *Schwangere Auster* nannten und wo man in den Sommernächten am Geländer lehnen und auf das dunkle Wasser der Spree sehen konnte, während im Hintergrund House-Music durch die Baumwipfel rauschte.

Jamal war anwesend, er war präsent, er war erfolgreich.

Hätte er sich nicht an seine früheren Gefühle für Yousuf erinnert, so hätte er seine nächtliche Begeisterung, seine Neugier auf Körper und neue Gesichter vielleicht sogar mit Liebe verwechselt, hätte sich Hoffnungen gemacht, hätte Hoffnungen verloren und wäre über kurz oder lang zu einem jener zynischen Szene-Wracks geworden. Da er aber, wie er zu dieser Zeit glaubte, keine Illusionen mehr hatte, konnte er auch keine verlieren. Es war, als würde ihn ein lange zurückliegendes Gefühl noch immer schützen.

Gleichzeitig war er nie so naiv wie die anderen Ausländer, die er bei seinen Ausflügen herumspringen sah. Denen war der Erfolg bei den Deutschen zu Kopf gestiegen, so daß sie immer hochfahrender und zickiger wurden, bis sie schließlich als abgefuckte Queens oder frustrierte *SO 36*-Tucken den frischeren, noch unverbrauchten Neuzugängen Platz machen mußten. Nein, dies war kein Spaß; man mußte wachsam sein. Jamal sah es unter dem Gesichtspunkt des Experiments. Er war längst kein Erstsemestler mehr, und er wußte, daß alle Versuchsanordnungen permanent zu überprüfen waren.

»Der Jamal ist der Ingenieur der Berliner Schwänze«, hatte irgendwann mal einer gemeint, der bereits von ihm gehört hatte und nun nach dem Sex ein längeres Gespräch beginnen wollte. Er war Geschichtsstudent und erwartete, daß Jamal die Anspielung verstünde. »Na Stalin«, sagte er drängend, aber weil sie beim Klang einer von Giovannis alten LPs nackt auf der Doppelmatratze in der Eros-Bude lagen und nicht in einem Hörsaal saßen, gab es der Studi schließlich auf, Jamal den verwickelten Sinn des Satzes zu erklären.

Auch damit war zu rechnen: Dauernd wollten sie einen etwas lehren. Jedenfalls diejenigen, die nicht der muffigen Müsli-Fraktion angehörten, sondern durchaus wußten, was *in* war und darauf achteten, neben dem Kopf auch den Body in Schuß zu halten. Jamal bemerkte, daß diese Männer, sobald sie ihre Brillen absetzten und ihr besserwisserisches Gelaber einstellten, wirklich süß sein konnten, sogar ein wenig unbeholfen und noch nicht so gnadenlos festgelegt wie diese Szene-Profis, die genau Order gaben, ob sie ficken oder gefickt werden wollten, wo und wie lange sie zu lecken pflegten, welchen Drehmoment man ihren Cockringen angedeihen lassen mußte und in welcher Stellung es einem zu kommen hatte. Die Studis waren ungleich sanfter – zumindest so lange, bis sie das Vertrauen in ihre Körper wieder verloren und erneut die Sprechmaschinen anwarfen.

Dann konnte es passieren, daß sie einem ohne jede Vorwarnung mit Stalin, Nasser, Yassir Arafat, Chomeini, Netanyahu, dem Mossad und Adolf Hitler kamen. Wahrscheinlich glaubten sie, damit ihr Wissen und ihr historisches Verständnis zu zeigen und sogar Jamal und den Libanon – oder, wie sie sagten, *das arabische Dilemma* – erschöpfend analysiert zu haben.

Jamal war weder gerührt noch verärgert; er hörte zu. Nur ganz selten, wenn es gar zu dumm wurde, gab er einen kurzen Kommentar ab.

»Scheiß Israelis«, hatte zum Beispiel einer gesagt, kaum daß das Sperma auf seinem Bauch getrocknet war und sie sich beide eine Zigarette angezündet hatten.

»Scheiß Israelis, überziehen ein Land nach dem anderen mit Krieg.«

»Welches Land denn noch?« fragte Jamal träge und blies den Rauch auf die Brustwarzen des Historikers.

»Na ja, ich meine eben das Prinzip.«

Jamal schloß die Augen und leierte herunter, was man in solchen Augenblicken sagen mußte, um sich nicht in der Position des bemitleidenswerten Dritte-Welt-Kids wiederzufinden. »Der Krieg bei uns fing '75 an, mit den Leuten von der PLO und den verschiedenen Milizen, die anschließend das ganze Land verwüsteten. Dann kamen die Israelis und zerbombten, was noch nicht zerstört war. Danach rückten die Syrer vor und machten auf andere Weise weiter, unterstützt und bekämpft von den einheimischen Milizen . . .«

Spätestens da wurde es für den Historiker zu kompliziert. Gut, daß er wieder Lust bekam und Jamal abzuknutschen begann.

Dem war es recht, denn solche Exkurse hielt er ungern. Er wußte, daß es nur Worte waren, deutsche *Worte* für seine *Erfahrungen*; sie ließen überschaubar werden, was in Wirklichkeit ein einziges blutiges Chaos gewesen war. Aber auch über sich selbst mochte er nichts preisgeben, über das absurde Studium und die Aufenthaltsgenehmigung, über die Sache mit dem Onkel und der restlichen Familie. Je weniger die anderen wußten, um so besser.

Er ergriff Vorsichtsmaßnahmen. Zum Beispiel zeigte er, wenn er jemand bei sich übernachten ließ, niemals seine Freude, eine eigene Wohnung zu haben, die ihm überdies zum halben Mietpreis überlassen worden war und deren Besitzer sich trotz Yousufs Ankündigung bis jetzt kein einziges Mal aus London gemeldet hatte. Lieber lamentierte er über die abgesiffte Gegend, über die Türken und die Junkies, die sich vor dem Haus und den U-Bahn-Eingängen herumtrieben. Auf die Eros-Poster an den Wänden tippte er mit verächtlicher Nachlässigkeit, denn das hatte er gelernt: Auch mit der Ironie mußt du schneller sein als sie, wenn du nicht willst, daß sie genüßlich in Stücke reißen, was du gern hast. Jamal gewann den Wettlauf, und so gewann auch seine Eros-Bude das Gütesiegel *kultig*. Und dies, obwohl feststand, daß Kreuzberg längst ein *toter Hund* war und *man* sich inzwischen in Mitte, im Prenzlauer Berg oder im Friedrichshain einmietete. Jamal hatte es geschafft, und so wurden, als wären die achtziger Jahre nie vergangen, die PKK-Graffitis, die türkischen Blasmusik-Plakate und der Geruch von Zwiebeln und Döner, der durch die engen Gänge des gestrandeten Wohndampfers wehte, *schrill* und *kultig*.

Um das Gütesiegel zu behalten, mußte er der Bezeichnung natürlich permanent widersprechen. Dazu gehörte, daß er Giovannis Musikgeschmack verspottete, sich nur unter Drängen und Küssen – hierbei bevorzugt: die südliche Partie seines Körpers – herabließ, *Nuovi eroi* oder *Uno di noi* zu spielen und bei alldem eine Gelassenheit an den Tag legte, die den Deutschen, allein mit sich selbst beschäftigt und aufgeblasen wie sie nun einmal waren, die Genugtuung gab, einen schüchternen und dabei – *o Gott!* – maskulinen Ausländer aufgegabelt zu haben. Wie Bären führte Jamal sie an ihren aufgerichteten Schwänzen in seiner Bude umher, während sie dachten, *sie* wären es, die das Exotik-Pogramm bestellt hatten. Es war zum Brüllen.

Manche revanchierten sich, indem sie von ihrer großen Liebe

für *die arabische Kultur* faselten und Jamal mit den gesummten Melodien von Fairuz und Um-Koultoum peinigten. Das erinnerte ihn an die nicht enden wollenden Beiruter Nachmittage und Abende im Familienkreis, und er spürte, wie er Krämpfe bekam. Seine Gäste hielten sein Schweigen für Heimweh, und sie sagten: »Du, ich versteh deine Probleme. Ausländer zu sein, hier unter den Deutschen, na ...« Sie atmeten schwer.

»Aber ich versteh *eure* Probleme nicht«, sagte Jamal lachend.

Bei all seinen Abschleppereien achtete er jedoch darauf, keinem Typen seinen Freund auszuspannen, sich nicht als Dritter in diese vor falschem Verständnis und echter Eifersucht knirschenden *Offenen Beziehungen* hineinzuwagen, keine hohen Erwartungen zu wecken und nie mit seinen Abenteuern zu protzen; nichts tödlicher als der Ruf einer geilen Schlampe, die jeder haben konnte.

Er kannte die Regeln, mied die Fallstricke und blieb so lange Zeit sehr beliebt.

Wenn er nach der Uni – oder gegen Ende der Sommersemester auch während der Kurse – durch die Stadt streifte, fand er immer einen, der sich an ihn erinnerte.

Er fuhr hinaus zum Wannsee, und stets gab es genug Hände, die ihm zuwinkten, ihm Sonnenöl auf den Rücken schmierten oder seine aufgrund des Fitneßtrainings härter gewordenen Schultern massierten. Zu zweit oder zu dritt rannten sie ins Wasser, schwammen prustend bis zu den Bojen hinaus, hielten sich dort fest, hielten sich aneinander, blinzelten in die Sonne oder machten an sich herum und flüchteten dann mit schnellen Kraulbewegungen vor dem, was sie *unsere Schaumspur* nannten. Am Strand ließen sie sich auf ihre Badetücher fallen oder gingen gleich weiter in eines der schlecht verputzen Gebäude, um zu duschen. Und auch dort gab es Fortsetzungen.

Wenn er dagegen vom Reuter-Platz in die Knesebeckstraße einbog, konnte er aus dem Café Savigny seinen Namen rufen hören. Es schien, als habe man nur auf ihn gewartet, immer war ein Stuhl frei, und im Café Berio am Winterfeldtplatz war es nicht anders. Man war erfreut, ihn zu sehen, verabredete sich für Clubs und Discotheken, und wenn er auch darauf achtete, unvermittelt aufzutauchen und wieder wegzugehen, um kein Sklave eines Programms zu werden, so hielt er Verabredungen doch pünktlich ein. Er hatte keine Zeit zu verlieren. Es waren die

Deutschen, die zur Uhrzeit ein lässiges Verhältnis unterhielten und sich unter einem anschließenden Schwall von Entschuldigungen und verworrenen Erklärungen häufig verspäteten. Die ganz Schlauen zwinkerten Jamal sogar zu und sprachen von den *berühmten arabischen fünf Minuten*, die man bei einer Verabredung doch dazurechnen müsse.

Bald lud man ihn zu privaten Partys ein, auf denen er nichts weiter tun mußte, als sich über seine dunklen Augenbrauen zu streichen und Silvias Nudelsalat-Joke (sparsam eingesetzt, um ihn nicht zu verschleißen) anzubringen, um sofort die Lacher auf seiner Seite zu haben. Mein Gott, wie dankbar die Deutschen für alles waren, was sie erheiterte, wie schnell konnte man dieses mürrische, abwechselnd aufbrausende und zusammenzuckende Volk mit einem Lächeln, einer witzigen Bemerkung oder einer eleganten Geste in seinen Bann ziehen. Von Finesse und Spiel verstanden sie wohl nur wenig, aber staunen, das konnten sie!

Besonders bei den Frauen schlug so etwas ein. Dennoch machte er sich keine Illusionen: Jede Hetero-Fete in Berlin brauchte mindestens zwei, drei schicke Schwule zur Dekoration. Die meisten von ihnen waren wirklich nur Dekoration und hatten etwas seltsam Unbelebtes an sich. Wenn sie in der Küche Kleinigkeiten fürs Büffet – sie sagten: *was voll Leckeres* – zubereiteten, taten sie das mit spitzen Fingern und schmalen Lippen. Wenn sie sich unterhielten, knickten sie ihr Handgelenk ein oder schlugen die Beine übereinander; ohne jeden Zwang brachten sie sich in puppenhafte, grausige Positionen. Es wirkte verzweifelt und aufgesetzt. Sogar ihre Begeisterung, mit der sie von Romy Haag, Tania Ries oder einem neuen Stück im *Wintergarten* oder der *Bar jeder Vernunft* sprachen, war nicht frei. *Das-mußt-du-sehen-hörst-du!* Noch lieber zogen sie über andere her, abwesende Bekannte, miserabel kochende Gastgeberinnen oder Jamal völlig unbekannte Menschen, die sie als *Schnittchen* und *abgelegte Quickies* bezeichneten. Und noch während sie sich in ihre Trauergesänge und Haßtiraden hineinsteigerten, achteten sie darauf, die dazu passende Pose nicht zu verlieren. So war es: Die Absicht, etwas vorzuzeigen – Zustimmung, Irritation, Abscheu –, erinnerte an diese Gipsfiguren in Berliner Hauseingängen, die auch immer irgend etwas, eine Harfe oder einen Apfel, in der Hand hielten. Gipsharfen, Gipsäpfel.

Jamal stand nicht auf Gips. Jamal war der Ausländer, der *natürlich* war: So sah er sein Bild in den Augen der Partygäste gespiegelt. Natürlich, gutaussehend, witzig und ausländisch; das war mal was Neues. Kultig, dieser Jamal Sonstwie mit seiner Ramazzotti-Höhle.

Und wieder konnte er sich zu einem Kunststück gratulieren. Er gefiel den Frauen ebenso wie den Männern, zog jedoch nie die Eifersucht des versammelten Schwulen-Klüngels auf sich. Das kam, weil er außerhalb des Spiels stand.

Selbst hier, wo alles schnell und kurz und spaßig sein mußte, war das Leben auf Dauer angelegt. So war es, so ist es, so wird es sein. Party Party Party und dazwischen Kohle machen; *glaubst du denn, wir fangen bei Null an, wir, die wir hier leben, nein Schätzchen, wer kann schon so naiv sein.*

Jamal war nicht naiv, er wußte Bescheid. Er war hier, aber in ein paar Jahren wäre er wieder weg, und nichts würde von ihm bleiben als die Erinnerung an einen netten Typen aus Wo-kam-der-gleich-noch-her. Das war sein Problem. Das war seine Chance.

Bei einer dieser Partys mußte ihn dann Katja das erste Mal beobachtet haben. Wer war dieser Kerl, der immer im Mittelpunkt stand, dabei noch so tat, als wäre es ihm gar nicht recht, dann aber irgendwelche Geschichten über Regine Hildebrandt und die Homo-Aktivitäten von Abdullah Öcalan erzählte, daß sich die Balken bogen und die Sektgläser klirrten? Und weshalb verschwand er kurz darauf wieder im Gewühl, strich durch das Wohnzimmer, sah sich neben dem Büffettisch in der Küche um, guckte zur Garderobe im Flur – ganz so, als wolle er Klau- und Fluchtmöglichkeiten für einen geplanten Einbruch sondieren? Sobald er angesprochen wurde, setzte er ein scheues Lächeln auf, strich sich eine schwarze Haarsträhne aus der Stirn, fixierte sein Gegenüber und gab ihm oder ihr das Gefühl, auf geradezu *sexuelle* Weise nah zu sein und doch – leider, leider – von einem anderen Stern zu kommen.

So etwas hatte Katja noch nie erlebt. Sie setzte ihre Observierung fort. Jamal spürte ihre Augen in seinem Rücken, und ihm wurde unbehaglich. Hier guckte immer noch *er*, schließlich war das sein sauer genug erworbenes Privileg!

Er wandte sich abrupt um und sah die junge Deutsche mit den braunen, hinter die Ohren zurückgestrichenen Haaren an. Diesmal war sein Blick eine Spur forscher, energischer, und so bekam

Katja dieses »Ich seh dich, du siehst nett aus, lassen wir's dabei bewenden«-Nicken, das er sich nur für Notfälle aufhob.

»Und das war der Beginn einer wunderbaren Freundschaft«, würde Katja später sagen, als sie mit überkreuzten Beinen bei ihm zu Hause auf der Couch saß und Ramazzotti hörte. Und Jamal, der an das Ende des Films mit den rotierenden Propellern und dem in Richtung Lissabon startenden Flugzeug dachte, waren sofort Tränen in die Augen geschossen. Auch Katjas Lider schimmerten feucht.

Doch keine Rede von solcher Vertraulichkeit bei ihrer ersten Begegnung.

Es verging einige Zeit – Wochen, Monate? –, in der er sie nicht sah. Andere Räume, andere Menschen, andere Abende, und die Erinnerung an diese Frau, die ihn, Jamal Kassim, mit einem so wissenden Lächeln verfolgt hatte, verblaßte.

Aber in Abständen glitt sie an ihm vorbei, tauchte in Gruppen auf, deren Peripherie Jamal streifte, flirtete mit Männern, die auch ihm gefielen, aber hetero waren; sie schaute ihn an und schaute weg, sie war anwesend, aber sie kam ihm nicht zu nahe. Braune Haare, braune Augen, schmale Figur, Pumps oder schwarze Jeans; soweit er es beurteilen konnte, sah sie gut aus. Gut und fragil. Ein skeptisches Lächeln, kleine Lachfältchen wie Seidenschnüre, und immer dieser aufmerksame Blick. Lebhaft, ohne unruhig zu sein. Regelmäßig auf dem Sprung, das war sie: eine junge Frau auf dem Sprung.

Sollte sie doch sonstwohin springen, das war nicht sein Problem.

Sein Problem aber begann, als er langsam seine wichtigste Maxime vergaß. Sich nicht involvieren lassen, sich unter keinen Umständen zu weit vorwagen, nicht abheben. Plötzlich war er übermütig geworden. Er genoß die Einladungen, die Aufmerksamkeit, auf die er zählen konnte. Noch dachte er, daß *er* das Spiel erfunden hatte, dabei war er nur Mitspieler in einem Stück, das »Wir und die Fremden« hieß.

Natürlich gefiel es ihm, einen Platz in der Mitte des Ensembles zu haben und das schöne Äffchen zu spielen, das seine Tricks vorführt. Das Äffchen oder das Eichhörnchen, zum Entzücken des Publikums mit goldenen Nüssen jonglierend und keck und furchtlos das aussprechend, was sie alle dachten, fühlten oder sich hinter dem Rücken zuraunten. Die Stimme der Wildnis, amüsant und erregend; ein neuer Kick.

Wenn er plauderte, fürchtete er weder die schwulen Konsum-Fuzzis noch die politisch korrekten Leser dieser bescheuerten *taz*-Kolumne *Der homosexuelle Mann*, er hatte keine Scheu vor Heteromännern und ihren ungelenken Gebärden; ihn ängstigte nicht einmal, mit seinen Witzen über Marzahner und Spandauer Tussis als frauenfeindlich gebrandmarkt zu werden. Er war unangreifbar – zumindest glaubte er es zu sein. Und man ließ ihn gewähren, denn er sammelte keine Menschentrauben um sich, sondern nur überschaubare Grüppchen in wechselnden Anordnungen. Eine Unterhaltung im Café, ein paar Witze in den großen Wohnküchen, die sie hier besaßen, Begrüßungsküsse in den Clubs, und alles wie im Vorübergehen und vorher nicht geprobt.

Dennoch war er zum Eichhörnchen geworden. Ein Eichhörnchen, das nicht immer sichtbar war und manchmal auch für Wochen ins Gebüsch abtauchte, aber ein Eichhörnchen, das zurückkehrte. Mit goldenen Nüssen im Gepäck, denn das wurde von ihm erwartet. Freilich verriet das Eichhörnchen nie, mit wem es die letzte Nacht verbracht hatte; das war ihm zu billig. Weil aber goldene Nüsse vorgezeigt werden mußten, fand das Eichhörnchen andere Sachen heraus. Lustige Sachen und stets so erzählt, daß sie sich keiner konkreten Person zuordnen ließen und niemand der Lächerlichkeit preisgaben. Zumindest hoffte das Jamal, wagte sich in fremdes Territorium hinein und verhedderte sich immer mehr. Mochten die restlichen Schwulen ruhig aufeinander einhacken, sich um *Schnittchen* (zumeist hoffnungslos unnahbare junge Russen oder Türken) streiten, sich gegenseitig ein *unmögliches Outfit* bescheinigen, und die Läden, in denen andere shoppen gingen, der Ödnis und des Ausgelutschtseins bezichtigen – Jamal fiel über sie alle her. Auf seine eigene Art, auf die sanfte, stets um Beifall bittende Tour.

Er begann einfach damit, ihre Redeweise zu imitieren. Das war nicht schwer, denn er hatte sie monatelang belauschen können; am Wannseestrand, in den Bars, bei den mitternächtlichen Transenshows im *Schwuz* oder in der *Schwangeren Auster*. Es war immer das gleiche – ob oben auf der Bühne oder hinten an der Theke, selbst vor den Waschbecken-Spiegeln in der Toilette, in denen die Neuzugänge begutachtet wurden. *Subversive Ironie* nannte das der aufgeregte Kolumnenschreiber, dessen Weisheiten Jamal am Frühstückstisch vorgelesen bekam, wenn er zuvor die Nacht mit einem *taz*-Leser verbracht hatte, dem *Szene und*

Engagement und so schon wichtig waren. Zu diesem Zeitpunkt war die *taz* bereits etwas fleckig, denn der engagierte Studi hatte sie eben erst von den mitlesenden Mit-Studis in seiner WG – Goooottt, Jamal, das sind alles Heten! – unter die Türritze seines Zimmers geschoben bekommen. Der homosexuelle Mann war also subversiv. Das hieß: Der aufgeklärte, großstädtische, West-berliner homosexuelle Mann war subversiv, und genau das muß-te diesem jungen Libanesen, der da in Boxershorts an der anderen Seite des Ikea-Tisches saß und mißtrauisch das Schwarzbrot und den Joghurt beäugte, erst noch beigebracht werden. *Subversiv!*

Schon wenig später hatte Jamal den Dreh heraus und wartete nicht lange, um seine Kenntnisse jener Öffentlichkeit, zu der er Zugang hatte, zu präsentieren.

»Duuuh, du, ich sag jetzt einfach mal, weißt du, es ist ja schon so, daß ich glaub, daß der Carsten, aber na ja, irgendwie finde ich das ziemlich daneben, daß der so übel mit dem Manuel, auch wenn sie eher eine Manuela ist – hihi, entschuldige mal, also daß das so gelaufen ist, du kannst dir ja vorstellen, mein Gott, war-um-muß-er-denn-so-sein –, so super find ich das halt wirklich nicht, duuuh.«

Gelächter, Gläserklirren, ein anerkennendes Oho; also das Übliche mit ein paar wenigen verärgerten Gesichtern am Rand. Nur gehörten die jetzt nicht nur einigen pikierten Schwulen. Lang-sam fühlten sich auch die Heteros, die in leicht abgewandelter Form den gleichen coolen, sich nie aus der Ruhe bringen lassen-den Sprachstil pflegten, gründlich verarscht. Kommt dieser Ara-ber hierher, bringt niemals eine Weinflasche oder einen Nudel-salat mit, macht auf die Schüchtern-aber-in-Behandlung-Masche und spielt dann den großen Zampano, der ausgerechnet uns dechiffrieren will. Und das mit einem Bauingenieursstudium! Na dann gut Holz, oder sagt man bei dem zu Hause eher *gut Zeder?* Wir können nämlich auch witzig sein, Mister Mega-Joke, wir auch.

Das war der stumme Tenor der Verdrießlichen. Jamal bekam ihn anfangs ebensowenig mit wie die Befriedigung, die er bei den Subversions-Profis auslöste.

Sieh an, sieh an, der Jamal. Jetzt gehört er also auch dazu. Erst die Angst, dann die Gleichgültigkeit, ein wenig Abwehr, die je-doch schnell in Ironie übergeht, und schwupps!, eh du dich ver-siehst, sitzt du mit im Boot. Na ja, vielleicht nicht gerade Erster

Klasse wie wir – befristete Aufenthaltsgenehmigung, nervende Beamte und dann die ganze verschleierte Family bei euch; das können wir uns schon vorstellen, duuuh, also nicht ganz so abgesichert und zukunftsgewiß, dafür aber viel, viel schöner als wir auf dem Seil ohne Netz balancierend; Chapeau, liebster Jamal.

Da gab es BWL-Studenten, gegelte junge Börsenheinis im weißen Hemd und offenem Kaschmirmantel, die sich ab Freitagmorgen einen Dreitagebart fürs Wochenende stehenließen und manchmal sogar selbstgedrehte Zigaretten pafften (Wenn Jamal mit einem von ihnen wegging, entdeckte er auf dem WG-Klo statt der *taz* einen Stapel von *Handelsblatt*-Ausgaben, in denen ganze Zahlenkolonnen mit einem Füllfederhalter umrandet waren), da waren außerdem Designer und Innenarchitekten, Raumausstatter, hippelige CD-Produzenten Anfang Zwanzig, Theaterleute, Publizistik-Studenten, die auf eine Karriere im *Stern* oder bei *Max* hinarbeiteten oder solche, die sich einfach *Multi-Media-Leute* nannten. Sie kannten sich alle aus, wußten, was *in* war, welches Restaurant und welche *location* gerade das absolute *must* darstellte, sie wirbelten im Umkreis der lokalen Stars herum und sprachen mit gesuchter Selbstverständlichkeit von *der Romy*, *der Tania* oder *der Desiré*, wobei das betonte Pronomen noch eine ganz besondere Intimität suggerierte. Sie wählten Grün oder PDS, kokettierten, für die CDU zu stimmen oder massenweise die FDP überrollen zu wollen, und sie fanden die Dinge, die sich in der Stadt zutrugen, abwechselnd *geil* oder *voll kraß*. Auf jeden Fall waren sie aufstrebend und subversiv zugleich (wenn auch in einem anderen Sinn, als sich das der altlinke Kolumnentrottel vorgestellt hatte) und hatten allen Grund zur Freude, als nun auch Jamal in ihrem Slang plapperte. Wer parodiert, gehört dazu. Gerade der, und zwar als Hoffnarr.

Und Jamal saß plötzlich in einer doppelten Falle.

Du entwickelst dich nicht.

Kaum überrascht, daß ihn das Observierungs-Mädchen nun doch angesprochen hatte, erwiderte er: »Ich bin damit beschäftigt, mich nicht *ein*wickeln zu lassen.«

Das klang gut, ehrlich und offensiv, das spielte unbekümmert mit den Worten, nur – es stimmte nicht. Es stimmte schon seit einigen Monaten nicht mehr. Jamal war auf dem besten Wege, sich nicht nur einwickeln, sondern hoffnungslos verwickeln zu lassen, und genau das mußte die kluge Katja gespürt haben, als sie ihm an einem Winterabend mitten im Partygewühl wie zufällig auf den Fuß trat, sich mit keiner Silbe entschuldigte und statt dessen diesen Satz auf ihn abschoß. Sie hatte die kurze, verhängsvolle Phase der Imitations-Gags miterlebt, sie wußte Bescheid, und im Unterschied zu Jamal ahnte sie auch, was sich hinter dem Lachen der Umstehenden verbarg. Der liebe Junge zappelte im Netz und merkte es nicht einmal.

Das heißt, manchmal blitzte eine Ahnung in ihm auf. Aber das ging vorbei, denn er lebte sein Leben: Die Kurse an der Uni, die er lustlos absaß, die Clubbesuche und Abschleppereien, die Entdeckung Berliner Räume und Betten (es wurden immer mehr) und dazwischen zur Auflockerung ein paar dieser Läster-Gags für die dankbaren Deutschen.

Doch mit der Imitation der Schwulen und Yuppi-Gespräche war er zu weit gegangen. Selbst dieses Geplapper hatte ja einen Zweck und diente, wenn schon nicht der Information, dann dem eisernen, immer wieder erneuerten und bereits ins Unterbewußte abgewanderten Willen zum Selbstschutz.

Sie sprachen nicht umsonst so. Auch sie mußten ihre Umgebung abchecken, sich langsam vorwagen, nach Verbündeten suchen und ihre Autonomie verteidigen, locker – *subversiv!* – sein und gleichzeitig wie ein Wiesel auf der Hut bleiben, falls der Wind sich drehte, irgendein Stil sich langsam änderte und über Nacht Dinge *unmöglich* wurden, die man gestern noch als *kultig* beklatscht hatte. Sollten die Idioten die Zeitgeist-Ecken ihrer Zeitungen ruhig mit Wörtern wie *Neue Unübersichtlichkeit, Patchwork-Identität, anything goes* und *Gleichzeitigkeit des Ungleichzeitigen* vollschmieren; an der Front wurde noch immer gekämpft. Wer nicht allein von Club zu Club ziehen oder zu Hause einsam vor sich hin wichsen wollte, wer ab und zu als Resonanzboden eine Clique brauchte – auch wechselnde, coole, gutgelaunte, sich permanent auflösende und wieder locker zusammenfügende Cliquen waren Cliquen –, tja, der mußte sich eine Menge einfallen lassen, um hier noch einen Stich zu kriegen. Kein Wunder, daß mittlerweile die *NeuberlinerIn sucht nette Leute zum Ausgehen*-Annoncen in *Tip* und *Zitty* Legion waren. In ihrer hoffnungslosen Naivität fanden sie natürlich niemals befriedigende Antworten, sondern nur Leser, denen es ähnlich ging und die sich deshalb verachteten, oder ein paar *party-people*, die es geschafft hatten und sich aus Überdruß einen Spaß daraus machten, zu schreiben oder anzurufen, um die Betreffenden dann bei getürkten dates in Marzahn oder Zehlendorf stundenlang auf einem windigen S-Bahnsteig warten zu lassen. So war das, so blieb das. Auch wenn sich keiner traute, darüber zu sprechen, denn Berlin als *die* neue Metropole mußte geil sein, und die Lehre von der Ungleichzeitigkeit des Gleichzeitigen ließ auch den letzten Frusti hoffen, in seinem Leben doch noch auf das große Unerwartete zu stoßen.

Jedenfalls tat man gut daran, wachsam zu sein und nicht gleich mit allem herauszuplatzen, was man war und was man wollte.

Guten Tag – zwinker, zwinker –, ich bin Jamal Kassim, ich komme – zwinker, zwinker, blinzel, blinzel – aus dem Libanon, studiere hier in Berlin ... und – blinzel, blinzel, jetzt schon die verschärfte Stufe – wohne ganz in der Nähe. Na, *der* konnte es sich leisten, so mit der Tür ins Haus zu fallen. Der sah gut aus, und falls er – äußerst seltener Fall übrigens – abgewiesen wurde, baggerte er eben jemand anderen an. Gefiel es ihm irgendwo nicht, ging er achselzuckend wieder weg. So einfach war das, wenn man wußte, das man in einem Jahr sowieso verduften mußte; aus der Szene, aus dem Bett, aus seiner Bude, aus der Stadt und sogar aus dem Land und dem Kontinent.

Aber die anderen? Die blieben hier. Die mußten sich *hier* eine Existenz aufbauen. Die mußten, Freizügigkeit hin, Ende des Generationskonfliktes her, sich selbst, ihren Freunden und ihren Eltern beweisen, daß sie es in der großen Stadt zu etwas brachten – und sei es auch nur zu einem Coverfoto im *030* oder einer Stelle als Aushilfs-DJ in einem kultigen Laden, der ungefähr zwei Monate lang kultig blieb. Die mußten sich heranpirschen, das Terrain – und ein anderer Mensch war wie ein Club oder ein Job nichts als ein Terrain für sie – sondieren und in die Sätze, die sie dabei von sich gaben, schon die dynamische Verzögerung, die leise Relativierung oder die hurtige Verneinung einbauen. Es war todernst, aber es mußte leicht klingen. Es hatte nichts zu bedeuten, aber es mußte durch Rhetorikfiguren aufgepäppelt werden, um den Eindruck von lässiger Nachdenklichkeit zu erzeugen. Längst waren die Füllwörter ein Teil ihres Lebens geworden. Das gehörte zum Spiel – das *war* das Spiel –, doch genau das begriff Jamal zu spät. Er glaubte Sätze nachzuahmen, statt dessen schoß er ahnungslos Giftpfeile los und riß Masken herunter. Der Exot begann zu nerven, *and they were not amused.*

Irgendwann spürte er, daß sich atmosphärisch einiges zu verändern begann. Da er jedoch keine wirklichen Vertrauten besaß (schon das Wort allein erinnerte an Kontrolleure und Kerkermeister, die ihn bespitzeln und seine Freiheit einschränken wollten), wußte er nicht, wie er sich verhalten sollte.

Silvia und Yousuf fragen? Ein glückliches Ehepaar hat keinen Sinn für Single-Probleme. Die beiden hatten ihn mehrmals in ihre neue Wohnung in die Bergmannstraße eingeladen, und es wurden nette Abende, an denen sie über die Hochzeitszeremonie und den besoffenen Beamten lachten (der Schwede wurde nicht mehr erwähnt). Anschließend holte Yousuf die Farbfotos von Reisen hervor, die sie zusammen unternommen hatten, oder Silvia erzählte Familiengeschichten von Leuten, die Jamal doch damals bei der Trauung gesehen hatte. Wenn es dann auf Mitternacht zuging und es Zeit war aufzubrechen, wurde ihm klar, daß er ihnen trotz aller Freundschaft nicht mit seinen momentanen Ungelegenheiten kommen konnte. Er registrierte es mit einer geradezu grimmigen Befriedigung.

In dieser Zeit ereignete sich eine Geschichte, die ihn zutiefst beunruhigte.

Nach den Kursen in der Universität war er zum Nollendorfplatz gefahren und hatte sich ins Café Berio gesetzt. Das Café war überfüllt, denn draußen auf der Straße prasselten schwere Regenschauer herab. Überall schüttelten sich Leute die Nässe von den Haaren und der Kleidung, Regenschirme wurden zugeklappt und hinterließen auf dem Holzfußboden kleine Pfützen, andauernd wurde nach Cappuccino und heißem Tee gerufen, und die schwulen Kellner in ihren langen weißen Schürzen murmelten *Herrje, Herrje.* Jamal verzog sich in die obere Etage. Von den Zeitschriften, die an den Wandhaken längs der Treppe hingen, griff er nach *Männer Aktuell* und *Newsweek* und setzte sich an einen der freien Tische neben dem Geländer. So durchnäßt wie er war, hätte er nach Hause fahren und heiß duschen sollen. Vorher wollte er jedoch unbedingt noch etwas trinken, außerdem hörte er nach zwei Doppelstunden im Kurs *Schalenbau und Höhere Festigungslehre* seinen Magen rumoren. Erst nachdem er die zweite Tasse Earl Grey getrunken und ein getoastetes Doppel-Tuna-Sandwich verschlungen hatte, sah er sich im Raum um.

Schwule und Heteros, siebzig zu dreißig; das übliche Verhältnis. Ins Gespräch vertiefte Paare oder Rumgucker, die allein saßen, durch ihre beschlagenen Brillen auf die Treppe starrten und von Zeit zu Zeit unkonzentriert in ihren Zeitschriften blätterten. Wer keines der Schwulen-, Mode- oder Politmagazine abgekriegt hatte, mußte mit einem ADAC-Heft und Artikeln über Caravan-Familienreisen nach Mecklenburg-Vorpommern vorliebnehmen, und das war bestimmt ebenso furchtbar wie das Risiko, sich draußen den Grippetod zu holen.

Jamal bemerkte zwei junge Typen, die hinter einem Tisch an der Längsseite des Raumes saßen und ihn unverwandt betrachteten. Sie sahen ihm beide direkt in die Augen, und als er die Blicke erwiderte, ruckte einer von ihnen mit dem Kopf. Jamal verstand. Er hatte nach links geruckt, und links befand sich die Toilette.

Ein paar Sekunden heuchelte Jamal Gleichgültigkeit, blätterte in den *Science*-Seiten von *Newsweek*, runzelte die Stirn, als beträfe ihn die verbesserte Erdbebenvorhersage in Kalifornien persönlich, stand dann auf und ging, ohne sich umzudrehen, zur Toilette.

Der Raum war winzig klein, neben dem Pinkelbecken gab es nur eine einzige Kabine; sie war frei. Er machte die Tür hinter sich zu, schloß aber nicht ab. Es dauerte nicht lange, dann wurde sie geöffnet, und die zwei Typen drängten herein.

Der eine hatte kurzgeschnittenes schwarzes Haar, der andere war blond. Auch ihre Haare glänzten noch feucht vom Regen. Schweigend öffneten sie die Reißverschlüsse ihrer Hosen. Drei Erektionen auf engstem Raum, drei beschnittene Schwänze. Jamal riß die Augen auf. Tatsächlich: Die Typen waren beschnitten. Sie lächelten, wechselten aber noch immer kein Wort. Sie fuhren sich mit den Händen unter die Pullover, um ihre Oberkörper zu ertasten; gleichzeitig begannen sie zu wichsen. Es war nicht sehr erregend, es ging einfach zu schnell, und in dem Moment, als sie keuchend kamen, drückte der Blonde schon die Klospülung.

Mitten in das Rauschen hinein tippte Jamal auf dessen noch immer steifen Schwanz und sagte: »Seltsam.«

»Was ist seltsam?«

»Na das«, sagte Jamal. »Bei Deutschen kommt das eigentlich nie vor.«

»Bei deutschen Juden schon«, sagte der mit dem schwarzen Haar, schob seinen Schwanz zurück in die Boxershorts und knöpfte die Jeans zu. Jamal riß erneut die Augen auf. *Juden!* Sofort kehrten die Bilder in sein Gedächtnis zurück.

Die nackten Israelis unter der Behelfsdusche damals im Dorf. Die unsichtbaren Fernrohre der Zahal, von denen er Hassan erzählt hatte, als es ihnen unten am Fluß gemeinsam gekommen war.

»Ich komme aus dem Nachbarland«, sagte Jamal grinsend. Jetzt wären *die* dran, Augen zu machen!

Eine Weile geschah gar nichts. Dann fragte der Blonde verwundert: »Aus Österreich?« Auch er war wieder angekleidet und hatte seinen hochgerutschten Pullover nach unten gezogen, bis er den Hosenschlitz bedeckte.

»Aus Polen wird er ja wohl kaum kommen«, meinte der Schwarzhaarige. In seiner Stimme lag unverkennbar Spott. Die spritzen nicht nur zusammen, die sind auch ein System miteinander kommunizierender Röhren, dachte Jamal mißmutig. Weshalb reagierten die so dumm? Er schüttelte den Kopf. »Aus dem Libanon«, sagte er und hoffte ein letztes Mal auf eine entsprechende Reaktion. Er war auf Verblüffung gefaßt gewesen, auf irgendeinen verlegenen Spruch in der Art von *Siehst du, unsere Explosionen waren friedlich*, selbst mit einem erschrockenen Zurückzucken hätte er gerechnet, aber nicht mit diesem eisigen Schweigen, das ihn auf einmal umgab.

»Wie witzig«, sagte der Blonde tonlos, und der Schwarzhaarige ergänzte, daß es ihm neu wäre, daß der Libanon plötzlich ihr Nachbarland geworden sei. »Warum nicht gleich Syrien oder Ägypten?«

Jamals Gesicht verfinsterte sich. Syrien! Ägypten! Wußten die eigentlich, was sie da sagten? Mit fahrigen Gesten machte er seine Hose zu und drängelte sich an den beiden vorbei zur Tür. Entweder verstanden die keinen Spaß oder sie hatten etwas gegen Libanesen. Rassistische Idioten! Solche Gesichter wollte er nicht noch einmal sehen.

Jamal wartete nicht auf den Kellner, sondern legte einen Zwanzigmarkschein auf den Tisch und raste die Treppe hinunter.

Draußen ging noch immer starker Regen nieder, doch das schreckte ihn nicht. Keine Sekunde länger wollte er hierbleiben, und bis zur U-Bahn waren es nur ein paar hundert Meter.

In der Nacht bekam er jedoch Fieber.

Am nächsten Morgen deckte er sich in der Apotheke mit Antigrippe-Pillen ein und litt am Wochenende schließlich nur noch an einem leichten Schnupfen. Am Samstagabend ging er ins *Schwuz*, und statt Kondomen steckten diesmal Tempos in seiner Hosentasche. Er tanzte eine Weile und schaute sich um; das übliche Programm.

Dann sah er die beiden aus dem Café wieder. Sie standen am Rand der Tanzfläche und flüsterten gerade einem dritten etwas ins Ohr. Jamal war sicher, daß sie ihn entdeckt hatten und über ihn spotteten. Er konnte spüren, wie ihm das Blut in den Kopf schoß. Gleichzeitig begann seine Nase zu jucken. Die Ohren schmerzten vom Lautsprechergedröhn, und die Augen fingen an, unter den Spotlights zu tränen. Hatte sich alles gegen ihn verschworen? Er sah keine andere Wahl, als fluchtartig die Discothek zu verlassen.

Im Taxi nach Hause schossen ihm Tränen der Wut in die Augen, doch ebenso schnell wurde sein Zorn unter einem unaufhörlichen Niesen begraben.

Später sollte ihn Katja fragen, was ihn hatte glauben lassen, daß jeder Jude aus Israel kommen müsse; schließlich wohne er ja als Araber auch nicht in Mekka. Und übrigens: Nicht alles, was einem einfalle, sei witzig, manchmal handele es sich nur um dumme Zumutungen.

»Konnte ich denn wissen, daß die wirklich überall sind?« maulte Jamal.

»Zum Glück sind die überall«, entgegnete Katja, »andernfalls hätte der Herr Kassim aus Beirut nämlich niemanden zum Wichsen.«

Das war das erste und letzte Mal, daß sie solch ein Wort in den Mund genommen hatte, aber es wirkte. Jamal gab sich geschlagen. Wie hatte er es nur so lange ohne diese Frau aushalten können? Kein Zweifel, die war ihm völlig gewachsen. Sie ließ *ihn* wachsen.

Katja

SIE HATTE ES ZIEMLICH LEICHT IN DIESEM MOMENT.

Du entwickelst dich nicht.

Ich bin ja auch hauptsächlich damit beschäftigt, mich nicht einwickeln zu lassen.

Merkwürdigerweise wußten sie beide, was der andere sagen wollte. Der richtige Ton war sofort gefunden. Aber wie sollte es weitergehen? Jamal zog Katja am Ärmel und lotste sie von dem Menschengewühl weg, das gerade im Wohnzimmer herrschte. Man war in Aufbruchsstimmung. In Mitte sollte ein neuer Club eröffnet oder ein alter mit einer riesigen Farewell-Party verabschiedet werden; irgend etwas in der Art. Einer der jungen Leute, die sich die Wohnung teilten, hatte überdies Geburtstag, deshalb auch jetzt dieser Happy-Birthday-Sermon und die knallenden Sektkorken. Irgendwo hatte man ein Fenster offen gelassen, und es zog kalt durch die Räume. Draußen gab es erbärmlichen Nieselregen, und binnen kurzem war der Fußboden der Wohnung mit schlierigen Streifen und Stiefelmustern übersät. Es war ziemlich ungemütlich. Außerdem hatte Jamal die Mehrzahl der Anwesenden noch nie in seinem Leben gesehen. Wer hatte ihn überhaupt eingeladen?

Jemand hatte auf seinem Anrufbeantworter die Adresse und die Uhrzeit angegeben und sich mit einem fröhlichen *See you* verabschiedet. Solche Botschaften waren nichts Ungewöhnliches. Jamal hatte eine Dusche genommen, sich umgezogen und war in die U-Bahn gestiegen. Jetzt erinnerte er sich auch, daß es die Stimme von Mathias gewesen war. Richtig, Mathias, der Wuschelkopf mit seinen *Mann-o-Mann*-Sprüchen nach jedem Orgasmus. Er war okay, dieser Mathias. Nur ließ er sich im Moment nirgendwo blicken.

»Du bist also Jamal«, stellte Katja ernsthaft fest. Jamal registrierte mit Befriedigung, daß sie nicht *der Jamal* gesagt hatte. Nichts ging ihm bei den Deutschen mehr auf die Nerven als diese pseudovertrauliche Personalpronomen-Masche.

Er lächelte. »Und du bist . . . Halt, laß mich nachdenken – Katja. Korrekt?«

Katja zeigte keine Reaktion, sah ihn nur schmunzelnd an. Vielleicht war es auch ein wenig Spott. Er wurde unsicher. »Die bist du doch, oder?«

»Klar«, sagte sie endlich, wobei sie sich die Fülle ihrer dunkelbraunen Haare hinter die Ohren strich. »Du bist Jamal und ich bin Katja, und da wir das jetzt hinter uns hätten, könnten wir irgendwo was trinken gehen. *Zu zweit.* Es sei denn«, wieder dieser Observierungsblick, »du willst unbedingt mit der ganzen Korona in diesen Club . . .« Was war eine Korona?

Mit Erstaunen erinnerte sich Jamal später daran, wie heftig er verneint hatte.

Vor dem länglichen Spiegel im Flur, auf dem Dutzende von Zetteln mit Telefon- und E-Mail-Nummern klebten, half er Katja in den Wintermantel. Er fühlte sich wohlig an, reichte ihr aber kaum bis zu den Knien. Aus dem Wust der über einer Truhe gestapelten Kleidungsstücke zog er seine Lederjacke mit Lammfellfutter (anderthalb Monatsraten, nach dem Kauf setzte er sich wochenlang auf Diät) und strich sich vor dem Spiegel das Haar zurück. Im Winter ließ er es immer ein wenig wachsen, das schützte die Kopfhaut und gab schwarz auf weiß einen schönen Effekt, wenn es schneite. Katja sah ihm kommentarlos zu.

Zwischen der Tür und dem Rahmen hing eine Art Stoffbeutel aus abgeschabtem Samt, der verhinderte, daß die Tür ins Schloß fiel. Anscheinend wurden noch weitere Gäste erwartet, ehe man aufbrach. Keiner bemerkte, daß Katja und Jamal vor der Zeit gingen.

»Wo sind wir hier überhaupt?« fragte er, als sie draußen in der naßkalten Nacht standen und ihre Mantelkragen hochklappten, um keinen steifen Hals zu bekommen.

»Irgendwo in Schöneberg«, sagte Katja. Sie blies ihre Backen auf.

Ein Mix aus Barockengel und Schulmädchen, dachte Jamal. Er zog die Schultern hoch.

Vielleicht war sie sein Schutzengel. Mein Schutzengel ist 'ne

Lady und ein *schoolgirl* dazu. Ein *Lady-Girl*, so sah sie aus. Mit ihrer Art, dem leichten Spott und der ungezwungenen Koketterie, ähnelte Katja so gar nicht den Club-Tussis, die er bis jetzt auf seinen Streifzügen kennengelernt hatte. Eher erinnerte ihre Eleganz an die Frauen, die er bei seinen ersten Spaziergängen am Fraenkelufer bewundert hatte. Aber da war noch etwas anderes, das er nicht deuten konnte.

Er kicherte. »Gott, das ist komisch. Da stehen wir jetzt hier in der Nässe der Nacht (ob sie die Alliteration zu schätzen wußte?) und wissen nicht weiter. In anderen Fällen wäre die Frage ganz einfach. Zu dir oder zu mir?«

»Du willst sagen, in den *üblichen* Fällen«, entgegnete Katja. »*Ich* bin nämlich der andere Fall, und zu mir können wir schon mal nicht. Ich wohne jotwede in Schmargendorf – bei meiner Mutter.«

Jamal konnte es sich gerade noch verkneifen, durch die Lippen zu pfeifen. Obwohl er keinen einzigen Berliner Schwulen kannte, der noch bei seiner Mutter lebte, war diese ein beliebtes Alibi, wenn man einen one-night stand nicht bei sich, sondern in der Wohnung des Partners verbringen wollte. So war das nun mal mit den Schwulen. Aber mit einer *Frau?*

»Bei deiner Mutter?« fragte er.

Katja hatte die Hände in die Manteltaschen gesteckt und stapfte gegen die an ihr hochkriechende Kälte mit schwarzen Halbstiefeln auf dem Bürgersteig herum. Aufmerksam betrachtete sie den wegspritzenden Matsch unter ihren Füßen.

»Ja, ist das so seltsam? Zumindest darf ich einen eigenen Hausschlüssel und sogar ein eigenes Zimmer mit Bad haben. Mit Spitzengardinen und Plastik-Enten in der Wanne.«

Unvermittelt sah sie auf. Sie blickte Jamal in die Augen, Jamal sah ihre dunklen Pupillen, und er dachte, was sieht die mich nur so an. Woher kam diese unerwartete Vertrautheit, dieses freundliche Spielen, das allem widersprach, was in diesem Land an Formen der Kontaktaufnahme üblich war?

Als ein Taxi neben ihnen hielt, dessen Fahrer sich über den Nebensitz beugte, das Fenster öffnete und fragte, ob sie mitwollten, stiegen sie ohne zu zögern ein.

»Zum Kottbusser Tor«, sagte Jamal. Wenn *zu dir* nicht ging, war eben *zu mir* dran, war es Zeit für die Doppelmatratze in der Eros-Bude. Aber jetzt hatte er eine Frau neben sich sitzen. *Eine Frau!*

Katja blickte ihn von der Seite an. Wartete sie darauf, daß er etwas sagte? Ihr feuchtes Haar verstärkte den Duft ihres Parfüms. »Egoist«, sagte sie, als Jamal zu schnuppern begann. »Für Frauen und Männer gleichermaßen geeignet.«

»Gleichermaßen ist ein schönes Wort«, sagte er. »Normalerweise sagen sie hier immer nur *genauso,* und das wird mit der Zeit etwas billig – wenn du verstehst, was ich meine.«

»Kein einziges Wort«, sagte Katja, »aber red ruhig weiter.«

Noch im Taxi war ihm die Idee gekommen, mit Katja in den *Würgeengel* zu gehen. Der Laden befand sich in der Dresdener Straße, gleich bei ihm um die Ecke. Wenn er jemanden abgeschleppt hatte, sich für ihn aber auch außerhalb des Bettes interessierte – *ein wenig* interessierte, zu mehr hatte er es in all den Monaten nie gebracht –, setzte er sich vorher mit ihm in den *Würgeengel.* Er hörte den Geschichten zu, die erzählt wurden, rauchte oder trank ein Glas Wein – bis er müde wurde und wie zufällig zusammen mit einem Taschentuch den Wohnungsschlüssel aus der Hosentasche beförderte, ihn auf den Tisch legte und gleichzeitig den Augenkontakt mit seiner Nachtbekanntschaft intensivierte. Das verstanden alle.

Jamal war klar, daß das mit Katja nicht funktionieren würde. Sie war ihm mit einer Kraft auf den Fuß getreten, als hätte sie seit Wochen für diese Gelegenheit trainiert, und es schien an der Zeit, etwas neugieriger zu werden.

Sie hatten sich auf eines der Plüschsofas in der Ecke neben dem Eingang gesetzt, wo zwischen bordeauxrot gestrichenen Wänden ein breites Fenster den Blick auf die nächtliche Straße freigab. Nach Mitternacht drängten immer mehr Leute in den *Würgeengel*; in den meisten Fällen Dreißig- bis Vierzigjährige, die von ihrer Kleidung her weder *Techno people* noch Kreuzberger Herumhänger zu sein schienen. Eher Leute, die auf Jazz-Konzerte und in Off-Theater gingen, in irgendeiner gemieteten alten Karre durch die USA oder Australien fuhren und bei den Feten der Grünen Reggae tanzten. So jedenfalls schätzte Katja das Publikum ein.

Jamal hatte darüber noch nie nachgedacht. Offensichtlich gab es in dieser Stadt eine Menge Wirklichkeiten, von denen er nicht die blasseste Ahnung hatte.

Sie bestellten sich einen großen Tapasteller und – darauf hatte Katja bestanden – eine Karaffe Sangria, in deren dunkler Flüssig-

keit kleine Teile herumschwammen, von denen Jamal nicht wußte, ob es Zitronen oder Orangenstücke waren. Bis jetzt hatte er so
etwas noch nie getrunken, und die sich so peinlich anbiedernden
RTL-2-Reportagen über deutsche Sangria-Trinker, die an den
Stränden von Ibiza das Gesöff gleich eimerweise in sich hinein-
schütteten, hatten ihm nicht das Gefühl vermittelt, irgend etwas
verpaßt zu haben.

Mit Katja war das anders. Sie zwinkerte ihm zu, als sie miteinander anstießen, und der fruchtige Wein war eine Wucht. Das
Lady-Girl war putzmunter. Sie sah ihn an und blickte sich im
Raum um; legte ihre Ellbogen auf die zerkratzte Holzplatte des
länglichen Tischs, an dem sie sich gegenübersaßen; bewunderte
die Glasdecke mit dem verstaubten Kronleuchter und befand, daß
dessen herabhängende Kordeln und Fransen ebenso »Toulouse-
Lautrec-mäßig« seien wie die Plakate, die auf den Türen zu Klo
und Küche klebten.

»Klar«, sagte Jamal.

Daß der *Würgeengel* »Toulouse-Lautrec-mäßig« war, hatte er
bisher von keiner seiner Nachtbekanntschaften gehört; hoffentlich war es nicht nur ein anderes Wort für *abgefuckt*. Er hielt es
für besser, nicht nachzufragen.

Sie plauderten eine Weile, spießten Oliven und Artischocken
auf und lachten zusammen über Jamals Bemerkung, daß ihn die
schwarzen Tintenfisch-Stückchen an die Masken erinnerten, die
die Typen in der Fetisch-und-Latex-Szene trugen.

Auf einmal aber wurde er ernst und sagte unvermittelt: »Katja,
damit ich dich nicht enttäusche ... Ich glaube, ich muß dir was
sagen. Es ist nämlich so, daß ich eher nicht bi bin.«

Als hätte jemand einen Film angehalten, erstarrte Katjas Hand
in der Luft. Die Gabel fand den Weg zum Mund nicht mehr,
hellrosa Muschelfleisch zitterte auf den Zinken, rutschte wie in
Zeitlupe an den Rand und klatschte mit einem dumpfen Geräusch auf den Teller, von dem dicke Öltropfen wegspritzten.

Katja ließ die Gabel sinken und brach in Gelächter aus.

Und eigentlich war es kein Lachen mehr, sondern ein Dröhnen.
Hieß es im Deutschen nicht, daß sich so nur Bierkutscher den
Bauch hielten oder verband man diese Art des Lachens sogar mit
der Hölle? Jamal beschloß, in einem seiner alten Vokabelhefte
aus der Goethe-Zeit nachzuschauen. Andere Gäste, die vorn an
der Theke lehnten, drehten sich nach ihnen um, aber das beach-

tete er nicht. Er sah nur Katjas Lachfalten. In den Mundwinkeln, neben den Nasenflügeln und unter den Augen, die schon feucht geworden waren.

Er mußte ziemlich dumm geguckt haben, denn als Katja ihn ansah, begann ihr Mund wieder zu zucken, und die Augen füllten sich erneut mit Lachtränen.

»Du bist tatsächlich so, wie ich es mir vorgestellt habe«, sagte sie unter Glucksen und strich sich mit einer Stoffserviette über das nasse Gesicht.

Ein paar Weißbrotbrösel blieben an ihren Brauen hängen, und erst als Jamal sie mit seinem ausgestreckten Zeigefinger wegstrich, begann sich Katja wieder zu beruhigen. Ihn traf ein tiefer Blick aus ihren dunklen Augen.

»Tut mir leid, ich lache über mich. Sehe ich also aus, als hätte ich es nötig, das Maskottchen der Berliner Schwulen anzumachen?«

»O nein«, beeilte sich Jamal zu sagen, obwohl er spürte, daß in dem Wort Maskottchen – er wußte nicht, was es bedeutete – wahrscheinlich eine Art Kritik stecken mußte. »Du bist eine wahnsinnig attraktive Frau und hättest heute abend mindestens zehn von den Männern, die dort ...« Aber da hatte sie ihm mit einem Lächeln bereits wieder sein Glas gefüllt.

»Erzähl mir von dir.«

Wenn er später daran dachte, wie er während dieses ersten Abends nichts Besseres zu tun gehabt hatte, als Katja sofort sexuelles Interesse an ihm zu unterstellen und sich bedauernd als *eher nicht bi* zu bezeichnen, fand er, daß er mit ihrem Gelächter noch gut weggekommen war. Er hätte es verdient, eines der Tintenfisch-Stücke auf die Nase zu bekommen. *Du entwickelst dich nicht.* Katja hatte recht und vor allem – aus unerfindlichen Gründen hatte sie Geduld.

Ein wahres Wunder, daß sie sich bei seinen Geschichten nicht gelangweilt hatte (zumindest ließ sie sich nichts anmerken), daß sie nicht gähnte, keine Signale mit einem der gutaussehenden Heteros an der Theke tauschte, sondern mit Todesverachtung lauschte, wie Jamal ihre *Erzähl-mir-von-dir*-Bitte getreu erfüllte. Was er erzählte, war das Übliche. Libanesische Herkunft, die Familie, das nervende Studium; seine Entdeckungen in der Stadt, die Männer und die Jungs, die Jungs und die Männer. Da war er wieder ganz in seinem Element, begriff, daß Katja nicht zur

Szene gehörte und weder Rivalin noch potentielle Geliebte war, und er ihr also alles, wirklich *alles* erzählen konnte. Ungehemmt schüttete er sie mit Anekdoten und Erinnerungen zu, die sich ausnahmslos um die Betten von Berlin drehten. Amüsiert hörte Katja ihm zu.

Einige Monate danach würde sie sagen: »Weißt du, was ich gedacht habe? Der kommt in seiner neuentdeckten schwulen Männlichkeit gar nicht auf den Gedanken, daß eine Frau diese Stories überhaupt nicht prickelnd finden könnte, trotzdem ist er anders als die Türken und Araber, denen ich vorher begegnet bin. Der quasselt ununterbrochen, aber vielleicht tut er das ja, weil er vorher so lange schweigen mußte. Und nie auch nur ein einziges *Ey Mann; Du, ich schwöre dir* oder *Ey Alte, du wirst nicht glauben.* Dieser Verzicht hatte was; so etwas lernt man als Frau in Berlin zu schätzen.«

So war und dachte Katja, und Jamal begann sie dafür zu lieben.

Als sie aber gegen drei Uhr morgens auf die Straße traten, hatte allein er über sein Leben – oder das in seinem Leben, was er für berichtenswert hielt – gesprochen. Dennoch wußten sie beide, daß es eine Fortsetzung geben würde. Eine Frau, die einen auf den Fuß trat, eine Wahrheit aussprach und so an deren Kraft glaubte, daß sie sie später kein einziges Mal mehr wiederholte, sondern nur besorgt war, sie auf ewig bestätigt zu finden, so eine Frau, so einen Menschen ließ man nicht wieder im Labyrinth dieser Stadt verschwinden!

Jamal begleitete sie bis zum Taxistand, der sich neben der Imbißbude an der Reichenberger Straße befand. Er dachte sogar daran, ihr die Tür aufzuhalten.

»Wir sehen uns«, sagte sie, und er hörte gerade noch, wie sie dem Fahrer die freundliche Order »direkt nach Schmargendorf« gab, dann war sie weg.

Wir sehen uns.

Das war keine Bitte, keine Frage, nicht einmal eine Aufforderung gewesen. Es war nur die schönste Art, ein häßliches deutsches Wort mit Leben zu füllen: Tatsachenfeststellung. Ich stelle fest, du stellst fest; stell dir erst vor, wenn wir alles festgestellt haben werden. Seit langer Zeit spürte Jamal wieder eine pochende Erwartung, die *nichts* mit Sex zu tun hatte. Oder doch?

Vor sich sah er den gestrandeten Dampfer, in dessen neunter Etage er eine Kabine bewohnte. Aus einigen der Fenster schimmerte das übliche bläulich zuckende Fernsehlicht, eine Straßenlaterne erleuchtete die Werbeschilder des Sportstudios darunter. Taek Won Do Kung Fu Karate Kick Boxing Judo. In den Gängen roch es wie immer nach Urin und Abfall; aber Jamal achtete nicht darauf. Während er auf den Aufzug wartete, tänzelte er über den kippenübersäten Boden des Hausflurs.

Wir sehen uns.

Und sie sahen sich. Nahezu jedes Wochenende und bald darauf ein- oder zweimal in der Woche. Da Jamal seinen witzigen Bemerkungen zu mißtrauen begonnen hatte, wußte er nicht, wie er es anstellen sollte, Katja auszufragen. Ihr Leben interessierte ihn, aber er fürchtete, sie entweder durch zuviel Fragen einzuschüchtern oder – falls er zu lange damit wartete – ihr das Gefühl zu geben, daß sie ihm gleichgültig sei. Frauen reagierten anders als Männer, das hatte er begriffen.

Falls Katja einen Plan gehabt hatte, so war er genial gewesen. Sie dachte nämlich gar nicht daran, Jamal aus seinem bisherigen Leben herauszureißen – wenigstens nicht sofort. Wenn er sie auch nie überreden konnte, mit zu den raren *Men and ladies Nights* ins *Connection* zukommen und sie sich auch standhaft weigerte, im Spreewaldbad ihre Bahnen zu schwimmen, während er durch die Duschräume pirschte, so hatte sie doch nichts dagegen, freitag- oder samstagnachts mit ihm im *90 Grad*, in der *Kalkscheune* oder im *Sage-Club* aufzutauchen, wo er einst seine Karriere gestartet hatte.

Sie kamen gemeinsam, tranken etwas an der Bar (gegen Katjas Einspruch hielt Jamal sie jedesmal frei) tanzten, gingen jedoch oft zu unterschiedlichen Zeiten nach Hause – das geschah dann, wenn Jamal jemanden aufgegabelt und es auf einmal wieder eilig hatte.

Es war fast wie zuvor. Die Veränderung bestand darin, daß er jetzt eine Vertraute hatte, mit der er reden konnte, die ihm auf der Tanzfläche ihre Meinung ins Ohr flüsterte, wenn sie sah, daß er sich gerade einen Typen ausguckte. In den meisten Fällen gab sie ihm ihren Segen, wenn die Anbaggerei erfolgreich verlaufen war und Jamal in seinen Hosentaschen schon nach dem Geld für das Taxi suchte.

»Du mußt nicht immer bezahlen«, sagte sie einmal. »Spar das Geld lieber für Notfälle.«

Jamal hatte sie fragend angesehen. »Was für Notfälle? In zwei

Jahren ist sowieso alles vorbei, *das* ist der ultimative Notfall. Und zahlen muß man eben; du weißt doch, wie geizig die Deutschen sind.« Dann hatte er ihr zugeblinzelt, und war, die Hand um den Hals seiner neuen Eroberung, verschwunden.

Es war optimal: Du gehst aus, bist nicht allein, kannst dir das dumme Herumstehen mit der Zigarette in der Hand sparen; hast jemanden an deiner Seite, der Sicherheit gibt und dich trotzdem zu nichts verpflichtet; checkst die Männer ab, und sollte sich einer von denen als grimmiger Hetero entpuppen, drehst du einfach den Kopf weg und versenkst deine Augen in die Augen deiner Freundin; deiner besten Freundin, die alles versteht.

Und Katja spielte eine ganze Weile mit. So lange, bis sie fand, daß ihr Part mittlerweile verdächtig dem eines Schwulenmuttchens glich.

»Tut mir leid, Jamal«, hieß es dann am Telefon, »heute abend gehe ich mit Freunden weg.«

Jamal schluckte kurz; er hatte verstanden. Er wünschte ihr viel Spaß und meinte es sogar ehrlich. Logisch, daß eine attraktive Frau nicht als Auffangnetz für einen herumvagabundierenden Schwulen herhalten wollte. Dabei hatten sie manchmal auch zusammen die Clubs verlassen, hatten sich beieinander eingehakt und inmitten übermüdeter Nachtschwärmer in ein Café gesetzt und den Abend Revue passieren lassen. Für ihn war es eine angenehme Beigabe, während Katja gerade diese Momente zu genießen schien, in denen sie, zwei Komplizen in einer großen Stadt, redeten und schwiegen, an ihren Zigaretten zogen oder einfach nur dasaßen ohne den Zwang, jemanden für eine Nacht kennenlernen zu müssen. Leider hatte er das nicht schnell genug begriffen. Wie auch? Auch Katja schien sich in den Clubs wohl zu fühlen. Sie konnte sich ebenso perfekt zu House wie zu Techno bewegen, sie entdeckte Bekannte, stellte ihnen Jamal vor, ließ sich von einem der Männer eine Zigarette geben und demonstrierte jene schöne Leichtigkeit, die ansonsten auch den jüngeren Deutschen völlig abging.

Katja konnte tanzen und plaudern, aber sie konnte auch zuhören – vor allem, wenn sie mit Jamal allein war. Stück für Stück hatte sie ihm einen Teil ihres Lebens offenbart. Sie erzählte von ihrem Soziologie- und Germanistik-Studium und später auch von ihrer geschiedenen, lesbischen Mutter (es hatte mehrere Wochen gedauert, ehe sie darauf zu sprechen gekommen war), mit der sie zusammen draußen in Schmargendorf lebte. Sie sprach davon, mit einem Nebenjob irgendwann genug Geld zu verdienen, um sich eine eigene kleine Wohnung mieten zu können; am besten in einer der Straßen hinter der Synagoge in Mitte, wo die Häuser ihre alten Fassaden bewahrt hatten und noch nicht für Touristen-Kameras zurechtrenoviert worden waren.

»Fühlst du dich bei deiner Mutter eingesperrt?« hatte Jamal gefragt.

»O nein, ganz und gar nicht. Mutter kann eine tolle Freundin sein. Und ob du's glaubst oder nicht, ich hab ihr von dir erzählt.«

Jamal sah Katjas offenes, unverhüllt begeistertes Gesicht, und er schämte sich für den ersten Gedanken, der ihm dabei kam. *Vorsicht, Falle!*

Katja wirkte ganz aufgekratzt, und das blieb sie auch, als Jamal sie mißtrauisch fragte, ob eine – verdammt, wie sagte man da nur –, na ja, *so eine Frau* wie ihre Mutter die Männerbekanntschaften ihrer Tochter einfach akzeptiere.

»Och«, machte Katja und verlor dabei nichts von ihrem Enthusiasmus, »das ist eine lange Geschichte. Lang, aber nicht schlimm, wenigstens nicht für mich. Erzähl ich dir später, einverstanden?«

»Einverstanden«, hatte Jamal geantwortet. Sie wechselten das Thema.

Was bei allem ausgespart blieb, war die Frage, weshalb Katja auf Jamal im wahrsten Sinne des Wortes zugetreten war. Wenn er sie an ihre erste Begegnung erinnern wollte, wich sie aus. Das fand er seltsam. Normalerweise wurden Freundschaften dadurch fester, indem man wie bei einem Ritual immer wieder an ihre Anfänge erinnerte, an den mythischen Augenblick, an dem es Klick gemacht hatte, daß man Worte, die damals gefallen waren, wiederholte, Gesten, Szenarien, Stimmungen wieder aufleben ließ und alles zu einem handlichen Block zusammenpackte, der dann ein gutes Fundament für die Zukunft abgab. Vereinfacht, reduziert, zur Hälfte aus gut verschalten Illusionen bestehend, doch immerhin ein Fundament.

Darauf aber hatte sich Katja nie eingelassen, und das gab ihrer Beziehung von Anfang an etwas Schwebendes, Leichtes, aber auch Zufälliges und Gefährdetes.

Er mußte aufpassen.

Nachdem sie als Erklärung für ihr Fernbleiben mehrfach Verabredungen mit *Freunden* angegeben hatte (bei ihr fehlten die besitzergreifenden Pronomen fast immer, und auch das fand Jamal ebenso sympathisch wie verwirrend), beschloß er, ihr beim Wiedersehen etwas anderes vorzuschlagen als die ewigen Clubs.

Nur was? Er war, seit er in Berlin lebte, nur ein- oder zweimal im Kino gewesen und hatte daran keine Erinnerung, denn statt den Film anzusehen, hatte er nur die Minuten gezählt, die er hier absitzen mußte; Onkel Ziyad war wieder einmal beim Vögeln gewesen und hatte ihn weggeschickt. Die Museumsbesuche, die den Kurs-Teilnehmern vom Goethe-Institut gratis geboten wurden, hatte er ebenso verpaßt wie die Theater- und Opernaufführungen. Was sollte er da, das war nicht seine Welt. Nicht einmal seine Gay-Freunde hatten es geschafft, ihn für den Schwuchtel-Kram in der *Bar jeder Vernunft* zu interessieren, von dem sie so schwärmten.

Was verlangte man von ihm; sollte er in den vier Jahren, die man ihm zugestanden hatte, zum Europa- und Berlin-Experten werden, der statt der Referate über Grundbau und Bodenmechanik Vorträge über deutsche Kultur und Geschichte hielt? Jedesmal wenn sich Jamal im Geiste diese Fragen stellte, wurde er zornig.

Das war doch nicht seine eigene Geschichte! Selbst das, was ihm die Familie und Ziyad stets als seine *eigene Geschichte* hatten einreden wollen – Sei ein guter Sohn, ein braver Neffe, ein fleißiger Student, werde ein vortrefflicher Ingenieur und ein noch vortrefflicherer Familienvater –, hatte nicht das geringste mit ihm zu tun. Warum konnte man ihn nicht in Ruhe lassen? Nachdem er der Demutswelt seines Onkels entkommen war und sich in der Stadt zurechtzufinden begann, auf den Dancefloors der Discotheken eine ebenso gute Figur machte wie in den Betten seiner wechselnden Lover, nachdem er sich mit zusammengebissenen Zähnen sogar in seinem Studium weiter robbte, hatte er da nicht das Recht, das gottverdammte Recht, mit sich zufrieden zu sein?

Er *hatte* Grund, stolz zu sein, denn er *hatte* sich ganz allein eine Welt erobert.

Sie war nicht unbedingt ein Paradies, aber sie erfüllte seine nächtlichen Wünsche und ließ auch am Tage ein freundliches Gesicht sehen. Was sollte noch kommen? *Kein Mensch ist eine Insel: Auch wer gegen den Strom schwimmt, schwimmt im*

Strom. Ein Netz ist nicht nur ein Gefängnis, sondern auch ein Halt.

Sprüche über Sprüche. *Du entwickelst dich nicht.*

Gut gesagt, kluges Mädchen. Was konnte er tun, um sie vom Gegenteil zu überzeugen, welche gemeinsamen Entdeckungen ihr vorschlagen?

Genau darauf schien Katja gewartet zu haben. Endlich war Jamal soweit; schon stotterte er am Telefon etwas von *mal was anderes machen* herum und meinte dabei nicht seine Club-Arenen, wo er vor Publikum den geilen Gladiator spielen konnte.

Jetzt war er reif für Phase zwei.

Phase zwei, gestartet wenige Wochen nach Katjas winterlichem Fußtritt in der unbekannten Schöneberger Wohnung, dauerte bis in den nächsten Sommer. Jamal konnte sich genau daran erinnern, denn da saßen sie an einem Abend auf unbequemen Holzbänken im Monbijou-Park und sahen hoch auf eine erhellte Bühne, auf deren Holzbohlen ein Plüschsessel und ein stilisierter Türrahmen standen, über den man ein wappengeschmücktes Tuch geworfen hatte.

»*Der Widerspenstigen Zähmung* in einem Off-Theater«, hatte Katja am Telefon gesagt, und er hatte wieder einmal nur Bahnhof verstanden. Und doch hatte er sich auf den Vorschlag eingelassen, so wie er sich seit Monaten auf alle Vorschläge Katjas einließ. Und wieder, seinem aufgesetzten Mißtrauen zum Trotz, hatte er nichts bereuen müssen.

Natürlich hatte Katja Vorarbeit geleistet. Zuerst einmal hatte sie Sir William von einem abstrakten Namen zu einem schönen jungen Mann gemacht, indem sie Jamal in einen Film mitschleppte, in dem der Dichter mit Dreitagebart und hellem, frechem Lachen um die ebenso schöne Hollywood-Tante Gwyneth Paltrow warb.

Jamal, der sich anfangs über die gestelzten Worte beschwert hatte, war hingerissen und damit, so hoffte wohl Katja, nun auch in der Lage, ein richtiges Shakespeare-Stück zu kapieren. Sicherheitshalber hatte sie eine Komödie gewählt. Nicht zu lang, nicht von Regietheater-Dilettanten verhunzt, aber auch nicht in irgendeinem stickigen Saal vor einem senilen Abonnenten-Stamm penibel heruntergespielt. *Der Widerspenstigen Zähmung* unter freiem Berliner Sommer-Himmel – *that's it!*

Amüsiert bemerkte sie, wie Jamal voller Unbehagen auf dem

Holzsitz herumrutschte, sich umsah, durch die Menge der studentischen Theater-Fans verunsichert wurde, kurz vor Beginn der Vorstellung zu der kleinen Mauer lief, die das Gelände von der Straße trennte und dort hastig eine Zigarette rauchte und erst in dem Moment außer Atem zurückkam, als das Licht im Park schon verloschen war und auf der Bühne ein abgerissener Säufer auftauchte, der sich Mister Sly nannte.

Im Laufe der Handlung wurde dieser Sly dann von einer Komödiantentruppe, die im Solde einer englischen Lady stand, zu einem respektablen Signor Petruccio umgemodelt. »Tolle Interpretation«, flüsterte Katja Jamal ins Ohr, »damit verliert das Stück seine Frauenverachtung, die meine Mutter immer auf die Palme gebracht hat.«

Um dem Penner seine neue Rolle schmackhaft zu machen, waren ihm mehrere Pokale Wein eingeflößt worden, die ihn einschläferten und nach dem verkaterten Erwachen an seiner Identität zweifeln ließen.

»Sly?« rief er von der Bühne herab, »Sly? Ich bin ... Ich bin ...«

»Ein Börlinner«, rief jemand aus dem Dunkel der Sitzreihen. Jamal lachte los. Sofort hatte er sich an den berühmten Satz und das Gesicht des jungen Präsidenten erinnert, das mindestens einmal im Monat in den Dokumentarfilmen von B1 gezeigt wurde. Gleichzeitig dachte er an die *Ratsstube JFK*, an der er auf dem Weg zu Silvias und Yousufs Trauung vorbeigekommen war.

Durch Jamals lautes Lachen angestachelt, applaudierte das ganze Publikum, und Mister Sly alias Petruccio hüpfte in seinem weißen Wams linkisch über die Holzbohlen – das Stück begann gut. Katja beugte sich zu Jamal hinüber und gab ihm einen Schmatz auf die Wange. Das tat sie jedesmal, wenn sie sich mit ihm freute.

Wenn er sich richtig verhielt, dachte Jamal. Er hatte sehr wohl bemerkt, wann und in welcher Absicht diese Küsse vergeben wurden. Mit ihnen machte sich Katja selbst ein Geschenk für ihre erfolgreiche Umerziehungsarbeit. Als sie ihn das letzte Mal geküßt hatte, liefen ihm gerade Tränen über das Gesicht.

Sie hatten in einem kleinen Hinterhofkino in Kreuzberg, dessen Namen ihm nicht mehr einfiel, gesessen und sich *Casablanca* angeschaut.

He Jamal, kennst du Casablanca?

Die Stadt?

Nein, den Film.

Da gibt es einen Film über ...

Sag bloß, das weißt du nicht! Los komm, diese Woche zeigen sie eine Ingrid-Bergmann-Retro.

Also sahen sie *Casablanca*, und Major Strasser hatte in *Rick's Café* die »Wacht am Rhein« zu grölen begonnen, als Victor Laszlo aufsprang und mit einer Würde, die nur gerechter Zorn verlieh, die »Marseillaise« anstimmte. *Allons enfants*, und das ganze Café sang mit. Selbst Rick's zynisches Pokerface wirkte ergriffen. »Vive la liberté«, rief das Barmädchen, mit feucht schimmernden Augen sah Ingrid Bergmann zu ihrem Ehemann hinüber, und auch Jamal waren die Tränen gekommen.

Zeit für einen Schmatz.

Danach waren sie in ein Tex-Mex-Restaurant am Lausitzer Platz gegangen, und Katja hatte ihm die Hintergründe erklärt. Zweiter Weltkrieg und deutsche Besatzung, Vichy, de Gaulle und die Résistance, der Kampf um die portugiesischen Visa, um über das letzte Schlupfloch Lissabon den Nazis zu entkommen.

Jamal hörte aufmerksam zu. Respekt!

Unvorstellbar, daß die anderen Frauen, mit denen er auf den wechselnden Partys gesprochen hatte, Ähnliches wußten. Offensichtlich dagegen, daß die verhuschten Mädels, die er jeden Tag in der TU mit zerstrubbeltem Haar und abgewetzten Ledertaschen ihren Seminarräumen zustreben sah, im Unterschied zu Katja kaum je die Chance gehabt hätten, vor der Einlaßkontrolle der Clubs zu bestehen.

Sah ganz so aus, als hätte er den großen Fang gemacht. Katja, das waren dezent geschminkte Lippen um den grünen Hals einer Corona-Flasche, das waren dunkelbraune Augen und üppiges dunkelbraunes Haar in den verschiedensten Variationen, vor allem war es ihr offenes Gesicht, in dem sogar die Skepsis noch ein Grübchen hatte. Und natürlich ihr Kopf, dieser verdammt kluge Katja-Kopf.

Was mochte darin vor sich gehen? Jamal konnte es höchstens ahnen.

Manchmal ertappte er sie bei einem scharf beobachtenden, fast schon abschätzenden Blick, und ihm wurde unbehaglich. Sollte er ein Versuchskaninchen sein? Der gute Wilde, der noch Schliff brauchte, den man durch Kultur verfeinern mußte und der regelmäßig einen Schmatz bekam, sobald er sich gelehrig gab?

Wenn es tatsächlich so war, dann war es übel. Verdammt übel.

Gleichzeitig war es befreiend, der Routine der nächtlichen Abschleppereien, die er in den Monaten zuvor immer mehr als Zwang empfunden hatte, entkommen zu sein.

Berliner Nächte, das waren nicht nur Bars und Clubs und nackte Körper, das waren auch die erleuchteten Gebäude der Museen, die einmal im Jahr bis Mitternacht geöffnet hatten. Draußen ist es schon dunkel, schwarzblau der Himmel, und plötzlich stehst du im Licht vor einer ägyptischen Skulptur oder einem Buch, von dem Katja weiß, daß es Thora heißt; entdeckst, daß in den hellen Lichthöfen am Hamburger Bahnhof keine Züge abfahren, sondern Bilder zu sehen sind, ungewohnte Krakel und Linien, die erst langsam einen Sinn bekommen – oder auch nicht; wunderst dich – und machst einen Joke für Katja draus –, daß nicht weit von den Fick-Arealen im Tiergartendschungel an der Potsdamer Straße ein kastenförmiger Bau steht, in dem du nackte Männer und Frauen siehst, großflächig ihre hellbraunen Gesichter und in leuchtenden Farben, dahinter die Blüten, das Meer und eine Insel, die Tahiti heißt; und den Rest erzählt dir deine vor Begeisterung ganz übermütige Freundin. Eine neue Welt! Wenn er Katja nicht getroffen hätte, wäre er bis zum Ablauf seiner Aufenthaltsgenehmigung durch die Stadt getrabt, ohne von diesen Dingen etwas mitzubekommen.

Wie sollte er ihr dafür danken? Am besten ebenfalls mit einem Kuß auf die Wange, denn das war inzwischen ihre zweite – wie sagte Katja? – klar, ihre *Kommunikationsebene*. Ein dicker Schmatz auf die zweite Kommunikationsebene!

Und dennoch, ein Druck war vorhanden. Ein mitfühlender, ein sanfter Druck, aber doch ein Druck.

Hatte sie ihn falsch verstanden? Daß er sein Ingenieurstudium als verfehlt empfand, bedeutete nicht, daß er pausenlos Gratis-Lektionen in Geschichte, Germanistik, Architektur und weiß Gott was noch zu nehmen hatte! Glaubte sie, daß er wie ihre Freunde war, von denen sie manchmal erzählte, die mal da, mal dort ein Praktikum machten, für ein Jahr nach Paris gingen – seltsam, alle sagten hier immer *gehen*, wenn sie reisen oder fliegen meinten, wie um ihren perfekten Zugriff auf die ganze Welt zu demonstrieren –, danach irgendwo *einstiegen, hineinro-*

chen und, falls es nicht das Richtige war, es einfach *als wichtige Erfahrung verbuchten?*

Kleine, wach auf, wollte er ihr zurufen, kapierst du nicht: Die geben mir hier ganze vier Jahre, von denen die Hälfte schon um ist, dann muß ich wieder weg; dein Programm ist okay, *shukrom ktir*, aber de Gaulle und Gauguin zum Trotz läßt man mich nur Student sein und das nicht einmal mit der Chance, ein Diplom zu machen, also . . .

Aber er fand nicht den Mut, es ihr zu sagen. Fürchtete er, daß ihre Freundschaft zu Ende gehen könnte, daß sie nur Bestand hatte, wenn Entscheidendes unausgesprochen blieb?

Manchmal war sie mit ihm nach Hause gekommen. Sie hörten Musik – Katja fand Ramazzotti *ganz witzig* –, aßen eine Kleinigkeit, die Jamal gekocht hatte, und machten es sich auf seiner eingebeulten, weichen Ledercouch bequem, die er mit einem seiner Ex-Lover vom Flohmarkt am Moritzplatz geholt hatte. (Der Markt am Potsdamer Platz, wo Ziyad vor Jahren diese beschissene Matratze aufgegabelt hatte, existierte schon längst nicht mehr, da zogen neben gigantischen Baugruben nun Sony und Daimler-Benz ihre Glaskästen hoch.) Jamal erzählte von seinen Erlebnissen, sie lachten zusammen, überboten sich in allen möglichen Übertreibungen, aber sogar in diesen Momenten absoluter Vertrautheit schien Katja das Programm nicht vergessen zu haben. Ein bißchen Spaß mußte sein, Sex sowieso – sich selbst hielt sie bei diesem Thema bedeckt –, aber das konnte doch nicht alles gewesen sein. Verbindungen und Verknüpfungen aus Wissen und Erlerntem zu schaffen, sich so durchs Leben hangeln . . .

War es so einfach?

Oben auf der Bühne begann jetzt Mister Sly alias Petruccio um die spröde Caterina zu werben. »Du kannst nicht zürnen«, deklamierte der unrasierte, barfüßige Mann mit weit ausholenden Armbewegungen, »kannst nicht finster blicken,/Wie böse Weiber tun, die Lippe beißen;/Du magst niemand im Reden überhaun,/Mit Sanftmut unterhältst du deine Freier,/Mit freundlichem Gespräch und süßen Phrasen.«

Mit freundlichem Gespräch und süßen Phrasen. Ein Spiel im Spiel im Spiel. Jamal mußte sich anstrengen, den Überblick nicht zu verlieren, denn das Geschehen auf der Bühne wurde immer verworrener: Aus Personalmangel hatte die dreiköpfige Gauklertruppe akzeptieren müssen, daß Mister Sly, der Geschmack an den großen Worten und Gesten des Spiels gefunden hatte, nun auch noch Signor Battista spielte und die Freier seiner Tochter Bianca beschimpfte; hier oben hatte *Freier* einen weit unschuldigeren Klang als ein paar hundert Meter weiter auf der Oranienburger Straße, wo sich zwischen im Schrittempo herankriechenden Autos bereits die Nutten mit ihren weißen Stretchhosen und Einheitsperücken für die kommende Nachtschicht präsentierten. Als Sly wieder in Haut und Gewand des Signor Petruccio schlüpfte und die Hausherrin Caterina mit wüsten Macho-Sprüchen zu traktieren begann, befahl diese ihrem Butler, das Spektakel zu beenden. »Schalt ihn aus, ich bitt dich, schalt ihn aus.«

Auf Slys Haupt ging der dumpfe Schlag eines Kochlöffels nieder. Der Penner sank augenblicklich ins Koma. Er blieb eine Weile auf den Holzplanken der Bühne liegen und erhob sich dann krächzend, mit beiden Händen seinen Schädel haltend. »I had a dream . . .«

»Das war geschmacklos«, flüsterte Katja, ohne es näher zu erklären. Trotzdem klatschte sie begeistert, als zwischen den grünen Baumkronen wieder die Lichter angingen und auf der Bühne mit schweren Schritten nochmals die Truppe erschien, hinter dem wappengeschmückten Vorhang verschwand und dann, als der Applaus kein Ende nahm, erneut Hand in Hand zur Rampe stiefelte, um die bezopften Köpfe zu senken.

»Und wie war's?«

Jamal sah Katja mit großen Augen an, strich sich unbeholfen durchs Haar, fuchtelte mit den Händen. »Glaub mir, so etwas habe ich noch nie gesehen. In meinem ganzen Leben nicht. Gibt es noch mehr solche Sachen?«

Katja lächelte ihn an. »Die Literatur ist voll davon. Wenn du Lust hast . . .«

Sie beendete den Satz nicht und hakte sich bei ihm unter.

Aus Richtung des Brandenburger Tors strich ein grüner Laserstrahl über den Nachthimmel, die Dachkuppel des Pergamon-Museums glänzte in hellem Licht, und hinter den Bäumen ratterte die S-Bahn heran. Als sie beide ein Stück gelaufen waren, den Unebenheiten der Gehwegplatten ausweichend, andere Theaterbesucher, die es eiliger hatten, in plaudernden Grüppchen an sich vorbeilassend, hörten sie von der Oranienburger Straße her schon das Quietschen und Kreischen der anfahrenden Straßenbahn. Die Luft roch schwer nach Blüten und ein wenig Benzin, und in den Querstraßen lauerte ein kleiner Windzug, dem sie dankbar ihre erhitzten Gesichter entgegenhielten. Hinten links am Ende der Johannisstraße leuchteten die Schilder zweier Clubs; *Kalkscheune* und *WMF*, sonntagnachts *GMF* – G für *gay*.

Jamal sah den jungen Leuten nach, die aus Taxis stiegen oder die eigenen Wagen am Straßenrand parkten, mit den Autoschlüsseln klapperten und sich etwas zuriefen.

Er spürte im Herz einen Stich. Es war ein kurzer, winziger Stich, aber er nahm ihn wahr. Es ist wieder Sommer, dachte er, als wäre das eine Sensation. Der Sommer, wenn alle schwitzten und die Stadt auf charmante Weise verslumte. Die Zeit der verschärften Eroberungen. Beginnend in den Parks und Bädern, sich fortsetzend in den Clubs, in denen bei großer Hitze die Gäste schon halbnackt auftauchten, und auf einen vorläufigen Höhepunkt zulaufend während der heiligen Trias der großen Feten: Schwullesbisches Stadtteilfest am Nollendorfplatz, eine Woche später der Christopher Street Day und schließlich Anfang Juli die Love Parade, das Mega-Millionengeschiebe zwischen Reuter-Platz und Brandenburger Tor. Von Sommer zu Sommer die gleiche Prozedur, die Vorfreude auf Unerwartetes, die Spannung, die auf einmal in den Straßen und Gesichtern lag, die Verschmelzung der sonst so abweisend kantigen Stadt mit den schönsten Körpern ihrer Bewohner und Besucher.

Inzwischen aber war Katja in sein Leben getreten. Katja mit und ohne Programm. Katja, die Schmatze verteilte oder Tadel, die überraschte oder nervte, und doch jemand blieb, dem er vertrauen konnte. Wie hieß der deutsche Spruch für solche Fälle?

Da haben wir den Salat. Der Salat aber war ein Mensch, und dieser Mensch stieß ihn gerade in die Seite.

»An was denkt der Herr?«

»An den Sommer«, antwortete Jamal zerstreut. Katja sagte: »Da gibt's noch was von Shakespeare. Ein *Sommernachtstraum*, auch eine Komödie. Mal sehen, ob das in der nächsten Zeit irgendwo im Freien gespielt wird.«

Sie war stehengeblieben, Jamal kam aus dem Tritt, aber sie hielt mit ihrer Hand seinen Arm. »Habe ich dir schon mal erzählt, daß wir bei unserer Abi-Abschlußfeier ein paar Szenen aus dem Stück aufgeführt haben? Unser Englisch-Kurs wollte sich damit bei unserem Lehrer bedanken, der auch die Abschlußfahrt nach London organisiert hatte. Stell dir vor, ich war Titania, die

Königin der Elfen, und Michael spielte den Elfenkönig Oberon. Übrigens meine erste Liebe. Michael, nicht Oberon.«

»Davon hast du mir noch nie erzählt«, sagte Jamal.

»Wirklich nicht? Na ja, die Szenen waren eigentlich ...«

»Ich meine die Männer.«

Katja lachte und ließ ihren Kopf gegen Jamals Schulter fallen.

»Ich sage *Michael*, und er sagt *Männer*. Typisch für Herrn Kassim.« Sie hatte es sich angewöhnt, Jamal jedesmal, wenn sie ihn hochnehmen wollte, Herr Kassim zu nennen.

»Er wird ja nicht der einzige geblieben sein«, entgegnete Jamal und berührte mit der Hand Katjas Rücken, um sie zum Weitergehen zu bewegen. »Und in all den Monaten, seit denen wir uns kennen, hast du bestimmt auch nicht nur für die Uni gebüffelt.«

Uff, endlich war es raus! Das hatte er seit langem wissen wollen, denn der Gedanke, daß sich Katja ihn, Jamal Kassim, nur geschnappt hatte, um ihn zum Hetero zu machen, war zu schmeichelhaft, um wahrscheinlich zu sein.

»Es gab die eine oder andere Freundschaft«, sagte die Elfenkönigin nach kurzem Zögern. »Manchmal auch die eine oder andere Nacht. Oder mehr. Das heißt ...« – sie biß sich auf die Lippen, aber offensichtlich nicht aus Kummer, sondern um sich besser erinnern zu können –, »nicht so viel mehr. Der Richtige ist halt noch nicht aufgetaucht.«

»Und bis er das tut, bist du verurteilt, mit mir herumzuziehen.«

»Das hast *du* gesagt.« In ihrer Stimme schwang Ärger.

Jamal hätte gern weitergefragt – *nachgebohrt* war das deutsche Wort dafür –, und auch Katjas Leben mit ihrer Mutter, der großen Unbekannten, hätte ihn interessiert. Bislang wußte er von ihr nur, daß sie lesbisch war und halbtags in einer *Lebensberatung* arbeitete. Sehr geheimnisvoll. Oder so unspektakulär, daß Katja gar nicht daran dachte, darüber zu sprechen. Vielleicht hatte er deshalb bei ihren Unterhaltungen nie das Gefühl gehabt, daß sie irgendein Thema besonders ängstlich mied. Über manches sprach sie eben einfach nicht, und Jamal akzeptierte das. Es reichte aus, wenn zumindest einer von ihnen für den anderen ein Programm entwarf.

Nach diesem Abend, den sie in einer Tapisserie in der Rosenthaler Straße – eine kleine, eher zufällige Reminiszenz an ihren ersten gemeinsamen Winterabend im *Würgeengel* – bei Gazpacho und Meeresfrüchten ausklingen hatten lassen, beschloß Jamal, Phase zwei bis auf weiteres als abgeschlossen zu betrachten.

Das heißt, er nannte es für sich selbst *Phase zwei,* denn als er den technischen Begriff Katja gegenüber erwähnt hatte, hatte er nichts als ein verständnisloses Stirnrunzeln geerntet.

»Mechanistische Menschenbilder zerstören die Ganzheit«, hatte sie kategorisch festgestellt. Auch gut; Rätselsprache gegen Rätselsprache.

Doch nun hatte der Berliner Sommer begonnen, und es war Zeit, höchste Zeit, wieder einmal nach *seinem* Programm durch die Stadt zu tigern.

Nicht, daß er in den Wintermonaten und den ganzen Frühling hindurch über nichts gemacht hätte; aber es war eben nur das gewesen, was er auf Katjas Nachfragen nebulös als *etwas gemacht* bezeichnete.

Hast du was gemacht? Ja, aber es war nicht gerade erhebend. Nicht Rede wert, würde der inzwischen völlig aus Jamals Leben und wohl auch aus der Stadt entschwundene Göran gesagt haben. So, don't talk.

Ein oder zwei Bekanntschaften aus dem *Schwuz* und dem *Café Amsterdam* plus eine verrückte Schneewichserei am Winterfeldtplatz, als er mit jemandem, dessen Namen er vergessen hatte, aus dem *Hafen* gekommen, die Maaßenstraße vorgetorkelt war und als Resultat des Ganzen dann eine Woche grippekrank seine Doppelmatratze hüten mußte. Vor lauter Scham hatte er nicht einmal Katja angerufen, denn die Mutter-Teresa-Nummer mochte er ihr ebensowenig antun wie sich die Rolle des zähneklappernden Kalkuttaer Waisenkindes. So waren seine *Aktionen* verlaufen.

Auch Katja war nicht jedes Wochenende erreichbar gewesen. In Schmargendorf lief nur der Anrufbeantworter, aber allzuviel schien während ihrer Ausflüge nicht passiert zu sein. Habibi – forget it. Und genau das mochte Jamal so an ihr: *Nähe zulassen, aber auch Distanz wollen.* Der Spruch stand zwar in jeder dritten *Zitty*-Annonce, in der für irgendwelche Psychokurse geworben wurde, war aber praktisch gesehen gar nicht so übel. Katja hatte ihn mehrfach beiläufig zu sich nach Hause eingeladen, während Jamal mehrfach eine beiläufige Ausrede eingefallen war, die glaubhaft klang. Genau diese Balance schien nötig, zumindest für Katja. Damit sie wieder mit voller Kraft in meinem Leben herummodeln kann, dachte Jamal. Sollte sich einer auskennen mit den Deutschen. Dabei war die Elfenkönigin bestimmt noch eine der Unkompliziertesten.

Es war Sommer, und überraschenderweise machte es ihm Katja leicht. Sie wollte staunen. »Zeig mir, wie das geht«, sagte sie, und Jamal hatte verstanden. Als erstes fuhren sie in den Dschungel.

Üppiges Blätterwerk und schlanke, sonnengesprenkelte Birken- und Kiefernstämme wurden entlang der S-Bahn-Schienen, die hinaus zum Wannsee führten, zu hohen grünen Wänden, hinter denen vielleicht sogar Papageien schrien. Aber das Geräusch der vorbeiratternden Bahn übertönte alles; gelbrot gestrichene Wagen mit hellackierten Holzsitzen und Fenster, deren obere Drittel sich aufklappen ließen, während die Stadt spätestens nach der Station Charlottenburg verschwunden war und der Wildnis Platz gemacht hatte. Man durfte nur nicht nach rechts sehen, wo sich parallel zu den Schienen die Stadtautobahn hinzog. In den Abteilen fächelte man sich wie in alten Kolonialfilmen Luft zu, öffnete zischend Mineralwasserflaschen, fuhr sich mit Tempos über die Stirn, und Jamal sagte: »Es fährt ein Zug ins Tropenland.«

»Gegen die Karibik und das Mittelmeer ist der Wannsee ein Witz«, entgegnete Katja.

»Die Karibik kenn ich nicht«, sagte Jamal, »und in Beirut ist nach dem Krieg Baden bestimmt nicht das Wahre, das kannst du mir glauben. Wenn schon keine Minen mehr, dann abgesperrte, vermüllte Strände und öliges Wasser. Das dauert *Jahre*, ehe man dort wieder schwimmen kann. Und der Wannsee ist wenigstens ein Witz, über den man lachen kann, du wirst sehen.«

Und Katja, zum ersten Mal im schwulen Teil des FKK-Strandes, sah. Sah neben sich Jamals nackten Körper ausgestreckt, ohne jede Scheu und doch einen unsichtbaren Zentimeterabstand, jenseits dessen Hautkontakt gedroht hätte, nie überschreitend. Sah die Cliquen Gebräunter, hörte ihrem endlosen Gezirp zu, lächelte, wurde müde, ließ sich von Jamal den Rücken massieren und eincremen und schloß die Augen. Als sie sie wieder öffnete, war der Platz neben ihr leer. Nach einer Weile kam Jamal aus dem baufälligen Gebäude, in dem sich die Duschen und Toiletten befanden, herausgeschlendert und biß sich blinzelnd auf die Unterlippe.

»Und?«

»War ganz okay«, sagte Jamal. Diesmal gab es keinen Schmatz, jedoch auch keinen versteckten Tadel. Katja sagte nur: »Wie schnell das bei euch geht«, sparte sich die Frage nach Details und drückte ihr Kinn auf das Badetuch. Sie schien durch nichts zu erschüttern.

Gegen Abend kam ein Gewitter auf. Schwere Regentropfen platschten auf den Strand und ließen den Sand, der rund um die Badetücher zu kleinen Häufchen aufgeworfen war, zu staubgrauen Kugeln werden. Überall wurden hektisch Decken zusammengerollt und eingepackt, Rucksäcke verschlossen, Hosen und T-Shirts in Sicherheit gebracht. Auf dem Wasser tanzten die Tropfen wie Nähmaschinennadeln, und aus der Entfernung sah es aus, als würden sie wieder in den Himmel katapultiert. Ein paar Unverzagte streckten sich nackt auf dem Sand aus und ließen den Regen über ihr Gesicht laufen; anscheinend genossen sie es, eins zu werden mit Erde und Wasser. Katja lief mit Jamal, der sich in seine Jeans gezwängt hatte, hoch zu den Duschräumen.

Am Eingang setzten sie sich auf die Steinstufen und rauchten. Vor ihnen fiel ein immer dunkler werdender Regenvorhang herab. Manchmal zwängten sich Männer durch; nackt, halbnackt, den Rucksack über dem Kopf oder an die Brust gepreßt. Jamal konnte genau zwischen Statisten, Hauptdarstellern und ahnungslosem Hetero-Publikum unterscheiden, das sich nur zufällig auf diese Bühne verirrt hatte. Hinter ihnen rauschten die Duschen. Oft, zu oft war die Klospülung zu hören, Türen öffneten und schlossen sich geräuschvoll, Fußgetrappel klang durch die verkachelten Räume.

»Die Ratten betreten das verregnete Schiff«, sagte Jamal und wandte Katja sein Gesicht mit den klatschnassen, schwarzglänzenden Haaren zu.

»Keine Details«, bat sie freundlich.

Als die Fäden des Vorhangs dünner wurden, sah man die roten Punkte. Rost hatte sich von den metallenen Dachkonstruktionen gelöst und wurde langsam über die Bodenplatten geschwemmt. Eine Urwaldstation für die Dauer einer halben Stunde. Man mußte nur genug Phantasie haben.

Eine Woche später im Tiergarten blieb Jamal dann die ganze

Zeit neben Katja sitzen, ohne auch nur einmal auf Pirsch zu gehen.

Im Kleiderschrank der Eros-Bude hatte er ein breites Ramazzotti-Badetuch (das Gegenstück zur Ramazzotti-Fußmatte vor der Wanne) gefunden, auf dem sie beide Platz fanden. Eros' stilisierten Profilaufdruck versteckten sie sicherheitshalber unter ihren Rucksäcken, Cremes und Mineralwasserflaschen. Sich im Tiergarten zu sonnen hieß, unter Beobachtung zu stehen. Dabei hatten sie die Tuntenwiese – allein wegen des Namens hegte Jamal einen Abscheu gegen den Ort, wo Schwule zu Tunten und anschließend zu Sardinen, *tuntigen* Sardinen wurden – gemieden und ihre Decke auf einer der Rasenflächen an der Peripherie nahe des Potsdamer Platzes ausgebreitet. Aber auch hier hatten sich die Gebräunten versammelt, liefen über das Gras, spielten Federball, lauschten den Klängen aus ihren Walkmen, gingen alle paar Minuten zum Pinkeln ins Gebüsch und kommentierten lautstark und in rätselhaften Andeutungen, weshalb sie sich gerade für diesen Ausläufer des Tiergartens entschieden hatten. Eigentlich war es unruhig hier und laut. Baulärm drang durch die Bäume, über deren Kronen Staubfähnchen flatterten, und auf jedes Schwulen-Giggern folgte unweigerlich der harte Baß von Preßlufthämmern.

»*Deswegen* sind sie hier«, sagte Jamal und bemühte sich, seine Stimme gedämpft zu halten. »Da drüben hinter den Bäumen schuften die Bauarbeiter, wußtest du das? Bosnier, Polen, Portugiesen, Russen, Italiener aus dem Süden; alles, was arm ist und Knete braucht. Wenn überhaupt, kriegen die einen ganz miesen Lohn. Nicht selten, daß die Bosse mit der vollen Lohnkasse unter dem Arm abtauchen. Was sollen die Arbeiter tun; sobald sie aufmucken, fliegen sie raus. Aus dem Job, aus der Stadt oder gleich aus dem Land; die meisten von denen sind sowieso illegal hier. Für die Bosse optimal: Soviel Drecksarbeit für so wenig Geld würden die aus den Deutschen mit ihrer Gewerkschaft und ihren Ansprüchen nie rauspressen können. Außerdem muß bei den Polacken und den anderen auch nicht geguckt werden, ob das Seil, mit dem sie nachts in die schlammigen Baugruben abschweben, wirklich hält, ob die Helme, mit denen sie unter den Drehkränen Betonplatten hin und her schleppen, die vorgeschriebenen Modelle sind und nicht irgendein Ausschuß, der nicht mal den kleinsten Schlag abfängt.«

Katja sah ihn mit großen Augen an. »Und woher weißt *du* das?«

»Bestimmt nicht aus euren Zeitungen. Jedesmal, wenn ich in ihnen herumblättere, gibt's da irgendwelche Scheiß-Sonderseiten über die geile, neue, mächtige und Was-weiß-ich-noch-Hauptstadt. Und nie auch nur ein Sterbenswörtchen über die, die hier die ganzen verspiegelten Glanzfassaden hochziehen. Da staunst du, oder? Herr Kassim hat eben nicht *nur* Kerle im Kopf.«

Jamal begann, seine Oberarme mit Sonnenöl einzureiben.

Nach einer Weile fragte Katja: »Und was suchen dann die Schwulen hier?«

»Normalerweise gar nix. Daß andere im Elend hocken, geht denen doch völlig am Arsch vorbei. Hauptsache, *sie* werden nicht diskriminiert und das Rathaus in Schöneberg vergißt nicht, am Christopher Street Day die Regenbogenfahne zu flaggen. Und wehe nicht, sonst kommt nämlich der Faschismus wieder. Da brauchst du nicht zu lachen, ich übertreib nicht. Außerdem – wie sähe das denn aus, mit einem Bosnier auf dem Ku'damm shoppen zu gehen, mit 'nem Kartoffel-Polacken in die Oper zu trippeln oder einen portugiesischen Maurer im *Lenz* oder im *Café Savigny* zu präsentieren? Gott bewahre. Aber ficken, entschuldige, ficken wollen sie natürlich trotzdem. Oder besser gesagt, sich ficken lassen.«

Ein kurzer Seitenblick auf Katja. Aber nein, sie hat nichts gesagt, nicht einmal eine Augenbraue hochgezogen. Sie ist nicht schockiert, sondern hört mit gespitztem Ohr zu und hat vor lauter Aufmerksamkeit sogar Mühe, die Verschlußkappe ihrer Selters so aufzusetzen, daß sie in das Drehgewinde greift.

»Und weißt du, wie die Geschichte weitergeht? Weil die Ausländer auf dem Bau so mies bezahlt werden, können sie sich nicht einmal die billigsten Nutten aus Osteuropa leisten. Jedenfalls nicht so oft – wie sie's nach ihrer Knochenarbeit vielleicht nötig hätten. Außerdem schuften die ja hier, damit sie daheim ihre Familien ernähren können. Also: No fuck. Nur Handbetrieb unter der Decke in ihren Containern im Osten, aus denen sie um vier Uhr morgens wieder hierher in den schönen Westen gekarrt werden. Wenn da nicht ein paar Schwuchteln mit 'nem ganz besonderen Geschmack wären ... Solariumgebräunt und willig, sich das Elend dieser armen Schlucker nicht am Arsch vorbeigehen, sondern direkt in ihn hineinpumpen zu lassen.«

Jetzt regte sich Katja doch. Jamal versuchte, eine schuldbewußte Falte am Mundwinkel entstehen zu lassen, als er sah, wie sie lachte. »Du bist 'n richtiges Schandmaul, weißt du das?« Ihre Hand streifte seine Schulter.

»Möglich«, sagte er. »Aber es ist nicht *meine* Schande. Das alles geht nämlich weiter. Wenn die da drüben Arbeitsschluß haben, kommen jedesmal ein paar von ihnen über die Straße hierher auf die Wiese. Die leiden so unter Entzug, daß es ihnen völlig egal ist, wo sie ihn reinstecken. Da laufen sie dann mit ihren schweren Bauernschritten umher, rauchen ihre stinkenden, filterlosen Zigaretten und tun so, als würden sie in den Nachthimmel gaffen. Sobald ein Deutscher in die Nähe kommt, machen sie einen Kopfruck in Richtung Gebüsch, und dort geht's an die Wäsche. Völlig wortlos und nur für die paar Minuten, die nötig sind, damit jeder abkriegt, was er braucht. Seit die Bauarbeiten drüben am Platz begonnen haben, ist das in der Nacht der reinste Rammelbezirk; gleichzeitig wirst du in der ganzen Stadt keinen einzigen finden, der je zugeben würde, es sich hier besorgen zu lassen. Darauf kannst du Gift nehmen. Wenigstens machen es die Schwuchteln kostenlos, das ist das einzig Positive. Aber ich hab mal gesehen ...«

»Jamal, ich glaube dir.«

Na immerhin. Die Elfenkönigin hatte nicht vergessen, wo sich die Stop-Taste befand.

Als sie gegen Abend, nachdem die Sonne hinter den Baumwipfeln verschwunden und es etwas kühler geworden war, das Ramazzotti-Badetuch zusammenrollten, sahen sie, wie Jamal vorausgesagt hatte, an den Rändern der Wiese die wartenden Gestalten. Ahnungslose Sommerfrischler spielend, gingen sie nahe an ihnen vorbei. Die deutschen Schwulen drehten sich schnell weg, und die Bauarbeiter starrten aus müden, geröteten Augen nur auf Katja. Dann begannen sie zu husten und mit ihren großen, rissigen Händen ein wenig zu forsch den Staub von ihren schäbigen blauen Hosen abzuklopfen.

»Das ist Berlin«, sagte Jamal.

Katja murmelte: »Ich hoffe nur, die nehmen wenigstens Kondome.«

»Aber sicher doch. Die Aids-Hilfe veranstaltet auf den Wiesen manchmal *candlelight-nights*. Natürlich nicht hier, sondern am anderen Ende des Parks. Und dann auch nur für solche, die

Candlelight-night-Picknicks mögen, also Deutsche mit 'nem Sinn für Romantik. Ich wette, das wird sogar subventioniert.«

Er wuchtete sich Katjas Badetasche über die Schulter. Er spürte ihren Blick, und er ahnte, was sie dachte. Jamal Kassim, hoffnungsloser Bauingenieurstudent mit begrenzter Aufenthaltsgenehmigung, gehört weder zu den einen noch zu den anderen. Der schlängelt sich zwischen ihnen hindurch und hat Grund, darauf verdammt stolz zu sein. Jedenfalls hoffte er, daß Katja dies gerade dachte.

»Ich erinnere mich, wie du mir von deinen ersten Spaziergängen am Großen Stern erzählt hast. Unfreiwillig, denn dein Onkel Ziyad war gerade . . .«

»Beim Ficken«, ergänzte Jamal. Er grinste. Sah ganz so aus, als hätte er die perfekte Chronistin seiner Berliner Jahre neben sich.

Als sie nach einem langen Fußmarsch, entlang der Baustellen und der zu überdachten Holzverschlägen umgewandelten Gehwege, inmitten anderer Heimkehrer am U-Bahn-Eingang Potsdamer Platz ankamen, schlug Katja vor, noch bis zum Gropiusbau zu laufen.

»Ins Museum?« fragte Jamal mißtrauisch.

»Quatsch. In die Pizzeria gegenüber. Ein bißchen teuer, aber *super*. Zur Abwechslung ist es heute abend mal Herr Kassim, der freigehalten wird.«

Phasen, Stufen, Programme. Jamal wußte nicht, wohin die Reise gehen sollte, entwickelte aber immer stärker ein Gespür für das, woher er kam, was hinter ihm lag. Beirut, das war der Zufall der Geburt, Moabit die Willkür der omnipräsenten Family, aber schon die Eros-Bude war gefüllt mit Eigenem, vermischt mit Dingen, die er vorgefunden und sich einverleibt hatte. Ein Bastard, dachte er jedesmal, wenn er zur Tür hereinkam. Ein Bastard, aber *mein* Bastard. *Ist das Giovannis Zimmer? Falsch; das ist ab jetzt Abu Jamals Bude.* Yousuf, der hilfreiche Engel, hatte gesprochen.

Jamal überlegte, ihn und Silvia einmal mit Katja zusammenzubringen. Die beiden Frauen ähnelten sich, und er war sicher, daß sie sich alle mögen würden. Ebenso aber fürchtete er, auf berechenbare Weise *typisch* zu werden: Auftritt schwuler Single mit bester Freundin.

Warten wir's ab, bis es einen Freund dazu gibt, dachte Jamal.

Im gleichen Moment war er bestürzt. Wie kam er jetzt nur darauf? Weil sie schließlich *alle* davon träumten – auch dann, wenn sie gegen fünf Uhr morgens bei den Retro-Nights im *Schwuz* angetrunken und die Worte ins Lächerliche ziehend, dieses *Ein Freund, ein guter Freund* intonierten und sich gar nicht mehr einkriegen konnten vor falscher, aufgesetzter Heiterkeit.

Hatte er das Gefühl, auf der Stelle zu treten, zu stagnieren?

Statik der Baukonstruktionen. Zum Bestehen müssen 45 von 100 möglichen Punkten erreicht werden. Zusätzlich ist eine dreistündige Klausur mit vier Aufgaben aus Statik I–III zu bestehen. Teilnahmeberechtigt sind allein Studenten, die die Statik-I- und II-Klausuren bestanden haben.

Move, Baby move. Die Zukunft ist ein unbekanntes Land, eine Reißbrettfläche voller Begrenzungen und bestimmt nicht für das gedacht, was im Deutschen so schön *große Sprünge machen* hieß.

Also tänzelte er zurück. Katapultierte sich in die jüngste Vergangenheit zurück und überraschte eines Abends Katja mit der Idee, mit ihm zusammen in den *Kit Kat Club* zu gehen. Sie lehnte nicht ab. Im Gegenteil. Sie hatte genug von dem Laden gehört und wußte auch von Jamals Netzhemd und dem Roman-Girl.

»Was ist mit dem *errottic outfit?*«

»Keine Angst. Es reicht, wenn der Mann das trägt. Die Frau kommt garantiert immer mit rein; kein Wunder bei dem Männerüberschuß, den sie haben.«

»Du meinst«, sagte Katja, »die Frau kann ruhig unerotisch sein, solange es der Mann nicht ist.«

»Genau«, sagte Jamal. Er hatte die Schranktür geöffnet, um in einem Stapel gebügelter Hemden und T-Shirts nach dem Briefkasten-Shirt zu suchen.

»Wir sind heute wieder einmal supercharmant«, sagte Katja.

Jamal hörte mit dem Wühlen auf. »Wieso? Mach dir mal keine Sorgen, du siehst sexy genug aus.«

»Danke. Schon mal was von Macho-Arsch gehört? Von schwulem, arabischem Macho-Arsch?« Sie zündete sich eine Zigarette an. »Vielleicht lern *ich* ja heute abend einen Typen kennen.«

»Unter deinem Niveau«, meinte Jamal. Plötzlich erhellte sich sein Gesicht. Er hatte das schwarze Teil gefunden. Es würde ein toller Ausflug werden.

In der Eros-Bude hockte in dieser Nacht die Sommerhitze wie eine fette Kröte, unter ihrem hypnotischen Blick erstarrte das Leben. Giovannis Grünpflanzen, die Jamal, seit er hier wohnte, jeden Tag gegossen hatte, zeigten malariagelbe Flecken; an ihren Spitzen waren sie bräunlich verfault und rollten sich resigniert ein.

Jamal hatte zuerst einen, nach einer Woche dann, als die Temperaturen nicht sanken, einen zweiten Tischventilator gekauft. Auch an diesem Abend hatte er die Geräte strategisch im Raum verteilt, aber ihre kleinen weißen Plastikflügel kämpften umsonst mit der unsichtbaren Hitzekröte. Sogar jetzt, kurz nach Mitternacht, war keine Kühlung eingetreten. Katja verschwand alle paar Minuten im Bad, um sich kaltes Wasser ins Gesicht zu spritzen, und Jamals berühmtes T-Shirt klebte wie eine Riesenbriefmarke auf seinem schwitzenden Oberkörper.

»Wir müssen raus, und zwar schnell.«

»Ich frage mich, wie du es die ganzen Tage hier ausgehalten hast«, rief Katja aus dem Bad.

»Überhaupt nicht«, sagte Jamal. »Für die letzten Prüfungen vor Semesterschluß hab ich in den Cafés gelernt. Draußen auf der Straße unter breiten Sonnenschirmen.«

»*Comme d'habitude*«, sagte Katja. Sie hatte den Wasserhahn zugedreht und war ins Zimmer zurückgekommen. »Breite Sonnenschirme und breite Männerrücken.«

Jamal sah sie listig blinzelnd an. »Du ahnst nicht, wie ich geschuftet und gebüffelt habe.«

Im Aufzug sah Katja stirnrunzelnd in den schlierigen und graffitibesprühten Spiegel. Sie trug zu ihren Jeans nur ein schwarzweißes Teil mit Schachmuster, das ihre Schultern und den Bauchnabel freiließ.

Noch einmal richtete sie sich ihr Haar, steckte die silbernen Klemmen mehrfach um, ließ ein paar Strähnen in Stirn und Nacken fallen und schob sie danach wieder zu einem kunstvoll zerwuselten Knäuel zusammen. Der Aufzug ruckte, ging wieder ein paar Zentimeter nach oben, und mit dem üblichen Knirschen öffnete sich die Tür zum Erdgeschoß.

»Das Problem ist, wenn ich das Haar lang trage, sehe ich aus wie Juliane Werding.«

»Wer ist Juliane Werding?« fragte Jamal.

»Sorry. Wir haben ja nicht mal die gleichen Musik-Erinnerungen. Das geht mir mit Mutter auch so. Juliane Werding, das war *ihre* Zeit. Inzwischen ist die auch nebenberuflich Lebensberaterin. Oder Gesundheitstherapeutin. *Am Tag, als Conny Kramer starb* – nie gehört?«

»Nie gehört«, sagte Jamal. Er nahm Katjas Hand, um sie sicher zwischen den Autos über die Skalitzer Straße zu bugsieren. »Mit langem Haar erinnerst du mich eher an Gunda Röstel.«

»Soll das ein Kompliment sein?«

»Natürlich, ich schwöre. Es sei denn, Angela Merkel ist dir lieber.«

»Oder der dünnhaarige Derwisch aus Brandenburg«, sagte Katja kichernd, und wie aus einem Mund schrien sie in die Kreuzberger Nacht hinaus: »REGINE! REGINE!« Jamal küßte sie auf die Wange.

Möglich, daß Katja in dieser Nacht etwas Entscheidendes verstanden hatte.

Nachdem sie beide zusammen im *Kit Kat Club* gewesen waren, hatte sie nämlich lange Zeit über Jamals Witze und Bemerkungen nicht mehr in jener Art gelächelt, die bisher signalisiert hatte: *Heb dir deine Intelligenz für Besseres auf.* Nur einmal noch hatte sie ihr psychologisch geladenes Soziologen-Geschütz in Stellung gebracht und verkündet: »Permanente Ironisierungsversuche, um die eigene Unsicherheit zu überspielen.« Aber das war eher eine Feststellung als ein Vorwurf gewesen.

Sobald das Roman-Girl sie hereingewinkt hatte und die Metalltür hinter ihnen ins Schloß gefallen war, war Katja nicht nur der feuchtwarmen Luft einer hoffnungslos überfüllten, von Techno-Beats durchzitterten Waschküche ausgesetzt gewesen, sondern auch den Anbaggereien der männlichen Gäste. *Damit* hatte sie nicht gerechnet. Fast panisch griff sie nach Jamals Hand und zog ihn in einer Art Vorwärtsverteidigung auf die Tanzfläche, wo sie ihren Kopf an seine linke Schulter schmiegte; ganz so, als habe der DJ tatsächlich Juliane Werding aufgelegt. *Geh nicht in die Stadt, in die Stadt, heut na-acht.*

Ihre Augen suchten Jamals Augen, ihre Pupillen waren geweitet. Jamal sah die Blicke der anderen Männer. Wie Nadelspitzen stachen sie auf Katjas Haut ein. Zum ersten Mal erlebte er die Freundin verschüchtert und verstört.

Er ging mit ihr, eine Hand um ihre Hüfte, zum Tresen, wobei er sein Verlangen unterdrückte, allein auf die Männer-Toilette zu traben. Nicht, daß er Lust auf Sex gehabt hätte. Aber seine Blase begann zu revoltieren, und einmal schnell pinkeln zu gehen wäre eine Wohltat gewesen. Aber in ihrem Zustand konnte er Katja unmöglich allein lassen. Er orderte zwei Gin-Tonic.

Hätte ihn der halbnackte, nur mit einem gelbbraunen Sarong bekleidete Barmann wiedererkannt, Jamal wäre es peinlich gewesen. Doch der Typ mit dem Irokesenschnitt war genauso verpeilt wie in all den Monaten zuvor und hob nur seine Augenbrauen, um aus der Kasse das Wechselgeld herauszufischen.

Die Blase drückte stärker. Gleichzeitig begann sich Katja zu beruhigen. Sah ganz so aus, als nähere auch sie sich dem Rhythmus des Clubs an, und Jamal konnte für zwei Minuten auf die Toilette verschwinden. In den Kabinen gab es wieder *action*, aber diesmal hatte er keinen Nerv dafür. Als er zurückkam, empfing ihn Katja, auf ihrem Barhocker sitzend und die Knie angewinkelt, mit einem professionellen Heben ihres Glases, das bereits halbleer war. Zeit, ihre Angst zu vergessen, zu verbergen, sie kleinzuspotten und statt dessen die Stachel auszufahren. *Vergleiche Typen und Situationen so lange miteinander, bis du darüber lachst und sie dich nicht mehr erdrücken können.*

Heute nacht war *sie* dran, die Lektion zu begreifen.

»Der da drüben«, sagte sie. Sie zeigte auf einen dickbäuchigen Typen mit grauweißem, an den Schläfen schweißig angepapptem Haar, der auf den Stufen vor der dunklen Ficknische saß und aus seinem Body-Short einen erigierten Stummelschwanz herausragen ließ. Seit sie beide hereingekommen waren, hatte er Katja nicht aus den Augen gelassen. Wahrscheinlich war *er* es gewesen, dessen stierende Knopfaugen eine solche Panik bei ihr ausgelöst hatten.

»Der Rubbler?« fragte Jamal.

»Genau der«, sagte Katja. »Sieht aus wie Peter Sloterdjik.«

Ohne Jamals Antwort abzuwarten, begann sie loszukichern. Die Blicke der anderen Männer verloren an Zudringlichkeit. Es war klar, was in diesem Moment durch ihre Schädel ging. *Koks. Eindeutiger Fall, die Puppe ist zugekokst. Wahrscheinlich n' ziemlich guter Fick, aber 'n finsterer Macker daneben; also lieber Finger weg.*

Peter Sloterdjik, der medienbewußteste Philosoph der ganzen Republik und nach Hasenscharti auch der berühmteste, beim Anblick einer Studentin wie ein Wahnsinniger vor sich hinwichsend! Katja warf den Kopf in den Nacken, und Jamal sah die Lachtränen in ihren Augenwinkeln.

»Wer zum Teufel ist Peter Sloterdjik?« fragte er.

»Der Autor von *Kritik der zynischen Vernunft, Der Zauber-baum, Blasen* und solchen Sachen«, antwortete Katja. Sie sah den Typen offensiv an, ausdruckslos und mit Pokerface. Nach ein paar Minuten hatte sie es geschafft: Der Rubbelfreak, dem sie kurzer-hand die Identität eines Philosophie-Profs verpaßt hatte, hörte auf, sie anzustarren und verstaute sein Zauberbäumchen wieder unter den Body-Short.

»Bist du sicher, daß das Buch *Blasen* heißt?« fragte Jamal ungläubig.

»Todsicher«, sagte Katja und grinste ihn an.

Sie gingen auf die Tanzfläche zurück. Wie bei einer Tempelze-remonie hatte sich unter dem stampfenden Rhythmus der Musik ein Pulk gebildet, in dessen Mitte eine Dreiergruppe ebenfalls *action* betrieb.

Ein Typ ließ sich von einem anderen Mann wichsen, während er vornübergebeugt einer Frau die Möse leckte. Jamal hatte im Club schon ganz andere Formationen gesehen, um so etwas noch schockierend zu finden. Aber er spürte, daß er unbedingt etwas sagen mußte, denn mit jeder Minute, in der Katja auf das blasen-de und leckende Trio schaute, ging ihr Atem heftiger. War sie erregt oder angeekelt?

Wenn die Elfenkönigin hier auf den Geschmack kommt, dach-te Jamal, wird bald die unsichtbare Mutter aus Schmargendorf heranrauschen und meinen Abschied vom Leben beraten, ehe sie mich erwürgt.

Irgend etwas ging vor. Eröffneten sich Katja, wie es die Deut-schen so verquer nannten, gerade *neue Horizonte*, spürte sie eine faustische Erkenntnissucht angesichts der drei aneinander her-umfummelnden nackten Körper?

Höchste Zeit für Jamal, einzugreifen. Er tat das Naheliegende.

Lässig zeigte er auf die Frau, die mit der einen Hand den Kopf des Mannes zwischen ihre Beine drückte und mit der anderen eine Kondomschachtel schwenkte. *Wer will wer will wer hat noch nich.*

»Genau wie die fiesen Beamtenweiber im Ausländeramt, wenn sie mit ihren Zahlen-Zetteln wedeln: Wer ist der nächste, melden Sie sich jetzt, oder wir rufen die folgende Nummer auf; *ver-dammt noch mal, wer ist der nächste?*«

»Bestimmt nicht wir«, sagte Katja.

Jamal sah, daß sie ruhiger wurde. Das Flackern in ihren Augen verschwand, ihr Atem ging wieder normal. Gut so. Ab jetzt war die mösengeleckte Gummiwedlerin nur noch eine nervende deutsche Beamtin und kein Vamp mehr, der den eigenen mühsam gebastelten Lebensentwurf zu zerfleischen drohte.

So schnell konnte es gehen, wenn man die richtigen Wörter fand.

Jamal legte seine Hand um Katjas nackte Schulter. In diesem Moment erinnerte sie ihn an Salima, seine kleine Schwester. Und er war der große Bruder. Der, der Unheil fernhielt und als furchtloser Märtyrer alle Wagnisse und Exzesse am eigenen Leib durchlitt, um sie den anderen zu ersparen. Wenn ich noch ein Glas Gin trinke, dachte Jamal, kommen mir garantiert die Tränen; eigentlich sollten mir die Germans mal so was wie den Friedenspreis der deutschen Clubnächte verleihen.

»Handwerker sah ich, aber keine Menschen.« Katjas Zitat aus dem Germanistikkurs, als sie draußen auf dem Hof standen, schweißüberströmt und ihre Gesichter der kühlen Morgenluft entgegenhaltend. Jamal nickte.

Arm in Arm liefen sie die Reichenberger Straße entlang. Sie machten ein paar tänzelnde Stolperschritte auf dem Katzenkopfpflaster, über dem das Licht der Laternen immer blasser wurde, vermieden aber, zu sprechen. Wortlos gingen sie an den Taxis mit ihren gelben Positionslichtern vorbei, die unter den Bäumen an der Kreuzung zur Skalitzer Straße standen, und hielten auf den gestrandeten Dampfer zu.

In der Eros-Bude hatten die Ventilatoren die Hitzekröte verscheucht. Es war kühl im Raum, und als Jamal sah, wie Katja fröstelnd ihre Schultern zusammenzog, schaltete er die Apparate aus. Aus Giovannis Schrank gab er ihr ein knielanges T-Shirt, das sie sich nach dem Duschen überzog. Danach ging Jamal ins Bad und kam in Bermudas zurück.

»Verdammt eng«, murmelte Katja. Sie hatte auf der Wandseite der Doppelmatratze die Decke bis zu den Schultern hochgezogen.

Jamal legte sich auf die Fensterseite und versuchte zu vermeiden, die Freundin zu berühren.

»Schlaf gut«, sagte er nach einer Weile leise. Aber sie war bereits eingeschlafen. Ihr dunkelbraunes Haar war ihr über die Schläfen ins Gesicht gefallen und bewegte sich unter ihren Atemzügen. Jamal hätte ihr gern eine Sonnenblume hinters Ohr geschoben. Auch wenn sie *nicht* aussah wie Gunda Röstel von den Grünen.

Das war ihr einziger gemeinsamer Besuch im *Kit Kat Club* und ihre einzige zusammen verbrachte Nacht gewesen. Über beides sollten sie danach nie wieder sprechen.

Während Katja gegen Semesterende jede Menge Referate und Hausarbeiten abzuliefern hatte – sie war eine ernsthafte Studentin –, nahm sich Jamal frei.

Die letzten Prüfungen hatte er glücklich überstanden, das heißt, er hatte so gut es ging versucht, von seinen Nachbarn abzuschreiben.

Vorher hatte er sich, um für alle Fragen im Prüfungsbogen gewappnet zu sein, sogar in die nach Marmelade und Fußschweiß riechenden WG-Zimmer seiner deutschen Kommilitonen – oder, wie sich unter dem Eindruck der allgemeinen 90er-Jahre-Lässigkeit sogar die pflichtbewußten, trockenen Bauingenieure nannten: *Studis* – begeben, da diese manchmal ebenso eifrig wie hilfsbereit waren und nichts dagegen hatten, ihrem *Mit-Studi* in die Geheimnisse des *Konstruktiven Wasserbaus, Spezialisierung Stauhaltungsdämme und Off-Shore-Bauwerke*, einzuweihen.

Ein Wunder, daß er durchgehalten hatte. Auf den runden Holztischen, die sich in der Mitte des Zimmers befanden, steckte in neun von zehn Fällen in einem offenen, süßlich riechenden Marmeladenglas ein angekauter Plastiklöffel, während rund herum auf Packpapier harte Brotscheiben lagen, nicht zu vergessen ein Stück Butter, das unter dem Licht der Tischlampe zu einem ranzigen, schrumpelnden Klumpen geworden war. Und unterm Tisch dampften die Wollsocken der zukünftigen deutschen Bauingenieure.

Es war eine beliebte Erstsemesterfrage gewesen: Was braucht ein Haus? Nach jetziger Kenntnis und nach solchen Abenden wäre Jamal die Antwort nicht mehr schwergefallen. *Lüftungsklappen*, unbedingt *Lüftungsklappen!* Und für jede Etage mindestens einen Fluchtweg.

Aber er durfte sich nicht beschweren; alle waren freundlich zu ihm, spotteten nicht über sein fehlendes Talent (bemerkten es in ihrem Enthusiasmus vielleicht nicht einmal) und schoben ihm, wann immer er seine Augenbrauen aus Verzweiflung hob, ihre penibel ausgeführten Hausarbeiten und Berechnungen herüber.

Am komischsten fand Jamal jedoch, daß *er* von Studi-Typen nach Hause mitgenommen wurde, deren ausgeleierte T-Shirts so eigenwillige Duftnoten freisetzten, daß er ansonsten sogar den Platz in der U-Bahn gewechselt hätte. Und nun war er im Bett mit ihnen! Mit gekreuzten Beinen auf ihren versifften Decken sitzend, Leitz-Ordner auf den Knien, Stift, Lineal und Winkelmesser im Mund. Der ultimative Kick!

Als es vorbei war und sich die Sommerferien wie ein Zauberland vor ihm öffneten, das jeder ohne Passierschein und Aufenthaltsgenehmigung betreten durfte, war seine Sehnsucht nach dem Üblichen – von Katja stets als *das Übliche* bezeichnet, aber das war natürlich nichts als üble Nachrede – nahezu grenzenlos geworden. Höchste Zeit, seinen Hausbesuchen eine prickelndere Richtung zu geben.

Und siehe da, es funktionierte noch immer.

War das nicht unglaublich? Du steigst in die U-Bahn, setzt dich hin, studierst die blöden Plakate über den Fenstern, vergißt aber nicht die Gesichter im Abteil. Vor-, zurück- und quergeguckt, und schon ist da einer. Guckt weg, guckt hin. Dann schaut er dir in die Augen: Die Sache ist geritzt. Wobei der besondere Reiz darin liegt, daß die anderen Fahrgäste, die nur Zentimeter entfernt sitzen, nichts, aber auch gar nichts mitkriegen, selbst dann nicht, wenn sie ihre Nase zur Abwechslung einmal nicht in die *B. Z.* halten, sondern ihre Blicke ebenfalls wandern lassen. Sollen sie nur, denn das einzige, was sie am Ende bemerken werden, ist das Bild von zwei jungen Männern, die zufällig zur gleichen Zeit aufstehen, zufällig an der gleichen Tür aussteigen und dann zufällig auf dem Bahnsteig zusammen stehenbleiben. Wohnten die hier? Einer von ihnen bestimmt. Nur der schwarzhaarige Orientale hatte so ein zögerndes Lächeln im Gesicht, als wüßte er nicht wohin. Aber da fuhr die Bahn schon wieder an, und die zwei Gesichter lösten sich auf in tausend anderen.

In diesem Sommer verspürte Jamal keine Lust, jemanden mit in die Eros-Bude zu nehmen. Es war heiß da oben unter dem Dach in der neunten Etage, und Giovannis Grünpflanzen waren mittlerweile in ihr letztes Verfallsstadium eingetreten, ohne daß er die Energie gefunden hatte, neue zu kaufen. Was waren schon neue Pflanzen gegen neue Wohnungen, in die er von *neuen Männern* geführt werden konnte? Die Typen, die sich in den Parks, Saunen und Darkrooms herumtrieben, hatten ja keine

Ahnung, was ihnen entging. Was für Abenteuer, abgestufte Erregungen vom Feinsten!

Es begann beim Blinzeln in der U- oder S-Bahn (Jamals Buserfahrungen waren eher bescheiden), setzte sich fort auf dem Bahnsteig und erfuhr einen ersten Höhepunkt beim Verlassen der Station.

Eine Zufallswelt nach der anderen tat sich vor ihm auf. Da waren die vietnamesischen Zeitungsverkäufer und die deutschen Alkoholiker an der Warschauer Straße, das Glitzern der Hochhäuser hinten am Alex, eine Parodie von Manhattan und dazu der rissige, von grauen Wolkenfetzen halb verdeckte Mond über Friedrichshain! Prollige Gegend. An den Straßenlaternen Schnäppchenwerbung und Wahlplakate von NPD und PDS und in den Läden, die *Moni's Fummelladen* hießen, Klamotten im Sonderangebot, die einem das Fummeln endgültig austrieben. Nicht die beste Adresse, aber schon Szene-Viertel für mutige Pioniere. *Schwule* Pioniere, die Jamal in Nebenstraßen führten, in denen es neben *Didis Schlüsselservice* bereits Cafés gab, in denen Kiffer und Handy-People, Punks und aufgedonnerte Wessi-Studis (an ihren weißen Shirts und den quadratischen Posttaschen auf dem Rücken erkennbar) beieinander saßen; alles schön gemischt. Und dann hoch in die Wohnung oder das WG-Zimmer.

Nicht zu verachten waren auch die Ausblicke, die man genießen konnte, wenn man zu zweit vom Bahnsteig in der Oranienburger Straße nach oben stieg. Hinten links der Monbijou-Park – ein Spiel im Spiel, es ist ein Spiel, wirklich nur ein Spiel, Signor Petruccio –, gegenüber die Synagoge mit den wacheschiebenden Polizisten und dazwischen ein, zwei Straßen voll schwärzlicher Fassaden und zerbröckelter Ornamente, in den Hausfluren der Staub eines ganzen Jahrhunderts, knarrende Holztreppen, an den braun lackierten Wohnungstüren spießig geschwungene Namensschildchen aus Messing oder aufgeregte Aufkleber (»Erst wenn der letzte Baum gefällt, das letzte Brot gegessen ...«); aber *dahinter!* Dahinter befand sich das unbekannte, lockende Reich von Jamals U-Bahn-Bekanntschaft, mit der er gleich ins Bett steigen würde.

Das waren die Vorspiele, die ihm gefielen. Die Zimmer ähnelten sich ebenso wie die Liebespraktiken der darin wohnenden Männer, doch das störte nicht. Es war nicht der Sex, von dem er

Aufregendes erwartete, dafür hatte er zuviel Begegnungen gehabt. Aber das Kribbeln vorher, das Blinzeln in der U-Bahn und die Frage, ob es ihm auch diesmal gelingen würde, in einen fremden Hafen einlaufen zu können – selbst wenn sich dieser Hafen gegenüber einer Abrißfläche in der Krausnickstraße befand. Es war *seine* Art, an dieser Stadt, die er bald verlassen mußte, Anteil zu nehmen, sich *seinen* Anteil zu holen. Manchmal hatte er das Gefühl, daß es eine Art Rache sein könnte, die ihn zu all dem brachte, ein Aufschrei, der jedesmal im Röcheln des Orgasmus verstummte. Was hätte er sonst tun sollen? Er war sicher, daß von allen Formen des Fatalismus diese die amüsanteste war.

In den meisten Fällen hatten die Wohnungen Dielenböden (deshalb mußte Jamal auch erklärt werden, man habe ihn mit *guten Freunden* erst *frisch geschliffen* und dabei *saumäßig geschwitzt*), Ikea-Regale, die mit Büchern, Zeitschriften und beschrifteten Uni-Ordnern vollgestellt waren, auf dem Schreibtisch der PC und an den Wänden Kinoplakate – meist in schwarzweiß, Katja hätte die Retros bestimmt zu würdigen gewußt – oder kleine Polaroidfotos, die ihn am meisten interessierten. Während er sich auf dem Bett – *immer* ein Doppelbett oder zumindest eine Doppelmatratze, entweder direkt auf dem geschliffenen Dielenboden liegend oder auf ein paar stummelbeinigen Holzblöcken ruhend –, während er sich dort also blasen ließ oder auf dem Rücken eines der Männer lag, betrachtete er die Fotos. Auch so konnte man in ein fremdes Leben eintauchen; er wollte es weder erklärt haben noch unter gleichen Umständen, in der gleichen Sexposition erneut damit in Berührung kommen. Dazu war seine Scheu zu groß; noch immer. Selbstverständlich ließ *er* sich niemals fotografieren, und auch seine Telefonnummer gab er nur selten heraus. *Brunchen, klönen, gemeinsam was machen, sich mal treffen* – für Jamal waren das alles Synonyme der immer gleichen Masche, ihn ins Netz zu kriegen. Die kurzen Begegnungen waren viel ehrlicher; ohne Verstellung, ohne Reue. Ohne Wiederkehr. Melancholisch und doppelt intensiv. Sollte er sich fragen, ob mit ihm etwas falsch lief? Vielleicht, vielleicht auch nicht. Das Gefühl eines Verlustes, des Fehlens von unsagbar Wichtigem, das er von Zeit zu Zeit spürte, war so vage, daß er den Verdacht bekam, diese Zweifel wären nichts als die übriggebliebene Stimme der Familie, die ihm nur sein Glück vermiesen wollte, dieses sich mit jedem Tag schneller dem Ende zuneigende Glück seiner Berliner Jahre.

Sein Glück? Klar. Guten Sex zu haben, ohne eine einzige der bei den Deutschen so beliebten neugierigen, brutalst auf das Private, aufs Innerste abzielenden Fragen zu beantworten – war es nicht das größte Vergnügen, das ein Fremder in dieser Stadt haben konnte?

Also die Fotos. Die Selbstverliebten hatten sich selbst an die Wand gepinnt: *Ich* als DivaStrandboyNew York-Tourist; *Ich* nachdenklich, aber sexy vor dem PC. Dann die Klammerfraktion: *Wir* mit bester Freundin; *Wir* auf schönster Party; *Wir* am Strand; *Wir* beim CSD, *Wir* mit Handballteam, Nachbarn, Studien- und Kindergarten-Freunden. Ganz selten auch: *Wir* mit Eltern, aber da sah Jamal schnell weg; bei so etwas verging ihm der Spott. Auch bei den Tragischen schaute er nicht gern hin: verflossener Freund, tot oder fern, viel zu fern; illusionäre *Write-soon*-Wünsche exotischer Geliebter; Tunesien Malta Indonesien Südafrika.

Es kam vor, daß er Neid auf die Trauer der Tragischen empfand, deren große Liebe nur einen Urlaubssommer gedauert hatte oder elend verreckt war auf der Aids-Station irgendeines Krankenhauses. Jedenfalls wußten die, was sie vermißten. Eindeutig, daß er für sie ein Ersatz war, ein Irrlicht, ein zufälliger Fremder statt des zurückgekehrten Engels. Er versuchte, besonders zärtlich mit ihnen zu sein, damit sie es nicht bereuten, ihm in der U-Bahn ihr Lächeln geschenkt zu haben. Nur im Moment danach, wenn einer von ihnen sein Notebook unter dem Bett herauszog und Jamals Adresse eintragen wollte, wurde es wieder eng. Verdammt schwer, da anständig herauszukommen. Die machten ihm ja mit ihren Lebensgeschichten, die sie schnell und hastig erzählen wollten, während er sich schon wieder anzog und die Nikes zuschnürte, sein ganzes Spiel kaputt! Denn dieses Haus- und Raum-Spiel hatte er auf den Namen Legoland-Spiel getauft. Mein Legoland mitten in Berlin. Und dann tauchten statt niedlicher Plastik-Gnome, die er hin und her schieben und an deren Gliedmaßen er sich ergötzen konnte, plötzlich *Menschen* auf!

Hatten sich diesen Sommer alle einschließlich Katja verschworen, ihm seine kleinen Freuden kaputtzumachen? *Hinterfragen* nannten sie das, aber es kam am Ende aufs gleiche heraus.

Natürlich hatte er es selbst provoziert, als er Katja davon erzählte. Meine Raum-Entdeckungen, meine Legoländer.

»Du verwechselt all diese Requisiten hoffentlich nicht mit dem richtigen Leben«, hatte sie gesagt.

»Und was wäre das, *das richtige Leben?*«

Katja bog und streckte die Finger ihrer linken Hand, als ob sie etwas abzählte.

»Na, sich auf Menschen einlassen, auf sie zugehen ...«

»Amen!«

»Auf sie zugehen«, wiederholte sie unnachgiebig. »Nicht nur Quantität, auch Qualität erkennen. Nicht nur ihre Körper, sondern auch ihre, na ...«

»Ihre Seelen?« fragte Jamal sarkastisch. Ohne einen Moment zu zögern, nickte Katja heftig mit dem Kopf. »Zum Beispiel ihre Seelen.«

»Klingt verdammt nach Krematorium.«

»Da hast du falsch gehört. Im Krematorium verbrennen sie nur *Körper*. Seelen sind unsterblich.«

»Aber *ich* bin nicht unsterblich«, sagte Jamal leichthin. Er griff nach der Zigarettenschachtel. »Und erst recht nicht religiös.«

»Nur ein bißchen Gott spielen, das muß der Herr trotzdem, oder?« Katja hatte sich auf seinen Plauderton eingelassen, und genau das brachte ihn durcheinander.

»Wieso Gott?«

»Das würde ich auch gern wissen. Gott läuft durch die Stadt und besichtigt das Gewimmel im Legoland. Und wenn die Gestalten ihm zu nahe kommen, stapft er eben einfach weiter, der Gott.«

Lachend stieß Jamal den Rauch aus. »Ist das jetzt die Psycho-Stunde?«

»Vielleicht.«

Achtung: Katjas Augen waren wieder zu katzenartigen Schlitzen geworden. Ihre Stimme wurde zögernd, die Wörter fielen in immer größeren Abständen, als wären sie Urteile und jede Pause zwischen ihnen eine Strafverschärfung.

Sie beobachtete, wie Jamal in die Luft paffte, unruhig auf dem Stuhl hin und her rutschte und den Blick in ihre Augen mied.

»Ich glaube«, ein kurzes Zögern, dann schoß der gekrümmte Zeigefinger auf seine Brust zu, »ich glaube, du bist am ehesten der epische Typ.«

»Was soll *das* denn sein?«

»Moment, Moment. Ich glaube, ich kann das sogar noch auswendig. Hörst du zu? ›Der epische Mann projiziert kein subjektives Ideal auf die Frauen; daher interessiert ihn alles, und nichts kann ihn enttäuschen. Gerade diese Unfähigkeit, enttäuscht zu werden, hat etwas Ungehöriges an sich. Die Besessenheit des epischen Frauenhelden kommt einem billig vor, weil sie nicht durch Enttäuschung erkauft wurde ...‹ So! Und jetzt setzt du statt der Frauen die Männer in den Text, dann hast du's.« Katja hatte sich ebenfalls eine Zigarette angezündet und schaute nachdenklich in den Raum.

»Sieht so aus«, sagte Jamal, nachdem er sich von den Worten erholt hatte, »sieht ganz so aus, als ob du genug Erfahrungen mit solchen Typen gesammelt hast.«

»Sieht so aus«, pflichtete ihm Katja bei.

»Und?« fragte er lauernd.

»Und? Und nichts. Wenn ich darüber hätte reden wollen, hätte ich es dich schon wissen lassen.«

»Sorry, Elfenkönigin«, sagte er und klopfte ein wenig zu forsch die Asche seiner Zigarette in den Aschenbecher. Es war eine kleine weiße Schale mit dem geschwungenen roten Schriftzug *Miro*; eines der raren Geschenke, die er hier in Berlin bekommen hatte. Von einem Lover aus dem Legoland, inzwischen wahrscheinlich unbekannt verzogen.

»Und nenn'mich bitte nicht Elfenkönigin.«

»Woher willst du eigentlich wissen, daß die Besessenheit solcher Typen *nicht* mit Enttäuschung erkauft ist?« Jamals Stimme war belegt.

»Das weiß ich auch nicht. Das sagt nur der Text.«

»Auch so ein Kirchenbüchlein?«

Jetzt lachte Katja. »Nee, das gerade nicht. *Die unerträgliche Leichtigkeit des Seins,* ein tschechischer Roman.«

Jamal stöhnte auf. Ein tschechischer Roman! Ein Wunder, daß sie ihn nicht zum Knödel-Kochen in die Küche abkommandiert hatte!

»Pech, daß *ich* keine Romanfigur bin. Mich kann man nicht umblättern.« Wieder schnippte er hastig Asche in die kleine Schale.

»Das will auch keiner«, sagte Katja ganz ruhig. »Außer mir ist sowieso niemand da, der sich für dich interessiert.«

Ein, zwei, schließlich mehrere Minuten Stille, in denen nur das Kreisen der kleinen Ventilatoren zu hören war. Katja rechnete mit einem Wutanfall, einem schnell und viel zu laut aus dem Hut gezogenen Witz, statt dessen aber sagte Jamal mit eisiger Stimme: »Dann mach Vorschläge.«

»Auch Vorschläge sind Schläge«, entgegnete Katja. Langsam war er soweit.

»Stammt das auch aus dem Roman?«

»Nein, das hat beim letzten Bundestagswahlkampf Scharping zu Schröder gesagt.« Sie lächelte, und Jamal sah, daß die Katzenaugen wieder zu Katja-Pupillen geworden waren, aufmerksam und trotz des darin wohnenden Spottes beinahe gütig.

»Das Niveau sinkt«, stellte er fest.

Plötzlich drückte Katja die Zigarette aus, schlug sich aufs Knie, stand auf und begann im Zimmer umherzugehen. »Weißt du, daß ich in den nächsten Tagen nach London fahre?«

»Ein Verflossener?« riet Jamal.

Sie nickte. »Vorher muß ich noch zur letzten Sitzung unseres Projektkurses.«

»Ne Uni-Sache?«

»Ja und nein. Die Studenten machen dort als Tutoren ihre eigenen Projekte und kriegen dafür Geld. Einer von denen ist Christopher, 'n interessanter Fall. Wenn du morgen abend mitkommen willst ...«

»Soll ich jetzt schon *Fälle* kennenlernen?« maulte Jamal.

»Reg dich ab, der hat auch 'n Body.«

Und so kam es, daß Jamal Kassim Christopher begegnete, einem aufstrebenden und ehrgeizigen *Cultural-studies*-Experten, Benn- und Kokain-Liebhaber und radikaler Verfechter bizarrer, vor allem vor dem Analsex geäußerter Ideen.

Na bitte, dachte er, als die Wagen hielten. U-Bahn-Station Kochstraße, der alte Weg. Nur daß er diesmal nicht hinüber ins Goethe-Institut ging, sondern, vorbei an der lädierten Rumpelkammer des Mauermuseums und den blinden Scheiben einer Spielbank gegenüber der *taz*, in die Schützenstraße einbog, die sich hinter dem Springer-Hochhaus versteckte. Früher schossen hier die Mauerschützen, hatte ihm Katja bei der Wegbeschreibung am Telefon gesagt, aber nun isses friedlich. Jetzt gibt es dort massenhaft neu hochgezogene Häuser mit bunten Fassaden, Chrom und

Glas und Fliesen, und du gehst einfach in die Nummer 43 hinein, dort sitzen normalerweise die Germanisten von der Humboldt-Uni, aber die haben unserem Kurs jeden Mittwochnachmittag einen Raum freigeschaufelt. Nimm einen der Fahrstühle, fünfte Etage, gleich rechts ist das große Zimmer, Tür steht offen.

»Keine Rauchabschlußtür?« fragte Jamal, aber Katja hatte nicht verstanden; wahrscheinlich hatte er ihr die Geschichte von Silvias und Yousufs Hochzeit noch gar nicht erzählt. *Halten Se sich ran, junger Mann, wir feiern hier keene Elefantenhochzeiten, wa.*

Diesmal war es einfacher. Es gab keinen Pförtner, sondern nur ein großes Hinweisschild, sich sanft öffnende und schließende Fahrstuhltüren und eine Etage Nummer fünf, in der er das von Katja beschriebene Zimmer fand.

Vier weißgetünchte Wände, eine U-förmig aufgestellte Tischgruppe und vor ihrer freien Schmalseite, gerade durch die offene Tür tretend, er, Jamal Kassim, zufälliger Gast der letzten Sitzung eines studentischen Projekttutoriums namens »Cultural studies/Hybride Kulturen: Grundlagen, Probleme, Perspektiven«.

Von Katja wußte er, daß dieser Christopher an seiner Dissertation arbeitete, die er sich finanzierte, indem er interessierten Studenten – sie hatte *Student* (tiefes Atmen) *Innen* gesagt – fächerübergreifend ein Thema nahebrachte, für das keine Hausarbeiten geschrieben werden mußten.

»Und dafür kriegt ihr einen Schein?« fragte Jamal.

»Nein. Natürlich nicht. Es ist einfach der Spaß an der Freude, verstehst du. Mal keinen Prof vor sich haben, sondern einen Mit-Studi, der ziemlich was auf der Pfanne hat, neue Erfahrungen machen, mal in ein anderes Thema hineinschnuppern . . .«

Jamal hatte sofort entgegnet: »Aufenthaltsgenehmigung.« Und dann noch einmal: »Aufenthaltsgenehmigung, vier Jahre befristet. *Mal reinschnuppern,* was?«

Katja hatte einen Seufzer von sich gegeben. »Ich hab nicht gesagt, daß du da mitmachen sollst. Das Semester ist sowieso zu Ende, und wir machen nur noch so eine Art Aufbereitungssitzung, weißt du. Und Christopher ist wirklich ein faszinierender Typ, du wirst sehen.«

Und Jamal, in der freien Flanke des hybriden U stehend, sah. Sah junge Männer und Frauen seines Alters, Studis eben. Sie saßen an den Längsseiten, stützten ihren Kopf in die Hände, schrieben mit oder blätterten in einem Reader. Ein paar rauchten sogar und sahen zu, wie der Qualm durch die offenen Fenster hinaus in den Berliner Sommernachmittag entwich. Im Raum selbst war es angenehm kühl.

In dem Augenblick, als sie merkten, daß jemand durch die Tür gekommen war, drehten sich ihm alle Studi-Köpfe zu.

Wie in einem Saloon, wenn der Sheriff einrauscht, dachte er. Oder der berüchtigte Viehdieb; je nachdem.

»Der Fremde als der Andere, Nicht-Seiende, also einer, der im durchaus Heideggerschen Sinne durch das Gestell fällt.«

Jamal spitzte die Ohren und kniff ein Auge zu. Und sah den famosen Christopher. Dreitagebart, Nickelbrille, Armyhaarschnitt und ein silberner Ohrstecker; kariertes Hemd, zwei, drei Knöpfe offen und darunter ein weißes T-Shirt; Hemdärmel bis über die Ellbogen hochgekrempelt; weiße, aber dicht behaarte Unterarme; ausdrucksstarke Stimme und hellblaue Knopfaugen.

». . . bleibt wegen der Fremd-Dominanz im Diskurs der Raumbeherrschung nur der Rückzug in die Selbstreduktion innerhalb der Außenprojektion: Ein Stück seines Ichs wird zu Papier.«

Jamal sah, wie sich hinten in der Ecke Katjas Hand hob. Katjas *winkende* Hand, Katjas Lächeln: Nur keine Angst.

Die hätte er auch nicht haben müssen. Obwohl er zwischen den Stühlen und der Wand mühelos nach hinten gehen konnte, wo Katja ihm einen Platz freigehalten hatte, begannen sogar jene Kursteilnehmer, die auf der anderen Seite saßen, mit ihren Füßen zu scharren und den Stühlen zu rücken. Nur nicht in den Herrscher-Diskurs der Raumbeherrschung verfallen! Nur nicht vergessen, diese Mischung aus schiefem Grinsen und rechtwinklig verkanteter Unsicherheit aufs Gesicht zu zaubern! Gute Deutsche mußten schließlich dem Fremden signalisieren, daß er willkommen war und sich unbesorgt an ihren Feuern und Zentralheizungen niederlassen konnte. Und das war in Jamals Augen sogar okay, denn die andere Fraktion schaute entweder verkrampft weg oder fixierte ihn so lange, bis sich ihren Kehlen ein Wutschrei entrang. Dann schon lieber die *guten* Deutschen. Auch wenn sie ihn mit einer Erwartung anstarrten, als wäre er Mohammed höchstpersönlich, der soeben in Mekka gelandet ist. Oder Jesus Christus auf einer Stippvisite im Vatikan. Egal.

Christopher blickte ihn kurz an und redete weiter. Bis seine Augen – eine Sekunde zu lang, dachte Jamal – zurückwanderten und alle Zweifel behoben. Die Sache war gegessen. Der Experte mit dem halb werbenden, halb zynischen Lächeln war schwul.

Sie hat es gewußt, dachte Jamal, als ihm Katja einen Kuß auf die Stirn drückte und neben sich Platz nehmen ließ. Ganz sicher hat sie es gewußt, die alte Hexe.

Sie schob ihm ein paar computerbeschriebene Seiten zu, die er unbeachtet vor sich auf dem Tisch liegen ließ. In ein paar Metern Entfernung sah er Christophers Adern gegen die Schläfe pochen, sah die Druckstelle, die der Bügel seiner Brille auf dem kurzrasierten Haar hinterließ, sah die Linie seines Halses samt zuckendem Adamsapfel und sah den herabgezogenen Mundwinkel, aus dem heraus merkwürdige Sätze in den Raum geschossen wurden.

»Gerade die in der traditionellen Forschung, aber auch in der Literatur – Leute, denkt an Conrad auf Java, Brinkmann in Rom oder Karl May in Kurdistan – immer wieder mehr oder minder reflektierten *first encounter situations* zeigen das nordeuropäische Superioritätsprinzip, dessen Fokus, machen wir uns doch nichts vor, *immer* auf Raumbeherrschung ausgerichtet ist. Nur wer die Räume beherrscht, kann auch die Körper dominieren, anschließend sogar die Seelen.«

Deine Seele kannst du dir schenken, dachte Jamal, aber deinen Körper zu dominieren wäre keine schlechte Idee. Gerade *weil* du ein Zeug laberst, das danach schreit, von irgend jemand abgestellt zu werden. Sorry, Elfenkönigin, das war wohl nichts mit dem Lernpogramm. Er sah Katja an, doch die trug gerade etwas in ihren Ringhefter ein.

Während Christopher dozierte und ihn dabei in immer kürzer werdenden Abständen musterte, wurde Jamals Auftauchen von den *Mit-Studis* mit einer anderen Art Aufmerksamkeit bedacht.

Hoffentlich glauben die nicht, daß *ich* dieser *Nicht-Seiende* bin, der durch irgendein Hitler-Gestell gerutscht ist, dachte er. Wie sollte er sich verhalten? Es war offensichtlich, daß die Augen der Deutschen nicht mehr auf ihrem ununterbrochen redenden Landsmann Christopher, sondern auf dem schweigenden Fremden ruhten, von dem man noch nicht einmal den Namen kannte. Sollte er eine *Guten-Tag-ich-Opfer-bitte-geben-Hilfe*-Miene aufsetzen oder einfach als *Tag, Leute, ich bin Ali und will ficken* frech in die Runde grinsen?

Aber nein, das würde er Katja nie antun. Sie hatte ihn nicht hierher gebracht, damit er den Clown spielte und den – Mein Gott, wie sie guckten! – wahrscheinlich sexuell total ausgehungerten Studas vorgaukelte, einer dieser Goldkettchen-Macker zu sein, denen vor lauter Geilheit das Hirn im Sperma ersoffen war. *Be nice.* Sei mal ein Lieber, Jamal Kassim. Und hör dir an, was ein Deutscher seinen Mitdeutschen über die Fremden mitzuteilen hat.

»Doris Bachmann-Medek konstatiert hier jenen Paradigmenwechsel, den Maxwell in seinem Aufsatz von 1990 – in dem Riedl-Sammelband, aus dem ich euch ein paar Kopien gezogen habe – bereits angemahnt hatte, und das vor allem in bezug auf eine mögliche Symbiose zwischen Homi Bhabha und Edward Said.«

Jamal war zufrieden. Jetzt sahen sie ihn nicht mehr an, sondern beeilten sich, die Namen in ihre Hefter zu kritzeln. Auch die, die bis dahin geraucht hatten, ließen ihre Zigaretten achtlos im Aschenbecher verglühen.

Aus Spaß an der Freude. Ach Katja, liebste Katja.

Christopher redete sich in Rage, sich wiederholend, mit gezügeltem Widerwillen einen weiteren Experten-Namen buchstabierend, dann sein Tempo wiederfindend und weiter auf die Leute einhackend. Was sich die Leute anscheinend gern gefallen ließen. In welche Masochisten-Runde hatte es ihn hier verschlagen? Und was sollte das mit diesen *Texträumen, die sich den okzidentalen Grenzziehungen verweigern?* Germanen-Habibi, dachte Jamal, ich krieg nicht übel Lust, dir *deine* Grenzen zu zeigen, und zwar auf *meine* Art. Mal sehen, wer von uns beiden dann in welches Gestell rutscht.

Nachdem die Sitzung zu Ende war und die Projektteilnehmer – die Frauen mit *sehr* freundlichem Lächeln in Richtung Jamal – den Raum verlassen hatten, schob Christopher seinen Stuhl nach hinten, stand auf, rückte an der Levisschnalle seines Hosengürtels und gab Jamal die Hand.

»Tag, Jamal.«

»Tag«, sagte Jamal und nahm sofort direkten Blickkontakt auf. Der andere hielt das mühelos aus und sagte beiläufig: »Katja hat mir von dir erzählt.«

»Ach ...«

Christopher grinste. »Nichts mit ach, du. Nur das Beste.«

Hinter der Nickelbrille blitzte es.

Jamal nickte. Während Katja – ein wenig zu bemüht, wie er später fand, als er sich an diese *first encounter situation* in der Schützenstraße erinnerte – den Ringhefter nebst Reader, Zigarettenpackung und Stiften in ihrer Umhängetasche verstaute, sagte Christoph, nun mit etwas leiserer Stimme: »Wenn du willst, können wir uns ruhig mal außer der Reihe treffen. Wie wär's mit morgen abend?«

»Wenn *du* willst.«

»Und ob«, entgegnete Christopher sofort. Bingo!

Jamal bemühte sich, ernst zu bleiben. Der Hybride war nicht das erste Großmaul, daß er sich so an Land zog.

Katja hatte ihre Tasche über die Schulter gehängt, und zu dritt verließen sie den Raum. Christopher beschrieb Jamal den Weg zu seiner Wohnung, gleichzeitig schloß er die Tür ab. Dann ließ er den Schlüssel geräuschvoll von einer Hand in die andere fallen, nickte ihnen im Stil eines huldvollen Firmenchefs zu und verschwand im Sekretariat. Erste Karriere-Station, dachte Jamal. Er fühlte keinen Neid.

Katja drückte auf einen Schalter neben der in Chrom gefaßten Fahrstuhltür. Hatte die Elfenkönigin einen Geheimplan ausgeheckt?

Die Veränderung, falls er es tatsächlich darauf angelegt hatte, war von mathematischer Präzision. Er hatte die Nickelbrille abgesetzt und die blauen Knopfaugen geflimmert und geputzt, aus dem Dreitagebart war ein Viertagebart geworden, und wo noch gestern unter drei offenen Hemdknöpfen ein weißes T-Shirt sichtbar gewesen war, sah man nun Christophers helle Haut – und das bis hinunter zum Bauchnabel, um den herum ein paar farblose Härchen wucherten. Die Beine steckten diesmal nicht unter einer U-förmig ausgerichteten Tischgruppe, sondern waren so weit gespreizt, daß Jamal den Blick abwenden mußte, um nicht auf die ihm so direkt dargebotene und durch die Hemdzipfel kaum verhüllte Erektion zu starren. Hose und Shorts waren nirgendwo zu sehen; vielleicht hatte sie Christopher als Teil jener *eurozentristischen Dominanz-Accessoires*, gegen die er am Tag zuvor so heftig gewütet hatte, vor Jamals Eintreten in den schmalen Spalt zwischen der grellweißen Wand und dem schwarzen Ledersofa, auf dem er jetzt breitbeinig hockte, geworfen.

Zögernd setzte Jamal seine Sporttasche auf den Dielenboden.

Geschliffen, lackiert, auf der glänzenden Firnis hier und da ein roter Fleck – routinierte Sekunden-Observation aus der Legoland-Schule. Ob hier blutige Messen gefeiert wurden?

Den ganzen Nachmittag hatte er im Fitneßstudio am Rosenthaler Platz darüber nachgedacht, wie der Abend bei Mister Alleswisser wohl verlaufen würde. Noch auf dem Weg hierher – über den Rosenthaler Platz, dann rechts hoch an dem Park vorbei, den auf dem Trottoir aufgeschichteten Pflastersteinen ausweichend und über die Holzbohlen balancierend, mit denen irgendwelche Kabel-Gräben bedeckt waren – hatte er sich Worte und Wendungen zurechtgelegt, die er abschießen könnte, falls dieser Christopher nicht nur Sex, sondern auch *Diskurs* haben wollte. Vor dem würde er nicht kuschen, dem würde er zeigen, was er selbst, Jamal Kassim, unter Raumbeherrschung und Körper-Dominanz verstand!

Von der Schönhauser Allee war er rechts in eine Querstraße eingebogen, vorbei an einer Backsteinkirche und erst dann die Blechschildchen mit den Hausnummern betrachtend, als zwischen der Straße und dem Bordstein die ersten Bäume auftauchten. Gemessen an der relativen Häßlichkeit der Stadt fand er es ausgesprochen schön: Grüne Baumkronen, durch die Sonnenstrahlen dringen und sich auf die blinden Scheiben der Häuser legen und auf den Fassaden ein hin und her wanderndes Licht- und Schattenspiel veranstalten. Baugerüste, abgebrochene Stuckverzierungen, geschwungene Portale und darunter morsche Holztüren mit dem Schild »Betreten verboten«. Das war's, dachte Jamal, während er die Straße weiterging und der von Christopher genannten Hausnummer näher kam, diese Mischung war es: vergessene und lädierte Pracht, Berliner Ruppigkeit mit Kastanienbäumen, und an den Hauswänden in Kopfhöhe entweder aggressive *Scheiß/Keine/Raus/Fort* und *Nieder mit*-Graffitis oder fotokopierte Zettel, die mit abtrennbaren Telefonnummern Serviceleistungen anpriesen; seltsame Ossi-Spezialitäten wie gemeinschaftsverträgliche Dauerwellen oder so etwas in der Art. Er konnte sich gut vorstellen, daß sich in dieser Umgebung ein schwafelnder Wessi-Typ wie Christopher als absoluter King fühlen mußte, als zugereister Eroberer, der, weil er alles mit Fremdwörtern zu erklären wußte, auch alles beherrschte, wenigstens in seiner eigenen Vorstellung.

King of Kreuzberg, dachte Jamal, meets King of Prenzlberg.

Eine gewisse Erwartung hatte sich bei ihm eingeschlichen, eine Geilheit, die kampfeslustig der Wiederbegegnung mit einem durchgeknallten Uni-Terminator entgegensah. *Sich auf Biographien einlassen*, das war es doch, was Katja von ihm gefordert hatte, oder?

Und nun dies: Eine halb offene Tür mit geriffelter Glasscheibe im dritten Stock eines nach Staub und Ruß riechenden Hauses, dessen linoleumbelegtes Treppenhaus völlig dunkel war, Christophers schleppende Stimme, die »Herein, nur schnell herein« rief, sein Eintreten in den handtuchartig schmalen Flur, der durch riesige Zeitungsstapel zusätzlich verengt wurde und dann die Bescherung im taghellen Wohnzimmer.

Christopher mit gespreizten Beinen auf dem Sofa hockend und ohne Scheu seinen kapitalen Ständer präsentierend. Hatte er den ganzen Nachmittag geprobt, um dieses Bild hinzukriegen und sich an Jamals Verblüffung zu weiden?

»Noch nie 'nen Mann gesehen? ›Zu den Müttern, hinab zu den Müttern . . .‹ Nee, nee, nich mit mir.«

»Wie bitte?« fragte Jamal.

Mit seiner rechten Hand winkte Christopher ihn heran, mit der linken machte er sich auf einem kleinen Tischchen zu schaffen, das neben dem Sofa stand.

Dort lag ein Staubsauger. Ein Staubsauger in Mini-Format, nur wenige Zentimeter lang, aber doch ein Staubsauger mit Elektrokabel, verchromtem Einzugsrohr und Aufsaug-Vorrichtung.

»Den Ich-Zerfall, den süßen, tiefersehnten, den gibst du mir . . .« murmelte Christopher. Er achtete nicht weiter auf seinen Gast, sondern legte das Zwergen-Gerät auf seine ausgestreckten Oberschenkel und griff sich von dem Beistelltischchen eine herzförmig geschwungene Schachtel, auf deren Deckel eine stilisierte Rosenblüte prangte. Sie war bis zum Rand mit weißem Puderzucker gefüllt.

»Das ist der einzige Moment im Leben, wo Blasen das Lustgefühl verringert«, flüsterte Christopher kryptisch. Seine Gesichtsmuskeln spannten sich vor Konzentration. Mit dem Daumen drückte er eine winzige Klappe auf, die sich im Zwergen-Staubsauger an jener Stelle befand, wo bei seinem großen Bruder normalerweise die quadratische Mülltüte lagerte. Mit einer Präzision, die Jamal erstaunte, hob Christopher die herzförmige Schachtel hoch, kippte sie leicht an und ließ Puderzucker in die

Klappenöffnung rieseln, ohne daß ein Körnchen auf seine Oberschenkel fiel.

Danach schloß er die Schachtel, stellte sie auf das Tischchen zurück, drückte den Klappendeckel nach unten und führte zielstrebig das kleine Staubsaugerrohr in sein rechtes Nasenloch ein. Das linke hielt er mit dem Zeigefinger zu.

Mit einer plötzlichen Kopfbewegung bedeutete er Jamal, näher zu kommen und den Stecker des Stromkabels in die Elektrodose zu stecken, die sich in Kopfhöhe an der Wand befand. Als er zögerte, rief Christopher: »Nun mach schon, *mach!*«

Seine Stimme klang metallen und verzerrt. Jamal steckte das Kabel in die Dose, und augenblicklich erfüllte ein sonores Summgeräusch den Raum, eine Mischung aus anfahrender Modelleisenbahn und Zahnarztbohrer. Christopher hielt die Augen geschlossen, und Jamal sah, wie seine Finger, die das Ende des Staubsaugerrohrs umkrampft hielten, immer blutleerer wurden.

Erst jetzt kapierte er, was hier veranstaltet wurde. Der zog mit dem Rohr nichts heraus, sondern etwas ein, und statt Staub war das reinster Koks! Bisher hatte er geglaubt, daß es so etwas nur im Kino gab, aber das hier war live; ein Prenzlberger Sommernachmittag mit Kastanienbäumen vor den Fenstern, eine Wohnung, die sich nicht zwischen edel und versifft entscheiden konnte und ein halbnackter, irrer Typ, der sich gerade mit geschlossenen Augen einen Naseneinlauf verpaßte.

Als Christopher schließlich hinter sich griff und den Stecker heftig aus der Dose riß, hatten sich seine Pupillen erweitert. Wie große dunkle Quallen starrten sie in den Raum und schienen Jamal erst nach einer Weile wahrzunehmen.

»Tschuldigung«, sagte Christopher. Er zog das Rohr aus dem Nasenloch und legte das Gerät beiseite. »Das mußte wieder mal sein. Du weißt ja – Schnüffeltüten sind nur was für Prolls.«

»Klar«, sagte Jamal entgeistert.

»Schon mal probiert?«

»Nein. Keine Lust zu so was; sorry.« Er versuchte ein Lächeln.

»Oho, oho! *Keine Lust zu so was.*«

Christopher zog die Augenbrauen hoch und rückte auf der Ledercouch ein Stück zur Seite, eine Aufforderung an Jamal, sich neben ihn zu setzen.

Eine Weile saßen sie schweigend da. »Also keine Lust auf Koks«, wiederholte Christopher, als müsse er diese Ungeheuerlichkeit erst einmal verdauen. »Na klar, bei euch in Marrakesch gibt's ja Kiff in Hülle und Fülle. Kiff und die Jungs von Tanger, Paul Bowles und so – hab ich recht?«

Jamal hatte keine Ahnung, wovon der Deutsche sprach.

»Ich komme aus dem *Libanon*«, sagte er.

»Und trotzdem nich geil auf 'nen Germanen, der extra für dich 'n Ständer hat?« Christopher rückte näher heran. »Ist das nicht fies, du? Da bastelt man an seiner Uni-Karriere, indem man Klischees zerfetzt und hofft nur, daß sie vielleicht doch wahr sind. Draußen in der wilden Welt, dort, wo die miesen kleinen Mitläufer-Studis mit ihren Ringheftern *nie* hinkommen, sondern nur die, die 'n Zacken schärfer sind.«

Wie in Zeitlupe hob und senkte sich sein Kopf, um die Richtigkeit des Gesagten zu bestätigen. »Die clever genug sind, den anderen was einzuträufeln, was sich schön sauber mitschreiben läßt. Auschwitz, Klassenkampf, *genderstudies*; alles was du willst. Sogar den Multi-Kulti-Müll von gestern nachmittag. Und alles, das alles, mein Schatz, um 'n bissel Exotik zu schnüffeln. Um wegzukommen und zu ficken. *Zu ficken!*«

Jamal rückte ein Stück von ihm ab, denn Christopher hatte geschrien. Seine Pupillen sahen aus, als würden sie gleich aus den Augen springen, Jamal auf den Schoß oder zu der Stelle auf der Diele, wo eine halbleere Rotweinflasche stand. Gut zu wissen, dachte er. Die Flecken auf dem Boden waren zumindest *kein* Blut.

Forschend blickte er Christopher von der Seite an. Ohne die Nickelbrille sah sein Gesicht weniger militärisch aus als am Vortag, eher glich es einer kantigen Masse mit tektonischen Verschiebungen in Sekundenabständen.

»*Zu ficken!*« wiederholte Christopher lallend. »Ne Diss über das multiethnische Sonstwie auf Java, 'n saubrer Forschungsaufenthalt mit Urlaubsdays in Bali, um 'nen kleinen süßen Indonesierarsch abzukriegen. Holocaust-Gelaber in Yad Vashem, um 'nen soldatischen Israeli-Schwanz aufzugabeln, für verstörte deutsche Frauen und Männer 'ne geile Sache. Konzepte und Kongresse, Stipendien und Seminare. Und das alles nur, stststelll dir das vor, um die Möse oder den Arsch gefüllt zu kriegen, isses nich lustig? Da sind die früher mit Knarre, Bibel und Tropenhelm in den Dschungel marschiert, während wir per Linienflug ins vorher gebuchte Uni-Guesthouse einrauschen, in der Tasche

Lévi-Strauss und Foucault und Kondome, vor allem Kondome. Scheiß Westler, was?«

Christopher starrte Jamal ungläubig an. »Hättest nich geglaubt, daß der Westen so verdorben ist, hä? Ich sag dir was, 'n einziges Killer-System isser, entweder Rübe ab oder Moralsprüche absondern und noch in der Verständnismasche nix als'n Parasit, der alles andere aufsaugen will; andre Kulturen, die er dominiert und verfälscht, gebrechlich und handzahm machen will; da bleiben unsereinem nur ein paar schöne Verse vom guten alten Benn. Schon mal gehört? Paß auf: Verströme, o verströme du – gebäre blutbäuchig das Entformte her.«

Jamal zog angewidert die Mundwinkel herab. Wenn der Typ jedesmal so einen Quassel-Anlauf brauchte, um Sex zu machen, sollte er sich lieber nach einem Psychiater umsehen.

Christopher starrte ihn noch immer an. Keine von Jamals Regungen schien ihm zu entgehen. »Tut, tttut mir echt leid, wenn ich dich überfordere. Aber richtig unverfälscht siehst du mir auch nicht aus. Kleine Triebhemmung, was? Dabei haste doch gestern im Seminar vor Geilheit nur so getrieft. El Arabe, dacht ich da, El Arabe! Aber wir sind wohl nur zufällig aus dem Nahen Osten, hä?«

Jamal hörte den aggressiver werdenden Ton. Er überlegte, einfach aufzustehen und zu gehen. Dann siegte die Neugier. Mal sehen, dachte er, was noch kommt. Falls in diesem Zustand bei dem überhaupt noch irgend etwas kommen konnte.

Was sollte er ihm entgegnen? Daß er nur zufällig Araber sei und sich nicht verhielt, wie das Deutsche von Orientalen anscheinend erwarteten, war eine Melodie, die er in dieser Stadt immer wieder hörte.

Schließlich sagte er: »Aber ich bin nicht zufällig ein Mensch.«

Christopher schlug sein linkes Bein über Jamals Knie, rutschte ein Stück an der Sofalehne herunter und konnte sich gar nicht mehr einkriegen vor Gelächter.

»Nicht zufällig Mensch ... Hey, das is gut. Mensch o Mensch! Macht'n Sonderprädikat in der Abendlandschule. Das Ich, der Mensch, das Gott und aller Welt verantwortliche Individuum ... Die alte Judenscheiße vom Berg Sinai, hab ich recht? Und das als Libanese! Sportsfreund, ich muß schon sagen ... Fehlt nur noch, daß du mit Jesus kommst. Als hätte der Gesetzesterror nicht gereicht, jetzt musses auch noch Gnade und Liebe sein – und das alles nur, weil diese Bescheuerten glauben, jeder von uns wäre unverzichtbar. Aber Schatz, hör' jetzt mal *gut* zu« – Christophers Kopf beugte sich vor Jamals Gesicht und ein starker Geruch von Rotwein entströmte seinem Mund –, »hör *gut* zu: Alles Schwindel, sag ich. Schwindel und Konstruktion. Erst den Pappkamerad Persönlichkeit aufbauen, um ihn dann, Old Nietzsche hat's genau kapiert, mit Schuldkomplexen nur so zupflastern, damit sie ihn klein kriegen: So isses, wenn man die Europäer läßt, wie sie wollen. Und die Amis natürlich gleich mit dazu, New Yorker Juden mit sssonner Macht.« Christopher wedelte mit dem Arm herüber und ließ ihn auf Jamals Brust fallen.

Er verstand kein Wort. Und doch spürte er, daß sich hier etwas anbahnte, was ihm den Boden entziehen wollte. Etwas Wirres, Leidenschaftliches und gleichzeitig Kaltes, Eiskaltes. Wie ..., ja wie wohl? Wie die schlurfenden Schritte der Skins damals auf dem Bahnsteig in Hellersdorf, der Schlag ihrer Hände auf seinem Blouson? Aber das war etwas anderes, viel gefährlicher als das Gelaber eines zugekoksten Uni-Karrieristen, der nur Angst vor dem Vögeln hatte.

Christopher bewegte langsam seine Hand, und Daumen und Zeigefinger begannen, nach Jamals Brustwarzen zu suchen. Als er merkte, daß es keine Reaktion gab, ließ er davon ab.

»Keine Angst, ich will dich nicht schlachten«, sagte er. »Es gibt Traditionen, aus denen sogar wir Deutschen nicht rauskönnen, obwohl in diesem Jahrhundert ... Na, du weißt ja, dagegen waren sogar die Tempelöfen von Babylon 'n Fliegenschiß.« Er sah Jamal erwartungsvoll an, erhielt aber keine Antwort.

»Stelle fest, wir sind 'n unbeschriebenes Blatt.« Christophers Stimme war leise und schleppend geworden. Das einzige, was konstant blieb, war sein Ständer. Langsam bekam Jamal Lust, ihn in die Finger zu kriegen und wie einen Hühnerkopf mit einem schnellen Ruck um die eigene Achse zu drehen. *Knack!*

»Sogar die liebe Katja, Zierde aller Kurse, hat mir kaum was von dir erzählt. Fickst du sie oder is sie nur 'ne Vertrauenstante für verheulte Tage?«

»Weder noch«, sagte Jamal. Er streckte seine Hand aus und strich die Vorhaut von Christophers Schwanz zurück. Wurde Zeit, daß endlich *er* die Initiative ergriff.

Sich auf Biographien einlassen ... Doch nicht bei solchen Deutschen, liebste Elfenkönigin, dachte er.

»Wundert mich«, sagte Christopher. »Wundert mich sogar sehr. Hab immer geglaubt, die Kleine wäre so eine Art hochkultiviertes Shopping-Wiesel, wenn du verstehst, was ich meine. Mit sssooo großen Ohren, groß genug, um ihrem lieben schwulen Freund zuzuhören, wenn Geld und Lover aus sind und ihm nichts bleibt, als daheim zu sitzen und sich auszukotzen.«

Jamal lachte auf. *Sich auf Biographien einlassen.* Hatte Katja etwa gehofft, diesen Culture-Studis-Feldwebel durch Kontakt mit einem *richtigen Ausländer* sanfter zu machen, ihn dazu zu bringen, statt Begriffen Menschen wahrzunehmen?

Jamal nahm sich vor, beiden ein Schnippchen zu schlagen, der Umerziehungs-Fee ebenso wie diesem Koks-Nazi, dessen rechtes Bein noch immer über seinen Knien lag, während die Erektion gar nicht daran dachte, sich zu verabschieden. Das, dachte er, ist das einzige, was für diesen Typen spricht.

»Katja ist also ganz anders, als ich geglaubt hab, soso.« Christophers Stimme hatte etwas Weinerliches bekommen.

»Das kommt, weil du für einen Wissenschaftler zuviel glaubst anstatt zu wissen«, sagte Jamal. Seine Hand rieb weiter Christophers Schwanz. Er würde es diesem Irren so lange machen, bis er unter Stöhnen kam und er selbst abhauen konnte; *diesen* Spaß wollte er sich nicht entgehen lassen.

»Man *muß* glauben«, sagte Christopher. »Visionen, Ideen, Utopien ...« Er starrte in den Raum, blickte dann zwischen seine Beine und schien erst jetzt zu bemerken, was Jamal mit ihm anstellte. Er ließ ein leises, meckerndes Lachen hören.

»Zum Beispiel du, schöner fremder Mann. Du. Wenn du bissel visionäre Phantasie hättest, könntest du eine Menge aus dir machen, ehrlich jetzt. Beobachter sein all der Wohlstandsflaschen um dich herum, Spiegel und Brennglas für unsere Defekte.« Seine Stimme klang wieder schneidend.

»Leider bin ich kein Brennglas«, sagte Jamal. Wäre noch schöner, sich für diesen kaputten Penner abfackeln zu lassen. Das war doch der Sinn eines Brennglases, oder? Mit einer schnellen, gewalttätigen Bewegung schob er die Vorhaut noch ein Stück weiter nach unten. Christophers Gesicht verzerrte sich, aber das Kokain schien stark genug zu sein, um das Schmerzempfinden zu betäuben.

»Ach so, stimmt: Monsieur ist ein Ich, ein unverwechselbarer Mensch. Pech nur, daß das keinerlei Bedeutung hat. *Keinerlei*

Bedeutung, verstehste? Du schleppst dein Ich wie 'ne Einkaufstasche mit dir herum, aber für wen eigentlich, für wen? Du kommst zu spät, Habibi, definitiv *too late*. Dritte Welt is *out*, Russen und Amis, Kommunismus und Antikommunismus sind *out*, Krieg is *out* und Friedensdemos sind auch *out*, Kohl is sowieso *out*, und der, der ihn bei den nächsten Wahlen beerben will, isses noch mehr. Nee, nee«, Christopher hob die Hand und ließ sie wieder kraftlos sinken, »sssag nix. Geht dich alles nichts an, was? Aber Dritte Welt, Freundchen, Dritte Welt wär was für dich gewesen, damit hätteste punkten können, in den siebzigern und achtzigern, aber da warst du nur 'n kleiner Hosenscheißer. Und jetzt isses vorbei. Aus'm Libanon? Hä, wieso, ihr habt doch überhaupt keinen Krieg mehr bei euch! Jamal? Jamal-und-wie-weiter? Tja, *Mumia* Abu Jamal, der Black-Panther-Nigger inner Todeszelle, drüben in Amiland, den kannste manchmal noch sehen auf Plakaten und Demobildchen; hat übrigens schöne Rastalocken, der Junge. Ansonsten aber: Schscht, piff und vorbei. Völlig out, höchstens noch was für Uni-Seminare, aber rein gar nix mehr für Straßenfeste, Unterschriftenlisten, Soli-Stände und superkorrekte WGs, wo du auf Neugier hättest rechnen können. Vielleicht sogar auf 'ne Tussi für 'ne Scheinheirat. Weil wir solche wie euch ja nich zurück in eure Palmen-KZs schicken können. Weil wir Deutschen das lernwillige Tätervolk sind, immer auf der Suche nach geilen Schwänzen. Huch, was dir entgangen ist ...« Christopher blies geräuschvoll seine Backen auf.

Bei dem Wort *Scheinheirat* hatte Jamal aufgehorcht. Das war etwas, *könnte* etwas sein, was ihn betraf. Was in sein Leben eingriff und eine Richtung vorgab. Oder sie versperrte.

Er umkrampfte Christophers Schwanz und rieb ihn immer schneller, fast *riß* er ihn.

»Nich so dolle, Mann! Wart mal kurz.« Christopher öffnete die verzierte Dose. Er feuchtete seinen Zeigefinger an und tupfte sich etwas Koks auf. Dann strich er mit ihm über seine Eichel, so daß sie auf einmal aussah wie ein weißviolettes Sahnehäubchen, das Jamal genau so irreal vorkam wie dieses Zimmer, dieser Nachmittag, dieser Typ und seine komischen Sätze, die er mit schleppender Stimme abließ. »So jetzt, jetzt kannste dran reiben und reißen, was das Zeug hält. Nur keine falsche Scheu, Alter.«

Er lehnte sich mit geschlossenen Augen zurück und fuhr fort, wie in Trance auf Jamal einzureden.

»Vorbei, vorbei. Ein Fremder in der Stadt, so was lockt doch keinen Arsch mehr hinterm Ofen vor. Und weißt du, warum? Weil wir uns selbst immer fremder werden, kleine Ego-Brocken, die wir sind. Und was machen Brocken, hä? Richtig: Die zerbröckeln; der Kandidat hat hundert Punkte. Keine Gewißheiten, keine Grenzen mehr. Und auch du müßtest schon ein anderes Kaliber sein, um uns mehr zu entlocken als 'n müdes Blinzeln. Einer, der zur Abwechslung mal nicht Ich sagt, sondern selbst 'n ganzes Universum ist, das uns bei Bedarf die Fressen einhaut, Pfähle einrammt, uns okkupiert. Verstehste, was ich sagen will?«

Jamal schwieg und bearbeitete weiter Christophers Schwanz. Selten hatte er sich freier gefühlt, unbeteiligter, gelöster.

»So einer, wie du's *nich* bist, müßte es uns radikal zeigen, müßte Horizonte aufrollen oder wie der Ewige Jude nach Erlösung suchen, nach Erlösung un Sinn un Sex. Der müßte uns leiden und jaulen lassen, aber doch nich nur so ...« Träge tippte er auf seinen erigierten Penis. Jamal zog seine Hand zurück und schob Christophers Bein von seinen Knien. »Ich kann aufhören«, sagte er.

»Nein, jetzt doch nich mehr«, bat Christopher. Er beugte sich über Jamal, griff erneut nach der Dose und entnahm ihr eine noch größere Menge des weißen Pulvers. Einige Körnchen fielen auf Jamals Jeans. Christopher zog die Beine an und schmierte sich das Kokain in seinen Hintern.

»Wenn du bissel Geduld hast, kannste mit der ganzen Faust rein, und ich spür nix«, sagte er leise. Er klang fast flehend. Dann rezitierte er, sich wie ein Ertrinkender an jeder Silbe festhaltend, wieder Verse. »O still! Ich spüre kleines Rammeln: Es sternt mich an – es ist kein Spott –: Gesicht, ich: mich, einsamen Gott, sich groß um einen DD-Donner sammeln.«

Jamal fand, daß es reichte.

Hatte er vorher mit dem Gedanken gespielt, mit Christopher Sex zu haben, so war ihm jetzt klar, daß er genau das nicht tun würde. Niemals. Alles, was in diesem Zimmer geschehen würde, wäre von diesem vor Haß und Selbsthaß zerfressenen Deutschen sofort in ein System eingebaut worden, und in dem wollte er um keinen Preis der Welt zappeln. Er hatte Besseres zu tun, als für Extremisten den Exoten zu spielen.

Von wegen faustdick hinter den *Ohren*. Er hatte den Kerl falsch eingeschätzt. In einer anderen Zeit oder einem anderen

Land hätte er seine Faust dazu benutzt, sie hoch erhoben auf der Straße spazieren zu führen, immer im Gleichschritt und den Abseitsstehenden bei Bedarf ein's in die Fresse. Aber in einem hatte er den Nerv getroffen. *Scheinheirat.* Er sollte wirklich versuchen, in diesem Land zu bleiben; ein Land, das Typen wie Christopher allein die Möglichkeit gab, ihre Killerfäuste in den eigenen Arsch zu rammen, konnte so schlecht nicht sein.

Jamal strich sich die Kokain-Körnchen von den Beinen und stand auf.

Christopher stierte ihn aus seinen geweiteten Pupillen an. »Schiß gekriegt?«

»Eher Langeweile.«

Christopher begann, seine eigene Faust bis zum Knöchel zwischen seinen Schenkeln verschwinden zu lassen. Mit einem schiefen Grinsen und immer wieder von Stöhnen unterbrochen, deklamierte er: »Ein Klümpchen Schleim in einem warmen Moor. LLLeben und Tod, Befruchten und Gebären/glitte aus unseren stummen Säften vor. O, daß wir unsere Ururahnen wären.«

»Lieber nicht«, sagte Jamal. Er hob seine Sportstudio-Tasche vom Dielenboden, schulterte sie und verließ das Zimmer. Als er durch den dunklen Flur ging und die Wohnungstür öffnete, hörte er Christophers Gelächter. Es klang wie ein Winseln.

Egal. Auch das, und Jamal atmete tief durch, war eine von jenen Geschichten, die ihn nicht betrafen. Von denen er sich nicht treffen ließ. Unter keinen Umständen.

Als er auf die Straße trat, waren die Schatten länger geworden. Die Strahlen der untergehenden Sonne lagen horizontal über den Dächern der Prenzlberg-Häuser, und in den grünen Kastanienbäumen veranstalteten die Spatzen einen Höllenlärm. Jamal fand, daß es gut so war. Er grinste.

Jamal, sagte er sich, ich bin Jamal Kassim. Und kein Grund, daran etwas zu ändern.

❏

Und kein Grund, daran etwas zu ändern.

Schöne Illusion. Weshalb eigentlich war er ihr so lange verfallen gewesen? Weil er hier in Berlin zuviel Leute gesehen hatte, die allein damit beschäftigt schienen, ihre Horizonte zu erweitern, Türen zu öffnen, Brücken zu bauen, Gräben zuzuschütten und verlorene Identitäten wiederzufinden und das in den Schmuddel-WGs ebenso wie in den todschicken Designer-Höhlen?

Ungefragt hatten sie ihn mit alldem traktiert, vor und nach dem Sex. Manchmal sogar mittendrin. Welche Krankheit hatte dieses Volk? Entweder sie dreschen auf dich ein oder sie foltern dich mit ihren larmoyanten *Überlegungen. Du, ich hab mir grade so überlegt.* Aber was überlegten sie, während sie weiter Mietzuschüsse kassierten, über ihre *unreflektierten* Eltern spotteten, sie aber trotzdem jede Woche per Telefon um *'n kleinen Hunni* anbettelten oder sogar das ihnen zustehende Erbteil erwähnten, sich an Uni-Streiks beteiligten, dabei jedoch nie vergaßen, die Formulare für das Bafög-Geld pünktlich abzuschicken; was also *überlegten* diese Leute dauernd? *Daß es Zeit wird, sich mal 'n Kopf zu machen, ja.* Kein Wunder, daß er, Jamal Kassim, bis zuletzt geglaubt hatte, mit *ihm* sei alles in Ordnung, zumindest *er* müsse nicht jeden Tag und jede Nacht das deutsche *Hinterfragungs*-Spiel mitspielen.

Er schlürfte seinen Puerto-Rico-Kaffee und sah nach draußen. Hier in den Gipshöfen (weshalb Gips, fragte er sich, die Gebäude waren doch aus hellweiß überpinseltem Zement oder rotem Backstein) herrschte nachmittägliche Ruhe. Gut, daß er sich, als er in der Weinmeisterstraße aus der U-Bahn gestiegen war, an das *Barcomi's* erinnert hatte, fast versteckt gelegen im zweiten Hof zwischen Gips- und Sophienstraße.

Es war ein länglicher Raum mit Lederbänken und quadratischen Tischen, an dessen Ende eine kleine Treppe zu einer Theke hochführte, hinter deren schräg gestellten Glasscheiben die schönsten Kalorienbomben lagerten. New-York-Cheese-Cake und Karottentorte, Bagels und Muffins und hinter einer kleinen Trennwand Mozzarella und schwarze Oliven, mit Estragon-Blättern verzierte Pastete, ein riesiges Käse-Sortiment mit Rotweinflaschen und kleinen Weintrauben dazwischen ... Ein einziger Traum, erfüllt vom beruhigenden Geräusch einer Espressomaschine.

Als Jamal die zwei, drei Treppenstufen mit einem Sprung erklommen hatte und die an der Wand lehnenden prallen Baumwollsäcke mit den dunklen Kaffeebohnen sah, hatte er sich bei dem Gedanken ertappt, wie schön es wäre, genau wie sie zu sein; voller Ruhe, austauschbar, stumm und sich selbst genügend.

Er ließ den bitteren Geschmack des Kaffees auf der Zunge zergehen. Blöde Idee? Jamal Kassim als Kaffeebohne, mit einer kleinen Blechschaufel aus dem duftenden, schützenden Dunkel des Baumwollsacks in den Trichter der Espresso-Maschine gekippt, von rotierenden Flügeln zermahlen und schließlich als entmaterialisiertes, flüssiges Etwas im Gaumen eines völlig Unbekannten endend? Vielleicht kannten ja Kaffeebohnen keine Angst und sahen in dieser Verwandlung den einzigen Zweck ihrer Existenz, wer weiß.

War das die Kapitulation? Wie konnte man sich an einer Verwandlung erfreuen, die ohne Einverständnis an einem vorgenommen wurde?

Gerade darum hatte er doch Katjas sanftem Drängen widerstehen müssen und hatte mit Worten, die an Deutlichkeit nichts zu wünschen übrigließen, Katjas Mutter zu verstehen gegeben, daß sie sich ihr, wie hieß das gleich noch, ja ihr *Kunstseidenes Mädchen* sonstwohin schieben könnte, am besten in ihre vertrocknete Lesbenmöse, daß er über Rilkes Gedichte und Paul Scheerbarts Orient-Novelletten genausowenig wußte wie sie über seine panische Angst und seine letzte Hoffnung, die Aufenthaltsgenehmigung doch noch verlängert zu bekommen, daß er keine Zeit mehr für Spielchen habe und nur noch den Trauschein – »Den *Trauschein*, kapiert!« – wolle, dann würde er auch nie mehr, ich schwöre, ihre Schmargendorfer Idylle stören.

Er hatte geweint, und er hatte gebrüllt, geschmeichelt und gedroht, aber sie, sie beide, Mutter und Tochter, hatten nichts verstanden. Der Weg aus ihrem Wohnzimmer, durch den Flur hinaus auf die Straße war ihm endlos vorgekommen, das Schweigen der zwei Frauen in seinem Rücken wie ein kalter Windstoß, der ihn hochhob und forttrug, weit weg aus seinem kaum angefangenen Leben, zurück in die Scherenarme der Familie.

All diese Wünsche und Forderungen, die er nie erfüllen konnte! Für Katja sollte er den Lernwilligen spielen, für ihre abgedrehte Mutter dagegen den westöstlichen Menschheitsbeglücker; Christopher wollte einen wütenden Macker sehen, den virilen Abhasser, während Ray gerade um sein Schweigen, sein Verständnis gebettelt hatte. Schon in der ersten Nacht war ihm dieser junge Ami-Doc, den er im Fitneßstudio kennengelernt hatte, mit seiner Grabstein-Story gekommen.

Dr. Ray Behrent (er sprach es Byrant aus), dessen Urgroßvater

Anfang des Jahrhunderts Neuruppin in Richtung Idaho verlassen hatte – eine Geschichte von Abfahrt und Ankunft, der Jamal zuerst atemlos gelauscht hatte. Da hatte einer den Absprung gewagt, hatte jahrelang allem Spott zum Trotz auf dieses Unter-deck-Ticket der *Hamburg-America-Line* gespart, hatte sich bei Sturm und Wellengang fast die Seele aus dem Leib gekotzt, aber eben nur *fast*, denn in Amiland hatte er, ein einfacher Tischler, sich einen neuen Energieschub verordnet. Der Rest war das Übli-che fürs Familienalbum: Jobsuche, Jobverlust, ein besserer Job, kluge Einheirat und anschließende Firmenteilhabe, ein über die Zeit der Depression geretteter und sogar vermehrter Reichtum; eine richtige Fernsehgeschichte also. Nur lag in deren letzter Folge der süße Charité-Assistenzarzt Ray zusammen mit einem jungen Libanesen in seinem Dienstwohnungsbett in der Fried-richstraße und klagte über *Wurzellosigkeit*. Klagte über Wurzel-losigkeit und fragte Jamal, ob sie an einem der kommenden Abende, er hätte sich bei *Rent a Car* schon einen Jeep besorgt, nicht einmal zusammen dem Friedhof von Neuruppin einen Be-such abstatten könnten. Sein Ziel war es, den Grabstein mit dem Namen des Ururgroßvaters – es gab ihn, inzwischen fast zerfal-len und verwittert, immer noch, Ray hatte das Terrain bereits sondiert –, heimlich auszubuddeln, in den Jeep zu laden und als Expreßsendung in die Staaten zu schicken, damit Ray Senior, nach seiner Rückkehr später auch Ray Junior, die steingeworde-nen *Wurzeln* direkt bei sich hätten; wahrscheinlich in einer lau-schigen Ecke zwischen Pool und Golfplatz.

Jamal hatte seine Augen weit aufgerissen und im Bett automa-tisch Abstand zu dem wurzelsüchtigen Körper des Arztes ge-sucht. Auf so eine bescheuerte Idee konnten nur Amis kommen. Und dafür sollte *er* riskieren, nach Neuruppin zu fahren und womöglich von diesem braunen Brandenburger Jungvolk in je-nes Grab hineingedroschen zu werden, dessen zerbröckelnden Grabstein er gerade mit Hilfe des Docs abtransportieren sollte? Aber Hallo!

Sich auf Biographien einlassen. Sie am besten gleich, um die Ernsthaftigkeit des Wunsches zu demonstrieren, mit dem eige-nen Leben bezahlen ...

Jamal sah, wie sich in den traurigen Augen von Ray sein belustigtes Gesicht spiegelte. Luxus-Sorgen, dachte er verächt-lich. Gleichzeitig hatte er das Gefühl, diesem jungen Ami, der außer einem verwitterten Grabstein aus Neuruppin bisher alles in seinem Leben bekommen hatte, unrecht zu tun. Aber er rief Ray danach nie wieder an.

Und natürlich waren da auch noch die Ossi-Schwulen montagabends im *Stillen Don*, die immer »Wir« sagten, selbst wenn sie »Ich« meinten, und Jamal am liebsten in dieses »Wir« aus Klatsch, Melancholie, *Karat*-Schlagern und Vertraulichkeit, viel zu viel Vertraulichkeit, hineingezogen hätten wie in einen Sandstrudel. Auch sie schienen permanent zu leiden, an einer abwesenden oder verlorengegangenen Gewißheit; Jamal hatte nie begreifen können, was es wirklich war.

Was wollten die nur alle, weshalb bestanden sie darauf, daß ausgerechnet er, der Fremde, ihnen bei ihren undefinierbaren Suchbewegungen helfen konnte, helfen *mußte?* Er fand, daß sie auf ihre freundliche, schlaffe Art ziemlich anmaßend waren.

Und dann hatte er Avif getroffen. Avif, der gar nicht weit weg von hier in der Auguststraße in einer der neuen Edel-Pizzarias als libanesischer Kurde den italienischen Kellner spielte.

Avif, der ihn geliebt hatte und vielleicht immer noch liebte.

Avif, vor dessen Liebe und Kraft er, Jamal Kassim, damals so erbärmlich zurückgewichen war.

Avif

NICHTS GING MEHR. ER MUSSTE RAUS, UND ZWAR SO-
fort!

Das Problem war, daß er mitten im Gewühl steckte und keinen
Zentimeter vorwärts kam. Die Bässe, obwohl längst verstummt,
wummerten weiter in seinen Ohren, auf der Stirn perlte
Schweiß, und zu allem Überfluß knallte eine erbarmungslose
Sonne herab. Dabei war, solange die Wagen in Sichtweite waren
und er erkennen konnte, ob die halbnackten Körper Männern
oder Frauen gehörten, alles wie in den Jahren zuvor gewesen. Das
Dröhnen aus den Lautsprechern war so laut, die Amplituden
(falls er das in seinen Kursen richtig verstanden hatte und es sich
hier tatsächlich um Amplituden handelte) der ständig höher ja-
genden Bytes so vibrierend, daß er sich einfach bewegen *mußte*.
Und sei es so minimalistisch, wie es Hunderttausende vor, hinter
und neben ihm taten, indem sie marionettenartig mit den Köpfen
ruckten, wie Sprinkleranlagen ihren Schweiß in alle Richtungen
spritzten und ihre Doc Martens auf dem müllübersäten Asphalt
am Großen Stern tänzeln ließen. Da vergaß jeder, daß man ihn
hoffnungslos eingekeilt hatte und er im Falle einer Massenpanik
augenblicklich auf Sardinengröße zusammengetrampelt worden
wäre; der Rhythmus war stark genug, um alle in jenes wunderbar
debile Techno-Universum zu entführen, das am Abend in den
Nachrichtensendungen rund um den Erdball aufscheinen würde:
Ihr Raver der Welt, schaut auf diese Stadt!

Polizisten, die mit prall gefüllten Wasserschläuchen den erhitzten Tänzern Gutes taten; muskulöse Akrobaten, die auf den
gußeisernen Laternen auf der Straße des 17. Juni ihre Balzbewe-
gungen aufführten; nacktbusige Mädchen mit Sonnenblumen
oder sternförmigen Plastikschirmen auf dem Kopf und über-

haupt Millionen Gesichter, deren Botschaft jeden Fernsehfuzzi frohlocken ließ.

Jamal schloß die Augen. Was gerade ablief, war bestimmt nichts fürs Fernsehen. Die Wagen mit den Lautsprechern waren in Richtung Brandenburger Tor verschwunden, und der dröhnende Nachschub wartete noch immer weit hinten, ein winziger Rettungsanker in einem Meer von Köpfen – nahe des Reuter-Platzes. Kein Ton, kein Baß konnte die unvermittelt zu einer mürrischen Schafherde Gewordenen jetzt noch in eine rettende Ekstase versetzen. Auf einmal hatten sie sich in einer sonnenversengten Hölle wiedergefunden, so daß sogar die Gute-Laune-Reporter, die bislang in Helikoptern über ihren Köpfen gekreist waren, dem Piloten das Signal zum Abdrehen gegeben hatten. Ohne die Musik, die ihre Körper in selbstvergessene Schwingungen brachte, war aus der fernsehbildgerechten Jugendlichkeit eine Anhäufung amorpher Fleischmassen geworden, die nicht mehr geeignet waren, die Völker der Welt auf die wiedervereinigte Hauptstadt der Deutschen schauen zu lassen.

Aber vielleicht war ja *er* es, der für diesen Trubel schon zu alt war, ein Paraden-Veteran, reif für die Pensionierung. Jamal schloß und öffnete die Augen, um dieses Bild wegzubekommen, aber es nützte nichts: Aus pickligen Teenies wurden runzlige Alte, aus fröhlich verschmierten Smarties- und Schokoladenmündern dunkle, fäkalienüberschwemmte Krater, die näher und näher rückten.

Wenn er früher während der Parade bedauert hatte, mit wieviel gutaussehenden Männern er nie Sex haben würde, so erleichterte es ihn, jetzt zu wissen, mit wieviel abgewrackten Typen er niemals ins Bett müßte.

In all den Jahren, in denen er hier gewesen war, verlockt von den Fernseh- und Zeitungsbildern, die jeden Sommer ein *Fest der Körper* anpriesen, hatte er noch nie einen solchen Ekel empfunden. Warum hatte man das Fest für die reizlosen Kleinkinder aus der deutschen Provinz geöffnet, wohin die schönen Körper vertrieben?

Wenn er ehrlich war, mußte er zugeben, daß er auch in den Jahren zuvor die schönen Jungs und gutaussehenden Frauen erst abends gesehen hatte, als er wieder in seiner Eros-Bude saß und frisch geduscht durch die Love-Parade-Aufzeichnungen der Fernsehkanäle zappte. Irgendwie hatte er es immer fertiggebracht, gerade dort zu sein, wo die himmlischen Bodies *nicht* waren.

Am besten war immer die Nacht danach gewesen, wenn die, die Bescheid wußten, in die Clubs einfielen, und der zugereiste Pöbel die Bordsteine am Bahnhof Zoo säumte, Isomatten bevölkerte und auf die Anschlußzüge in die verschiedenen Provinzhöllen wartete; Jamal hatte es jedesmal mit bösartiger Befriedigung registriert.

Bayreuth, Bremen, Bingen, Beirut: Geht heim, haut ab, für *euch* ist das Fest vorbei. Alle, die es nach Berlin geschafft hatten und dort das, was sie Leben nannten, auszuprobieren begannen, hatten diese Gedanken, giftige Kopf-Schlangen als Schutz vor den großäugigen Hasenhorden von daheim, in deren Schutz und Mief sie aufgewachsen waren. Jetzt war es an der Zeit, *Dubmission Staying Alive Tresor WMF Kulturbrauerei Reccycle* und *Jazzanova Sonar* einen Besuch abzustatten und inmitten der Schrillen das Netz nach einem besonders Schönen auszuwerfen. Bislang hatte es funktioniert.

Diesmal aber war es anders. Diesmal hatte er nur einen einzigen Wunsch; heraus aus diesem sonnenterrorisierten Achselschweiß-Knast, hinein unter das schützende Blätterdach der Tiergartenbäume und von da, so schnell es ging, zur S-Bahn am Potsdamer Platz, um im Luftzug des einfahrenden Zuges etwas Kühlung zu bekommen und die Gewißheit, bald zu Hause zu sein. Zum erneuten Weggehen würde ihm heute die Lust fehlen, und auch die Fernsehbilder, die wieder schöne, wunderschöne, wahnsinnsschöne Gestalten eingefangen hatten, könnten ihn nicht dazubringen, nach Mitternacht aufzustehen und durch die aufgeheizte Stadt zu touren.

Katja war noch in London, und Jamals detaillierter Bericht über Christopher, den er vor ihrer Abreise noch losgeworden war, hatte ihr nicht gefallen. Um so besser. Gegenwärtig hatte er weder Lust, sich auf Biographien noch auf Körper einzulassen. Er hatte auf überhaupt nichts Lust. Er registrierte es mit Befriedigung, denn auch dieses Jahr hatte er sich wieder gründlich einwickeln lassen.

Freitag, magischer Freitag. Ein Vortag wie ein Vorspiel, stadtweit vor aller Augen aufgeführt.

Rave Safe rieten die eilig an den Wänden der U-Bahn-Stationen aufgehängten Plakate, während oben auf den Straßen

Flyer und die Sonderausgaben von Zeitungen verteilt wurden, deren Schlagzeilen und Info-Seiten nach der Aufmerksamkeit der jungen Parade-Gäste schrien. Die griffen wie verwöhnte Königskinder danach, lasen kurz darin, verstauten sie in ihren *Eastpack*-Rucksäcken oder warfen sie in den nächsten Papierkorb, ehe sie lässig weiterbummelten, die Friedrichstraße oder den Ku'damm entlang und bereits in Rhythmus gebracht von kleinen Lautsprechern, die, gut versteckt über den Regalen der Modegeschäfte, nach außen schallten und ihre Kundschaft mit Techno-Sound lockten. Wer noch nicht die richtigen Klamotten gefunden hatte, bekam sie hier; auf den auf die Straße gerollten Drehgestellen voller Synthetik-Lappen, Hemdblusen und Body-Shirts, in den Wühltischen oder zwischen den hellen Holzregalen, in denen sich Baumwolle, Polyester, Lycra, glänzendes Latex, Leder und alles mögliche nur so stapelte, immer wieder in quadratisch geordnete Form gebracht von jungen schwuchtligen Verkäufern, die mit ihren silberberingten Fingern die achtlos zusammengeknüllten Hosen falteten, seufzend über den Stoff strichen und dem männlichen Teil der potentiellen Käuferschaft eindringliche Blicke zuwarfen. Jamal wußte, daß schon hier die ersten Verabredungen getroffen wurden, vierundzwanzig Stunden bevor aus staunenden Gesichtern schwitzende Grimassen und aus Anmach-Profis stampfende Autisten geworden waren: Der Freitag war das beste an jedem Love-Parade-Wochenende – keine Spur mehr von den keifenden Alten und lärmenden Prolls, die die Stadt sonst okkupiert hielten. Der übermächtige Sound drang auf die Straße und von da in alle Körper, die er jung und sorglos und gelassen machte; so gelassen, daß keiner mehr die rumänischen Bettlerfrauen bemerkte, die vor den Türen von Wertheim und der Gedächtniskirche ihre rissigen Hände mit den hornigen Fingernägeln aufhielten und um Kleingeld baten. Im Gegenteil, selbst ihr Gewackel war vom Rhythmus der Musik angesteckt – zumindest schien es Jamal so, wenn er schnell an ihnen vorüberging und sich dabei zwang, den Kopf nicht abzuwenden. Solange er hinschaute, konnte ihm niemand vorwerfen, herzlos zu sein. Solange er hinschaute, war ausgeschlossen, daß eine der Frauen in den schmutzigbunten Gewändern plötzlich aufsprang und ihn unversehens in ihre hoffnungslose Welt hinunterzwang. Lieber Gott, nur das nicht, dachte er, obwohl er Zweifel hatte, daß dieser Wunsch seinen

Weg hoch in den Himmel über Berlin fand; seit Jahren hatte er keine Moschee mehr von innen gesehen.

Aber diese Erwartung, diese Vibration! Die jungen Café-Gäste in Mitte und Schöneberg konnten sich dem ebensowenig entziehen wie die schüchternen Jungs, die in Bruno Gmünders Buchladen in der Nürnberger Straße die Party-Angebote der Gay-Clubs studierten. Auch wer heute arbeiten mußte, tat es mit einer lächelnden Zuvorkommenheit, nach der man hier an anderen Tagen vergeblich suchte. Sogar Rex Gildos blödes *Hossa, Hossa!*, das aus den offenen Fenstern der Cafés drang, erheiterte die Leute, und auch Jamal ertappte sich dabei, daß er wie verkokst grinsend durch die Straßen der Stadt ging.

Nur in Kreuzberg, dort, wo er wohnte, bekam man von der aufgedrehten Feststimmung nichts mit. Es sei denn, man zählte die am frühen Nachmittag heruntergelassenen Metallgitter der kleinen Läden dazu, deren türkische und arabische Besitzer jetzt ihren Ruhetag begannen und sich bereit machten, in eine der kleinen Hinterhof-Moscheen zum Freitagsgebet zu gehen.

Inmitten ihrer Bärte, der Kopftücher der Frauen und der breitbeinig stolzierenden Jungen trabte Jamal mit seiner Plastiktüte. Er war weder orange noch durchsichtig, auch steckte kein Fladenbrot darin; es war ein schöner weißer Beutel mit einer himmelblauen *KaDeWe*-Aufschrift und zwei starken Henkeln, die nicht wie Schnüre in die Handfläche schnitten, sondern kühl und beruhigend zwischen den Fingern lagen. Er hatte sich ein Paar Doc Martens gekauft; dunkelgelb mit gerippten schwarzen Absätzen. Die würde er morgen bei der Parade tragen. Sollten die Fußmarsch-Provinzler ruhig mit ihren Nikes aufkreuzen, er verdiente besseres.

Einen Tag später sah alles anders aus. Die Schuhe glichen Eisengewichten, und Jamal überlegte, wie er sich zum Straßenrand durchschlagen könnte, ohne in einem Strom von Körpern und von saurem Schweiß unterzugehen. Nach allen Seiten Entschuldigungen murmelnd – eine alte Angewohnheit, die sich hier als ebenso überflüssig wie nutzlos erwies –, den Atem anhaltend, Brustkasten und Bauch einziehend, versuchte er sich durchzuwinden, die unter dem beißenden Sonnenlicht tränenden Augen starr auf das rettende Grün der Bäume gerichtet. Trillerpfeifen peinigten sein Trommelfell, unfreiwillig berührten seine um einen Durchgang kämpfenden Hände glitschige Oberkörper und nasse, fettige Haare, wurden seine Schuhe – adieu, dark yellow colour! – unter anderen Schuhen begraben, machte er sich, inzwischen rüder werdend, gewaltsam frei und stolperte weiter, Millimeter für Millimeter, bis nach einer Ewigkeit endlich Zentimeter daraus geworden waren, kleine Inseln, die sich mit jedem Schritt, den er tat, auf wundersame Weise vergrößerten.

Er hatte es geschafft. Dem stillstehenden Raver-Pulk entkommen, durch das Spalier der Sauf- und Freßhändler getaucht, den kniehohen Holzbalken, der die Straße und den Gehweg vom Tiergarten-Wäldchen trennte, übersprungen und endlich, endlich nur auf leere Cola-Dosen tretend, deren ehemalige Besitzer längst schon sonstwohin entkommen waren. Es stank nach Pisse und Bier, die Geräusche der summenden Millionenmasse fanden selbst zwischen den Bäumen ihr Echo, aber die grünen Blätterdächer schützten vor der Sonne, und allein das war eine Wohltat.

Schwer atmend ließ sich Jamal auf dem Holzbalken nieder und fischte in seiner Hose nach der Zigarettenschachtel. Sie war völlig zerknautscht.

Gerade als er überlegte, ob es nicht besser sei, sich durch das Gebüsch in Richtung Potsdamer Platz davonzumachen, spürte er einen dumpfen Schlag am Rücken. Der Schmerz hatte keine Zeit gefunden, ins Gehirn zu wandern, da knallte bereits etwas ähnlich Hartes an seinen Knöchel. Es fühlte sich an wie ein Ziegelstein, war aber nur die Metallkappe eines Lederschuhs.

»Aj j'inal!«

Aj j'inal? Was war das denn, wer sagte ausgerechnet auf der Love Parade *Aj j'inal?*

Er allein hätte Grund gehabt, so etwas zu rufen, abgesehen davon, daß er in der Öffentlichkeit, und sei es nur auf einem versifften Holzbalken im Tiergarten, natürlich *nie* derart schamlos auf arabisch herumfluchen würde. Die Überraschung übertönte den Schmerz, und neugierig wandte Jamal den Kopf zur Seite.

Das erste, was er sah, war eine Glatze. Allah, waren die Skins wieder hinter ihm her? Fluchten die jetzt schon auf arabisch? Quatsch. Die Glatze gehörte einem Typen in weißem T-Shirt, der ungeschickt über die Planke gesprungen war und sich in gebückter Haltung ebenfalls den Knöchel rieb, wobei er ununterbrochen vor sich hin murmelte. Sah ganz so aus, als hätte er nicht einmal mitgekriegt, daß er hier nicht als einziger lädiert war.

Unvermittelt brüllte Jamal: »Chouf chou aml'eth!« *Hey, guck was du gemacht hast!*

Gott, war das schön! Wie lange hatte er nicht mehr so lustvoll geschrien! Der da war Araber, da mußte er wenigstens nicht den Verständnisvollen spielen. *Chouf chou aml'eth*: Dem würde er es zeigen!

Mit ungläubigem Staunen hob der andere den Kopf. Er sah Jamal eine Weile schweigend an, dann lachte er los. Im gleichen Moment wußte Jamal, daß sie sich nicht zum ersten Mal sahen. Nackt glänzende Kopfhaut, dunkle aufmerksame Augen, wie mit Kohlestift gezogene Brauen, akkurat geschnittener Schnauz- und Kinnbart. Er hatte sich nicht verändert. Nur die blaue Adidas-Jacke fehlte diesmal. Jamal hatte das Gefühl, in einem Film zu sein. Nächste Szene, Tageslicht; ein paar Jahre später. Wieviel Jahre? Damals hatte er gesagt »Nicht kitzeln, bitte.«

Der andere sah ihn immer noch an. Erinnerte er sich an die Begegnung in der Kellernische?

»Couf chou aml'eth«, wiederholte er amüsiert, und Jamal fiel auf, daß sein Arabisch einen Akzent hatte, der den Silben etwas Hartes, Schweres gab. Seine Augen aber blinzelten fröhlich. Und es war, da gab es keinen Zweifel, *libanesisches* Arabisch, das er sprach.

»Springst du den Leuten immer in den Rücken und auf die Knöchel?« knurrte Jamal auf deutsch.

Statt einer Antwort streckte ihm der andere seine Hand entgegen. »Avif«, sagte er.

»Mmh«, machte Jamal, bis er merkte, daß von ihm gleiches erwartet wurde. »Jamal.«

»Libanese?« Der junge Mann im weißen T-Shirt, der Avif hieß, stemmte sein rechtes Bein auf den Holzbalken und rieb weiter an seinem Knöchel.

Jamal dachte: Wenn er jetzt sagt, daß er mit Landsleuten ansonsten pfleglicher umgeht, stehe ich auf und gehe. *Landsleute!* Die hatten ihm noch gefehlt.

»Tut mir leid«, sagte Avif. »Ich wollte dir nicht weh tun. Aber unter der Bullenhitze dröhnt einem der Kopf so, daß man nur weg will, raus aus dem Gedränge.«

»Hinein ins Grüne«, sagte Jamal ironisch.

Avif nickte. »So kann man's sagen.«

Seltsam, er sprach genauso deutsch wie alle hier, während Jamal merkte, daß nun *sein* Akzent deutlich hervortrat.

Während er seinen Knöchel rieb und theatralisch ächzte, beantwortete er Avifs Frage. Er tat es so beiläufig wie möglich.

»Stimmt«, sagte er. »Libanon. Ich komme aus Beirut. Jetzt studiere ich in Berlin.«

Wie gut, daß es diesen blöden Kassettensatz zum Herunterspulen gab.

»Beirut?« Avifs dunkle Augen wurden größer. »Weißt du, daß ich dort geboren bin? Seit zehn Jahren sind wir in Deutschland.«

Die sich hinter ihnen auf der Straße stauende Menge brach in ein rhythmisches Klatschen aus; am Horizont war ein neuer Lautsprecherwagen aufgetaucht, der sich nun, den rettenden, die Hitze und den Schweiß vergessen machenden Sound auf der Ladefläche, im Schrittempo die Straße des 17. Juni entlangschob.

Jamal überlegte. Seit zehn Jahren sind wir in Deutschland. Wer zum Teufel war *Wir*? War ein Jahrzehnt zu kurz gewesen, um die Ich-Form zu entdecken, oder ravte seine Family bei der Parade mit? Wenn er nicht aufpaßte, würde ihm bald die ganze Horde in den Rücken springen.

Es hatte seine Gründe gehabt, daß er in Berlin, gemessen an seinen deutschen Affären, die anderen Ausländer gemieden hatte, und auch bei den *Oriental Nights* im *SO 36* nur selten aufgetaucht war. Gleich zu Anfang erzählten sie einem nämlich immer, wie lange sie hier schon lebten. Waren sie bereits länger in der Stadt als er selbst, führten sie sich als Gönner und Beschützer auf, und waren sie neu, so erwarteten sie diese Rolle von ihm, lagen ihm mit ihren Klagen über die gefühllosen Deutschen im Ohr oder ließen ihn nackt im Bett irgendwelche undurchschaubaren Bleiberecht- und Sozialhilfeanträge ausfüllen. Entweder er beneidete sie um ihre hier erworbene Sicherheit, oder ihre Unsicherheit machte ihm Angst. Gerade heute, am ganzen Körper schwitzend und ziemlich zerschlagen, hatte er wenig Lust auf eine Neuauflage dieses Endlos-Spiels. Außerdem war dieser Avif bestimmt erst Anfang zwanzig und mußte als Knirps nach Alemania gekommen sein. *Sag, was ist inzwischen in der Heimat passiert, ich hatte da einen Onkel, hör zu, weißt du, wie die hier in Deutschland . . .* Jamal stöhnte in Erwartung des Kommenden.

»Tut es noch weh?« Avifs Stimme klang besorgt. »Ehrlich, ich wollte dir nicht auf den Rücken treten. Aber der schnelle Sprung . . .«

»Schon gut«, sagte Jamal. »Wie alt bist du eigentlich?«

»Zweiundzwanzig.« Na bitte.

»Und du?«

»Was?«

»Ich meine: Wie alt bist du? *Sal ta'ek chou ismaak?*«

Wider Willen mußte er lächeln. »Sechsundzwanzig. Vielleicht sollten wir uns einigen, welche Sprache wir sprechen, ja?«

»Deutsch«, sagte Avif prompt. »Deutsch. Das fällt leichter. Meine Familie meint, daß ich auf arabisch nur noch schreien und fluchen kann. Nicht, daß ich viel Übung darin hätte, aber ...«

»Seid ihr Libanesen?« fragte Jamal lauernd.

»Kurden. Das heißt, *libanesische* Kurden.« Avif sah Jamal an, sah dessen angespannte Züge und setzte hinzu: »Und Asylanten. *Anerkannte* Asylanten mit Bleiberecht.« In seiner Stimme lag Trotz.

Dann müssen wenigstens keine Formulare mehr ausgefüllt werden, dachte Jamal. Schien Glück gehabt zu haben, die Glatzen-Familie. In jenen Jahren aus dem Libanon weg, als dort noch Krieg war. Clever, clever.

»PKK, was?« fragte er. Es sollte ein Scherz sein.

»Blöder Spruch«, sagte Avif. Er kniff die Augen zusammen und hielt den Kopf schräg, um Jamal genauer zu betrachten. »Kleiner Rassist, was?«

Jamal öffnete den Mund, aber ihm fiel nichts ein, was er hätte entgegnen können. Natürlich – das hätte ja ein Blinder gesehen – schien dieser Avif okay zu sein. Aber *die* Kurden; non merci. Kurden ...

Schnauzbärte, die mit *Öcalan, Öcalan*-Rufen durch ganz Europa rasten, sich abfackelten und an der Seite ihrer vermummten Betonblock-Weiber wieder auftauchten, um Randale zu machen, wie Bescheuerte auf Kochtöpfe einzudreschen und Türken zu vertrimmen, die sich dann wiederum in Kurdistan an ihren Familien rächten; allesamt aber breitbeinig und fettärschig und mit Graupensuppen-Wampen durch die Weltgeschichte spazierend, immer Opfer, immer mißverstanden und deshalb auch immer tausend Ticks zu laut und zu hysterisch. Und natürlich nie ohne Sonnenblumenkerne zwischen den schiefen Zähnen: *Pff, Pff – Öcalan – Attatürk – Pff, Pff!*

Er mußte nur das Fenster seiner Eros-Bude öffnen, um Bescheid zu wissen! Wenn er sah, wie es unter ihm am Kotti abging, wie die Bullen zwischen Kurden und Türken eingekesselt waren und wütend in ihre Megaphone hineintobten, hatte er jedesmal eine unbändige Lust verspürt, den Himmel über Kreuzberg mit wildem Gelächter zu füllen. Da hatte ihn seine Familie nach Berlin verfrachtet, und was sah er? Kurden. Da kam er aus dem Libanon, und was hatte er dort gesehen? Kurden. Das heißt, persönlich war er nie einem von ihnen begegnet, die blieben am liebsten unter sich, aber von ihnen gehört und in den Zeitungen und im Fernsehen gesehen, das hatte er andauernd.

Unvermeidlich, diese Kurden. PKK-ler, die in der Bekaa-Ebene Mohn anbauten, sich mit den Amal-Milizen um die Rauschgiftprofite stritten, von den Syrern unterstützt wurden und Unterschlupf bekamen, in Beirut in damaskustreuen Parteien mitmischten, sich die PLO als Verbündeten oder Feind heraussuchten und überall, wo sie auftauchten, den Schlamassel komplett machten.

Jamal dachte nach. Trotzdem, *persönlich* hatte er nie einen Kurden kennengelernt. Bis jetzt. Und schon tat ihm der Rücken weh, schmerzte sein Knöchel. *Sich auf Biographien einlassen.* Sich auf Kurdensprünge einlassen.

Auf einmal begann Avif, Jamal über den Rücken zu streichen. »Sieht nicht so aus, als hättest du 'ne Schramme abgekriegt.«

»Das kann man durch das T-Shirt wohl auch schlecht sehen.« Noch immer gab er sich Mühe, abweisend zu klingen.

»Dann zieh es aus. Heiß genug ist es ja.«

Jamal merkte, daß es ihm gefiel, wenn Avifs Stimme so trotzig wurde.

Anstatt zu antworten, blinzelte er ihm zu. Avifs Fingerspitzen fuhren hoch bis zu seinem Nacken, hielten dort inne und fuhren mit sanftem Druck über das Rückgrat wieder abwärts.

»Hey, nicht kitzeln.«

Avif zog die Hand zurück, sagte aber nichts. Jamal war sicher, daß auch er sich erinnerte.

Was sollten sie jetzt tun? Inzwischen kamen immer mehr taumelnde, abgekämpfte Raver durch das Gebüsch gekrochen. Es war klar, daß sie nicht ewig hier sitzen konnten. Sollte er seine routinierte »Zu dir oder mir«-Frage stellen?

Er überlegte, ob es nicht besser war, sich unter einem Vorwand schnellstens von Avif zu verabschieden.

»... und dann kam in der Pause diese Frau zu mir, die die ganze Zeit neben mir gesessen und mich beobachtet hatte. Hat mir eine

Zigarette angeboten und mich in eine Ecke des Vorraums gelotst, wo sie flüsterte, seien Sie vorsichtig, junger Mann, seien Sie um Himmels willen vorsichtig. Und dann, immer noch flüsternd und nervös an ihrer Zigarette ziehend: Ich bin Sektenbeauftragte beim Senat, ich weiß Bescheid, mir können Sie vertrauen. Und sie *wußte* Bescheid, hatte sofort kapiert, was ablief und daß ich«, Avif zögerte und ließ ein verlegenes Lachen hören, »na ja, daß ich dabei war, mich gehörig verarschen zu lassen. Ich habe Ihre Augen gesehen – junger Mann, sagte sie, die sind immer größer geworden. Aber das sind Betrüger; Sie unterschreiben hier nichts und geben denen keine müde Mark. Das versprechen Sie mir, hören Sie? Das hat sie zu mir gesagt, und das war mein Glück. Jamal, stell dir vor: Eine unscheinbare Frau mit gelben Raucherzähnen und müdem Gesicht, und dann macht sie für dich den Engel und bewahrt dich davor, noch tiefer nach unten zu rutschen! Einfach so. Unglaublich, daß es das gibt, aber so war es. So fertig wie ich damals war, hätte ich *alles* unterschrieben, nur für die Illusion, nicht mehr allein zu sein und Leute um mich zu haben, die mir helfen. Von wegen *helfen!*«

»Und was haben sie gepredigt?« fragte Jamal.

»Bestimmt nicht das, was sie uns als Kindern beim Sheik beigebracht haben. Fünfmal am Tag beten, jedesmal für zehn Minuten den Teppich ausrollen und in Richtung Mekka knien, die Waschvorschriften einhalten und die Suren auswendig lernen; du weißt, wie das war. Nichts davon in der Gruppe. Wir saßen auf Stühlen im Halbkreis um eine Frau herum, die aus der Schweiz kam und so redete, als würde sie für Ricola Kräuterbonbons Werbung machen. Sie erzählte von ihren früheren Depressionen und ihrer Heilung durch die Gruppengespräche und fragte dann nach *unseren* Gefühlen und Problemen. Jedesmal, wenn einer nicht antworten konnte, ging sie zu ihm hin und legte ihm die Hand auf die Schulter. Keine Angst, sagte sie, bei mir war es genauso, Sie müssen sich nicht schämen. Bald hatte sie alle soweit, daß wir über ihre Späße lachten, ihr Akzent war so komisch und gleichzeitig beruhigend. Eine gute Tante eben. Nach einer halben Stunde hingen wir an ihren Lippen. Du weißt, wie schnell so etwas geht.«

»Weiß ich zwar nicht«, sagte Jamal, »aber erzähl weiter.«

»Das Tolle war, es gab überhaupt keine Verbote. Nicht wie zu Hause oder in der Moschee, wo du jedesmal Angst hattest, eine von den tausend Regeln zu übertreten. Statt dessen: Fassen Sie Vertrauen zu sich selbst, Sie haben einen Wert als Person, Sie sind unverzichtbar, befreien Sie sich von dem Druck, der wie ein Stein auf Ihrem Herzen liegt, kommen Sie zu uns, Sie werden wieder frei atmen. Völliger Stuß, aber damals für mich 'ne Offenbarung. Dann kam die Sache mit den Gebühren. Um die Kosten zu decken, sagte die Schweizerin. Hundert Mark monatlich und nach einem halben Jahr – um die Bücher, Broschüren und Atem-Programme zu bezahlen, sagte sie – achthundert Mark. Als sie mitkriegte, wie ich schluckte, schlug sie sofort eine Extra-Regelung vor. Jeden Monat fünfzig Mark, nach einem halben Jahr dann fünfundsiebzig. Das war immer noch ein ganzer Batzen, aber damit konnte ich ein neuer Mensch werden. Ich wäre mir schlecht vorgekommen, wenn ich nein gesagt hätte. Sie sah mich so eindringlich an, daß ich sie nicht enttäuschen konnte. Ich weiß nicht, ob du verstehst, was in solchen Augenblicken abgeht.«

»Du wärst da reingerutscht, wenn dir diese Sektenbeauftrage nicht zufällig 'nen Tip gegeben hätte?« fragte Jamal ungläubig.

Avif atmete durch. »Hundertprozentig. Nach all dem Terror daheim und dem Riesen-Schock bei der schwulen Ausländergruppe, als ich tagelang nur noch heulen konnte ...«

»Davon hast du mir nichts erzählt.«

»Wart's ab«, sagte Avif. »Wir haben Zeit, oder?«

Es stimmte, sie hatten Zeit. Unendlich viel Zeit.

Zumindest kam es ihnen so vor, während sie miteinander sprachen. Und das taten sie, seit sie, Bergen von Müll und Abfall ausweichend, aus dem Tiergarten herausgefunden hatten, unter dem Potsdamer Platz auf die S-Bahn warteten, sich inmitten von Hunderten zurückströmender, todmüder Raver durch die schmutzigen Kachelgänge der U-Bahn-Stationen in der Friedrichstraße und am Halleschen Tor schoben und schließlich keuchend wie nach einer Bergwanderung in der Eros-Bude angekommen waren – noch immer redend, sich einander ins Wort fallend, etwas wiederholend und nur manchmal kurz innehaltend, um ihrer Lust am Erzählen nachzustaunen. Was ging mit ihnen vor?

Wir haben Zeit. Sie saßen bei offenem Fenster auf Jamals Couch, und draußen färbte sich der Himmel von einem hellen Blau zu einem dunklen, von weißen Streifen durchzogenen

Orange. Sie achteten darauf ebensowenig wie auf die kläglichen Reste des Techno-Rhythmus, die aus den Autos unten an der Kreuzung klangen. Avif hatte die Wohnung samt der Einrichtung mit einem freundlichen Interesse gemustert, das keinerlei Staunen verriet. Auch hatte er keinen Moment gezögert, als ihm Jamal, mit nacktem Oberkörper aus dem Bad kommend, angeboten hatte, sich die Hitze des Tages vom Leib zu duschen.

»Kannst du mir ein frisches T-Shirt borgen?«

»Kein Problem.«

Avif war ins Bad verschwunden, hatte geduscht und sich umgezogen und war mit einem von Jamals H & M-Shirts wieder im Wohnzimmer erschienen, als würde er das seit Jahren tun. Erst als sie die eisgekühlten Cola-Dosen wie Sektgläser aneinander stießen und lachten, sahen sie sich in die Augen, und Jamal wußte, daß *das* jetzt etwas war, etwas verhieß, was er bestimmt nicht schon seit Jahren kannte.

Er sah Avifs schmales und trotz des Schattens schwarzer Bartstoppeln feingeschnittenes Gesicht, sah die lebhaften Augen, die zur Bekräftigung seiner Gesten an den Kinnbart geführten Hände, sah sein Lächeln, hörte seine Worte.

Avif redete viel, aber seine Stimme blieb hell und klar, als schiene es ganz natürlich, daß Jamal so gebannt lauschte. Es war nicht jenes hektische, vorwurfsvolle oder um Mitleid bettelnde Stammeln, mit dem ihn andere überhäuft hatten, ohne daß sie jemals bemerkten, welche Panik ihre *Wir sitzen alle im gleichen Boot*-Mienen bei Jamal ausgelöst hatten.

Avif war anders, völlig anders. Während er sprach, Wort an Wort, Satz an Satz reihte, ließ er kein Auge von Jamal und registrierte jede seiner Bewegungen. Als sei er erst gestern hier gewesen, als wolle er nur nach dem Rechten schauen und habe dabei inzwischen doch eine Menge zu berichten. Gestern war es geschehen oder vor einem Jahr, in einem anderen Land und womöglich einem anderen Leben, und doch war er zurückgekommen, weil es ihn genauso betraf wie den, der jetzt zuhörte. Weil sie unendlich Zeit hatten und es nach langem Schweigen so viel zu sagen gab.

Seit er mit Yousuf durch die Stadt gezogen war, hatte Jamal nie mehr Ähnliches erlebt, und als ihn Avif ein paar Tage später auf ihre ersten Stunden ansprach, sagte er lachend: »Keine Angst, es war keine Bedrohung. Nicht einmal 'ne Überrumplung. Nur ein verdammt gutes Gefühl, das war's. Und wegen der Kurden-Sprüche, weißt du . . .«

Auch Avif hatte gelacht. »Vergiß es. Was soll man von Schiiten anderes erwarten?«

Jamal wollte wissen, wer ihn damals in diese Sekten-Versammlung gelockt hatte. Das war eine Wirklichkeit, von der er keine Ahnung hatte.

»Eine Bekanntschaft aus einer *Tip*-Annonce. Groß, blond und sensibel, Telefonnummer und Foto lag bei. Nach all den Monstern, die auf meine Anzeige geantwortet haben . . .«

»Und was hattest du geschrieben?«

Avif schlug sich eine Hand vor die Augen. »Absoluten Blödsinn. Das kam, weil ich null Ahnung hatte. *Junger Araber sucht festen Freund. Chiffre Habibi.*«

»Ya-Allah!« stöhnte Jamal.

»Genau. Irgendwann muß ich dir die Briefe und Fotos zeigen, die ich gekriegt habe. *Merhaba, junger Freund. Auch ich mag die arabische Kultur. Ruf bitte nur abends an und leg auf, wenn meine Mutter am Apparat ist.* Und dazu das Foto eines vierzigjährigen Typen, der vor dem *Holiday Inn* von Agadir in die Kamera glotzt. Oder welche, die kopierte Nacktbilder mit Dildo von sich herumschicken; der reinste Horror.« Avif grinste. »Dieser Blonde schien ganz niedlich zu sein. Wir haben uns im *Anderen Ufer* am Kleistpark getroffen, und die Enttäuschung war total. Das Foto, das er in den Brief gelegt hatte, mußte mindestens zwanzig Jahre alt sein. Mir saß ein völliges Wrack gegenüber, das gleich nach dem ersten Bier von seinen Psychokursen, Sinn-Erweiterungen, transzendenten Erfahrungen zu labern begann. Da hätte ich auch mit Vater weiter in die Moschee gehen können. Die beteten wenigstens nur freitags, jedenfalls die meisten, die dort mit ihren stinkenden Socken herumrutschten. Und dann bin ich trotzdem . . .« Avif zögerte.

Jetzt wechselt er das Thema, dachte Jamal. Aber Avif brachte den Satz zu Ende.

»Und dann bin ich trotzdem mit ihm ins Bett. Ich hatte die ganze Zeit die Augen zu und dachte an das Foto, auf dem der Kerl noch Locken statt dieser dünnen Strähnen hatte. Ich brauchte einen, der mich hielt, verstehst du. Und dieses Gerede von *Sich-frei-Machen* und *Möglichkeiten entdecken* war genau das, womit sie mich kriegen konnten. Ist das nicht irre? Sie versprechen, dir zu helfen, *Ich* zu sagen, aber dann mußt du *Wir* plappern wie bei allen anderen auch. Jedenfalls bin ich zu der Gruppe gegangen, in der er Mitglied war – übrigens *ohne* ihn, denn an diesem Abend hatte er 'ne Sitzung bei seinem Therapeuten.«

Jamal lachte. »In dieser Stadt hat jeder 'ne Sitzung bei einem Therapeuten. Warst du *so* unten, ausgerechnet von *dem* Hilfe zu erwarten? Bei mir hätten solche Psychos nie eine Chance.« Noch während er sie aussprach, bereute er die Worte.

Avif lächelte nachsichtig. »Nie ganz unten gewesen, stimmt's? Noch nie dieses Gefühl gehabt, allein, total allein zu sein, durch Zufall in diesem Land und in einer Sozialwohnung, die du dir mit deinen gedemütigten Eltern und den plärrenden Geschwistern teilen mußt, dauernd unter Beobachtung, im Ausländeramt, bei den Verwandten und sogar bei den Schwulen, die du heimlich triffst und die ganz geil noch dem sind, was sie *Exotik* nennen, die Wichser.«

Jamal fragte sich, ob Avif gerade diese Phase durchlebt hatte, als sie im Keller von Tom's Bar aufeinander getroffen waren.

»Und glaub nicht, daß die Araber besser wären. Arabische Schwule, Landsleute, *verständnisvolle Landsleute* – eben die, zu denen man automatisch geht, wenn man entdeckt, daß man nicht so richtig auf Frauen steht, daß einen die deutschen Mädchen in der Schule enttäuscht angucken und man auch die *Ey, die Alte hab ich gefickt*-Stories der Hetero-Türken nicht mehr hören kann. Da gab es diese Gruppe für schwule Araber; die Adresse hatte ich in der *Siegessäule* gefunden. Zur Abwechslung mal keine Schweizer Sekten-Predigerin, sondern eine nette Männerstimme am Telefon. Nett klingen die zuerst ja immer. Eine Riesenbude in Schöneberg, todschick eingerichtet und im Wohnzimmer einen Perserteppich, verziert und so dick, daß du mit den Füßen darin einsinkst. Leider wollten die dort nicht nur meine Füße. Sie hatten ein weißes Tuch ausgebreitet und darauf stand in Schüsseln, Töpfen und Tellern all das Zeug, das du nur vorgesetzt kriegst, wenn es was zu feiern gibt oder der Ramadan zu Ende geht. Ein Festessen, und das nur wegen mir! Das sagten jedenfalls der alte Syrer, der mittelalte Libanese und dieser spindeldürre Ägypter, die mich alle drei mit feinem Lächeln beim Mampfen beobachteten und mir immer wieder den Teller füllten. Natürlich hatten sie 'ne Fairuz-CD für die richtige Stimmung aufgelegt. Nach dem Essen fragte mich der Syrer, ob ich mal einen Blick auf seine Bibliothek im Zimmer nebenan werfen wolle. Warum nicht, dachte ich. Bücher, sagte er, *bestimmte Bücher*. Der Bücherschrank reichte bis zur Decke, aber die *bestimmten Bücher* waren in Griffhöhe, logisch. Er schlägt eines von ihnen auf, einen Wälzer mit goldgeprägtem Titel, zeigt mir die arabischen Schriftzeichen, blättert weiter und läßt mich einen Haufen Körper sehen, Männer und Frauen, aber auch Männer und Männer, die es in den verschiedensten Positionen miteinander treiben. Eine hohe Kunst, sagt der Syrer und fährt mit seinem fleckigen alten Daumen über die Seiten.«

»Nicht schlecht«, sagte Jamal und setzte sich auf die Ferse seines angewinkelten Fußes.

Avif schüttelte den Kopf. »Nicht schlecht, sagst du? Wart's ab. Ich blättere in dem Buch, fühle die Hand des Syrers auf meiner Schulter liegen, aber eigentlich ist das beruhigend, und ich kümmere mich nicht weiter darum. Natürlich sehe ich mir die Zeichnungen gern an, jede freie Minute nehme ich mir zum Malen, du solltest mal *meine* Bilder sehen. Aber hier in dem Buch: Nackte *und* arabische Schriftzeichen, wo gibt's das schon. Nicht im Koran oder den Büchern, die wir als Kinder vom Sheik bekamen. Plötzlich fühle ich eine Hand auf meinem Hintern und gleich darauf eine zweite, die an meinem Reißverschluß herummacht.

Ich schreie, lasse das Buch auf den Boden knallen, es gibt einen Mordslärm, ich renne in das Wohnzimmer, um den anderen zu sagen, was der alte Sack eben mit mir anstellen wollte, aber der Rest der Truppe sitzt seelenruhig da, hockt mit gekreuzten Beinen auf dem Teppich, schlürft Minztee und sieht mich verwundert an. Da habe ich begriffen, was hier abgeht. Die waren alle eingeweiht und haben zuerst den Papa losgeschickt, um mich einzuwickeln. Kannst du glauben, wie fertig mich das machte? Die ganze Woche hatte ich mich auf das Treffen gefreut, mir die Worte zurechtgelegt, die ich sagen wollte, mit ihrem Verständnis gerechnet, ihrer Hilfe, und dann das! Ich schreie sie auf arabisch an und muß nach den Worten suchen, denn mit den Eltern zu Hause rede ich kaum, und in der Schule und Lehre verlangen sie Deutsch. Ich erinnere mich an all die Flüche, die ich mal gelernt habe und spucke sie ihnen ins Gesicht. Sie gucken mich starr an, völlig baff, und nach einer Weile sagt der Libanese: Geh doch zu den Deutschen und du wirst sehen, *wer* hier die Schweine sind.

Genau das werde ich tun, schreie ich und renne aus der Wohnung.«

Avif hatte immer heftiger gesprochen, Wut war in ihm hochgestiegen. Als er Jamals erstaunten Blick sah, pfiff er durch die Zähne.

»Das war 'ne Aktion, ich kann dir sagen. Ich renne und renne. Und renne nach ein paar Tagen dem sanften Psycho in die Hände. Verständnis, Verständnis, immer Verständnis. Und rein in die Sektenversammlung, die mir zuerst überhaupt keine Angst machte, denn auch da saßen genug Schwule herum, die gegen Bares zum neuen Menschen werden wollten, weil sie sich anscheinend vor dem alten so sehr ekelten.«

»Da kann ich ja noch von Glück reden, daß *ich* mich auf keinem Sektenstuhl wiedergefunden habe.« Jamal hatte eher laut gedacht, doch Avif hakte ein.

»Wieso, hast *du* Probleme?« Seine Stimme war klar, fast fröhlich, nichts Lauerndes lag in der Frage.

Einen Moment starrte ihn Jamal mit offenem Mund an, dann sagte er: »Nein, nicht direkt. Eigentlich überhaupt keine – gemessen an deiner Geschichte.«

»Geschichten lassen sich nicht aneinander messen.«

»Sorry, und du hast gesagt, daß du zweiundzwanzig bist?«

Avif sah ihn erstaunt an. »Ja, warum?«

»Nichts, ich dachte nur, als ich so alt war, da ...« Jamal biß sich auf die Lippen.

»Da warst du noch in Beirut, oder?«

Jamal nutzte die Chance, das Thema zu wechseln. »Stimmt. Da war ich noch in Beirut. Da hatte die Family gerade entschieden, daß ich in Berlin studieren sollte. Ausgerechnet *Berlin!* Nur weil einer meiner Onkels dort lebte, du weißt ja, wie so was geht. Eine blöde Entscheidung, aber immerhin eine Gelegenheit, endlich dieser Langeweile zu entkommen.«

»War es unten im Libanon langweilig? Rund um die Uhr gingen Raketen runter und Bomben hoch, jeden Tag 'ne Entführung; was willst du mehr.«

»Nach dem Krieg war es anders«, sagte Jamal.

Wie sollte er das erklären? Die stillstehende Zeit, die kaputte Stadt, sein Onanieren jede Nacht in diesem kleinen, drückendheißen Zimmer, die Voraussehbarkeit des kommenden Tages, das sich inmitten allen Verkaufslärms und aller Familienstreitereien träge dahinschleppende Leben, die ewige Hitze und das Gefühl, etwas gestohlen zu bekommen, obwohl er nicht wußte, was es war. Nie würde er Wörter dafür finden können; nicht für Avif und auch nicht für Katja, die ihn oft nach dieser Zeit gefragt hatte. Nicht einmal für sich selbst, da er vergessen wollte, weil er wußte, daß dieses Leben nach seiner Rückkehr aus Berlin wieder auf ihn wartete. Wahrscheinlich war *das* sein Schicksal, sein Untergang, seine leuchtende Zukunft.

»Du solltest es mir trotzdem erzählen«, sagte Avif. »Ich hab keine Ahnung, wie es nach dem Krieg weiterging.«

Jamal lächelte. »Vielleicht sollten wir uns erst einmal kennenlernen, ehe wir über Beirut sprechen.« Seine Mundwinkel zuckten.

Vielleicht sollten wir uns erst einmal kennenlernen: Er hatte es tatsächlich gesagt, er hatte es getan! Seit er hier in Deutschland lebte, war ihm solch ein Satz noch nie über die Lippen gekommen. Außer vielleicht nach der Begegnung mit Katja, aber die Elfenkönigin lief außer Konkurrenz. Wir sollten uns kennenlernen: waren das *seine* Worte gewesen? Er war sicher, daß nun die Falle zuschnappen würde. Aber Avif schlug sich nur auf die Knie und verkündete, daß er Hunger habe und es an der Zeit sei, zusammen etwas zu essen.

In dieser Nacht schliefen sie nicht miteinander. Auch nicht in der kommenden Nacht, denn da saß Jamal auf dem billigen Holzimitat eines Rezeptionstischs und sah Avif bei der Arbeit zu. Avif in schwarzer Hose mit Bügelfalte und weißem Hemd. Avif, wie er gerade die Abrechnung machte, die Zimmerbelegungen in ein großformatiges, kariertes Heft eintrug oder per Telefon die Brötchenlieferung für den nächsten Morgen bestellte.

Von Zeit zu Zeit unterbrach er seine Tätigkeit und blickte zu Jamal hoch.

»Macht Spaß, andere beim Arbeiten zu beobachten?«

»Soll ich dir helfen?«

Avif lachte. »Um Himmels willen, nein. Den Schreibkram schaff ich allein. Um diese Zeit ist es ruhig.« Er sah auf die weiße Plastikuhr an der Wand, die ein paar Minuten vor Mitternacht zeigte. »Die braven Geschäftsleute liegen längst in der Koje, und die bösen verjubeln ihr Geld im Bonbon-Club nebenan. Die kommen erst gegen drei oder vier angetorkelt – mit oder ohne Begleitung.«

»Bekleidung?« fragte Jamal. Er bekam einen Knuff in die Seite, daß er sich an der Tischplatte festhalten mußte, um nicht abzustürzen.

»Natürlich *mit* Bekleidung. Du solltest mal die Russen sehen, Lederjacken und im Winter Pelzmäntel und Tschapkas. Dicke, prollige Klamotten und trotzdem arschteuer. Jedenfalls erzählen sie mir das, wenn sie rotzbesoffen dort hocken, wo du jetzt sitzt, und mich davon überzeugen wollen, daß das thailändische Mädchen, das sie gerade wie einen Hund am Handgelenk halten, eine entfernte Verwandte ist und nur so – *nur so*, verstehst du – bei ihnen mit im Zimmer übernachtet . . .«

»Und weshalb erzählen sie dir das?« fragte Jamal.

»Na, um Knete zu sparen. In jedem der Zimmer gibt es zwei Betten, aber der Einzelzimmerpreis gilt nur, wenn wirklich nur eine Person dort pennt. Sobald die 'ne Nutte, und das sind *immer* Nutten, mit rauf schleppen, verdoppelt sich der Preis. Und darum hocken sie hier, wedeln mit ihren Tschapkas herum und wollen, daß ich wenigstens 'nen Anderthalbpreis akzeptiere. Meistens lasse ich mich sogar darauf ein. Kein Wunder bei der miesen Zimmerbelegung. Wer kommt schon hierher, sieh dir mal das Haus und die Gegend an.«

»Hab' ich schon, als ich aus der S-Bahn raus bin«, sagte Jamal. »Stuttgarter Platz, den kannte ich bis jetzt nur aus den fetten BZ-Schlagzeilen: *Wer ging der Polizei gestern am Stutti ins Netz?*«

Avif stand auf und lachte. »Sag ich doch. Die feinste Tennisgegend hier. Deshalb mein weißes Hemd.«

»Machen dir die Typen keine Angst?«

»Ach was. Die Russen mögen meine Glatze. Die sind ganz wild danach und sagen immer *Chut Freund, Kosak, Kosak*. Weiß der Teufel, was das bedeuten soll. Ich komme prima mit denen aus. Meine liebsten Mafia-Freunde. Sogar *die* schnallen, was meine Eltern bis heute nicht auf die Reihe kriegen.«

»Versteh ich nicht.«

Avif winkte Jamal, ihm zu folgen. Gleich neben der schmalen Nische mit dem Rezeptionstisch befand sich der Frühstücksraum. Jamal setzte sich auf einen der lackierten Holzstühle, deren Lehnen herzförmig ausgeschnittene Löcher zierten. Aus dem summenden Kühlschrank holte Avif zwei Multivitaminflaschen und stellte sie mit einer angerissenen Packung Kekse auf die rotweiß gemusterte Tischdecke. »Ich hoffe, du trinkst so was. Das Zeug hält mich die ganze Nacht wach, und wenn ich gegen morgen wegdämmere, reißt mich der Zeitungsbote aus dem Schlaf. Ein kleiner Tunesier, der aussieht, als würde er unter seinen *MoPo*-Packen einknicken, 'n lustiger Typ.«

Jamal hörte zu. Erst nach einer Weile bemerkte er, daß sein Mund vor Erstaunen wieder halb offen stand. Avif zog die Augenbrauen hoch. »Komische Absteige, was? Schäbig und spießig und die meisten Gäste schlimme Finger. Aber ... Aber nie, *niemals* diese blöden Family-Sprüche. In der Art von *Allah schlägt dich mit Haarausfall, weil du nicht mehr betest* oder *Allah will uns zeigen, daß Deutschland kein gutes Land ist;* solches Zeug eben.« Er seufzte.

Jamal wußte nicht, was er sagen sollte. Zögernd strich er mit der Hand über Avifs nackte Kopfhaut. Unter dem grellen Neonlicht des Frühstücksraums schimmerte sie hell, und die kleinen dunklen Stoppeln an den Schläfen offenbarten eine Verletzbarkeit, die ihn bis ins Innerste erschütterte. Er sah in Avifs Augen – Augen wie dunkler Samt, dachte er –, merkte, wie sie ihn neugierig anblickten und zog seine Hand zurück.

»Laß sie da. Ich mag es, wenn du mich anfaßt.« Avifs leise Stimme. Seine glatte Kopfhaut. Jamals zitternde Hand.

»Soll das heißen«, jetzt war auch seine Stimme nur ein Flüstern, »daß sie dir einreden wollten, der Haarausfall wäre eine Strafe *Gottes?*«

»Und ob«, sagte Avif. »Göttliche Rache, haben sie gesagt, darunter machen's meine Leute prinzipiell nicht. *Ya Allah*, unser Sohn bringt Schande über das Haus. Als ob wir, seit wir vor dem Krieg abgehauen sind, je wieder ein *Haus* gehabt hätten. 'ne Sozialwohnung im Wedding haben wir, wo es im Treppenhaus nach Alk stinkt, denn eine Etage tiefer wohnen die Säufer, *deutsche* Säufer. Aber natürlich war es wieder mal Avif, den Old Allah bestrafen mußte.« Sein Lachen klang heiser.

Jamals Finger ruhten auf seinem Kopf. Jetzt strichen sie an Avifs Schläfen entlang, über den zuckenden Adamsapfel und hinein in die kleine Kuhle unter dem Schlüsselbein, bis sie die ersten Ausläufer der Brustbehaarung erfühlen konnten, erregend und sanft. »Ich find's total sexy«, sagte Jamal.

»Ich inzwischen auch«, sagte Avif. Sie sahen sich an und schwiegen.

Jamal gefiel es, hier zu sein. Und daß, obwohl diese Absteige an Schäbigkeit wirklich nicht zu überbieten war. Er wußte nicht, wie er es nennen sollte, aber es war etwas Reelles, Kompaktes, etwas Forderndes und gleichzeitig Verläßliches – und nicht das Schwebende und Springende, auf das er während all der Jahre, die er hier lebte, so stolz gewesen war.

»Ich könnte die ganze Nacht hier sitzen bleiben«, sagte er.

Avif stand kopfschüttelnd auf und räumte die leeren Vitaminflaschen weg. »Das könnte dir so passen«, sagte er. »Nein, was du tun wirst, ist schleunigst nach Hause zu gehen und zwar ...«

»In Bekleidung«, sagte Jamal, beugte sich vor und küßte ihn auf den Nacken. Augenblicklich wirbelte Avif herum und schlang seine Arme um Jamal. Er spürte den Druck der Multivitamin-Flaschen auf seinem Rücken – ein kurdischer Kuß, dachte er flüchtig, mein erster kurdischer Kuß –, fühlte dann aber Avifs Lippen, seine Zunge, ihrer beider Atem, ihre Haut und ihre Wimpern, die sich ineinander verhakten.

Sie kamen erst voneinander los, als auf der Straße jemand den Türsummer drückte und ein fiependes Geräusch den ganzen Raum durchdrang. »Hey, ich krieg Gäste. Mach daß du fortkommst.«

Während sich Jamal unschlüssig zum Gehen wandte, sprintete Avif hinter den Empfangstisch und drückte den Knopf neben der Telefonanlage. »Und morgen früh 'n schönes Frühstück an's Bett, versprochen?«

»*Im* Bett«, sagte Jamal. Er öffnete die hohe knarrende Holztür, die auf den Korridor führte. Er drehte sich noch einmal um und winkte Avif zu, aber der stand jetzt mit dem Rücken zur Tür und überprüfte die Zimmerschlüssel, die wie Gehenkte an einem glasierten Holzbrett baumelten.

Im Treppenhaus begegnete er einem Pärchen, das sich hintereinander am Geländer nach oben zog. Was sie lallten, war kein Deutsch, aber wie Russisch klang es auch nicht. Jamal sah in das knorrige, abgekämpfte Gesicht des Mannes. Vielleicht einer der Bosnier vom Potsdamer Platz, der sich einmal etwas Gutes tun wollte. Morgen früh würde er Avif danach fragen.

Während er den Eingang zur S-Bahn-Station betrat, hörte er hinter sich die Sirene eines Polizeiwagens aufheulen.

»Keine Baklava, keine Bureks«, hatte er, noch schlaftrunken und mit zerstrubbeltem Haar, zu Monsar gesagt, der mit lächelndem Vollmondgesicht in seiner libanesischen Patisserie am Görlitzer Bahnhof stand und dabei war, eine kleine Schaufel in Richtung all der überzuckerten oder mit Hackfleisch gefüllten Teigtaschen zu schieben, die schon am frühen Morgen in der Glastheke auslagen.

»Nur ein paar Croissants, das ist alles ...«

»Du hast dich seit langem nicht sehen lassen«, sagte Monsar. Er ließ die schneckenförmigen Croissants in einer durchsichtigen Plastiktüte verschwinden. »Alles in Ordnung, mein Sohn?«

»Und wie!« hatte Jamal entgegnet und in Monsars neugieriges Gesicht zurückgestrahlt.

Nun stand das Tablett mit den Croissants, den sich in den Messern spiegelnden leeren Tellern, den weißen Kaffeeschalen und der Kanne, aus der längst kein Dampf mehr stieg, verwaist auf dem Boden, im Rhythmus des langsam ins Zimmer fallenden Sonnenlichts Zentimeter für Zentimeter aus dem morgendlichen Schatten tretend, aber vergessen, seit einer ganzen Ewigkeit vergessen.

Seit Avif die Wohnung betreten hatte, liebten sie sich. Er hatte den Kaffeeduft gerochen, die Croissants gesehen, hatte alles bemerkt und dankbar gelächelt, sich aber dennoch sofort ausgezogen. Dann war er ins Bad verschwunden; Jamal hörte sein Prusten unter dem Rauschen der Dusche. Er kam abgetrocknet zurück, und Jamal hielt sich die Hand vor die Augen: Avif stand nackt im Zimmer, direkt in einem schräg einfallenden Sonnenstrahl.

»Komm«, sagte er leise, »komm.« Komm, denn ich habe lange darauf gewartet. *Wir* haben lange darauf gewartet. Nicht nur eine oder zwei Nächte lang. Vielleicht Jahre. Vielleicht sogar ein ganzes Leben.

Sie liebten sich wortlos. Dieser Morgen löschte die Erinnerung an ihre kurze Begegnung, ihre *Nicht-Begegnung* in diesem Keller, dessen Namen sie nie wieder nennen würden, vollständig aus. Avifs Körper war von fast skandalöser Nacktheit; so nackt, so verletzlich, so stark. Immer wieder unterbrachen sie ihr Liebesspiel und hielten sich nur in den Armen, den Kopf am Hals des anderen, schweigend. Berlin war eine Stadt, die nicht für Märchen geschaffen war, und gab es dennoch ein Wunder, ein verirrtes, vor Lust und Erwartung zitterndes Wunder, so durfte es nicht von Worten zerstört werden.

Da lag jemand neben ihm, auf ihm und unter ihm; ein Mensch, der eine *Geschichte* hatte, dessen Augen vieles gesehen hatten, was sein Mund aussprach; ein Mensch, der ihn, Jamal Kassim, ausgewählt hatte, ihm zuzuhören und so, vielleicht, auch die eigene Geschichte zu entdecken. Es war unerwartet und neu und auch ein wenig beunruhigend. Zum ersten Mal lief Jamal nicht weg, dachte nicht einmal ans Weglaufen, hielt Avif in seinem Arm, so wie Avifs Arm ihn hielt.

Es war Mittag geworden, und die Eros-Bude lag in helles Sommerlicht getaucht. Noch immer waren die üblichen, die unnützen Fragen ausgeblieben. Mit wem hast du vorher, wieviele Male, wann und wo. Nichts davon bei Avif, nichts bei Jamal. Er dachte: Jetzt gibt es nur noch uns beide. Aber da hatte ihn Avif schon geküßt, war aufgesprungen, hatte Jamal seinen Hintern, den Rücken, die breiten Schultern gezeigt, genauso haarlos und nackt wie die Kopfhaut, ein erregender Kontrast zu dem schwarzen Gekräusel auf seinem Brustkorb, zu den Härchen, die von seinem Bauchnabel an abwärts führten. Jamal sah es und wußte: Nein, das war falsch. Es gab keineswegs nur sie beide. Es gab auch die Welt. Nicht nur dort draußen, sondern auch hier, zwischen und in ihnen. Vielleicht war sie immer schon dagewesen, und er hatte sie weghalten wollen, weil er von ihr nur das wahrnahm, was ihn ängstigte, langweilte oder ihm eine schnelle, schaler und schaler werdende Befriedigung versprach. Mit Avifs Sprung vorgestern im Tiergarten hatte sie ihn mit ihrer ganzen Wucht eingeholt. Jamal kam es vor, als sei eine Membran zerrissen.

Sie aßen die Croissants, küßten sich die trockenen Krümel von den Lippen, schütteten den kalt und ölig gewordenen Kaffee in den Ausguß, beugten sich übereinander, küßten sich erneut, liebten sich vor und unter dem offenen Fenster, waren nackt und sprachen noch immer kein Wort. *Wir haben Zeit.*

Zeit, durch die Stadt zu laufen. Einen Tag lang, zwei Tage, eine Ewigkeit. Zeit, die Wörter wiederzufinden, um aus ihnen die Stadt neu erstehen zu lassen.

Und nichts war exterritorial, nichts anonym, denn alles gehörte Avif, der es mühelos zu benennen wußte. King of the town, aber über ein völlig anderes Reich gebietend als Prinz Jamal, der Möchtegern-König von Berlin, der an diesem Tag und auch später nie etwas von seinen Legoland-Spielen erzählte. Avif und Berlin, das war kein Spiel. Es war ein Kampf, und der junge Mann, der jetzt neben ihm lief, die Hände in den Hosentaschen, den Arm ausgestreckt, um etwas zu zeigen oder die Lippen ganz nah an Jamals Ohr, bis er ihn flüstern und atmen hörte, dieser junge Mann hatte den Kampf gewonnen. Nur deshalb konnte er es sich leisten, Schauplätze vorzuzeigen statt alter Wunden. Nur deshalb lief Jamal nicht weg, machte ihm Avifs Kraft weniger Angst, als er es gestern noch befürchtet hatte.

Der Tag – der Tag außerhalb der Eros-Bude – hatte mit einer Frage begonnen.

»Wer wohnt hier eigentlich?« wollte Avif wissen, während sie im dämmrigen Korridor standen und auf den Aufzug warteten.

»Keine Ahnung.« Jamal zuckte mit den Schultern. »Türken, schätz ich. So wie es hier riecht ...«

»*Wie* riecht es hier?« fragte Avif.

»Na, nach Gewürzen«, sagte Jamal. »Nach *Gewürzen*, oder was denkst du?«

»Was weißt du über sie? Ich meine, über die Türken?«

»Was soll ich über sie wissen?«

»Könnte ja sein ...«, sagte Avif, ließ aber offen, was für eine Antwort er erwartet hatte.

Mit dem üblichen Knirschen öffnete sich die Fahrstuhltür.

Sie waren kreuz und quer durch die Stadt gezogen. Es war Sommer, es war heiß, und Jamal hatte den Tiergarten vorgeschlagen. »Zu Fuß?« fragte Avif.

»Natürlich zu Fuß, was sonst?«

Avif lachte und begann, Biker-Geschichten zu erzählen. Episoden aus seiner Biker-Phase (also hatte es auch bei ihm *Phasen* gegeben, dachte Jamal), als er abends unter einem Vorwand aus der Wohnung gegangen und durch den Tiergarten gefahren war, die breiten und die schmalen Wege entlang. Sogar über die Wiesen und das Unterholz war er geprescht, denn die Reifen waren stabil und die Gangschaltung, er lachte, *die Gangschaltung in Gang*.

»Ich hab die Typen, die unter den Bäumen standen, in meinen Lichtkegel genommen und sie geblendet, bis sie Angst bekamen und dachten, ich sei von den Bullen. Wenn sie mir gefielen, bin ich näher rangefahren.«

»Und?« fragte Jamal.

»Und bin abgestiegen. Für ein paar Minuten, eine Viertelstunde, du weißt ja, wie das ist.« Ja, das wußte er. Wer auf seiner Etage wohnte, wußte er zwar nicht, aber bei solchen Tiergarten-Storys kannte er sich aus. Aber wie es war, sich für die Eltern Lüge um Lüge auszudenken, um die abendlichen Bike-Touren zu rechtfertigen, wußte er nicht, wußte nicht, was es hieß, sich so ein Teil selbst zusammensparen zu müssen, es jede Nacht zwischen dem Spielzeuggerümpel der jüngeren Geschwister im Wohnungsflur zu parken, weil es draußen im Treppenhaus demoliert oder geklaut worden wäre, wußte nicht, daß eine Gangschaltung eine Überlebensversicherung war, um sich vor Yugo-Banden in Sicherheit zu bringen, wußte nicht, was das für ein Gefühl war, nach kalten, freudlosen Spermaentladungen in Erwartung des anklagenden Schweigens der Familie durch eine Stadt zu fahren, von der jeder dir einreden will, daß du ein Fremder darin seist, ohne Zukunft, ohne Chance; wußte nichts von alldem ...

Als sie auf die Potsdamer Straße kamen, erinnerte sich Jamal, daß er in dem Eckhaus zur Lützowstraße eine seiner Legoland-Begegnungen gehabt hatte. Es war während des Christopher Street Days gewesen, der Demonstrationszug wälzte sich lärmend und tanzend durch die Potsdamer, und Jamal, die Augen überall, hatte gesehen, wie sich im zweiten Stock eines Hauses jemand mit nacktem Oberkörper und tätowierter Schulter aus dem Fenster beugte und seine Hände im Techno-Rhythmus bewegte. Er war stehengeblieben und hatte nach oben geschaut. Solange, bis ihn der andere bemerkte. Er blinzelte Jamal zu und verschwand aus dem Fensterrahmen. Sekunden später war an der Haustür das Geräusch des Türsummers zu hören gewesen.

Na bitte, dachte er, während er in Richtung Kurfürstenstraße neben Avif herlief, zumindest *einmal* wußte ich, wer auf welcher Etage wohnt.

»Meine Schule ist da drüben.« Avif zeigte auf eine kleine Querstraße.

»Welche Schule?« fragte Jamal.

»Die, in der ich mein Abi nachhole. Habe ich dir das noch nicht erzählt?«

Nein, das hatte er noch nicht erzählt. Also tat er es jetzt.

Abi nachholen, das hieß: Das Bedauern der Lehrer, als Avif die Realschule verließ. Das Bedauern der Ämter, einem Asylanten ohne deutschen Paß – leider, leider – keine staatliche Unterstützung für eine weitere Schulausbildung geben zu können; Schüler-Bafög wäre das rettende Zauberwort gewesen. Das Schweigen der Eltern; ein Schweigen, das in ihrer mit alten Möbeln vollgestopften Wohnung ebenso verbittert und manifest war wie auf den nach Kotze und billigem Reinigungspulver stinkenden Gängen des Sozialamtes im Wedding, auf denen sie einmal im Monat ihre *Stütze* abholten und sich doch nie an dieses deutsche Krüppelwort gewöhnen konnten.

Stütze statt Arbeitserlaubnis, mürrisch durch den unteren Schlitz einer Glaswand zugeschobene Almosen statt selbstverdientem Geld, und weit weg die Tage in Beirut, als der Vater in seinem Teppichgeschäft herumgegangen war und mit ausgestreckten Händen die Käufer begrüßt hatte. Moslems, Armenier, reiche Maroniten aus Achrafieh, respektable Leute, die mit respektablen Geldscheinen kamen. Bis die ersten Schüsse fielen und die Vertragspartner aus Syrien und dem Iran das Land zu meiden begannen. Bis die Teppiche hinter den Fenstern zusammengerollt wurden – als wären sie Sandsäcke, die Gewehrkugeln aufhalten könnten. Bis einer der Angestellten eines Morgens vor der Ladentür in einer Blutlache lag; eine Geschichte, die Vater ihnen erst in Berlin erzählt hatte. Als er einmal sein Schweigen gebrochen, seinen zusammengesunkenen Körper für einen Moment gestreckt und losgebrüllt hatte: Was jault ihr herum, wenigstens sind wir am Leben. Und du Avif, erzähle uns nichts von Schulen, was willst du lernen in den Zimmern der Deutschen, was du nicht schon weißt, na was. Nichts als eine Verschwendung wäre es.

Also eine Lehre. Bei dem Wort *Grafik* hatten die Berufsberater gelacht und seine durch die ganze Stadt geschleppte Mappe mit den ersten Arbeitsproben nicht einmal sehen wollen. Aber seine ausgeleierte Adidas-Jacke (Jamal registrierte es, erinnerte sich, erinnerte sich an *seine* Klamotten, *seine* Zeit, an den ersten Tag in Giovannis Wohnung, damals . . .), die hatten sie ebenso gesehen wie das karierte Hemd und die Cordhosen, Humana oder Rotes Kreuz. Hatten alles gesehen, noch immer gelacht und gesagt: Nicht gleich nach den Sternen greifen, junger Mann. Avifs Haß, sein plötzlicher wilder Stolz auf den kleinen Bruder, der schon mit vierzehn wußte, wie man die Videoshops der Deutschen ausräumte, ein Moment tödlicher Stille und ein Schwanken zwischen zwei Leben, und dann sein kaltes, unter

Zweifeln herausgepreßtes *Machen Sie mir Vorschläge, dafür sind Sie ja da.*

Also eine Ausbildung als Dekorateur; wahrscheinlich gab es irgendwo eine freie Stelle, fast vergessen inmitten all der Papiere und Akten, hinter denen sich die deutschen Berufsberater verschanzt hatten. *Dekorateur.*

Avifs Lachen, als sie, schon längst nicht mehr auf der Potsdamer, in der U-Bahn Richtung Zoo saßen. Avifs Lachen und die gedämpften Worte, nur für Jamals Ohren bestimmt: »Der reinste Schwuchteljob. Herumzupfen und falten, drapieren und nähen und dauernd auf Zehenspitzen irgendwas richten, damit es so fällt, wie es soll. Eine völlig andere Welt als die, die in meiner Mappe versteckt war. Eine Welt voller Stoff, Nadeln und Nähmaschinengeratter, voll nerviger Schaufensterschwuchteln, die Ausbilder spielen, Ausbilder und Arschgrabscher. Aber«, Avifs Stimme war lauter geworden, »aber trotzdem durchgehalten und 'nen Abschluß gemacht, ein Wisch mit Stempel. Und während der zwei Jahre Knete gespart. Für die Schule dort in der Querstraße, erinnerst du dich?«

Jamal nickte. Natürlich erinnerte er sich. Nur hatte er jetzt Angst. Angst, daß Avif plötzlich zu erzählen aufhören könnte, ihn mit seinen dunklen Augen ansehen und fragen, was *er* in all den Jahren in Berlin getan hatte.

»Du mußt mir die Bilder zeigen«, sagte er schnell. »Malst du noch?«

»Und ob«, sagte Avif. »Was denkst du, wofür die Schule gut ist? Sie geben mir sogar 'ne kleine Beihilfe. Hilft natürlich kaum, aber immerhin. Zusammen mit dem Hoteljob komm ich zurecht. Nur für Klamotten reicht's leider nicht immer, sorry.«

»Hab' ich nicht bemerkt«, meinte Jamal leichthin. Er sagte die Wahrheit. Erst jetzt erinnerte er sich daran, daß Avif heute morgen mit einem Rucksack in der Hand in die Wohnung gekommen war und darin die schwarze Hose und das weiße Hemd verstaut haben mußte, das er gestern abend im Hotel getragen hatte. Nun hatte er eine verwaschene Jeans und ein T-Shirt an, das unter den Achseln gelbe Flecken zeigte. Und wenn schon, dachte Jamal und wandte den Blick ab. Avif sah verdammt gut aus und außerdem . . . Und außerdem sprach er weiter.

»Wenn ich das Abi in der Tasche habe, guck ich mich nach einer Hochschule um. Um beim Malen mitzukriegen, was ich noch nicht weiß. Die Technik zu verbessern, nicht nur für sich selbst zu pinseln, du verstehst. Und dann ... Und dann bin ich so lange in Deutschland, daß sie mir den Paß geben *müssen.*«

»Warum hast du ihn noch nicht?« fragte Jamal.

Avif lachte. »Ach, diese Schweine. Einfach nicht zu glauben. Mal sagen sie, die Geburtsurkunde würde fehlen, eine Kopie reiche nicht. Das Original ist irgendwo im Libanon verloren gegangen, was soll ich da tun? Suchen Sie, sagen die Schweine ganz freundlich, der Krieg ist ja vorbei. Soll wohl heißen: Suchen Sie und bleiben Sie am besten gleich dort. Dann die Geschichte mit meinem Cousin, der ist PKK. Oder war es mal. Keine Ahnung, wir hatten nie Kontakt. Aber in den Akten der Schweine steht mein Name trotzdem drin: *No german passport.* Dann sagen sie: Tut uns leid, aber Sie verdienen Ihr Geld nicht selbst. Schulbeihilfe und Unterstützung durch die Eltern, *sozialhilfeempfangende Eltern.* Ich sage, daß ich die Beihilfe brauche, obwohl sie lächerlich gering ist. Arbeiten Sie doch mehr, sagen die Schweine. Wenn ich mehr arbeite, antworte ich, und immer cool, völlig ruhig, das kann ich dir schwören, wenn ich mehr arbeite, schaffe ich es nicht, mein Abi nachzuholen. Dafür sind wir nicht zuständig, sagen die Schweine.«

Jamal hatte bemerkt, wie sich ihnen bei jedem von Avifs *Sagen die Schweine* zahlreiche Köpfe in der U-Bahn zugedreht hatten. Zustimmend nickende Studentenköpfe, empörte oder einfach nur ausdruckslose Fahrgastköpfe; Alte, Junge, Rentner, funkelnde, glasige, leere Augen. In diesem Moment hätte er vor Stolz platzen können.

Sein Leben hatte einen neuen Rhythmus bekommen, und das war so schnell gegangen, daß er nicht einmal Zeit fand, sich über die Veränderung zu wundern. Ab jetzt verbrachte er seine Abende am Rezeptionstisch in Avifs Hotel. Er hörte zu, denn Avif hatte noch immer viel zu erzählen, Nachricht zu geben von einer Welt, von der er nicht gewußt hatte, daß es sie gab.

Ab und zu stellte Avif auch Fragen, wollte etwas über den Libanon nach dem Krieg erfahren, über Jamals Familie, über das Studium in Berlin. Doch Jamals Antworten waren vage und gingen über Allgemeines nie hinaus, und so bohrte er nicht nach. Falls er enttäuscht war, ließ er nichts davon spüren.

Jeden Morgen kam er in Jamals Wohnung, wo sie den Tag im Bett verbrachten oder eisessend und redend – redend, redend, ohne müde zu werden – durch die Stadt zogen, in der es in diesem Jahr heißer war als sonst.

Am Wannsee bestand Avif darauf, ihre Decken am Textilstrand auszubreiten, und Jamal war froh darüber; er hatte nicht die geringste Lust, ein paar hundert Meter weiter einem seiner früheren Abenteuer zu begegnen.

Es war, als seien Monate, ganze Schichten seiner Erinnerung per Knopfdruck ausgelöscht wurden. Allein an Katja dachte er die ganze Zeit. Seit ein paar Tagen war sie aus London zurückgekommen – kommentarlos. Um sie nicht neidisch zu machen, hatte Jamal versucht, so wenig Euphorie wie möglich in seine Stimme zu legen, als er ihr von Avif erzählte. Aber obwohl er das Wort *Liebe* ängstlich vermied, hatte sie verstanden, daß gerade etwas passierte, womit nicht zu rechnen gewesen war.

»Wir sollten uns alle einmal sehen«, sagte sie.

»Aber bald!« drängte Jamal. »Du und ich und Avif. Vielleicht sogar Silvia und Yousuf.«

Katjas Lachen im Telefonhörer tat gut; in ihren Worten lag kein Spott.

»Herr Kassim«, sagte sie, ehe sie auflegte, »es geschehen Zeichen und Wunder.«

Wenig später gab Jamal Avifs Drängen nach, zusammen mit ihm in der Wohnung seiner Eltern aufzukreuzen.

»Hast du keine Angst, daß sie etwas merken?« hatte er gefragt.

»Seit wir in Schönefeld aus dem rumänischen Flugzeug gestiegen sind und mit der S-Bahn ab Friedrichstraße in Richtung Westen fahren konnten, wo unser Onkel mit dem Auto wartete, haben meine Eltern beschlossen, überhaupt nichts mehr zu merken. Wir bekamen Asyl und wurden zwar von einem Asylantenheim ins andere verschoben, aber keiner von uns konnte mehr durch Heckenschützen umgenietet werden, also ... Uns Kinder aus dieser Hölle rausgebracht zu haben, hat ihre Energie völlig aufgezehrt. Zusammengeklappt wie Puppen. Schon im Transitraum auf dem Flughafen in Bukarest, als uns die Rumänen drei Tage festhielten und unsere letzten Dollars stahlen, waren sie total fertig. Ich hab' vor Angst den Rotz aus der Nase laufen lassen, 'n Knirps, der alles mitbekam. In den ersten Jahren spielten sie noch ihr Sohn-ich-sage-dir-Spiel, schrien mich an und machten in der Nacht zusätzliche Kinder, aber dann hat sogar meine Mutter kapiert, daß sie hier heimlich die Pille nehmen kann. Und jetzt … Eine Stille wie zu Heiligabend in Zehlendorf.«

Avif grinste und Jamal versuchte, es ebenfalls komisch zu finden.

Das Zimmer erinnerte ihn an die Wohnung seiner Großeltern. Teppiche, die jedes Geräusch verschluckten, dunkle Mahagonimöbel, Stühle aus Korb und hohen strengen Lehnen, ein niedriger Tisch mit Intarsienmuster, das gerahmte Foto eines Vorfahren und darüber eine stilisierte Koransure auf einem Teller aus gehämmertem Zinn. Auf dem Wandbord die Miniaturausgabe der Al-Aqsa, zwischen zwei Glasschalen die ledergebundene Ausgabe des Koran und daneben kleine Deckchen und Gebäckschachteln, wie man sie vor dem Krieg in den Souks am Platz der Märtyrer kaufen konnte.

Avif hockte sich auf die Couch, nahm die Fernbedienung vom Rauchtisch und schaltete das Videogerät ein, das Jamal übersehen hatte. Im schmalen Schlappmaul des schwarzen Apparates ruckte eine Kassette vor und zurück, wurde geschluckt, an der Armatur leuchteten rote Lichter auf, und auf dem Bildschirm begannen dicke graue Flocken zu rieseln. Dann wurden sie dünner und durchsichtiger und gaben den Blick auf eine Bühne frei, auf der eine schmale, hochgewachsene Frau mit konzentriertem Gesicht ein Mikro zwischen ihren gebetsartig ineinander verschränkten Händen hielt. Celine Dion.

Tu vois pas que j'crève, que j'suis vidée/Que j'ai plus de sève, que je vais lâcher/Regarde-moi, dis-moi les mots tendres/Ces mots tout bas/Fais-moi redescendre loin de tout – loin de tout ça/je veux, je commande, regarde-moi.

Jamal sah, wie Avifs Augen zu leuchten begannen. *Regardemoi*, eindringliche Bitte und sanfter Befehl. Er wußte nicht, was er sagen sollte. Bisher hatte er so etwas unter der Rubrik Kitsch geführt. Aber hier bekam es auf einmal ein Gewicht, ein Gegen-Gewicht gegen die Todesstarre dieses Zimmers, wo sogar die Staubkörnchen, die träge im Nachmittagslicht flatterten, einem Ascheregen glichen.

Tu vois pas que j'crève? Sieh mich an, und schau, was um dich herum vorgeht.

»Die kennst du doch?« fragte Avif, als er sich einmal kurz vom Bildschirm losriß.

»Was denkst du denn.«

»Hör dir diese Stimme an«, sagte Avif, während er den Ton lauter drehte, damit sie nicht mehr das Töpfeklappern aus der Küche hören mußten. »Wenn alles zuviel wird und mich nur noch nervt, setz' ich mich hierher und hör ihr zu. Verstehst du die Worte?«

Natürlich verstand er sie. Gerade deshalb fühlte er sich ja unbehaglich. Das war alles nah, sehr nah. Zu nah, vielleicht. Diese Worte, seine Gefühle für Avif, seine Erinnerung an das schmale Zimmer in Beirut, als er in einem anderen Leben, in einer anderen Zeit ebenso in die Musik geflüchtet war, um zu vergessen. Damals waren es Frauen wie Kim Wilde oder Sandra gewesen, die ihn aus der Enge der Stadt herauskatapultieren sollten. *Keep me hanging on. I was never been Maria Magdalena ...* Lächerlich; am liebsten hätte er es vergessen. Sollte das alles noch einmal aufleben?

Jamal war froh, als die Mutter, eine massige Frau mit Kopftuch, im Zimmer auftauchte und sagte, daß das Essen fertig sei. Sie hatte den gleichen harten Akzent wie ihr Sohn, wenn er arabisch sprach. Avif schaltete das Gerät aus. Von einer Sekunde zur anderen verschwand Celine Dion. Nun war es wieder allein das über der Schrankwand *thronende* Foto des alten Mannes mit grauem Schnurrbart, das den Raum ausfüllte.

In der Küche balgten sich die jüngeren Geschwister. Mit schleppend vorgetragenen Drohungen und Versprechungen, am Nachmittag etwas Süßes gekocht zu bekommen, wurden sie von der Mutter abgehalten, sich dem wachstuchbedeckten Tisch neben dem Fenster zu nähern, an dem Avif und Jamal saßen und Bohnenreis in sich hineinschaufelten.

Wachstuchtisch und Kurdenessen, dachte Jamal. Und eine Frau, die ihn ohne Erstaunen, aber mit unendlicher Müdigkeit begrüßt hatte, *Salam* sagte und gleich danach in die Küche gegangen war, um für den Gast zu kochen. Obwohl sie fast stumm zu sein schien, erinnerte sie ihn an die voluminöse Mutter in Monty Pythons *Das Leben des Brian,* das er sich vor kurzem, brüllend vor Lachen, mit Katja im Freilichtkino in der Hasenheide angesehen hatte. *Mein Sohn ist nicht der Messias, und nun verpißt euch, ich sage: Verpißt euch!*

»Warum lachst du?« fragte Avif.

»Nichts Besonderes. Ich fühl mich nur wohl.«

Sah man, daß er log? Er fühlte sich ganz und gar nicht wohl. Auch wenn Avifs Mutter nicht keifte, sondern nur die Kochtöpfe auf der Herdplatte herumschob, als sei sie eine Kartenlegerin ohne Karten, eine wissende Frau, deren Wissen keiner mehr braucht. Alle zwei Minuten sah sie zu ihnen herüber und fragte, ob sie noch mehr wollten; sie habe genug gekocht.

»Shukrom«, sagte Jamal und schüttelte den Kopf. Dafür, dachte er, dafür bin ich nicht nach Berlin gekommen. *Dafür* doch nicht.

Nicht für die Graupenbeutel und Bohnendosen im Küchenschrank, hinter dessen Glasscheiben Fotos steckten, verblichene Farbaufnahmen und an den Rändern gezackte Schwarzweißbilder. Beyrouth ya Beyrouth, Heimat oh Heimat, Schmerz der Fremde und so weiter. Jamal trank so hastig sein Glas Wasser, daß er sich verschluckte. Avif klopfte ihm auf den Rücken. Die Mutter sah ihnen mit besorgtem Lächeln zu.

»Du hast Glück, daß du *heute* hier bist. Ein ruhiger Tag. Der Rest der Geschwister treibt sich in Vaters Trödelladen herum.«

»Wo?« fragte Jamal.

»In Vaters Trödelladen. Kennst du das Wort nicht? Mahal al-Ataah. Die Deutschen sagen *Trödelladen* dazu. Vaters Paradies. Vorher hat er gelitten wie ein Hund; neun Jahre keine Arbeitserlaubnis. *Neun Jahre!* Lieber stopften sie ihn mit Sozialhilfe voll, die weder vorn noch hinten reichte und ihm das Gefühl gab, das Gefühl geben *sollte*, er sei nichts als ein Schmarotzer. Und die Familie gleich dazu. Jetzt hat er's endlich geschafft. Eine kleine Secondhand-Bude hinterm Hermannplatz. Nicht die beste Adresse, nicht die beste Kundschaft, auch kein toller Umsatz, aber immerhin. Vater hat seit einem Jahr wieder ein Geschäft, und das macht ihn glücklich. Eine Art Illusion, noch immer der große Familienernährer zu sein; ich gönn ihm den Traum. Nur hat er gerade Streß mit dem Finanzamt, denn um genug Deutsch zu lernen, um all die Formulare hier zu kapieren, dafür hat es bei meinem alten Herrn eben nicht mehr gereicht. Typisch.« Avif schüttelte erbost den Kopf. »Kann sein, daß ich in nächster Zeit mal hin muß. Ich muß ja immer antanzen, wenn sie sich wieder in die Scheiße geritten haben. Wenn es Streß mit dem Bruder in der Schule gibt, mein Vater sich weigert, mit der Lehrerin – *eine Frau*, das ist unter seiner Würde – zu reden, und meine Mutter, in Tränen aufgelöst, zwar reden will, aber nicht kann, weil sie Deutsch spricht wie 'ne Karikatur. Nach *zehn Jahren!*«

Jamal sah zu Avifs Mutter. Falls sie etwas verstanden hatte, ließ sie sich nichts anmerken. Mit der Routine eines Automaten bewegte sich ihr Rücken zwischen Herdplatte und Kühlschrank. Jamal fragte sich, für welche Heerscharen hier dauernd gekocht wurde.

Avif zwinkerte ihm zu. »Alles hat einen Vorteil. Null support von deiner Family, aber gleichzeitig wissen sie, daß sie dich in Ruhe lassen müssen. Ob ich im Hotel jobbe oder bei dir übernachte, ob ich das Abi nachhole oder mir 'nen Schuß setze; alles egal, wenn ich nur wiederkomme und esse. Mit 'nem Freund oder allein, alles ist okay, solange es nicht die Polizeistreife ist wie bei meinem Bruder. Das ist das einzige, was uns noch zusammenhält. Dieser klapprige Tisch und die vollgekrachten Teller darauf.«

Offensichtlich verstand die Mutter tatsächlich kein einziges seiner Worte. Von Zeit zu Zeit sah eines der Kinder zu ihrem Tisch hoch, hielt ihnen eine Klapper oder ein verschmiertes Spielzeugauto hin, und Jamal bemühte sich, freundlich zu lächeln und das Würgen in seiner Kehle zu unterdrücken.

Avif beugte sich zu ihnen herab und klatschte in die Hände. »Na los, kommt her.« Leise redete er auf deutsch mit ihnen. Nach einer Weile wandte er sich wieder Jamal zu und strich sich über seinen Raverbart. »Weißt du, wenn ich es ihnen nicht beibringe, tut es keiner. Weder meine große Schwester, die wir so gut verheiratet haben, daß sie schon jetzt eher einer Henne als einer Frau gleicht, noch die anderen Kinder, mit denen sie spielen. Alles Araber, Türken oder Yugos, nie Deutsche. Und darauf sind sie auch noch stolz.«

»Wer?« fragte Jamal.

»Na, die Araber. Und auch die Deutschen. Wer von denen im Wedding wohnt, ist doch selbst das allerletzte.« Sein Blick war hart geworden und schien durch Jamal mitten hindurch zu gehen.

Als ihr Schweigen drückend geworden war und die Mutter mehrfach zu ihnen hinübergesehen hatte, sagte er: »Ich zeig dir meine Zimmerhälfte. Mach dich auf was gefaßt.«

Jamal bemühte sich, seine Bestürzung zu verbergen. Was für ein Loch!

Ein halbes Zimmer, abgeteilt durch einen bis zur Decke reichenden Schrank, an dem eine Matratze lehnte, daneben ein schmaler Tisch mit Drehstuhl und ein kleiner CD-Player. »Also...«

»Tja«, sagte Avif und öffnete das Fenster. »Wenigstens der Blick ist schön, 'ne Totale auf das Shopping-Center drüben am Gesundbrunnen. Leider nur die Rückseite, da, wo nichts mehr glänzt und funkelt. Früher gab es dort einen vergammelten Platz mit einer kleinen Wäscherei und 'nem vergammelten China-Restaurant. Inzwischen alles plattgemacht für das Center.« Er pfiff durch die Zähne und holte aus der Tischschublade zwei säuberlich gedrehte Joints.

Jamal lehnte ab. Statt Schiitenviertel U-Bahn-Station Pank-straße, dachte er. Er hatte das Gefühl, hinterrücks in seine Vergangenheit gezerrt zu werden. Statt der zerstörten Stadt die boomende Stadt, statt zerbombten Gebäuden die Arschseite eines riesigen Shopping-Centers. Und noch immer der Blick aus dem Fenster, aus der Ferne, aus dem Abseits. Nicht dazugehören wollen oder nicht dazugehören dürfen; als gäbe es keine andere Alternative. Aber Avif kämpfte doch! Na und, dachte Jamal, er kämpft, und ich muß weg. Schon ruft *meine* Family, deren Trödelladen besser und größer und erfolgreicher ist, ruft mich und erzählt von den neuen Häusern und Hotels, die jetzt in Beirut nur so aus dem Boden schießen. Danke Allah, danke dem Frieden, danke dem Premierminister und deinem Vater gleich dazu, und halte dich bereit für die Rückkehr. Es machte ihm Angst, und er hatte nicht die geringste Idee, was er gegen diese Angst tun konnte. In den letzten Wochen hatten sich die Anrufe der Eltern gehäuft, in denen sie ihn *baten*, doch vor dem Ende seiner Sommerferien für eine Woche zurückzukommen. In die Heimat, in deine Vergangenheit, die auch deine Zukunft werden wird, wir schwören's. Und hungern wirst du bestimmt nicht müssen. Aber hungern mußte ja nicht einmal Avif; keiner von ihnen mußte das. Der Bohnenreis und die süßen Baklava-Granaten waren immer da, bereit, im Magen zu explodieren und eine Schläfrigkeit zu schaffen, die das ganze Leben über anhalten würde. Jamal ahnte, daß sie damit auch ihn kriegen würden. Avif womöglich nicht, der sprang ihnen von der Schippe, der schlug sich durch. Aber er, Jamal Kassim?

Avif hatte die Joints in die Lade zurückgelegt und seinen Arm auf Jamals Schulter gestützt. »Weißt du, das ist es, was dir hilft, durchzuhalten. Tür zu, Fenster zu, Beine auf den Tisch, Blick in den Himmel und kiffen, kiffen. Grinsen und kiffen und dazu die Stimme von Celine. Da schwebst du, das sag ich dir.«

»Aber du springst nicht?« fragte Jamal.

»Gerade dann, wenn du nicht springen willst, mußt du lernen zu schweben. Aber richtig. So, daß du es kontrollieren kannst.« Avifs Gesicht war ernstgeworden, *sehr* ernst.

Jamals Unbehagen wurde körperlich. Es saß in seinem Magen, saß in den Zehen, die auf den zerschlissenen Teppich traten, und rieb wie Sandpapier in seinen Augen, die nicht sehen wollten, was sie hier sahen.

Auf einmal wollte er nur zurück in seine Eros-Bude. Zum ersten Mal begann er zu ahnen, daß es neben und unter seiner fröhlichen Bastion ähnliche Behausungen geben mußte, nach Bohnenreis riechende Zimmer mit abwesenden Vätern, stummen Müttern und Söhnen, die sich am liebsten an den Wänden die Fäuste blutig gehauen hätten. Aber Avif, weshalb ließ ihn dieser Gedanke nicht los, Avif kämpfte, lachte und spottete. Und hielt Jamal seine Schönheit, seine Kraft entgegen. Wie einen Vorschlag. Oder einen Vorwurf. Er wußte, daß er nicht in der Lage war, es nie sein würde, darauf einzugehen. Wie eine Blase, größer und größer werdend und ihm in ihrem Vakuum die Luft abschnürend, schwebte die Frage im Raum, was *er*, Jamal Kassim, in all den Jahren in Berlin getan, was *er* aus seinem Aufenthalt hier gemacht hatte.

Aufenthaltsgenehmigung, vier Jahre gültig, hörte er sich in Gedanken wiederholen, störrisch und routiniert. Und falsch, völlig falsch. Er hatte jetzt nur noch *ein* Jahr. Ein einziges Jahr.

Er setzte auf das Prinzip Überrumpelung. Sollten sie sehen, wie sie miteinander zurechtkamen. Er jedenfalls hatte keine Lust, ihnen wie bei einer arabischen Großhochzeit den Zeremonienmeister zu machen. Er machte nur die Anrufe. Silvia, Yousuf, Katja.

Avif wußte schon Bescheid; er war es gewesen, der die Idee dazu gehabt hatte.

Sonntagnacht im GON-Club, du zeigst mir deine Freunde, und ich zeige ihnen, wie Araber tanzen. Etwas hatte Jamal an den Worten irritiert.

Katja nahm die Einladung mit jener fröhlichen Neugierde an, die Jamal erwartet hatte. Dann laß mal sehen, Herr Kassim ...

Bei Silvia und Yousuf gab es ein riesiges Gekreisch im Telefon-hörer. Hey, du Schuft, wo hast du die ganzen Monate gesteckt, wir haben uns Sorgen gemacht und nun einfach so *holterdiepol-ter und hopplahopp* (gerührt erkannte Jamal in Silvias Worten Yousufs Vorliebe für seltsame deutsche Ausdrücke), so *mir-nichts-dir-nichts* am Apparat, und das gleich mit einer Disco-Ein-ladung.

»Gibt's was zu feiern?« fragte Silvia.

»Nicht, daß ich wüßte«, sagte Jamal. »Einfach uns mal wieder-sehen und abtanzen. Übrigens ... Ein Freund und eine Freundin kommen auch mit. Ich hoffe, das stört euch nicht.«

»Oho«, flötete Silvia. »Ganz und gar nicht. Im Gegenteil ...«

Oho, dachte er. *Im Gegenteil.* Gut zu wissen, daß sie unterein-ander noch immer Signale aussenden und empfangen konnten.

»Kann ich mal Yousuf haben?« fragte er.

»Sofort. Er ist schon die ganze Zeit dabei, mich körperlich zu bedrohen, um dich an die Strippe zu kriegen.« Jamal fühlte, daß die Zeit ihrer Liebe nichts hatte anhaben können, daß sie genau-so albern und fröhlich waren wie am Tage ihrer Hochzeit. Er empfand ein wenig Neid. Aber auch das berührte ihn seltsam: Er hörte Yousufs Stimme, ganz nah an seinem Körper, *in* seinem Ohr, aber der, an den er denken mußte, war Avif. Avif, der ebenso in die Wörter verliebt war, redete und redete und mit jedem Satz eine Wirklichkeit aufriß, die Jamal bis dahin hinter einem Schleier wahrgenommen hatte, wenn überhaupt. Ungeduldig sehnte er das Ende des Telefonats herbei und erzählte Yousuf in Kurzform das gleiche, was er eben mit Silvia besprochen hatte. »Also Punkt Mitternacht, seid pünktlich. Ich freue mich, euch zu sehen.«

Er hörte Yousufs Lachen. »Hast du eine Ahnung, wie wir uns erst freuen. Und *ich* erst! Mann, Jamal ...«

Volare: ohoh; Cantare: ohohohoh. Nie zuvor hatte er Türken auf italienisch singen hören. Genau das aber taten sie, ausnahmslos in blütenweiße Hemden gekleidet, im Halbkreis um die Tanzflä-che versammelt und unter den drehenden Lichtkugeln, die nichts gemein hatten mit den harten Stroboskop-Strahlern in den Tech-no-Clubs, sich gegenseitig die Arme um die Schultern legend und jeden Refrain gnadenlos verstärkend. *Knowing me, knowing you, aha.*

Zum allerersten Mal bereitete es Jamal keine Magenkrämpfe. Die hier wollten sich nicht um jeden Preis verbrüdern, sich ausforschen und irgendwo eingliedern, die wollten einfach Spaß. Es war nicht dieses frustrierte Solo-Tanzen wie vor den durch Rauchspiralen fast unsichtbar gemachten Spiegeln in den anderen Schwulen-Discos, aber es war keiner jener Hochzeitstänze, die er früher im Dorf erlebt hatte, wo die Arme der anderen wie Bleigewichte auf seine Schultern drückten. Es war einfach nur ... schön. Wirklich schön. Ohne Mache, ohne Aggressivität. Und ohne Einsamkeit, das auch. Es lag nicht nur an diesem Club, in dem junge Frauen ebenso wie Männer tanzten, lag nicht nur an dem hellen Dekor, das keinen Platz für verräucherte, steinerne Schmuddel-Ecken ließ, lag nicht nur an der Musik, die von Ethnopop bis zu den Seventy-Hits eine Zeitmaschine war, die sie durch die Welt jagte. Es war so neu, so wunderbar, daß er nicht einmal den Mut fand, sich umzudrehen und zu sehen, ob es auch den anderen gefiel.

Avif Katja Silvia Yousuf. Wie Beschwörungsformeln flüsterte er ihre Namen. Vergessen die Angst, die ihn in der Wohnung von Avifs Eltern befallen hatte, vergessen die Panik vor der Zukunft. Mit jeder Minute, die er hier war, fühlte er sich freier, gelöster.

Fi-Dunia El-Kibira, u-Blad hal Kabira, Lafet Lafet Lafet, und Avif faßte Jamal an den Händen. *U-lama nadani, Houb el-Aualani, schoft Kolu u-git, u-fi-Hodnu tramet, Salma ya Salama rohna ugina fi el Salama*, und Katja schob sich dazwischen, Yousuf nahm Jamals linke Hand, und Silvia hakte sich bei Avif ein. *Li sal houb Soufi, ulissa al-Goudani, u-lissa fi-Amari*, und sie tanzten quer über die ganze Tanzfläche, angefeuert von den anderen, *Lafet Lafet Lafet*.

Tarkans Stimme drang durch den Lautsprecher, *Simarik Simarik Simarik*, Rachid Tahas *Ida* und Khaled. »Das ist *Chebba*, erinnerst du dich?« flüsterte Katja Jamal ins Ohr, und ihre Augen glänzten.

Es war irre, und es hatte Stil. Eine eigene Welt, weit weg von Kreuzberg und Wedding. Weit weg von dem, was Jamal zu ignorieren versuchte und Avif seit Jahren bekämpfte, um nicht davon verschlungen zu werden. Kein böses Schweigen auf windigen U-Bahnhöfen, deren Wandkacheln vor Schmutz starrten, kein Jungmännergebrüll in überfüllten Döner-Läden, kein Sonnenblumenspucken und Schwanzkratzen. Und auch keine deutschen Ämter, in denen du zur Nummer wirst; berechtigt, einen Paß zu beantragen, vor allem aber berechtigt, vor einem Schalter zu stehen und das Wort *Nein* zu hören.

Der Club war exterritorial. Schon die BMW's und Porsches, die mit quietschenden Reifen auf der Straße gehalten hatten, als Jamal und Avif vor dem Eingang standen und auf die anderen warteten, gehörten in eine andere Welt. Nicht nur Schwule, auch Heteros mit ihren Freundinnen tauchten auf. Elegant und lebendig; kein Vergleich zu den Germanen-Yuppies in den Clubs von Schöneberg und Mitte, ihrer aufgesetzten Lockerheit, ihrer sagenhaften Naivität. Die, die hier ihre Wagen parkten, vor dem Eingang warteten, sich durch das volle schwarze Haar strichen und dabei Givenchy- und Versace-Wölkchen in den Himmel steigen ließen, die, dessen war sich Jamal sicher, wußten Bescheid. Die hatten erfahren, was es hieß, *Ausländer* genannt zu werden, obwohl sie hier geboren waren, hatten das Schweigen oder die hysterischen Forderungen ihrer Familien über sich ergehen lassen müssen, die Ignoranz der Einheimischen und das Klumpenbilden der verschreckten Zuwanderer.

Und siehe da, sie hatten es geschafft, das war aus ihnen geworden: gutaussehende junge Leute, von den Deutschen sogar beneidet. Braungebrannt die jungen Männer, in Bluejeans und weißen Hemden, Goldkettchen und Handys durften nicht fehlen; alles vielleicht einen Tick *too much* auf Latin Lover, aber das war okay. Und dann die Frauen, diese wunderschönen Frauen! Waren es die gleichen, die sich das Kopftuch wegrissen, sobald sie aus dem Haus waren, die sich bei Freundinnen heimlich schminkten und todschicke Fummel kauften, während ihre grabfarbenen Gehorsamsklamotten in einem Plastikbeutel versteckt wurden, für einen Nachmittag oder eine ganze Nacht? Wohl kaum. Die hier hatten es bereits geschafft, die zeigten ihr Lächeln der ganzen Stadt. Denen machte keine erhobene Hand mehr Angst. Nie mehr.

Als Jamal sie so ansah, war er verdammt stolz auf sie. Und stolz war er auf Avif, der neben ihm stand und keinen Platz für unterwürfige Scham ließ. Jetzt wollen wir uns aneinander messen; es war, als würde er das den jungen Türken und der Stadt Berlin zurufen. Jamal schämte sich für die Sorge, die ihn den ganzen Tag nicht losgelassen hatte, seine peinliche Furcht, daß Avif in billiger

Straßenkleidung hierher kommen und ihn vor seinen Freunden blamieren könnte. Ein Idiot war er gewesen. Avif trug ein olivgrünes Muskelshirt, und er sah umwerfend aus.

Aber darauf kam es nicht an. Avif hatte in *allem* die Kraft, es zu schaffen, nicht aufzugeben, sich nicht klein machen zu lassen; niemals.

Jamal war froh, als er Katja und kurz darauf Silvia und Yousuf in die Nürnberger Straße einbiegen sah. Ihre gegenseitigen Umarmungen dauerten mindestens ein Jahr.

Da war er wieder in seinem Element, war er doch der einzige, der sie alle kannte. Der die Fäden ziehen konnte, sie untereinander vorstellte, Witze riß, mit Freude und Stolz ihre wißbegierigen Gesichter betrachtete und, um keine Verlegenheit aufkommen zu lassen, lautstark drängte, nicht auf dem Gehsteig festzuwachsen, denn gleich nach Mitternacht würde die Bauchtanz-Show beginnen.

»Du hast es dir gut gemerkt«, flüsterte ihm Avif ins Ohr, und ohne sich um die anderen zu kümmern, gab Jamal ihm einen Kuß.

Und dann tanzte er. Tanzte sich zum ersten Mal nicht weg, suchte kein anderes Universum, ließ seine Blicke nicht ruhelos umherschweifen, sondern fand seine Augen gespiegelt in den Augen der anderen. Avif. Katja. Silvia. Yousuf.

Laß es so bleiben, dachte er. Lieber Gott, laß es so bleiben.

Als sie, ermüdet von ihrer grandiosen Show-Einlage, eine Etage höher gestiegen waren, in den Clubsesseln saßen und sich über das chromglänzende Geländer lehnten, um die Schemen im Disco-Nebel unter sich zu beobachten, hauchte ihm Katja ins Ohr: »Das Glück springt dich an wie ein träger Panther.« Als er sie verblüfft angeschaut hatte, fügte sie hinzu: »Das ist 'ne Gedichtzeile.«

»Und wann springen Panther, die träge sind?« fragte Jamal.

»Selten, ganz selten. Deshalb macht sich das Glück ja so rar.«

»Und was ist das Glück?«

»Manchmal schon ein Abend wie dieser.« Die Elfenkönigin hatte rätselhaft gelächelt und sich von Yousuf, der gerade mit einem Tablett voller Whiskey-Cola kam, zwei der im Licht fluoreszierenden Gläser reichen lassen.

»Prost, mein Schatz.«

»Prost, Schätzin.«

Wie ein Geist war Avif aus dem Hintergrund aufgetaucht und hatte ihnen beiden seine Hände auf die Schultern gelegt.

»Was ist«, sagte er leichthin. »Soll ich Trauzeuge sein?«

Katja lachte, und Jamal hätte sich beinahe verschluckt.

»Willst du mir sagen, daß *das* Arte ist?« Jamal verzog angewidert das Gesicht.

»Pscht«, zischte Avif.

Er griff nach der Fernbedienung und stellte den Ton lauter. Es sprach der Mullah aus Tripoli. Auf dem Bildschirm erschienen ein bärtiges Gesicht und ein erhobener Zeigefinger. »Ich sage euch, wenn einer zwei Organe hat, dann ist er nicht schuldig. Dann ist er krank und hat ein Recht auf unser Mitleid.« Kameraschwenk zu einem grellgeschminkten Transvestiten neben ihm; die Grimasse, die die Gestalt zog, konnte Zustimmung bedeuten oder auch das Gegenteil.

»Doch nicht Arte«, erklärte Avif kurz, »ART ist das. Arab Television. Mit deiner Parabolantenne kannst du das problemlos empfangen.«

»*Problemlos?* Glaubst du, daß ich solche Kanäle einschalte? Mir reicht schon das Geigengewimmer bei den Türken und ...« Aber Avif hatte wieder *Pscht* gemacht und sich auf Jamals Couch vorgebeugt, um kein einziges der Worte zu verpassen.

Wahrscheinlich berichtete zum allerersten Mal ein arabischer Fernsehsender über Schwule, und sie beide hatten nichts besseres zu tun, als sich das anzusehen! Avif war ganz aufgeregt, aber Jamal hatte sich seit der Ankündigung des ölhaarigen und scheinheilig lächelnden Moderators – »Liebe Eltern, bitte jetzt *nicht* ausschalten! Informieren Sie sich, um Ihre Kinder zu schützen!« – nur nervös eine Zigarette nach der anderen angezündet.

Sie hatten den ganzen Tag in der Stadt verbracht und waren bis zum frühen Abend im Laden von Avifs Vater festgehalten worden. Avif hatte sich glänzend geschlagen, während Jamal die Vorstellung nicht losgeworden war, sich mitten in einer Sitcom wiederzufinden. Mühsam hatte er sein Lachen unterdrückt und mit unbewegter Miene zugehört, wie Avif die mahnenden Worte des Steuerberaters in blumiges Arabisch übersetzt und die wüsten Schimpftiraden seines Vaters in korrekte deutsche Amtssprache gebracht hatte. Ein Genie!

Kurz darauf, sobald sie außer Sicht und Hörweite des Trödelladens waren, hatten sie sich in die Rippen gepufft und vor Lachen gebogen; ihr Weg bis zur U-Bahn am Hermannplatz eine einzige Spur von Fröhlichkeit. Später, als sie den gestrandeten Dampfer betraten, hatten sie keine Lust verspürt, auf den knirschend ins Parterre ruckenden Lift zu warten, sondern waren nebeneinander das Treppenhaus hochgestürmt, jeder dem anderen einmal um Schulterlänge voraus, Feuertüren krachten auf und zu, Keuchen und Lachen und dann ein letzter Sprint auf dem dunklen Korridor in der neunten Etage. Sie waren außer Puste. Sie schwitzten, und sie waren glücklich. Sie hatten zusammen geduscht und sich noch im Bad geliebt, sie hatten in der Küche Spaghetti gekocht und Salat gewaschen, sich über die Arbeitsteilung in die Haare gekriegt und in die Finger, sie hatten sich angerempelt und geküßt und wieder lachen müssen und schließlich, als es draußen dunkel geworden war, auf dem Teppich des Wohnzimmers ein weißes Tischtuch ausgebreitet und gegessen. Gegessen und, natürlich, die ganze Zeit weitergeredet. Jetzt hatten sie schon gemeinsame Erinnerungen: Der Balkensprung im Tiergarten, der Abend im GON-Club (immer wieder dieser Abend im GON-Club, mythisches Ereignis bereits wenige Tage danach), der Besuch bei Avifs Mutter, Avifs Zimmerhälfte, die hochdiplomatische Konfliktschlichtung im Trödelladen des Vaters.

Und dann hatte Avif die Idee gehabt, den Fernseher anzuschalten und sich durch die Kanäle zu zappen. Wie ein altes Ehepaar, hatte Jamal gedacht, den Gedanken aber sogleich zurückgewiesen. Avif und alt! Avif und Routine! Da mußte er sich schon anderes einfallen lassen, um eine Begründung zu finden, daß seine Begeisterung immer wieder auf eine Angst stieß, gegen die er sich nicht zu wehren vermochte. War das Leben, das mit Avif hier eingezogen war, nicht das, wovon er immer geträumt hatte? Hatten an diesem Sonntagabend nicht alle, Katja ebenso wie Silvia und Yousuf, mit ihren gerührten Blicken gezeigt, daß sie froh waren, ihn so glücklich zu sehen, daß sie ihm alles vergeben hatten, was jemals zu vergeben gewesen war? Warum dann diese Furcht vor einer Falle? Hatte er nicht verstanden, daß sein Leben der letzten Jahre an einem toten Punkt angelangt war und ihn allein Avif gerettet hatte? Ja und Ja und Ja.

Genau so war es, ganz sicher. Nur ... Nur hatten sie damals im GON-Club tatsächlich *gerührte Blicke* gehabt. Araber kommt in fremde Stadt und bleibt fremd, bis er anderen Araber ... Wie typisch. Wie erbärmlich! Willkommen im großen Wir, im Klischee, im Ghetto der Schwachen.

Forschend sah er Avif von der Seite an. Sah die hohe Stirn, die Schläfen, den Kinnbart, die schwarzen Augenbrauen, sah seinen Blick. Diesen Blick, der zärtlich war und fordernd, der permanent zu sagen schien: Sieh hin, schau dich um. Zärtlich und fordernd, genau das war es.

Avif hatte diesen arabischen Sender gefunden, den man per Satellit sogar in Berlin, in ihrer Eros-Bude (*ihrer* Bude, das dachte er nun schon seit einer Woche; *das* also war es nicht, was ihm Angst machte) ohne Rauschen und Schneegeriesel empfangen konnte. So geschah es, daß sie, nebeneinander auf der Couch sitzend, diese erbärmliche Sendung über arabische Schwule sahen. Das heiß, das Wort *schwul* kam kein einziges Mal vor. *Al-Monharf*, der, der asozial ist, kam vor, *der Kranke* kam vor und natürlich *der Wollüstige*, der, der sich von anderen Männern *par le derrière* nehmen läßt – wann immer es ging, flüchtete sich die Verdruckstheit der Studiogäste in französische Vokabeln.

»Aber ich sage euch, wenn immer er es will, es aus freier Entscheidung wirklich will, dann begeht er ein Verbrechen.«

»Bitte schalt diesen Scheiß aus«, bat Jamal und versuchte, nach der Fernbedienung zu greifen. Aber Avif entwand sie ihm geschickt, streckte senkrecht seinen Arm in die Höhe und lachte ihn aus. »Was regst du dich auf? So sind sie eben; ich find's lustig. Und die Worte, die sie in den Mund nehmen, als wären es Glasscherben, alle Achtung. *Aber ich sage euch* ...«

Jamal zog ein gequältes Gesicht. Zweimal am Tag dieses Geschwätz zu hören war zuviel. Dabei war es in diesem mit alten Möbeln, fleckigen Spiegeln und Bücherkisten nur so vollgestopften Laden von Avifs Vater lustig gewesen. Wieder hatte ihn Avifs Energie mitgerissen. In diesem muffigen Raum zu stehen, Staub und Moder zu riechen und zu sehen, wie sich der Freund rittlings auf einen der alten Stühle setzte, Arme über der Lehne verschränkte und den Kopf hin- und herdrehend zwischen seinem Vater und dessen Steuerberater, die um einen Tisch hockten und sich permanent mißverstanden! Es war traurig, und es war zum Brüllen.

Ein Jahr Trödelladen, ein Jahr keine Abrechnung, da konnte der Vater noch dankbar sein, daß er mit dem Geschäft auch den

Vertrag mit dem Steuerberater übernommen hatte, der sich, wofür seine mißmutige Miene, die zerschrammte Aktentasche und sein zerknittertes, am Kragen schweißnasses Hemd sprachen, damit über Wasser hielt, daß er für sämtliche Kleinhändler in der Gegend die Verhandlungen mit dem Finanzamt führte.

Zum Glück versteht er kein Arabisch, hatte Jamal gedacht. Ansonsten wäre bestimmt nicht nur sein Hemdkragen schweißnaß geworden.

»Sag ihm, ich gebe seiner Familie Geld, und er kann sich hier im Laden auch noch eine Kleinigkeit aussuchen. Dann soll er mich in Ruhe lassen.«

Avif atmete tief durch, überlegte kurz und übersetzte: »Mein Vater sagt, daß er auch in Zukunft gern mit Ihnen zusammenarbeiten würde.«

»Gut, aber dann muß er mir endlich die Belege . . .«

»Avif, was sagt er da?«

»Vater, er sagt, du mußt ihm endlich die Belege . . .«

»Was redet er von Belegen, bin ich ein Buchhalter? Ich habe keine Belege! Sag ihm, daß ich meine Kunden gut kenne, die kommen immer wieder, und dann besiegeln wir alles mit Handschlag. So, wie wir es damals gehalten haben. *Belege!*«

Der Steuerberater nickte heftigst. »Genau, *Belege!* Einnahmen, Ausgaben, Abrechnungen, Sie verstehen?« Er hatte seinen Kopf ganz nah zu Avifs Vater hinübergebeugt, während Avif sich zurückzog und Jamal, der neben einer Kommode mit Aufsatz wie ein weiteres Möbelstück im Raum stand, ein verschwörerisches Blinzeln sandte.

Er tippte dem Deutschen auf die Schulter. »Da können Sie ihm noch so nahe kommen, mein Vater versteht kein Wort davon. *Mir* müssen Sie das erzählen, damit ich es übersetzen kann.«

Der Deutsche schaute resigniert drein. »Ja natürlich«, sagte er, »das vergesse ich immer wieder.«

Und Avif übersetzte seine Worte. Filterte sie, schmückte sie aus, schwächte ab oder dramatisierte, sprach von der drohenden Schließung des Geschäfts, vom Spott der anderen Händler in der Straße, von – die stärkste Waffe, die er erst am Schluß hervorholte – der Familie, die enttäuscht sein würde, falls, ja falls der Vater nicht endlich begänne, Buch zu führen, meinetwegen auch auf arabisch, ich, Avif, dein Sohn würde es dem Deutschen schon übersetzen.

»Hat dieser Ungläubige dir geraten, so mit deinem Vater zu reden? Will der unverschämte Hurensohn etwa sagen, daß ich ein Betrüger bin? In Beirut hatte ich eines der besten Teppichgeschäfte im ganzen Land – übersetz das, hörst du? Eines der besten Teppichgeschäfte.«

»Mein Vater fragt, ob Sie eventuell Unregelmäßigkeiten vermuten.«

»Hey, dein Vater ist nicht blöd. Warum ist der Satz schon zu Ende? Du übersetzt zu kurz.«

Jamal biß sich vor Lachen in die Faust, und Avif holte geräuschvoll Luft. »Vater, bitte«, sagte er mit entschiedenem Ton. Sein Vater murmelte vor sich hin, verhielt sich nun aber still.

Ärgerlich räusperte sich der Steuerberater. »Herrgott, was ich vermute oder nicht vermute, spielt überhaupt keine Rolle. Was ich brauche«, er machte eine längere Pause, »was ich brauche, sind: *An*kaufsrechnungen und *Ver*kaufsrechnungen, dazu die Belege für Miet- und Stromkosten, vielleicht auch Telefon. Mal sehen, was sich davon absetzen läßt. Höchstwahrscheinlich ist die Gewinnspanne so lächerlich gering, daß Ihr Vater ohnehin nichts nachzahlen muß. Außer der üblichen Gewerbesteuer natürlich, um die kommt er nicht herum. Außerdem benötige ich jedesmal eine Kopie der Gewerbeerlaubnis. Übersetzen Sie das bitte; *Gewerbeerlaubnis*. Sie wissen, gerade bei jemandem, der seine Arbeitserlaubnis ganz frisch hat ... Tut mir leid, aber bei so einem sind die scharf wie die Geier. Die Papiere müssen deshalb in Ordnung sein, und zwar *noch mehr* in Ordnung als bei den Deutschen. Könnten Sie das Ihrem Vater schonend beibringen?« Er zog aus seiner Hose ein schmuddliges Taschentuch und fuhr sich damit über die Stirn.

Avif lehnte sich schweigend zurück und verschränkte die Arme über der Brust. *Papiere* war eines der wenigen deutschen Wörter, die sein Vater verstand, bis in ihren tiefsten Sinn und ihre weitflächigen Bedeutungsfelder hinein verstand.

»Schon gut«, sagte er und streckte seinen grauhaarigen Kopf vor, »schon gut. Mein Sohn machen Papiere, Sie Verhandlungen mit Amt und danach Ihre Rechnung für mich.«

»Genau«, sagte der Deutsche erleichtert.

Avif versprach, sich um die Papiere zu kümmern, alles aufzulisten und notfalls die Belege nachzutragen und zurückzudatieren. Der Steuerberater hob seine abgeschabte Aktentasche vom

Boden hoch, klopfte eine imaginäre Staubschicht von ihr ab und reichte dem Vater die Hand. Mit der Huld eines siegreichen Geschäftspartners schlug der ein.

»Also dann ...« Avif drückte ebenfalls die Hand des Steuerberaters, lächelte seinem Vater zu und gab Jamal das Signal, den Rückzug anzutreten, solange sie beide ihr Gelächter noch niederkämpfen konnten.

Ja, dort inmitten des Geruchs alter Möbel und des mißtrauischen Gesichts eines ehemaligen Beiruter Teppichhändlers, in dessen Händen sich die Fäden seines jetzigen Lebens zu einem hoffnungslosen Knäuel verheddert hatten, dort gehörten die Wörter hin, die hochfahrenden, auftrumpfenden ebenso wie die weinerlichen und mitleidheischenden. Aber er, Jamal Kassim, er empfand kein Mitleid. Keine Spur davon. Ich sage euch ... Mein Sohn ... Meine Ehre ... Meine Familie ...

»Es ist nicht genetisch, sondern eine Erziehungssache«, bemerkte einer der Studiogäste, der sich als Lehrer vorgestellt hatte, mit tadelnder Stimme. »Man muß an die Kinder denken, muß sie schützen.«

Das war das Stichwort, um einen kurzen Film einzuspielen, der ein von Schwulen entführtes und mißbrauchtes Kind zeigte, einen mageren Jungen mit einem Balken über den Augen, dessen elektronisch verzerrte Stimme kaum hörbar war.

»Nun, da sehen wir es einmal ganz deutlich«, sagte der Lehrer.

Jamal bat Avif erneut, das Programm zu wechseln. Er bekam das Gefühl, umzingelt zu sein, eingekreist von Lügen, Vorwürfen und falschen Erwartungen, hypnotisiert und stumm gemacht von diesem längst vergessen geglaubten Ton, der so fordernd, einschmeichelnd, hysterisch und erpresserisch war, daß er ihm nichts entgegensetzen konnte.

Dann war erneut der alternde Transvestit ins Bild gekommen. Offensichtlich als Alibi in dieses Fernsehstudio geladen – seht, wir reden *mit* ihnen, nicht nur *über* sie, das ist die neue Zeit! –, nuschelte der Mann von Schicksal und seinem verstorbenen Vater, der ihm als Kind Gewalt angetan habe und bewegte bei jeder Silbe seine künstlichen Lider, als wäre es das letzte Zucken eines verendenden Vogels. Seht her, so sind sie wirklich.

Jamal kam es vor, als richteten sich in diesem Moment Millionen Augenpaare auf sie beide, auf Avif und ihn, glotzten in dieses Zimmer hinein, zerstörten allein mit ihren Blicken alles, was er in den letzten Jahren an Freiheit in sich hatte wachsen lassen und nahmen in schweigender Verachtung zwei abartige, in Sekunden nun ebenfalls gealterte, übelriechend und faltig gewordene Männer wahr, die vor einem Fernseher saßen und sich bei den Händen hielten. Als hätte er einen Stromschlag bekommen, zuckte er zurück. Er sah doch diese Augen, *sah* sie tatsächlich, hier in jeder Ecke seiner Eros-Bude, und Avif, der diese Gespenster gerufen hatte, um zu beweisen, wie stark er war, Avif lachte nur!

Jamal, mißtrauisch und panisch, mußte sich zusammenreißen, um nicht auf ihn einzuschlagen, um Avif nicht schreiend zu verkünden, daß es zwischen ihnen vorbei war, daß er es nicht mehr aushielt, die Lügen im Fernsehen, den Staub in diesem Trödelladen, den Geruch von Bohnenreis in der Küche seiner Mutter, das Gefängnisverlies dieser Zimmerhälfte, daß er vor allem Avifs verfluchte Fröhlichkeit nicht mehr aushielt, seine zielsichere Selbstsicherheit, die ihn, Jamal Kassim, verhöhnte, weil er anders war, anders lebte und den Dingen auswich, an ihnen vorbeisurfte, anstatt sich mit ihnen zu messen im Kampf um die eigene Zukunft in diesem Land, in dieser Stadt.

Jamal ließ seinen Kopf in Avifs Halsbeuge sinken. Sein ganzer Körper bäumte sich auf, er schluchzte und endlich kamen die Tränen, ein Sturzbach, der über Avifs streichelnde Hände rann.

Sofort drückte Avif die Off-Taste. Wie ein böser Geist sackte die Lügenwelt des weit entfernten Fernsehstudios in sich zusammen, verengte sich zu einem winzigen Punkt und verschwand. »Alles ist gut«, sagte er und drückte Jamal fest an sich. »Keine Angst, alles schon vorbei.« Ahnte er nicht, daß nichts vorbei war, nichts außer ihrer Liebe; fühlte er nicht, daß hier etwas zu Ende ging und er, je fester und zärtlicher er Jamal hielt, ihn um so schneller verlor?

Wenn zwei Schwache sich gegenseitig halten, dachte Jamal, während ihm die Tränen übers Gesicht liefen. Dabei war nur er schwach, er allein. Zu schwach und zu stolz, um Avifs Kraft zu ertragen.

Er wischte sich über das Gesicht und setzte sich auf. »Sorry«, sagte er leise. »Es geht wieder. Kein Problem.«

Die Nachricht, daß Silvia und Yousuf Berlin verlassen würden, kam einige Tage später.

Sie wußten es bereits, als sie Jamal im GON-Club getroffen

hatten, hatten jedoch nichts sagen wollen, um ihm den Abend nicht zu verderben.

Yousuf hatte, vermittelt durch Freunde seiner Mum, einen Dolmetscherjob bei der UN gefunden, sogar ein kleines Apartment in Queens war schon gemietet, und Silvia – ihr kurzes Zögern am Telefon, dann erneut ihre muntere Stimme –, ja, auch sie würde eine Arbeit finden, wo sie ihre Uni-Studien verwursten könnte. (Jamal hatte richtig gehört, sie sagte *verwursten*; eine Vokabel, die selbst er nicht kannte.)

»Aber du hast Architektur studiert«, sagte er.

»Na und? In New York gibt es genug Häuser. Abriß- und Aufbau-Projekte und dazu ’ne ganze Menge Museen. Irgendwie werde ich schon unterkommen. Ansonsten lerne ich eben was Neues.«

Wie selbstverständlich das klang!

Für das kommende Wochenende hatten sie ein Abschiedsessen geplant, und zwar eines unter freiem Sommerhimmel in der Hasenheide; Yousuf hatte darauf bestanden.

»Du bringst ein bißchen Wein mit, und wir kümmern uns um den Rest. Hast du noch dieses Bettlaken aus Giovannis Schrank?«

»Hab’ ich.«

Hätte Jamal nicht vor einem halben Jahr einen Anruf aus London erhalten und kurz mit ihm gesprochen, er hätte noch immer geglaubt, der Italiener sei eine von Yousufs Erfindungen gewesen, um ihm die Eros-Bude zuzuschanzen, ein virtueller Hauptmieter, nur existent in so seltsamen Objekten wie langsam verbleichenden Ramazzotti-Postern und zu Tischtüchern umgewandelten Bettlaken. »Klar«, sagte Jamal, »das Tuch gibt es noch.«

»Prima«, flötete Silvia. »Dann pack es dazu. Und selbstverständlich auch Avif und Katja.«

»Genau«, brummte Yousuf im Hintergrund.

Und selbstverständlich auch Avif und Katja.

Wie hatte er je befürchten können, ein Zusammentreffen all seiner Freunde wäre schwierig? Sie verstanden sich doch bestens, wie sie jetzt im Schneidersitz rund um das weiße Laken saßen, das sie auf dem sanften Abhang der Wiese ausgebreitet hatten, und sich Stichworte wie bunte Bälle zuwarfen. Wie Yousuf und ich in unseren ersten Berliner Tagen, dachte Jamal. Der Unterschied war, daß er selbst schwieg und dies durch ein ebenso geräuschvolles Kauen zu überspielen suchte, wie es vor Jahren der blonde Schwede getan hatte. Wenn Katja sich an einen Sommeraufenthalt in New York erinnerte (sie hatte ihm bis dahin nie davon erzählt) und mit Yousuf über die besten Cafés in SoHo fachsimpelte, konnte er ja schlecht etwas beisteuern. Konnte nichts tun, außer sein Staunen verbergen, daß sie so selbstverständlich über Little Italy und Chinatown und die falschen Cartier-Uhren in der Orchard Street redeten, konnte nichts tun, als zu verhindern, daß ihm der Mund blöde offen stand, als sich nun auch Silvia einklinkte und die auswendig gelernten *subway stations* der Linie 7 von Queens bis hinüber zum Headquarter am East River aufzählte und Yousuf mit ungebrochener Theatralik vorführte, wie er als Guide-Sklave die Berliner Currywurst-Atzes durch den Plenarsaal der UN führen mußte, ehe es ihm später erlaubt würde, als Dolmetscher an Konferenzen teilzunehmen, wo man jeden Tag die Frage Krieg oder Frieden verhandelte. »Eine einzige falsche Übersetzung, und die Amis drücken auf den roten Knopf, um Hellersdorf zu bombardieren!« Seine rollenden Augen, die gewölbten Handflächen, die einen Atompilz nachahmten, die weißen Zähne seines vor Lachen aufgerissenen Mundes.

Jamal versuchte ein freundliches Lächeln. Nostalgie, Nostalgie. Und Pläne über Pläne, die nicht ihm galten, nichts zu tun hatten mit seinem Leben. Den ganzen Nachmittag schien eine milde Sonne, die hinter den grünen Baumkronen im Park Versteck spielte, ohne heiß herab zu brennen und ohne dem Weißwein, den Katja in einer aus dem mütterlichen Haushalt in Schmargendorf entwendeten Kühltasche hierher transportiert hatte, seine angenehme Temperatur zu nehmen; es gab nichts, was störte.

Die anderen Picknicker hatten ihre Decken in einiger Entfernung ausgebreitet, ab und zu tollten Hunde herum, fiel ein Federball zwischen sie, ansonsten waren sie unter sich. Eine kleine Insel aus fünf jungen Leuten, die in heiterer Melancholie den Abschied von zwei von ihnen feierten und der Ungewißheit der Zukunft mit den Geschichten begegneten, die sie bereits gut kannten oder zu kennen meinten. Der perfekte Nachmittag. Da auch Jamal die ganze Zeit fröhlich blieb, fiel keinem die Veränderung auf. Nie war er sich so verloren vorgekommen, hatte sich so isoliert gefühlt wie jetzt, da Silvia und Yousuf, ausgestattet mit gültigen Pässen und allen notwendigen und beglaubigten Papieren, die Stadt verlassen würden und zum Abschied noch einmal ein Netz guter Gespräche knüpften, durch dessen Maschen er – er, Jamal Kassim, ein ignoranter Halbidiot – fiel und fiel und fiel. Und während des Fallens wußte er, daß er selbst Schuld daran trug. Adieu Avif.

Avif merkte nichts davon. Er erzählte, und alle hörten sie ihm zu. Avif, der sich nicht mit durchsichtigen Jokes und Wortspielen nach vorn geschlängelt hatte, sondern alle mit einer freundlichen Aufmerksamkeit bedachte, bis Katja die Fragen zu stellen begann, die man an solchen Nachmittagen zwischen zwei Schlukken Wein und dem Biß in eine Orange eben stellt.

Und Avif antwortete. Ohne Scham, ohne falschen Eifer. Was mache ich, wo komme ich her, was will ich. Riesige Brocken von Entscheidungen und Zwängen, in einem Ton vorgetragen, der weder verharmlosen noch mit einer Leidensstory erpressen wollte. (Wie Jamal befürchtet hatte, konnten die Signalwörter Beirut und Libanon aber gar nicht beiläufig genug vorgetragen werden, als daß sie bei den anderen nicht jenen aufmunternden Blick erzeugten, der zweifellos in seine Richtung ging und ihm die Schamröte ins Gesicht trieb.)

Avif hatte noch immer nichts bemerkt, hatte es ebensowenig provoziert wie die staunenden Ausrufe, die seine kurzen Sätze über den Hoteljob, das Abitur und den Traum von einer Grafikerausbildung begleiteten. Gegen Abend hatte er noch eine andere Geschichte erzählt. Vielleicht war ihm die Bewunderung der Freunde zuviel geworden – ein weiterer Unterschied, dachte Jamal, ich hätte mich tagelang darin wälzen können –, vielleicht war es der Wein oder die langsam hinter dem Hügel versinkende Sonne, die Geräusche rings um sie herum, die leiser wurden, nochmals aufbrandeten und sich danach in einem gedämpften Ton einpegelten. Ein Abschiedston, hatte Jamal gedacht. Auch Avifs Stimme war auf einmal ganz leise geworden, leise und drängend.

Die Zeit, als er ganz unten gewesen war. Die Zeit *nach* der arabischen Schwulenclique, *nach* der Schweizer Sektenveranstaltung. Die Zeit, in der er Drogen genommen hatte, durch seinen Bruder Kontakte zu Dealern bekam und irgendwann in einem Krankenhausbett aufgewacht war; bleiches Gesicht, wummernder Schädel und neben dem Kopfkissen eine Schlüssel, randvoll mit grüngelbem Schleim.

Jamal beobachtete Katja. Das mußte hart für sie sein, so ein abschreckendes Bild mitten in diesem friedfertigen Park, brutal auf das weiße Laken gestellt, von dem sie eben noch Brotkrümel ins Gras gestrichen hatte. Aber nein, Katja schien es nicht zu stören; geradezu entrückt hing sie an Avifs Lippen.

»Ich erzähle es nur, damit ihr nicht denkt, meine Geschichte wäre was Besonderes. Nur das Übliche. Die Familie und die Straße. Und dazwischen die Ämter, die sich einen Dreck um dich scheren. Aber trotzdem und gerade dann, wenn du es nicht erwartest, irgendein Engel, ja ein Engel, der dich krallt und aufpaßt, daß du nicht noch tiefer sackst.«

Katja blickte zu Jamal hinüber und schenkte ihm ein strahlendes Lächeln.

»Der Arzt im Krankenhaus gab mir damals eine Adresse in Moabit. Ich lese das Wort *Beratungsstelle* und stecke den Zettel in meine Jeans. Ist okay, sage ich. Und danke auch. Aber der Arzt glaubt mir natürlich keine Spur und fährt mich selbst – steht auf und fährt mich in seinem eigenen Auto spazieren; ich dachte, ich spinne –, fährt mich also selbst dorthin. Eine *Zuführung*, dachte ich und war stinksauer. Aber nach Hause wollte ich auch nicht, wenigstens nicht in diesem Zustand. Und dann war die Beratungsstelle ein ganz normaler Raum, wie ein Wohnzimmer mit Ofen und Tisch und Kaffeemaschine, und an dem Tisch ein Typ mit Bart und rotem Velourspullover. Sitzt da, raucht, guckt mich an, lächelt. Als er sieht, daß ich zurückstarre, greift er sich an seine Nase. Dort hatte er 'nen dunkelblauen Fleck oder eine geplatzte Ader, jedenfalls so was in der Art. Komisch, aber ich dachte sofort: Der kommt auch von unten. Der hat sich geprügelt und ein's in die Fresse gekriegt, der ist okay. Später erzählte er mir, daß er den Fleck bei einem Unfall abgekriegt hat, als auf der Autobahn die Vorderräder seines Wagens verrückt spielten – und er sich mit der Kiste überschlug. Er, seine Frau und 'n Baby. Alle überlebt, aber seitdem dieses blaue Zickzack. Das seltsamste war, daß ihm das im Osten passiert ist, denn der Typ kam aus dem Osten, und es war die Stasi, die damals an seiner Kiste, 'nem Trabant, rumgemacht hat.«

»Die Stasi?« fragte Jamal.

»Der ostdeutsche Geheimdienst«, sagte Silvia, verärgert über die Unterbrechung.

Avif lachte. »Mann o Mann, der hatte Stories drauf. Nicht, daß er sie mir aufgedrängt hätte; *ich* hab' ihn gelöchert. Ein Deutscher, der sich mit Spitzeln und Schlapphüten anlegt, das ist doch was! Natürlich hab' ich das nicht gleich beim ersten Mal mitgekriegt. Aber ich bin eine ganze Weile hingegangen. Waldstraße in Moabit, 'ne total abgefuckte Ecke hinter der Turmstraße, aber in dem Raum da immer was zu rauchen, Kaffee oder Tee, sogar Kühlschrank und Kachelofen hatten die. In einem Nachbarzimmer kleine Türkenjungen, die Hausaufgaben machten und dauernd an einer Frau herumzupften, von der ich irgendwann mitkriegte, daß sie mit dem Typen verheiratet war. Die, die damals in der Karre mit draufgehen sollte.«

»Was habt ihr in dem Raum gemacht?« fragte Yousuf.

»Na, nicht gerade gekifft. Aber geredet. Geredet, geredet. Dafür hab ich 'ne Schwäche.« Avif lächelte und sah Jamal in die Augen. »Welche Drogen und wieso, aber nie auf diese Psychomasche mit Sorgenfalten und Zeigefinger. So einer war der nicht. Der konnte eine Stunde lang zuhören, ohne etwas zu sagen. Rauchte, sah mich an, legte manchmal die Hand auf meinen Arm, wenn ich eine Blockade hatte, ließ mich meistens aber nur reden. Während ich sprach, wurde ich wieder richtig lebendig, sah mich da sitzen und wußte, daß *ich* es war, daß ich wieder *ich* wurde und die Kurve kriegte. Erst, als ich nicht mehr herumzitterte und mitten beim Quatschen Heulkrämpfe kriegte, erst da hat er mir die ganze Geschichte erzählt. Die Stasi hatte ihm nicht nur am Auto herumgemacht, sondern ihn eines Tages auch in den Knast gesteckt. Fast ein ganzes Jahr lang jede Nacht Verhöre und dann 1977 abgeschoben nach Westberlin. Und seine Frau und die Tochter gleich hinterher. Selbst hier im Westen haben sie ihn noch fertig zu machen versucht, den Briefkasten angezündet, Psychoterror am Telefon und vor seiner Wohnung ein Auto in die Luft gejagt, die Schweine. Und das alles nur, weil er geschrieben hat, weil er seit seiner Jugend aufschrieb, was um ihn herum passierte. Deshalb der Haß auf ihn. Der Typ war Schriftsteller, aber auch das hat er ganz nebenbei erzählt und dabei so eine Geste gemacht. Lies meine Bücher oder lies sie nicht, konnte das heißen; du bist 'n freier Mensch. Und vielleicht hieß es ja«, Avif überlegte eine Weile, kämpfte einen Kloß im Hals nieder, »vielleicht hieß es ja, wenn *ich* den Knast und diese Angst und diese Verbrecher überlebt habe, dann hast auch *du* kein Recht, einfach an Drogen zu krepieren. Er hatte so eine schöne Stimme, hell und voller Power.

Jaah, Avif . . ., sagte er immer, guckte mich an und zog an seiner Zigarette. Das klang wie 'n Signal, mich um keinen Preis gehen zu lassen.«

»Und du hast es gehört«, sagte Silvia.

»Na ja«, Avif versuchte ein Grinsen und griff verlegen nach seinem Weinglas, »ich hab mir Mühe gegeben. Ein Engel im Seventy-Look mit rotem Velourspullover, der auch noch Bücher schreibt . . . Schon merkwürdig. Kann sein, daß ich ihm mein Leben verdanke.«

Jamal sah, daß Katja Tränen in den Augen hatte.

Noch Monate danach verfluchte er sich für das, was er in diesem Augenblick gedacht hatte. Plötzlich war es in seinem Kopf aufgetaucht: ein Wahn, ein Plan, eine Vision; was auch immer. Unabweislich und zäh wie ein Gift, das sich ausbreitet und alle anderen Gedanken paralysiert. Wenn ich Katja behalten will, dachte er, sie vielleicht sogar heiraten will, um diese Aufenthaltsgenehmigung zu kriegen, dann muß Avif verschwinden. Muß zusammen mit seinen Geschichten verschwinden, die schon jetzt der Elfenkönigin eine Ehrfurcht abrangen, die sie gegenüber *seinen* Erzählungen nie gezeigt hatte. Wenn Avif hier blieb, dachte er und spürte, wie eine panische Angst jedes andere Gefühl erstickte, dann würde Katja irgendwann ihn, Jamal Kassim, verachten und verraten. Weil er ihr glich, weil sie ihm glich. Weil sie beide keine Kämpfer waren, weil sie ihre Ausflucht im Schweben gefunden hatten. Weil es nur einen wie Avif brauchte, um die Balance zwischen ihnen zu stören und die ganzen Gespinste aus Anspielungen und Ungesagtem zu zerreißen.

Er mußte schneller sein. Falls es nicht zu spät war. Bewies nicht das Wohlwollen, das sie ihm alle entgegenbrachten, daß man ihn bereits abgeschrieben hatte? Am Anfang des Picknicks hatte sich Silvia scheinbar beiläufig nach Jamals Sprachkenntnissen erkundigt, nachdem sie gemeinsam über sein unmögliches, von der Familie verordnetes Studium gespottet hatten. Er hatte Arabisch, Englisch, Französisch und Deutsch aufgezählt und mit den Schultern gezuckt. Silvia nickte bedeutsam. Da siehst du mal, was du kannst. Was du könntest. Was du aus deinem Leben machen könntest. War es ihm nur so vorgekommen, oder hatte ihr Yousuf tatsächlich einen raschen Blick zugeworfen? Laß ihn in Ruhe, du siehst doch . . . Sollte es das heißen? Es war allein Avifs Schuld, eindeutig. Nächstens würden sie ihn noch verpflichten, ebenfalls in dieses Kabuff in Moabit einzurücken und sich seine Dosis *survival energy* zu holen. Wahnsinn!

In diesem Moment haßte er Avif, haßte ihn aus tiefstem Herzen. Es überwältigte ihn, und er konnte nichts dagegen tun. *Wollte* nichts dagegen tun. Stand neben sich und sah, wie etwas kaputt ging, wie *er* etwas zerstörte, wie sich das nicht aufhalten ließ, wie er die Kontrolle verlor. Und dieser Haß, eine verletzte, mißverstandene, tödlich umgepolte und ihre Splitter in alle Richtungen abschießende Liebe, überlagerte sogar seine Traurigkeit, Yousuf und Silvia nach New York verschwinden zu sehen. Wenn er sie seit ihrer Hochzeit auch selten getroffen hatte, so war klar, daß sie da sein würden, falls er sie brauchte. Telefonnummer, Adresse, ihre Stimmen, ihre Freundschaft. Und nun?

Selbstverständlich hatte er ihnen versprochen, bis zu ihrem Wiedersehen Giovannis Laken als Erinnerung an eine große Zeit zu pflegen und aufzubewahren, hatten sie abgemacht, sich gegenseitig zu schreiben oder anzurufen. Seine nächstes Jahr fällige Rückkehr in den Libanon wurde mit keinem Wort erwähnt.

Alle hatten sie versucht, die gelöste Stimmung dieses Sommernachmittags zu halten, hatten herumgeblödelt und sich bei den Händen genommen, um zusammen die Wiese und die Parkwege hinunterzulaufen – ein idyllisches Bild, das spätestens auf dem abendschwülen und wie immer schmutzigen U-Bahnsteig am Hermannplatz gerissen war. Die anfahrende und Sekunden später wieder die abfahrende Bahn. Yousufs große Augen, seine weißen Handflächen am Fenster, Silvias winkender Arm. Das rasendschnelle Verschwinden ihrer Gesichter.

Und noch immer hatte Jamal an nichts anderes denken können, außer, wie er Avif loswerden könnte, ohne darüber sprechen zu müssen. *Von wegen Lieber Gott, laß es so bleiben.* Nichts blieb, wie es war. Nicht für ihn, nicht in dieser Stadt.

Wenigstens hatte Katja nichts bemerkt. Die Elfenkönigin hauchte Avif und ihm zwei Küsse zu und verschwand in Richtung der Bushaltestelle neben dem U-Bahn-Eingang. Jamal atmete durch. Außer Avif würde er keinen Zeugen haben.

Als die U-Bahn am Kottbusser Tor hielt und Avif zusammen mit ihm aufstehen wollte, schüttelte er den Kopf.

»Tut mir leid, aber heute muß ich allein sein. War etwas zuviel für mich.«

Avifs aufgerissene Augen, eher besorgt als verwundert.

»Alles in Ordnung, Jamal?«

Er nickte, wandte sein Gesicht ab. Und dann war er, ehe sich die Türen nach dem schrillen Pfeifgeräusch wieder schließen konnten, aus dem Wagen gesprungen.

Avifs Klopfen an die Fensterscheibe. Jamals Haß, augenblicklich in sich zusammengesackt und eine Leere hinterlassend, eine schmerzende Unfähigkeit, sich zu rühren. Avif machte aus dem Wagen heraus die Geste, daß sie miteinander telefonieren sollten. Jamal aber stand nur da, würgte einen Kloß im Hals nieder, ließ die Arme schlaff am Körper herabhängen.

Er wußte nicht, wie lange er in dieser Haltung geblieben war. Irgendwann fuhr die nächste Bahn ein, und er nahm die Rolltreppe, die ihn hoch zum Ausgang brachte. Er fürchtete, sich jeden Moment übergeben zu müssen.

❏

Sobald er damals nach Hause gekommen war, hatte das Telefon geschrillt. Er war nicht an den Apparat gegangen. An diesem Abend nicht, und auch nicht in den folgenden Tagen. Avif hatte unten an der Haustür geklingelt; Jamal stand im Flur, zitternd, die Hände ein Bleigewicht und zwang sich mit blutig gebissenen Lippen, den Knopf des Türöffners nicht zu drücken. Zwei- oder dreimal hatte sich das gleiche wiederholt. Anrufe, Briefe, Telegramme – er hatte keine Antwort gegeben. Mit der Zeit empfand er sogar Befriedigung, eine perverse Lust, der Schurke zu sein, der Feigling, das Schwein, der Verräter. Er hatte nur verhindern müssen, daß Katja sich einschaltete und zuviel fragte.

In diesen Wochen hatte er entschieden, den drängenden Bitten seiner Familie nachzugeben und während der Semesterferien nach Beirut zu fliegen. »Ja«, hatte er am Telefon gesagt, »ja, ich komme. Nein, überhaupt nicht, ich freue mich sehr.«

Auch das war wieder typisch gewesen: Sie übten Zwang aus, spielten alle Methoden der moralischen Erpressung durch und erkundigten sich dann, ob er sich nicht unwohl oder überrumpelt fühle. Aber nein, weshalb denn. Zwar lag das von den Eltern bezahlte Hin- und Rückflugticket schon fertig ausgestellt in diesem kleinen MEA-Reisebüro in der Budapester Straße zum Abholen bereit, stand die genaue Ankunftszeit fest, schlug die Mutter am Telefon vor, wegen der auch im September ungebrochenen

Hitze nur Sommerkleidung einzupacken, sprach sie von all den Sachen, die sie für Jamal kochen würde . . ., aber Zwang? Niemals, mein Sohn, niemals.

Ein Geschenk war es, eine harmlose Urlaubs-Rückkehr vor der endgültigen Rückkehr, und sie alle, das hätte er auch verstanden, wenn sie es nicht in Dutzenden von freudig schluchzenden Schwüren am Telefon versprochen hätten, sie alle würden den Aufenthalt des ältesten Sohnes so angenehm wie möglich gestalten.

Jamal winkte dem Kellner, um zu zahlen.

Adieu *Barcomi's*. Adieu Hackesche Höfe, blankpolierte Attraktion einer Stadt, in der er sich nun als ein Tourist ohne Wiederkehr fühlte.

Vor einem knappen Jahr war es noch ganz anders gewesen. Da hatte er immer wieder seinen Vorsatz wiederholen müssen, die Familie in Beirut nicht durch sein *Bei uns in Berlin* zu verärgern und sich nicht dadurch fertigzumachen, daß er schon vor dem Abflug an die zu erwartenden Komplikationen dachte.

Ich bin kein Neuköllner Türke, hatte er sich damals gesagt, keiner, der hoffnungsvoll in seine Heimat zurückkehrt, statt der grünen Berge seiner Erinnerung aber nur steinigen Feldern und den mißtrauischen Blicken unbekannter Nachbarn begegnet. Ich bin nicht auf der Suche nach einem Zuhause und schon gar nicht nach einer *fehlenden Hälfte*; das nämlich war Katjas mutmachende, hundert Prozent schmargendorftypische Erklärung gewesen, als er ihr von der überstürzten Reise nach Beirut erzählte. Wenn bei ihm etwas zerrissen war, dann war es ein so feiner, unsichtbarer Riß, daß die klobigen Striche auf den Landkarten dagegen nichts waren als eine ungeschickte Karikatur. Ja, vor Avif floh er, vor seiner eigenen Erinnerung, seiner Liebe, seiner Schwachheit, seinem Verrat. So war er damals ohne Erwartungen gereist, ohne Furcht und ohne Hoffnung.

Ich habe Übung in diesen Dingen, dachte er, während er jetzt aufstand, seinen Blick noch einmal durch das Café schickte, den Kragen seiner Jacke hochklappte und nach draußen trat. Das Stück Himmel zwischen den Mauern der Gipshöfe hatte sich dunkel überzogen, als wolle es Regen ankündigen.

Nicht weit von hier arbeitete Avif in einer Pizzeria. Das hatte er jedenfalls getan, als sie sich das letzte Mal getroffen hatten. Zufällig, fast im Vorbeigehen, oben auf dem Bahnsteig der

S-Bahn am Hackeschen Markt. Sie hatten nur wenige Worte miteinander gewechselt und die ganze Zeit vermieden, einander in die Augen zu sehen. Jamal war dabeigewesen, die letzten Hürden für seine Heirat mit Katja zu überwinden, Avif jedoch hatte den Abitur-Kurs aufgeben müssen. Die staatliche Beihilfe reichte nicht, noch immer wurde ihm ein deutscher Paß verweigert, und je mehr er nachts jobbte, um die Schule zu bezahlen, um so schlechter wurden seine Noten. Obwohl ihn die meisten Lehrer ermutigt hatten, war auch ihnen nichts anderes übriggeblieben, als Avif zum Abbruch zu raten. »Vorläufiger Abbruch«, hatte er auf dem Bahnsteig gesagt und versucht, das trotzige Lächeln von früher auf sein Gesicht zu zaubern. Es mißlang.

»Mir haben ein paar Bosnier Schwarzarbeit besorgt«, hatte Jamal gesagt, den Kopf schief gelegt, als müßte er überlegen, was er dem anderen anvertrauen durfte. »Um die Kohle für 'ne Scheinheirat zu haben.«

»Ich denke, Katja ...«, sagte Avif, aber es war ihm anzuhören, daß sich sein Interesse an der verworrenen Geschichte in Grenzen hielt.

»Katja ist nur die letzte Möglichkeit, falls alle Stricke reißen. Die letzte Möglichkeit und die komplizierteste.« Gott, was wäre es für ein Glück gewesen, wenn sie nicht auf diesem windigen Bahnsteig hätten stehen müssen, wenn sie noch Freunde, Liebende gewesen wären und sich alles hätten erzählen können, was passiert war!

»Tja, ich muß zur Arbeit ...«, hatte Avif gesagt. Er sah Jamal noch immer nicht richtig an, streckte aber seine Hand aus. Jamal ergriff sie dankbar, unfähig, etwas zu sagen.

Das war letzten Winter gewesen, seitdem hatten sie sich nicht mehr gesehen. Jedesmal, wenn Jamal die Nummer von Avifs Wohnung gewählt hatte, hatte er sofort wieder aufgelegt, sobald das Freizeichen ertönte. Nur ein einziges Mal konnte er das Pochen in seinem Herzen niederkämpfen und wartete, bis jemand an den Apparat ging. Es war die Stimme der Mutter, ein atemloses, erschrecktes *Hallo, Hallo*, das ihm jeden Mut geraubt hatte, jemals wieder mit Avif zu sprechen.

Aber jetzt *mußte* er sich verabschieden. Ein letztes Wort, ein Händedruck; das würde er gerade noch aushalten können.

Voriges Jahr Ende August, kurz vor seiner Reise in den Libanon, hatte er sich hier schon einmal herumgetrieben. Vorn am

Rosenthaler Platz gab es ein Internet-Café, wo er auf einem der Bildschirme sein Land angeklickt hatte: *Yahoo!* Es klang wie ein Schlachtruf, wie ein Piratensignal, um ein Schiff zu entern. Das Schiff aber war eine träge Barkasse und zirpte nach einem kurzen Rauschen nur mit Natascha-Atlas-Liedern zurück, mit französischen und arabischen Chansons, denen er schnell den Ton abdrehte, um andere, spannendere Informationen zu finden. Er spürte, wie ihn die alte Sucht zu packen begann.

Das wöchentliche Fernsehprogramm des Hisbollah-Senders; nein danke. Die aufgeplusterten Sätze und die Farbbildchen auf der Website des Tourismusministeriums – aber er kam doch nicht als TUI-Reisender nach Beirut! Obwohl ... Die Fülle der neuerbauten Hotels erstaunte ihn, der Blick in edle Suiten und Lobbys oder die Unterwasseraufnahmen aus der wiedereröffneten Grotte von Jeita, die damit warb, daß wegen der einmaligen Akustik in den goldenen Sechzigern ein Deutscher namens Karajan dort ein kleines Orchester dirigiert habe. Selbst Zedern erschienen auf dem Bildschirm, ausladende, schneebedeckte Äste und darunter junge Leute in Skikleidung. Wo gab es nach all den Abholzungen und Bombardements im Libanon noch Zedern? Prospektwirklichkeiten, Schwindel.

Er hatte weitergetippt, hatte mit Verblüffung die Homepage einer *Arab Lesbian Society* entdeckt, die sich *Lazeema*, Leckeres nannte. Von dort war er bei *Ahbab*, Liebling, von *Gay Lebanon* gelandet. Anonyme E-Mails, verklausulierte Kontaktwünsche von Auslandslibanesen, ein paar Adressen in Beirut. Vor allem aber Warnungen. Warnungen in Englisch, Französisch, Arabisch. Nicht in diese Straße, nicht um diese Uhrzeit, nicht allein, nicht zu zweit, nicht ...

Er hatte den Bildschirm wieder schwarz werden lassen und geseufzt.

»Schon fertig?« Vor dem Monitor neben ihm saß ein Tunesier. Er sah Jamal spöttisch an. Hatte der mitgekriegt, welche Websites er abgerufen hatte? Und wenn schon. Ohne zu antworten stand er auf. Damit würde er in den nächsten Tagen verstärkt rechnen müssen; mit einem Fuß war er wieder dort, wo behauptet wurde, es wäre sein Zuhause.

Jetzt – ein knappes Jahr später – ging Jamal noch einmal die Rosenthaler Straße entlang, hörte die gelben Straßenbahnen neben dem Trottoir vorbeisurren und bog da, wo noch immer alte graue Wohnblöcke aus Ostzeiten ihre gardinenverhängten Fenster zeigten – Ossi-Tschadors nannte er dieses häßliche Dederon – in eine schmale, langgezogene Straße ein, die irgendwann einen Knick nach links machte und dorthin zurückführte, wo er sich in seinen besten Zeiten so gern aufgehalten hatte: Cafés, kleine Restaurants, Bistros.

Er hatte sich den Namen der Pizzeria gemerkt, ihn in seinem Gedächtnis gespeichert, wie jede Einzelheit, die ihn an Avif erinnerte. Es war nicht schwer, das Restaurant zu finden.

Inzwischen hatte es zu regnen begonnen. Große schwere Tropfen fielen auf das Straßenpflaster, zerplatzten im Staub, und es wurden mehr, immer mehr. Jamal zog den Kragen seiner Jacke über den Kopf und rannte los. Daß er Avif sogar beim endgültigen Abschied so unwürdig gegenübertreten mußte!

Als er wie ein nasser Pudel die Regentropfen abschüttelte, sah er jedoch, daß er allein war. Hinter der holzverkleideten Theke, auf der eine Reihe Gläser und eine Maschine zum Pressen von Orangen standen, war kein Mensch zu sehen. Die Stühle, mit Korb bezogene kleine Teile, waren schräg an die Tischplatten gestellt, und die mit Kreide angeschriebenen Menüs auf der Schiefertafel neben dem Eingang stammten noch vom Vortag.

»Wir öffnen erst um 17 Uhr.« Aus der Küche im hinteren Teil des Raumes tauchte jemand in weißem Kittel auf.

»Ich bin nicht zum Essen gekommen«, sagte Jamal und strich sich eine seiner nassen Haarsträhnen aus der Stirn. »Es ist nur so ... Ich wollte mich bei einem der Kellner verabschieden. Das heißt, wenn er noch hier arbeitet.«

»Und wer soll das sein?« fragte der Mann, der sich keinen Meter von der Küchentür weg bewegt hatte. »Avif«, sagte Jamal zögernd.

»Avif kommt in der nächsten halben Stunde.«

»Kann ich solange warten?« Sein Herz schlug heftiger, als ihm lieb war.

Die Gestalt sah nach draußen, wo ein gigantischer Regenguß gegen die Fensterfront rauschte und nickte unwillig. »Gut, aber auch die Bar ist noch geschlossen. Nehmen Sie sich einen der Stühle vom Tisch. Da vorn an der Wand ist der Zeitungsständer.« Der Koch verschwand wieder in der Küche.

Jamal hatte keine Lust, in den Zeitungen zu blättern; seine Konzentration reichte gerade aus, um in der handgeschriebenen

Tischkarte die angebotenen Antipasti zu studieren. Arschteuer, dachte er. Keine der Vorspeisen kostete unter 15 Mark.

Was danach geschah, sollte er nie wieder vergessen.

Eine huschende Gestalt draußen vor dem Fenster. Die sich knarrend öffnende Tür. Eine unter Regentropfen glänzende Kopfhaut, nackt und verletzlich. Und dann Avifs Gesicht, seine Augen. Aber kein Lächeln, kein Wiedererkennen. Ein gemurmeltes *Ach* und nichts sonst.

Noch ehe Jamal auf Avif zugehen konnte, war der hinter der Theke verschwunden, zog seinen Blouson aus und verstaute ihn in einer Lade, aus der er eine lange, weiße Schürze herauszog. »Tut mir leid, ich habe zu arbeiten.«

»Ich wollte mich verabschieden«, sagte Jamal leise.

»Wieso?« Noch immer lag keine Spur von Interesse in Avifs Stimme.

»Weil das mit der Hochzeit nicht geklappt hat. Weil ich alles verdorben habe. Na ja«, er räusperte sich umständlich, »die Koffer sind gepackt, die Wohnung aufgelöst und ...«

»Soll das heißen, du fliegst zurück?«

»Muß ich ja wohl«, sagte Jamal.

»Wegen der Aufenthaltsgenehmigung?« Jetzt sah ihn Avif direkt an.

Jamal nickte. »Das sowieso. Obwohl noch etwas Zeit wäre. Aber seit das mit Katja, du weißt ja ...«

Avif schnitt ihm das Wort ab. »Ich weiß überhaupt nichts«, sagte er gelangweilt.

Jamals Lippen zitterten. Schweigen. Er biß die Zähne aufeinander und wollte schon aufstehen, um zu gehen, als er sah, wie Avif langsam hinter der Theke hervorkam, die weiße Schürze in seine Faust gepreßt. Er zog sich einen zweiten Stuhl von der Tischkante und setzte sich Jamal gegenüber.

»Erzähl«, sagte Avif. »Auch ich hab' nicht ewig Zeit.«

Beide vermieden, einander in die Augen zu sehen.

Und wenn schon, dachte Jamal. Es gab nichts zu verlieren. Das Scheiß-Spiel, in dem er immer den Siegreichen hatte spielen wollen, war vorbei. Wortlos nahm er eine von Avifs Zigaretten an.

»Danke, daß du dich so einfach mit mir ...«

Avif wischte die Bemerkung beiseite. »Wer sagt, daß das einfach ist ... Vielleicht solltest du mal sagen, weshalb du hergekommen bist.«

Auch später konnte sich Jamal nicht erinnern, wie lange es gedauert hatte – zwanzig Minuten, eine Stunde, einen unmeßbaren Teil seines Lebens –, ehe Avif aufgesprungen war und hinter der Theke in einem Telefonbuch herumzuwühlen begonnen hatte. Als er die Nummer nicht fand, griff er zum Hörer und wählte die Auskunft.

»Erst das, und danach kümmern wir uns um Katja«, sagte er und lauschte mit zusammengezogenen Brauen. »Den Flughafen Schönefeld bitte, das Büro von Middle East Airlines. Es eilt. Nein, nicht die Zentrale! Soll ich Ihnen den Namen der Fluglinie buchstabieren?«

Und während er wartete und Jamal am Tisch saß, voller Unbehagen, aber nicht fähig, auch nur ein Wort des Protestes vorzubringen, zischte ihm Avif zu: »Könnte dir passen, wieder so einfach abzuhauen.«

Sein Gesicht war gerötet vor Mißbilligung und Zorn.

Beyrouth ya Beyrouth

DAS FLUGZEUG SETZTE ZUR LANDUNG AN. AUS RICHtung Zypern kommend, flog es die Küste entlang, und Jamal sah zwischen dem dunklen Massiv der Berge und der unbewegten Fläche des Meeres eine riesige, nervös funkelnde Lichterspur in der Nacht.

»Na?« fragte der dicke Geschäftsmann neben ihm.

Jamal hatte den Fehler begangen, ihm während des Essens zu erzählen, daß er seit drei Jahren zum ersten Mal wieder nach Hause kam. »Drei Jahre«, hatte der Geschäftsmann, der aus Beirut stammte und in Berlin angeblich fünf Lebensmittelläden besaß, gesagt und den Kopf gewiegt, als stelle ihn diese Tatsache vor ein schwerwiegendes Problem. Die Antworten, die er auf seine immer drängenderen Fragen nach dem langen Fernbleiben bekommen hatte, hatten ihn offenbar nicht befriedigt.

Studium in Berlin? Weshalb muß man unbedingt studieren?

Zeitraubende Nebenjobs? (Die Lüge war Jamal im letzten Moment eingefallen; sie schien plausibel genug, damit der Typ sie schluckte.)

Hey, was erzählst du da von *zeitraubend?* Warum rufst du mich nicht an, ich habe Kontakte, von denen du nur träumst!

Zu wenig Geld für den Flug? Hast du keine Eltern, für teure Klamotten scheint das Geld doch auch zu reichen, Habibi.

Um das Gespräch zu beenden, hatte Jamal gesagt: »Vielleicht war es so, daß ich Beirut überhaupt nicht vermißt habe.«

Dem Geschäftsmann war der Mund offen stehengeblieben, und Jamal hatte sich behaglich in seinem Fenstersitz zurückgelehnt. Nur einmal noch fing er einen mißbilligenden Blick des väterlichen Mitreisenden auf, der Jamals blauweißkariertes Hemd, das ihm über die Jeans hing, mit gleichem Unbehagen musterte wie den schmalen Silberring, den er trug.

Ringe mußten golden und protzig sein, und Söhne mußten ihre Eltern regelmäßig besuchen. Jamal hatte gegrinst.

Jetzt sah er aus dem Fenster. Wie es überall leuchtete! Der Hafen mit seinen Frachtern und Lastkränen war erhellt, auf den Dächern hoher, erst in den letzten Jahren wiederaufgebauter Häuser zuckte rote Lichtreklame, und sogar die mehrspurigen Straßen, die von Byblos ins Zentrum der Stadt führten, waren mit ihren angeschalteten Laternen mühelos erkennbar. Jamal dachte daran, mit welchem Stolz ihm die Mutter am Telefon erzählt hatte, daß sie nun wieder 24 Stunden ununterbrochen Strom hatten und auch die Wasserversorgung kein Problem mehr war. Er hatte es am Hörer in Berlin vernommen und irgendeine Belanglosigkeit genuschelt. Hatte er vergessen, wie dunkel Beirut auch nach dem Ende des Krieges gewesen war, wie Schuttberge und Bombentrichter die Straßen unpassierbar machten und in der Nacht nur die Kontrollposten der Syrer vom flackernden Licht der Karbidlampen erhellt wurden?

»Da staunst du, was?« Die fleischige Hand des Geschäftsmannes fuhr haarscharf an Jamals Nase vorbei und patschte ans Fenster. »Sieh ruhig hin, da gibt's was zu entdecken!«

Mit einem langanhaltenden, knarrenden Geräusch wurde das Fahrgestell ausgefahren. Durch das Fenster sah Jamal, wie sich auf dem Tragflügel die Landeklappen öffneten. Beunruhigend nah schwebte das Flugzeug über Hochhäuser, auf deren Dächern Parabolantennen und Wäscheleinen voller Kleidungsstücke zu erkennen waren. Dann tauchte eine Brachfläche auf, an deren Ende eine Linie roter Punkte leuchtete. Das Flugzeug landete, es gab einen lärmenden Düsenrückschub, aber die Räder hatten sanft auf der Landebahn aufgesetzt. Jamal dachte daran, wie die Maschine damals beim Abflug nach Berlin geruckt und gezittert hatte, als sie über das schadhafte, von Einschußlöchern übersäte Rollfeld gerast war, um sich knapp vor dem Viertel mit den schiefen Flachbauten, in denen die Flüchtlinge aus dem Süden hausten, in die Luft zu erheben. Er hatte geglaubt, das Flugzeug nie wieder lebend zu verlassen.

Beim Aussteigen gelang es ihm, sich an dem Geschäftsmann vorbeizudrängeln und noch vor ihm den schlauchartigen Gang zu erreichen, der zur Gepäckausgabe führte.

Er hörte noch, wie hinter ihm gerufen wurde: »Wie kommst du in die Stadt, holt dich jemand ab?« Jamal wandte sich kurz um, hob die Hand zum Abschied und beeilte sich, in einer Gruppe hochgewachsener norwegischer UN-Soldaten zu verschwinden, die während der Zwischenlandung in Budapest zugestiegen waren. Die Uhr zeigte drei Uhr morgens, aber Jamal spürte keine Müdigkeit. Um der Fürsorge seines Landsmannes nicht erneut in die Hände zu fallen, lief er mit seinem Rucksack schnell den Gang entlang, nahm auf der Treppe mehrere Stufen auf einmal und kam als einer der ersten bei der Gepäckausgabe an. Hinter den Paß- und Einreiseschaltern war das Förderband, eine Linie schwarzen Gummis zwischen chromblitzenden Schienen, bereits angelaufen.

Trotz der Eile registrierte er die Veränderungen. Wo sich früher Betonwände mit abblätternder Ölfarbe befunden hatten, war nun alles weiß gestrichen und mit chromgerahmten, verglasten Werbeplakaten behangen. Auch der Fußboden war weiß gefliest, und nirgendwo sah Jamal Soldaten, die mit Stiefelabsätzen die Kippen ihrer Zigaretten ausdrückten. *United Callers of Lebanon* war auf einem Plakat, das für Handys warb, zu lesen, während daneben eine Aufnahme des Roulette-Tischs im *Casino de Liban* glänzte, um den herum lächelnde, amerikanisch gestylte Gesichter saßen. Jamal traute seinen Augen nicht.

War er in jenes kaputte Land zurückgekehrt, das er vor einigen Jahren verlassen hatte? Immer wieder blieb er stehen und blickte sich um. Erst als er die restlichen Fluggäste herankommen hörte, setzte er sich in Bewegung und sah zu, rechtzeitig an einen der Paßschalter zu kommen. Trotz der frühen Morgenstunde saß hinter jedem ein Beamter in tadellos sitzender dunkelblauer Uniform. Wunder über Wunder.

»Berlin?« fragte einer von ihnen lächelnd, als ihm Jamal neben seinem Paß auch das in Kreuzberg ausgestellte *vorläufige Personaldokument* auf den Tisch legte. Er nickte und hörte, wie ihn der Beamte – er sah ziemlich gut aus und trug am Hals das silberne Kreuz der Maroniten – auf französisch mit »Bienvenu au Liban« begrüßte.

Sein alter Koffer drehte auf dem Förderband die zweite Runde. Jamal griff nach ihm und zog ihn bis zur Gepäckkontrolle hinter sich her. Zu spät bemerkte er, daß an den Wänden in Reih und Glied kleine Gepäckwagen standen, die von den Reisenden mit leisem Geräusch über die Fliesen des *baggage claim* gerollt wurden.

Die Reisetasche seines Vormannes wurde durchleuchtet und zu einem Nebentisch gebracht, wo sich ein Beamter am Schloß zu schaffen machte. Jamal fluchte leise. So etwas konnte eine Ewigkeit dauern. Fette Uniformierten-Pfoten wühlen zwischen europäischen Klamotten und den Geschenken für die Familie daheim; Spott und barsche Fragen, manchmal Drohungen; auseinandergenommene Videoapparate, aus purer Schikane konfiszierte Kleinigkeiten und zwischendurch eine stinkende Zigarette für den Beamten, eine weitere für seinen Kollegen und zum Abschluß eine belehrende Anschnauzerei für den ungeduldigen Gast, der wohl zu lange draußen, im Ausland gelebt habe und nun keinen Respekt mehr besitze, nicht mehr wisse, wie es zugeht bei uns zu Hause, in der Heimat ...

Er zuckte zusammen, als ihm jemand auf die Schulter tippte. »Wenn auch Sie Ihren Koffer durchleuchten lassen würden, ginge es schneller.«

Jamal setzte sein Gepäckstück auf ein kurzes Laufband, das mit seiner Fracht augenblicklich in einer schwarzen Öffnung verschwand. Sekunden später hielt er den Koffer wieder in der Hand. Niemand wollte ihn nochmals kontrollieren, und auch sein Vordermann ging bereits mit seiner Reisetasche auf die beiden Milchglascheiben zu, die sich auf ein Lichtsignal hin zur Empfangshalle öffneten.

Und schon rief Salima Jamals Namen. Aus dem Kind war ein junges Mädchen geworden, das ihr schwarzes Haar mit silbernen Spangen hochgebunden hatte und deren hautenges, weißes T-Shirt ihre Brüste ein bißchen zu stark zur Geltung brachte. Jamal, auf einmal wieder der ältere Bruder, bemerkte es sofort. Natürlich hing auch über ihrer Schulter jene rechteckige Ledertasche, ohne die sich weltweit modebewußte Frauen – und die Schwulen vom Nollendorfplatz – nicht mehr aus dem Haus trauten. Aber Salima, seine Schwester, war von allen die Schönste. Sie war es, die Jamal zuerst umarmte und ihm dabei zuflüsterte, wie gut er rieche.

Alle hatten sie Tränen in den Augen, sogar Zarif, der offensichtlich mitten in der Pubertät steckte und nicht wußte, wohin mit seinen nervösen Blicken und schlaksigen Armen.

»Laß dich anschauen«, sagte die Mutter. Noch immer trug sie zu ihrem strengen Kostüm ein beigegraues, mit Silberfäden durchzogenes Kopftuch. Sie hielt den Sohn mit beiden Armen an den Schultern, ging einen Schritt zurück, musterte seine Gesichtszüge, seine Kleidung und drückte ihn wieder stürmisch an sich. Jamal ließ es sich gern gefallen. In der Empfangshalle gab es Dutzende junger Leute, die von ihren Eltern und Verwandten in gleicher Weise begrüßt wurden. Sie waren fast alle in Budapest zugestiegen, und voller Neid hatte Jamal gesehen, wie selbstverständlich sie ihre kanadischen, dänischen und sogar brasilianischen Pässe hervorgeholt und wieder eingesteckt hatten. *So* nach Beirut zurückzukommen, das mußte ein Triumph sein.

Sein Vater sah ihn lange an und umarmte ihn mit unerwarteter Heftigkeit. Zu verlegen, um die richtigen Worte zu finden, klapperte er gleich darauf mit den Autoschlüsseln und fragte barsch, ob sie ihr Wiedersehen ausgerechnet in der Flughafenhalle feiern wollten. Jamal sah an seinen Augenringen, wie übermüdet er war. Wahrscheinlich hatte er wieder bis nach Mitternacht im Laden gestanden und dann vor lauter Aufregung keinen Schlaf finden können, bis um drei Uhr morgens der Sohn vom Flughafen abgeholt werden mußte. Guter Vater, dachte Jamal, wäre ich nicht so, wie ich eben bin, so feige und so überheblich, würde ich dich noch einmal umarmen und dir danken, aber du läufst ja schon mit Riesenschritten voraus und rufst laut, zu laut, daß ich über den neuen gigantischen Parkplatz nur so staunen würde, *denn so was gibt's bei euch in Berlin bestimmt nicht.* Was weißt du schon, Vater, was willst du wirklich wissen. Vielleicht genausowenig wie ich.

Während sie in Richtung Parkplatz gingen, einer weiten asphaltierten, fast taghell erleuchteten Fläche, von der aus die verglaste Hinterfront des neuen Airports zu sehen war, registrierte er, daß auch hier alles anders geworden war. Kein Geschrei, kein Gedrängel, keine hupenden Fahrzeuge, keine schwitzenden, aggressiven Gepäckträger, die nur von den schrillen Trillerpfeifen der Soldaten in Schach gehalten wurden. Überhaupt, wo waren die Soldaten? Bis jetzt hatte er nur einen einzigen Uniformierten gesehen, der mit geschulterter MG vor einem zedernbemalten Holzhäuschen langsam patrouillierte.

Jamal blieb stehen. Er schloß die Augen und sog die Nachtluft tief in sich ein.

Mein Gott, wie hatte er diesen Geruch vergessen können? Geruch von Zypressen und Pinien, von feuchtem Beton und Benzin, Geruch von Meer und staubigen Straßen, von Eukalyptusbäumen, Oleander und Minze. Mittelmeergeruch, Duft seiner Kindheit.

»Bist du in Deutschland Astronom geworden?« neckte ihn der Vater.

Wahrscheinlich glaubte er, daß Jamal die Sterne betrachtete, die in dieser samtschwarzen Spätsommernacht in scharf geschnittenen Konturen am Himmel standen.

Salima und seine Mutter hakten sich bei ihm ein. Wie mochten sich die Eltern gefühlt haben, als ein Sommer um den anderen vergangen war, und er keine Anstalten gemacht hatte, dieses Berlin zu verlassen und heimzukommen, als nachts nur der Anrufbeantworter mit unverständlichen deutschen Sprüchen lief und die muntere Stimme des Sohnes auf einmal fremd, so entsetzlich fremd klang?

Und auch das hatte er in Berlin fast vergessen: Dieses wunderbare Gefühl, vorn im Auto zu sitzen, den Ellbogen über der bis zum Anschlag heruntergedrehten Fensterscheibe und von draußen ein leichter Wind, der ihm über das Gesicht strich und in die Haare fuhr. Jamal blickte in die Nacht hinaus und lauschte ihren Geräuschen. Auf den Straßen waren die riesigen Papp-Plakate mit dem mürrischen Gesicht Ajatollah Chomeinis deutlich weniger geworden, und auch von den Ruinen und Schuttbergen sah er kaum noch Spuren.

»Die haben sie auch neu hergerichtet«, sagte der Vater und zeigte auf eine Moschee, an deren verzierter Fassade eine ganze Armada grüner Lämpchen blinkte.

Jamal wunderte sich, wie schnell die Fahrt ging. Sein Vater fuhr eine breite Allee entlang, die in eine Stadtautobahn überging, und schon nach wenigen Minuten erfaßten die Autoscheinwerfer das Hinweisschild *Centre Ville*. Wenn sie früher zum Flughafen gefahren waren, um Freunde oder Verwandte abzuholen, hatten sie sich durch das Nadelöhr schmaler, hoffnungslos verstopfter Straßen quälen müssen, zu deren beiden Seiten Hütten und häßliche, einstöckige Betonklötze standen. Dort hatten die Flüchtlinge aus dem Süden, die 1982 vor den Israelis geflohen waren, ohne Genehmigung gebaut und so zwischen Beirut und dem Airport eine eigene Stadt gegründet, deren Armut und Verzweiflung noch beim Durchfahren sichtbar gewesen war.

Als der Wagen kurz vor einer Unterführung rechts abbog, eine steile Straße hinauffuhr und in einer kleinen Seitengasse hielt, wußte Jamal, daß es gut war, hierher gekommen zu sein.

Sieh an, dachte er, während sein Vater den Wagen zum Stehen brachte, sogar den Getränkeladen an der Ecke gibt es noch. An den Sommerabenden hatte er dort immer Jellab geholt; jedenfalls dann, wenn nicht geschossen wurde und ihn die Mutter aus dem Haus ließ. Es war schön gewesen, mit ein paar Freunden auf der Steintreppe, die die Wärme des Tages speicherte, zu sitzen und den eiskalten Sirup zu trinken, in dem Mandelkerne schwammen, leicht und glatt wie kleine Fische. Außer den inzwischen zugegipsten Einschußlöchern an der Fassade und einem neuen Ladenschild aus leuchtendem Neon hatte sich nichts verändert; Jamal erkannte eine seiner liebsten Erinnerungen wieder.

Als er gegen Mittag aufwachte, wartete auf dem Balkon das Essen.

Seine Mutter mußte den ganzen Morgen über alles vorbereitet haben, denn da lagen auf einer silbernen Platte zwischen frischen Salatblättern muskatgewürzte Bureks und Spinatpasteten, Hähnchenschenkel und Kibbeh. Daneben eine Tonschüssel Homous, eine weitere mit Tabouleh, Auberginenmus und gesalzenen Gurkenscheiben, eine Schüssel voller Früchte, und direkt vor Jamals Teller eine Tasse Kaffee, ein Glas Ayran und eine Flasche Saha-Wasser.

Jamal blinzelte in die Sonne, die hoch über den gegenüberliegenden Häusern stand. Es war überwältigend.

»Ich weiß nicht, wann ich das letzte Mal so ein Essen gesehen habe«, sagte er.

»Wahrscheinlich an diesem Tisch vor drei Jahren«, meinte seine Mutter und lächelte die Mißbilligung, die in ihren Worten lag, sogleich wieder weg. »Iß und laß dich nicht durch mich stören. Wenn es nicht reicht, in der Küche gibt es noch mehr.«

Jamal setzte sich in einen der Korbsessel und griff nach der Serviette. »Sind Salima und Zarif in der Schule?«

»Ja«, sagte die Mutter, »aber für heute nachmittag haben sich alle frei genommen. Sie und Vater wollen dir unbedingt zeigen, was inzwischen aus unserer Stadt geworden ist.«

»Muß Vater nicht arbeiten?« Jamal schaufelte sich mit der Gabel etwas Tabouleh in ein zusammengerolltes Stück Fladenbrot. Wie er es früher getan hatte, schob er seine nackten Füße in die kleinen Eisenvierecke des Balkongeländers, die nun Anfang September nicht mehr so siedendheiß waren wie im Hochsommer. Fünf Etagen unter ihm hupten Autos, unterhielten sich lautstark die Nachbarn.

»Eigentlich schon«, sagte seine Mutter, während sie gedankenverloren eine Haarsträhne unter das Kopftuch zurückstrich. »Aber weil es bis zum Wochenende noch so weit ist, hat er beschlossen, sich heute für dich frei zu nehmen.«

»Shukrom«, sagte Jamal und wollte aufstehen. Aber die Mutter legte ihm die Hand an die Wange und sagte: »Schon gut, Habibi. Du weißt, daß wir das gern tun. Deine Familie wird immer für dich da sein, das darfst du nie vergessen.« Sie hatte sich zu ihm hinuntergebeugt und ihm in die Augen gesehen.

Sie hat die gleichen Augen wie ich, dachte Jamal gerührt. Oder besser: Ich habe die gleichen Augen wie sie. Wir sind eine Familie und du darfst nie ...

Er beschloß, erst einmal ausgiebig zu essen. Als sie heute morgen kurz vor vier in der Wohnung angekommen waren, hatte Jamal, aufgedreht wie er war, sofort die Geschenke auspacken wollen. Aber obwohl Salima einen langen Hals machte, hatte es die Mutter nicht zugelassen, sondern ihn resolut in sein früheres Zimmer gedrängt. *Sohn, du mußt schlafen.*

Das Zimmer war jetzt Zarifs Reich, der allerdings für die Dauer von Jamals Besuch auf dem Sofa im Wohnzimmer schlafen mußte. Er fand, daß der kleine Bruder den Ärger, den ihm dieser Wechsel bereiten mußte, bisher gut verborgen hatte.

Er hatte sich schnell im Bad geduscht und war froh gewesen, daß der Duschkopf regelmäßig und kräftig Wasser spendete. Heiß, kalt, an, aus; kein Problem. Aber von seinem Bett im Zimmer konnte er nicht mehr in den Himmel sehen. Das wenige Jahre nach seiner Geburt bis auf die Grundmauern zerbombte Gebäude von gegenüber, dem er die freie Sicht zu verdanken hatte, war gesprengt worden. Ein Hochhaus voller Antennen auf dem Flachdach hatte es ersetzt.

An den Zimmerwänden hatte Zarif Poster von Sängern und Sängerinnen angebracht, die Jamal nicht kannte. Weder ihre Namen noch die Gesichter sagten ihm etwas. Nur das alte Bett war das gleiche geblieben. Er merkte es, als er sich ausstrecken wollte und seine Füße plötzlich im Freien baumelten.

Die ganze Wohnung war anders geworden, als er sie in Erinnerung hatte. Nicht einen Zentimeter weniger traditionell, aber schöner, wohnlicher.

Aus Furcht vor den Bombardierungen hatten sie früher alle Anschaffungen – ein Videogerät, einen Teppich, sogar die Zerkleinerungsmaschine für Früchte – in ihr Haus aufs Dorf gebracht. Dort war ihr Refugium, ihre Rückzugsbasis gewesen, während die Wohnung in Beirut selbst in den Jahren nach Kriegsende 1991 nur als ein besseres Schlafquartier diente, das man bei Gefahr schnell und ohne Bedauern verlassen konnte. Jetzt aber lagen auch hier neue Teppiche. Vor einer Ledercouch stand ein niedriges Glastischchen mit einer Klöppeldecke, auf einem kleinen Podest lehnte Vaters geheiligte Wasserpfeife aus dem Dorf, und auch den Videorecorder unter dem Fernseher hatte es vor Jahren nicht gegeben.

Irritierend, die alte Wohnung so verändert vorzufinden. Es war, als wollte man ihm damit *sein* neues Leben in Berlin, *seine* neue Existenz streitig machen und ihm zu verstehen geben, daß es noch immer die Familie war, die das Monopol auf Veränderungen besaß.

Nach dem Essen zappte er mit der Fernbedienung in der Hand die Kanäle durch – auch sie hatten sich mit der Zeit wundersam vermehrt – und stellte den Wandventilator an. Langsam wurde er wieder müde. Er drehte den Ton des Musiksenders, der einheimische Videoclips voller Geigenschluchzer und pathosverzerrter Mienen zeigte, leiser und streckte sich auf der Couch aus. Von dort konnte er das Foto des Zweitältesten sehen: Nabir mit schief sitzendem Uniformkäppi, das Gesicht scheu lächelnd in die Kamera gerichtet. Warum ausgerechnet dieses Bild, hatten sie kein anderes? Während ihrer Telefonate nach Berlin hatte sich die Mutter zurückgehalten. Dennoch war klar, daß für Nabir die zwölf Monate Armeedienst eine Last waren und sich seine Abwesenheit in Vaters Geschäft bemerkbar machte. Es tat Jamal leid, daß er erst jetzt darüber nachzudenken begann. Schwer, es sich einzugestehen, aber Tatsache war, daß er in all den Jahren in Berlin seine Familie kaum vermißt hatte.

Aus der Küche hörte er die Mutter mit Tellern und Töpfen hantieren. Wahrscheinlich machte sie nicht nur den Abwasch, sondern bereitete eine Überraschung für das Abendessen vor.

Seltsam, plötzlich wieder hier zu sein. Jamal schloß die Augen.

»Eine Million Dollar«, sagte Salima und zeigte auf die Backstein-gebäude mit den Glasflächen im Erdgeschoß. »Ein Apartment für eine Million, wenn du hier wohnen willst. Verrückt!« Jamal sah das Glitzern in ihren Augen.

Sie gingen die Straße entlang, die zum neuen Parlamentsge-bäude führte. Links und rechts von ihnen wurde gebohrt und gehämmert, syrische Arbeiter liefen mit Hacken und Schaufeln umher, angeleitet und angeschrien von korpulenten, schwitzen-den Libanesen, an deren Ohren die Handys festgewachsen wa-ren. Von schmiedeeisernen Balkongittern und verzierten Fen-sterläden wurden Plastikplanen entfernt. Auf dem Glas las Jamal die in goldglänzenden Lettern angebrachten Namen: Guerlin Gucci Versace Jil Sander.

»Bald ziehen die ersten Mieter ein, und unten eröffnen die Modegeschäfte«, sagte Salima.

»Wenn sie jemals öffnen«, bemerkte der Vater. Es war wie früher: Mit auf dem Rücken verschränkten Armen ging er einige Schritte vor ihnen, den Kopf gesenkt und wie in seinen gedrun-genen Körper hineingezogen. Gleichzeitig bekamen seine Ohren alles mit, was gesprochen wurde, so daß er, ohne stehenzubleiben, immer einen kurzen, zumeist mißbilligenden Kommentar abge-ben konnte.

Zarif lief mit ihm auf gleicher Höhe. Wie würde die Konstella-tion aussehen, wenn Nabir vom Militärdienst zurückkam? Viel-leicht erhielt er in den nächsten Tagen Wochenendurlaub, dann konnte man sehen, wie die Hierarchie neu geordnet wurde.

Während ihres Spaziergangs sahen sie nur noch wenige der zerschossenen Hochhäuser, graue Betongerippe ohne Wände. »Alles gesprengt und die Palästinenser, die mit ihren aufgespann-ten Decken darin hausten, zurück nach Shatila verfrachtet«, sagte der Vater grimmig. Es war unklar, ob er sie bemitleidete oder ihre neue Umsiedlung innerhalb der Stadt als späte Strafe dafür an-sah, daß sie und die Al-Fatah das ganze Land in einen Bürger-krieg hineingezogen hatten.

Die Nachmittagssonne brannte heiß. Nur dort, wo die Kolon-naden mit den maurisch geschwungenen Bögen nicht durch Ei-sengitter und Kabeltrommeln verstellt waren, konnte man im Schatten laufen. Jamal hielt Ausschau nach einem Café oder einem der kleinen Läden, in denen man etwas Kühles zu trinken bekommen hätte. Der Staub, der zwischen den Häusern aufstieg und der Geruch des unter der Hitze flüssig gewordenen Asphalts machten seine Kehle trocken. Zum wiederholten Male wischte er sich mit einem Taschentuch über die Stirn, und Zarif murmelte irgend etwas von *wohl nicht mehr gewöhnt oder was.*

»Wenn du willst, gehen wir morgen nach Verdun«, flüsterte Salima, als sie sah, daß der Fußmarsch für ihren Bruder langsam zur Tortur wurde. »Kennst du das Viertel noch? Du wirst staunen, was da seit Monaten los ist. Alles neu, aber schon geöffnet. Geschäfte, Eisläden, Cafés; alles, was du willst. Und die reichen Frauen aus dem Osten, die dort einkaufen, sprechen französisch miteinander.« Jamal sah die Schwester fragend an. »Guck nicht so! Du wirst es sehen. Wenn ihnen der Kellner Kaffee bringt, sagen sie merci ktir. Stell dir das vor: *Merci ktir!*« Salima lachte lauthals los.

Eine Frau, dachte Jamal, meine Schwester ist eine richtige Frau geworden. Er legte ihr den Arm um die Schultern, Salima drängte sich noch näher, aber lange konnten sie so nicht laufen. Immer wieder mußten sie auf dem mit grippten Steinplatten belegten Trottoir Betonmischern, Sandbergen und quer parkenden Lkws ausweichen. Außerdem stieg die Straße jetzt deutlich an.

Vor der Auffahrt zum Parlamentsgebäude stand hinter einem weißgestrichenen Schlagbaum ein junger Soldat. Er winkte sie umstandslos durch.

»Nicht schlecht, oder?« fragte der Vater. Er keuchte und beschattete mit der Hand seine Stirn, um das vor kurzem fertiggestellte Gebäude zu betrachten, dessen olivgrüne Fensterläden weit aufgeklappt waren. In den Glasscheiben brach sich das Sonnenlicht. Im Hintergrund sah Jamal den Rest einer Kriegsruine, ein einsam in die Höhe ragendes Skelett.

Gleich neben der Auffahrt hatte man ein umzäuntes Areal mit archäologischen Funden aus der Römerzeit eingerichtet. Der Vater sagte, daß man es bei den Erdarbeiten für den Parlamentsbau entdeckt und bei der UNESCO unter Denkmalschutz gestellt habe. »Früher hätten es die Reichen in ihre Villen außerhalb der Stadt transportiert.«

Zarif, der eine schwarze Sonnenbrille aufgesetzt hatte, nickte zustimmend. Salima starrte in die Luft. Jamal beugte sich über das Geländer und hörte, wie sein Vater begeistert über das ehemalige römische Bad sprach, über die gut erhaltenen Nischen und Sitze und die vollständig rekonstruierten Tonrohre, durch die das Wasser hereingeleitet worden war. Mit Rührung sah er die kindliche Freude in seinem Gesicht. Es war einer der raren Momente, in denen der Vater gelöst und entspannt wirkte.

Jamal war nicht Gast, sondern Ehrengast. Vor dem Abendessen durfte er eine halbe Stunde duschen und eingeseift und singend unter dem kräftigen Wasserstrahl stehen, ohne daß wie früher in Sekundenabständen an die Tür gehämmert wurde. Bei Tisch überließ ihm die Mutter ihren Platz, denn trotz allem war nicht daran zu denken, daß der Vater von seinem Sitz an der vorderen Schmalseite der Wohnzimmertafel wegrückte. Wieder war reichlich aufgetafelt worden, und Jamal langte kräftig zu. Die kalte Dusche hatte ihn munter gemacht und ihm die in der nachmittäglichen Hitze verlorene Energie zurückgegeben. Er freute sich darauf, am Abend nochmals allein in die Stadt zu gehen, durch die Hamra zu spazieren und vielleicht hinunter zur Corniche zu laufen.

»Wenn du willst, holen wir nachher die Wasserpfeife«, sagte der Vater.

Noch von früher wußte Jamal, daß dies eine Art Auszeichnung war, der man sich nicht entziehen durfte. Ruhige Abende im Dorf; komm, hol die Pfeife, bald bist du ein Mann; Kringel mußt du aus dem Rauch machen, Kringel, ganz einfach ist das; zieh kräftiger und lehn dich zurück. Und bald übertönte das Gurgeln des Wassers das Zirpen der Grillen unterhalb des Balkons, im Halbdunkel wanderten kleine Wölkchen zwischen Vater und Sohn, Großvater und Onkel (es kam darauf an, wer diesmal zu Besuch gekommen war), und es war Harmonie, nichts als Harmonie.

»Prima Idee«, sagte Jamal verdrossen.

Zarif sah seinen Vater so lange fragend an, bis auch er zum Pfeiferauchen eingeladen wurde. Salima versuchte, Fragen über das Leben in Berlin zu stellen, merkte aber an den Kaubewegungen und den einsilbigen Antworten ihres Bruders, daß es nicht der richtige Zeitpunkt war. Die Familie – mythische Größe, die nicht aus unterschiedlichen Einzelpersonen, sondern einem alterslosen, Lockungen, Wünsche und Orakel ausstoßenden Ganzen bestand – forderte ihr Recht. Essenszeit, Wasserpfeifenzeit.

Die Rede- und Fragezeit käme später.

Während Salima zusammen mit der Mutter den Tisch abräumte, zog der Vater mit seinen Söhnen auf die Ledercouch um. Die Wasserpfeife stand schon gefüllt in ihrer silbernen Halterung neben dem kleinen Mahagonitisch, nur der Docht mußte noch angezündet werden. Der Vater ließ sein Feuerzeug schnappen und griff nach dem Schlauch. Nach einer Weile reichte er ihn an Jamal weiter, wobei er vorher das goldene Mundstück an seinem Hemdärmel abwischte. Jamal gab an Zarif weiter, Zarif zurück an den Vater, und alle inhalierten sie mit geschlossenen Augen, zurückgelehnt auf der Couch.

Während der Vater den Rauch einzog, sah Jamal unauffällig auf die Uhr. Halb zehn. Konnte er noch die Wohnung verlassen, ohne daß es Ärger gab? Er mußte es versuchen. Es gab keine offizielle Ausgangssperre mehr, und er war auch nicht mehr das Kind, das man vor Jahren von hier weggebracht hatte. Jedesmal, wenn er das Mundstück zwischen den Lippen hielt, inhalierte er schneller und kräftiger als die anderen. Dabei wußte er, daß es nichts half. Solange auf dem schmalen Docht die Flamme brannte, konnte das Wasser in der bauchigen Porzellanflasche noch gegen Mitternacht stupid vor sich hin blubbern.

Zum Glück war es der Vater selbst, der beschloß, es für heute genug sein zu lassen. Zeit fürs Fernsehen. Er rief seine Frau und Salima.

Jamal nutzte den Moment, um zu verschwinden. Er zog sich in seinem Zimmer noch einmal frisch um und ging danach ins Bad, um sich aus seiner mitgebrachten Parfüm-Flasche Kenzo auf die Haut zu sprühen. Im Wohnzimmer warf er einen Blick auf die zuckenden Werbebilder im Fernsehen und bedankte sich für die Wasserpfeife. Dann sagte er so beiläufig wie möglich, daß er sich kurz die Beine vertreten wolle.

»Um diese Zeit?« fragte die Mutter. Sie sah erschreckt zur Wanduhr mit dem Pendel. Aus irgendeinem Grund mußte Jamal an die Kuckucksuhr über Kerstins Hellersdorfer Küchentisch denken.

»So spät ist es gar nicht. Seit drei Jahren bin ich nicht mehr durch unsere Straßen gelaufen; das ist die Sehnsucht.«

Das verstanden sie nun alle, obwohl der Vater eine Miene zog, als habe er einen üblen Trick durchschaut. Die Mutter rieb die Hände an ihrem weißen Geschirrtuch ab und gab Jamal einen Kuß auf die Stirn. »Paß auf dich auf. Seit sie nicht mehr Krieg führen, fahren sie mit ihren neuen, teuren Autos wie die Wahnsinnigen umher.«

Wer waren *sie?* Natürlich die anderen, die von draußen. Die außerhalb der Familie, die Üblen und Gefährlichen. Weshalb mußte er wieder an Kerstins Worte über Westberlin denken? Blödsinn, das zu vergleichen!

Schuldbewußt erwiderte er den Stirnkuß seiner Mutter.

»Gut siehst du aus«, sagte sie leise. »Ein schöner junger Mann ist zu uns zurückgekommen.« Jamal spürte, wie sich sein Gesicht mit einer leichten Röte überzog.

Sie gucken, dachte er. Mein Gott, wie sie gucken! Schon auf der Straße, die hinunter zur Hamra führte, waren sie da. Fuhren in Wagen mit offenem Verdeck vorbei, hupten nicht, aber drosselten das Tempo und drehten sich während der Fahrt nach ihm um. Standen vor den Imbissen, allein, zu zweit, zu dritt, aßen Shwarma, tranken Coca-Cola und guckten.

Vor dem Fenster eines parkenden Autos vergewisserte sich Jamal, ob mit ihm alles in Ordnung war. Kein Grund zur Sorge: Die Haare weder verstrubbelt noch schweißverklebt, kein Fettfleck auf dem Hemd, auch der Hosenschlitz stand nicht offen.

Wahrscheinlich war es genau *das*, was die Blicke sagen wollten. Mach ihn auf, unbekannter Landsmann, mach ihn auf. Es war ein Schock.

Wo kamen die alle auf einmal her? So gut angezogen, so fröhlich, so gutaussehend, so zahlreich? Weshalb hatte er sie nie vorher gesehen? Sie waren alle in seinem Alter und hatten also wie er den Krieg und die lähmenden Jahre danach in den Wohnzimmern ihrer Eltern oder den geschützten Gärten ihrer armseligen Landhäuser verbringen müssen. Woher kam dann die Freiheit ihrer Blicke und Gesten?

Jamal schaute zurück. Ein Blick ins Auge, länger als ein Wimpernschlag, aber viel kürzer als dieses Berliner Starren und Glotzen, dem Gegenstück zu den verdrucksten Klemmi-Blicken, dem ewig notgeilen Von-der-Seite-her-Schielen. Nein, die hier guckten anders. Fein geschwungene Augenbrauen, dunkel und schmal, energisch und doch sanft an den Schläfen auslaufend. Schöne Wimpern und dann erst die Augen: *Ya Allah*, die Augen! Sie haben *Avifs* Augen, dachte er und versuchte, den Gedanken zu annullieren.

Niemals zuvor hatte er in so kurzer Zeit so viele gutaussehende Männer gesehen. Die ganze Hamra war voll von ihnen. Sie saßen zwischen den Topfpalmen vor dem neuen *Skyrock-Café*, sie fuhren oder gingen die Rue Sidani entlang, sie aßen und tranken, redeten und lachten in den Stehimbissen der Rue Bliss.

Mampften – Jamal dachte die Worte auf deutsch – und schluckten und guckten. Es war, als sei erst jetzt der Krieg endgültig vorbei.

Wie konnten während der drei Jahre, seitdem er Beirut verlassen hatte, so viele Männer schwul – oder auch bi – geworden sein? Keine Bärtigen mehr im Zentrum, keine fettbäuchigen Schnauzträger, dafür jedoch Rehäugige mit durchtrainiertem Body, schöne Schüchterne, die während des Guckens den Halt einer zwischen ihren Fingern längst verglommenen Zigarette benötigten, herumscharwenzelnde Tunten in Markenklamotten, Heterotypen, die einen Tick zu schick angezogen waren – Jamal fand, daß sie alle wundervoll aussahen, *seine Landsleute*.

Was für eine Stadt! Autos hielten mit quietschenden Reifen, Handys fiepten ununterbrochen, in den Imbißläden überall Licht und blitzende Sauberkeit auf den marmorfarbenen Wandborden mit den vollen Serviettenschachteln (kein Vergleich zu den schmuddligen Döner-Buden in Berlin), Verkäufer in weißen Schürzen und mit weißen Käppis, ein Geruch nach Minztee und Gebratenem, aus den Lautsprechern amerikanische Musik, und junge Männer, die guckten.

Es dauerte eine Weile, bis er sich zurechtfand. Er war nirgendwo stehengeblieben, so als fürchte er, sich in einem zufällig erhaschten Blick zu verfangen und schon am ersten Abend seiner Heimkehr nicht in die Wohnung seiner Eltern zurückzufinden.

Er schlenderte die Straßen und Gassen hinter der Rue Bliss entlang. Langsam gewöhnten sich seine Augen an das Lichtgefunkel in den Cafés und an die plötzliche Dunkelheit, die wie ein schwarzer Block in den alten verfallenen Villen hockte.

Irgendwann bemerkte er, daß auch die Frauen guckten. Schön wie Salima, dachte er. Hochhackige Schuhe mit quadratischem Absatz, weite Jeans mit Schlag, bis zum Brustansatz aufgeknöpfte Hemdblusen und dann die Gesichter, ihre Gesichter! Sie lächelten ihn an, und er lächelte zurück. Mehr nicht. Er war hier nichts als ein Besucher.

Am nächsten Tag schlief er erneut bis Mittag.

Als er aufwachte, hörte er seine Mutter bereits in der Küche rumoren. Er stand auf, streifte seine Shorts ab und lief ins Bad. Auf dem Korridor kam ihm die Mutter entgegen, verschwand jedoch mit abgewandtem Blick sogleich wieder in der Küche und rief von dort inmitten ihrer Teller und Töpfe: »Um Gottes willen, Jamal! Was tust du da?«

»Ich gehe duschen.«

»Aber doch nicht nackt!«

»Sorry«, rief Jamal in Richtung Küche zurück und öffnete die Badezimmertür, »ich habe mir schlimme Dinge angewöhnt. Weißt du, in Deutschland duscht man immer nackt!«

Stille. »Mutter, hast du mich gehört?«

»Und ob ich dich gehört habe, mein Sohn.«

Ihrer Stimme war nicht anzumerken, ob sie belustigt oder erschüttert war. Vielleicht beides.

Später saß er auf dem Balkon und aß, was die Mutter ihm zubereitet hatte. Während er sich von den Speisen bediente und das Brot in kleine Stückchen riß, stand sie in der Balkontür und schaute ihm zu.

»Setz dich«, murmelte Jamal kauend. Die Mutter zögerte einen Moment, ehe sie ihm gegenüber Platz nahm. Mit ihren abgearbeiteten, aber noch immer schönen Händen strich sie ihr langes Hausgewand über den Knien glatt.

Eine Weile sprachen sie über Berlin. Jamal bemerkte, daß seine Mutter ihre Fragen voller Vorsicht stellte, sie wie ein zerbrechliches Gut zögernd in den Raum schob, um sie schnell zurückziehen zu können, falls etwas Unerfreuliches zutage käme.

Das Studium ...? Ein bißchen langweilig, aber in Ordnung. (Er fand nicht den Mut, ihr von den sieben Studienjahren zu erzählen, die für ein reguläres Diplom nötig gewesen wären; inzwischen hatte er das Dilemma schon selbst aus seinen Gedanken verbannt.)

Und die Studenten ...? Gemischt aus allen Ländern, die einen nett, die anderen öd, keine bösen Menschen, falls du das meinst.

Aber die Fremdenhasser ...? Nicht in Kreuzberg, Mutter.

Ein schönes Viertel ...? Nun, sagen wir mal: Ein *interessantes* Viertel.

»Paß auf dich auf«, sagte sie. »Ich möchte, das heißt *wir* möchten, daß du noch in vielen Jahren mit uns an diesem Tisch sitzt.«

Jamal streckte die Hand aus und streichelte die Wange seiner Mutter. »Keine Sorge.« Er bemühte sich, sein Lächeln zu verstecken. Nein, sie konnten nichts dafür, daß sogar ihre Hoffnungen wie Drohungen klangen; es war nicht ihre Schuld.

Ob die monatliche Unterstützung reiche ...? Es reicht, es reicht. Danke für die große Hilfe. In den nächsten Monaten werde ich noch nebenbei arbeiten gehen. (Die Idee war ihm in diesem Moment gekommen; erstes winziges Teilstück eines Plans, an dessen Ziel er nicht zu denken wagte. Seit diesem verfluchten Picknick in der Hasenheide hatte er alles von sich weggeschoben, was ihn an seine grelle Zukunftsphantasie – und seinen Verrat an Avif – hätte erinnern können.)

»Das Leben ist bestimmt ganz anders da«, sagte die Mutter. Sie sah über den Balkon auf das in der Sonne liegende Dächermeer von Beirut, das Gewirr von Wäscheleinen und Antennen.

Jamal wischte sich mit einer Serviette etwas Ayranschaum von den Lippen. »Es ist anders, und es ist gleich. Auf jeden Fall schwer zu erklären. Wichtig ist, daß man sich selbst findet und dabei die anderen nicht ganz verliert.«

Seine Mutter sah ihn mit großen Augen an. Jamal setzte zu einer neuen Erklärung an, brach aber wieder ab. Nach einer Weile sagte er: »Die Fremde ist nicht so schlimm, wie alle sagen. Und längst nicht so gut, wie man es manchmal erträumt.«

»Hast du Probleme dort?« Die Frage kam prompt.

Jamal schüttelte den Kopf. »Nein, überhaupt nicht. Wieso soll man Probleme haben, wenn man sagt, wie es ist?«

»Du hast dich verändert«, sagte die Mutter. »Aber wenn du zufrieden bist ...«

Sie versuchte, einen Seufzer hinunterzuschlucken.

»Ja, ich bin zufrieden«, sagte Jamal. Und wieso mußte dann wieder Avif in seinen Gedanken herumturnen?

Erst ein paar Stunden später erinnerte er sich, daß ihn die Mutter weder nach irgendwelchen Freundinnen noch nach Freunden gefragt hatte. Selbst ihr Bruder Ziyad, böser Geist von Jamals ersten Monaten in Berlin, war mit keiner Silbe erwähnt worden.

Was war mit dem Diwan-Pascha passiert, hatte er weitere Kinder produziert? Jamal widerstand der Versuchung, nachzufragen. Bei all den Geschichten, die unausgesprochen blieben, kam es auf Onkel Ziyad gewiß nicht mehr an.

Vielleicht *wollte* seine Mutter ja gar nicht wissen, was sie über Jamal zu ahnen glaubte. Ebenso wahrscheinlich, daß sie sich nur fürchtete, in ihrem Sohn einen jener Landsleute wiederzuerkennen, von denen man hinter vorgehaltener Hand erzählte, daß sie draußen im Ausland gleich mit mehreren der ungläubigen Frauen Unzucht trieben. Jamal atmete durch.

Als er aus seinem Nachmittagsschlaf erwachte und sich auf der Wohnzimmercouch räkelte, saß Salima schon ausgehfertig in einem der Sessel und schaute ihn erwartungsvoll an.

Jamal gähnte. »Sorry, ich bin weggenickt. Muß mich erst daran gewöhnen, mittags so gut zu essen. In Berlin kaufe ich immer nur schnell etwas im Gehen. Hast du lange gewartet?«

Salima schüttelte den Kopf, stand auf und reichte ihrem Bruder die Hand. »Los, beweg dich, wir fahren nach Verdun!«

»Wir fahren nach Verdun«, wiederholte Jamal und sprang von der Couch.

»Mutter«, rief er in die Küche, »Salima zeigt mir Verdun!«

Aus dem offenen Taxifenster sah Jamal nach draußen. Die gewundenen, kurvenreichen Straßen mit den leeren Plastikflaschen in den Rinnsteinen, die Betonblöcke und Posten der Armee, die sich abwechselnden Minarette, dazwischen manchmal eine kleine Kirche, Stoff- und Gemüseläden, vereinzelte, melancholisch anzuschauende Boutiquen – er erkannte sein altes, staubiges Westbeirut mühelos wieder. Ab und zu ein zerschossenes Gebäude, hupende Autos, die sich in den kleinen Seitenstraßen stauten; schwitzende Männer mit Holzwagen, voll von aufgetürmtem Gebäck, in der Hitze fleckig gewordenen Früchten oder Gewürzen; Palästinenser waren das oder Syrer, aber wer konnte es genau wissen. Beißendes Sonnenlicht, aufgeregte Zurufe, Lärm und Abgasgestank.

»Scheint sich nicht allzuviel verändert zu haben«, meinte er.

»Warte ab«, sagte Salima geheimnisvoll.

Das Taxi hielt vor einem glasverspiegelten Gebäudekomplex, der Jamal an die neuen Häuser entlang der Friedrichstraße erinnerte. Sogar die gleichen Markennamen prangten auf den Schaufensterscheiben. Im Unterschied zum Viertel unterhalb des Parlaments war hier bereits alles perfekt eingerichtet. Sie gingen über einen terrazzogedeckten Vorhof, in dessen Mitte eine Fontäne sprudelte und betraten die Eingangshalle, wo sie eine wohltuende Kühle umfing. Von Salima geführt, sah er sich die Geschäfte an, die auf drei Etagen verteilt waren, durch freischwebende Rolltreppen miteinander verbunden. Schmuck, französische Parfüms, iranische Teppiche, riesige Schuhgebirge, italienische Kleidung, amerikanische CD's.

Sieht aus wie in Berlin, dachte Jamal enttäuscht. Nur die kleinen Palmen und die eingetopften, winzigen Oleanderbüsche erinnerten an den Süden, aber auch sie wirkten künstlich.

Es war Jamal peinlich, seiner Schwester nichts von dem, was sie in den Läden mit einer solchen Begeisterung berührt, gestreichelt, anprobiert und auseinandergefaltet hatte, zum Geschenk machen zu können. Die Preise waren einfach unverschämt. Was er aus Berlin mitgebracht hatte, war H & M-Mode gewesen, gut geschnittene Hemden und T-Shirts für seine Geschwister. Für die Eltern – was sollte man Eltern schenken – ein dicker Bildband über die ferne Stadt, den er bei Wohlthat's gegenüber der Gedächtniskirche billig bekommen hatte. Was hätte man mehr erwarten können, er war ein Student mit wenig Geld. Und die Ausgaben für seine eigene Kleidung, die Club- und Disco-Besuche, das teure monatliche Parfüm? Jamal tröstete sich mit der Einsicht, daß Kinder – und besonders erstgeborene Söhne – *immer* Egoisten waren und sich zumindest seine Schwester lauthals jubelnd die kurzärmlige weiße Hemdbluse übergezogen hatte.

Sie betraten einen Schmuckladen, und wieder war Salima in ihrem Element. Verblüfft sah Jamal, wie sie problemlos in die Rolle des reichen, verwöhnten Töchterchens schlüpfte und sich aus der Glasvitrine ein Samtkissen nach dem anderen bringen ließ, um die darauf drapierten Goldkettchen zu begutachten. Bei jedem ihr gereichten Schmuckstück sagte sie »Merci ktir«, und ihr Bruder wußte nicht, ob sie dies wirklich nur aus Spaß tat. Die Dame war sehr schwer zufrieden zu stellen. Zu dick, zu dünn, zu grobgliedrig oder zu wuchtig – und wuchtig ist doch *out, n'est-ce pas*, Habibi.

Habibi murmelte Zustimmendes und schenkte dem Armenier, der hinter dem Ladentisch stand, ein entschuldigendes Lächeln. Der Blick, den er zurückbekam, war eindeutig. Der Armenier war jung und hatte ein schmales, von blauschwarz schimmerndem Haar gerahmtes Gesicht. Fast hätte er an einen Märtyrer erinnert, wären nicht die vollen, sinnlichen Lippen gewesen und das verwegene Blinzeln in seinen Augen, die ebenfalls blau schimmerten. Ein Armenier mit blauen Augen! Ihre Blicke trafen sich ein zweites Mal, eine Sekunde, zwei Sekunden lang, dann wandten sie sich voneinander ab.

Salima hatte nichts bemerkt. »Gehen wir?« Jamal zuckte mit den Schultern.

Vor der offenen Glastür drehte er sich noch einmal um. Der Armenier winkte ihm mit einer Drehung seines Handgelenks zu! Was sollte er tun? Unter einem Vorwand in den Laden zurückgehen und die Schwester draußen warten lassen? Unmöglich. Auf dem Absatz kehrt machen und den Armenier vergessen? Eine Sünde, dachte Jamal.

Wenn er vermeiden wollte, an Avif zu denken, dann mußte er etwas Entscheidendes tun. Eine Grenze überschreiten, um seinen Kopf frei zu bekommen. Es war zu nah, viel zu nah; *niemals* hätten wir eine Zukunft gehabt. Wie ein Mantra wiederholte er die Worte, die er sich in den letzten Wochen immer wieder vorgesagt hatte. Er mußte sich an ihnen festhalten, dann würden sie plausibel werden und mit der Zeit die Erinnerung an Avif verwischen. Das war es doch, was er wollte, oder?

Während er noch unschlüssig vor der Ladentür stand, nahm ihm Salima die Entscheidung ab.

»Ich muß mal kurz verschwinden«, sagte sie, drückte ihrem Bruder die quadratische Umhängetasche in die Hand und steuerte zielstrebig auf ein Café auf der gegenüberliegenden Seite zu. Sie schien sich bestens auszukennen. Jamal fragte sich, ob das auch die Eltern wußten.

Hinter seinem Rücken ertönte ein leiser Pfiff. Er wandte sich um und sah den Mund des Armeniers zu einem breiten Lächeln geöffnet, das eine Reihe blendendweißer Zähne entblößte. Blauweiß-blau-schwarz und gebräunte Haut, dachte er, ich gehe nur wegen der schönen Farben in den Laden zurück.

Der junge Verkäufer reichte ihm die Hand. »Missak«, sagte er.

»Jamal«, antwortete Jamal. Er machte sich nicht einmal die Mühe, nach einem falschen Namen zu suchen. Hatte er sich das nicht in Berlin geschworen? Bleibe inkognito, sieh dich in der dir fremd gewordenen Stadt um, vermeide, wiedererkannt zu werden und verhindere jede Art von Skandal. Dieser Missak jedoch sah nicht nach Skandal aus. Eher schon nach einer Sensation.

»Gestreßt vom *shopping?*« fragte er freundlich.

»Ein bißchen schon«, antwortete Jamal. »Sie ist meine Schwester und zeigt mir die neuen Einkaufs-Center, und ich ...« Aber ehe er weiterreden und gegen seinen Vorsatz erzählen konnte, daß er Beirut seit Jahren nicht mehr gesehen hatte, fragte der Armenier: »Wie wär's, wollen wir uns wiedersehen? Ich meine, irgendwo anders . . .«

»Wo?« fragte Jamal wie aus der Pistole geschossen und sah in Richtung des Cafés, aus dem jeden Augenblick Salima auftauchen mußte. Der Armenier nannte ein Café im Ostteil der Stadt, dessen Namen er noch nie gehört hatte. Er ließ sich den Weg erklären und verlor inmitten der vielen Straßennamen den Faden.

»Zu kompliziert. Außerdem wohnen wir im Westen.«

»Vielleicht auf der Corniche?«

»Und wo genau?«

Da stand er nun vor diesem Glastisch, sah das schmale, dunkle Gesicht des Armeniers, roch sein After-shave und mußte mit zusammengekniffenen Augen das Café da drüben observieren! Äußerst romantisch.

»Ramlet, die Biegung hinter dem Hotel International. Sagen wir – Mitternacht?«

Mein Gott, was für ein Lächeln!

»Gut, Mitternacht und . . .« Jamal beendete den Satz nicht und raste nach draußen. Vor dem Laden stoppte er und schwenkte scheinbar geistesabwesend Salimas Tasche, als hätte er sich die ganze Zeit nicht von der Stelle gerührt. Dabei bemerkte ihn die Schwester nicht einmal sofort. Sie hatte sich eine Dose Pepsi gekauft und führte mit ernsthaftem Gesicht einen knallgelben Strohhalm zum Mund.

»Jamal, Mustafa hat angerufen.«

»Welcher Mustafa?«

»Machst du Witze? Sag nur, daß du dich nicht an deinen alten Schulfreund erinnerst!«

Die Mutter war völlig aufgekratzt. Sie lief zu dem schmalen Tischchen im Flur, auf dem seit Urzeiten das Telefon mit der alten Drehscheibe stand, und reichte Jamal einen Zettel. In ihrer gestochen klaren Schrift hatte sie darauf Mustafas Telefonnummer notiert.

Jamal sah sie verwundert an. »Woher weiß er, daß ich hier bin?«

Die Mutter lachte. »Denkst du, so etwas bleibt geheim? Bist du dort drüben in Deutschland ein Agent geworden, der unter falschem Namen reist? Hör mir zu, Habibi: Heute früh seh' ich beim Einkauf seine Mutter, wir reden kurz über unsere Kinder und dann ...«

Sie hob die Hand und drehte sie wie eine Spirale. Jamal wußte seit Kindertagen, was diese halb resignierende, halb triumphierende Geste bedeutete: *Tajib*, so ist es nun einmal. Ob gut, ob schlecht, sieh zu, wie du damit zurechtkommst, du wirst es überleben.

Jamal seufzte. »Ich bin eben erst nach Hause gekommen. Den ganzen Nachmittag mit Salima durch Verdun zu ziehen, ist nicht gerade das leichteste. Besonders nicht bei dieser Hitze.«

»Hör auf, der Hochsommer ist längst vorbei«, entgegnete die Mutter.

Als er ihr enttäuschtes Gesicht sah, versuchte er einzulenken. »Gut, er hat angerufen, also können wir uns morgen treffen ...«

»Doch nicht erst morgen«, flötete seine Mutter, wie ein Fußballprofi gnadenlos in die freie Flanke des Gegners vorstoßend. »Heute abend schon! Kurz vor neun, hat er gesagt, dann wird er dich abholen. Mit seinem eigenen Auto, stell dir vor!«

Jamal seufzte. Heute abend! Er würde eine Menge Lügen erfinden müssen, um den Armenier doch noch sehen zu können.

Mustafa hatte sich kaum verändert. Noch immer der hochgewachsene Junge, der nicht wußte, wohin mit seinen langen Armen. Ein Glück, daß er jetzt wenigstens die Autoschlüssel von einer Hand in die andere fallen lassen konnte. Sie umarmten sich, und Jamal dachte: Wie unsere Väter. Genau wie unsere Väter – Wange an Wange, Schläfe an Schläfe, Brust an Brust.

Es war das erste Mal, daß sie sich so begrüßten. In der Schule hatten sie fast immer in der gleichen Bank gesessen, waren zusammen nach Hause gegangen, durchstreiften auf dem Weg zurück in ihr Viertel verwilderte Gassen und von den Milizen kurzzeitig aufgegebene Straßenzüge und wurden danach von ihren vor Angst schon halb wahnsinnigen Müttern gemeinsam vertrimmt. Sie hatten in ihren Zimmern *Radio Nostalgie* gehört, sich bei den Klassentests geholfen und später als Externe die Englischkurse der American University besucht. Aber richtig nach Vätersitte umarmt hatten sie sich damals nie. Jetzt hielten sie sich in den Armen, und Jamal hatte das irritierende Gefühl eines Verlustes.

Mustafa war ein Freund gewesen, auf den man sich verlassen konnte. Einer, wie es bei den Deutschen hieß, mit dem man Pferde stehlen konnte. Nur hatte es während ihrer Kindheit keine Pferde gegeben. Eigentlich hatte es überhaupt nichts gegeben, was es wert gewesen wäre, gestohlen zu werden. Leere Patronenhülsen, Reste von zerrissenen Uniformen – es war eine Erfindung von Reportern, daß Kinder in Kriegsgebieten gern Krieg spielten. Ihre einzigen Abenteuer hatten darin bestanden, manchmal Schulter an Schulter hinter einer Hausecke hervorzulugen, und die Augen so lange zuzukneifen, bis man in der flirrenden Mittagshitze die *Green Line* sah, eine ehemalige Schnellstraße voller Panzersperren, die regelmäßig von beiden Seiten unter Beschuß genommen wurde.

Jamal fand, das all dies nichts war, was die Erinnerung wirklich lohnte.

»*Maschallah!* Laß dich anschauen, Habibi«, sagte Mustafa und musterte voller Bewunderung Jamals Aussehen, seine Kleidung. »Du hast dich herausgemacht, dort drüben in Berlin.«

Ihm fiel nichts Besseres ein, als zu sagen: »Du auch.« Es war eine glatte Lüge. Ein Mustafa mußte sich nicht erst *herausmachen*. Ein Mustafa war immer schon ein fertiger Mensch gewesen; fröhlich und ernst, beides in Maßen, vernünftig, aber auch vergnügt. Nur seine Schultern waren mit der Zeit etwas breiter geworden, auch hatte er sich einen Schnurrbart wachsen lassen.

Zwei zu jungen Männern gewordene Schulfreunde sehen sich wieder, und Jamal ahnte, daß ihm Mustafa spätestens im Auto von einer Freundin und zukünftigen Ehefrau erzählen würde. Endlich konnten sie die gleichen Worte verwenden, die vor ihnen schon ihre Väter aufgesagt hatten.

Jamal sah, daß seine Mutter ihnen vom Balkon nachwinkte, als sie losfuhren. Sie reckten die Arme aus den Fenstern und winkten zurück. Sie lachten.

»Fast wie früher«, sagte Mustafa. »Nur daß wir damals zu Fuß gehen mußten, bis wir aus ihrem Blickfeld verschwunden waren.«

Während der Fahrt zündete er sich eine Zigarette an. »Was will der Herr sehen?«

»Die Corniche«, sagte Jamal. »Ich war seit Ewigkeiten nicht mehr in Raoucheh.«

Er rechnete nach. Der Armenier hatte sich mit ihm um Mitternacht in Ramlet verabredet. Von Raoucheh bis dorthin waren es höchstens ein paar Minuten. Er mußte nur aufpassen, Mustafa nach Ende des gemeinsamen Abends nicht noch einmal vor die Füße zu laufen. Aber wie er ihn kannte, würde er in Höhe des Carlton den Wagen wenden, die Strandpromenade Richtung Hamra verlassen und in sein Viertel zurückfahren, wo auch Jamals Eltern nur ein paar Seitenstraßen entfernt wohnten. Mustafa war keiner, der jemals etwas Unerwartetes tat.

Im Auto erzählte er genau das, was Jamal erwartet hatte. Er lebe mit den Eltern im gleichen Haus wie früher, und sein Vater habe versprochen, ihn im Falle einer Heirat — Mustafa sprach wolkig von einem »vielleicht nahe bevorstehenden Ereignis« — zum Teilhaber ihres Cafés in der Rue Sadat zu machen. Er legte einen anderen Gang ein und fuhr mit hoher Geschwindigkeit durch die kleinen Straßen, die nun am Abend nicht mehr von Lkws und Lastkarren verstopft waren.

»Du mußt uns in den nächsten Tagen besuchen. Vater und Mutter lassen dir viele Grüße ausrichten.« Mustafa sah Jamal von der Seite an und schlug ihm aufs Knie. »Willkommen daheim.«

Jamal war gerührt. Beneidenswerter Mustafa, mit ein paar Sätzen hatte er es geschafft, drei Jahre seines Lebens zu beschreiben. Was dagegen konnte er, Jamal Kassim, sagen, falls man ihn bat, zu erzählen und Rechenschaft abzulegen über seine Zeit dort drüben im fernen Berlin?

Die Corniche war kaum wiederzuerkennen. Erneut lehnte sich Jamal aus dem offenen Wagenfenster, und kühler Fahrtwind wirbelte ihm durchs Haar. Abwechselnd riß er die Augen auf und kniff sie zu. Wo waren die Syrer? Er sah nur Pärchen, Männer und Frauen, die eng umschlungen promenierten, Halbwüchsige, die auf ihren geparkten Vespas saßen und sich lachend etwas zuriefen, mitunter auch einzelne Männer oder Familien, die Frauen jedoch fast nie verschleiert. Und nirgendwo Syrer.

»Wo sind die lieben Gäste aus dem Nachbarland?« fragte er, während er den Kopf ins Wageninnere zurückzog und sich die Haare aus der Stirn strich.

Mustafa grinste triumphierend. »Heimgeholt ins Paradies des Genossen Hafis al-Assad. Husch, hast du's nicht gesehen, waren sie eines Tages weg. Frag' mich nicht, wieso. Vielleicht nur, um eines Tages um so zahlreicher wiederzukommen. In den Außenbezirken und auf dem Land patrouillieren sie noch, aber von der Corniche haben sie sich verzogen. Und mit ihnen die ganzen stinkenden Feigenverkäufer und die Typen, die einem dauernd Lotto-Nieten und kaputte Michael-Jackson-Kassetten andrehen wollten.«

Sie mußten beide lachen. Ja, genau so war es gewesen: Nie hatte man abends über die Corniche laufen können, ohne zu sehen, daß man in einem besetzten Land lebte. Natürlich hatte nicht jeder Syrer Uniform getragen. Trotzdem erkannte man sie alle. Sie stinken, behaupteten die libanesischen Frauen, aber es waren wohl eher ihre sonnengegerbten, nachlässig rasierten Gesichter, die sie sichtbar machten, ihre gierigen, verzweifelten Kinderblicke auf den trotz aller Verwüstung überall aufblitzenden, ihnen völlig ungewohnten Beiruter Luxus, die billige Ostblockmode, die dagegen selbst die am besten Angezogenen unter ihnen trugen; all das eben.

Jamal dachte an die ungute Mischung aus Verachtung und Angst, die er gespürt hatte, wenn er an der Hand seines Vaters hier spazierengegangen war. *Kauf keine Feigen, iß kein Brot von denen, aber zeige deinen Ekel nicht.* Man sagte, daß die kleinen Händler mit ihren auf wackligen Fahrrädern transportierten Waren ihr Verkaufsmonopol einem von Assads zahlreichen Geheimdiensten verdankten und deshalb Spione und Spitzel seien. Und es gab die Geschichten, daß irgendwer die Syrer zu laut kritisiert hatte und dann auf Nimmerwiedersehen verschwunden war. Namen wurden nie genannt, immer war es nur »irgendwer«. *Kein Verwandter, keiner aus dem Haus, keiner aus dem Viertel. Wir sind ruhig und unauffällig, wir haben die Milizen und die Israeli-Bomben überlebt, warum sollten wir ausgerechnet jetzt Selbstmord begehen.*

Für Jamal und seine Schulfreunde hatte das bedeutet, daß die Corniche als abendliche Promenade ausfiel. Obwohl die Syrer hier auch Eis verkauften, war es kein guter Ort zum Weggehen. Blieb wieder nur, und auch das war ein Privileg gewesen, das Radio im eigenen Zimmer. Oder ein Fernsehabend mit den Eltern, der spätestens zehn Uhr endete. Es sei denn, die Stromsperre setzte noch früher ein.

Jamal und Mustafa tauschten wortlos einen Blick. Es war eine beschissene Zeit gewesen.

Aber nun, aber nun! Die gesamte Corniche ein einziger Auto-

korso, ein illuminierter, zuckender Riesenleib, mit auf- und ab-
blendenden Lichtern, hupend und kreischend. Cabrios, BMW's,
Fords, hin und wieder einige von den alten, gelben Dodges, ganz
selten ein träge vor sich hin brummender Armeetransporter.

Auch die Fassaden der Promenaden-Restaurants hatten sich
verändert. Wo früher riesige Einschußlöcher von Mörsern ge-
klafft hatten, leuchtete Neon in vielerlei Farben. Hatten die Sech-
ziger-Jahre-Bauten noch vor drei Jahren wie Filmkulissen aus
einem frühen Bond-Streifen gewirkt, so schienen sie jetzt Klein-
Las-Vegas spielen zu wollen. Leuchtschriften über Leuchtschriften.

Mustafa fand am Bordstein eine kleine Parklücke und ließ die
Fensterscheiben hochsurren. Er zeigte auf das Restaurant vor
ihnen. Genaugenommen war es nur eine weiße Mauer mit einem
glühlampenerhellten Türbogen, hinter dem man eine abwärts
führende Treppe sah.

»Von der Terrasse kannst du auf die Taubengrotte im Meer
schauen. Oft kommen Freunde von mir hierher, du wirst sie
kennenlernen.«

Als sich Jamal später an diesen Abend erinnerte, hatte er
Mühe, all seine Empfindungen auseinanderzuhalten. Sie waren
wie ein buntes Knäuel, schillernd und kompakt und keinesfalls
leicht zu entwirren. Als hätte man es mit Homous bestrichen und
mit süßen Baklava-Brocken beschwert, so hockte das Knäuel in
seinem Gedächtnis und summte wie eine sich ewig drehende
Spieldose *Beyrouth ya Beyrouth*.

Ja, das Essen war hervorragend gewesen und der vom Meer
kommende Wind kühl und angenehm. Ja, Mustafa war der großartige Schulfreund von früher geblieben, gewissenhaft und spen-
dabel, gutgelaunt und seines Weges sicher. Nein, die üblichen
Berliner Kneipen-Diskussionen – duuh, ich weiß nicht, vielleicht
gehe ich nächstes Semester mal nach München, ich brauch etwas
Zeit für mich, denn zur Zeit geht's mir nicht so gut, duuh, ja die
Rechnung bitte, das waren zwei Hefeweizen, bitte getrennt – all
diese gräßliche Psychoscheiße hatte er hier kein einziges Mal
erlebt. Keine versifften Kneipen, keine Kreuz- und Prenzelberger
Höhlenmenschen, keine Aldi-People aus Neukölln, keine Nazis
aus dem Osten und keine Tussis aus Spandau. Hier achtete jeder
auf sich, die Stimmung war nicht frustriert, dafür waren die
jungen Frauen und Männer einfach zu schön, und es war das

Bewußtsein ihrer Schönheit, das sie alle noch reizvoller machte. *Das*, aber auch nur das, hatte Jamal in seinen drei Berliner Jahren immer wieder vermißt.

Alles war gut. Mustafa fühlte sich im Café seines Vaters wohl, bald würde er verheiratet sein. Heute abend war er Jamals Gastgeber, und Jamal sollte sich wohlfühlen und reichlich essen, denn so etwas gab es nur in der Heimat, und alles war gut.

Jamal versuchte, nicht ungerecht zu sein. Spott wäre zu billig gewesen, ein Verrat an all der Fürsorge, mit der sie ihm alle begegneten. So war eben ihre Welt, und so war es tatsächlich gut. Für *sie*. Und er, er konnte ja nicht einmal erklären, was *seine* Welt auszeichnete. War es die Eros-Bude, die Clubs und Discotheken? Seine unzähligen Affären, deren Freiheitsversprechen größer und lockender gewesen war als der Alltag seines Studiums, in das ihn eine perverse Laune des Schicksals gezwungen hatte? Waren es die Freunde, die ihm die Stadt zu einem neuen Zuhause gemacht hatten? Aber Silvia und Yousuf hatten Berlin verlassen, Katja sah sein Leben mit freundlicher Besorgnis, und Avif, die jähe, die unmögliche Liebe ... *Stop*. Jamal, Stop.

Wie ist Berlin? Dumme Frage. Es ist so und so, und auch das war gut. *Tajib!*

Er wußte, daß er es nicht erklären konnte. Selbst wenn es statt der vielen Männer, die er getroffen hatte, Frauen gewesen wären, hätte es nicht gekonnt, obwohl es in diesem Fall vielleicht einfacher gewesen wäre. Vielleicht.

Er war Mustafa dankbar, als er begann, die neuesten Geschichten über Beirut zu erzählen. Sie klangen wie jene, die er am Vortag von seinem Vater gehört hatte. Die Apartmenthäuser in Raoucheh, die durch einen unterirdischen Kanal mit dem Meer verbunden waren, so daß man mit der Jacht bis vor die eigene Haustür segeln konnte. Riesige Fahrstühle, mit denen sogar Autos transportiert werden konnten, falls man den eigenen Wagen lieber im Korridor als auf dem Parkplatz haben wollte. Dollarmillionen, Auslandslibanesen und die Scheichs aus den Emiraten. Neue Bordelle im christlichen Ostteil der Stadt, Hariris Rallye-Projekt.

Später am Abend waren Mustafas Freunde dazugestoßen; Jamal kannte keinen von ihnen. Sie umarmten den Gast aus Berlin, fragten ihn kurz nach dem Leben in Deutschland und erzählten dann die gleichen Geschichten. Die teuren Apartments, die hohen

Grundstückspreise, die Nobel-Puffs in Ostbeirut, die Unmengen des hin- und hergeschobenen Geldes, die vielen Karrieren nach dem Ende des Krieges.

Jamal ließ das völlig kalt, es erregte nicht einmal seinen Neid.

Um sie nicht zu verunsichern, heuchelte er Interesse. Schüttelte den Kopf, wenn der Kopf geschüttelt werden mußte – diese Korruption! –, staunte, wenn Staunen angesagt war – Monte Carlo in Beirut, ist das nicht irre? – und lachte, wenn Mustafas Freunde etwas äußerst amüsant fanden. Er konnte sogar selbst eine Anekdote beisteuern.

»Heute nachmittag war ich mit meiner Schwester in Verdun. Dort sagen die Frauen nach dem Einkauf tatsächlich *merci ktir*. Warum nicht *thank you beaucoup?*« Er verschwieg, daß Salima die gleiche lächerliche Mischformel verwendet hatte. Die anderen zögerten kurz, sahen sich an, lachten dann und prosteten Jamal zu. Auf deine Heimkehr.

Nein, es bereitete ihm keine Mühe, an diesem Tisch zu sitzen und mit den Freunden seines alten Schulfreundes Bier zu trinken und zu reden. Es machte ihm nichts aus, in Minutenabständen den Schlauch einer Wasserpfeife in die Hand gedrückt zu bekommen, sein Mundstück aufzustecken und dann, auf seinem Plastiksessel behaglich zurückgelehnt, aus halb geöffneten Lippen kleine Rauchwölkchen flattern zu lassen. Das war nicht das Problem.

In Berlin hatte er oft Deutsche beobachten können, die mit Ausländern am Tisch saßen. Ihre Gesten und Mienen hatten sich vor Verständnis geradezu überschlagen. Wenn sie sprachen, wedelten sie wie Spastiker mit den Händen in der Luft herum und versuchten zu kopieren, was sie sich in ihren dummen, komplizierten Köpfen unter *südlicher Lebendigkeit* vorstellten. Erstaunlich, wie dankbar sie nach jeder Illusion griffen, nicht mehr sie selbst sein zu müssen.

Vielleicht war es das: Alle um ihn herum, ganz gleich, ob in Beirut oder drüben in Berlin, waren süchtig nach Gemeinschaft, nur er allein schien auf etwas zu bestehen, was außerhalb davon lag. Fremdheit? Nicht unbedingt. Er mochte Menschen, obwohl er sich sagen mußte, daß er mit Ausnahme von Avif zweifellos mehr *Körper* als wirklich *Menschen* kennengelernt hatte. Aber so hatte er es gewollt.

Jamal schlürfte an seinem Bier. Langsam bekam er das Gefühl, im falschen Film zu sitzen. Und was wäre der *richtige* Film gewesen? Die Sequenzen und Ausschnitte, an denen er in Deutschland herumdrehte? Immerhin war er dort sein eigener Regisseur.

Gegen Ende des Abends war das Gespräch noch einmal lebhafter geworden.

Die Amerikaner, ach, die Amerikaner. Sag mal, führen die sich in Deutschland auch so auf? Denken, sie könnten uns mit Coca-Cola und MTV und ihren Filmen zuscheißen. Hast du gehört, daß Claudia Schiffer zu einer Messe hierher kommen soll? Gelächter: Na prima, dann weiß die endlich, daß Libanon nicht Libyen ist. Was für eine Messe eigentlich, eine Mode- oder Christenmesse? Nochmals Gelächter, gutmütig, vielleicht etwas übermüdet.

Sag mal, Jamal gibt es in Deutschland viele Juden? Und der Hitler, na ja ... Mein Vater sagt, der hat auch Kinder und Alte umgebracht, und mit denen da unten im Süden hat das nichts zu tun, das muß man auseinanderhalten, aber was weiß ich. Weißt du, wenn Frieden wird, dann bauen sie eine Schnellstraße. Von Beirut über Haifa bis nach Tel Aviv. Die Pläne sind schon fertig, ich schwöre es dir. Dann boomt die Region, dann haben wir Früchte und Feigen und alles für den Export, die besten Strände sowieso, da können sich die Europäer nur die Augen reiben. Ja, stimmt, bei den Israelis weiß man nie, alles krumme Hunde. Aber mit 'nem guten Wagen so eine Schnellstraße am Meer entlang, und nirgendwo Kontrollen, Mann, ich sag dir.

Als sie schließlich aufbrachen, sagte Jamal, daß er zu Fuß nach Hause gehen würde.

Mustafas Freunde sahen ihn erstaunt an. »Zu Fuß, bist du wahnsinnig? Das sind mindestens vier Kilometer durch die Stadt. Komm, steig ein, die Tür ist schon auf.«

Auch Mustafa bat und drängelte, und so blieb Jamal nichts anderes übrig, als wieder einmal den freundlichen Jungen zu spielen. Mit Umarmungen und Wangenküssen verabschiedeten sie sich von den anderen und fuhren los.

Der Verkehr an der Corniche floß spärlich. Pärchen und Familien waren nur noch wenige zu sehen; meist kamen sie lachend aus den Strandrestaurants, die gerade schlossen, und schlenderten zu ihren in der Nähe geparkten Wagen. Mehrere Männer liefen die Corniche in Richtung Ramlet entlang, einzeln und in großen Abständen. Mustafa fuhr zu schnell, als daß man ihre Gesichter hätte erkennen können.

Jamal sah auf die Uhr. Viertel vor zwölf. Wenn alles gutging, müßte es zu schaffen sein.

»Jamal, hör zu«, sagte Mustafa. »Ich habe Vater gefragt, ob er mir morgen freigibt. Wie wäre es, rüber nach Baalbek zu fahren, zu den Tempeln?«

»Gute Idee.«

Mustafa schlug ihm erneut aufs Knie. »Ich wußte, daß du Lust dazu hast!«

Und ob ich Lust habe, Habibi, dachte Jamal. Noch zehn Minuten.

Zum Glück setzte ihn Mustafa an der Straßenkreuzung ab und bestand nicht darauf, ihn direkt bis zur Haustür zu bringen. Totenstill wie es um diese Stunde war, wäre die Mutter bestimmt vom Geräusch des abfahrenden Wagens wach geworden, auf den Balkon gestürzt und hätte ihm über fünf Stockwerke mit halblauter Stimme zugerufen, wie gut es sei, daß er endlich heimkam; er solle schnell hochkommen, im Kühlschrank stehe eine Überraschung. Damit wäre es endgültig mit Ramlet vorbei gewesen.

Jamal wartete, bis die Rücklichter von Mustafas Wagen hinter der nächsten Straßenbiegung verschwunden waren. Gähnend streckte er die Arme aus und drückte den Rücken durch. Er lief die menschenleere Straße entlang und hielt Ausschau nach einem Taxi. Die Luft war drückender als unten am Meer. Zwischen den Häusern und Läden hatte sich den ganzen Tag die Hitze gestaut, es war schwül und roch nach verfaulten Früchten. Vor den heruntergelassenen Eisengittern und Jalousien der Läden balgten sich Katzen um ihren Anteil aus feuchten Pappkisten voller Abfall.

Die meisten Parterre-Fenster der Wohnungen waren geöffnet. Hinter den Gardinen und Gazegittern hörte Jamal die Geräusche der Schläfer; Seufzen, Schnarchen, ruheloses Umherwälzen der Körper. Wenn er stehenblieb und den Atem anhielt, ließ sich sogar das Ticken der Uhren in den Zimmern vernehmen.

Jamal holte eines seiner *Douglas*-Parfümpröbchen aus der Hosentasche und rieb sich den Inhalt auf den Hals und unter die Achseln. Er öffnete sein weißes Hemd um einen weiteren Knopf. Cool water, cool Typ, so war es okay. Nur müßte endlich eines der verdammten Taxis anrauschen. Noch acht Minuten.

Er war bis vor zum Platz der Märtyrer gelaufen, der selbst um diese Zeit von Peitschenlampen grell erleuchtet war, ehe ein Taxi hielt.

»Zur Corniche«, sagte Jamal und stieg ein.

»Auf welcher Höhe?« Der Fahrer schien mißtrauisch.

»Raoucheh«, sagte Jamal vorsichtshalber, fügte dann aber hinzu: »Gegen *Ende* von Raoucheh.«

»Also Ramlet«, sagte der Fahrer grimmig, sagte aber während der Fahrt kein Wort mehr. Als sie auf dem kleinen Hügel gegenüber dem Hotel International hielten, wo die Küstenpromenade von Ramlet begann, verlangte er fünfzehntausend Lira. Jamal glaubte sich verhört zu haben. »Drei- bis fünftausend ist der normale Preis«, sagte er. »Tags *und* nachts.«

Der Fahrer drehte sich zu ihm um und brüllte: »Und was suchst du um diese Zeit in dieser Gegend, he?«

»Sind Sie Detektiv oder Taxifahrer?« Jamal zwang sich zur Ruhe. Nichts, gar nichts konnte ihm passieren. Er hatte nichts Verbotenes getan, *noch* nicht. Kein Grund zur Panik. Er mußte sich nur vorstellen, daß er in einer Woche mit Katja auf der Couch seiner Eros-Bude sitzen, diese Story erzählen und dabei über ihr erschrockenes Gesicht lachen würde. Es gab keine Gefahr. Beirut war nicht Hellersdorf.

»Wir können auch zur Polizei fahren, wenn dir's lieber ist!«

Jetzt kam er doch langsam ins Schwitzen. »Kein Problem, wenn Sie zur Polizei möchten ...« Jamal machte eine kleine Pause. »Vielleicht treffen wir ja meinen Onkel. Oberst Khalouf, wenn Ihnen das ein Begriff ist. Die Station ist nicht weit von hier; ich hoffe, Sie kennen die Adresse.« Und weil der Taxifahrer auf einmal betroffen schwieg, setzte er noch eins drauf und hörte sich unvermittelt losbrüllen: »Also was? Soll ich auf dem Kommissariat aussagen, daß Sie ein verdammter Betrüger sind oder nehmen Sie meine fünftausend?«

Der Fahrer hatte die Augen aufgerissen. Nach einem Moment des Zögern nahm er die Scheine, die ihm Jamal nach vorn reichte. Er war so überrumpelt, daß er nicht bemerkte, wie die Hand seines Fahrgastes zitterte. Erst als Jamal ausgestiegen war, fand er die Sprache wieder. »Manyouk«, brüllte er aus dem offenen Fenster, ließ den Motor aufheulen und streckte wütend seinen Mittelfinger hoch.

Jamal ließ seine Fingerknöchel knacken, um das verdammte

Zittern abzustellen. Er fuhr sich mit einem Taschentuch über die Stirn und kippte den letzten Rest Cool water über die Haut. Unten am Strand liefen mit leisem Murmeln die Wellen aus. Wenn er den Kopf in Richtung Meer hielt, konnte er einen kühlen Windhauch spüren. Vor ihm lag die Uferstraße von Ramlet.

Rechts die dunkle Fläche des Strandes, links auf einer Anhöhe die berühmten Apartmenthäuser, manche im skelettartigen Rohbau, andere schon weiß gestrichen. Keines der Fenster war erleuchtet, vor den Türen hingen großformatige *A-vendre-* und *A-louer*-Schilder.

Auch die Promenade lag im Schatten. Nur auf dem Mittelstreifen der Uferstraße, versteckt hinter träge herabhängenden Palmenblättern, spendeten einige Laternen etwas Licht. Jamal sah zahlreiche Spaziergänger. Zu zweit, zu dritt, häufig aber allein, liefen sie diesen Abschnitt der Corniche entlang, blieben stehen, schauten sich um, sahen hinter die Scheiben der parkenden Autos, gingen weiter, machten aber am Fuß des Hügels, wo die gewundene Straße hoch nach Raouché führte, abrupt kehrt. Sie alle hatten etwas Gehetztes an sich und erinnerten ihn an die Zeit, als er nachts in Berlin allein wegzugehen begann; furchtsam und gierig zugleich.

Jamal lief den Hügel hinunter. Dort, wo die Promenade wieder eben wurde, hatte man ein Geländer angebracht, dahinter begann der Strand. Er sah weitere Männer. Wie Hühner auf der Stange hockten sie bewegungslos auf dem Geländer und starrten den Neuankömmling an, der ohne Interesse an ihnen vorbei lief.

Wo war Missak? Jamal musterte unauffällig die Männer, die ihm entgegenkamen, die er überholte, die auf den rostigen Eisenstangen saßen.

Etwas abseits von ihnen entdeckte er den Armenier. Mit den Handballen stieß er sich vom Geländer ab, sprang auf den Boden und ging auf Jamal zu. Statt des erwarteten Wangenkusses reichte er ihm nur die Hand. Halblaut sagte er: »Ich dachte schon, du kommst nicht mehr.«

»Ich halte meine Versprechen«, entgegnete Jamal mit ebenfalls gedämpfter Stimme und wurde mit einem schier endlosen Blick aus Missaks Augen bedacht. Gott, diese Augen! Die waren sogar nachts blau.

Die Hände in den Taschen vergraben, gingen sie nebeneinander her. Jeder spürte die Verlegenheit des anderen. Jamal fragte: »Kommst du oft hierher?«

Das war zwar die blödeste aller möglichen Fragen, aber im Augenblick fiel ihm nichts Besseres ein als diese Berliner Anbagger-Formel. Es war anzunehmen, daß sie weltweit verstanden wurde.

Missak schüttelte den Kopf. »Meine Familie wohnt drüben in Dora. Bis vor kurzem kannte ich den Westteil überhaupt nicht. Aber da Vater jetzt diese Filiale in Verdun eröffnet hat und du so einfach in unseren Laden gestolpert bist ...« Er beendete den Satz nicht und streifte Jamals Arm mit seiner Hand. Jamal fühlte, wie sich der Flaum auf seiner Haut aufstellte. Er sah den Armenier an. Weiße Jeans, ein helles, kurzärmeliges Baumwollhemd, um den Hals ein schmales Goldkettchen, leicht behaarte Arme, feine dunkle Härchen auf dem Handrücken; gerade kurz genug, daß sie sich unter der Berührung der Fingerkuppen aufrichteten.

»Also«, sagte er, »ich bin *nicht* oft hier. Sorry, aber es ist hier un peu cheap, tu sais. Aber du kanntest ja das Café in Jounieh nicht, und die Zeit drängte.«

»So, tat sie das?« fragte Jamal und hörte, wie Missak voller Ernst antwortete: »Natürlich.« Er war überrascht. So eine Antwort hätte er in Berlin niemals bekommen. Dort drängte die Zeit zwar auch, hatte man es immer eilig, jemanden in die Hose zu langen und ins Bett zu kriegen, aber wenn es dann soweit war und man einen aufgegabelt hatte, mußte sofort die Strategie geändert werden. Einen Gang zurückschalten, ein bißchen ermüdet wirken, ein langsames, sich selbst verzögerndes Sprechen mit möglichst vielen Halbsätzen pflegen und gnadenlos die eigene Coolness heraushängen lassen, bis man danach etwas ganz anderes heraushängen konnte. Ein Scheiß-Spiel.

»Natürlich drängte die Zeit«, wiederholte Missak mit eigensinniger, leiser Stimme. »Du bist schön und ... Nun, du bist nicht von hier.«

»Und *hier*, da kennst du schon alle?« Aus alter Gewohnheit spielte Jamal das Spiel noch eine Weile weiter.

»Nein, aber ich habe gleich gesehen, daß du nicht von hier bist.«

»Ich bin in Beirut geboren«, widersprach Jamal. »Geboren und aufgewachsen.«

»Möglich. Inzwischen aber hast du woanders gelebt. So was

merke ich sofort, glaub mir.« Der Armenier sprach noch immer leise, aber ohne jegliches Zögern. Jedes seiner Worte sendete Signale. So sprechen Menschen, die viel vom Leben wissen, dachte Jamal. Sanft und ihrer selbst gewiß. Und ehe er darüber nachdenken konnte, begann er, Missak von Berlin zu erzählen. Erzählte nicht alles, erzählte aber genug, um für den anderen kein Fremder mehr zu sein. Seltsam, wie einfach das war. Und wie ungewohnt.

»Du besuchst deine Familie?« fragte Missak. Er war stehengeblieben und ließ kein Auge mehr von Jamal.

»Es war wieder mal nötig«, antwortete er.

»Ich war seit drei Jahren nicht mehr hier. Dabei weiß ich nicht einmal, ob ich in Deutschland eine längere Aufenthaltsgenehmigung bekomme oder bald für immer zurück muß. Blöde Situation.«

»Drei Jahre«, sagte Missak nachdenklich. »In drei Jahren kann viel passieren. Ganz egal, wo.«

Jamal sah zu den Männern, die in einigem Abstand an ihnen vorübergingen und sie verschämt anschauten. »Ich hätte mir nicht vorstellen können, daß es das gibt. Ausgerechnet in Beirut.«

»Das gab es immer. Es war nur nicht so offen. Und wir haben es nicht gewußt.« Jamal mußte genau hinhören, um jedes Wort zu verstehen. Er hatte *wir* gesagt. *Wir*, hatte der Armenier gesagt. *Wir haben es nicht gewußt.*

Es war ein anderes *wir* als in Berlin. Selbstverständlicher, vielleicht auch tragischer. Kein hysterisches Wir, unter Glucksen und aufgedrehten Gesten hervorgebracht, das mit der Penetranz einer alternden Nutte lockte, obwohl es nur aus einer Ansammlung von Leuten bestand, die ohne Unterlaß Ich Ich Ich schrien. Schrill oder voller Schuldkomplexe, aber das machte keinen Unterschied. *Ich Ich Ich ach Duuh Ich weiß nicht* ... Und deshalb, so Jamals Theorie, hatten sie in Deutschland ihre ganz speziellen Wir's. Die Studi- und die Schwulen-Wir's, die Nazi- und Antifa-Wir's, die Das-Boot-ist-voll- ebenso wie die Deutschland-ist-Scheiße-Wir's. Kein einziges dieser Wir's hatte es geschafft, ihn sich zu krallen.

Hier aber war es anders. Das hiesige Wir war keine Entscheidung, sondern ein Schicksal. Es wirkte würdiger, gleichzeitig machte es viel mehr Angst. Wenn er für immer hier leben müßte, fast gewalttätig drängte sich ihm diese Ahnung auf, dann würde auch er in einem dieser Wir's hoffnungslos versinken. Jamal spürte, wie er trotz der nächtlichen Hitze zu frösteln begann.

»Ich möchte mit dir schlafen«, sagte er.

Missak nickte bedächtig und strich sein gewelltes, tiefschwarzes Haar nach hinten. »Schwer, irgendwo ungestört zu sein, wenn man keine eigene Wohnung hat. Die einzige Möglichkeit ist, jemanden mit einem Auto zu finden und mit ihm raus aus dem Zentrum zu fahren. Nicht an den Strand, das ist zu riskant. Eher zu einer der Baustellen. Aber auch dort mußt du dich umschauen, damit nicht plötzlich ein syrischer Wachmann vor dir steht und dich mit seiner Taschenlampe anleuchtet.«

Sie liefen nebeneinander her, und fast nach jedem Schritt, den sie auf der Promenade taten, sah einer dem anderen ins Gesicht. Mit schmerzhafter Deutlichkeit empfand Jamal, wie schön der Armenier war. Schön und klug und ...

Er mußte aufpassen, nicht zu weit zu gehen. Keine Herz-Komplikationen, das hatte er sich in Berlin geschworen. Und war schon am zweiten Tag über einen gestolpert, dessen sanfte Ernsthaftigkeit ihn fatal an Avif erinnerte.

Nach einer Weile sagte Missak: »Da ist noch eine Möglichkeit. Leider nur für die, die Geld haben. Ich glaube nicht, daß es dich überraschen wird, wenn ich dir sage, daß das bei mir zutrifft.«

Er sah Jamal fragend an, erhielt aber keine Antwort. Weshalb diese lächerlich steifen, förmlichen Worte, die wie auswendig gelernt klangen?

»Was ich dir sagen will ... Gut, es gibt da ein kleines Hotel in der Hamra. Keine Angst, kein Studentenhotel. Aber die Leute an der Rezeption sind tolerant, man sagt, daß auch ihr Chef, du weißt schon ... Jedenfalls könnten wir mit dem Auto dorthin fahren.« Missak zeigte auf den Wagen, der in unmittelbarer Nähe am Straßenrand parkte.

»Ein Mercedes«, sagte Jamal bewundernd.

»Ein *alter* Mercedes«, verbesserte ihn der Armenier. »Der Wagen gehört meinem Vater. Ich krieg ihn nur, um zur Arbeit zu fahren.«

»Keine Probleme, wenn du um Mitternacht nicht zu Hause bist?«

»Meine Eltern sind gerade bei Verwandten in Paris«, erklärte Missak knapp, »da gibt es keine Probleme.«

Jamal vermied die Frage, weshalb sie nicht einfach zu ihm fahren konnten. Das Haus der Eltern, definitiv ein anderes *Wir*, selbst in deren Abwesenheit.

»Gut«, sagte er. Verstohlen streichelte er Missaks Hand. Noch immer schlichen andere Männer vorbei, die ihnen neugierige Blicke zuwarfen.

Sie setzten sich neben dem alten Mercedes auf das Geländer. Hinter ihnen rauschte träge das Meer, und auf der Uferstraße fuhren Autos im Schrittempo entlang; eine merkwürdige Prozession.

Missak bot Jamal eine Zigarette an. Ihre Hände, mit denen sie sich am Geländer festhielten, lagen nebeneinander. Sein Handballen ist angespannt wie meiner, dachte Jamal. Sie rauchten und schwiegen.

Unmöglich, dabei die anderen nicht zu sehen. Sie saßen bei geöffnetem oder bis auf einen kleinen Spalt hochgedrehten Fenstern in ihren Autos, fuhren los, parkten dann ein paar Meter weiter und warteten und warteten. Missak flüsterte, daß die vierschrötigen Männer mit den ausgetretenen Sandalen, die in regelmäßigen Abständen an die Wagenfenster klopften und mit den Unsichtbaren dahinter in Verhandlungen traten, syrische Stricher seien, jedoch keine wirklichen Schwulen. Er sagte: »Syrische prostitués, aber nicht pédé. Und extrem dangereux, ich sage dir.«

Anfangs hatte Jamal geglaubt, seine Sprechweise wäre ein mondäner Tick, ein Renommieren mit eingestreuten französischen und englischen Vokabeln, irgend etwas in der Art von *merci ktir*. Aber der Armenier vermied *instinktiv*, Worte, die ihm unangenehm waren, auf arabisch auszusprechen. Es klang seltsam, doch konnte Jamal ihn verstehen. Was außer *Manyouk* – Stricher – und *Schaz* – der, der gefickt wird – hatte ihre Muttersprache schon für Menschen wie sie anzubieten?

Von Zeit zu Zeit fuhren einige Wagen ab – ohne Syrer, vielleicht hatten sie zuviel Geld verlangt –, aber man konnte sicher sein, sie wiederzusehen. Missak erklärte ihm, daß die Fahrer bald wenden würden, um auf der gegenüberliegenden Seite, den Kopf immer starr in Richtung Strandpromenade gerichtet, zurückzufahren. Auf der Anhöhe gegenüber dem Hotel International würden sie erneut drehen, um wieder nach Ramlet hinunterzukommen, den Wagen zu parken und zu warten, zu warten. Vor und zurück, hin und her, von Mitternacht bis zum Morgengrauen. Wie im Kellergeschoß des Connection, dachte Jamal. Nur daß sich hier statt einer Steindecke über ihnen der Mittelmeerhimmel wölbte.

»You waste your time in this country«, sagte Missak und versuchte ein Lachen.

Später wußte Jamal nicht mehr, wie lange sie dort gesessen hatten, vor sich die Promenade, dahinter die einspurige Uferstraße, den begrünten Mittelstreifen mit den von Palmen verdeckten Laternen, dann die Gegenspur und über allem die felsigen Anhöhen mit den dunklen Apartmenthäusern. So wie es jetzt war, würde es für Jahre sein, Jahre seines einmaligen, einzigen Lebens.

Missak sprach mit leiser, beschwörender Stimme. »Dort oben gibt es reiche Gays, die sich nur deshalb eingemietet haben, um mit dem Teleskop die Promenade nach Männern abzusuchen. Falls sie jemand sehen, der ihnen gefällt, fahren sie mit dem Auto hierher und versuchen, ihn mitzunehmen. Sie können es sich nicht leisten, daß man sie die ganze Zeit mit ihren Nobelwagen parken sieht. Meistens stehen sie auf Syrer. Mir wird schon schlecht, wenn ich die schmutzige Hornhaut ihrer Fersen sehe. Aber bitte, es heißt, sie hätten riesige dicks, you know, und für manche tapettes ist das gerade richtig, d'être pris brutalement comme cela par le derrière.«

Missak sah Jamal mit schiefem Grinsen an. Für jemand, der nicht oft hierher kam, wußte er erstaunlich gut Bescheid.

Wir sollten langsam ins Hotel, dachte Jamal. Wir sind keine *tapettes*, die es sich von syrischen Bauarbeitern besorgen lassen. Wer sind *wir*? Er hatte es plötzlich eilig, von hier wegzukommen.

»Gehen wir?«

Mit einem eleganten Ruck stieß sich Missak vom Geländer ab und sprang auf das Trottoir.

»Uns bleibt noch immer die halbe Nacht«, sagte er zu Jamal. Der mitternächtliche Himmel war nichts gegen seine blauen Augen.

Er tat Buße. Sie fuhren durch die Bekaa-Ebene, und er tat Buße.

Bis sie den Paß von Dahr Al Baidar erreicht hatten, waren sie vom Abgasqualm der Lastwagen eingehüllt gewesen, die sich in quälender Langsamkeit die Serpentinenstraße hinaufschleppten. Sie hatten die Fenster schließen müssen, und Jamals Körper hatte sich in einen einzigen Schweißstrom verwandelt. Was mache ich hier, dachte er. Gott, was mache ich hier.

Währenddessen hatte Mustafa von der Gegend geschwärmt und auf die Dörfer unten im Tal gezeigt. Er hatte, als besäße er einen Anteil daran, aufgeregt von den renovierten Chalets gesprochen, in die sich wie in den Vorkriegsjahren die Scheichs aus den Emiraten zur Erholung zurückzogen. »Was sie da unten tun, können wir nur raten«, hatte er gesagt und Jamal bedeutungsvoll zugenickt: Du weißt, was ich meine.

Oh ja, das weiß ich bestimmt: Sex, ungeahnte Vögel-Orgien, Allah möge ihnen verzeihen, auf kühlen weißen Laken schöne blonde Frauen, die unter schwitzenden und rammelnden Saudis und Kuwaitis ihre Beine breit machten; Fressen, Saufen, Ausschweifungen aller Art. All das eben, was den Puls der hier oben Vorbeifahrenden zum Rasen brachte, sehnsuchtsvolle und verdruckste Kinder, die sie waren.

So fuhren sie, oft nur im Schrittempo, in der drückendsten Mittagshitze der Paßhöhe entgegen, um dann von oben mit Freudenausrufen die grünende Bekaa zu erblicken und hinunter in Richtung Baalbek zu rasen. Die Tempel, die Tempel!

Solange sie sich auf der schmalen Straße befunden hatten, die es unmöglich machte, die breiten, unter der Last ihrer Ladungen hin- und herschaukelnden Lkws zu überholen, hatte sich Jamal darauf beschränkt, zu Mustafas Erklärungen ein zustimmendes Nicken zu liefern. Er war todmüde nach der letzten Nacht, doch das war nicht der Grund für sein Schweigen.

Es war wunderbar gewesen, und es hatte übel geendet.

Der schlaftrunkene Nachtportier in dem kleinen Hamra-Hotel hatte ihnen keine Probleme bereitet. Obwohl Jamal versucht hatte, aufzupassen, konnte er nicht erkennen, ob an der Art, wie er Missak den Zimmerschlüssel überreichte, irgend etwas Vertrauliches war.

Noch im Fahrstuhl hatten sie sich geküßt und gegenseitig die Hemden aufgeknöpft. Halbnackt waren sie über den dunklen, muffig riechenden Flur in der vierten Etage gestolpert und hatten Mühe gehabt, inmitten ihrer immer leidenschaftlicher werdenden Küsse das richtige Zimmer zu finden.

Entgegen seiner sonstigen Gewohnheit hatte sich Jamal kaum umgesehen. Die Zeit der Legoland-Spiele war vorbei. Der Raum war ein wenig schäbig, schien aber sauber zu sein, ein länglicher

Schlauch mit einem wackligen Tisch, einem Doppelbett und einer Duschkabine aus durchsichtigem, grauem Plastik.

Sie machten kein Licht, öffneten aber in synchroner Bewegung die Vorhänge. Das schmutzig orangene Licht einer Hofbeleuchtung drang zu ihnen hoch, fiel auf ihre Körper, auf das Bett. Das Bett, das Nachtlicht, ihre Körper: Mehr gab es für sie nicht in diesem Moment.

Flüchtig dachte Jamal daran, daß er gerade dabei war, in seiner Heimat zum allerersten Mal – wenn er die kindische Flußwichserei mit Hassan nicht dazurechnete – mit einem Mann zu schlafen. Aber das war etwas für die Chronik, nichts für diese Nacht.

Mit geschlossenen Augen erforschten sie sich, fordernd und sanft. Immer wieder strich er über Missaks glatte, marmorkühle Haut, bis sie sich unter seinen Fingern erhitzte. Und wieder versuchte er, nicht an Avif zu denken.

Danach blieben sie ausgestreckt nebeneinander liegen, schwer atmend unter dem dumpfen Summen der Klimaanlage. Keiner fand die Kraft, aufzustehen und unter die Dusche zu gehen. Sie drehten ihre im Dämmerlicht des Zimmers glühenden Gesichter zueinander, und je länger sie sich anschauten, um so stärker wurde ihre Lust. Missaks Augen, Missaks schlanker, geschmeidiger Körper. Jamals Erregung, seine hastiger werdenden Küsse. Und Avifs Blick, gut sichtbar im Schattenspiel an der Zimmerwand.

Später in der Nacht beugte sich Missak, auf dem Bauch liegend, über den Bettrand, um auf dem Boden nach seiner Jeans zu suchen. Jamal fuhr ihm gedankenverloren über den Nacken, das schweißnasse Rückgrat herunter bis in seine Hinterbacken, schöne feste Kugeln mit dunklem Flaum. Missak reichte ihm zwei Kondome. Jamal lachte.

»Gleichzeitig wird das schlecht gehen.«

Der Armenier richtete sich auf, beugte den Oberkörper zu ihm und flüsterte in sein Ohr: »Willst *du* beginnen?«

»Vielleicht beim nächsten Mal«, sagte Jamal und fuhr über Missaks Brustwarzen.

Noch keine zwei Stunden in diesem Hotel, waren sie mehrfach zusammen gekommen. Langsam wurde er müde. Außerdem begann er, sich auf eine merkwürdige Weise schuldig zu fühlen, wann immer sein Blick auf die Zimmerwand gegenüber dem Fenster fiel. *Regarde-moi, dis-moi les mots tendres/Je veux, je commande, regarde-moi.*

Der Armenier hatte nichts erwidert.

»Bist du gestern gut nach Hause gekommen?« fragte Mustafa.

Der Blick auf die sich ins Tal schlängelnde Serpentinenstraße war nun frei. Zu ihren Füßen lag die Bekaa-Ebene. Grüne Felder, die graue Bergkette des Antilibanon und in der Ferne die vage Ahnung von Schnee auf dem Hermon. Nirgendwo aber die leuchtendroten Quadrate, in denen früher der Mohn gewachsen war. Sollte er Mustafa fragen? Die Regional-Infos kommen noch früh genug, dachte Jamal schläfrig.

Mustafa beugte sich aus dem Fenster und fädelte sich zwischen den Lastwagen ein, bis er sie überholt hatte und in freier Fahrt hinunter nach Chtaura brausen konnte.

»Was hast du gesagt?« Mit abwesendem Blick drehte Jamal die Fensterscheibe bis zum Anschlag herunter.

»Ob du gestern gut nach Hause gekommen bist.«

»Klar«, sagte er. »War ja nicht mehr weit.«

Er dachte an die zweite Hälfte der Nacht zurück. Sie hatten sich zusammen in die enge Duschkabine gezwängt und das kühle Wasser über ihre erhitzten Körper laufen lassen. Sie standen aneinandergepreßt, ihre Zungen im Mund des anderen. Wieder waren sie erregt, aber Jamal wußte, daß dieses Hotelzimmer nicht seine Berliner Eros-Bude war. Eine andere Stadt, ein anderes Zuhause. Und dort lagen bestimmt die Eltern wach und zählten die Minuten.

»Meine Familie wird sich Sorgen machen«, hauchte er unter dem prasselnden Wasserstrahl in Missaks Ohr.

Der Armenier verließ die Duschkabine und warf Jamal eines von den fadenscheinigen Handtüchern zu, die auf der Rückenlehne des einzigen Stuhls im Zimmer lagen. Wortlos zogen sie sich an. An der Rezeption bestand Missak darauf, selbst die Rechnung zu begleichen. Fünfzig Dollar, Jamal fand den Preis übertrieben.

Im Auto lehnte er seinen noch halb nassen Kopf an Missaks Schulter, doch der entzog sich ihm.

»Désolé, aber wenn wir in eine Kontrolle kommen, sieht das nicht gut aus.«

Jamal sank in seinen Sitz zurück. »Sehen wir uns wieder?«

Missak konzentrierte sich auf die Straße, achtete auf die Schilder, mußte einmal sogar wenden und sagte: »Wenn du willst, heute abend im *Babylone*.«

»Was ist das?«

»Ein neues Restaurant hinter der *Green Line*. Guter Laden, jeder Taxifahrer kennt ihn.«

»Wie spät?« fragte Jamal.

»Sagen wir neun?«

Jamal war einverstanden. Neun Uhr, da konnten die Eltern nichts dagegen haben. Er spürte, wie Missak ihn betrachtete. Er wurde verlegen. »Du weißt ja, die ewige Familie ...«

»Ja, ich weiß«, sagte Missak ruhig. Auch seine Haare glänzten noch naß, aber die blauen Augen schienen nicht mehr zu schimmern. Weshalb zog er sich auf einmal so zurück?

An der Weggabelung vor seinem Haus bat er Missak zu halten.

Vor vier Stunden hatte er sich hier von Mustafa verabschiedet. Vor 12 Stunden war er hier mit Salima nach Verdun aufgebrochen, anderthalb Tage vorher hatte ihn die Familie vom Flughafen hergebracht. All das waren Wirklichkeiten, die nicht zueinander paßten. In Berlin lagen sie, wenn überhaupt, nur U-Bahn-Stationen auseinander, hier dagegen, so kam es Jamal vor, war eine Realität von der anderen durch ein ganzes Leben getrennt. Mustafa hatte es gut, der lebte zufrieden in seinem Stück Welt, von dem er wahrscheinlich nicht einmal wußte, daß es nur ein *Stück* war. Und Salima? Nun, bei ihr müßte man sehen. Die Schwester fing ja erst an, herumzuschnuppern und sich umzuschauen.

Aber Missak, der im Armenierviertel von Dora wohnte, in Verdun in der Filiale seines Vaters arbeitete und nackt mit ihm in diesem Hamra-Hotel gelegen hatte, was war mit ihm?

Als der Wagen hielt, gaben sie sich einen flüchtigen Kuß.

»Bis morgen.«

»Morgen ist schon heute«, sagte Missak und berührte mit der Hand Jamals Hals. Es fühlte sich an wie eine Abschiedsgeste.

»Neun Uhr im *Babylone*«, sagte Jamal eindringlich.

»Gern«, sagte der Armenier. Jetzt hatten ihn seine blauen Augen doch noch angeblinzelt. Dann war er weggefahren. Ein paar Sekunden hörte man das Geräusch des sich entfernenden Wagens, danach unterbrach nur noch das unaufhörliche Surren der Zikaden die Stille des anbrechenden Tages.

Jamal wachte erst wieder auf, als der Wagen stoppte.

Mustafa hatte auf einem kleinen staubigen Vorplatz geparkt, der zum Tempel-Areal führte.

»Was hab' ich verpaßt?« fragte Jamal und rieb sich die Augen.

»Die verhüllten Schiitenfrauen, die Händler, ein paar syrische Checkpoints, die Landschaft ...«

»Keine Mohnfelder mehr?«

»Keine Mohnfelder mehr«, sagte Mustafa. »Seit die Regierung offiziell gegen die Drogen vorgehen muß, du kannst dir vorstellen ...«

Gähnend stieg Jamal aus dem Auto. Und taumelte sofort zurück. Die Hitze schlug ihm entgegen, und alle Sonnenstrahlen schienen sich gebündelt zu haben, um ihn, den mißratenen Gast, zu versengen. Der Himmel hatte seine Farbe verloren und war zu einer weißlichen, grellen Wölbung verkommen. Ächzend lief Jamal hinter dem Schulfreund her.

Mustafa zahlte in dem kleinen Einlaßhäuschen für sie beide. Für die Dauer der nächsten Stunde wurde er nicht müde, Jamal jedes ihm erinnerliche Detail aus der Geschichte der Tempel zu erklären. »Ich bin nicht zum ersten Mal hier. Seit die Israelis kaum noch in der Bekaa bombardieren, ist wieder Leben nach Baalbek gekommen. Sogar Konzerte veranstalten sie, kein Wunder bei der Akustik. Und alle kommen sie hierher, Touristen, Schulklassen, Familien, du verstehst.«

»Verstehe«, sagte Jamal schlapp und fuhr sich mit dem Unterarm über die Stirn. Er fragte sich, weshalb er sich heute mittag von Mustafa hatte aus dem Bett klingeln lassen. Dabei war die Antwort ganz einfach.

Weil sich der Schulfreund für ihn frei genommen hatte. Weil er der Gast war, der sich zu freuen hatte, wenn man ihm etwas zeigte. Weil er es in den frühen Morgenstunden nicht geschafft hatte, die Wohnungstür leise zu öffnen und lautlos in seinem alten Zimmer zu verschwinden. Weil die Mutter, sobald er in den Flur getreten war, das Bühnenlicht eingeschaltet und wie die Heldin einer antiken Tragödie mit vor der Brust gekreuzten Armen vor ihm gestanden hatte; in stummer Anklage, dann tränenüberströmt, schließlich ihn mit Vorwürfen nur so bombardierend. Um die anderen nicht zu wecken, hatte sie dabei nur gezischt. Vielleicht hatte Jamal ja deshalb nicht verstanden, was ihm eigentlich vorgeworfen wurde: Die Verfehlung, daß er nicht nach Hause gekommen war oder die Tatsache, daß er jetzt mitten im Flur stand. Unergründliche Mutter-Logik.

»Außerdem ist dein Haar naß, obwohl es seit Monaten nicht geregnet hat.«

Bevor er in sein Zimmer ging, wollte er der Mutter noch einen Gute-Nacht-Kuß geben, aber sie wandte heftig den Kopf ab. »Dafür ist es zu spät. Vier Uhr morgens, schämst du dich nicht? Geh endlich schlafen. Aber nicht zu lang, hörst du? Mittags will Mustafa mit dir nach Baalbek fahren. Sieh zu, daß du nicht zu müde bist.« Der letzte Satz war schon wieder eine Bitte, ein Versöhnungsangebot.

Jamal wollte wissen, wieso sie bereits über den Ausflug informiert war. Ein kleines Lächeln stahl sich auf ihr Gesicht. »Mütter sind über *alles* informiert, Habibi. Am Abend hat mich Mustafas Mutter angerufen und mir davon erzählt.«

»Prima«, sagte Jamal. »Ihr telefoniert und organisiert, und in den Pausen dazwischen versuche ich mich zu amüsieren; da bekommt jeder was.«

Was er jedoch bekommen hatte, war eine Ohrfeige gewesen. Klatschklatsch und ein gleichzeitiges Zurückzucken von Mutter und Sohn. Jamal war so verwundert, daß er weder Schmerz noch Ärger fühlte. Konnte das wahr sein? Ungläubig sah er seine Mutter an, die erschrocken ihre Hand anstarrte, als wäre sie etwas Fremdes, das nicht zu ihrem Körper gehörte.

Als er wenig später aus dem Schlaf aufwachte, wurde ihm klar, daß er *nicht* geträumt hatte. Sein Vater war zur Arbeit gegangen und hatte die Tür mit einem solchen Knall zugeschlagen, daß Jamal das Geräusch wie eine Wiederholung der mütterlichen Ohrfeige empfand. Er versuchte wieder einzuschlafen, aber es blieb nicht mehr viel Zeit. Bald würde Mustafa auf der Matte stehen, gutgelaunt und voller Tatendrang.

Bevor sie losfuhren, hatte Jamals Mutter eine Plastiktüte mit Früchten und zwei Flaschen Mineralwasser gefüllt, den Proviant aber demonstrativ Mustafa in die Hand gedrückt.

»Wenn ich es meinem Sohn gebe«, sagte sie mit einem Lächeln, dessen Schmerz auch nur ihr Sohn verstand, »ist es doch nicht sicher, ob er es nicht irgendwo vergißt oder verkauft.«

Oder verkauft? Oh, hohe Schule der Symbolik, edle Tradition der Metaphern! Was hieß das schon wieder: Der Sohn verkauft mütterliches Mineralwasser, verkauft damit die mütterliche Liebe, verkauft sich dabei selbst. Jamal schloß die Augen und rieb an seinen Schläfen.

Weder die Mutter noch sein Vater würden ihn jemals fragen, wo er gewesen sei. Dafür fürchteten sie die möglichen Antworten viel zu sehr. Auch gut, dann müßte er wenigstens nicht lügen. Müßte nur ihr verletztes Schweigen und ihre weidwunden Blicke ertragen, die dunklen Reden und ihre Mineralwasser-Gleichnisse.

»Jallah«, hatte er gesagt und Mustafa mit einem Schulterklopfen aus der Wohnung geschoben.

In Jamals Kopf überlagerten sich die Bilder, überbelichtet und verschwommen wie zu lange gelagerte Filme. Missaks Augen, Avifs Gesicht und die Tränen seiner Mutter, untermalt von der gleichbleibend freundlichen Stimme Mustafas, die sich zwischen den sechs Säulen des Jupitertempels zu vervielfältigen schien.

Er atmete durch, als der Schulfreund doch noch in die Gegenwart zurückfand und einen Gang ins Baalbek-Museum vorschlug, eine Art kühler Grotte mit halbkreisförmig gewölbter Steindecke.

»Eine Überraschung wartet auf dich«, sagte Mustafa. Auch ihm war Jamals Apathie aufgefallen.

Die Überraschung hieß Hoch-Tief. Sie hieß Siemens, und sie hieß Ministerium für Kultur und Wissenschaft des Landes Brandenburg. Alle drei, so stand auf einer Schautafel am Eingang zu lesen, hatten sich an der Restaurierung des Museums beteiligt, Dokumente gesammelt und beschriftet sowie nach deutschen Sicherheitsstandards das Elektrosystem ausgebaut.

»Ein Elektrosystem ist sehr wichtig«, sagte Jamal. Sie bewunderten die gegen die Decke gedrehten Strahler, die in Meterabständen auf einer glänzenden Metallschiene angebracht waren. Keine der Leuchten war defekt. Jamal gähnte erneut, obwohl es angenehm war, wie sich auf einmal die Hitze von der eigenen Haut zurückzog und in den kellerartigen Gängen verflüchtigte.

Die Deutschen hatten nicht übertrieben: Alte Fotos von wilhelminischen Baalbek-Reisenden mit Djellabah und Spazierstock, antike Funde, sorgsam zusammengesetzte Reste von Vasen, Schöpfkellen und Reliefs, alles detailliert in deutsch, französisch und arabisch erläutert. Mustafas bat Jamal, ein paar der Begleittexte auf deutsch zu lesen. Die seltsamen Worte hallten durch die Gänge. Mustafa lauschte ihnen nach und fiel mit den arabischen Sätzen ein. Und da war es für einen Augenblick, als wären sie wieder zu Kindern geworden, Höhlen-Entdecker, die verborgene Inschriften entzifferten und sich mit dem Klang ihrer Stimmen gegenseitig Mut machten.

»Weißt du was«, sagte Mustafa nach einer Weile. »Da drüben im Nebentrakt hat die Hisbollah eine Gedenkstätte aufgebaut. Wenn wir schon mal hier sind ...«

»Also auf zur Hisbollah«, sagte Jamal mit matter Stimme. Er fragte sich, wie die kommende Nacht verlaufen würde, wenn er mit Missak wieder ins Hotel ging und erst im Morgengrauen nach Hause kam. Wahrscheinlich würde er dann zur Strafe mindestens eine Israeli-Einheit in die Luft jagen müssen.

Er sah die Uniformen. Hosen, Käppis, Stiefel, Jacken, alle mit dem Symbol der Zahal versehen. Sie lagen ausgebreitet unter Glasvitrinen, die Einschußlöcher im Stoff waren mit schwarzem Filzstift markiert. Die Beschriftung war rein arabisch. *Getötete Besatzer* stand auf kleinen weißen Zetteln zu lesen, die man mit Klebeband über den Vitrinen angebracht hatte. In den Schaukästen daneben waren verschiedene Turbane zu sehen, so drapiert, daß die dunklen Flecken auf dem grünen Stoff sichtbar wurden. *Von den Besatzern ermordete Märtyrer.*

Die Hände auf dem Rücken verschränkt, schauten sie sich die Ausstellung an. Mustafa wollte wissen, ob in den deutschen Nachrichtensendungen über die Lage im Süden berichtet wurde. Jamal nickte.

»Als könnte man die Uhr danach stellen. Die Hisbollah beschießt mit Katjuschas die Dörfer in Nordisrael, und wenig später dann die Meldung, daß die Israelis wieder Angriffe auf den Libanon fliegen.«

Mustafa sah ihn erstaunt an. »Doch nicht nur die Angriffe. Die sitzen seit Jahren in einem Teil unseres Landes!«

»Genau. Und sagen, daß sie solange in dieser Zone bleiben, wie die Hisbollah Teile *ihres* Landes beschießt.«

»Aber die Hisbollah *wird* weiter schießen«, entgegnete Mustafa mit Nachdruck. »Sie tut das schließlich für uns alle, für die Befreiung.«

Während ihres Gesprächs waren sie von einem bärtigen Mann beobachtet worden, der neben der Kasse saß. Auf dem Tisch vor ihm stand eine verzierte Hisbollah-Sammelbüchse von der Größe einer tragbaren Kühltruhe. Schlägst du mich, schlag ich dich, wer aber ist der Schurke?

Jamal fühlte sich zu abgeschlafft, um darüber nachzudenken.

Schon gar nicht unter den zusammengezogenen Augenbrauen des Bärtigen. Sich respektvoll verneigend, verließen sie die Gedenkstätte.

Gefördert vom Bundesland Brandenburg stand noch immer auf der Schautafel am Eingang zu lesen. Jamal dachte an die filzstiftbemalten Einschußlöcher in den Israeli-Uniformen und mußte plötzlich lachen. »Gefördert vom Bundesland Brandenburg«, übersetzte er auf arabisch und wurde immer ausgelassener. The Voice of Regine; wenn das kein Liebessignal war! Da hatte er sich all die Jahre an seine Fick-Phantasie mit Regine Hildebrandt erinnert und über die geheimen Zusammenhänge gegrübelt und erst jetzt begriff er: Brandenburg engagierte sich auch hier! Verdrosch und verjagte alle greifbaren Ausländer auf seinem Territorium, verhalf jedoch gleichzeitig jungen Libanesen zum Orgasmus und nicht genug damit, sponsorte sogar die Hisbollah. Diese Brandenburg-Deutschen aber auch. Immer aktiv, immer am Puls des Geschehens.

Mustafa zog ein mißbilligendes Gesicht. »Meinst du nicht, daß das zu ernst ist?«

»Gerade deshalb«, sagte Jamal und rieb sich die Lachtränen aus den Augen. »Gerade deshalb.«

An Mustafas Blick sah er, daß der Schulfreund wahrscheinlich überlegte, ob sie draußen nicht zu lange in der Sonne herumgelaufen waren.

»Qu'est-ce que vous avez choisi?«

»Einen Salad mixte, bitte.«

»Et qu'est-ce que vous voulez boire?«

»Nur ein Wasser, bitte.«

»Excusez moi; une caraffe d'eau de robinet ou plutôt une eau minérale?«

»Eher ein Mineralwasser, *shukrom*.«

Sie trennten sich wie nach einem Boxkampf, der unentschieden geendet hatte.

Jamal wandte sich an die anderen. »Sprechen die hier nur Französisch?«

»Mais oui.«

»Ich habe nie jemanden mit so starkem Akzent französisch reden hören wie diesen Kellner.«

»C'est pas grave, mon chéri.«

Als er kurz vor neun ins *Babylone* gekommen war, hatte Missak schon an einem Tisch in der hinteren Ecke des Raums gesessen und ihm zugewinkt.

Jamal hatte das Innere des Restaurants abgecheckt – Dielenboden, orange getönte Wände mit gerahmten Reproduktionen moderner Maler und Jazz-Plakaten, Holztische mit marmorierten Platten, leise Billie-Holiday-Musik, die Kellner in langen weißen Schürzen – und dabei gedacht: Schöneberg. Charlottenburg. Mitte. Alles, aber nicht Beirut.

Wenige Minuten zuvor war der Taxifahrer noch durch das Ruinenfeld gekurvt, das sich wie ein einziger Friedhof auf beiden Seiten der alten *Green-Line* erstreckte. Dann war er in eine Seitenstraße eingebogen, wo der aufgerissene Asphalt bald in neugelegtes Kopfsteinplaster überging. Die Fassaden der alten Häuser waren weiß oder ockerfarben gestrichen, über den Haustüren hingen schmiedeeiserne Laternen, von den Balkonen rankte Efeu herab. Es ähnelte den Bildern, die er in Reise-Prospekten über Südfrankreich gesehen hatte.

Wenn er wieder in Berlin war, mußte er Katja danach fragen. Vielleicht sah ja auch ihr Menton so aus.

Missak war nicht allein gekommen. Er stellte Jamal die drei Freunde vor, die mit ihm am Tisch saßen und ihn mit freundlichem Interesse musterten. Jamal versuchte seinen Ärger mit einem Lächeln zu überspielen. Sollte das ihre Verabredung sein? Hinzu kam, daß all die bunten Vögelchen, die Missak da angeschleppt hatte, nur französisch zwitscherten.

Erst nachdem der Kellner mit einem »Bon appétit, Messieurs« die Speisen gebracht hatte, wurde es weniger formell. Silberbesteck klapperte, gestärkte weiße Servietten wurden entfaltet und Jamals Weinglas mit kühlem Château Mousar gefüllt; gemeinsam stießen sie auf den Gast aus Berlin an und spießten die kleinen Häppchen mit Crevetten, Scampi, Hähnchenfilets, Avocados und essiggetränktem Rucola unter wahren Lobpreishymnen auf die Gabeln.

»Das Restaurant ist *mixed*«, verkündete einer von Missaks Freunden, wobei er seinen Oberkörper verschwörerisch vorbeugte, »und nebenbei bemerkt, eines der besten in der ganzen Stadt.«

Damit war das Signal gegeben, sich ab nun wieder ihrer Muttersprache zu bedienen. Jamal wurde gefragt, ob es ihm unangenehm sei, Französisch zu sprechen.

Er lachte. »Nein, bestimmt nicht. Es gibt keine schönere Sprache. Aber ausgerechnet in Beirut ...«

Missaks Freunde nickten bedächtig und kauten weiter an ihren Crevetten. Ihre folgenden Fragen über Berlin – was für ein Klima, welche *locations*, irgendwelche Formen des Rassismus und der, *tu sais*, ganz *speziellen* Diskriminierung – waren voraussehbar gewesen und leicht zu beantworten. Zum Glück fragte ihn niemand nach seinen Berliner Freunden oder seinen Zukunftsplänen. Er wußte, daß er dabei ins Stottern geraten wäre. Wahrscheinlich nahmen sie an, daß er irgendwann als der zurückkommen würde, den sie hier ebenso wie in Deutschland einen *gemachten Mann* nannten. Aber *gemacht* von wem?

Während er redete und ab und zu an dem Weinglas nippte, schaute er sich die drei jungen Männer genauer an. War der, der ihm gegenüber saß, schwul? Fast so etwas wie ein Boxer-Typ, gebräuntes Gesicht, kahlrasierter Kopf, schwarzstoppeliger Dreitagebart und über dem schwarzen T-Shirt das Goldkettchen mit dem Halbmond. Jamal überlegte, wo er ihn schon einmal gesehen hatte. Vielleicht unter denen, die vor den Eisläden in der Rue Bliss gestanden und geguckt hatten?

Er hieß Khaled, und er fragte Jamal, ob auch er Schiit sei.

»Klar«, sagte Jamal und gab zum besten, wie verängstigt einige Deutsche reagiert hatten, als sie dies erfuhren. Wie zu erwarten, erregte das Heiterkeit.

Dann Jaafar. Nun, das war eindeutig: Dünne Arme mit ein, zwei, drei silbernen Armreifen, ein ärmelloses Trikot, gegeltes Haar mit Pferdeschwanz, Ohrring und eine Manie, die ihn zwang, jeden von Jamals Sätzen über Berlin mit einem lauten »Mon Dieu, c'est géniaal!« zu kommentieren. Merkwürdigerweise wirkte er keineswegs unangenehm oder zickig. Voller Euphorie erzählte er von seiner Zeit in Paris, einem zweimonatigen *stage* im Ensemble von Ariane Mnouchkine (Jamal war beschämt, diesen Namen noch nie gehört zu haben; vielleicht wäre ein weiterer Theaterbesuch mit Katja gar nicht so schlimm gewesen), schwärmte von den Erfahrungen in dieser Stadt, in der es, *je te jure*, überhaupt keine Zwänge gäbe, und kam dann übergangslos zu seinen Versuchen, Aquarelle zu zeichnen und Haikus zu schreiben. Was zum Teufel sind Haikus, fragte sich Jamal, der die ganze Zeit aufpassen mußte, seinen Mund nicht zu weit offen stehen zu lassen. Ein irrer Typ, dieser Jaafar. Einer, der vor Energie platzte und dem hier in Beirut nur dieses Restaurant blieb, um seinen Träumen nachzuhängen.

Und da war als dritter Joseph. Gleich beim ersten Händedruck hatte er gesagt: »Tu peux m'appeller Josie«, und Jamal ein reizendes Diva-Lächeln geschenkt. Jamal hatte Mühe gehabt, seine Irritation zu verbergen. Was war das für einer? Josephs schmaler, athletischer Körper stand in ziemlichem Kontrast zu seinen tuntigen Bewegungen. Anders als bei Jaafar wirkte es aufgesetzt und künstlich; der umschattete Blick, die geschmeidigen Handbewegungen, die akzentuierte Redeweise.

Joseph erzählte, daß er gerade seinen Militärdienst ableistete. Die Beziehungen seiner Eltern hatten dafür gesorgt, daß er nicht in einer Kaserne Dienst tun mußte, sondern einen Bürojob bekam, von dem er jeden Abend nach Hause fahren durfte. Jamal sah ihn lächelnd an. Er hätte ihn sich ohnehin nur schwer in Uniform vorstellen können. Er fragte Joseph, ob es Diskriminierungen gäbe.

Mais non. Keine Probleme mit den anderen Soldaten. »Meine Kameraden mögen mich sehr, enfin, sie haben zumindest die Tendenz.«

»Sie haben eher eine Tendenz zu deinem süßen Hintern«, sagte Khaled trocken. Joseph lachte und sah dabei Jamal unter seinen dunklen Lidern aufmerksam an.

Während des Desserts – »Jamal, probier das Dessert, das ist génial!« – hatten sie ein weiteres Gesprächsthema gefunden. Beirut, Beirut.

Was auch sonst, dachte Jamal.

Die teuren Appartements. Die Corniche bei Ramlet. Die Teleskop-Typen. Die Syrer. Das Auto-Cruising hinter McDonald's drüben in Aschrafieh, die heruntergeworfenen Wasserbeutel der genervten Anwohner – »weißt du, das ist der Fortschritt. Endlich haben alle genug Wasser!« Das B-018. Andere Restaurants, die wegen der Ängstlichkeit ihrer Besitzer nun nicht einmal mehr mixte waren. Die Hamams.

Und danach: Die Familie. Deine Familie, meine Familie. Wissen sie es, ahnen sie es, wie versteckst du's, welche Sorgen, welche Nöte. Am Schluß konnte Jamal nicht mehr auseinanderhalten, bei wem von den dreien allein die Mutter etwas wußte und es dem bei den Saudis arbeitenden Vater verschwieg, wessen Eltern resigniert beide Augen schlossen, bei wem getobt wurde, wer offiziell sogar verlobt war. Wahrscheinlich Khaled ...

Langsam begann er, sich wohl zu fühlen. Hier gab es keine Statusprobleme, hier mußte er sich nicht verstellen und seine Worte taktisch abwägen. Es machte ihm nichts aus, irgendwann auch von der Ohrfeige, die ihm die Mutter verpaßt hatte, zu erzählen, von dem Ausflug nach Baalbek und seinem Schulfreund, dem er trotz aller gemeinsamen Erinnerungen unendlich fremd geworden war.

Es dauerte eine ganze Weile, bis er merkte, daß nur er noch sprach. Alle hörten sie ihm schweigend zu. Es war ein gutes Schweigen. Nicht taxierend, nicht abschätzend und abwartend, sondern voller ... Ja, was war eigentlich das Wort dafür? Voller Verständnis, vielleicht sogar Brüderlichkeit? Es war ein Reden und Schweigen auf exterritorialem Gebiet. Nicht Berlin und auch nicht Beirut. Nur einer fehlte, aber an den verbot er sich zu denken.

Missak sah ihn die ganze Zeit an, aber in seinen Augen lag kein Verlangen mehr. Es war eher eine Art Güte, die Jamal zutiefst erschütterte. Der Armenier wirkte völlig verändert. Unglaublich, daß sie sich letzte Nacht nackt auf diesem Hotelbett in der Hamra geliebt hatten. Was war geschehen?

Jamal zog fragend die Brauen hoch, aber alles, was er von Missak zurückbekam, war der gelassene, vertrauensvolle Blick eines guten Freundes. Weder Sex-Blick noch Liebes-Signal; bei solchen Dingen kannte er sich aus. Yousuf hatte ihn genauso angesehen.

Missak schaute auf die Uhr. »Tja, ich muß los. Vorher verschwinde ich noch mal kurz ...« Mit diesen Worten schälte er sich zwischen der schmalen Sitzwand und dem Tisch heraus und ging mit festem Schritt quer zu einer Tür neben der Bar.

Jamal konnte seine Überraschung nicht mehr verbergen, doch ehe er etwas sagen konnte, berührte Joseph seinen Arm. »Mach dir keine Sorgen. Er hat dich sehr gern.« Khaled und Jaafar nickten.

Offensichtlich wußten sie alles über seine Begegnung mit Missak. Die hastig getroffene Verabredung in Verdun, ihr Gang über die Corniche, die Nacht im Hotel – er hoffte, daß der Armenier nicht *alle* Einzelheiten ausgeplaudert hatte. Also doch wie in Berlin, dachte er enttäuscht. Genau das, was ich hasse. Szenegetuschel, bei Café-Brunchs und endlosen Abendessen ausgequatschte intime Details, ein Summen wie im Friseursalon, widerwärtiges, mitleidloses Brabbeln. Hatte er das in Deutschland gemieden, um schließlich hier in die Falle zu tappen? Wir haben's gewußt, Habibi, wir wissen und werden's immer wissen. Zu dumm, er hatte den Armenier anders eingeschätzt.

Jamals Augenbrauen waren zornig zusammengezogen, als Joseph mit gedämpfter Stimme sagte: »Denk nicht, daß Missak uns *alles* erzählt hat. So einer ist er nicht. Es ist nur ... Ihr werdet keine weitere Nacht zusammen verbringen.«

Jamal war baff. Träumte er? War er vor einem Tribunal gelandet, das Auflagen erteilte und Verbote aussprach? Mit heiserer Stimme und seine Wut nur mühsam unterdrückend, fragte er, was das zu bedeuten hätte.

»Es bedeutet«, sagte Joseph, nun ohne jeden forcierten Ton, »es bedeutet, daß Missak dabei war, mehr für dich zu empfinden, als es bei, *alors*, solchen Nachtgeschichten normalerweise der Fall ist.«

Jamal atmete tief durch. »Und wo ist das Problem?«

Joseph sah ihn verwundert an. »Wo das Problem ist, fragst du? Lernt man solche Fragen dort, wo du jetzt lebst? Na, zwischen Beirut und Berlin, dort ist das Problem. Missak hat schon einmal so eine Erfahrung machen müssen. Wochen- und monatelang hat er auf Post aus Paris oder London gewartet; Briefe, die mehr sein sollten als irgendein *Hello* oder eine Einladung für 14 Tage. Er dachte an ein anderes Leben, das war's. Und wir« – er wies auf Khaled und Jaafar, die Jamal ernst ansahen –, »wir mußten ihm wieder auf die Beine helfen, damit er keine Dummheiten macht. Er ist nämlich nicht so ruhig und gelassen, wie er sich gern gibt. So, jetzt weißt du's.«

Joseph seufzte, ließ seine Hand aber auf Jamals Arm liegen.

»Warum geht er nicht ins Ausland, wenn er hier so unglücklich ist?«

»Weil seine Eltern entschieden haben, daß er später ihre Geschäfte übernimmt und sich schon jetzt einarbeiten muß, anstatt in Paris zu studieren. Weil in drei Monaten das Militär auf ihn wartet und er nicht mehr reisen darf, selbst wenn ihm seine Eltern das nötige Geld gegeben hätten, was sie natürlich niemals tun würden.« Es war Khaled, der gesprochen hatte, und seine Stimme klang ungeduldig.

Mußte sich Jamal rechtfertigen? Es war nicht seine Schuld, daß er zum letzten Jahrgang zählte, der vom Militärdienst befreit war, weil es kurz nach dem Bürgerkrieg noch keine reguläre Armee gegeben hatte. Nicht seine Schuld, daß er im Ausland lebte und sie nicht. Und überhaupt: Seit wann war Ausland ein anderes Wort für Paradies?

Er wußte, daß er unrecht hatte. Gab es nicht ein wenig Neid bei ihm, daß diese jungen Männer, Missak eingeschlossen, aus wohlhabenden Familien stammten, während seine Eltern kräftig sparen mußten, um ihm ein Studium in Deutschland zu ermöglichen? Ein Studium, mit dem er nichts anfangen und das er niemals mit einem Diplom abschließen konnte. Und dann kamen sie ihm noch mit *ihren* Problemen!

Aber Joseph hatte von Liebe gesprochen. Von *Liebe!* Oder war das Wort gar nicht gefallen? Egal, darum ging es. Deshalb hatte sich der junge Armenier zurückgezogen, weil er wußte, daß es ihm nie gelungen wäre, ruhig darüber zu sprechen. *Deshalb* wollte er keine weitere Nacht, wollte nicht mit seinen Gefühlen spielen. Und so etwas, das wurde Jamal klar, so etwas gab es in Berlin bestimmt nicht an jeder Straßenecke. So eine Möglichkeit, so eine Würde gab es selbst in *seinem* Herzen nicht mehr. Erst Avif, nun Missak. Weshalb mußten ihn die anderen immer wieder beschämen?

Zögernd sagte er: »Und er, ich meine Missak, er hat euch gebeten, mir das zu erzählen, weil er ...«

Die drei Freunde nickten. Leise Musik rauschte durch den Raum, Kellner gingen hin und her, an den anderen Tischen wurde geredet und gelacht, aber da, wo sie saßen, herrschte Schweigen.

Jamal schluckte. Mehrfach schob er das Besteck auf dem leeren Teller hin und her, dann sagte er: »Tut mir leid, aber das kommt etwas zu schnell.«

»Es gibt schlimmere Überraschungen«, sagte Joseph gleichmütig. Er nahm seine Hand von Jamals Arm.

Jaafar, als hätte er auf seinen Einsatz gewartet, beugte sich zu Jamal vor und sagte, er solle sich diskret umdrehen, in Richtung des Tisches links vor der Bar. Jamal wendete den Kopf. Ein Pärchen saß dort; die junge Frau in schwarzem Minirock und ihr gegenüber wahrscheinlich ihr Freund, ein gutaussehender Typ mit Hemd und Krawatte, der sich mit einem dicken, goldglänzenden Feuerzeug eine Zigarette anzündete.

»Ja, und?«

»Hör zu«, flüsterte Jaafar. »Der Typ ist stockschwul, auch wenn es nicht so aussieht. Außerdem rein passiv, wenn du verstehst. Alle wissen sie von seiner Macke: Er läßt nur die ran, die er für richtige Männer hält. Das heißt, er läßt ihn sich zwar hinten reinstrecken, aber er würde nie erlauben, daß man dabei seinen Schwanz anfaßt. Weil, ein richtiger Mann stößt nur zu und faßt keine Schwänze an.«

Jaafar schaute Jamal triumphierend an. »Ich erzähle das, damit du verstehen lernst. Jeder hat hier irgendein Problem. *Jeder*, je te jure! Nous sommes fous, tous, mais parfois aussi amoureux, et ça, ça c'est beaucoup plus sérieux. On se moque jamais de ça, jamais.«

»Aber ich kann Missak wiedersehen?« fragte Jamal hilflos.

Die anderen lachten. »Mais oui. Wir sind schließlich nicht im Serail.«

Nach ein paar Minuten kam der Armenier zurück. Sein Gesicht verriet mit keiner Regung, daß er wußte, worüber während seiner Abwesenheit gesprochen worden war. Sie bestellten Kaffee und redeten über andere Dinge. Als der Kellner die Rechnung brachte – ein längliches Zettelungetüm mit hohem Endpreis –, sagte Jamal, daß er sich beteiligen wolle. Joseph klappte wie in Zeitlupe seine Lider hoch.

»Sich beteiligen?« wiederholte er in schleppendem Ton. »Was ist *sich beteiligen*, macht man das so in Deutschland? Entweder man zahlt für alle oder man wird eingeladen. *Sich beteiligen*, tss . . .« Unerwartet kniff er Jamal in die Wange. Dann öffnete er seine Brieftasche. »C'est à moi«, sagte er dem Kellner, und seine Lider veranstalteten erneut ein lautloses Klappklapp.

Da war der Unterschied: Um in Berlin von einer Welt in die andere zu gelangen, genügte die U-Bahn. Manchmal auch ein Formular der Ausländerbehörde, ein gestempeltes Ja oder Nein, das über Bleiben oder Wegmüssen entschied, aber das hatte ihn noch nicht betroffen. Statt dessen: Nimm die U-Bahn oder ein Taxi; zwei Stationen oder drei Straßen weiter, und schwupp, schon bist du in einer neuen Realität.

Hier in Beirut genügten einfach Stimmen, damit sich alles änderte. Man legt Wert auf menschliche Kontakte, dachte Jamal höhnisch.

Heute abend etwa war es das *B-018*, das nach einem Satz seines

Vaters einfach verschwand, obwohl Missaks Freunde ausgemacht hatten, Jamal die berühmte Discothek zu zeigen, sozusagen als Trostpreis für die verlorengegangene Nacht.

Sie alle hatten ihn in Missaks altem Mercedes nach Hause gebracht. Er selbst saß vorn neben dem Armenier. Während hinten auf dem Rücksitz Joseph, Khaled und Jaafar miteinander plauderten, warfen sie sich ab und zu verstohlene Blicke zu. Einmal, als der Wagen an einer Ampel halten mußte, sahen sie sich kurz in die Augen. Du verstehst? Ja, Habibi, ich verstehe, mach dir keine Sorgen.

Missak krampfte seine Hände um das Lenkrad, und obwohl es jetzt am Abend kühler geworden war, rannen Schweißperlen seine Schläfen herab.

Während des Abendessens wirkte Jamal abwesend. Die Eltern und Geschwister führten es auf den Ärger am Morgen zurück und verhielten sich diskret. Nur kein weiterer Schatten auf der Anwesenheit des ältesten Sohns und großen Bruders! Iß, es gibt genug, lang zu, in der Küche wartet noch mehr.

Jamal aß und trank, leerte die Teller, sah aber aus, als sei er mit anderem beschäftigt. Seht nur, sein Gesicht leuchtet, oder es wird düster, Grinsen und gleichzeitig tiefe Falten auf der Stirn! Und das in Sekunden – ohne Unterbrechung.

Alle beobachteten sie ihn. Keiner sprach es aus, doch jeder in der Familie wollte wissen, was ihm hier verschwiegen wurde.

Jamal aber dachte nicht daran, sie Anteil an seinen Gedanken nehmen zu lassen, und wahrscheinlich war es das, was seinen Vater nach dem Ende des Abendessens dazu brachte, sich mißmutig zu räuspern und ihm kurz und bündig mitzuteilen, daß man das Wochenende in ihrem Haus auf dem Dorf verbringen werde. Er solle sich also morgen früh bereit halten und mehr als seine Shorts einpacken, da man die Großeltern als auch die Tanten zu besuchen gedenke.

Während sich die Mutter darauf konzentrierte, Brotkrümel von der Tischplatte in ihre offene Hand zu wischen, sahen Salima und Zarif den Bruder in gespannter Erwartung an. Was würde er tun? Der Vater saß schweigend mit verschränkten Armen hinter dem Tisch. Er hatte gesagt, was zu sagen war.

Adieu B-018, adieu Missak & Freunde.

Jamal reagierte gelassen. »Schade«, sagte er, »da muß ich wohl ein paar Freunde anrufen und ihnen absagen.«

Ruhig bleiben, sagte er sich. Nur ruhig bleiben, Jamal. Die geschlossenen Räume kommen nicht zurück, du hast es dir geschworen. Selbst jetzt kommen sie nicht zurück. Es ist nur ein Wochenende, ein mickriges, unbedeutendes Wochenende. Laß dich also nicht wütend machen und bleib cool. Und denke an Katjas Lächeln, damals im GON-Club in der Nürnberger Straße. Ihr verheißungsvolles, komplizenhaftes Lächeln. Soll ich den Trauzeugen machen, hatte Avif gefragt. Ja, dachte Jamal und grub die Finger in seine Handflächen, bis es schmerzte. Ja, das wäre eine gute Idee. Vielleicht sogar die einzige Rettung.

»Welche Freunde?« Das war die Mutter. Ihr Ton war nicht fordernd, eher bittend und bestürzt.

»Freunde von Freunden von Mustafa. Ihr wißt, wie man als Gast herumgereicht wird.«

»Nette Menschen?«

Jamal lachte. »Was glaubst du? Ich lerne nur nette Menschen kennen.«

Sein Vater atmete geräuschvoll durch. »Dann sag ihnen also ab. Morgen kommt auch dein Bruder Nabir. Er hat uns heute angerufen; sein Wochenendurlaub ist genehmigt. Seine Kameraden werden ihn bei uns im Dorf absetzen. Er freut sich, viel von dir zu hören. Besonders über das Studium.«

Zweiter Tiefschlag.

»Will Nabir nach der Armee auch studieren?« fragte Jamal.

Sein Vater sah ihn ernst an, dann schüttelte er den Kopf. »Nein. Um Nabir an die Universität zu bringen, reicht das Geld nicht mehr aus.«

Das war der dritte Tiefschlag.

Wortlos ging Jamal in den Flur hinaus und wählte auf dem Telefon mit der alten Drehscheibe Josephs Nummer. Er war sofort am Apparat.

»Hier ist Jamal.«

»Mon Dieu, quelle surprise!« Eine Stimme wie eine koksende Diva, dachte Jamal. Sie sprachen weiter französisch. In knappen Worten, die seine Wut nicht verbargen, berichtete er von der Entscheidung des Vaters.

Joseph ließ einen rauchigen Seufzer hören. »Oh non, ce n'est pas vrai! Mais le samedi soir?«

»Je sais pas. Peut-être, je vais l'essayer. Et je te téléphone demain, d'accord?«

Joseph verabschiedete sich mit einem trägen »Donc, bisous, bisous.«

»Ich weiß nicht, wer deine Freunde sind, aber ich weiß, daß ihr euch nicht wie richtige Libanesen benehmt. Habt ihr etwas zu verstecken oder schämt ihr euch für eure Muttersprache?«

Der Vater stand im Türrahmen zum Flur, gedrungen und in jedem Zug seines Gesichts Vorwurf und Mißbilligung. Und doch, er wirkte kleiner und mit seinem grau gewordenen Haar viel älter, als Jamal ihn in den letzten drei Jahren in Erinnerung behalten hatte.

Anklagend zeigte er auf die Shorts, die sein Sohn angezogen hatte, nachdem er heimgekommen war. »Und dann das. Läuft man bei euch da drüben etwa so herum? Respektierst du deine Familie so wenig, daß du nichts anderes tragen kannst? Es ist alles so ... *haram,* ja das ist es.«

»Vielleicht ist es ungewohnt für dich, aber es ist nicht *unschicklich*«, widersprach Jamal.

»*Haram*«, beharrte sein Vater.

Am nächsten Morgen brachen sie zeitig auf.

Obwohl es erst Freitag war, hatten Salima und Zarif nicht zur Schule gehen müssen. Jamal war erleichtert, als er hörte, daß diese Ausnahme auf Nabirs unerwarteten Wochenendurlaub zurückzuführen war. Einmal kein Opfer, das allein für mich gebracht wird, dachte er.

Bepackt mit Tüten, Taschen und Töpfen und kleinen Geschenken für die Großeltern, fuhren sie in Richtung Süden.

»Weißt du noch, wie uns hier die Israeli-Posten gezwungen haben, den Aufkleber mit der Libanon-Zeder von der Frontscheibe zu kratzen?« fragte der Vater. Nach zwei Stunden Fahrt hatten sie Saida hinter sich gelassen und waren in Richtung Nabatiyeh auf die schmale Gebirgsstraße eingebogen. Jedesmal, wenn sie die Kreuzung passierten, erinnerte sich der Vater daran. Auch Jamal erinnerte sich, dachte an die unaussprechliche Scham des Kindes, seinen eigenen Vater so gedemütigt zu sehen. Als er mit verklebten Händen wieder in den Wagen gestiegen war, begleitet vom Hohn der Soldaten, hatte ihm Jamal die stoppelige Wange gestreichelt und dann ganz still auf seinem Sitz gesessen, als würden sie durch sein Schweigen schneller hinauf ins Dorf kommen, wo es weniger Straßensperren und

Armeeposten gab und auch die Sonne nicht mehr so unbarm-
herzig herabbrannte.

»Ich denke oft daran«, sagte Jamal leise. Die Spannung, die in
der Luft lag, seit sie sich in Beirut alle fünf in das Auto gezwängt
hatten, löste sich auf. Die Mutter reichte aus der Kühltasche eine
Saha-Flasche nach vorn, erzählte ebenfalls eine Geschichte von
früher, und Jamal und Zarif übernahmen zusammen mit dem
Vater die Rolle der abgeklärten Männer: Hört mal, was die Frau-
en da wieder reden ... Es war so leicht, zufrieden zu sein! Man
mußte nur die richtigen Worte finden.

Als Jamal vierundzwanzig Stunden später mit den Freunden
seines Bruders im Jeep zurück nach Beirut fuhr, versuchte er in
Gedanken eine Liste über das zu erstellen, was er im Dorf erlebt
hatte. Was gut gewesen war und was schlecht. Aber ließen sich
Gefühle und Erlebnisse, so einfach – *sauber* war das deutsche
Wort – voneinander trennen?

Ja, es war gut, an Vaters Seite wieder in die eigenen Erinnerungen hineinzufahren. Die bergige Straße mit dem glühenden,
weichen Asphalt hoch; vorbei an den Häusern des Dorfes, deren
Flachdächer und weißgestrichene Fassaden wie gefleckt aussahen
im Wechselspiel von Sonne und Schatten; dann links das Feld mit
den knochigen Feigenbäumen, unter deren Ästen dürre, träge
Esel standen, und dahinter der steinige Weg zur Schlucht, zum
Bach, wo er und Hassan damals ... Eine andere Zeit, ein anderes
Leben.

Sie bogen in die Einfahrt ein, und Jamal sah, daß sich das Haus
kaum verändert hatte. Ein anderer, diesmal ockerfarbener An-
strich, im Garten neu gepflanzte Sträucher und Pflanzen, das
ausgeschachtete Fundament für einen kleinen Pool, sonst alles
genau so, wie er es von den vielen Sommern, in denen sie hierher
gekommen waren, in Erinnerung hatte.

Auch das, was sie in den nächsten Stunden taten, hätte er
voraussagen können: Die Speisen aus dem Auto in die Küche
bringen, die Fenster öffnen und die Gazegitter anbringen, Ventilatoren anstellen und Staub wischen, die Gartengeräte auf Voll-
ständigkeit prüfen und das Essen vorbereiten. Vor allem das
Essen vorbereiten.

Wie ruhig und zufrieden das Leben hier verlief! Es war nur so,
daß diese Ruhe nur dann Befreiung verhieß, wenn woanders
Bomben fielen und einem die Kugeln um die Ohren pfiffen.

Wenn stündlich Autos mitsamt ihren Insassen in die Luft flogen, wenn Wohngebäude in Sekundenschnelle zu rauchenden Trümmern wurden und sich auf den Dächern Heckenschützen eingenistet hatten – dann war es gut, am Leben zu sein und langsam zu leben, so als könnte jeder eilige Schritt Verhängnis und Tod bedeuten. Ein Haus, ein Garten, das Aufgehen und Versinken der Sonne, die regelmäßigen Gebetsrufe des Muezzin in der Moschee am Dorfrand, der Geruch von Zypressen und Jasmin, die wie mit Lineal gezogenen Lichtstreifen nachmittags auf der Terrasse … Stille verscheuchte die Angst, die Gewalt, das Sterben. Aber jetzt? Jetzt schob sie nur noch das Leben weg.

Jamals Nacht mit dem Armenier, das unerwartete Gespräch mit dessen Freunden – was für eine Geschichte! *Das* war es, was zählte, nun, da der Krieg vorbei war. Hatten sie, die heute jung waren, nicht das Recht, ihr Leben in die eigenen Hände zu nehmen? Auch sie hatten eine Biographie, hatten Geschichten. Und was für welche.

Wir haben tolle Geschichten, dachte Jamal, vor allem aber Familie. Was konnte er tun?

Zur Zeit waren die Chancen, sich zu widersetzen, eher gering. Sollte er etwa die Nahrungsaufnahme verweigern, sein Zimmer nicht betreten und es ablehnen, Sand in Vaters Betonmischer zu schaufeln? Aber nein, die Sache mit dem Pool war zu wichtig. Jamal, wenn du nächstes Jahr wiederkommst, kannst du hier baden und dich danach im Garten sonnen, du wirst sehen.

Alles war so verständlich und erniedrigend zugleich, und er hatte weder Gesten noch Worte dagegen, es sei denn, er hätte in der Quengelei eines Kindes Zuflucht gesucht.

Gegen Abend kam Nabir. Ein offener Jeep hatte hupend in der Auffahrt gehalten, und wie früher war Jamal sogleich aus dem Haus gerast.

Der Bruder wechselte ein paar Worte mit den Kameraden und sprang dann, ohne die kniehohe Tür zu öffnen, aus dem Wagen. Er blinzelte in die Sonne, rückte verlegen an seinem Koppel und rannte, kaum hatte er ihn inmitten der Familie gesehen, auf Jamal zu.

Sie umarmten sich, und Nabirs Käppi fiel in den Staub. Mensch, Großer, daß du hier … Und du erst, ich glaub … Halbe Sätze und Ausrufe. Sein kleiner Bruder in Uniform – das war ungewohnt. Sein wettergegerbtes, erwachsen gewordenes Gesicht. Ihre Wiedersehensfreude. Die Tränen in den Augenwinkeln, als sie sich losließen.

Noch später, als er längst wieder in Berlin war, dachte Jamal an diese Begrüßung zurück. Wie lange hatte sie gedauert? Ein, zwei Minuten? Ein losgelöster Moment voller Glück. Und weit weg der Zwang, etwas einordnen zu müssen. Ist der Ältere ein Student in Deutschland, von dem man nicht weiß, was er wirklich treibt? Egal. Soll der Jüngere zeigen, daß er ein Mann geworden ist, der kämpfen gelernt hat und von seinem Vater viel mehr als früher geliebt wird? Wozu?

Bruder trifft Bruder, das allein ist es. Und natürlich kommt auch Salima hinzu, die sich beschwert, daß sie noch nicht umarmt worden ist. Zarif, der sich langsam aus dem Hintergrund löst. Die Mutter, die gerade aus der Haustür tritt und sich mit einem Küchentuch die Hände trocknet. Der Vater, versonnen auf eine Schaufel gestützt, das Bauarbeiterhemd, das er sich für das Wochenende übergezogen hat, voller Sand und Wasserflecken. Aber das war in Jamals Erinnerung schon verschwommener, Randzonen eines Bildes. Was damals für ein paar Minuten gezählt hatte, waren allein Nabir und er. Und die Schwester, natürlich die Schwester, die beide übermütig an den Armen zerrte. Salima durfte nicht fehlen.

So war es gut. So blieb es nicht.

Noch während des Abendessens beging Nabir den Fehler, von Onkel Ziyad und seiner Frau in Tyros zu erzählen und Jamal nach der Zeit mit ihm in Berlin zu fragen. »Das muß wunderbar gewesen sein. Du kommst in eine fremde Stadt und schon steht einer von der Familie bereit und hilft dir bei den ersten Schritten.«

Jamal blickte zu seinen Eltern. Sie vermieden es beide, ihm in die Augen zu sehen.

Hatten sie verschwiegen, was er mit Ziyad erlebt hatte?

Auf Jamals Schläfen traten die Adern hervor, und zweifellos hätte Nabir im nächsten Moment die Wahrheit erfahren, wäre die Mutter nicht schneller gewesen.

»Jamal, erzähl etwas über das Studium, wir sind ganz gespannt darauf.«

»Was soll ich erzählen«, sagte Jamal feindselig. »Ihr habt damals beschlossen, daß ich bei Onkel Ziyad in Berlin wohnen werde. Also habe ich bei Onkel Ziyad in Berlin gewohnt. Nabir, bitte frag nicht, *wie* Mutters Bruder mich aufgenommen hat, denn das ist vorbei. Weiterhin habt ihr beschlossen, daß ich Ingenieur werden soll. Also studiere ich das und versuche, gute Noten zu bekommen.«

Als er sah, daß sein Vater bei diesen Worten zufrieden vor sich hinlächelte, fügte er noch hinzu: »Es ist nicht einmal sicher, ob ich das Studium wirklich beenden kann. Sieben Jahre für ein Diplom, aber die Aufenthaltsgenehmigung läuft nächstes Jahr ab. Was ich bei all dem empfinde, ob es mir Spaß macht, ob ich jemals ein guter Ingenieur werde, das spielt ja keine Rolle, oder?«

Nach einer kurzen Pause, in der ihn alle erschüttert ansahen – für einen Augenblick herrschte eine solche Stille, daß das Summen der Insekten, die sich im Gazegitter verfangen hatten, das einzige Geräusch war –, explodierte der Vater.

»Spaß«, sagte er. Er hob die Stimme um jene Nuance, die schon in der Kindheit signalisiert hatte, daß er wieder einmal eine Entscheidung verteidigen würde, die vorher von der Mutter getroffen worden war.

»*Spaß*, sagt er. Da zahlt man jeden Monat Geld – nicht zu wenig Geld, mein Lieber, aber das solltest du am besten wissen –, und er spricht von Spaß. Haben wir deshalb gespart und sind zusammengerückt, um dich auf eine Urlaubsreise zu schicken, wo man ... Spaß hat? Sieh dich um! Nabir ist bei der Armee, Salima wird bald die Schule beenden, Zarif hilft schon jetzt im Laden mit, und du studierst in Deutschland, um später einen geachteten Beruf zu ergreifen. Und alles was dir einfällt, wenn du uns nach drei Jahren – *drei Jahren* – endlich einmal besuchst, ist, von *Spaß* zu reden!« Der Vater schrie nicht, aber seine Stimme hatte eine Schärfe angenommen, die alle außer Jamal zusammenzucken ließ. Jedesmal, wenn er das Wort Spaß wiederholte, hatte er versucht, noch verächtlicher zu klingen. *Spaß!*

Die Sache mit dem Diplom schien ihn weit weniger aufzuregen. Ingenieur war Ingenieur; wer würde da irgendein Papier vorzeigen müssen. Das sollte Katja einmal sehen, dachte Jamal. Wie hatte sie ihn in Berlin mit der Frage genervt, ob sich seine Eltern nicht langsam Gedanken machen würden über die verfehlte Berufswahl. *Gedanken machen! Berufswahl! Verfehlt!*

Schmargendorf-Worte waren das, nichts sonst. Dort, wo er herkam, wurden höchstens Entscheidungen getroffen. *Entscheidungen!* Und *Erwartungen,* die gab es immer gratis dazu. Entweder man erfüllte sie, oder man wurde zur Schande der Familie. Gedanken machen, Dinge hinterfragen ... Ach Katja, liebste Katja. Fast hätte er gelacht.

War es an diesem Abend, daß er sich entschied, hierher nicht zurückzukommen, wenigstens nicht als *Landsmann?* Ein Wort ändert kein Leben. Aber er hatte in dem anderen Land, das kein Paradies war, lange genug gelebt, um zu wissen, daß zum Lachen auch das Weinen gehörte, der Überschwang zur Verzweiflung und die Einsamkeit zur Freiheit. Und immer war es ein Teil von ihm selbst. Gehorsam aber, absoluter Gehorsam, gehörte nicht dazu. Nie mehr.

Während der ganzen Nacht lag er schlaflos. Ob Katja verstehen würde, um was es ging? Sobald er in Berlin war, müßte er mit ihr sprechen. Sie waren gemeinsam durch die Stadt gezogen, hatten in Anspielungen und Stille und Gelächter ihre Freundschaft wachsen lassen; nun mußte etwas geschehen. Jetzt *mußte* er die entscheidende Frage stellen, die sein Leben ändern und ihm Kraft für Neues geben könnte. Er brauchte etwas, das ihn vor Gesprächen wie heute abend schützte.

Im Bett an der Zimmerwand gegenüber lag Nabir. Bürstenschnitt, Kratzer an den gebräunten Armen, um den Hals ein Amulett, die Bettdecke bis zum Bauch heruntergezogen und zwischen den Beinen zerknautscht. Ich tu's auch für dich, dachte Jamal. Dann verwarf er den Gedanken. Er hatte nicht das Recht, den Weg, den er gehen wollte und dessen Konturen und Risiken noch gar nicht zu ahnen waren, auch dem Bruder aufzudrängen. Nein, Nabir, jeder entscheidet für sich selbst. Und wenn du hier glücklich bist, dann ist auch das gut. Das einzige, Bruder, was ich zu bereuen habe, ist, daß ich dein Gesicht in den Jahren in Berlin schon vergessen hatte, daß ich Salima und Zarif, ja auch Mutter und Vater zu Schatten aus der Vergangenheit gemacht habe. Aber das geht nicht: Das Vergangene dauert an. Und Menschen sind keine Schatten, sie haben ein Recht auf ihre Würde. Selbst dann, wenn sie bitter werden und böse und mir befehlen, alles zu tun, um ihnen zu gleichen. Deshalb gehe ich, nur deshalb.

Es war fünf Uhr, als Jamal endlich Schlaf fand. Schon wenig später zersang der Ruf des Muezzin seine unruhigen Träume.

Als er zum Frühstück geweckt wurde, war er völlig übermüdet. Mühelos gewann Nabir den Wettlauf zur Dusche, während sich Salima anstrengen mußte, Jamal draußen auf der Terrasse einige

Worte zu entlocken. *Berlin, wie ist Berlin?* Ohne den gestrigen Streit zu erwähnen, antwortete Jamal mit ein paar Sätzen, von denen er hoffte, daß sie nicht schon wieder Vaters Mißbilligung hervorriefen und als *haram* angesehen wurden. Er sprach langsam und bemühte sich, trotz seiner Müdigkeit nicht gelangweilt zu erscheinen. Denn das war er nicht. Weder gelangweilt noch erstaunt oder gar haßerfüllt.

Selbst als sie zur Wallfahrt zu den Großeltern aufbrachen, blieb er ruhig. Die Großmutter tätschelte ihm halbblind die Hände, und Großvater Marwan setzte zu einer Hymne auf seinen Sohn Ziyad an, der den Fährnissen in der Fremde (also wußten sie, wie der Bock in Berlin herumgefickt hat) getrotzt habe, nun aber zurückgekommen sei und eine glückliche Familie gegründet habe. Und so, der Großvater hob die faltige, beringte Greisenhand, solle es jeder halten, der für eine Weile nicht in der Heimat sein könne. Ein Persilschein für's Vögeln, fuhr es Jamal durch den Kopf. Er nickte zustimmend. Ein freundliches Lächeln für die senilen Diktatoren in aller Welt; smile, Jamal, smile. Reibungsverluste vermeiden, heißt es in der Sprache deiner Uni-Kurse. Ja, auch da solltest du wieder einmal vorbeischauen, um das Tempo anzuziehen.

Während sie zu ihrem Haus zurückgingen und ununterbrochen irgendwelche Nachbarn grüßten, erzählte ihm die Mutter, daß sein Cousin Hassan mittlerweile in Amerika studiere. In einer Stadt namens Houston in Texas, wo sein Vater Arbeit bei einer Erdölfirma gefunden hatte. »Und alle haben sie schon die *Green Card*, die Glücklichen.«

Jamal war überrascht, daß seine Mutter solche Worte kannte. Gern hätte er gewußt, ob sich der Cousin wohl noch an ihre Fluß-Wichserei im Visier der Israelis erinnerte. Wahrscheinlich nicht.

Den Nachmittag hatte Vater für die Arbeit am geplanten Swimmingpool vorgesehen, das Fundament sollte vor Herbstbeginn fertig werden. Der Betonmischer lief, Zarif schleppte Wassereimer, Nabir und Jamal schaufelten Sand, und ihr Vater rutschte zwischen Maurerkellen und Holzlatten umher, um den Beton glattzustreichen. Sie begannen zu schwitzen, aber Jamal beklagte sich nicht.

In einer Pause – Salima und die Mutter hatten eine riesige Schüssel mit Trauben herbeigeschafft – fragte Nabir den Bruder, ob er heute abend mit ihm zurück in die Stadt fahren wolle.

»Meine Freunde kommen gegen sieben vorbei, da könntest du mit.«

»Nach Beirut?« fragte Jamal ungläubig.

»Na logisch«, sagte sein Bruder. »Denkst du, irgendwer von uns hat Lust darauf, den ganzen Abend Wasserpfeife zu paffen und mit der Familie in die Sterne zu glotzen?«

Er lachte abfällig. Jamal empfand ein wenig Neid. Wie lange hatte *er* gebraucht, um frei zu werden! War er nicht noch immer damit beschäftigt? Und dann kam der jüngere Bruder mit solchen Worten daher.

Jamal hatte eine wütende Reaktion des Vaters erwartet. Er hatte sich getäuscht. Nabirs Freunde, das waren Soldaten, von einigen kannte er die Väter, Beirutis, die in den Nachbardörfern ebenfalls Häuser gebaut hatten, respektable Leute. Wenn die Jungs sich amüsieren wollten, na gut. Und Jamal wollte mit ihnen zurück in die Stadt? Um was zu tun?

»Um mit Freunden in eine Discothek zu gehen; zur Zeit die beste in ganz Beirut.« Jamal sprach mit ruhiger Stimme. Sein Vater tat nichts, als die Arme zu heben. *Jallah*, Reisende soll man nicht aufhalten.

Er versteht, dachte Jamal, er versteht genau. Deshalb ist er so hart. Mochte die Mutter ruhig weinen, als der Jeep anfuhr, mochten Salima und Zarif Grimassen schneiden, weil die beiden älteren Brüder sie zurückließen; der Vater stand nur reglos auf seine Schaufel gestützt da, grauhaarig und stumm.

Worte ändern alles, dachte Jamal, aber hier hat sogar das Schweigen noch eine Botschaft. Sie machte ihm keine Angst mehr.

»*Jallah*«, sagte Nabir, der auf dem Beifahrersitz Platz genommen hatte. Sand knirschte unter den Rädern, und der Jeep rollte rückwärts die Einfahrt hinunter. Jamal hatte das Fenster neben dem Rücksitz bis zum Anschlag nach unten gedreht und winkte. Winkte den Eltern und den Geschwistern zu, die zurückblieben. Winkte lebhaft und hörte erst auf, als er sah, wie der junge Soldat, der neben ihm saß, ihn verwundert musterte.

Jamal saß in einer Zeitmaschine. Brigitte Bardot sang im Duett mit Serge Gainsbourg, und Joseph trug eine dieser Fünfziger-Jahre-Brillen mit schwerem schwarzen Rahmen und dicken Bügeln. Ein Buddy-Holly-Verschnitt; nur das schwarze Netzhemd, das seine Brustmuskeln betonte, stammte aus einer anderen Epoche. Senkrecht in seinem Beifahrersitz aufgerichtet, zeigte er einer nicht mehr ganz jungen Französin den Weg und klopfte mit seinem beringten Zeigefinger auf das Kassettendeck, damit sich das Duett nicht verhaspelte.

Es war Mitternacht in Beirut, und ein mit drei Personen besetzter uralter Citroën Marke 2 CV tuckerte durch die Straßen in Richtung Osten.

»T'aimes cette musique?« Joseph drehte sich um und schenkte Jamal, der eingezwängt auf dem Rücksitz hockte, ein träges Lächeln.

»Pourquoi pas.«

Heute nacht wurde wieder gnadenlos französisch parliert, es sei denn, Joseph hantierte an seinem Handy herum, flötete »It's me, it's me« hinein und drückte dann resigniert auf die rote Off-Taste. »No réponse, dommage.«

Die Zeitmaschine hatte kurz vor Mitternacht vor dem Haus von Jamals Eltern gehalten und mit einem Hupkonzert nicht nur ihn, sondern auch Nabir und die restlichen Nachbarn auf die Balkone gelockt. Die nicht mehr ganz junge Französin hatte sich aus dem Fenster gelehnt und mit lispelnder Stimme Jamals Namen gerufen.

»Willst du mit *der* durch die Stadt ziehen?« hatte Nabir erschrocken gefragt und dem Bruder angeboten, ihn mit in eine neue Underground-Disco zu nehmen, wo er schöne Frauen *seines Alters* treffen könne. Jamal lehnte dankend ab.

»Punk haben sie schon in den Siebzigern gespielt. Außerdem ist mir das zuviel Krach.«

Nabir stand, ein weißes Polo-Shirt in der Hand, mit nacktem Oberkörper auf dem Balkon und sah auf das schwarze Insekt vor der Haustür, das schrill vor sich hinhupte.

»Und was ist mit dem krächzenden Gesinge da unten? Ich wette, das ist mindestens ein Jahrhundert älter als Punk. Mein Gott, du wirst sehen, die Prinzessin fährt dich in den Tod.«

Dann hatten sie sich umarmt, und Jamal mußte sich beeilen, nach unten zu kommen, um das Hupkonzert zu beenden. Die Prinzessin und Joseph hatten ihn überschwenglich begrüßt und waren mit quietschenden Reifen losgepprescht.

Jamal schätzte, daß die Frau bestimmt Anfang vierzig war, obwohl sie mit ihrem Barbie-Schopf, in dem eine Rosenblüte steckte, jünger wirkte. Doch selbst in der Dunkelheit des Wagens waren die hervortretenden Adern an ihren Händen zu erkennen, die ersten Falten am Hals, die auch ein knallrotes Seidentüchlein nicht mehr verdecken konnte. Sie trug ein ärmelloses schwarzes Abendkleid und goldene Armreifen, die bis an die Ellbogen reichten. Bei jeder ihrer unvorhersehbaren Lenkradbewegungen klirrten sie wie die Ladenklingeln im Souk von Bourj Hammoud.

Während sie das Auto durch die Stadt steuerte, abrupte Vollbremsungen vollführte, von den Fahrern anderer Wagen wütend beschimpft wurde, den Citroën wie ein verschrecktes Huhn die engen dunklen Straßen entlangjagte und auf kleinen Anhöhen regelmäßig den Motor verrecken ließ, schmetterte sie zusammen mit Joseph aus vollem Hals *Le petit Gonzales. Lalalah!*

Zwischendurch reichten sie sich eine Zigarette, die in einer fleckigen Elfenbeinspitze steckte, hin und her, boten sie auch Jamal an, kommentierten seine Ablehnung mit einem knappen *tant pis* und diskutierten ansonsten über Josephs neues Parfüm. Nach ein paar Minuten hörte Jamal nicht mehr hin und reagierte nur noch auf das Hupen und die knirschenden Bremsgeräusche. Wahrscheinlich hatte Nabir recht gehabt, und dies war seine allerletzte Fahrt.

Irgendwann bat man ihn, eine Gardenie vorzureichen, die im Fond des Wagens lag und einen betäubenden Geruch absonderte. »T'aimes cette odeur? Moi, je l'adore. Allez vite, donne-moi la fleur!«

Er gab ihr die Blume. Die Prinzessin zwackte sich die Blüte ab und versuchte, sie am Rückspiegel zu befestigen. Währenddessen beschrieb der Citroën rätselhafte Linien. Todeslinien, dachte Jamal.

Um die Frau zu beruhigen, fragte er sie nach ihrer Arbeit.

»Moi? Je travaille pas. Ici, chaque job cause une frustration, tu sais.« Soweit dazu.

Joseph beugte sich zu Jamal hinter und erzählte ihm, dabei noch immer kein einziges Wort arabisch sprechend, daß die Freundin Halbfranzösin sei, jahrelang bei ihrer Mutter in Nizza gelebt habe und sich nun in Beirut sehr fremd fühle. »C'est *horrible*«, fiel sie ihm, dabei wieder stark lispelnd, ins Wort. »Heureusement, j'ai mon Josie, n'est-ce pas? Mais c'est triste quand-même. Partout, rien que du désordre et ces Ninjas.« Sie zeigte auf zwei schwarzverschleierte Frauen, die hinter ihren Männern auf dem Trottoir liefen.

»Ninjas?« fragte Jamal. Joseph erklärte, daß Ninjas kostümierte Schwertkämpfer aus Japan waren; inzwischen würde man hier die totalverhüllten Frauen so nennen.

»Ninjas.« Jamal lachte. Langsam wurde es lustig.

Die Discothek befand sich in Ostbeirut, nahe der Ausfallstraße, die weiter nach Jounieh und Byblos führte. Leuchtreklamen von Schnellrestaurants und Clubs, die alle *Las Vegas* oder *Champs-Élysées* zu heißen schienen, säumten den Weg; nur Ninjas waren keine mehr zu sehen.

Während die Prinzessin versuchte, auf dem großflächigen Areal vor dem *B-018* einzuparken und dabei mehrfach die Stoßstangen anderer Wagen streifte, bemerkte Joseph beiläufig, die Zigarettenspitze im Mundwinkel, daß sich ganz in der Nähe ein noch ungeöffnetes Massengrab aus der Zeit des Bürgerkrieges befände.

Christen oder Moslems, wollte Jamal wissen. Joseph zuckte mit den Schultern. Wahrscheinlich beides, Angehörige von Milizen, die sich hier gegenseitig abgemetzelt hatten.

Sie stiegen aus, und die Prinzessin hakte sich bei ihnen ein. »Mon Dieu, qu'est-ce que vous êtes beaux!«

Der Sinn, sich in Josephs Nostalgie-Auto von einer verpeilten Barbie-Frau durch die Stadt kutschieren zu lassen und bei jeder Wegbiegung den Tod zu riskieren, enthüllte sich an der Einlaßkontrolle. Ohne weibliche Begleitung war nicht daran zu denken, in die Discothek hineinzukommen. Ein Dutzend gutgekleideter Schwuler stand nervös herum, rauchte und versuchte erfolglos, auf die Muskelschränke einzureden, die ungerührt in ihre Walkie-talkies sprachen und von Zeit zu Zeit drohend die flache Hand erhoben.

Jamal sah Joseph fragend an. »Ich denke, der Laden ...«

»Ist *mixed*«, sagte Joseph. Er zog sein Netzhemd über die schmalen Hüften und öffnete zwei silberne Mini-Reißverschlüsse, die seine Brustwarzen zeigten. Das gleiche Teil, das ich mir bei *Schwarze Moden* am Kleistpark gekauft habe, um in den *Kit Kat Club* reinzukommen, dachte Jamal. Kooperierten die beiden Clubs? Hoffentlich hatten da nicht schon wieder Regine und das Bundesland Brandenburg ihre Finger im Spiel.

»Die Disco ist *mixed*«, wiederholte Joseph. Er sprach wieder arabisch. »Das ist das Maximum. Wenn du dich in Beirut amüsieren willst, brauchst du Geld, ein Auto oder einen, der ein Auto hat. Und eine gute Freundin; am besten solo. Ein bißchen *usé*, vereinsamt und durch den Wind; die perfekte Alibi-Frau eben.«

Jamal stellte sich Katjas Reaktion auf diese Definition vor. Von wegen *usé*, vereinsamt und durch den Wind!

»Du wirst da unten gleich eine Menge Heteros sehen. Manchmal sind sie bi, manchmal nicht, und ich rate dir nicht, das auszuprobieren. *Anyway*, jeder sucht hier 'nen Kick. Alkohol, Sex, Drogen, Techno, die ganze Atmosphäre eben. *B-zero eighteen*. Von den Schwulen gibt's hier nur ein paar *happy few*.«

B-018 befand sich unter der Erde und erinnerte Jamal an eines der Raumschiffe, die in einem Krater versteckt waren und nur auf Sean Connery warteten, damit er das Kommando übernahm und die Schurken ausschaltete. Eine breite Treppe, von den Muskelschränken ohne Unterlaß bewacht, führte nach unten.

Schon im Vorraum staute sich die Luft. Die Prinzessin wedelte mit einem parfümierten Taschentuch und zwang Jamal und Joseph, ebenfalls daran zu schnüffeln. Mit den zwei Männern im Schlepptau marschierte sie durch eine gläserne Flügeltür und drängte auf die Tanzfläche. Körper an Körper standen hier die Tänzer und konnten sich kaum bewegen. Dafür wehte ein kühler Luftzug. Jamal sah nach oben. Statt einer Decke leuchteten Sterne, und zwar die echten. Joseph, die Hand um Jamals Ohr gewölbt, sagte, daß man die zwei Hälften der Decke hydraulisch zurückfahren lasse, damit die Club-Gäste nichts als den Beiruter Nachthimmel über sich hätten. Und so stiegen Zigarettenqualm, Gelächter und Gläserklirren zusammen mit den Songs von Claudia Chmali, Age of Base und den neuesten *Techno-arabe*-Versionen hoch in den Himmel über der Stadt. Grelle Punktstrahler zuckten über die Köpfe der Tanzenden. Als in der Mitte des Raums alles drängend voll war, wurden die Rückenlehnen der Sitzgruppen, die sich rund um die Wände zogen, mit einem Hebel umgeklappt. Zusammen mit den Tischplatten bildeten sie eine einzige Fläche, auf die sofort weitere Tänzer sprangen.

»Schau hin, dort oben bewegen sich die Neureichen«, sagte Joseph.

Junge Männer, Handy am Gürtel und die Hand um den Hals der Freundin, schoben ihre Becken im Rhythmus der Musik vor und zurück und ließen ihre Herrscherblicke über die Tanzfläche unter ihnen schweifen. Joseph zeigte auf einen grauhaarigen Typen Mitte fünfzig, der gerade eine der umgeklappten Sitzlehnen erklommen hatte und sich von einem Barmann ein randvolles Whiskyglas hochreichen ließ. Über seinem gigantischen Bauch spannte ein T-Shirt mit der Aufschrift *Fuck Rock Café*. »Stockschwul und Millionär dazu. Manche sagen, daß er sein Geld mit Waffenverkäufen gemacht habe. Vielleicht, vielleicht auch nicht. Tatsache ist, daß der mit seinem Jaguar nur hierher kommt, um sich junge Heteros zu kaufen. *Jeder* weiß das.«

Jamal dachte an die Berliner Clubs. Irgendwie war es im SchwuZ und sogar im Connection übersichtlicher gewesen.

»Wo ist Missak?« fragte er.

Joseph sah sich eine Weile um. Der Armenier saß auf einer Art Rampe in der Ecke neben der Bar und ließ die Beine baumeln. Jamal winkte ihm über die Köpfe der Tanzenden hinweg zu. Lächelnd hob Missak eine Hand. Während die Prinzessin bereits im Gewühl verschwunden war, drängten sich Joseph und Jamal nach vorn, nach rechts und links ihre »Sorrys« murmelnd. Jamal bemerkte, wie man hinter ihm her sah. Männer *und* Frauen. Nicht schlecht, dachte er.

Neben Missak war ein Platz frei, den er sich mit Joseph teilte. Der Armenier reichte ihm die Hand und rückte ein Stück zur Seite. Spürte er Jamals Unsicherheit? Kurz darauf raunte er ihm ins Ohr, daß alles gut sei und er sich keine Sorgen zu machen brauche.

Irgendwann aber war er verschwunden und Jamal, der inzwischen mehrere Drinks heruntergekippt hatte, spürte Josephs Hand auf seinem Bein. Er warf den Kopf nach hinten und schloß die Augen.

»Warum wolltest du, daß ich dich ausgerechnet Josie nenne?« fragte er.

Der Morgen dämmerte schon und sie lagen Arm in Arm auf dem Bett in Josephs Etagenwohnung.

»Weshalb fragst du?«

»Weil«, Jamal legte seine Hand zwischen Josephs Beine, »weil du da etwas hast, was Männer, die sich Josie nennen, eigentlich *so* nicht benutzen.«

»Überrascht, daß ich ... na ja, eher aktiv bin?«

»Mich überrascht immer alles«, sagte Jamal und küßte Joseph auf die langen, seltsam geschwungenen Wimpern. »Wahrscheinlich ist das mein Problem.«

»Ein leichtes Problem«, sagte Joseph.

»Und was wäre ein schweres?«

»Hier zu leben.« Joseph starrte hoch zur Zimmerdecke. »Hier zu leben und nicht hier sein zu wollen, wenigstens nicht für immer. Nicht unter den Syrern, nicht in der Armee, nicht bei der Familie. Und auch nicht bei den Schwulen.«

»Sah aus, als ob du dich gut mit ihnen verstehst«, sagte Jamal. Mit den Fingerspitzen zeichnete er auf Josephs flachen und angespannt wirkenden Bauch Kreise und Kurven.

»Weil jeder sein Terrain hat.«

»Und ich bin dir von Missak sozusagen übergeben worden?«

»Es war deine Entscheidung«, sagte Joseph. Er sagte es auf französisch. *Ta propre décision.* Er hatte wieder seinen schleppenden Tonfall angenommen, gleichmütig und ein wenig gelangweilt.

Jamal konnte sich nur bruchstückhaft an die vergangene Nacht erinnern. Verwackelte Bilder, Filmriß im Breitwandkino. Da war der leere Platz gewesen, wo eben noch Missak gesessen hatte. Ein, zwei, drei oder mehr Cocktailgläser nacheinander in Jamals Hand. Das Auftauchen von Jaafar. Perücke, Stola, sein *c'est génial*, das jetzt nur noch ihm selbst galt, sein Bauchtanz auf der Tischplatte, eine perfekte Transen-Show, die gebannten Blicke von allen Seiten.

Josephs Worte: »Jeden Monat bezahlt er dreihundert Dollar für seinen Tanzlehrer. Und das nur, um einmal in der Woche die Hoffnung zu haben, einen Hetero abzuschleppen. Surtout pas un pédé, tu comprends.«

Jamals Augen, die Missak suchten. Irgendwann dann Josephs Hand. Seine Brustwarzen zwischen den geöffneten Reißverschlüssen des schwarzen Netzhemdes; ein Gefühl von *déja vu*. Und Josephs schönes Gesicht, auf einmal frei von jeder Verstellung; *viens*. La princesse usée war verschwunden, aber so war das jedes Wochenende; kein Problem, keine Panik. Und dann saßen sie zu zweit in dem schwarzen Citroën.

Je höher die Straße Richtung Jounieh anstieg, um so kleiner wurden die Häuser hinter ihnen, verwandelten sich in ein riesiges Lichtermeer, das im Rückspiegel blinkte, doch darauf achteten sie nicht.

»Deine Wohnung?« hatte Jamal gefragt, als der Wagen vor einem mehrstöckigen Gebäude hielt, dessen terrassenartige Balkone sich nach oben hin verjüngten.

»Mutters Wohnung«, sagte Joseph. »Sie wohnt in der sechsten Etage, ich eine darunter. Ihr Schlafzimmer hat Bergblick. Das mag sie, weil es sie beruhigt. Ich schaue auf's Meer, jeden Morgen und jede Nacht. Das ist gut, es läßt mich träumen.«

Jamal zögerte.

»Falls du das meinst ... sie schläft. Fest und gut. Jedenfalls solange mein Vater in den Emiraten ist. Sie hört nichts, obwohl sie es weiß.«

Danach hatten sie sich auf dem Balkon geliebt. Die unruhigen Lichter der Stadt kippten wie bei einem abhebenden Flugzeug unter ihren Augen weg, die ölig schimmernde Fläche des Meeres wurde zum Himmel und ihre Körper zu einem Kreisel, der sich drehte, drehte, drehte. Sie drängten einander zurück ins Zimmer, kamen nicht bis zum Bett, fielen auf dem weichen Teppich übereinander her, umarmten sich, atmeten heftig, und bei all dem war Joseph bestimmt keine Josie.

»Glaub mir, auch er wollte es.«

»Hat er mit dir darüber gesprochen?«

Joseph klappte die Augenlider nach unten. »Nicht nötig. Er wollte vergessen. Jeder hat so seine stratégie personelle, tu sais.«

»Aber weshalb ist er weg, ohne mir ein Wort zu sagen?«

»Das macht er immer, wenn er fürchtet, sich zu verlieben, ohne eine Zukunft zu sehen.«

»Und *du* gehst danach mit dem anderen ins Bett. Eine geile Schocktherapie, oder was soll das sein?«

Joseph richtete sich auf. Er lehnte den nackten Oberkörper gegen die Wand und fischte sich aus der Schachtel auf dem Nachttisch eine Zigarette. *Ohne* Elfenbeinspitze.

»Man sieht, du lebst nicht hier«, sagte er, in heftigen Zügen den Rauch ausstoßend. »Frag nicht weiter, *please*. Nicht leicht, in diesem Land zu leben, habe ich gesagt. Auch ich kämpfe. *Jeder* muß hier auf seine Weise kämpfen.«

Anschließend hatten sie sich noch einmal auf dem breiten, mit weißem Leinen überzogenen Bett geliebt. Als sie endlich voneinander gelassen hatten, sagte Joseph: »Dir ist klar, daß es keine Wiederholung geben wird.« Seine Stimme war leise und bittend. *Pas de répétition, d'accord?*

Jamal stöhnte auf. Hatten in diesem Land denn alle einen Knall?

In Berlin hätte so ein Satz bedeutet: Sorry Schatz, bist halt nicht mein Typ, war nicht so toll. Ja, in Berlin ... Aber hier, was bedeutete er *hier?*

Es schien, als wäre es Teil eines Kampfes, bei dem die feindlichen Linien mitten durch das eigene Gefühl liefen. Appelle-moi Josie. Der auf Hochglanz geputzte 2 CV, die schrille Buddy-Holly-Brille, die alten Schlager, die Zigarettenspitze, das künstliche Sprechen. It's so cheap, hatte Missak gesagt, als sie zwischen alternden Libanesen und syrischen Strichern die Corniche bei Ramlet entlanggegangen waren. You waste your time in this country.

»Nous sommes tous fou, mais parfois aussi amoureux«, hatte Jaafar im Restaurant verkündet und zusammen mit Joseph die desillusionierte Queen gespielt. Josie ...

Von wegen. Er war maskulin, machte Body building, und Jamal hatte Komplexe bekommen, als er seinen Brustkorb sah, den man bei diesem schmalen Körper nie vermutet hätte. Ich, das ist ein anderer. Aber wer, zum Teufel wer? War es das, was sie so hochtrabend ihre *stratégie personnelle* nannten, war das ihre Zauberformel, um in dieser unmöglichen Stadt existieren zu können?

Die Green-Line zog sich durch die ganze Wohnung, war aber durchlässig, falls man die richtigen Paßwörter fand. Das war nötig, denn seit Nabir wieder bei seiner Einheit Dienst tat, hatte Jamal seinen wichtigsten Verbündeten verloren. Salima dagegen schmollte, daß ihr Bruder sie bei seinen Streifzügen durch die Stadt kein einziges Mal mehr mitgenommen hatte. Zarif – schade, aber so war es nun einmal – war in den letzten Jahren zur Stimme seines Herrn mutiert, und wenn der Vater voller Mißbilligung schwieg, dann preßte auch er grimmig die Lippen aufeinander. Zum Glück gab es noch die Mutter und die gemeinsamen Abendessen, Stunden eines nahezu vollständigen Waffenstillstandes. Iß, Jamal, iß. Und Jamal aß und schaffte es jedesmal, pünktlich am Tisch zu erscheinen.

Da Joseph den ganzen Tag in seinem Armeebüro absitzen mußte und Missak den Laden in Verdun zu beaufsichtigen hatte, verbrachte er die meiste Zeit mit Jaafar und Khaled, deren Semesterferien noch andauerten. Sie fuhren zum Strand in Raoucheh, schwammen im Meer, schauten den jungen Männern nach, wandten die Köpfe ab, wenn die Syrer sie anstarrten und ließen so die Stunden bis zum Abend verstreichen. Dann war es Zeit zum Aufbruch, denn ihre Mütter deckten daheim bereits den Tisch mit all den gebratenen, gekochten oder kleingehäckselten Köstlichkeiten, die sie tagsüber zubereitet hatten.

Vorher aber gab es nichts Schöneres, als zu sehen, wie die Sonne ihre Strahlen einzog, von Gelb nach Rot changierte, schrumpfte, sich einrollte und das Meer und den Strand mit ihrem letzten Licht überzog. In den wenigen Minuten, die der Dämmerung vorausgingen, mußte man nichts tun als das Gesicht zum Himmel drehen und die Augen schließen, um auf den Lidern die sich langsam zurückziehende Wärme zu spüren. Der Tag näherte sich seinem Ende, und der Feuerball verlosch hinter dem Horizont. Es war, als käme für einen kurzen Augenblick der Tod und legte seinen Schatten auf alles, was eben noch geglüht hatte. Jamal fröstelte. Die Erde war ein unwirtliches Niemandsland geworden, und ihre Bewohner verharrten in einer Art leisem Schock.

Aber selbst das ging vorbei. Jeden Tag fand solch ein Schauspiel statt, da half nur Gewöhnung. Und so hatte man sich heftig und wohlig, wie Tiere sich schütteln, schnell wieder gesammelt und einen neuen Rhythmus gefunden. Decken wurden geräuschvoll ausgeklopft und zusammengefaltet, Plastikflaschen flogen ins Meer, Eltern riefen nach ihren Kindern, und die ersten Handys begannen für die Abendverabredungen zu fiepen.

Auf der Corniche flammten Lichter auf, vor den Restaurants wurden die schwarzen Schiefertafeln mit den Ankündigungen der *spécialités du soir* aufgestellt, und ein paar Syrer fanden sich in Sandalen und nacktem Oberkörper an einer Haltestelle ein, von wo sie ein Sammelbus in ihre Unterkünfte außerhalb der Stadt brachte. Wie Fanfarenstöße klangen die Hupen der Cabrios.

»You waste your time here«, hatte Missak gesagt. Wie recht er hatte! Eine Woche am Strand, am Eßtisch der Familie, in der samtenen Luft der Mittelmeernächte, im Bett mit zwei gutaussehenden Männern, die jedoch in mehrere Personen aufgespalten schienen – nicht auszudenken, wenn daraus Jahre, ja Jahrzehnte werden sollten.

Jamal fehlte etwas, ohne daß er es zu bestimmen wußte. Vielleicht fehlt es mir auch in Berlin, dachte er, und die Orte sind austauschbar. Was hatte er bisher mit seinen Leben angefangen? Mein Leben, was für ein Witz. Das haben andere doch längst verplant. Aber das war höchstens die halbe Wahrheit, die alte Leier, das ewige Alibi. Wo stand geschrieben, daß er, Jamal Kassim, *nicht* zu kämpfen brauchte, daß es genügte, einmal im Leben einen widerwärtigen Onkel Ziyad angeschrien zu haben, um ein freier Mensch zu werden? Darum ging es noch immer, denn das existierte wirklich: Sein Leben.

Zwei Tage vor seiner Abreise erinnerte er sich an die Notiz in diesem Gay-Guide, in dem er in einer Buchhandlung in Berlin herumgeblättert hatte.

Hamam Nuzha, Rue Kasti. Action is possible, but be discret.

Na gut, dachte Jamal, machen wir etwas *action*. *Action* war immer gut, wenn man mit dem Denken und den Gefühlen nicht weiterkam.

Der Haman befand sich im alten Schiitenviertel, unweit vom Haus seiner Eltern.

Vorsichtshalber lief er ein paar Umwege. Den handbreiten Fußgängerstreifen auf dem Pont General Chehab entlang, über den noch am Abend der Verkehr toste und eine Benzinwolke lag, danach eine Straße hinunter, gleich dort, wo früher unter den Brückenbögen die MG-Nester der Palästinenser gelegen hatten. Eine gute Heckenschützenposition für ihre Kämpfe mit der Amal und den eigenen abtrünnigen Abu-Nidal-Truppen; der sichere Tod für jeden Beiruter Autofahrer.

Inzwischen waren die verrußten Brückenträger frisch gestrichen und der Boden mit weißem Kies bestreut worden. Vielleicht verschwand so die Erinnerung an das vergossene Blut.

Jamal bog in eine breite Asphaltstraße ein. Sie führte an einer frisch restaurierten Maronitenkirche vorbei und verzweigte sich im Schiitenviertel in mehrere kleine Gassen. In den Auslagen vor den Geschäften sah er staubig aussehendes Gemüse und in der Hitze fleckig gewordene Früchte, daneben verdreckte Hühnerkäfige aus eingedelltem Maschendraht, Kartoffelsäcke und Gewürze. Unrasierte, bärtige Jugendliche fuhren auf quietschenden Fahrrädern vorbei, vor den Türen ihrer Häuser saßen schwatzend die Alten. Keiner beachtete Jamal. Vor den Fenstern und im Gewirr der Antennen auf den Dächern wehte die grüne Fahne der Amal, Plakate mit Nagib Berrys Bild an jeder Ecke, manchmal erschien der Parlamentspräsident auch als Graffiti-Ikone auf dem rauhen Putz der Häuserwände. Jamal mußte eine Weile durch die schmalen Gassen schlendern, bis er die Rue Kasti fand. Das hatte er bereits vorausgesehen und sich nach dem Abendessen aus dem Kleiderschrank seines ehemaligen Zimmers bedient. Klamotten, um bei seiner Wanderung nicht aufzufallen: alte, verblichene Jeans, ein schlabbriges T-Shirt, Sandalen mit eingerissenen Lederriemen.

Er konnte sich nicht erinnern, wann er das letzte Mal in einem Hamam gewesen war. Hamambesuche waren in seiner Familie noch seltener gewesen als der Gang in die Moschee. Im Dorf fast jeden Freitag, hier in Beirut aber nur zu den hohen Festtagen, und ins Dampfbad höchstens zweimal im Jahr.

Im Empfangsraum begrüßten ihn zuerst die Wasserpfeifen. Silbern glänzend hingen sie wie verdorrte, langgestreckte Hasenkadaver an Wandhaken, direkt zwischen dem Pepsi-Automaten und einem bis zur Decke reichendem Regal aus fleckigem Nußbaumholz, in dem die Leinentücher gestapelt lagen. Die hellbraune Tapete zeigte die gleichen Spuren der Abnutzung wie der Teppich, der einstmals rötlich gewesen sein mußte, nun aber die undefinierbare Farbe von Straßenstaub angenommen hatte, zerfressen von unzähligen Zigarettenlöchern. An der Wand über der Kasse sah Jamal unter einem Glasrahmen die bräunliche Fotografie eines schnurrbärtigen Herren in Anzug und Fez, auf dessen rechter Schulter die Jahreszahl 1929 aufgemalt war. Wahrscheinlich der Hamam-Gründer. Soweit er sah, bestand das Personal jedoch ausschließlich aus Syrern.

Er bezahlte und legte sein Portemonnaie und die Uhr in einen Wandsafe, der aus lauter kleinen Holzkästchen bestand. Die Syrer musterten ihn gleichmütig. Einer von ihnen führte ihn in den Nachbarraum, um dessen Wände sich gepolsterte Sitzflächen zogen. Der fleckige und fadenscheinige Stoffbezug schien ebenfalls aus dem Jahr 1929 zu stammen.

»Hier kannst du sitzen, wenn du rauchen oder etwas trinken willst. Natürlich nicht mit dem nassen Tuch. Du rufst uns, und wir geben dir ein trockenes. Oder für zwanzigtausend Lira eine *ganz besondere* Massage.«

Als der Syrer, ein hagerer Mensch mit hervorquellenden Augen, merkte, daß Jamal nicht reagierte, reichte er ihm ein rotweiß gestreiftes Leinentuch und ein Paar ausgetretene Badeschuhe aus geripptem Gummi. Bei den meisten Gästen, die hier saßen und Jamal anstarrten, reichte das Tuch von der Hüfte bis zum Knie, nur wenige ließen es bis auf die Knöchel herabhängen.

»Tut mir leid, mit richtigen Diwanen können wir nicht dienen. Die gibt's nur in Tripoli und Damaskus. Alles alt hier, dafür etwas *ganz Besonderes*.« Erneut folgte den heruntergeleierten Worten ein Blinzeln und die Andeutung einer ausgestreckten Hand. Jamal tat, als hätte er die Geste nicht bemerkt. Ohne ein weiteres Wort zog sich der Syrer zurück.

Jamal zog sich aus, hängte Jeans und T-Shirt an einen Wandhaken und wickelte das Leinentuch um die Hüften, ehe er seinen Slip abstreifte. Er hatte keine Lust, für die Riege der ihn unaufhörlich anstarrenden Greise einen Strip abzuziehen. Mit seinen Badeschuhen über den Boden schlurfend, verließ er den Umkleideraum.

Er durchquerte einen weißgekachelten Raum, der von zwei schmalen Neonröhren notdürftig erhellt wurde, und öffnete die Tür zur Dampfsauna. Hier war es noch dunkler; durch die beschlagene Glasscheibe drang das Licht nur in schmalen, schlierigen Streifen herein. Wo der Dampf am stärksten war, waren zwei Schemen, die Jamal als zwei junge Männer ausmachen konnte, gerade dabei, sich gegenseitig einen runterzuholen. Als sie sahen, daß sie nicht mehr allein waren, strichen sie ihre hochgeschobenen Leinentücher wieder bis zu den Knien und setzten sich in großem Abstand zueinander auf die Steinbank, von der in kleinen Kaskaden unaufhörlich Dampfwasser auf den gefliesten Boden rann. Jamal drückte die feuchtglänzende Tür auf und verließ den Raum.

Als er jedoch nach einer Stunde das dritte Mal die Trockensauna, einen durch eine schmale Treppe zu erreichenden und nach Sperma und Eukalyptus riechenden Raum verlassen hatte und zu den Duschen hinunterstieg, war er dreimal gekommen, und jedesmal mit einem anderen.

Der klapprige Alte, der in der Ecke neben dem Kohlebecken hockte, wie konnte man den am besten ignorieren? Indem man sich auf die höchstgelegene Holzbank setzte und dort langsam über den Hals eines jungen Mannes strich, der mit geschlossenen Augen den Schweiß über seinen Körper rinnen ließ. Indem man mit der Hand weiter nach unten glitt, unter das verknotete Leinentuch, bis die fremde Hand bei einem selbst das gleiche tat. Aber im Sitzen zu kommen und dabei einen Körper, ein Gesicht nur von der Seite zu sehen, war so unbefriedigend. Besonders dann, wenn man wegen der niedrigen Decke den Kopf einziehen mußte und die Holzwand aus brennenden Baumstämmen zu bestehen schien, die ein Anlehnen unmöglich machten.

Also schnell eine Fortsetzung unter anderen Bedingungen. Also der Wunsch, nach der kalten Dusche im Erdgeschoß, hier oben eine bessere Konstellation vorzufinden.

Das zweite Mal stand er inmitten einer Gruppe Männer, die ihr Glied rieben und sich – mit ihren vor- und zurückzuckenden Händen so nahe kamen, als besiegelten sie einen Schwur. Alle in einem, einer auf allen. Dann aber trat jeder, der spürte, daß es ihm kam, höflich einen Schritt zurück, drückte den Schwanz nach unten und spritzte möglichst geräuschlos auf den Lattenrost am Boden, wo sich die weiße Flüssigkeit schnell verflüchtigte. Wie soll ich jemals Spaß haben, dachte Jamal, wenn ich sehe, wie komisch alles ist? Komisch und zum Heulen.

Wenn er nicht höllisch aufpaßte, würde das seine Zukunft sein: Einmal in der Woche in einem übelbeleumdeten Hamam verschwinden, in schamvoller Hast Sperma auf einen Lattenrost verspritzen, sich danach schnell anziehen und schon auf dem Weg nach Hause wieder der älteste Sohn der Familie werden. Arbeitsam, verängstigt und verlogen. Kaltes Sperma und endlose Lügen; ein einziger Ekel-Film auf der eigenen Haut. Dabei würde ihn hier keiner umbringen und steinigen, trotz aller Chomeini-Bilder war Beirut nicht Teheran. Er müßte nur wachsam sein, ein ganzes Arsenal von Masken bereit halten und stets das rettende *Wir* und *Unser* auf seinen Lippen. Selbst wenn, unwahrscheinlicher Fall, die Geschichte mit Missak weitergegangen wäre, wie hätte sie wohl ausgesehen? Begegnungen an der Corniche, heimliche Abendessen im *Babylone* und – mit viel Glück – einmal im Jahr mit der Fähre hinüber nach Limassol und Larnaca, um sich auf einem Hotelbett umarmen zu dürfen, ohne zugleich verstohlen auf die Uhr schauen zu müssen. Ein Tod auf Raten, umzirpt von Fairuz-Liedern und eingerahmt von süßem, schwerem Gebäck und den guten Wünschen der Familie.

Mit schweißnassem Körper lief Jamal die Treppe hinunter und goß sich minutenlang mit der Schöpfkelle kaltes Wasser über den Kopf. Das war besser als eine Dusche; ein Schwappen und Sich-Ergießen, ein Gefühl, mit den Elementen in direktem Kontakt zu sein. Die Alten sahen es mit mildem Kopfschütteln. Sie wußten, daß ihnen die Prozedur zu sofortigem Herzstillstand und der Begegnung mit einem ganz anderen Element verholfen hätte. Diese Alten waren überall. Spanner, Voyeure, hin- und herhuschende Gestalten, die die entsetzt flüchtenden Jungen wie Schmetterlinge vor sich her trieben. Aber das war ein schiefes Bild: Fliehende Schmetterlinge mit Erektion und in ausgetretenen Badelatschen, die bei jedem Kontakt mit dem feuchten Kachelboden ein Geräusch hinterließen, das jenem *Flutsch-Schlurp* auf Kerstins Hellersdorfer Küchentisch verdächtig ähnelte. So paßte doch alles zusammen.

Jamal lief durch die angrenzenden Duschräume. Als er sah, daß die Alten hier ebenfalls Spalier standen und starrten, ging er in den Massageraum. Er war völlig verwaist. Flaschengrünes Licht fiel von der Deckenkuppel herab und ließ die Risse und Flecken an den Wänden wie Unterwasserschlünde aussehen. Ein anderer Kosmos, eine stillstehende Zeit.

Plötzlich hörte Jamal Schritte hinter sich. Er drehte sich um. Ein junger Mann mit einem Dreitagebart sah ihn an und winkte ihm verstohlen zu. Jamal seufzte, folgte ihm aber augenblicklich auf dem Weg hoch in die Trockensauna. Das dritte Mal.

Und weshalb war er danach, wo er nun Übung hatte, beinahe die Treppe hinuntergestürzt, weshalb erinnerte er sich auch später an diese Begegnung? Doch nicht deshalb, weil der andere seinen Namen genannt hatte. Nicolas, Croupier im *Casino du Liban*, mit eigener Wohnung im Ostteil der Stadt. Noch bevor sie sich berührt hatten, hatte er Jamal gefragt, ob sie zu ihm nach Hause fahren könnten. Jamal hatte abgelehnt, aber keine Sekunde gezögert, mit einer der Holzbänke die Tür zu blockieren und das lästige Tuch zu Boden fallen zu lassen. Sie preßten sich aneinander, auf ihren Körpern vermischten sich Schweiß und Speichel. Irgendwann hatte Georges erneut gefragt: »Wollen wir hier wirklich *faire l'amour?*«

Trotz der Erregung und seines schwer gehenden Atems hatte er automatisch von Hocharabisch auf Französisch gewechselt. Jamal schüttelte den Kopf. Morgen war sein letzter Tag im Libanon, morgen würde er mit Missak und Joseph hoch in den Chouf fahren. »Dommage«, sagte der Croupier und ging vor ihm in die Hocke.

Als Jamal spürte, daß es ihm gleich kommen würde, versuchte er sich zurückzuziehen. Der andere aber saugte um so kräftiger, umschloß Jamals Hüften mit seinen Händen und berührte mit seiner hohen Stirn in immer schnelleren Bewegungen Jamals Bauchnabel. Der junge Mann mit dem Dreitagebart, der einen Namen und einen Beruf hatte und Jamal gern mehr von sich erzählt hätte, schluckte den Samen. Danach stand er schnell auf. Scheu lächelnd fuhr er sich mit dem Handrücken über den Mund und begann, die Bank von der Tür wegzuschieben. Als sie beide wieder in ihre Tücher gehüllt waren, sagte ihm Jamal, daß er so etwas nicht tun solle, es könne gefährlich sein.

»Aber doch nicht unter uns«, sagte Nicolas und entblößte eine Reihe glänzend weißer Zähne.

Sekunden später wäre Jamal fast kopfüber in den Kachelraum gestürzt. Das *uns* bricht mir das Genick, dachte er. Aus den Duschnischen kamen die alten Männer mit ihren spitzen Bäuchen und herabhängenden Brüsten gewankt und sahen neugierig in Richtung Treppe. Erst nachdem ihnen Jamal wütende Blicke zugeworfen hatte, drehten sie sich grummelnd weg, mit ihren Greisenhänden die Leinentücher über den Hüften zusammenhaltend.

Als er auf die Straße hinaustrat – die Syrer hatten ihn vorher mit abgegriffenen Frottétüchern solange bearbeitet, bis seine Haut trocken war und rötliche Striemen zeigte –, war es Nacht geworden; nur das gelbliche Türlicht des Hamam leuchtete ein paar Meter weit in die dunkle Gasse.

Gut, daß er jetzt keine Umwege mehr laufen mußte und in wenigen Minuten daheim sein konnte. Er fühlte einen gewissen Triumph, so nah am Ort seiner Kindheit das getan zu haben, wovon er als Jugendlicher nur vage und schuldbewußt geträumt hatte. Lust und Trotz, manchmal war es eine Verbindung, die beinahe an Glück erinnerte. *Dann trat ein Einsiedler vor, der die Stadt einmal im Jahr besuchte, und sagte: Sprich uns vom Vergnügen. Und der Prophet Almustafa antwortete und sagte: Vergnügen ist ein Lied der Freiheit, aber es ist keine Freiheit. Es ist die Blüte eurer Wünsche, aber es ist nicht ihre Frucht.*

Gegenüber dem Hamam lag eine Villa mit schwarzen Fensterlöchern, deren Dach in sich zusammengesackt war. Jamal lehnte sich an die rostige Eisentür, die den Zutritt zu dem verwilderten Garten vor dem Haus versperrte, und zündete sich eine Zigarette an. Halb verborgen im hüfthohen Gras beobachteten ihn zwei grünlich schimmernde Katzenaugen. Sie hatten die gleiche Farbe wie das Licht im Massageraum. »Sind wir auch *unter uns?*« fragte Jamal mit halblauter Stimme das Tier, ehe es sich verschreckt in den Dschungel hinter dem zerschrammten Portal zurückzog.

Und einige Ältere unter euch erinnern sich an Vergnügen mit Bedauern, wie an Untaten, begangen in der Trunkenheit. Aber Bedauern ist die Trübung des Geistes und nicht seine Läuterung. Sie sollten sich ihrer Vergnügungen mit Dankbarkeit erinnern, wie an die Ernte eines Sommers. Doch wenn Bedauern sie tröstet, soll es sie trösten.

Paffend stieß er den Rauch aus. Er sah, wie vorn an der Straßenkreuzung mehrere Männer hintereinander in die schmale Gasse einbogen und auf das Haus zugingen, über dessen Tür das gelbliche Licht flackerte. Auch sie wußten, was sie suchten.

Ein Fingerschnippen, ein Drehen in der Hüfte; dutzendfach, hundertfach. Und ein Chor, sich wiegend, sich gegenseitig anfeuernd.

Comme si je n'existais pas/elle est passée à côté de moi/sans un regard reine de Saba/je dis AICHA, je fais tout pour toi.

Noch hielten sie es aus, nur zu klatschen. Aber sogar zu *Aicha* gab es noch eine Steigerung, und das war *Ida*. Trommeln, Geigen, Trommeln, Drums und Rachid Tahas Stimme; jetzt gab es kein Halten mehr für sie.

Keiner von ihnen hatte einen AUB-Ausweis dabei, doch der junge Soldat trat bereitwillig zur Seite und löste aus einer Halterung das Seil, das zum Schutz der Tanzenden den ganzen Platz umspannte. Aber da war Jamal längst darüber gesprungen, und hatte sich – rechte Schulter vor, linke zurück – kreiselnd und drehend zwischen die Tänzer gemischt, die Arme hoch zum mitternächtlichen Himmel gerissen.

Schwarzhaarige Mädchen in schwarzen Pumps erschienen vor seinen Augen, blonde Austauschstudentinnen aus Skandinavien oder den USA, an ihren freudengeröteten Gesichtern und den blassen Armen erkennbar, umzingelt von einem Wirbel einheimischer Verehrer. Jamal sah sie an, erwiderte ein Lächeln, einen vielsagenden Blick, und schon war er wieder weg, ein, zwei Schritte entfernt, Arm in Arm mit frisch Diplomierten in einer Menschenkette, die sich wieder auflöste, neue Formationen probierte, Hände auf den Schultern, Hände in sanfter Dünenbewegung vor dem Gesicht, Hände aus Hüfthöhe emporwindend, und der ganze Körper eine einzige Spirale. *Ida* und die Trommeln legten an Speed zu.

Joseph in weißen Levis mit schwarzem Gürtel, halboffenes weißes Hemd und die Brille hoch in sein dunkles Haar geschoben. Missak viel konventioneller, das Polohemd nur zwei Knöpfe weit geöffnet, aber glänzend der Bergsee seiner Augen und eine Hand ausgestreckt nach Jamal. Und Jamal tanzte. Der Campus der American University wurde zur Bühne, das mit einem Seil abgesperrte Quadrat zwischen Bibliothek und Park zur Startrampe, zum Kreisel und zur Rakete, mit der er in jede Richtung davonfliegen konnte. Er mußte nur die Hände mit den zehn Zauberstäben bewegen. Zu einer glatten Fläche ausgestreckt und zurückgezogen; *Salma ya Salama*. Das Gelenk wie einen Frucht-Shaker um die eigene Achse drehend; *Haoulou*. Und einfach vorwärtsstürmend in einem Taumel der Gefühle bei *Ida*.

Alles kreiste. Die Palmen bogen ihre Wipfel wie bei einem Sturm, die Blumenrabatten zogen eine Leuchtspur zwischen den Pinien, und der Sternenhimmel stürzte ins Meer, das hinter der Auffahrt zur Bibliothek sein blaues Missak-Auge zeigte. Der helle Sandstein der verlassenen Uni-Gebäude war zu einer grell angestrahlten Leinwand geworden, über die die Schatten der tanzenden Studenten zogen.

Und mitten darin – Jamal. Jamal, der hier – *years, years ago* – als Externer jeden Tag nach seinen Englisch-Kursen zum Schwimmbad hinübergelaufen war, weil es hier an der AUB freizügiger zuging und er in den Duschräumen manchmal sogar einen Blick auf einen Nackten erhaschen konnte, zumeist irgendein bejahrter Ami-Prof, von dem man sich, beschämend und frustrierend, Gesicht und Bauch wegdenken mußte, aber immerhin: Mann. Längst vorbei, niemals vergessen.

Er hatte nichts getrunken, nichts genommen, dafür brauchte man kein Dope, es war allein der Rhythmus, der einen fliegen ließ. Und er flog, flog aus der Eros-Bude hoch über das Kottbusser Tor, kreiste über Spree und Landwehrkanal und drehte dann ab, geradeaus in die Nürnberger Straße. GON-Club, diese Sonntagnacht, die er nie vergessen würde. Weich setzte er auf der glänzenden Tanzfläche auf, sah bekannte, geliebte Gesichter und kämpfte eine kurze Irritation nieder, sammelte wie Blumen die Huldigungen ein und verstreute, Kurs nehmend auf Beirut, die Blüten über dem Mittelmeer. Mann, das war geil: Er war hier und er war da; *Jamal everywhere*. In Deutschland arbeiten und zu Hause tanzen – aber nein, das war es *nicht*. Überall tanzen und seine eigene Mitte finden, seine Möglichkeiten beherrschen wie Hüftbewegungen, wie den Rhythmus. Und Freunde haben, damit man nie allein tanzen muß. Merci ktir, Khaled; Natacha Atlas, dein Name ist die Welt; Matoub Lounés, wenigstens deine Lieder konnten sie nicht killen; Hallo Tarkan, bist du jetzt in Kreuzberg oder schon wieder in New York – na, auch egal; und all ihr Chebs und Chebas, natürlich hab ich euch nicht vergessen.

Plötzlich waren Missak und Joseph neben ihm, zogen ihn, folgten ihm, tanzten in synchronen Bewegungen. Prima, dachte er. Der Armenier, der Maronit und meine Wenigkeit, gestatten: Schiit. Fehlte nur noch ein knackiger Israeli. Natürlich kein Soldat, aber einer wie der unter der Dusche damals im Dorf dürfte es schon sein. Mann, was für ein Kind er war! Er schloß die Augen und überließ sich der Musik. Dalida, die alte Schmeichlerin; *Leban, Leban*. Und hier tanzten sogar die jungen Heteros dazu und riefen aus voller Kehle *Beyrouth ya Beyrouth!* Gott, war das schön laut! Es machte soviel wunderbaren Lärm, daß man das Lied bis nach Haifa und Tel Aviv hören mußte. Shalom, fuhr es durch Jamals Kopf, macht die Kinnladen zu, denn jetzt kommen wir. Kommen mit unseren Chebs und Chebas, holen uns eure Ofra Haza und Danna, die Transe – *Wow Wow Yei Lei* – und zumindest *ich* vergesse auch den hübschen Sohn von dieser Daliah Lavi nicht, den mir Katja irgendwann in einer Fernsehshow gezeigt hat; nein, der muß unbedingt mit uns tanzen und dann mit mir ganz allein ... Was für ein Kitsch, dachte Jamal, aber das brachte den Drive, diesen Rhythmus hab' ich genauso in der Hose wie im Herz und deshalb ... Und deshalb bin ich noch immer allein, ein ewiges Kind. *Wo war Avif?*

»Jamal, alles klar?«

Missak und Joseph sahen ihn besorgt an. Der DJ, der seinen Schalttisch hinter dem Wasserbecken mit der Fontäne aufgebaut hatte, hatte längst einen Slow aufgelegt, aber Jamal tänzelte und steppte noch immer mit ausgebreiteten Armen und einem Kiffer-Grinsen im Gesicht über den Platz. Die Freunde klopften ihm auf den Rücken, bis er schläfrig die Augen öffnete.

»Ja klar, alles klar, was denkt ihr denn.«

Es war Josephs Idee gewesen, nach dem Ausflug in den Chouf hierher zu kommen.

Am Ende jeden Sommersemesters gab es jetzt ein Abschluß-
fest mit Disco, auch eine der Neuheiten an der AUB und von
Soldaten und Polizisten sogar geschützt. »Wenn vom Campus
jemand entführt wird, dann nur junge Männer«, hatte Joseph
gesagt und mit Missaks Autoschlüsseln geklimpert.

»Dieses Jahr ist es anders«, hatte der Armenier entgegnet. Er
hatte Jamal mit seinen blauen Augen angeschaut, dann schnell an
ihm vorbei gesehen und sie alle drei problemlos durch die Kontrollen am Eingang geschleust.

Am Vormittag hatten sie ihn in Missaks altem Mercedes abgeholt und waren mit ihm quer durch den Chouf gegondelt. Wußte
der Teufel, wie Joseph sich vom Militär und Missak von seinem
Laden hatte loseisen können, aber Jamal war der Gast, dem man
am Tag des Abschieds etwas Besonderes bieten mußte.

Noch während sie durch die offenen Wagenfenster seiner
Mutter zugewinkt hatten, die mit besorgter Miene vom Balkon
herabschaute, hatte Jamal gedacht, daß es gut war, gestern diesen
Hamam besucht zu haben. Die Worte, die man gemeinhin benutzte, waren gar nicht so falsch, auch wenn sie ziemlich be-
scheuert klangen: Dampf ablassen, Überdruck abbauen, das Ventil öffnen, sich ruhigstellen. Vielleicht war ein Teil von einem
selbst tatsächlich etwas Maschinenhaftes, und das mußte wohl
auch . . . maschinell bearbeitet werden.

Er ließ sich in die kühlen Lederpolster des Rücksitzes sinken.
Das sollte heute ein guter Tag werden! Krönender Abschluß
dieses seltsamen Aufenthaltes *daheim*, denn morgen um diese
Zeit würde er – *In'sh-allah* – schon wieder in dem Bus sitzen, der
ihn vom Flughafen zur Osloer Straße brachte, wo er spätestens in
der U 8 wieder die üblichen Berliner Sorgen-&-Knitter-Visagen
sehen würde.

Während Missak zielsicher aus dem Verkehrschaos der Stadt
hinaussteuerte und sich von den unzähligen syrischen Kleinbus-
sen, die Abgase wie stinkende Kometenschweife absonderten,
nicht stören ließ, erzählte Jamal, was er gestern nach dem Abendessen getrieben hatte.

»Ah, la Rue Kasti.« Das war Joseph, ganz die pikierte Diva.
»Hatten wir es wirklich nötig, mon chér?«

»Offensichtlich ja«, antwortete Missak für ihn. Es klang neutral. Bevor Jamal zu einer Erklärung ansetzen konnte, sagte der
Armenier: »Manchmal *ist* das eben nötig, und das weiß Joseph« –

ein Seitenblick zum Beifahrersitz, Josephs aristokratisches Schulterzucken – »genauso gut wie ich. Wenn Liebe aus irgendwelchen Gründen nicht möglich ist, aber eine Freundschaft verteidigt werden soll, ohne das es zu, sagen wir *unnötigen Komplikationen* kommt, dann muß man sich eben anderswo was suchen. Schnell und kurz. Ohne Reue, ohne Erinnerung. Solange du nicht davon abhängig wirst ...«

Gott, wie klug er darüber sprechen kann, dachte Jamal. Er war ergriffen. Missak mußte wissen, wovon er redete. Ganz sicher war auch das Teil seines Kampfes.

Don't be cheap, never.

Damit war das Thema erledigt.

Von Damour aus fuhren sie hoch ins Gebirge, immer die Straße von Deir el Qamar nach Beit ed Dine entlang. Die Sonne stieg über die grünen Schirme der Pinien, und Joseph hatte in den Recorder des Autoradios eine uralte Dalida-Kassette geschoben.

Falls es eine Botschaft gab, so war es diese: Wir halten dich, aber wir halten dich nicht fest. Einer von uns hätte sich fast in dich verliebt, der andere – jawohl, sa Majesté, la Queen schweigt sich über die eigenen Gefühle aus und erinnert sich vorerst nur an eine formidable Nacht, aber auch das jenseits von Affären, Eifersucht, Frustration und anderen mißlichen Dingen, *tu le sais bien.*

Wenn ich gehe, dachte Jamal, dann erpressen sie mich weder mit Tränen und Vorwürfen, noch begraben sie den Abschied in einem Achselzucken, wie es so oft in Berlin passiert war. Wie ich es in Berlin *provoziert* habe. Auch da war er zu lange ein Narr gewesen. Ein Achselzucken war kein Versprechen auf Freiheit, eher dessen mickrige Karikatur. Hatte es drei Jahre gebraucht, damit er das verstand? Geh einen Schritt vor und einen zurück, aber halte die Melodie: *Salma ya Salama.*

Auf dem halben Weg nach Beit ed Dine zeigte Missak nach links. Angeschmiegt an den Abhang eines Berges kauerte inmitten schimmernden weißen Felsgesteins und dürrer, zur Hälfte abgeholzter Bäume, das Schlößchen.

»Kennst du die Geschichte?« fragte Missak.

»Und ob«, sagte Jamal. »Fahr weiter.«

»Fahr *schnell* weiter«, sekundierte Joseph mit Nachdruck.

Wer kannte die Geschichte nicht: Ein armer Schüler namens Moussa malt vor über einem Jahrhundert im Unterricht Schlösser, anstatt Schönschrift zu üben. Der Lehrer sieht es und verpaßt ihm Backpfeifen und Stockschläge; die anderen Schüler grölen, Moussa aber sinnt auf Rache. Um es dem Lehrer zu zeigen, wird er sich sein eigenes Schloß bauen! Stein für Stein, Holzbalken für Holzbalken, Jahrzehnt für Jahrzehnt. Zu allerletzt dann das Eingangstor, extra niedrig gebaut: Der Lehrer soll sich bücken und um Verzeihung bitten, wenn er zu Besuch kommt und die ganze Herrlichkeit sieht. So werden Träume wahr. So zerplatzen Träume: Einen Tag, bevor Moussa die Arbeit an seinem Schloß beenden kann, stirbt der Lehrer.

Eine sehr libanesische Geschichte, dachte Jamal. Dabei war vom Wichtigsten nie die Rede gewesen: Wie lebte der Schloßherr *danach* weiter? Ein altgewordener Schüler, konnte er sich daran freuen, daß *er* es war, der ganz allein ein Schloß erbaut hatte, oder erschien bis zu seinem Tod das Bild des im Tor gebückten, endlich gedemütigten Lehrers? Die Väter sind abwesend oder tot, was aber tun die Söhne?

»Eine Scheiß-Story«, sagte Joseph unerwartet heftig, nachdem das Schloß längst aus ihrem Blickfeld entschwunden war.

»Warum?« fragte Jamal. »Manche bauen eben gleich ein Schloß, um ihre Verletzungen zu vergessen. Auch eine *stratégie personnelle, n'est-ce pas?*«

Joseph lehnte den Kopf an die Nackenstütze seines Sitzes. »Missak, hörst du das? Da siehst du mal, was für einen gescheiten Junge wir uns in den Wagen geholt haben. Wenn er so weitermacht, frag ich ihn noch nach einem Kuß.«

Sie lachten und Missak gab Gas. Der Wagen rauschte die Serpentinen hoch und entließ an jeder Kurve, rechts die abgeholzten Bergwände, links gähnende Schluchten in sattem grün, den Ton einer protzigen Dreitonhupe in die Landschaft. Und Dalida, Dalida sang mit schmelzender Stimme *Il n'a que dixhuit ans.*

Missak fragte, ob er in Beit ed Dine halten solle.

»Familienprogramm«, sagten Jamal und Joseph wie aus einem Mund. »Es sei denn, du...«

»Non, merci.« Missak schien erleichtert.

»Oberhalb von hier liegt das Mir Amin«, sagte Joseph, während sie weiterfuhren. Er hatte wieder seine Buddy-Holly-Brille auf der Nase sitzen.

»Das Nobelrestaurant mit dem Pool und den teuren Suiten?« fragte Jamal.

»Nicht nur. Dort haben Sie auch die Libanon-Szenen eines Films gedreht, der nach einem Roman entstanden ist. Das Buch hat ein Deutscher geschrieben, aber mir fällt sein Name nicht ein. Der Regisseur hieß jedenfalls Schloendorff, das weiß ich genau. Der, der auch den *Trommler* gedreht hat. Du weißt schon, die Geschichte dieses Zwerges, der mit seinem Getrommel Glasscheiben zum Zerplatzen bringen konnte. Ich hab' das vor kurzem bei einem Freund auf Video gesehen. *Vraiment impressionnant.*«

Jamal nickte, als wären es keine Neuigkeiten für ihn. Dabei hatte er weder von diesem deutschen Schriftsteller noch von dem Regisseur oder der Geschichte des Trommlers je etwas gehört. War das schlimm? Täuschte er sich, oder sah ihn Joseph prüfend im Rückspiegel an?

Aber er war doch kein Idiot, verdammt noch mal! Er nahm sich vor, Katja ganz beiläufig nach all diesen Namen zu fragen. Zum Glück hatte er ein gutes Gedächtnis. Ariane Mnouchkine, Haikus, Schloendorff, der Trommler.

Gegen Mittag hielten sie bei einem kleinen Terrassenrestaurant. Ein Wahnsinns-Blick auf die Landschaft: Kahle Hügel wie Mondlandschaften, dann wieder Berge voller Pinien, die roten Ziegeldächer der Häuser und der Geruch von Minze und Salbei, aufsteigend aus der Tiefe der Schluchten. Jamal, der sich Josephs Sonnenbrille geborgt hatte, orderte eine riesige Mezze-Platte mit Tabbouleh, Fatayah und Sambousek. Mit ihren Pepsi-Büchsen in der Hand stießen sie an. *Sachtain!*

Sie schauten in die Sonne, rauchten nach dem Essen, schwiegen, redeten. Von Zeit zu Zeit sahen sie sich an, und sie wußten: So war es gut. Schon jetzt war dies eine Erinnerung, die ihnen keiner mehr nehmen konnte.

Am Nachmittag machten sie in den Dörfern Halt. Alte bärtige Drusen mit weißen Käppchen, die sich wie eine zweite Haut an ihre kahlen Schädel schmiegten, standen unter den Bäumen im Schatten und beobachteten drei junge Männer, die Eis und Cola kauften, sich auf die verwitterten Steinbänke neben der Wasserstelle setzten, redeten und lachten und dann in einem Auto mit geschwungenen Kotflügeln weiterfuhren. Sie schienen gute Freunde zu sein.

Als die Schatten über den Bergen länger geworden waren, fuhren sie schon die Serpentinenstraßen hinunter. An der Küste waren die Lichter von Beirut aufgeflammt, beweglich und unruhig wie Glühwürmchen. An der AUB würde jetzt das Fest beginnen. Zeit zu tanzen.

Keiner von ihnen machte große Worte, als der Mercedes kurz nach Mitternacht vor dem Haus von Jamals Eltern hielt. Sie stiegen aus und umarmten sich ein letztes Mal. Missaks aufmerksame Augen, sein offener, verletzbarer Blick, die Heftigkeit, mit der er Jamal an sich drückte. Joseph, der seine glänzende Schutzhaut abgelegt hatte, Tränen im Gesicht. Und auf einmal wollte jeder von ihnen es schnell hinter sich bringen. Sag nichts, *mon ami*, sag nichts.

Jamal stand vor dem Haus, die Hand zum Winken erhoben. Missak wendete den Wagen, und rot und endgültig leuchteten die Rücklichter auf.

Er hob den Koffer. Und ließ ihn ächzend wieder auf den Boden sinken. Waren da Steine drin?

»Ich habe dir ein bißchen was dazugepackt«, sagte die Mutter. »Keine Angst, es ist nichts, was zerbrechen oder verderben könnte.«

Dazu drückte sie ihm einen Stoffbeutel voller Proviant in die Hand.

Jamal entdeckte eine in leuchtendes Papier gewickelte Dose mit Baklava und Pistazien, zwei Homous-Dosen, ein eingeschweißtes Fladenbrot, eine Flasche Mangosaft, Weintrauben und drei Päckchen mit Keksen und Süßigkeiten.

»Aber ich mach doch keine Weltreise.«

Eigensinnig schüttelte die Mutter den Kopf. »Da ist alles drin, was du brauchst. Gib acht, daß nichts reißt. Am besten, du stellst die Tüte im Flugzeug aufrecht und trägst sie im Arm, wenn du laufen mußt.«

Nichts durfte reißen, nichts verderben oder zerbrechen. Jamal spürte, wie ihm die Tränen hochstiegen. Er drückte seine Mutter an sich, damit sie nichts bemerkte.

»Schon gut«, sagte sie leise. »Schon gut. Das Leben dort ist anders, davon bist auch du anders geworden. Wir versuchen, es nur zu verstehen.«

Er hielt den Atem an. Nicht nachfragen! Vor allem nicht nachfragen. Nicht wissen wollen, was *anders* denn bedeuten sollte: Die Angewohnheit, erst spätnachts heimzukommen und das Leben nicht mehr zwischen Bett, Küche, Eßtisch und Wasserpfeifenrauchen abzuzirkeln, oder ... Oder das ganz *andere*.

Missak hätte er der Mutter vielleicht präsentieren können, aber Joseph ... Selbst wenn er seine Maske mit Buddy-Holly-Brille und Zigarettenspitze abgelegt hätte, wäre es unmöglich gewesen. Sieh mal, Mutter. Mit beiden habe ich geschlafen, beide gaben mir eine Idee, was Liebe und Freundschaft sein könnte; es war großartig, mit ihnen im Bett zu liegen, aber gleichzeitig ist mehr passiert, viel mehr. An Katja hab' ich gedacht, vor allem aber an Avif. *Vor allem aber an Avif.* Und an mein Leben in Berlin. Schön, wenn du es verstehen könntest, denn ich selbst kapiere es nur zur Hälfte.

Jamal, halt die Gedanken an.

Es war lange nach Mitternacht, und nun überquerte sogar der Vater die Green-Line.

Lief in der Wohnung umher, fragte mehrmals, ob Jamal beim Packen nichts vergessen habe – Paß, Visum, Geld, die Zimmerschlüssel für Berlin; ausgerechnet *die Zimmerschlüssel für Berlin!* –, prüfte fachmännisch das Kofferschloß und steckte dem Sohn in einem Moment, als es die Mutter nicht sah, eine Hundertdollar-Note in die Hemdtasche. Ehe sich Jamal bedanken konnte, war er schon wieder weg, öffnete die Tür zu Salimas Zimmer und mahnte Zarif, im Bad nicht zu trödeln. Die beiden Geschwister hatten darauf bestanden, mitten in der Nacht geweckt zu werden, um den Bruder zum Flughafen zu bringen. Die Eltern hatten tiefe Schatten um die Augen. Wahrscheinlich hatten sie keine einzige Minute geschlafen und waren wach geblieben, um auf Jamals Rückkehr zu warten. Aber niemand machte ihm Vorwürfe. Gegen zwei Uhr stiegen sie ins Auto und fuhren auf der Schnellstraße zum Flughafen.

Müdes gelbes Straßenlicht fiel auf den Asphalt, in einem der Wachhäuschen döste ein Soldat, der Himmel war von seidigem Dunkelblau, und es roch nach Benzin, Meer, staubigen Zypressen und frischem Beton.

Jamal verbot sich zu fragen, ob er jemals hierher zurückkäme. Auch vermied er, sich die letzten Bilder von Missak und Joseph ins Gedächtnis zu rufen. In Berlin würde er noch genug an sie denken müssen.

Obwohl bis zum Einstieg in die Maschine noch Zeit war, bestand er darauf, gleich nach dem Einchecken zur Paßkontrolle zu gehen. *Jetzt* mußte er sich verabschieden. Jetzt mußte er Worte finden, die über die Entfernung und die Jahre hinweg eine Brücke wären, über die sie in Stunden des Zweifels gemeinsam gehen könnten.

Ich werde bald mein Studium abschließen. Ich werde ein Ingenieur sein und nächstes Jahr nach Hause kommen. Ich werde mir eine Frau suchen; hey Zarif, halt schon mal die Augen offen für mich, okay? Oder: Ich werde der, der ich immer sein wollte; Khalil Gibran läßt herzlichst grüßen. Oder: Ich werde Katja bitten, mich zu heiraten und Avif fragen, ob er mir erklären kann, weshalb die Liebe mir Angst macht.

Ich sehe eure Gesichter, dachte Jamal. Ich sehe eure Gesichter, die Müdigkeit und die Erwartung darin. Nichts als ein paar Worte wollt ihr, tröstende Worte, und ich verweigere sie euch. Gern würde ich sie euch geben, statt dessen sage ich . . .

»Danke für alles, es war schön.« Ja, trotz allem: Es war schön. Nein Mutter, bitte keine Tränen jetzt. Und Vater, schnell ein Schulterklopfen, dann kommt schon Zarif an die Reihe. Und Salima, Gott, meine Kleine, ich habe dir ein Paket aus Berlin versprochen, und das kommt bestimmt, damit du nicht immer mit leerer Tasche durch Verdun streifen mußt. Dort gibt es übrigens einen Schmuckladen, *tu sais . . . Mais tu ne sais pas.*

Und grüßt mir Nabir und die Großeltern und *Shukrom, shukrom ktir.*

Jamal schluckte, entfernte sich, drehte sich um die eigene Achse. Und winkte, winkte.

Und verschwand hinter einer milchglasfarbenen Tür, die sich lautlos öffnete und wieder schloß.

Als er in das Rechteck des Detektorrahmens trat, gingen sämtliche Signale los.

»Haben Sie Schlüssel in der Tasche?« fragte mit schläfriger Stimme einer der uniformierten Flughafenbeamten. Auch er gähnte.

»Meine Berliner Zimmerschlüssel«, sagte Jamal. Er reichte sie ihm, und die Fiepgeräusche verstummten.

Und schon war er wieder in Deutschland.

Nervös und übernächtigt wirkende Geschäftsmänner tippten pieppieppiiieeeep ellenlange Nummern in ihre Handys und klingelten Menschen aus dem Bett, die Tausende von Kilometern entfernt lebten und *Schatz, Liebling* und *Hallo du* hießen. *Neun*

Uhr zehn in Tegel; nein, nicht um neun, neun Uhr zehn, hoffent-
lich klappt das pünktlich mit dem Anschlußflug in Budapest;
neun Uhr zehn ist das Arrival.

Alle saßen bereits eine Weile, zunehmend unruhiger werdend, in der Maschine, als der letzte Passagier eintraf. Willkommen Kreuzberg, murmelte Jamal.

Er war groß, hatte hellbraunes Haar, trug eine Brille und war von Kopf bis Fuß in eine Djellabah gehüllt. Auf den Rücken hatte er sich einen ausgebeulten Eastpack-Rucksack gewuchtet.

Als er auf dem Gang an ihm vorbeikam, roch Jamal seinen Schweiß und sah die rissigen Sandalen, deren Farbe genauso dunkel war wie seine Zehennägel. Unbeeindruckt von den un-freundlichen Blicken, die ihm folgten, nahm der Deutsche im hinteren Teil der Kabine Platz, wobei er einer reichlich distanziert wirkenden Stewardeß mehrfach *Shukrom, Shukrom* zurief. Es klang wie *Schokorahm.* Da hatte wieder mal einer den ultimati-ven Kick gekriegt. Vielleicht war er durch die Wüste bei Rusafa gerobbt und hatte sich anschließend von grinsenden Händlern im Souk von Damaskus diesen Djellabah-Lappen andrehen las-sen. Wie geil, in dieser Wolke aus Dreck, Staub und Fremdheit herummarschieren zu können!

Tja, diese Welt dort unten ist ... ja schon irgendwie ganz anders, würde er spätestens heute abend zu seinen Freunden sagen, wenn sie zwischen Bier und Hundescheiße an ihren Holz-tischen im *Café Morena* am Spreewaldplatz saßen und mißbilli-gend einem jungen Libanesen nachschauten, der gerade in frisch gewaschenen H & M-Klamotten vorbeiging, ohne sie eines Blik-kes zu würdigen. »Diese Oberflächlichkeit in Deutschland ...,« außerdem isses arschkalt«, würde der Deutsche vielleicht sagen und unter seiner Djellabah, auf die nun langsam Berliner Staub fiel, frösteln.

Würde Jamal all dies bemerken?

Es gab Wichtigeres zu tun. Er hatte eine Entscheidung getrof-fen.

❏

»Nicht umbuchen«, sagte Avif und starrte auf die Sprechmuschel des Telefonhörers, »annullieren. Ja genau. Bis wann? Zwei Stun-den, sagten Sie zwei Stunden?«

Sein Gesicht erhellte sich. Er sah zu Jamal hinüber, der noch immer am Tisch saß und gedankenverloren eine Papierserviette zerbröselte.

»Rückerstattung zu sechzig Prozent, na logisch. Nein, das war eine Frage. Vorerst.« Er sagte *Danke* und *Shukrom* und legte auf.

»Sie sagen, daß noch Zeit ist, das Ticket nach Beirut zurückzugeben.«

Jamal hatte ihm nur halb zugehört. Er nickte, sagte aber nichts.

»Ich bezahle nur den Preis«, sagte er nach einer Weile.

»Sieht ganz so aus, als hättest du ihn längst bezahlt.« In Avifs Stimme lag kein Zorn mehr, keine Gleichgültigkeit, und als er fühlte, daß sie bereits wieder in ihrem alten Ton miteinander sprachen, begann Jamals Herz zu rasen. Abrupt sah er von der Tischplatte auf.

»Diesmal ist es wirklich zu spät. Danke für den Anruf, aber ...«

»Katja, geht es etwa um sie?«

Jamal schüttelte den Kopf. »Nein. Das heißt ... eigentlich schon. Ich war völlig unter Überdruck und habe Sachen von mir gegeben, die man so nicht sagen darf. Zumindest nicht in diesem Land. Zumindest nicht gegenüber Menschen, die man gern hat und die Ohren haben, um zu hören. Und Herzen ... Ja, Herzen auch.«

Avif setzte sich Jamal gegenüber und nahm seine Hände. Mit einem kleinen Lächeln ließ er es geschehen. »Hör zu, Alter. Werd deutlicher. Okay? Wir sind hier nicht im Theater. Das mit Katja mußt du mir erzählen, aber nicht jetzt. Wenn ich mich richtig erinnere, ist die Aufenthaltsgenehmigung noch eine Weile gültig. Korrekt?« Avif sah ihm forschend ins Gesicht.

Wie früher, dachte Jamal. Mein Gott, das ist wie früher. Was war er für ein Idiot gewesen, ausgerechnet vor ihm zu fliehen, ihn zu verraten, ihn ...

»Korrekt?«

Jamal seufzte. »Ja gut, korrekt. Rein technisch gesehen, könnte ich noch ein paar Wochen bleiben. Auch die Standesamtsache mit Katja war eigentlich schon im Kasten ...«

Avif schrie leise auf und umkrampfte Jamals Hände. »Willst du sagen, du hast das geschafft?«

Jamal lächelte matt. »Tja. Fast geschafft ist auch daneben. Aber hör zu, du solltest dich nicht von mir abhalten lassen. Kümmere dich lieber um deine Gäste.«

»Siehst du welche?« fragte Avif.

»Nein, aber ...« Er zögerte. »Es ist eine verrückte Geschichte. Noch in Beirut habe ich die Entscheidung getroffen. Und dann war ich wieder hier ...«

»Und genau das erzählst du mir jetzt«, sagte Avif. Seine Stimme war drängender geworden. »*Bitte.*«

Die Fausthandschuhe

AM ANFANG VON ALLEM WAR DER GEMÜSEHÄNDLER in der Reichenberger Straße. Jedesmal, wenn Jamal bei ihm eingekauft hatte und sich Tomaten, Fladenbrot und Orangen in einen durchsichtigen Plastiktüte packen ließ, hatte er sich einen Sermon über viel, viel zu viel Arbeit und – ich schwöre dir, mein Freund – fehlendes und nirgendwo aufzutreibendes Personal anhören müssen. *Gute Leute schwer finden, du weißt.*

Natürlich wußte er das, und deshalb fragte er den Händler schon wenige Tage nach seiner Rückkehr aus Beirut, ob nicht vielleicht er, Jamal Kassim, einen Job bei ihm bekommen könnte.

»Aber du bist Kunde, kommst jeden Tag her und kaufst Früchte und Gemüse, du bist – wie Sohn.«

Es war der übliche Scheiß. Später fragte sich Jamal, weshalb er über den Satz wie über ein seltsames Kompliment gelächelt hatte. Seine Erfahrung hätte ihm sagen müssen, daß dies die erste handfeste Drohung des dickleibigen, immer schwitzenden, immer zwischen seinen Gemüsestiegen hin- und herschnaufenden Händlers gewesen war. *Du bist wie Sohn. Du gehörst zur Familie. Du forderst keinen Lohn.*

»Neun Mark«, sagte der Händler nach kurzem Überlegen. »Neun Mark pro Stunde. Dreimal pro Woche kommst du vorbei, um zu helfen. Ist das Angebot?«

»Dreizehn«, sagte Jamal.

»Zehn«, sagte der Händler.

»Zwölf?«

»Zehn, habe ich gesagt.« Der Mann mit dem riesigen Schnurrbart lachte, pfiff aus dem hinteren Teil des Ladens seine Frau herbei und redete auf sie ein. Die Frau nickte, strich sich über ihr Kopftuch, als striche sie über ihr Haar, und winkte Jamal, ihr zu folgen. In einem Nebenraum, der mit leeren Kisten und Kartons vollgestopft war, kochte sie ihm auf einem kleinen Gaskocher Tee und reichte dazu ein Fladenbrot herüber.

Und Jamal, Hinterzimmer-Pascha und künftiger Malocher, Selfmademan und seines Glückes Schmied, streckte die Beine aus und ließ sich bedienen. Es fing gut an.

»Gutes Gemüse«, sagte die Frau schließlich. »Direkt aus Türkei, nix Brandenburg.«

»Nix Brandenburg«, wiederholte Jamal strahlend und biß in sein Stück Fladenbrot. Es wurde immer besser.

Und keine Zeit, die Kälte, die bereits durch die Straßen der Stadt kroch, zu fürchten und Beirut zu vermissen. Den Strand, Missaks Lächeln und Josephs Worte, die Tour mit den Freunden in die Berge, der Abend in der AUB. Nur mit den Eltern hatte er nach seiner Ankunft telefoniert. Ja, er war gut gelandet; ja, alles in Ordnung, aber nun rief die Arbeit. Sie hatten nicht weiter nachgefragt.

Auch ein neues Semester hatte begonnen; vom ersten Tag an war er da und trug alle Prüfungs- und Klausurtermine in seinen Terminkalender ein. Sollte ihm keiner nachreden, er würde schlampen, die Zügel locker lassen, die Flinte ins Korn werfen, Däumchen drehen, Maulaffen feilhalten und den lieben Gott einen frommen Mann sein lassen – wenn die Deutschen Faulheit geißelten, konnte sich dieses mürrische Volk zu nahezu orientalischer Beredsamkeit aufschwingen. Anyway, dies galt nicht ihm.

Das machte er auch Katja klar, als sie am Telefon bat und drängelte und bald ernstlich böse zu werden begann, weil sie Jamal seit seiner Rückkehr noch kein einziges Mal gesehen hatte. Er mußte sie beruhigen, und auch das war eine ungewohnte Pflicht.

»Natürlich möchte ich dich gern sehen. Ich hab' dir doch ein kleines Geschenk mitgebracht.«

Er überlegte, was er in Berlin kaufen konnte, ohne daß Katja mitbekam, daß es nicht aus Beirut stammte. Eine Schande, aber keine Sekunde war ihm dort der Gedanke gekommen, ihr etwas zu kaufen. Die Elfenkönigin mußte schleunigst getröstet werden. Je eher sie kapierte, um was es ging, um so besser für sie beide.

»In den ersten Tagen gab es 'ne Menge Unistreß. Du weißt ja, wie das ist. Und dann, na, ich habe jetzt einen Job. Nein, nichts Großartiges; nur drei Tage pro Woche. Bei einem Gemüsehändler um die Ecke. Lach nicht, ich meine das ernst. Ich glaube, ich muß ganz von unten anfangen, damit ... Erzähl ich dir, wenn wir uns sehen. Okay?«

»Okay«, sagte Katja. Ihre unermeßliche Verwunderung rauschte durch das Telefonkabel von Schmargendorf direkt hinein in Jamals Ohr. Er lächelte zufrieden.

Es war eine Umstellung. Sie begann mit der ungewohnten Zeit des Aufstehens – spätestens um sechs Uhr morgens mußte er auf dem Trottoir vor dem Laden warten, um mit dem Händler in einem Pritschenwagen zu einem Großmarkt irgendwo im Süden der Stadt zu fahren. Er war meist so müde, daß er auf dem Beifahrersitz einschlief und erst von den Rufen der anderen Händler geweckt wurde. Mit ihren Stiefeln stapften sie im Sumpf zertretener Früchte und matschiger Pappkartons hin und her, wedelten mit Geldscheinen und fleckigen Rechnungen und trieben eine beträchtliche Anzahl junger Männer an, Kisten, Kartoffelsäcke und im Zehnerpack eingeschweißte Mineralwasserflaschen aus riesigen Lkws in ihre eigenen Wagen umzuladen. Jamal sah fast nur Türken. Alle schienen sich zu kennen, verbunden durch ein System von Gesten, Verwünschungen und Lobeshymnen, alles fremde, unverständliche türkische Wörter. Dazu die robusten Handreichungen, bei denen er sich zu Anfang die Finger quetschte, auf dem glitschigen Katzenkopfpflaster mit seinen Kartoffel- und Möhrensäcken ausglitt und hinter sich die Zischgeräusche der anderen hörte. Zum Glück verstand er nicht, was sie über ihn sprachen. Er wußte nicht einmal, in welchem Teil Berlins er gerade war.

Aber er lernte schnell. Lernte, daß es jetzt nötig war, die ältesten Klamotten aus Giovannis Kleiderschrank herauszusuchen, sich in einem Secondhand-Shop Stiefel, Rollkragenpullover und Fäustlinge zu besorgen, die die Fingerkuppen freiließen, aber verhinderten, daß sich die Hände in der Kälte röteten und taub wurden. Er hielt es aus, denn er hatte begriffen, daß er hier mit seiner Observierungsmasche nicht weiterkam. Hatte begriffen, daß es das beste war, mit Blick auf den Wecker einzuschlafen und mit Blick auf den Wecker am nächsten Morgen aufzuwachen, sich hastig zu duschen und in den wetterfesten Klamotten die menschenleere Reichenberger Straße vorzulaufen, dem Händler ein türkisches *Marhaba* zuzumurmeln, um mit ihm an den Rand der Stadt zu fahren, wo dann weitere Handgriffe auf ihn warteten, die man um so schneller lernte, wie man sich nicht umsah und nur von Minute zu Minute dachte. Und selbst als daraus Stunden und Wochen wurden, dachte er keinen Moment daran, aufzugeben.

Was Avif kann, kann ich schon lange, sagte er sich mit zusammengebissenen Zähnen, wenn der Händler wieder einmal zu glauben schien, daß Jamal wirklich sein Sohn sei und ihn vor den Augen der Kundschaft dafür verfluchte, daß er die Sache mit dem Abwiegen nicht kapierte oder beim Einpacken der Waren zu langsam war. Er fühlte sich nicht einmal gedemütigt, denn die Kundschaft – ältere Türkenfrauen und zerstrubbelte deutsche Kreuzberger mit Kapuzenjacken, Nadeleinstichen im Unterarm und schwarzen Lederjacken mit rot aufgemalten Antifa-Symbolen – beachtete ihn kaum; für sie zählte er tatsächlich zur Familie des Händlers. Auch dessen Kinder arbeiteten im Laden mit, nachdem sie von der Schule heimgekommen waren. Jamal wunderte sich nicht, klagte nicht, fand sich ab. Dabei waren zehn Mark pro Stunde ein Witz. Überdies schien der Händler sein eigenes Abrechnungssystem zu haben und versuchte, Jamal weniger Stunden zu berechnen, als er gearbeitet hatte. Muffig war es im Inneren des Ladens und windig und kalt draußen vor der Tür auf der Straße, wo kaum noch Gemüsestiegen standen, da die Tomaten bereits aufplatzten und sich auf der schmutziggrünen Haut der Gurken Kälterisse zeigten.

Eine andere Welt, ein paar Schritte von Jamals Eros-Bude entfernt. Eine Welt, in der die Ehefrau wie die Tochter ein Kopftuch trug und kaum Deutsch sprach, in der ein schnurrbärtiger Vater mit dem gleichen Stolz Kopfnüsse austeilte wie sie sein Sohn mit dem Rapper-Getue und dem dunklen Oberlippenflaum einsteckte, wegsteckte, sie mit einem Achselzucken als zu seiner Welt gehörig ansah, einer Ladenwelt von zwanzig Quadratmetern, in der jeder in Gummistiefeln herumlief. Und dennoch machte es Jamal keine Angst. Dies war nur ein harmloser Test.

Die Zeiten waren vorbei, in denen er sich den Luxus hatte leisten können, bei jedem harschen Wort, das ihm mißfiel, zusammenzuzucken und weiter zu surfen, hinein in Stadtviertel, wo ihn anderes, Sanfteres erwartete. Genau das hatte ihn jahrelang so unfähig und schlaff gemacht, ihm die Lebenskraft entzogen – und er hatte Avif gebraucht, um das zu verstehen.

Avif und Avif und Avif. Noch immer dachte er an ihn. Avif

hatte es geschafft, die Härte dieser Stadt auszuhalten, es mit ihr aufzunehmen, ohne selbst hart zu werden. *Alles in Ordnung, Jamal?* Seine vor Erstaunen geweiteten Augen damals hinter dem Fenster in der U-Bahn, als sich die Wagen in Bewegung setzten und Jamal allein auf dem Bahnsteig stand, den Blick abwendend, den Freund verratend.

Noch war alles ein Versuch. Wenn er sich am Samstagabend heimschleppte, lag wieder eine ganze Woche mit vier freien Tagen vor ihm, in denen er vor Katja mit seinen neuen Kenntnissen prahlen und den mit Gemüse vollgefüllten Kühlschrank zeigen konnte, denn der Händler gab ihm das Zeug tütenweise mit; alles etwas fleckig, aber gerade noch eßbar.

Jamal nuschelte einen Dank und trug das Gemüse nach Hause. Er zog die Tür seiner Eros-Bude hinter sich zu, duschte stundenlang oder ließ ein heißes Bad einlaufen. Die Duftessenzen mit den Schaumkronen, die er sich aus dem *Body-Shop* am Ku'damm geholt hatte, trösteten ihn über die Tatsache hinweg, daß er wieder allein war und zur Zeit nicht einmal Lust verspürte, auszugehen, um in den Clubs jemanden aufzugabeln. Er bereitete sich Tomaten- und Gurkensalat, garnierte ihn mit Öl und Gewürzen, toastete das Fladenbrot, holte eine Plastikflasche Mineralwasser (die bekam er nie gratis, jedoch zum fairen Einkaufspreis, wie der Händler wortreich beteuerte) und setzte sich dann in seinem Bademantel vor den Fernseher, um durch die Kanäle zu zappen.

All das, was er den ganzen Tag hatte tun müssen, schnurrte zu einer Episode zusammen, unwesentlich wie all die Geschichten auf dem Bildschirm, die nur so lange Wirklichkeit behaupteten, bis man sie mit einem Fingerdruck auf die Fernbedienung einfach sterben ließ.

Dennoch begann er, sich nach anderem umzusehen. Er hatte bis jetzt nicht mehr als ein paar hundert Mark verdient, und selbst Katja hatte sein Abtauchen in die Welt der Kartoffelsäcke und Polentatüten lediglich mit Erstaunen begleitet. Sie schien nichts von seinem Plan zu ahnen. Auch ihm selbst waren bislang nur die Umrisse klar. Auf jeden Fall muß er sein Geld effektiver verdienen.

Der Gemüsehändler machte ihm den Abschied nicht schwer. So wenig wie er sich vorher erkundigt hatte, was sein Angestellter in der restlichen Zeit an der Universität trieb, so wenig wollte er die Gründe für seine Kündigung wissen. Er versuchte, zwei angeblich nicht voll erarbeitete Stunden herauszuschinden, kabbelte sich mit dem unerwartet störrischen Jamal um ganze zwanzig Mark und sagte dann gleichgültig: »Geh doch zu den Deutschen, und du wirst sehen.«

Neben ihm stand mit ausdruckslosem Gesicht die Frau, von der Jamal nichts zu sagen wußte, als daß sie ein Kopftuch trug und ihm am ersten Tag Tee serviert hatte, und schwieg, während ihr Sohn voller Haß vor sich hinstarrte. Nun würde *er* jedes Wochenende hier schuften müssen.

Diesmal gab es keine Plastiktüte mit überreifem Gemüse. Jamal verabschiedete sich ohne voller Überschwang.

Als er an der Patisserie vorbei kam, war Monsar gerade dabei, die Eisenrolladen vor dem Fenster herunterzulassen.

»Wie siehst du denn aus, mein Sohn?« fragte er und runzelte die Brauen.

Mein Sohn, mein Sohn. Ich sollte sie alle auf Unterhaltszahlungen verklagen, dachte Jamal. Er grinste Monsar an. »Ich habe mir etwas Geld verdient. Bei einem Gemüsehändler, drüben in der Reichenberger.«

»Einem Türken?« fragte Monsar. Er wischte sich die Hände an einem Tuch ab und hielt Jamal die Ladentür auf. »Mach nie Geschäfte mit Türken, das sag ich dir. Die betrügen sich sogar untereinander. Und dann erst gegenüber Fremden ...« Er zog geräuschvoll die Luft ein und verschwand hinter der Theke.

»Er hat mich immer *mein Sohn* genannt«, sagte Jamal mit Unschuldsmiene. »Wie du.«

Monsar lächelte nicht mehr. »Das ist etwas anderes. Und überhaupt, dich in so einem Aufzug arbeiten zu lassen! Ich kenne einen, der könnte dir wirklich helfen – falls du eine gute Arbeit brauchst. Ein richtiger Landsmann von uns.«

Ungefragt schaufelte er Croissants in eine Papiertüte und packte dazu drei Kibbeh in einen Zellophansack. »Gib mir fünf Mark, und damit gut. Heute abend kann ich sowieso nichts mehr verkaufen.«

Jamal bedankte sich. Er hatte die Türklinke schon in der Hand, als er sich noch einmal umdrehte. »Und wie soll der großartige Landsmann heißen?«

»Wassim«, antworte Monsar, erfreut, Jamal einen guten Tip geben zu können. »Du findest ihn ...«

»Danke«, sagte er. »Ich glaube, ich kenne Wassim.«

Schließlich hatte der Typ in seiner Fickbörse am Wittenbergplatz Kerstin-Regine auf ihn angesetzt. Vor drei Jahren, in einem anderen Leben.

Während er nach Hause ging, dachte er nach. Wahrscheinlich war es gar keine dumme Idee, mit Wassim Kontakt aufzunehmen. Hatte der damals nicht von einem anderen Typen – Karim oder so – geredet, der *jede* Art Job besorgen konnte?

Als er vor seiner Eros-Bude stand, wußte er, daß er nicht nur mit Wassim reden *könnte*. Er *mußte* es tun. Jetzt, das begriff er, als er im trüben Korridorlicht die Wände und die vollgeschmierte Tür sah, suchte er nicht nur einen Job, sondern auch eine neue Wohnung. Wenn er nicht lebensmüde war, sollte er schleunigst verschwinden.

In diesem Augenblick ging unwiderruflich etwas zu Ende. Aber dies war erst der Anfang einer ganzen Reihe von Abschieden.

Wassim hatte sich nicht verändert. Vielleicht war sein Gesicht inzwischen runder geworden, aber der Quadratschädel war geblieben, die Koteletten, das gegelte Haar, das Goldkettchen um den Hals. Noch immer sah er aus wie die grobschlächtige Version von Michel Friedman. Es war nicht schwierig gewesen, ihn aufzuspüren.

Wassim saß, als wäre er in den drei Jahren, in denen sie sich nicht gesehen hatten, dort festgewachsen, auf einer der Holzbänke in der Cafeteria der Technischen Universität und führte inmitten andächtig lauschender Studenten das große Wort.

Neue Jamals, dachte Jamal. Und wahrscheinlich genauso naiv und per Familienentscheid hierher katapultiert. Er hoffte nur, daß in Wassims Entjungferungskatalog keine Kerstin-Regine mehr auftauchte.

Jamal wartete eine Gesprächspause ab, ging hinüber und reichte ihm die Hand. »Ich weiß nicht, ob du dich erinnerst . . .«

»Jamal«, sagte Wassim ohne Überraschung, »du bist Jamal.«

Später verstand er, weshalb er sich so mühelos erinnerte. In der Welt, in der Wassim lebte, erinnerte man sich an jedes Gesicht. *Mußte* man sich an jedes Gesicht erinnern. Arabische Studentengesichter. Deutsche Frauengesichter. Beamtengesichter. Autohändlergesichter. Dealergesichter. Jamal hatte kein Bedürfnis, genauer zu erfahren, welche weiteren Gesichter sich noch in Wassims Wirkungskreis tummelten. Die Andeutungen, die er huldvoll, aber entschieden nach jedem Piepgeräusch in sein Handy fallen ließ, während er sich mit seinem kleinen VW Golf in den Kreisverkehr am Reuter-Platz einfädelte, genügten vollauf, um Zusammenhänge und Netzwerke zu erahnen, nach denen man besser nicht fragte.

»Offiziell bin ich noch Student. Ein *fleißiger* Student. Einer mit AOK-Versicherung, guten Noten und unbegrenzter Aufenthaltsgenehmigung. Ein Student, der gern anderen hilft.« Er sah zu Jamal hinüber. Es war klar, was er sagen wollte. Rede, mein Junge, Wassim hat nicht unendlich Zeit.

Jamal erzählte ihm, daß er eine neue Wohnung, genauer: eine *billige* Ein-Zimmer-Wohnung und eine Arbeit suche. Vorsichtshalber fügte er hinzu, daß er zur Zeit kein Geld habe, um für solche Hilfe zu bezahlen.

Wassim schüttelte betrübt seinen Quadratschädel. »Habibi, was denkst du von mir? Sehe ich aus wie einer, der seine Landsleute abzockt? Ich hoffe, daß dich nicht etwa dein Onkel auf solche Ideen gebracht hat.«

»Onkel Ziyad ist seit langem wieder im Libanon«, entgegnete Jamal schnell.

»Ich weiß«, sagte Wassim. »Aber erzähl.«

Er parkte den Wagen in einer der Nebenstraßen des Wittenbergplatzes. Das Studentenwohnheim sah genauso aus wie früher, rauher Putz an der Fassade und trotz der Kälte offenstehende Fenster, aus denen Gesprächsfetzen und arabische Lieder klangen. Wassim grüßte jovial den Pförtner, schob Jamal kommentarlos an ihm vorbei und drückte im Korridor auf den Aufzugsknopf.

Außer einem neuen MEA-Poster – es zeigte die neuerbauten Gebäude im Beiruter Parlamentsviertel – hatte sich auch im Zimmer nichts verändert. Die Couch, der Balkon, die Kochnische – Jamal war sicher, daß sich jedes Wochenende hier erneut die Fickbörse installierte. Vielleicht auch eine Busineßbörse, die längst über das Stadium der Hellersdorfer Tussis hinaus war; wer weiß. Sah ganz so aus, als hätte Wassim in dieser Stadt keine Zeit verloren. So wie sein Vater in einem Beiruter Laden stehen und die Kunden taxieren mochte – abwartend, freundlich, zuvorkommend, immer auf dem Sprung –, so stand jetzt sein Sohn Wassim hier, an die Wand gelehnt, mit der Zigarette sorgsam auf ein silbernes Etui klopfend, ehe er sie sich mit einem protzigen Feuerzeug anzündete.

»Erzähl«, wiederholte er. Seine Stimme klang leicht ungeduldig. Und Jamal, der die angebotene Zigarette genommen hatte, erzählte.

Erzählte von seiner Idee – *Idee* klang besser als *Plan*, das hatte er sich schon vorher überlegt –, in Berlin nebenher etwas Geld zu verdienen. Erzählte nichts von seiner in Beirut getroffenen Entscheidung. Erzählte nichts von Katja. Erzählte von der Notwendigkeit, eine neue, kleinere, billigere Wohnung zu finden. Erwähnte nicht die mit schwarzer Farbe aufgepinselten Worte, die er an der Tür seiner Eros-Bude entdeckt hatte. *Ben Ibneyim*, Ich bin schwul. Bei den *Oriental Nights* im SO 36 wurden manchmal Buttons mit dieser Aufschrift verteilt, sie waren regenbogenfarben und hatten nichts Bedrohliches. Vor allem aber zogen sie keine Blicke auf sich, wie er sie seit Tagen im Lift und im Hausflur ertragen mußte. Und das, obwohl er sich sofort bei *Domäne* mit Pinseln und Farbe eingedeckt und die Tür zur Eros-Bude neu gestrichen hatte, und zwar einfarbig und nicht mehr in Giovannis Nationalfarben.

Symbolischer könnte es nicht sein, hatte er gedacht, während er die italienische Fahne und die schwarzen türkischen Worte überstrich; eine doppelte Auslöschung, die ihn wütend und verzweifelt machte. Der ganze Flur hatte nach Farbe und Lösungsmitteln gestunken, und damit das, was er ungeschehen machen wollte, noch deutlicher hervorgehoben. Ein Geruch, ein Gerücht; etwas, was ungreifbar war und ihn, solange er in diesem Haus blieb, weiter verfolgen würde.

Wenn Jamal vorher die Mitbewohner, die auf den einzelnen Etagen in den Aufzug stiegen, kaum hatte unterscheiden können, so war dies nun um so einfacher. Männer-Gesichter mit haßerfülltem, verächtlichem Blick, mütterliche Augen voller Mitleid und das gelangweilte Kaugummikauen und provozierende Sich-an-den-Schwanz-Fassen der jungen Türken. Mindestens einer von ihnen mußte es gewesen sein, aber das spielte keine Rolle mehr, denn sie alle gaben ihm mit ihren Blicken zu verstehen, daß es nur eine Frage der Zeit war, bis sie eine härtere Gangart einschlagen würden. Irgendwann würde er blutüberströmt in dem vom Wind durchpfiffenen Gang zu Füßen des gestrandeten

Dampfers liegen, hilflos röchelnd zwischen blauen Plastiksäcken voller Müll.

Aber dem würde er zuvorkommen, *das* würde er nicht mit sich machen lassen. Niemals! Reibungsverluste verhindern, Energie für Wichtigeres aufsparen. Für einen Job, bei dem sich genug Geld verdienen ließ, um eine Frau zu einer Scheinheirat zu überreden. Katja oder eine andere; gleichviel. Nur hierbleiben mußte er, hier in Berlin, und wenn er drei Jahre lang seine Zeit unnütz vertan hatte, so mußte er sie eben in den wenigen Monaten, die ihm noch blieben, wieder herausholen. Das ist Avifs Speed, dachte Jamal und verscheuchte den Gedanken augenblicklich. Die Zeit der Eros-Bude war vorbei.

»Du erzählst mir nicht alles, stimmt's?« fragte Wassim. Es klang nicht vorwurfsvoll.

»Zoff mit den Bullen, irgendwelche Sachen wegen der Papiere?«

»Im Gegenteil«, sagte Jamal. »Alles in Ordnung. Ich bin in Kreuzberg polizeilich angemeldet, und dort will ich auch bleiben.«

»Kein Höhlenversteck im wilden Osten?« fragte Wassim lächelnd.

»Nein, bestimmt nicht.«

»Und der Job, den du suchst, soll der – nun, auch *polizeilich angemeldet* sein?«

Jamal überlegte kurz. Es war besser, nicht alle Karten auf den Tisch zu legen. Zögernd sagte er: »Ich erinnere mich, daß du mir damals . . .«

»Als ich dir Kerstin vorgestellt habe?« fiel Wassim ein und nahm einen langen Zug aus seiner Zigarette.

»Hör mir auf mit dieser Geschichte.«

»Den Gefallen tue ich dir gern, Habibi.« Wassim sah ihn wohlwollend an, doch Jamal begann sich zu fragen, *wieviel* dieser Typ eigentlich von ihm wußte.

»Ich rede von diesem Karim, den du mir gezeigt hast. Der Typ mit den langen Haaren und den Cowboystiefeln. Wäre der noch . . . ?«

»Ja«, sagte Wassim. »Der wäre noch. Aber wenn du einen guten Rat willst: Heb dir Karim für die Sache mit den Jobs auf. Das mit der Wohnung regeln wir lieber unter uns, einverstanden?«

»Aber ich hab kein Geld«, wiederholte Jamal.

Wassim sah ihn spöttisch an. »So siehst du auch aus. Trotz der schicken Klamotten. Oder gerade deshalb. Sieh mich an.« Doch ehe Jamal der Aufforderung nachkommen konnte, hatte ihm Wassim schon den Rücken zugekehrt und begonnen, eine Nummer in sein Handy zu tippen.

Die Straße war tot, aber er hatte eine neue Wohnung. Genauer gesagt war es ein Zimmer mit einer Kochnische und einem winzigen Bad, das von einem ebenso winzigen wie lichtlosen Vorraum abging. Kein Vergleich zu seiner Eros-Bude. Doch obwohl er jetzt die volle Miete zahlen mußte, war es billiger als vorher.

Giovanni, dessen Londoner Telefonnummer er seit all den Jahren zum ersten Mal gewählt hatte, war überrascht, aber nicht verärgert. Die Nachricht, daß Silvia und Yousuf in die Staaten gezogen waren, schien ihn stärker zu beschäftigen als die Tatsache, daß er von London aus einen neuen Untermieter suchen mußte.

»Kein Problem«, hatte Giovanni mit seinem starken italienischen Akzent gesagt. »Wenn du niemand findest, muß ich eben andere Freunde in Berlin informieren. Ich gebe dir mal ihre Telefonnummern.«

Jamal war erleichtert. So einfach waren die Dinge, wenn Geld keine Rolle spielte und jemand neben der Knete noch über Stil oder zumindest eine noble Müdigkeit verfügte, die kleinlichen Streit unmöglich machte. Ein paar Tage später hatten zwei dieser Freunde, ziemlich gutgekleidete deutsche Studenten, bei ihm geklingelt. Sie hatten sich in der halbleeren Wohnung umgesehen – Jamal war sich nicht einmal sicher, ob Giovanni sie angewiesen hatte, zu überprüfen, ob von seinen eigenen Sachen noch alles vorhanden war –, hatten vor dem Fenster gestanden und den Blick auf das Kottbusser Tor gelobt, sich den Schlüssel und eine Kopie von Jamals Abmeldung geben lassen und waren mit einem freundlichen Nicken wieder gegangen. Zuvor hatte sich der eine Student sogar mit einer gewissen Anteilnahme erkundigt, ob Jamals Aufenthaltsgenehmigung abgelaufen sei.

»Nein«, sagte er lächelnd, »soweit ist es noch nicht. Aber ich muß mich für alle Fälle wappnen.«

Keiner von beiden hatte wissen wollen, was damit gemeint

war, aber das war nicht schlimm, denn der Satz war allein für Katja bestimmt gewesen.

Katja, die ihm beim Umzug geholfen hatte und, vollbepackt mit Plastiktüten und Jamals Koffer, dutzende Male vom Kottbusser Tor über die Oranienstraße hinein in die kleine Straße gelaufen war, in der nun alles anders sein würde. Kein Lärm, kein Leben. Nicht einmal Graffitis an den Häuserwänden. Nur Fenster mit Gardinen, deren dunkelgelbe Nikotinfarbe schon beim Vorbeigehen zu sehen war, Vogelkäfige hinter schlierigen Glasscheiben, in denen ein stummer Kanarienvogel hin- und herhüpfte. Vielleicht aber war er gar nicht stumm, vielleicht sang er; nur konnten sie, Katja und Jamal, wie sie in der windigen Herbstnässe so eilig über das Trottoir liefen, nichts davon hören. Auch Türken sahen sie kaum, nur ältere Deutsche mit Krückstöcken und Einkaufsbeuteln, die allesamt müde und gebrechlich wirkten, als hätte sie das lange Wohnen in diesem Viertel zwischen ehemaligem Mauerstreifen und der lauten, an Istanbul erinnernden Oranienstraße ängstlich gemacht und wie Faltpuppen zusammengedrückt.

»Wetten, daß die im Sommer alle wie auf Kommando ihre Fenster öffnen, Sofakissen aufs Fensterbrett legen und dann mürrisch auf die Straße glotzen, in die sich nicht einmal Türkengangs verirren?«

Jamal hatte Katja lachen sehen und hinzugefügt: »Das heißt, das Schauspiel werden wir nur sehen, wenn ich nächsten Sommer noch da bin ...«

Die Elfenkönigin hatte bekümmert geseufzt. Jamal wußte, daß er überlegt vorgehen mußte, daß er, als wäre sie das scheue Reh und er der Jäger, nichts übereilen durfte. Er hatte in den letzten Tagen nur immer häufiger *wir* gesagt, und Katja hatte es anscheinend gern gehört.

In den Wühlkisten von Wohlthat's Buchladen gegenüber der Gedächtniskirche hatte er einen Beirut-Bildband in französischer Sprache gefunden. Das Buch über die leuchtende Mittelmeer-Metropole, die verschossenen Farbphotos typisch sechziger Jahre, hatte zwar einen Teil seines Gemüsehändler-Geldes verschlungen, war aber dafür von Katja sogleich als wertvolle Rarität erkannt worden. Sie hatte Jamal mehrere Wangenschmatze verpaßt und mit großen Augen seinen Erklärungen gelauscht.

»Ein ganz seltener Fund aus der *Librairie Antoine*. Habe lange danach gesucht, aber das war eine Freude. Der Laden war im Krieg zerstört und hat erst vor kurzem wieder geöffnet. Mit all den Büchern, die man über den Krieg hinweg retten konnte.«

Missak und Joseph hatten ihm davon erzählt, den sentimentalen Rest mit den geretteten Büchern erfand er dazu. Irgendwann würde er Katja auch mit seinen Kenntnissen über den Trommler, den Regisseur Schloendorff und seinen Beirut-Film verblüffen, aber das hatte Zeit. Er mußte sparsam umgehen mit allem, was geeignet sein konnte, sie zu einem Sprung aus ihrer freundlichen Schmargendorf-Welt zu bringen und vor einem voraussichtlich äußerst unfreundlichen Beamten glaubhaft und händchenhaltend zu beteuern, daß sie Jamal Kassims treue Frau sein wolle. Auf immer und ewig bis der Tod euch scheidet, und nicht rot und nervös werden beim Lügen.

Gemeinsam fegten sie die Wohnung aus, strichen den Staub von Giovannis Eros-Postern, und jedesmal, wenn Katja mit einer nostalgischen Erinnerung an die hier verbrachte Zeit kam, unterbrach Jamal sie leise, aber eindringlich. Zumindest *das* brauchte er nicht zu spielen. Er zwang sich, keine Schwäche zu zeigen, keinen Gedanken an Avif zuzulassen, überhaupt nichts, was es ihm unmöglich gemacht hätte, diesen Bruch durchzustehen. Drei Straßenzüge, fünf Minuten Fußmarsch, und doch eine andere Welt, eine andere Zeit.

So hatte er es in Beirut entschieden, so hatte es Wassim mit ein paar Handy-Telefonaten und seiner kräftigen Stimme ins Rollen gebracht. Noch am gleichen Tag waren sie damals in seinem VW zu dieser Parterrewohnung gefahren, und seltsamerweise hatte Wassim bereits die Schlüssel sowie den Vordruck eines Mietvertrages bei sich. Eines Hauptmietvertrages.

»Du weißt, was das wert ist, Habibi. Legal und angemeldet. Gut für die Behörde, gut für eine Frau. Falls es mal so weit sein sollte.«

Jamal hatte auf die Anspielung nicht reagiert. Es war nicht klar, aus welchen Gründen Wassim ihm half. Ein Freundschaftsdienst für den armen Verwandten des längst abgereisten Onkel Ziyad war es ganz sicher nicht. Aber selbst als Jamal mit zögernder Stimme das Geld für zwei Monatsmieten angeboten hatte (er war in Gedanken seine finanziellen Möglichkeiten durchgegangen und hatte entschieden, daß dies eine kluge Investition für die Zukunft sein könnte), hatte Wassim abgelehnt.

»Behalt das Geld für andere Gelegenheiten. Das einzige, was du tun mußt, ist, dich polizeilich umzumelden. Und dann die Miete jeden Monatsanfang auf dieses Konto.« Mit seinem breiten Daumen drückte er auf einen Zettel, auf dem lediglich die Kontonummer und ein arabischer Name standen. Jamal sah fragend auf: »Bist du sicher, daß ich der Hauptmieter bin?«

Wassim ließ den dröhnenden Baß seines Lachens hören. »Hat Habibi etwa Angst? Wenn Wassim sagt, es ist legal, dann ist es auch legal.«

Jamal hatte das Gefühl, daß der andere das Wort *legal* einen kleinen Tick zu oft benutzte. Aber *tant pis*, wie Joseph gesagt hätte.

All das war nicht beunruhigend; der richtige Kampf hatte noch nicht begonnen.

Sie hatten beide in diesem halbmöblierten Raum gestanden, der trotz des Fernsehers eher dem Zimmer eines Altersheims glich. Gasheizung, ein Nußbaumschrank mit staubiger Glasscheibe, ein altes Sofa, ein ebenso alter Teppich und die Gardinen mit den Spuren ganzer Rauchergenerationen. Die Wohnung eines Toten?

Wassim hatte nichts davon wissen wollen. »Die Heizung geht, Warmwasser im Bad, 'ne Wanne und 'n funktionierendes Telefon, der Rest liegt bei dir. Und wegen der Arbeit und Karim ...«

»Komme ich später drauf zurück«, hatte Jamal schnell geantwortet. Es widerstrebte ihm, so rasch *alle* Verbindungen zu seinem bisherigen Leben zu kappen. Der Umzug von der Eros-Bude in dieses Rentnergrab war bereits Schock genug.

»Hattest du Ärger mit den Türken drüben?«

Täuschte sich Jamal oder klang da Spott in Wassims Stimme? »Nein, wieso?«

»Na, ich dachte nur, manchmal sind die eben ziemlich, tja du weißt schon. Irgendwie traditionell.«

Die mögen keine Schwulen, sollte es das heißen?

»In all den Jahren gab es nie Probleme«, sagte Jamal knapp. Möglich, daß er sich irrte. Daß er nie etwas bemerkt hatte, daß er viel zu aufgedreht gewesen war, zu berauscht von seiner neuen Freiheit, um all die bösen Blicke und das Getuschel wahrzunehmen, denn bestimmt hatten die Nachbarn mitgekriegt, in welch kurzen Abständen junge Männer bei ihm ein- und ausgegangen waren. Und dann, zwei wunderbare Wochen lang, immer wieder

Avif. Avif und Jamal. Rennend im Korridor, sich im überfüllten Aufzug zulächelnd, gemeinsam weggehend, gemeinsam ankommend. Vorbei, auf immer vorbei. *Ben Ibneyim*. Das war kein Spruch, das war eine Drohung. Selbst davon aber hatte er Katja nichts erzählt. Es hätte sie unnötig verängstigt. Besser, sie glaubte, daß er nur umzog, um Geld zu sparen. Geld, um sich eine Scheinehe zu erkaufen.

Es galt, in jeder Sekunde die Balance zu halten. Er mußte die Freundin so verunsichern, bis sie von allein auf die Idee kam und ein Angebot machte. Gleichzeitig mußte er ihr zeigen, daß er alles unter Kontrolle hatte und kein dreister Spieler-Typ war, denn so etwas haßte sie wie die Pest. Und was war mit ihrer Mutter, der unbekannten, mysteriös schweigenden Größe im Hintergrund?

Eines nach dem anderen, dachte Jamal. Laß dich nicht verrückt machen. Er hatte Wassim nichts über Katja erzählt, und Katja nur wenig über Wassim und rein gar nichts über dessen sonstige Aktivitäten, über die man nur Mutmaßungen anstellen konnte. Nützliches und nutzloses Wissen, auch das würde ab nun genau zu unterscheiden sein.

In wenigen Tagen hatte Katja die Wohnung gründlich verändert. Die nikotinverfärbten Gardinen in den Müll geworfen und durch durchsichtige Vorhänge von zu Hause ersetzt (Jamal fragte sich, ob früher damit die Fenster von Mutters Lebensberatung dekoriert gewesen waren), den Nußbaumschrank entstaubt und mit ein paar CD's gefüllt (»Damit wir etwas zum Hören haben, wenn ich da bin«, sagte sie, hatte aber vergessen, daß der CD-Player Giovanni gehört hatte und in der Eros-Bude zurückgeblieben war); schließlich säuberte sie im Bad das Waschbecken und die Wanne mit ätzend riechenden Scheuerpulver, von dem sie eine kleine Prise nach Jamal warf, als er allzu fröhlich an der Badtür gelümmelt und dumme Sprüche über *Hausarbeit* losgelassen hatte. Es war, als seien sie ein junges Paar, das gerade zusammengezogen ist und sich weder von vergilbten Tapeten noch knarrenden Türen seine Freude zerstören läßt. Es war vor allem Katjas Freude. Katjas Freude und Jamals Verblüffung, wie schnell sie mit der neuen Situation zurechtkam. Entweder hatte sie nichts kapiert – oder sie wollte ihn schonen. Sah man ihm etwa an, wie *down* er war?

In den Nächten vermißte er das Sparkassenlicht. Es gab keine roten Buchstaben mehr, die schräg in die Dunkelheit seines Zimmers einfielen. Nur eine Straßenlaterne vor dem Fenster, ein schmutziggelbes Licht, das die grauen Fassaden auf der gegenüberliegenden Seite diffus beleuchtete. Hier gab es nichts zu sehen, das stand fest. Nichts, was ihn ablenken könnte. Aber deshalb war er auch nicht hier. Hauptsache, die jungen Türken aus dem gestrandeten Dampfer – erst jetzt merkte er, daß er niemals ihre Gesichter wahrgenommen hatte und sie deshalb auch nie wiedererkennen würde – liefen ihm nicht mehr über den Weg. Hauptsache, er fand einen Job, der genügend Geld abwarf.

Auf der Oranienstraße gab es unzählige Gemüseläden und Musikgeschäfte, die türkische Kassetten – CDs schienen hier noch selten zu sein – von vollbusigen, künstlich blondierten Sängerinnen und schnurrbärtigen Männern anboten; er, Jamal Kassim, aber war kein Türke und würde dort ebenso schwer Arbeit finden wie in den deutschen Bierkneipen, den anatolischen Cafés mit den stumpfen Holzdielen oder den schicken Restaurants für Besserverdienende, die am unteren Ende der Straße wie Pilze aus dem Boden schossen.

Nein, er mußte sich etwas anderes einfallen lassen. Was er brauchte, war eine Menge Geld in kurzer Zeit. Es war bereits Anfang Oktober, und er wohnte nun in einer halbvergessenen Seitenstraße, einem toten Flußlauf. Wenn er sich nicht selbst abschreiben wollte, mußte er sich beeilen.

Die Job-Angebote, die an der Universität aushingen, sagten ihm nicht zu. Er konnte weder Taxi fahren noch sich als Aushilfskellner vorstellen. Zwar durfte er offiziell sechs Monate im Jahr arbeiten, aber es würde nicht die Uni-Welt mit ihren jobbenden Studis sein, die ihn weiterbrächte.

Er stellte sich ans Fenster seiner neuen Wohnung und ging sein Adreßbuch durch. Vorname, Telefonnummer. Die Nachnamen fehlten fast immer, und dennoch konnte sich Jamal an alles erinnern: Den Ort, wo sie sich kennengelernt hatten, Aussehen und sexuelle Vorlieben, die Atmosphäre nach dem Sex, die Sätze, die gefallen waren. Manchmal waren es Sätze über Jobs gewesen. *Duuh, ich glaube, ich werd in nächster Zeit mal ...*

Er schüttelte den Kopf. Nein, diese Fraktion konnte er vergessen. Die One-night stands kamen ebenfalls nicht in Frage – trotz der Telefonnummern, die er sich am Morgen danach notiert

hatte. Auf die Konsum-Schwuchteln würde er ebensowenig zählen können wie auf die politisch Besorgten, die ihn gleich nach
dem Orgasmus zu seinen *Kriegstraumata* befragt hatten und ...

Jamal griff sich an die Stirn. Falsch, ganz falsch! Zurück und
noch einmal von vorn. Die Besorgten könnten ihn vielleicht in
die Szene bringen, von der er schon in Andeutungen sprechen
gehört und die damals im Sommer auch Christopher während
seiner Haßtiraden erwähnt hatte. Frauen, die ihn aus politischen
Gründen heirateten! Aus Mitleid, aus Solidarität oder einfach
aus Kampfgeist gegen ... Gegen was sie kämpften, konnte ihm
egal sein, nur vor den Standesbeamten sollten sie sich zusammen
mit ihm trauen. Trau dich zur Trauung – genau, das war's! *Solche*
Frauen müßte er anzapfen. Und zwischendurch – in dieser Stadt,
das hatte er begriffen, wollte auch die Solidarität von Zeit zu Zeit
Bares sehen – sollte er einen anständigen Job haben, bei dem er
sich keine Schwielen holte, sondern mit ein paar reichen Schwulen in Kontakt kam. Jamal drückte die Finger seiner rechten Hand
gegen den Ballen der linken. Schwule statt Schwielen, und ansonsten hoch-hoch-hoch die internationale Solidarität!

Er grinste. Wenn er mit dem Leben da draußen so zurechtkommen würde, wie er es mit den deutschen Wörtern tat, könnte er
bald im irdischen Paradies sein. Und dort vielleicht Avif wiedersehen? Sein Gesicht verhärtete sich. *STOP!* Das war nun eine
von den Ideen, die er sich *nicht* leisten konnte. Wahrscheinlich
nie wieder.

Hoffentlich mußte er auch nicht diesen Karim mit den lächerlichen Cowboystiefeln um Hilfe bitten. Wenn alles gut ging,
konnte der sich seine dreckigen Bauarbeiter-Connections sonstwohin stecken. Man mußte nicht übertreiben. Der Wechsel in
seinem Lebensrhythmus war stolpernd genug, da brauchte er
nicht noch als Alptraum die Aussicht, in den schlammigen Baugruben der Deutschen zu schuften, um ihnen als letzter Arsch
aus dem Lande Nowhere die schönen Glaskästen ihrer neuen
Berliner Republik hochzuziehen.

Konzentriert ging Jamal die Namensliste durch. Von Zeit zu
Zeit machte er mit dem Kugelschreiber ein Kreuz, manchmal ein
dickes Ausrufezeichen.

Ein paar Tage später stand er mit einem gestärkten weißen Hemd
und einer ebenso blendendweißen Schürze, die bis zu den Knö-

cheln reichte und seine schwarze Stoffhose fast völlig verdeckte, in der Mitte eines Theaterfoyers und hielt ein Tablett mit hochstieligen Sektgläsern. Man hatte ihm genau gesagt, wie er es zu halten hatte: den rechten Ellbogen zwischen Bauch und Hüfte gestemmt, um den Druck auszugleichen, den flachen Handteller unter dem Tablett und im Gesicht ein nimmermüdes freundliches Lächeln.

Jamal fiel es nicht schwer, denn selbst die Personalchefin der Agentur, die sich laut Eigenwerbung auf *Kultur-Event-Service* konzentriert hatte, war ein wahres Muster an Zuvorkommenheit gewesen.

Tobias, einer von diesen jungen Karriere-Schwulen, von denen die Stadt inzwischen voll war, hatte sich am Telefon sofort an Jamal und die Reihe von Nächten, die sie miteinander verbracht hatten, erinnert und war bereit gewesen, ihm einen Termin bei seiner Kollegin zu vermitteln. Er sagte *bei der Sophie*, als handele es sich um eine Studienfreundin und nicht um eine ziemlich entschieden wirkende Frau Anfang dreißig, die, wie Jamal später erkannte, mit der gleichen freundlichen Effizienz Leute einstellte wie kurzerhand feuerte. Aber so durfte man das nicht sehen. Jamal war kein armer Bittsteller, der den Preis für einige geile Nächte einforderte und Tobias erst recht keiner, der sich dank seines Managerjobs in einer gutgehenden Agentur herablassend erkenntlich zeigen konnte und einer Angestellten die Weisung gab, einen seiner Ex-Lover einzustellen.

Oh nein, alles lief ganz ungezwungen ab. Ein großflächiger Büroraum in bester Ku'damm-Lage, ein paar stachlige Kakteen auf dem Terrakottaboden, Repros abstrakter Gemälde an den Wänden und hinter dem Tisch *die Sophie*, die Jamal lächelnd ansah, sich beiläufig nach seinem Tun hier in Berlin erkundigte und nach geleisteter Unterschrift und abgesprochenem Lohn, 20 Mark pro Stunde, Jamal konnte sich gratulieren, sofort das erste Engagement (sie nannte es tatsächlich *Engagement*) ankündigte.

Die Sophie sagte: »Wir haben mittlerweile einen *supertollen* Ruf in der Stadt, weißt du. Bestes Büfett, nicht nur irgendwelche zusammengeschusterten Häppchen mit Salami, hartem Weißbrot und einer vertrockneten Gurkenscheibe. Darauf achten wir genauso wie auf unsere Kellner. Die müssen auch Stil haben – so wie du eben.« Die Sophie lächelte. »Premierenfeiern, Ausstellungseröffnungen, Lesungen, Vernissagen, Politikergeburtstage und jede Art *Kultur-Events;* alles, was du willst. Das heißt«, und hier zog die Sophie ihre Lippen zu einem schmalen, karmesinroten Strich zusammen, »das heißt, mit einem Engagement für die Politikergeburtstage mußt du noch etwas warten. Dort, aber wirklich nur dort, müssen wir nämlich dem Staatsschutz die Liste unserer Mitarbeiter vorlegen, und wenn da dein libanesischer Paß ...« Die Sophie hielt inne und schenkte Jamal ein weiteres effizientes Lächeln, das wahrscheinlich Spott über die so ängstlichen Staatsschützer ausdrücken sollte.

Jamal war überrascht. Es hatte vorher ausgesehen, als hätte die junge Frau seine libanesische Herkunft überhaupt nicht wahrgenommen. Anyway, er hatte jetzt einen Job. Hatte eine vom Partyservice gestellte Livree samt Taschentuch und einer kleinen Tüte mit exakt fünf Fischermen's Friends. »Das hilft gegen störenden Mundgeruch«, hatte die Sophie pragmatisch erklärt und hinzugefügt, daß man die kleinen Bonbons nur in unbemerkten Momenten zu sich nehmen und dann auch äußerst unauffällig lutschen solle. Jamal hatte ernsthaft genickt und keine weiteren Fragen gestellt.

Als er schließlich in dem Bus mit dem aufgedruckten Agenturlabel saß, der ihn zu einer Premierenfeier in einem der Theater der Stadt brachte, staunte er, wieviele ausländische Gesichter er hier zu sah. Junge Italiener, junge Türken, sogar zwei junge Schwarze. Und höchstens drei Deutsche, diese jedoch blond und ebenfalls jung.

Da saßen sie – übrigens außer dem Büfettpersonal, das im hinteren Busteil die aluverpackten Kisten hütete, alles Männer –, gut riechend und frisch eingekleidet auf ihren Sitzen und fuhren einer fröhlichen Nachtfeier entgegen, deren zu erwartende Länge Jamal nicht im mindesten schreckte. Sah aus, als hätte er schon bei seinem ersten Anruf das große Los gezogen. Katja würde staunen, wenn er ihr morgen davon erzählte.

Eine der Türen stand einen Spalt weit offen, und Jamal blickte in den dunklen Raum hinein, wo sich vorn die erleuchtete Bühne befand. Mindestens eine halbe Stunde stand er in der weißen Schürze des Partyservice so da und konnte sich von dem Bild nicht losreißen. Auf der Bühne marschierte ohne Unterlaß eine graubekittelte Truppe auf und ab, die mit Holzknüppeln auf Eimer schlug, dabei *HeilHitlerDeutscheBankVivaGermaniaLaßdichfickenAlteHappy-Holiday* skandierte und dabei dem im Dunkeln sitzenden Publikum leise Stöhngeräusche und verhaltenes Beifallsklatschen entlockte.

Jamal war verblüfft, wofür die Leute in dieser Stadt ihr Geld ausgaben.

Vielleicht sollte er es auch einmal damit versuchen. Auf Eimer eindreschen und Sprüche klopfen – wenn es weiter nichts war! Nur das, was er jetzt sah, das käme auf keinen Fall in Frage: Da zeigte doch einer von den Graubekittelten dem Publikum tatsächlich seinen Arsch (schneeweiß und viel zu schwammig – das konnte man sogar aus dieser Distanz erkennen), setzte sich auf einen der Eimer und fing an zu scheißen! Die anderen hatten sich um ihn herum gruppiert, klatschten in die Hände und wiederholten wie ein Mantra *Der Schoß ist fruchtbar noch Der Schoß ist fruchtbar noch*, während irgendwo ein Handy fiepte und hinter ihnen auf der Bühnenleinwand die ausgemergelten und zu einem Berg zusammengeschichteten Leichen eines KZs sichtbar wurden.

»Jamal, es geht wieder los.«

Er fuhr herum. Hinter ihm stand einer seiner Kollegen und balancierte zwei Tabletts mit Sektgläsern. »Die müßten da drin bald fertig sein. Dann kommt der Applaus und das ganze Zeug, und dann treten sie sich hier draußen auf die Füße. Da müssen wir ran. Du bist der Neue, oder?«

Jamal nickte. Der andere, ein italienisch aussehender junger Mann mit Ziegenbärtchen und Nickelbrille, schaute kurz durch den Türspalt.

»Klar, wie ich's gesagt hatte. Gleich rücken sie an. Die KZ-Handy- und Scheiße-Nummer kommt immer am Schluß, bei *allen* Premieren. Das macht den Typen noch mal richtig Dampf, ehe es an die Häppchen und den Sekt geht.« Der Italiener sagte es gleichmütig und ohne Spott. Offensichtlich war er bereits ein Profi im Gewerbe.

In den nächsten Wochen verstand Jamal, was er gemeint hatte.

Je länger auf der Bühne geschrien wurde und die Schauspieler ihre Gefühle ausdrückten, indem sie sich an die Gurgel gingen, über den Bühnenboden rutschten, in Eimer – immer wieder diese Eimer! – pißten oder onanierten, je wilder sie mit schreckverzerrten Grimassen Halligalli machten, um so größer war danach der Appetit des Publikums.

Katja staunte mit offenen Augen, als Jamal ihr davon erzählte.

Mochte sie dank ihres Germanistikstudiums die meisten Stücke und ihre Regisseure identifizieren können, gegen Jamals Türspalt-Berichte war das gar nichts.

»Der Blick von unten«, sagte sie bewundernd, während sie in einem kleinen persischen Restaurant in der Oranienstraße saßen und ihre Safransuppe löffelten.

»Was?« fragte Jamal mit halbvollem Mund.

Katja fiel auf, daß er sich in letzter Zeit verändert hatte. Härter war er geworden, ungeduldiger, hastiger, auf eine ihr fast unheimliche Art männlicher.

»Der Blick von unten«, wiederholte sie. »Du siehst, was wir alle nicht sehen.«

»Wieso wir? Warst du bei diesen Scheiß-Premieren etwa mit dabei?« Er sah sie belustigt an.

»Nein, das meine ich nicht. Wir ...« Ihre Hand beschrieb mit dem leeren Suppenlöffel einen Halbkreis über dem Tisch, »mit *wir* meine ich die Leute in dieser Stadt«.

»Gehöre ich etwa nicht in diese Stadt?« Jamals Stimme klang noch immer fröhlich.

Katja sah ihn bestürzt an. »Wieso denn? Nein, im Gegenteil. Du siehst das, was die anderen nicht sehen.«

»Hab' mich nicht darum gerissen«, murmelte Jamal. »Außerdem ist das kein *Blick von unten*. In jedem Theater steigt das Parkett nach hinten an, so daß die letzten Foyertüren in Bühnenhöhe sind. Und genau dort stehe ich mit meinem Tablett und glotze in die dunkle Bude rein. Das heißt, wenn der Italo mich läßt und mich nicht zu den Galeries-Lafayette-Tussis ans Büffet jagt, um die Käseplatten hin- und herzuschieben.«

Jamal grinste. Sollte Katja ruhig sehen, daß er sich durchbiß. Daß er eben *nicht* wie eine Ratte nach oben schielte und im Dreck herumwuselte. Daß er gestärkte Schürzen und ein dauerfreundliches Lächeln trug, um Knete zu machen. Um in dieser Stadt bleiben zu können. Um vielleicht auch einmal mit diesen parfümierten, schwitzenden und nach anderthalbstündiger Berieselung wirklich übel aus dem Maul stinkenden Kulturfuzzis an diesen Premieren-Vernissagen-Lesungen-Podiumsdiskussionen-Projektvorstellungen teilnehmen zu können. Obwohl ... Mit einer unbefristeten Aufenthaltsgenehmigung in der Tasche hätte er wahrscheinlich Besseres zu tun gehabt. Ganz bestimmt hätte er das.

»Ich suche keinen Kick, ich suche Geld für eine Heirat.«

»Ziemlich pragmatisch«, sagte Katja. Lag in ihren Worten ein leiser Vorwurf?

»Zum Träumen bleibt mir keine Zeit. Noch ein paar Wochen, dann ist das Jahr um. Und wenn ich es bis zum nächsten Frühling nicht schaffe«, er schnalzte mit der Zunge und quälte sich ein Lächeln ab, »*bailando, bailando, amigos adios.*«

»Wir waren lange nicht mehr tanzen«, meinte Katja leise. Sie zog ihre Stirn kraus, griff gedankenverloren nach der Serviette, faltete über dem Suppenteller an ihr herum und sagte dann unvermittelt: »Ich glaube, es wird Zeit, daß du Mutter kennenlernst.«

»Mögen Sie Scheerbart?« fragte die Mutter, und unter ihren ausgezupften Augenbrauen wurde ein erwartungsvoller Blick in Richtung Jamal abgeschossen.

»Ich glaube, nicht, daß ...« *Wen* sollte er kennen?

»*Paul* Scheerbart, klingelt's jetzt?« Die Stimme klang freundlich, aufmunternd.

Klingelt's jetzt ist ein Katja-Wort. Das war das einzige, was Jamal einfiel. Aus unerfindlichen Gründen gab ihm das Hoffnung, nahm ihm ein wenig die Angst vor dieser schmalen, grau wirkenden Frau in ihrem beigefarbenen Kimono mit den aufgesetzten Schulterpolstern. Auch diese Schulterpolster fand er ermutigend; also war doch nicht *alles* an ihr karg, konzentriert und wie mit einer spitzen Schere abgeschnitten. Vergiß den grauen Pagenschnitt auf dem Kopf, sagte er sich, die militärische Linie ihrer waagerechten Augenbrauen, den Sperrstreifen ihrer mattglänzenden Lippen, vergiß die Bastschuhe und die zur Begrüßung weit ausgestreckte, dich auf gebührenden Abstand haltende Knochenhand. Schau lieber auf das Silberarmband am Handgelenk, versuche, den Geruch nach frischer Seife, den ihre Haut ausströmt, ermutigend zu finden und weiche nicht ihren graugrün schimmernden Augen aus; noch ist ihr Blick freundlich. *Wer zum Teufel ist Paul Scheerbart?*

Ohne weiter abzuwarten, begann Katjas Mutter zu rezitieren: »Der Orient ist groß. Und die Geister des Orients sind auch groß. Wenn's Neumond ist, versammeln sie sich auf dem Demawand und benehmen sich da sehr laut – sehr laut.« Sie hielt befriedigt inne. *Demawand?* War die Alte etwa bekifft?

Jamal überlegte kurz, dann sagte er lächelnd: »Bei mir müssen Sie keine Angst haben. Ich bin eher ein Stiller.«

Und jetzt keine Zeit verlieren. Ein ruhiges, aber nicht zu lange währendes Kopfdrehen hin zu Katja, ein schüchternes Lächeln, das von ihr genauso prompt und schüchtern – allerdings tausendmal entspannter – erwidert wurde; so hatten sie es geprobt. Deeskalierung. Ängste vor dem *Mann an sich* nehmen, ehe die Mutter auf den Gedanken kam, daß auch der beste und stockschwule Freund ihres Töchterchens der verfluchten Sippe der Schwanzträger angehörte, der sie schon vor Jahren ihren breiten Rücken zugekehrt hatte.

Sensibel sei der Jamal, aufmerksam und soft. Und bisher war alles gut verlaufen. Katja hatte ihn von der Bushaltestelle abgeholt, zusammen waren sie durch stille Straßen gegangen, vorbei an Gärten, über deren rundgeschnittene Hecken der milde Lichtschein aus weißgestrichenen Häusern fiel, und hatten leise miteinander geredet. Harmlose, beruhigende Worte, die sich wie von selbst verzahnten.

In der Diele waren sie von der Mutter mit freundlicher Distanz empfangen worden, und Jamal hatte versucht, der Hausherrin ebenso arglos in die Augen wie argwöhnisch auf die herumliegenden buntfetzigen *Lima-Teppiche* zu schauen, um sie vor seinen herbstnassen Schuhsohlen zu retten. Und gleich nach der Begrüßung war er in die Hocke gegangen, um seine Schuhe auszuziehen und sie auf den Plastikuntersatz hinter der zweiflügeligen Dielentür zu stellen ... Darauf achtend, mit Katja in gleicher Schritthöhe zu bleiben, war er der Mutter ins Wohnzimmer gefolgt und hatte das erste Ausfragegeplänkel offensichtlich zu ihrer Zufriedenheit bestanden.

Später, als er ins Bad marschierte, um sich die Hände für das Abendessen zu waschen, hatte er sogar den Eindruck gehabt, daß sich Katjas freundlicher Blick in seinem Rücken verdoppelte: Mutter und Tochter traulich und einig bei der Rettung eines schönen Fremden.

Das hieß, bei der *Vorstufe* der Rettung. Oder noch besser: Bei der *potentiellen* Vorstufe. Zwar war in der letzten Zeit das Wort *Heirat* öfters in ihrer Unterhaltung aufgetaucht, aber Jamal hatte es vermieden, Katja direkt darum zu bitten. Schon seit Wochen hatte er sich auf jedes Treffen mit ihr ebenso präzis vorbereitet wie jetzt auf dieses Abendessen in Schmargendorf. Er hatte ihr von seiner Arbeit erzählt, das unbedingt heranzuschaffende Geld für eine Scheinheirat erwähnt, in einer Art Selbstgespräch sogar den Plan für eine Zeitungsannonce, natürlich chiffriert, ausgebreitet und in den Pausen danach ein tapferes Lächeln aufgesetzt, das zeigen sollte: Keine Angst, ich schaff's. Und gleichzeitig: Siehst du nicht, in was ich da hineinschlittere? Aber fragen, da mußt du keine Angst haben, meine Elfenkönigin, *fragen* werde ich dich nicht.

Und jetzt? Hatte sie sich entschieden und wollte nur noch grünes Licht – *grau*grünes Licht, dachte Jamal – von ihrer Mutter, um die geheimnisvolle Lebensberatungs-Ganzheits-Harmoniebalance zwischen ihnen nicht zu gefährden?

Wie auch immer, dieses Abendessen mit zitronebesprengtem Rucola und KaDeWe-Käse, getoasteten Weißbrotscheiben, Brandenburger Mineralwasser und leichtem Weißwein könnte der wichtigste Termin seines bisherigen Lebens sein. Und dann Paul Scheerbart!

Katjas Mutter war aufgestanden und hatte im Nachbarzimmer zwei Bücher aus dem Regal gegriffen. Sie legte sie neben Jamals Teller.

»Da, schauen Sie mal!«

Die zwei quadratischen Taschenbücher wirkten in ihrem weißen Einband und den schwarzen Illustrationen, die anscheinend arabisch sein sollten, fast so abweisend und mathematisch kompakt wie ihre enthusiastische Leserin, die Frau Mama.

Jamal las: *Der Tod der Barmekiden. Arabischer Haremsroman.* Und: *Der alte Orient. Kulturnovelletten aus Assyrien, Palmyra und Babylon.*

»Aha«, sagte er. Was zum Teufel waren *Kulturnovelletten?* Bisher kannte er nur *Kulturschwulletten,* und die stammten bestimmt nicht aus Assyrien, sondern kamen aus Schöneberg und Mitte und nahmen mit gespreizten Fingern die Sektgläser von den Tabletts, die er jeden Abend von *Event* zu *Event* trug. Manchmal blinzelten sie ihm zu. Möglich, daß sie ihn früher in einem der Clubs und Discotheken gesehen hatten und nun ebenfalls wiedererkannt werden wollten. Fehlanzeige. Für Jamal war die Zeit des Spielens und der Abenteuer vorbei, und zwar endgültig. Was er jetzt tat, war eine *echte* Herausforderung. Die härteste seines Lebens.

Während er noch überlegte, ob er eine Verbindung zwischen

dem Babylon dieses blöden Scheerbart und dem Beiruter *Baby-lone* ziehen sollte, in dem die libanesischen Kellner französisch zwitscherten, kam ihm Katja zu Hilfe.

»Mögen Sie Scheerbart?« wiederholte sie spöttisch und be-dachte sowohl Jamal wie auch ihre Mutter mit einem Kopfschüt-teln. »Nächstens fragen wir noch: Lieben Sie Brahms?«

Die beiden Frauen lachten aus vollem Hals und griffen nach ihren Weingläsern. Jamal blieb nichts anderes übrig, als ebenfalls sein Glas zu heben und mit ihnen anzustoßen. Er fühlte sich schlecht. Weshalb mußte er irgendwelche aus einem Schmargen-dorfer Regal gezogenen Bücher kennen, die zufälligerweise den Orient im Titel führten?

Themawechsel beim Dessert. Für jeden von ihnen hatte die Mutter auf einer Glasschale ein fettarmes Joghurthäufchen zu-recht gemacht, das mit frischen Minzeblättern wie ein Stachel-drahtverhau umrandet war. Zeit, um ein wenig über den wirkli-chen Orient, Abzweigung Libanon, zu plaudern.

Auch dafür hatte ihn Katja vorher gedopt. »Wenn sie was Böses über die Männer sagt, reagier nicht drauf. Mutter hat mit denen genug Enttäuschungen erlebt.«

Jamal hatte gefragt, ob das auch für ihren Vater, von dem bisher nie die Rede gewesen war, galt, und Katja hatte heftig genickt. Kein weiterer Kommentar.

»Sprich ein bißchen über dich, aber nur, wenn du gefragt wirst. Ansonsten ist das in ihren Augen *Dominanzgetue*, und das kann sie nicht ausstehen. Erzähl was über deine Erfahrungen in Berlin, aber halte die Balance.«

»Welche Balance?« hatte Jamal gefragt.

»Na, du mußt ihr nicht gleich beim ersten Besuch auf die Nase binden, mit wieviel Männern du hier in Berlin . . ., ich meine, was du so alles gemacht hast. Du solltest ihr jedoch zeigen, daß dein Interesse an Frauen . . . nun sagen wir, rein freundschaftlicher Natur ist. Sei lieb und verkneif dir jede Bemerkung. Die kannst du danach gern bei mir ablassen, aber nicht bei Mutter. Bei ihr liegen die Nerven sowieso dauernd blank.«

»Ich denke, sie leitet eine Lebensberatung.«

»Eben darum, mein Lieber. Eben darum. Und«, Katja hatte ihren Suppenlöffel, an dem noch Spuren des persischen Safrans klebten, wie einen Taktstock hochgehalten, »und erzähl ihr ein bissel vom Krieg. Bomben, Ruinen und Traumata, du weißt

472

schon. Aber nicht zuviel, ja nicht zuviel. Mutter steht nämlich auf dem Standpunkt, daß man einem puren Opfer nie trauen könne, weil es dauernd projiziert, Rachemuster auslebt und zu Gewalt neigt. Also Vorsicht. Und ehe ich's vergesse: Israel. Du kannst dich ruhig über Israel auslassen. Natürlich nicht zu lange, damit es nicht gleich nach 'ner *Obsession* aussieht, aber auch nicht zu kurz. Du wirst sehen, Mutters Generation hört so was immer gern, und dann ist da noch ...«

»Tja«, sagte die Mutter gerade, während sie ihren Joghurt löffelte, Jamal jedoch im Auge behielt. »Da sprechen Sie mir aus dem Herzen. Wissen Sie, was wir damals hier in Berlin immer skandiert haben: *Schlagt die Zionisten tot, macht den Nahen Osten rot!*« Sie lächelte schelmisch in sich hinein.

Wir müßten nur lange genug über Mord sprechen, dann würde das alte Biest noch ganz menschlich, dachte Jamal.

Katja schüttelte mißbilligend den Kopf. »Ich weiß nicht, wie du so eine blöde Parole ...«

Die Mutter beugte sich vor und tätschelte die Hand ihrer Tochter, wobei der Silberschmuck an ihrem Handgelenk klirrte. »Nun komm schon. Als ob *wir* es gewesen wären, die mit der Gewalt angefangen haben. Erinnerst du dich noch, was vorletztes Jahr der Professor Drewermann in der Urania gesagt hat? *Es zeigt sich mehr und mehr, daß das Christentum aufgrund seiner spezifisch semitischen, jüdischen Geistesart einen außerordentlich gewalttätigen und rücksichtslosen Charakter in sich trägt.* So!« Das Joghurtessen wurde fortgesetzt, aber Katja bockte weiter.

»Drewermann ist nichts als ein machtgieriger, verkniffener Irrer. Außerdem müffelt er in seinem ewigen Pullover, ich hab's selbst gerochen.«

Jamal versuchte, seine Befriedigung nicht offen zu zeigen. Auch von dieser Diskussion hatte er nur Bahnhof verstanden, aber es war deutlich, daß sich die geliebte Elfenkönigin nicht von diesem Lesben-Eisblock einschüchtern ließ. Katja, oh Katja! Es hätte nicht viel gefehlt, und auch er hätte ihr das Handgelenk gestreichelt.

»Sie selbst sind religiös?« Die Frage kam ohne Vorwarnung.

»Na ja«, stammelte Jamal. »Nicht wirklich. Das heißt, ich bin als Moslem geboren, meine Familie und ich sind Schiiten.«

»Man sollte immer wissen, woher man kommt«, beschied ihm

die Mutter knapp. »Wissen Sie, was der Jakob Burckhardt einmal dazu gesagt hat?« *Der* Jakob Burckhardt!

»Der Orient ist groß, und die Geister des Orients sind auch groß?« riet Jamal. Es sollte zur Auflockerung der Unterhaltung beitragen, doch als er unter dem Tisch Katjas Ferse gegen sein Schienbein knallen spürte, merkte er, daß er einen Fehler begangen hatte.

Die Mutter reagierte nicht darauf. Ungerührt zitierte sie Burckhardt. »*Der Kontakt des Muslimen mit dem Kulturmodell des Okzidents kann nur zur Schwächung des ersteren beitragen.* So oder ähnlich.«

Das Orakel schwieg. Jamal wurde es unbehaglich. War *er* etwa dieser erstere, und was hatte er falsch gemacht? War der Eignungstest schon jetzt vermasselt?

Er wußte ja nicht einmal, ob Katja ihn ihrer Mutter *nur so* hatte vorstellen wollen oder ob inzwischen auch im Elfenköniginnenkopf ein Plan gereift war. Warum waren sie so blöd gewesen, nicht *vorher* darüber zu sprechen?

»Ich glaube, wir könnten jetzt etwas Tee vertragen.«

Katjas helle Stimme im hellen Eßzimmer eines hellen Häuschens in Schmargendorf, das für Jamal langsam zur Hölle wurde. Die Mutter schenkte ihnen ein Schulterzucken und ging in die Küche, um Tee aufzusetzen. Es war wie in einem dieser Jane-Austen-Filme, in die ihn Katja in der Zeit der Umerziehung geschleppt hatte. Nur mit dem Unterschied, daß die alterslose Kimonoträgerin bestimmt nicht Emma Thompson war.

Katja kniff die Augen zusammen und zeigte ihre Faust. Der Daumen war in die Höhe gestreckt. Sie beugte sich über den Tisch, sah kurz in Richtung Küche, wo jetzt ein Wasserkessel zu pfeifen begann und flüsterte Jamal zu: »Wenigstens hat sie sich die Predigten über das Patriarchat, die Unterdrückung der Frau und die Bücher Konzelmanns gespart.«

»Mmh«, machte Jamal. Er mochte sich nicht ausmalen, was in der Hexenküche nebenan zusammengebraut wurde. Zumindest kümmert man sich um mich, dachte er. Katja ist eindeutig auf meiner Seite, und sogar der Mutter-Drachen nimmt mich wahr, observiert mich.

Das war nicht selbstverständlich. Vielleicht hatte dieses Kokain-Arschloch Christopher ja recht gehabt, und es hatte in dieser Stadt tatsächlich eine Zeit gegeben, in der eine ganze Menge

Leute den Ausländern wie läufige Hunde hinterhergehechelt waren. Um mit ihnen zu vögeln, sie um die Weltrevolution in ihren Heimatländern anzubetteln oder um sie, und das wäre noch das Sympathischste gewesen, vor den Schikanen und Ausweisungsbescheiden der deutschen Behörden zu schützen. Aber diese Jahre hatte er gründlich verpaßt. Was früher einmal Aktionen gewesen sein mochten, waren zu der Zeit, als er in Berlin ankam, nur noch Gesten. Körpergesten. Nichts sonst. Ein einziges *Als ob*. Das verdruckste Lächeln der Studis, wenn ihnen in der U-Bahn einer gegenübersaß, den sie als *Fremden* lokalisierten und sich offensichtlich dafür schämten; das dämliche Kopfrucken der Kreuz- und Prenzlberger Anarchos, als könnte Jamal auf irgendein Geheimsignal antworten, oder die interesselosen Nachfragen seiner One-night stands nach dem Krieg im Libanon und seiner Zukunft in Berlin; mehr war es nie gewesen.

Nun aber, das konnte er spätestens bei seiner neuen Arbeit entdecken, war es noch weniger geworden. Nun hatte sich alles soweit normalisiert, daß man ihn ruhigen Gewissens ignorieren konnte. Ohne Eifer, ohne Haß, ohne die geringste Anstrengung oder gar Mißbilligung ignorierte man ihn.

Die, die dazugehören, und die, die draußen sind. Auch wenn sie in einem erleuchteten Foyer oder einem der wie Pilze aus dem Boden schießenden Salons herumstanden und Tabletts hielten. Gerade dann. Vorbei das Gleiten durch die Wirklichkeiten dieser Stadt. Das Leben war härter geworden. Die Barrieren gläsern und schön, jedoch unüberwindbar. Zumindest kam ihm das so vor, wenn er müde und erschöpft war und dem *Teamleiter* des jeweiligen Abends (auch er einer, den die Deutschen *Ausländer* nannten; festen Willens, irgendwann die Barrikaden zu überspringen) seine zusammengefaltete Schürze aushändigte, während um sie herum das Licht erlosch. Der Bus, der sie hergebracht hatte, war längst verschwunden.

»Du solltest froh sein«, hatte ihm einer der Kollegen, ein kroatischer Student, der sich vor den Gästen als Italiener ausgab, gesagt. »Bei den anderen Jobs, viel mieser bezahlt und viel dreckiger, darauf kannst du wetten, steht der Bus auch nach Arbeitsschluß noch da, um alle in die gleiche verwanzte Bettenburg in irgendeine Plattenbausiedlung im Osten zu bringen. Auch wenn's nicht so aussieht, *wir* sind eine Art Elite.« Jamal hatte ihn erstaunt angesehen.

Danach war er lange durch die naßkalten Novemberstraßen gelaufen, um die nächste U-Bahn-Station zu finden. Und überall leuchtete es. Die Fenster der Geschäfte leuchteten ebenso wie die meterhoch umzäunten Baustellen, in denen sich sogar um diese Zeit Bagger durch die Erde wühlten, leuchteten wie die Straßenlaternen, die Scheinwerfer der windschnittigen Autos oder die blauweißen Schilder der U-Bahn-Eingänge.

Jammere nicht, dachte Jamal. Bis jetzt hast du gar nichts erlebt, Glückspilz. Nichts erlebt außer diesen demütigenden Blicken, die genaugenommen Nicht-Blicke waren. Die Leute strömten aus den Theatersälen, den Salons, Museen oder Pressekonferenzräumen, strömten auf Jamal oder einen seiner Kollegen zu, griffen nach Gläsern, Servietten und Lachsbrötchen, aber sie sahen ihn nicht. Manche von ihnen trugen Anzüge und Sakkos, bei anderen hingen die Hemden aus den Hosen und wurden die Haare von einem Pferdeschwanz gebändigt, wieder andere trugen vielfarbige Norwegerpullover, bei den Frauen lag der Halsausschnitt mit den dezenten, aber zweifellos hyperedlen Kettengehängen frei oder war durch ein Tuch verdeckt; doch all das spielte keine Rolle für den, der nicht zum Spiel gehörte. Sie waren nicht einmal hochmütig, wenn sie plaudernd um Jamal herumschlenderten, nie maßen sie ihn abschätzig – nicht einmal das. Zum Glück schleppten sie wenigstens nicht ihre vollgeschissenen Theatereimer mit sich herum.

Jamal versuchte, das Beste daraus zu machen. Natürlich hatte der Kroate recht gehabt. Ihm ging es gut. Er stand im Licht. Sogar Geld verdiente er dabei. Geld, um eine Frau zu einer Heirat zu überreden. Eine Frau, die er zwar noch finden mußte, die aber zweifellos existierte im Dschungel dieser Stadt. Und sollte alles daneben gehen – Katja. Letzte Hoffnung Katja.

Er mußte aufpassen, daß ihm nicht schwindlig wurde angesichts seiner Pläne, dieser unüberwindlich scheinenden Stufen, die – vielleicht – zum Ziel führen konnten. Schritt für Schritt, und immer das Gleichgewicht halten. Sonst zersprangen die Gläser, und die Blicke, die du *dann* bekommst, hast du dir bestimmt nicht gewünscht.

Amadou jedenfalls gab alles darum, unbemerkt zu bleiben. Jamal war aufgefallen, wie häufig er den Kopf senkte, den Leuten nicht in die Augen schaute und die Tabletts mit den Servietten und Häppchen weit von sich streckte, als wären es Granaten, die im nächsten Moment hochgehen könnten. Bei einem Einsfünfundachtzig-Mann wie ihm sah das einigermaßen komisch aus, diese Sklavenhaltung mitten in der toleranten Hauptstadt der Berliner Republik. Als Jamal ihn danach fragte, hatte Amadou nur auf seine Augen gezeigt.

»Merkst du nichts? Roberto-Blanco-Augen, sagen die Deutschen, sobald sie mich sehen. Roberto-Blanco-Augen, obwohl dieser Nigger-Clown zehnmal so dick ist wie ich. Macht aber nichts, Schwarz ist Schwarz, und ein bißchen Spaß muß sein, ohoho.« Er deutete ein Schunkeln an, und Jamal wollte schon lachen, als er Amadous Augen sah. Tatsächlich ziemlich groß und von feinen Wimpern umrandet, aber kein Schimmer der Freude darin, nicht einmal forcierter Partyservice-Frohsinn, nur diese Trauer. Eine unendliche Trauer und eine Angst, die Jamal zurückzucken ließ. Da standen sie beide in der großen Halle eines Museums (Jamal erinnerte sich, daß er in besseren Tagen einmal mit Katja hier gewesen war), Schritte hallten über die Fliesen, neben ihnen wurde das silbern glänzende Besteck in die bereitliegenden und sorgsam gefalteten Serviettentaschen geschoben, aus denen es die hungrige Meute in wenigen Minuten wieder herauszerren würde, überall hingen die Expositionsplakate – ein Künstler, der *Mit Klanginstallationen Grenzen erweitern* wollte –, ihre Hemden rochen nach dem leicht parfümierten Einheitswaschmittel des Salons, in dem ihre Agentur zu einem Discountpreis die Arbeitskleidung säubern ließ, sie hatten nach Vorschrift einen Fisherman's im Mund, auf Jamals Gesicht glänzte die Creme, die er sich vor ein paar Tagen bei *Douglas* gegen trockene Haut besorgt hatte, und ein Blick auf Amadous Haar zeigte, daß die krausen Strähnen gegelt und zu einem wahren Kunstwerk geordnet waren. Und dann die Angst in seinen Augen, die mühsam kontrollierte Panik, niedergekämpftes Zucken der Glieder; eine Ur-Verzweiflung, die jeder spüren mußte, der ihn nur lange genug beobachtete. Jamal traute sich nicht zu fragen, was mit ihm los war.

Ein paar Tage später aber mußten sie nach der Arbeit gemeinsam zur U-Bahn laufen, und Amadou hatte Jamal auf den Kopf zu gefragt, ob auch er durch Tobias in die Agentur gekommen sei. Jamal verstand sofort.

»Ja«, sagte er ohne Scheu. »Aber als ich ihn, na ja . . . als ich ihn kennenlernte, wußte ich nichts von seinem Job.«

»*Ich* wußte es«, sagte Amadou mit einem Ton, der beinahe verächtlich klang. »Dafür wußte *er* nicht, daß ich es wußte, der kluge Exoten-Toby. Weißt du, daß genau so die Hälfte der Leute hier reingerutscht ist? Wenigstens ist er keiner, der morgens nicht mehr weiß, was er in der Nacht zuvor alles versprochen hat. Jedenfalls mußte man's nicht bereuen.«

»Ich hab' ihn damals ziemlich gut gefunden«, sagte Jamal, als müsse er betonen, daß er *nicht* aus purer Berechnung mit dem Deutschen Sex gehabt hatte.

»Aber jetzt würdest du eher Frauen gut finden, das heißt *eine Frau?*« Amadou sah ihn an, die Traurigkeit war nicht aus seinen Zügen gewichen, und Jamal erkannte eine Anteilnahme darin, die ihn berührte. Was sollte er noch verschweigen, der andere wußte längst Bescheid.

Sie mußten auf dem menschenleeren Bahnsteig lange auf den letzten Zug warten, und irgendwann begann Amadou zu erzählen. Auch später, als Jamal zusammen mit Besnik keuchend vom Potsdamer Platz in Richtung Brandenburger Tor rannte, tauchte immer wieder Amadous Gesicht vor ihm auf, hörte er, während sein Atem stoßweise ging, Amadous gedämpfte Stimme auf diesem Bahnsteig. Da war einer gewesen, der hatte ihm vertraut. Und Jamal hatte ihn *nicht* verraten. Nicht weggestoßen wie Avif, nicht mit seinem fordernden Mißtrauen gepeinigt wie Katja. Er hatte ihm zugehört, und ihm waren Tränen in die Augen geschossen. Ich lebe doch noch, und einmal war ich sogar ein Mensch, dachte er, während er besser an gar nichts denken und seine Energie sparen sollte für den letzten entscheidenden Sprint hinunter zur U-Bahn Unter den Linden; dort, wo ihn die Polizisten bestimmt nicht mehr greifen könnten.

Einmal war ich ein Mensch, und einer wie Amadou hat mir seine Geschichte erzählt.

»Ich seh's dir doch an, Kumpel«, sagte er. »Ich meine, das mit der Frau. Aber laß dir einen Tip geben. Paß auf. Um Himmels willen paß auf. Mich haben sie direkt vor dem Standesamt verhaftet, und hätte ich einen Paß dabei gehabt, dann wäre ich sofort abgeschoben worden. Ratzbatz.«

Ratzbatz. Erstaunlich, wie gut wir diese seltsamen deutschen Wörter beherrschen, dachte Jamal. Je schlimmer die Situation, desto verblüffender unser Vokabular. Vielleicht lag es auch nur daran, daß solche Worte im Deutschen häufig vorkamen; bedrohliche, unheilverkündende Worte. Man mußte sie kennen, um sich gegen ihre Bedeutung zu wappnen. Ratzbatz, zackzack, marschmarsch, dallidalli, Beeilung und keine Wurzeln schlagen.

Das könnte euch so passen, dachte Jamal. Keine Wurzeln schlagen!

»Wieso keinen Paß?« fragte er.

»Weil ich den sofort weggeschmissen habe, als ich aus dem Tschad raus war. Verrückte Geschichte. Von N'Djamena, der Hauptstadt, rüber nach Yaounde in Kamerun und von dort an die Küste, um auf 'nem Frachter nach Rotterdam zu kommen. Und danach weiter nach Hamburg, 'n deutscher Entwicklungshelfer, der mich da rausgeschleust hat. Als aber in Hamburg erst richtig die Probleme losgingen, war er schnell genervt und hat mich aus seiner netten Zweizimmerwohnung in 'ne Schwulen-WG nach Berlin abgeschoben. Natürlich nicht in Handschellen, eher auf die ganz nette Tour. *Duuh, ich glaub, das wird jetzt schon alles etwas stressig, und ein bißchen Zeit brauche ich eben auch für mich.* Das übliche Schwulengelaber eben, verstehst du?«

»Verstehe.« Jamal grinste böse.

»Vielleicht war es mein Fehler. Nicht, daß ich den Paß schon in Kamerun weggeschmissen habe; so konnte mich wenigstens keiner in den Tschad zurückschicken.

Keine Adresse, keine Abschiebung. Aber daß ich gedacht habe, sie würden dort in Hamburg als Asylgrund anerkennen, daß ich als Schwuler in Lebensgefahr war ... Völlig naiv. Statt dessen brachte irgend so ein Beamter ein altes, abgegriffenes Buch an. Blätterte kurz unter *Tschad* und zeigte mir, daß nur im Norden an der Grenze zu Libyen Muslime lebten, während der Süden mehrheitlich von Christen und Animisten – der brachte es fertig, das so herauszunuscheln, daß es wie *Animals* klang – bevölkert sei, so daß bei mir, solange ich den Norden meiden würde, von einer akuten Gefährdung keine Rede sein könne. Tja, und das war's. Kein Asyl, aber Duldung. Keine Arbeitserlaubnis, aber auch keine Abschiebung. Kein Risiko zu verhungern, aber nichts als ein lausiges Sozialhilfe-Taschengeld im Monat. Und das mit dem Bargeld ist schon ein Privileg: Zuerst gaben sie mir nur diese Wertgutscheine, die man im Penny-Markt einlösen muß – am besten alle auf einmal, denn an der Kasse dürfen die kein Wechselgeld rausgeben. Kann dem in Hamburg nicht mal übelnehmen, daß ihm das zuviel wurde. Schwuler Entwicklungshelfer, der armen Nigger an die Alster schafft, das reicht doch für 'nen Heiligenschein und ein paar Stories, die man dann das ganze Leben lang runterspulen kann. Für ihn war das ein richtiges Abenteuer. Ich sitze, schwitzend vor Angst, auf dem Deck von diesem Frachter, und er zählt dem Captain ganz lässig ein paar Dollar hin und sagt danach zu mir: ›Mensch Amdou, (er nannte mich immer Amdou, das gefiel ihm besser), Mensch Amdou, das war vielleicht wieder mal *real*, waaahnsinnig *real*.‹ Soll ich ihm böse sein? Bestimmt war der ganze Behördenterror in Deutschland für ihn schlimmer als unsere Tour von N'Djamena zur Küste in Kamerun, als er alles mit den Dollars und seinem Gymnasiums-Französisch regeln konnte. Da war er der King, der gute Weiße, doch in Hamburg – nichts als ein Name in 'ner Akte, die man für einen *Illegalen* eingerichtet hat.«

»Und die Heirat?« fragte Jamal.

»Die hätte mich beinahe gerettet. Ich jobbe hier schwarz, mache 'n bißchen Knete, schaue mich nach Frauen um. Du weißt schon, die von der alternativen Masche *duuh, wenn ich's tue, dann bestimmt nicht für Geld* – die aber trotzdem dankbar sind für ein paar Scheinchen und zum Glück verrückt genug, mit dir aufs Standesamt zu ziehen. Aber schon als wir das Aufgebot bestellen wollten, lief alles schief. ›Sie sind ... ähm ... *homosexuell*‹, sagte der Beamte, ›wie also wollen Sie Ihre, ähm ... ehelichen Pflichten erfüllen?‹«

Jamal lachte, doch Amadou blieb ernst. »Meine Fast-Frau sagte, daß ihn daß ja wohl nichts anginge, das sei privat zwischen uns und außerdem wäre ich gar nicht schwul. Und was macht der Typ auf dem Standesamt? Tippt auf seine Akte, *meine* Duldungsakte mit der Kopie des abgelehnten Asylantrags, verstehst du, die hatte er vor sich liegen, hält uns einen Vortrag über die Ehe als Keimzelle der Gesellschaft und greift dann zum Telefonhörer. Wie in den alten Hollywood-Filmen die deutschen Nazis. Fehlte nur noch, daß er *Herrrr Müllerrr* hieß.«

Amadou zog geräuschvoll die Luft ein und schlang die Arme um seinen mageren Oberkörper. Langsam wurde es kalt auf dem Bahnsteig.

»Als wir raus kamen, waren die Bullen schon da. Verhafteten mich und die Braut. Danach ging alles schnell. Gerichtsverhandlung, bei der sie ein Ordnungsgeld aufgebrummt kriegt – zu komisch, denn das war die Summe, die ich ihr vorher für die

Heirat zugesteckt hatte – und ich geh in den Knast. Drei Monate, dann geht es weiter wie vorher. Einmal im Monat bei der Polizei melden, einmal Stütze abholen, und wenn du beim Arbeiten erwischt wirst, wieder Knast. Weder Tod noch Leben.

Ein einziges Fegefeuer, wenn dir das was sagt. Zum Glück steht wenigstens dieser Agentur-Toby auf Exoten. Da kann ich mir was sparen für später. Vielleicht wechsel ich's in Francs um und versuche nach Paris durchzukommen, dort falle ich wenigstens nicht auf.«

Jamal sah ihn an. Ja, das war wohl das Hauptproblem. Hochgewachsen, schlaksige Figur, markante Adlernase und ein längliches Gesicht, in dem einfach die Augen zu groß waren. Sahen zuviel, um unbemerkt zu bleiben.

»Hier bei der Agentur hast du keine Angst?« fragte Jamal. »Ich meine, wir stehen da zwischen den Leuten rum . . .«

»Promis«, sagte Amadou sachlich, »Halb-, Viertel- und Achtelpromis. Hippelige Heteros, Kulturschwuchteln, Multimedia-Affen und Event-Jäger, die ganze neue Fauna eben. Du weißt selbst, daß sie uns nicht sehen. Wir sind der Farbtupfer, der nicht stört und gleichzeitig garantiert, daß sie sich wahnsinnig tolerant fühlen können. Genau das ist Tobias' Konzept: Kroaten, die wie Italiener aussehen, Libanesen, die – sorry – irgendwie an Juden erinnern, ohne Schuldkomplexe zu erwecken, auf vier Weiße dann 'n Schwarzer und zur Tarnung 'ne schöne Frau. An der Oberfläche alles ganz legal und sauber. Was tut's, daß von Zeit zu Zeit einer von den Jungs anrücken muß, um mit Toby, du weißt schon, oder eine von den Girlies mit dem zweiten Boss . . . Das ist hier immer noch der sicherste Hafen, das sag ich dir. Weißt du, wo ich vor kurzem gekellnert habe? Kommst du nie drauf. Beim sechzigsten Geburtstag des Innensenators! Mitten in der Villa dieser glatzköpfigen Kröte. Und links und rechts und vorn und hinten seine Kollegen, Freunde und Freundfeinde, Journalisten und Beamte, das ganze Pack eben. Und Amadou mit den Drinks mittendrin! Mann, das war 'n Spaß. Auf der Kellnerliste, die der Staatsschutz abgenickt hatte, stand ich gar nicht drauf, weil ich erst in letzter Minute für jemand anders eingesprungen bin. Das war die Rache für die amerikanische Botschaft.«

»Für was?« fragte Jamal.

Und wieder lächelte Amadou. Zeigte dabei seine weißen Zähne, wie das auch Yousuf getan hatte, doch der Zug um seinen Mund blieb schmerzlich.

»Für die verweigerte Green Card. Die hatte ich nämlich im Lotto gewonnen.«

Ein weiterer Unterschied zu Yousuf: Amadou freute sich nicht an den irren Geschichten, die er erlebte. *Konnte* sich nicht daran freuen. Wartete nicht auf die Verblüffung des anderen, um gemeinsam mit ihm zu lachen. Biß sich nur auf die Lippen und starrte in das Dunkel des U-Bahn-Schachtes, aus dem endlich die matt erleuchteten Wagen auftauchen sollten.

»Jedes Jahr verlosen sie ein paar tausend von diesen Cards, und stell dir vor: Amadou ist unter den Glücklichen. Zu schön, um wahr zu sein. Wunderbar, sagt der Paßbeamte, gratuliere. Leider haben Sie in Deutschland nur eine Duldung, und damit ist der Anspruch automatisch verfallen. *So.*«

»Unser Freund scheint etwas abwesend zu sein.«

Die Stimme der Mutter klang milde. Trotz seiner momentanen Versunkenheit registrierte Jamal sofort, daß sie *unser* gesagt hatte. *Unser Freund.* Er sah auf, sah vor sich eine dampfende Teetasse auf dem Tisch, sah die Blicke der zwei Frauen auf ihn gerichtet.

»Tut mir leid«, murmelte er.

»Schon gut«, sagte Katjas Mutter. Was hatte sie auf einmal so gütig gestimmt?

Jamal versuchte, sein Mißtrauen niederzukämpfen. Er hoffte nur, in den letzten Minuten nicht allzu düster dreingeschaut zu haben, denn das wäre unangebracht gewesen in diesem schönen hellen Wohnzimmer mit dem brutzelnden Holz im Kamin und dem leichten Sherryduft, der aus einer grünglasierten Keramiktasse aufstieg.

Katja übernahm es, die Unterhaltung wieder in Gang zu bringen. Erzählte, vielleicht eine Spur zu lebhaft, von ihren gemeinsamen Erlebnissen, deutete ihre große Vertrautheit an. Jamal war es ein wenig unangenehm, zu intim, doch sagte er sich, daß dies der Preis sei. Der Preis für seine ganz persönliche Duldung durch die Frau Mama, für ihr Einverständnis. Ihr Einverständnis wofür? Dafür, ihre einzige Tochter in die Hand eines schwulen Arabers zu geben, der nicht einmal Paul Scheerbart kannte? Wieder schweiften seine Gedanken ab.

Er war unvorbereitet, als die Mutter die nächste Granate zündete. »Irmgard Keun«, sagte sie, nachdem Katjas Gesprächsfaden immer dünner geworden war, »Irmgard Keun hat das schon vor einem halben Jahrhundert beschrieben. *Das kunstseidene Mädchen.* Katja, du erinnerst dich, daß ich dir das Buch einmal zum Geburtstag geschenkt habe.« Es war eine Feststellung, keine Frage. »Es ist dieses kunstseidene Mädchen, an das Sie mich ein wenig erinnern, mein lieber Jamal.«

»Sehe ich wie eine Tussi aus?« Der Reflex, zornroter Kopf, empörte Stimme, war sofort losgeschossen, alle Vorsicht beiseite fegend.

»Sind Frauen in ihren Augen also … *Tussis?*« Gegenreflex, hochgezogene mütterliche Augenbrauen. Jetzt hatte sie ihn. Verdammte Lesbe, dachte Jamal.

Unbedarfter Wilder, dachte die Mutter. Abu Jamal-Stecher, nun höre gut zu: Nie und nimmer kriegst du meine Tochter in deine Klauen. Jamal kam es vor, als würden diese Gedanken gerade lavagleich durch ihren Kopf glühen. Er hörte Katjas gezwungenes Lachen, fühlte ihre Hand auf seinem Unterarm, und irgendwo in seinem Gehirn ertönte – endlich! – das Notsignal, daß er sich zusammenreißen sollte.

»Entschuldigung«, sagte er schließlich. »Das war doch nur ein Roman, nicht wahr?«

Er war unter die Bücher-Terroristen geraten, da half alles nichts. Noch ein paar Minuten, dann konnte er sich auf den letzten Bus herausreden. Und Katja würde ihn begleiten, ihm zuhören, und danach alles schön gefiltert ihrem Mutter-Drachen verklickern. Es kam ihm vor, als säße er mitten in einem mörderischen Videospiel, in dem man mit Büchern und Andeutungen anstatt mit den guten alten Guns auf ihn schoß. Jeder Klick, jedes Wort eine potentielle Explosion.

»Nicht schlecht fürs erste Mal«, sagte Katja, als sie am Wochenende miteinander weggingen.

»Und Paul Scheerbart?« Jamal blieb mißtrauisch.

Katja lachte ihn aus. »Alles halb so schlimm. Ein Versuch von Mutter, dir zu zeigen, daß auch sie sich mit dem Orient beschäftigt hat und nicht gleich an Harem und verschleierte Frauen denkt, wenn sie einen Araber trifft. Vielleicht ist das nicht ganz rübergekommen, aber so war es gemeint. Schließlich war es für sie das erste Mal, einem Mann aus dem Libanon, na du weißt schon.«

Nein, er wußte nicht. Er wußte ganz und gar nicht. Besser, das Thema ruhen zu lassen.

»Ich habe die Prüfung also bestanden?« fragte er vorsichtig.

»Kann man so sagen.«

Kann man so sagen. Er war erleichtert. »Und wofür war die Prüfung?«

Katja sah ihn lächelnd an. »Für den Anfang.«

Für welchen Anfang? Jamal zwang sich, ruhig durchzuatmen. Verdammt noch mal, konnte sie nicht ein bißchen deutlicher werden? Sah sie nicht, wie er auf ein Wort von ihr lauerte – *Heirat* hieß das, du wohlstandsdämliches Blumenkind! –, daß er sozusagen isometrische Übungen im seelischen Bereich unternahm und statt des Bauchs seine gespannten Erwartungen einzog, es jedenfalls versuchte, um sie nicht unter Druck zu setzen, sie nicht scheu zu machen? Aber irgendwann würde etwas explodieren, würde sich aufblähen wie ein Kadaver, und gemütlich würde das dann bestimmt nicht. Für keinen von beiden.

Also gingen sie tanzen. Knüpften an ihren früheren Rhythmus an. Spielten hemmungslos Schwuler mit bester Freundin. Und das, obwohl Jamal seit Wochen keinen Sex mehr gehabt hatte. Sogar zum Onanieren war er abends zu müde, während er sich morgens viel zu flau fühlte, jetzt, da er jedesmal voller Unruhe aufwachte, Resultat nervender Träume, in denen ihm zwischen auseinanderspritzenden Joghurthäufchen die Abschiebungsbescheide und Lima-Teppiche nur so um die Ohren flogen, in denen dauernd jemand Tee kochte und schrie oder schwieg und ihn, Jamal Kassim, herumwirbelte, bis er in seinem knarrenden Ein-Mann-Bett mit dröhnendem Schädel aufwachte und, um in die Wirklichkeit zurückzufinden, nach den aktuellen Engagement-Zetteln der Agentur griff, um die Tagesliste durchzugehen. Am besten waren noch die Matineen, da kam er auf andere Gedanken. Geld, Frauen und Hochzeitsgedanken.

Es gab eine ganze Menge zu vergessen, wegzutanzen inmitten der guten alten House- und Techno-Beats. Den beunruhigenden Abend da draußen in Schmargendorf ebenso wie seinen Auftritt in diesem Uni-Zimmer, das er kopfhängend verlassen hatte, obwohl die Leute hinter dem Schalter nur die üblichen Papiere – laufende Aufenthaltserlaubnis, Prüfungs- und Studiennachweise – sehen wollten und nichts bei ihm zu beanstanden gehabt hatten. Noch immer quälte er sich in die Räume der TU, zeichnete und radierte, ließ sich die Notizen der Kurse, die er wegen seines Jobs verpaßt hatte, zum Abschreiben geben und versuchte, die Dozenten nicht mißtrauisch werden zu lassen. Vielleicht wäre es besser gewesen, wenn er ein Urlaubssemester genommen hätte. Dafür aber war es schon zu spät gewesen, als er aus Beirut zurückgekommen war. So blieb ihm nichts anderes übrig, als die Hälfte seiner *Engagements* auf einem von der Uni ausgestellten Zettel anzugeben und sich seinen Beitrag für den deutschen Staat und die deutschen Rentner samt ihren Hunden abpressen zu lassen, während er die andere Hälfte des Geldes zu sparen versuchte und sich wunderte, wie er es trotz allem schaffte, in den wichtigsten Kursen aufzutauchen und sich auf die Prüfungen vorzubereiten.

Tanz, tanz, tanz dich weg.

Sie hatten sich für das *90 Grad* in Schöneberg entschieden, und als sie merkten, daß das ein Fehler gewesen war, waren sie zu müde, um in einen anderen Club zu fahren. Jamal dachte an das Taxigeld, das er sparen wollte, Katja dachte bemüht lächelnd an etwas, das sie nicht preisgab, und der Abend war gründlich in die Hose gegangen.

Das *90 Grad* hatte sich, seit sie das letzte Mal dagewesen waren, völlig verändert. Designersessel statt der alten Barhocker, schummrige Loungen und Blumenvasen – Blumenvasen! – und dazwischen jede Menge Pseudo-Promis, die aussahen, als wären sie direkt aus den Fotoseiten von *Max* oder *Amica* hierher gejettet. Sie sahen nicht schlecht aus; zur Abwechslung einmal nicht die verhuschten Kulturtypen, zwischen denen Jamal mit dem Tablett in der Hand herumbalancieren mußte. Unter Umständen wären sie was zum Abschleppen gewesen – für ihn wie auch für Katja. Das Problem war nur, daß keiner sie beachtete. Schon am Eingang hatte der Typ ein gedehntes *Na gut* genölt, als er sie schließlich hineinließ, und neben der Garderobe, deren Preis sich auch erhöht hatte, lagen jetzt Flyer aus, die *special events – only with invitations* – für jeden Mittwoch und Freitag ankündigten. Danach irrten sie, eine ganz neue Erfahrung, mit sauteuren Cocktails durch den Club, hoffnungslose Fremdkörper inmitten eines Systems miteinander kommunizierender Körper. Wenn doch einmal ein verirrter Blick auf sie fiel, so schien er zu sagen: *Kennt man euch/Muß man euch kennen/Tja, dann Tschüs.* Wenn sie wenigstens hätten tanzen können! Untertauchen im

Gemenge, ihren Körper dem Rhythmus überlassen. Doch die Tanzfläche war halb leer, umzingelt von gleichgültigen Augenpaaren.

Als sie wieder draußen auf der Straße standen, sah Katja wie eine dieser netten, hilflosen Erstsemestlerinnen aus, die es zum ersten Mal allein in die große Stadt verschlagen hat. Wäre Jamal nicht so mit sich selbst beschäftigt gewesen, hätte er sie in die Arme genommen, ihr das Haar aus der Stirn gestrichen, mit seinen Fingern die kleinen Sorgenfältchen rund um ihre Augen geglättet. Er beließ es dabei, ihr ein entschuldigendes Grinsen zu schenken. Und ertappte sich bei dem Gedanken, daß er kaum etwas über sie wußte. Er kannte nur die Hälfte, das Viertel, das Achtel, das sie ihm zeigte, wenn sie mit ihm zusammen war. Reichte das? Nach der Heirat sehen wir weiter, dachte er flüchtig.

Während sie an der Bushaltestelle wie zwei von zu Hause ausgerissene Teenager eng nebeneinander saßen, um sich zu wärmen, sagte Katja: »Mutter hat erzählt, daß sich gleich bei dir um die Ecke ein ganz toller Buchladen mit italienischer Literatur befindet. *Dante.* Mit einer orangenen Fassade und grünen Kacheln, die sie an einen Patio im Süden erinnern. Kennst du ihn?«

»Na klar«, log Jamal. »Ich war noch nicht drin, aber die Fassade ist umwerfend, da hat deine Mutter völlig recht.« Der Wilde begann, scharf zu kalkulieren.

Ein Zufall, hatte Jamal anfangs gemeint, als er das große blonde Mädchen sah, das ein französischer Modezar einmal *blöde deutsche Kuh* genannt hatte. Was machte die hier Fasanen/Ecke Kantstraße?

In der Galerie drängten sich Reporter, Fotografen und hektische Notizblockschreiber. Jamal war erstaunt, wie glanzlos sie aussahen, zumindest im Vergleich zu ihren Bildern und Stories, die dann von noch glanzloseren Berliner Frauen in den Wartezimmern oder beim Friseur durchgeschwartet wurden. Das blonde Fräulein in Berlin! Und wieder ohne ihren Zauberprinzen!

Neben ihm stand Amadou. »Das ist *kein* Zufall«, sagte er leise. »Heute ist der 1. Dezember, Welt-Aids-Tag. Da müssen die Promis was Soziales machen. Guck mal, wie sie posiert.« In Amadous Stimme hatte kein Zorn gelegen, es war nur der übliche, müde Ton permanenter Desillusion.

Als sich Jamal auf die Zehenspitzen stellte, um hinter dem Pulk der Fotografen das Auf- und Abschreiten der Schmollmündigen zu beobachten, hätte er am liebsten die ganze Truppe mit den Bändern seiner weißen Schürze erwürgt.

Oder noch besser: All die kleinen roten Schleifen von den teuren Klamotten gerissen, die Sicherheitsnadeln entsichert und in die Halsschlagadern gepiekst. Piff-Paff-Puff und morgen ein schönes Gruselbild in der BZ!

Großformatige Schwarzweiß-Fotos von aidskranken Kindern in Afrika, die statt ihrer Hungerbäuche jene eingefallenen Wangen hatten, wie man sie sonst nur von europäischen und amerikanischen Männern kannte. Ausgemergelte Gesichter vor Hütten oder auf Feldbetten, aufgerissene Augen, die in die Linse einer Kamera schauten. Dazu der Schmollmund des Mädchens melancholisch verzogen, das Gesicht jedoch weiterhin im Profil gehalten, um es den Kameraaugen der hiesigen Fotografen einfacher zu machen: *Modequeen berührt von fremdem Leid.* Und spendet. Spendet und läßt sich fotografieren. Spendet und wendet sich danach mit schmerzlichem Lächeln ab, das in eine starre Maske übergeht, sobald sie von den Reportern zu ihrem ominösen Dauerverlobten befragt wird.

Jetzt leuchten Fernsehkameras auf, das mittägliche Winterlicht einer Charlottenburger Galerie ist zu diffus für die erwarteten Neuigkeiten, Handmikrophone kabbeln sich wie Handpuppen, gleich einem urzeitlichen Fossil fährt ein noch größeres Aufnahmegerät zwischen den sich dicht an dicht drängenden Köpfen empor, stößt an die geweißte Galeriedecke und danach an die Stellwand mit den schon wieder vergessenen Fotos, ehe es ein paar Zentimeter vor dem blonden Mädchen Halt macht.

Nicht erwürgen, dachte Jamal. Nicht mal erstechen. Viel zu viel Körperkontakt. Lieber erschießen. Und dann *dieses* Event mit einem Sektempfang feiern. Er blickte zu Amadou hinüber, aber der war damit beschäftigt, die Platten mit den Baguettehäppchen auf einem langen Tisch, der sich im rechten Winkel zur Plakatwand befand, so zurechtzurücken, daß noch Platz für die Unmengen langstieliger, glänzend geputzter Gläser war.

Jamal preßte den rechten Ellbogen in die Hüfte, bis es schmerzte. Sein Handteller, der das Sekttablett hielt, fühlte sich taub an. Nein, er würde nichts dergleichen tun. Würde die Gläser nicht fallen lassen und keinen Skandal provozieren. Er hatte nicht die Kraft dazu. Vielleicht hätte sie Avif gehabt, aber Avif war fern und unwirklich wie die sterbenden und in diesem Augenblick des Hinsehens vielleicht schon elend krepierten Kinder dieser Fotoserie.

Hatte er wirklich hingesehen? War nicht auch sein Blick rasch zu den Posen der Deutschen gewandert, suchte sich sein eigener Haß nicht ein Ventil, während das Mitgefühl gegenüber diesen Kindern, von Liebe gar nicht zu sprechen, nur in einer Schrumpfform existierte, ein Vorsatz blieb, ein aus dem *Wort* Mitgefühl zusammengesetztes Sekundensentiment und nichts weiter?

Ich kenne sie ja gar nicht, sagte sich Jamal, während er langsam – die heutige Teamleiterin hatte ein kleines Zeichen gegeben – auf die Gruppe der übrigen Gäste zutrat, um den Sekt zu servieren. Ich kenne sie nicht, und keines der Kinder sieht aus wie Salima, sie sind schwarz, und sogar Amadou schaut nicht wirklich hin. Sollte er sich Vorwürfe machen? Wie konnte man das Sterben von Menschen betrauern, über deren *Leben* man nicht das geringste wußte?

Und doch und doch. *Er* hatte kein Recht, sich auf die Seite der Opfer hinüberzulügen. Gut, er saß momentan frisch geduscht, gegelt und zusammen mit der übrigen Partyservice-Crew – ein nettes Sonntagmittag-Lächeln aufsetzend – ziemlich in der Scheiße; er hatte Angst, nach Beirut zurückzumüssen, und sein Plan, hierzubleiben, wies viele, viel zu viele Schwachstellen und unbekannte Größen aus. Es war nervenaufreibend, daß er seit langem keinen Sex mehr gehabt hatte, in der neuen Wohnung wie in einem Behelfsgrab hauste und vor Sehnsucht nach seiner unbesorgten Eros-Buden-Zeit fast zerrissen wurde, und ... Und und und. Aber er konnte, da er *lebte*, diese Schürze einfach abbinden und in der Stadt umherlaufen. War er, wenn er dies tat, wirklich so anders, besser, mitfühlender als all die Leute, die zusammen mit ihm über die winterlichen Gehsteige hetzten, leise fluchend über dunkle Pfützen mit poröser Eishaut sprangen und in die Fäuste bliesen, wenn der Wind unerwartet heftig aus irgendwelchen Nebenstraßen heranwehte?

Nein, das war er nicht. Durchaus nicht. Im Gegenteil: Wie alle anderen war auch er genervt, wenn er statt über das Trottoir über rutschige Holzbretter laufen und sich durch einen schmalen Gang zwängen mußte, an dessen Straßenseite die Autos vorbeirasten und Matsch aufwirbelten, während vor der schlierigen

Holzwand die Plakatkleber herumhuschten. Gesichtslose, graue Männlein mit altmodischen Schirmmützen, die mit Leimbüchsen unterwegs waren, den Passanten auszuweichen versuchten, mit ihren hornigen Fingerkuppen Plakate – Konzerttermine – Schnäppchen – Neueröffnungen – Galas – an die Wände pappten und sich von ihrem *Teamleiter* (obwohl der bestimmt nicht solch einen dynamisch-kollegialen Namen trug) anschreien ließen. Wenn das Gesicht von Cher Falten zog. Wenn ein für das kommende Frühjahr geplantes Whitney-Houston-Konzert eine knittrige Alte statt einer kaffeebraunen Schönheit zeigte. Wenn sie den Passanten im Weg standen oder mit ihren klobigen Arbeitsschuhen den Leimtopf umgestoßen hatten. Wenn die Ameisenschar das tat, wofür sie *nicht* bezahlt wurde: Auffallen, Teil dieser Stadt zu sein.

Auch Jamal war von ihnen genervt gewesen. Hatte kein einziges Gesicht wahrgenommen, war mit hochgeschlagenem Mantelkragen – immerhin ein Mantel und keine verblichene blaue Arbeitsjacke, durch deren Ärmel der Wind pfiff – vorbeigehastet und hatte an das zu sparende Geld gedacht; wurde Zeit, daß er sich, solange Katja nicht reagierte, diskret nach einer anderen Frau umsah. Wer konnte ihm Tips geben? Etwa Amadou, dieser hochaufgeschossene Pechvogel?

Nein, er, Jamal Kassim aus Beirut, zeitweilig ansässig in Berlin, hatte keinen Grund, sich besser vorzukommen als der Rest dieser Stadt. Ob er es wollte oder nicht, auch er war ein Teil davon. Und er *wollte* es. Wollte seinen Teil, ein gutes Stück vom Kuchen, wie sie hier sagten. Denn das, dies wußte er genau, war nichts als sein gutes Recht.

Er hatte es zuerst für Werbung gehalten und war entsetzt, aber Amadou hatte ihm gesagt, es seien nur *Warnungen*.

Nazi-Aufmärsche in Brandenburg, NPD-Versammlungen, Skin-Treffen in Berlin; Termine über Termine. Bis weit ins nächste Jahr hinein, penibel mit Ort und Uhrzeit aufgeführt und an die Wand zwischen Tür und Kachelofen gepinnt.

»Hier?« hatte Jamal gefragt, und Amadou hatte genickt und ihn weiter in den Raum hineingeschoben, eine geräumige Parterrewohnung, die durch weggebrochene Zimmerwände zu einer einzigen großen Fläche geworden war, unterteilt durch Sofas, Bücherregale und Kisten, die von roten Tüchern mit umrandetem *A*

verhüllt waren. Dabei hatte von außen alles so unscheinbar ausgesehen, ein baufälliges Haus in einer abschüssigen Prenzlberg-
Straße oberhalb des Rosenthaler Platzes. »Wenn nicht hier, dann
nirgends«, sagte Amadou. »Du hast noch Glück, denn solche Orte
werden immer weniger.«

»Und die Annoncen?«

»Vergiß es. Hast du in der letzten Zeit in *Tip* und *Zitty* noch diese
Ausländischer-Schwuler-sucht-deutsche-Freundin-Anzeigen gelesen? Seit die Bullen herumschnüffeln und getürkte Antwortbrie-
fe schreiben . . .«

Jamal seufzte. Amadou hatte recht. Früher, daß hieß, kurz
nachdem er in Berlin angekommen war, da hatte es solche Anzeigen gegeben, aber damals hätte er sich nie vorstellen können,
einmal in eine ähnliche Lage zu kommen. Und jetzt? *Gutgebau-
ter Schnäuzer, 38, su. a/p-Kerle ohne Anlaufz. (ov., AV, DD, FF,
PP, BW, NS); Chiffre.* Oder die andere Variante, die ihm nun
nicht einmal mehr ein Grinsen abrang: *Internationale Solidarität! Würde gerne warmherz., sympath., pol. linken Latein./Süd-
amerikaner/Südländer kennenlernen. M 37 »Medizinmann«,
KW: Che Guevara.*

Na bitte. Entweder NS – *Natursekt* hieß das – oder revolutio-
näres Ficken. Nur Frauen, selbstlose Rettungsengel, tauchten
nirgendwo mehr auf.

»Sieh dich um, sei freundlich und trink einfach ein Bier«, riet
Amadou.

Jamal trug seine schönsten winterlichen H & M-Klamotten
und streifte, während er die Leute musterte, langsam seine gefütterten Lederhandschuhe ab.

Um ihn herum Ziegenbärte mit Cordhosen, Männer und Frau-
en mit Rastalocken, hennarotem Haar und mehrfach um den
Hals geschlungenen Tüchern, Mädchen mit Pferdeschwanz und
Nickelbrillen, die an Beck's Flaschen nuckelten oder mit abgekauten Fingernägeln Zigaretten drehten, vor Plakaten gegen NATO
und Bundeswehr miteinander sprachen – nicht diskutierten, sondern sprachen, sich leise bestätigten –, an farbigen Stoffarmbän-
dern herumzogen und ab und zu einen Blick auf die zwei Neu-
ankömmlinge warfen, die offensichtlich die einzigen Ausländer
heute abend waren.

Der grüne Kachelofen, der bis hoch zur Decke reichte, die mit
ihren Wasserflecken an eine zerknitterte Landkarte erinnerte,

knisterte beruhigend, draußen vor dem Fenster kreiselte Schnee-regen im orangenen Laternenlicht, und Amadou rieb sich die Hände.

»Sieht nicht so aus, als würde ich hier jemanden kennen. Ich meine von früher, als *ich* hier herumsuchen mußte. Die haben eine ziemliche Fluktuation. Und«, er senkte seine Stimme, »achte darauf, wie lange sie schon in der Stadt wohnen. Wenn sie gerade erst aus der Provinz und von Mama und Papa weg sind, werden sie sich dir zwar an den Hals werfen, dabei aber so naiv, daß sie den ganzen Behördenstreß niemals durchstehen würden und irgendwann unter Tränen und ohne jede Vorwarnung den Ab-gang machen. Andererseits«, Amadous Stimme war noch leiser geworden, »wenn sie schon zu lange hier leben, sind sie derma-ßen abgebrüht, daß mit ihnen gar nichts läuft. Entweder haben sie einen Freund, oder sie kennen eine Freundin, die von ihrem arabischen Mann halbtot geprügelt worden ist. Im schlimmsten Fall lauert hinter ihnen als *beste Freundin* die eigene Mutter, die ihren Knacks mit Männerbeziehungen weg hat und nun der Tochter auch 'ne Macke einimpft.«

»Oh Gott«, sagte Jamal. Redete Amadou etwa von der Schmar-gendorfer Hexe?

Sie standen eine Weile neben dem grünen Kachelofen, mitein-ander flüsternd wie Verschwörer, während der Schnee an ihren Schuhen schmolz und auf dem Holzboden kleine Inseln bildete, unregelmäßig gezackte Atolle.

Zeit, sich ins Gefecht zu stürzen. Jamal nickte dem großforma-tigen *Freiheit für Mumia Abu Jamal*-Poster einen solidarischen Gruß zu und warf seinen Anorak mit einer geringschätzigen Geste auf einen der Holzstühle. Die Blicke der Leute im Raum schienen zu signalisieren, daß er das erste Ritual schon einmal ganz passabel hinter sich gebracht hatte.

Und doch spürte er, daß dies nur ein Ort zum schnellen Suchen war, keiner zum Bleiben. Ein wenig wie der Keller von *Tom's Bar* oder, wenn auch auf andere Weise, das Ausländermeldeamt in der Amrumer Straße, wo er ab sechs Uhr morgens, eingezwängt zwischen rumänischen Asylanten und Türken, die schon seit Ewigkeiten in Berlin lebten (und oft besser Deutsch sprachen als er selbst), in der Schlange gestanden und dann noch einmal stundenlang in den nach scharfen Reinigungsmitteln und Urin riechenden Gängen gewartet hatte, um den Stempel für die Verlängerung seines Studienaufenthaltes zu bekommen. Aber selbst das würde sich nicht wiederholen, falls es ihm nicht gelänge, eine deutsche Frau zu einer Wahnsinnstat zu überreden. Vielleicht war er hier ja wirklich am richtigen Ort, denn die Disco-Tussis von Spandau oder die Karriere-Muschis aus Charlottenburg und Mitte hätte er für so etwas garantiert vergessen können. Durchaus möglich, daß man so verstrubbelt, uncool und schluffimäßig aussehen mußte, um die Energie aufzubringen, die wachsamen deutschen Behörden gründlichst zu bescheißen.

In den nächsten Tagen lernte Jamal eine ganze Menge. Er hatte mit Amadou die *Engagements* getauscht und servierte nur noch bei den Matineen der feier und präsentationswütigen Stadt; die Abende hatte er frei. Abende für seine Suche nach einer Frau, denn je mehr er fühlte, daß alles bröckelte und um ihn herum zusammenzubrechen drohte, desto stärker war sein Wille, mit nahezu militärischer Präzision vorzugehen und *alle* in Frage kommenden Orte – und nicht nur diesen Kachelofenraum im Prenzlauer Berg – abzugrasen. Er wußte, daß er früher damit hätte anfangen müssen. Hier und da auftauchen, gemeinsam Zigaretten drehen und an Fingernägeln kauen, sich für Antifa-Aktivitäten interessieren, den schüchternen, verzweifelten, aber verläßlichen Fremden spielen, keinesfalls aber, wie er es nun tat, in einem H & M-Anorak einzurauschen, verstohlen auf die Uhr zu schauen, Bier zu trinken und auf Unterhaltungen zu hoffen, die ihn sofort an sein Ziel führten. Doch was sollte er tun; er hatte keine andere Wahl. Immerhin versteckte er jetzt seine Lederhandschuhe in den Anoraktaschen, ehe er irgendwo eintrat.

Und so kam es, daß er innerhalb einer Woche Geschichten erfuhr, die er in dieser Ausführlichkeit gar nicht erfahren wollte.

Amadou hatte recht gehabt. Die Orte, an denen sich die Verstrubbelten und Langzöpfigen versammelten, waren empfindlich zusammengeschmolzen und glichen eher kleinen Inseln von Gestrandeten, die sich voller Trotz selbst Mut machten oder in Streit und Grabenkämpfe verstrickt waren, deren Bedeutung Jamal nicht so recht verstand. Anfangs hatte er ja nicht einmal begriffen, weshalb junge Leute, die so stark von ihrer *Individualität* überzeugt waren, dazu neigten, immer wieder die gleichen Orte aufzusuchen, auf rissigen Sofasitzen zusammenzuhocken und Klumpen zu bilden. Die Orte hießen *Bandito Rosso*, *Mehringhof*, *Brotfabrik* oder *Ufa-Fabrik*. Auch das verstand er nicht.

In den Höfen zwischen den Müllcontainern jedesmal diese verbogenen Fahrradständer mit ebenso elend aussehenden Drahteseln darin; mit Graffiti besprühte Eisentüren; Treppenhäuser, durch deren zersprungene Fensterscheiben der Wind pfiff; eine Theke aus Lattengerüsten oder Eisenkonstruktionen; mit Zigarettenkippen übersäte Fußböden; der Geruch nach Joints und kaltem Bier; bis hoch zu den weißen Waden aufgekrempelte rechte Hosenbeine und dazu Mäntel aus dem Humana-Shop; schwarze Stoffmützen und wieder diese selbstgedrehten Zigaretten in den von der Kälte geröteten Händen, während oben an den verrußten Decken flimmernde Neonlichter oder nackte Glühbirnen hingen – Jamals Blick war wie ein Kreisel, drehte sich hin und her, hob und senkte sich, und trotzdem kapierte er nicht, weshalb man als normaler Mensch eine Vorliebe für derart häßliche Orte haben konnte. Sie waren schon komisch, diese Deutschen.

Und dann: *Fabrik!* Wo sie doch alle Studenten waren. Das hieß, fast alle, denn manchmal entdeckte er auch ein paar Ältere, die seit Jahrzehnten hier sein mußten, bereits zum zerschlissenen Mobiliar gehörten und die Jüngeren um ein Bier oder auch zwei anschnorrten, wobei sie *Stütze* sagten, als wäre es das Losungswort einer geheimen Widerstandsgruppe. In den darauffolgenden Tagen lernte er – und er lernte schnell –, daß man sich vor ihnen in acht nehmen mußte. Ihre unrasierten Gesichter konnten die bitteren Züge um ihre Mundwinkel nicht verstecken, und die Einladungen, sich neben sie zu setzen, glichen Drohungen. Folgte man ihnen – und Jamal tat es in der Hoffnung, unter ihnen vielleicht einem, wie es die Deutschen nannten, *alten Hasen* zu begegnen, der einen Ausweg für ihn wußte –, dann begannen sie mit Belehrungen über Hasch und Hanf und erzählten in brutalster Ausführlichkeit verworrene Geschichten über Häuserkämpfe und längst vergessene Revolten in Kreuzberg, Stuttgart und Frankfurt, bei denen immer wieder das Wort *Verräter* fiel; sie spotteten über das *Karriereschwein*, wie sie ihn nannten, der nun, da der dicke Kanzler abgewählt worden war, Außenminister spiele, und plötzlich senkten sich ihre Blicke, die vorher ins Leere oder auf die plakatüberklebten Steinwände gerichtet gewesen waren, auf Jamal, der sich sofort unwohl fühlte. Es war keine Sympathie in ihren Augen. Nicht einmal Neugier. Nur ein verächtliches Prüfen, das allein Schuldsprüche und Verwünschungen gelten ließ.

Soso der Libanon Die Israeli-Schweine mir mußt du nichts erzählen Hast du gekämpft Ah so, zu jung verstehe Und jetzt hierbleiben, was Konsum statt Krieg hä, kleiner Scherz du 'ne Frau Tja Junge schwierig schwierig besonders in so 'nen Fällen Ich meine so, wie du aussiehst willst einfach 'nen Stück vom Kuchen Nix für ungut du, aber so isses nun mal ich sag's dir ganz offen Wie 'n Notfall siehst du jedenfalls nich aus.

Und weshalb wollten sie, daß er wie ein *Notfall* aussah?

Am meisten aber ärgerte ihn, daß sich die Voraussagen dieses blöden Koks-Christophers bewahrheitet hatten. Wort für Wort hatten sie sich bestätigt. Es war klar, was sie ihm hier sagen wollten. Er war zu gut angezogen, um bei diesen mißlaunigen Leuten auf Hilfe hoffen zu können. Gleichzeitig war er zu ernst. Nicht der fremde Clown, der entweder gut kochte, schöne Kampf-und-Folklore-Lieder wußte oder die verklemmten Deutschen mit Grimassen und Späßen für eine Weile von sich selbst erlöste. Was sollte er tun? Seine Klamotten zerreißen, auf die Gesichtscreme verzichten und mit rissiger Winterhaut den Bettler spielen?

Vielleicht sollte er sich direkt an die Frauen wenden. Schließlich ging es um sie. Auch sie saßen hier herum, blätterten in Zeitungen oder kauten Erdnüsse. Fabrikfrauen im Grundstudium Politikwissenschaft, schätzte Jamal. Schätzte dies und das und guckte sie an. Freundlich und scheu, um keine *Urängste* auszulösen. Und sprach sie an. Leise und immer wieder stokkend, um in keine *Dominanzrhetorik* zu verfallen. Und tatsächlich hielten sie sein Lächeln für Schüchternheit und sprachen mit ihm und boten bald sogar Erdnüsse und halbleere Beck's an.

Und wieder lernte Jamal. Lernte, daß ein kleines Dorf hinter Ubud noch der einzige Ort sei, wo man in Bali von den *Touris* verschont wäre. Lernte, daß Sharm el-Sheikh ein Dreck gegen Dahab war, wo man im *Blue Moon* Bob Marley hören und kiffen und auf Diwanen sitzen konnte, über die Meeresgischt sprühte. Erfuhr, daß dort viele der jungen Frauen die Farbbänder in ihren Haaren hatten machen lassen. Von *dem* Achmed. Natürlich. Jamal nickte. *Der* Achmed.

Einmal, so erzählte ihm eine Studentin, seien sie völlig abgebrannt gewesen und hätten ihr restliches Geld zusammengelegt, um im Taxi runter nach Sharm zu düsen – sie sagte *Sharm* und *düsen* –, damit *der* Micha an einem der Bankomaten vor den blöden Touri-Absteigen wieder neues Geld ziehen konnte. *Ah!*

Jamal lächelte. Es war klar, was sie ihm sagen wollten: Wir waren in Dahab, verstehst du. Gar nicht weit weg von dir. Ein bißchen sind wir vielleicht sogar wie du oder *der* Achmed.

Und das, obwohl er bis jetzt nicht einmal gewußt hatte, daß es irgendwo auf der Welt einen Ort namens Dahab gab.

Und er lernte noch mehr. Die *Junge Welt* war nichts gegen die *jungle world*, die Love Parade nichts gegen die Hate-Parade und der Innensenator eine faschistoide Sau. Im Gegensatz zu Gysi, der war cool. Genau hier versuchte Jamal einzuhaken. Innensenator – Aufenthaltsgenehmigung – schwuler Libanese – keine Heimat außer Berlin und vielleicht ... Und vielleicht eine Heirat. Selbstverständlich für Geld. Und er, *nur mal so zum Beispiel*, habe schon angefangen zu sparen ...

»Wieviel?« fragten sie sofort.

»Wenn es soweit wäre, hätte ich ungefähr drei- bis viertausend.«

Jamal überlegte. Ja, soviel wäre es wohl, großzügig geschätzt. *Äußerst* großzügig. Er müßte nur den Partyservice bis Februar durchhalten, die Uni-Kurse sausen lassen und seine Ausgaben auf ein absolutes Minimum beschränken. Wasser und Brot. Mineralwasser und Fladenbrot.

»Okay. Und nach der Heirat?«

»Wieso *nach* der Heirat?« fragte Jamal überrascht.

»Na, die ganze Aufwandsentschädigung. Deine Frau hätte 'ne Menge Laufereien. Es ist ja wohl nicht bloß der Mann, der die Papiere und Stempel und das ganze Unbedenklichkeits-Zeug anschleppen muß. Auch auf die Frau kommt alles mögliche zu. Andere Steuerklasse, andere AOK-Anmeldung, vielleicht Streß beim Bafög oder später, falls sie Stütze will. Und dann die Vorsichtsmaßnahmen bei den möglichen Razzien. Rasiert sich Ihr Mann naß oder trocken, wo haben Sie Ihre Flitterwochen verbracht und solchen Scheiß. Kann ja passieren bei den Deutschen mit ihrem braunen Ordnungsfimmel. Und dann, versteh mich nicht falsch, du, die Hintertür, falls es nicht so optimal laufen sollte. 'ne Freundin von mir is mal von 'nem Perser vergewaltigt worden, tja. Ein Sperrkonto für die Scheidung, das wäre das mindeste. Und Pflege und Krankenversicherung. Warum? Na, wegen Aids. Besonders bei den Schwulen, da weiß man nie. He, nicht gleich persönlich nehmen, du. Aber notariell müßte das schon geklärt sein. Nicht, daß die Frau endlos blechen muß oder in 'nen Harem verschleppt wird.«

Sie kicherte. Oder waren es mehrere, die gesprochen hatten und plötzlich ganz vergnügt waren? Jamal dröhnten die Ohren. Wie hat es Amadou geschafft, *hier* eine Frau aufzugabeln?

Dabei sprachen sie ohne Scheu und wirkten keineswegs mißtrauisch. Einige von ihnen sahen aus, als würden sie an jeder 1.-Mai-Demo teilnehmen, um sich Katz-und-Maus-Spiele mit den Bullen zu liefern. *Hoch hoch hoch die in-ter-na-tio-na-le So-li-da-ri-tät!* So hatte er sie gesehen. Hoch oben aus der neunten Etage des gestrandeten Dampfers, als er vor dem Fenster seiner Eros-Bude stand und mit Göran zugange war. Damals waren da unten am Kotti nur Schemen, schreiende Schemen herumgewuselt. Jetzt hatten die Schemen Gesichter bekommen, durchaus freundliche Gesichter, aber was sie sagten, war ihm fremd. Ungeheuer fremd, als sprächen sie eine andere Sprache.

Seltsam waren sie. Zögerlich, unentschieden, ja wie verspielte Kinder mit all ihren bunten Bändern und selbstgefärbten Tüchern. Und gleichzeitig von einer ungeheuren Härte, zerzauste, wissende, alt und böse gewordene Kinder bei einem Murmelspiel, das keine Fremden duldete. Und das Spiel war tatsächlich ein Spiel und nur ein Spiel, aber nicht für ihn. Nicht für Jamal Kassim.

Später konnte er nicht einmal mehr genau sagen, wieviele Male er sich abends auf den Weg in diese Cafés gemacht hatte, wieviel ältere bärtige Männer und junge wollüstige Frauen auf ihn eingeredet hatten. In seinen Tagträumen marschierten Polizisten mit metallisch glänzenden Handschellen heran, gaben Standesbeamte kopfschüttelnd seine Papiere zurück, verhüllte ein junges Mädchen ihr Gesicht hinter einem Vorhang aus bunten Perlen und ging leichtfüßig davon, während er sich selbst auf dem Rollfeld vor einem fauchenden Flugzeug wiederfand, von dessen Heckflosse das grauhaarige Kantengesicht von Katjas Mutter mit fürchterlichem Grinsen auf ihn herabsah.

Und wieder diese Worte, die ewig gleichen Formeln. Und das war *kein* Traum. Duuh, die Zeiten haben sich geändert. Es ist ein ziemliches Risiko. Wenn ich's täte, dann bestimmt nicht für Geld, duuh. Wieviel hast du gesagt, drei- bis viertausend?

Junge, du träumst. Unter zehntausend ist in der Stadt nichts mehr drin. Außerdem: Haben sie dich eigentlich verfolgt?

Jamal fluchte. Was wollten sie, seine Würgemale sehen, einen knotigen Stumpf statt seiner Hand? Es war sinnlos. Er war nicht das hilflos stammelnde Opfer, das in Fetzen durch die Straßen ging und dem aus lauter Mitleid geholfen wurde – für zehntausend Deh-Em. Und obwohl – das hatte er genau gesehen – die Blicke der Frauen entrückt lächelnd auf seinem Gesicht hängen geblieben waren, um sich danach dank minimalster Kopfbewegung auf seine unter dem weißen Rollkragenpullover ahnbare Brust und den unter dem Hosenschlitz seiner schwarzen Cargo-Pants zu erwartenden Schwanz zu richten, wußte er, daß auch dies keinen Ausweg bot. Er konnte ihnen nicht einmal anbieten, sie zu vögeln. Zehntausend Mark, um eines der Haarband-Mädchen zu vögeln! Vier Jahre lang, bis er die unbefristete Aufenthaltsgenehmigung bekam. Wo sollte er *diese* Kraft hernehmen?

❏

»Wäre schwierig geworden«, meinte Avif. »Wo du es sogar mit mir keinen Monat lang ausgehalten hast. Dabei war ich gratis.«

Jamal blickte ihn schuldbewußt an, aber Avif lächelte. Vielleicht, daß ein klein wenig Verachtung in diesem Lächeln lag, ein härterer Zug, den Jamal vorher nie bemerkt hatte. *Vor* seinem Verrat. Er konnte von Glück reden, daß Avif ihm überhaupt zuhörte und lächelte; in seinen Augen stand sogar ein Erstauntsein, das fast an Zuneigung erinnerte.

»Tut mir leid«, sagte Jamal. »Ich halte dich auf.«

Avif sah sich im Restaurant um. Noch immer waren sie die einzigen Personen im Raum, und nur aus der Küche klang, untermalt vom Zischen einer Herdplatte und dem Geräusch von Essensvorbereitungen, leise Musik. Sie mußte aus einem kleinen Transistorradio stammen, denn die Töne kamen und gingen, wurden klarer und fügten sich zu einer Melodie oder verschwanden in einem Rauschen, das Jamal an das graue Gegrießel eines Fernsehers nach Sendeschluß denken ließ.

Oh, wie er das kannte! Oft, wenn Katja in jenen Tagen, von denen er Avif jetzt erzählte, nach Hause gegangen war, verwirrt und bedrückt von Jamals Erlebnissen in diesen Cafés, in die sie selbst bislang nie einen Schritt gesetzt hatte, war er vor dem Fernseher hockengeblieben, ein unendlich alter Mann Mitte zwanzig in einer vergessenen Nebenstraße am Rande Kreuzbergs.

❏

Es half nichts, er mußte den Tatsachen ins Auge sehen. Strukturiere das Chaos, sagte er sich, und versuchte die Fakten aufzulisten.

Erstens: Er würde im Libanon nicht einmal ein *lausiger* Ingenieur sein können, und sein Leben bräche ab, noch ehe es begonnen hätte.

Zweitens: Wenn in Berlin etwas begonnen hatte, was sich zwischendurch nicht weiter entwickelt hatte, so war das hauptsächlich seine Schuld, aber er brauchte – und das war drittens – unbedingt den Aufenthalt in dieser Stadt, um aus der Freiheit, die er hier zum ersten Mal gespürt hatte, etwas zu machen, das mehr war als die Euphorie einer durchfickten Nacht. Ein interessanter Job und mit ihm vielleicht ein Mensch wie Avif, der . . . *STOP!*

Das war nämlich nicht viertens, sondern reinste Spekulation, und soweit war er schon gewesen, als er das Flughafengebäude von Beirut betreten und der Schlüssel seiner Eros-Bude die Alarmsignale in Gang gesetzt hatte. Wie weiter?

Er begann von vorn. Erstens: Er war nicht Mumia Abu Jamal. Ihm drohten weder Gaskammer noch Todesspritze, weshalb sich auch das Interesse der potentiellen Heiratskandidatinnen in den engen Grenzen eines gemeinsamen Dominospiels oder einer solidarisch auf einem verklebten Holztisch ausgeschütteten Erdnußtüte hielt. Zweitens: Er hatte einen Schwanz, das ja, aber zum Linke-Berlinerinnen- und Neu-Berlinerinnen-Beglücken war der leider nicht geschaffen. Woraus fünftens folgte, daß der automatisch heruntergespulte *Wenn ich's täte, dann bestimmt nicht für Geld*-Spruch für ihn *nicht* galt. Sechstens: Wo nehme ich zehntausend Mark her? Oder: Wie schaffe ich es, Katja als Gattin zu angeln und von ihrer mißtrauischen Mutter-Schlingpflanze zu befreien? Aber das war erneut Spekulation, und die verbot sich strengstens. Jamal wußte, daß man gerade Hoffnungen nicht zu sehr zausen durfte, ja vermeiden mußte, an sie zu denken, damit sie sich unter der eilig zupackenden Hand nicht in Luft auflösten.

So fuhr er fort, sich ein- oder zweimal pro Woche mit Katja zu treffen und ihr statt der alten Eroberungsgeschichten Episoden seines Scheiterns vorzutragen.

Es blieb nicht ohne Eindruck auf sie. Sie rang mit sich. Rang freilich auf Katja-Art mit sich, was hieß, daß sie Jamal öfter freihielt, vorerst aber auf jeden Kommentar zu der bewußten Angelegenheit verzichtete. Vor allem war sie froh, daß sich Jamal für Kinofilme zu interessieren begann und ihr einen Qualitätsstreifen nach dem anderen vorschlug. *Philadelphia, Der englische Patient* und andere Geschichten, deren Katastrophen durch Aufopferung und selbstlose Freundschaft gemildert wurden; er beobachtete scharf, ob bei den entsprechenden Szenen Tränen über Katjas feine Wangenknochen liefen. Ganz zufällig ließ er dann seine Hand auf der Armlehne zwischen ihnen liegen. Manchmal griff Katja nach ihr, manchmal nicht. Auf der Leinwand endete die Ungewißheit nach neunzig Minuten, aber Jamals Dauerspannung hielt an wie ein elektrisch geladener Draht, dessen permanentes Summen für Fremde nichts als eine ausgefeilte, harmonische Melodie darstellte.

Manchmal fragte er sich, ob nicht auch Katja zu diesen entsetzlich Ahnungslosen gehörte. Das Jahr näherte sich dem Ende, und im Frühjahr wäre er schon nicht mehr hier. Es sei denn, es geschähe ein Wunder und er könnte mit zehntausend Deh-Em in Cash in diese versifften Cafés zurückkehren.

Wäre Amadou an diesem Abend dabeigewesen, wäre es nicht passiert.

Aber Amadou war nicht da, hatte frei oder am Morgen bereits eine Matinee, eine Buchpremiere in einem Kaufhaus oder sonst irgend etwas übernommen. Nur Jamal war da; weiße Schürze, schwarze Hose, weißes Hemd. Nervös, mit angespanntem Gesicht, zuckenden Lidern und in der Hand das Tablett. Es war ein Abend wie viele andere auch; weshalb also mußte er gerade heute ausrasten?

Vielleicht hatte die Lesung zu lange gedauert. Irgendein kleiner Saal irgendwo in Berlin – der Bus war mit der ganzen Crew durch die Nacht gebraust, der Fahrer hatte über den anhaltenden Schneeregen geflucht, und das Fenster neben Jamals Sitz war mit grauen Flocken bekleckst wie eine alte Gardine, auf die jahrelang ein Wellensittich geschissen hatte –, aber die Leute nicht anders als sonst. Sie saßen in Sesseln, die wie heruntergeknallte Ufos überall im Raum verteilt waren, lehnten an den Wänden und nippten an Weingläsern, die Jamal nach ausdrücklicher Aufforderung seines *Teamleiters*, aber unter sichtbarer Empörung des Lesungs-Stars, eines Mittdreißigers mit Dreitagebart, während der Veranstaltung mehrfach auf seinem Tablett herumreichte.

Ein paar Männer hatten sich unterhalb des kleinen Bühnenpodestes niedergelassen; dort wo der Boden trocken war, so daß sie sich bei ihrer pseudocoolen Nummer – angezogene Knie, verschränkte Hände, versonnen-nachdenkliche Blicke aus alten grauen Macher-Augen – keine nassen Arschbacken holten. Auch sie sahen Jamal jedesmal genervt an, wenn er an ihnen vorbeiging und mit einer leichten Neigung seines Oberkörpers signalisierte, daß er Wein anzubieten habe.

Tss, Tss. Leise Unmutszische zwischen dünnen Lippen, Verärgerung über den nervenden Konsumzwang. Gerade die, dachte Jamal, behielt im Gesicht jedoch sein starres Lächeln und verschwand aus dem Lichtkegel, der das Bühnenpodest beleuchtete. Gerade die! Machen ihre Wochenendeinkäufe in den Freßabteilungen von KaDeWe und Wertheim, sind in ihren Buden in Zehlendorf oder am Savignyplatz ganz stolz auf ihre Scheiß-Toleranz, natürlich auf *Kultur* erpicht, aber auch ein bißchen Abwechslung kann nicht schaden, denn todsicher waren einige der anwesenden Frauen, *Gattinnen* im dezenten, arschteuren Fummel, die besten Kundinnen eines Pizzaservice kurz nach zwölf Uhr mittags, wenn auf zehn Vegetarianas – natürlich Vegetarianas, ab vierzig muß auf die Figur geachtet werden – mindestens fünf Quick-Ficks kamen. Das hatte ihm Rachid erzählt. Rachid mit der umgedrehten Baseballmütze auf dem Kopf, Rachid mit irgendwelchen falschen Papieren und Aufenthaltsproblemen, vor allem aber Rachid mit der süßen Fresse und dem großen Schwanz, der bereits für ganze Charlottenburger Straßenzüge, bevölkert von einsamen Gattinnen, zum Mythos geworden war. Alles hatte er Jamal erzählt, und zwar so detailliert und mit Straßennamen, sexuellen Vorlieben und Preiskategorien, daß an der Wahrheit der Stories nicht zu zweifeln war.

Übrigens sparte auch Rachid das Geld. »Wenn ich mir ausrechne, wieviel Mal ich die Pizzakartons noch diese Teppichtreppen hochschleppen und mich ablutschen lassen muß, krieg ich die Krise.«

Der Pizza-Chef durfte nichts merken, die Berliner Kultur-Kühe durften nichts merken, Ausländerbehörde und Bullen sowieso nicht, und dann abends noch diese *Engagements*, wo man riskierte, die schwanzgeilen Weiber vom Mittag in entrückter Literaturanhörung wiederzufinden!

Aber auch Rachid hatte heute abend keinen Dienst, und Jamal mußte alle roten Lichter in seinem Kopf aufleuchten lassen, um den Impuls zu unterdrücken, den arroganten Schnösel da vorn von seinem Pult wegzukanten und das nicht minder schnöselige Publikum mit ein paar Rachid-Stories zu bombardieren. Das wäre ein Spaß geworden! Und das Ende seines Jobs. Noch konnte er sich beherrschen. Noch.

Als er sich mit seinem Tablett in den hinteren Teil des Raums zurückgezogen hatte, versuchte er sogar mitzubekommen, was der Typ gerade las. Irgend etwas aus seinem neuen Buch über Berlin. *Sehr* originell. Schien bei den Deutschen zur Zeit Konjunktur zu haben, dieser Papier-Orgasmus über die neue, große, wahnsinnige, supergeile Hauptstadt.

In der Zeit der Umerziehungsversuche hatte Katja manchmal ein paar dieser Romane mitgebracht, um Jamal zum Lesen zu animieren. Schon nach ein paar Seiten hatte er es jedoch aufgeben müssen. Es war immer das gleiche. Entweder war die Stadt zu einem riesigen Schlachthof, einem von Zombies bevölkerten Friedhof oder zu einer vom Atomknall verwüsteten Brachfläche geworden, in der letzte Überlebende, die nur noch herumstammeln konnten, ihre blutigen Kämpfe ausfochten. Es war dunkel und die Luft voll giftigem Dampf, aus leckgeschlagenen Abwasserrohren stieg ekelerregender Gestank, und all das hatte mit *seinem* Berlin genausowenig zu tun wie diese edel abgepolsterten *Beziehungskisten*, die sich in irgendwelchen Medienmanager- und Architektenwohnungen abspielten und das Gefühl vermittelten, man stehe in der Schreibwarenabteilung eines der großen Kaufhäuser und schaue auf die bereits gerahmten und verglasten Schwarzweiß-Poster mit ihrer verlogenen Romantik für neunundreißig Mark neunzig. Auch Katja mußte das irgendwann eingesehen haben, denn sie sackte kurzentschlossen die Bücher ein und verfrachtete sie in den Müllschlucker draußen im Korridor des gestrandeten Dampfers.

Der Stoppelbärtige, dessen Hugo-Boss-Pullover bestimmt nicht billig gewesen war, hielt sich dagegen gar nicht erst mit

Geschichten auf. Worte Worte Worte. Nur Worte. Witzige, sarkastische, einander ins Wort fallende Worte, die mit beifälligem Gemurmel, manchmal auch mit Lachen aufgenommen wurden und dem Stoppelbärtigen selbst ein Lächeln entlockten, das gerade genug Verachtung enthielt, um nicht allzu vertraulich zu wirken. Jamal begriff nicht, weshalb sie sich alle so amüsierten. Gut, er hatte nicht ihren, wie es so schön hieß, *Hintergrund*, ihren so klugen Berliner City – und schicken Vorort-Hintergrund, auch mußte er sich darauf konzentrieren, das Tablett in der Waagerechten zu halten, damit die Gläser nicht überschwappten oder krachend und klirrend auf den Boden knallten; in diesem Fall hätte es mordsmäßigen Streß mit dem *Teamleiter* gegeben und vom Publikum bestimmt nicht nur diesen gehüstelten Applaus, den der Typ da vorn mit seinem Buch provozierte.

Nein, Jamal hörte nur noch mit halbem Ohr zu, und neidisch war er auf den Kerl bestimmt nicht. Allein seinen deutschen Paß, den hätte er gern gehabt.

Was er vor allem spürte, instinktiv mit jeder Faser seines Hirns fühlte, war das Synthetische. Das Glatte, Kluge, Überkluge, das irgendwo Geklaute, das mühsam Antrainierte. Sie wissen nichts, dachte er erstaunt, sie haben nichts erlebt, aber wenigstens gut reden können sie darüber. Ach, was hieß schon gut. *Perfekt!* Und immer wie ein Wiesel bereit, noch in dem Satz, den sie gerade sprachen oder aus ihren Büchern ablasen, kehrt zu machen, mit wirbelndem Schweif eine eindrucksvolle Volte zu schlagen, um sich nicht verantworten zu müssen, nicht festnageln zu lassen, um aus der Hand und aus dem Verstand zu glitschen, um danach in einigem Abstand ihr dickes glänzendes Fell glatt zu streichen und sich erneut in Positur zu bringen.

Jamal sah sich um. Schlaue Wiesel überall. Da war der Stoppelbart im KaDeWe-Pullover – witzig und traurig, ein Wort-Jongleur, bei dem selbst das Schweigen noch kalkuliert war; ein altkluges Kind, das nichts wußte außer all den Tricks, wie man so ein Nicht-Leben gekonnt versteckte. Und die Leute um ihn herum! Ebensolche Frettchengesichter, die pausenlos etwas auf Zettel notierten, wissend lächelnd, um ihren Schund morgens in die PC's ihrer Redaktionen einzutippen, junge Frauen, die keck auf Bubi-Kopf-Zwanziger-Jahre machten, natürlich ebenfalls hyperironisch um sich blickend, damit ihnen niemals einer wie dieser arabische Kellner mit seinen unverschämten, fragenden Augen zu nahe käme; Synthetic Synthetic Synthetic.

Jamal wußte, daß es kein Entkommen gab. Man durfte sich nicht darauf einlassen. Denn das, was der Typ da vorn gerade *Textlandschaften* nannte, war ihr eigenes Leben, eine mit hochfahrenden Worten zusammengepappte Nicht-Biographie; die aber würden sie verteidigen, mit Zähnen und Klauen, und dann wären diese *Textlandschaften* nichts als ein Minenfeld, in dem ein Fremder wie er nur hochgehen konnte.

Jamal erinnerte sich, was ihm Amadou vor ein paar Tagen erzählt hatte. Da hatte es eine ähnliche Buchpremiere gegeben, aber noch einen Zacken schärfer im Clubraum irgendeiner Nobel-Absteige. Gleich vier dieser Clowns hatten dort den erlesenen Gästen ihre Zauberkunststückchen vorgeführt. Vorher waren noch Amadous Kollegen wegen des angeblich *postproletarischen Büfetts* (die Alliteration hatte einer von ihnen gefunden, ein asexuell wirkender, redeflinker Zwerg mit blondiertem Seitenscheitel) dämlich angemacht worden und hatten in letzter Minute neues, besseres Futter aus der Hotelküche heranschaffen müssen. Alle vier dann in Anzug und Krawatte, in Clubsesseln flezend und anscheinend so unter ihrer ganz und gar nichtigen Existenz leidend, daß sie mit der trotzigen Selbstverständlichkeit von Kindern, die vor Langeweile in der Nase bohren und die kleinen schwarzen Krümel anschließend auffressen, über eben diese Anzüge und Krawatten laberten und kein Ende dabei fanden. Jedenfalls so lange, bis Amadou ein lautes Gähnen nicht mehr unterdrücken konnte.

Einer der Typen hatte ihn amüsiert angeschaut und gut gelaunt verkündet, man solle mit der Diskussion zu Ende kommen, da sich ja selbst schon die Lakaien zu langweilen begännen.

»Er hat *Lakai* gesagt?« fragte Jamal ungläubig. Ein Wort aus dem Goethe-Kurs. *Antiquiert für: Diener* und gerade deshalb böse und verletzend.

Amadou hatte nur mit den Schultern gezuckt, so daß er auf einmal noch dünner und länger wirkte. »Ja, er hat *Lakai* gesagt. Mein erster Impuls war, zu ihm vorzugehen und ihm eins in die schwammige Fresse zu geben. Weißt du, weshalb ich's nicht getan habe? Nicht wegen dem Job, jedenfalls nicht nur. Wenn ich ihm so die Fresse poliert hätte, wie es diese Ratte verdiente, wäre ich ihm doppelt entgegengekommen, verstehst du das? Der kluge

Schriftsteller macht eine Bemerkung, und der dumme Lakai hat nichts Besseres zu tun, als gewalttätig zu werden. Das wäre der zweite Schlag für mich gewesen. Und die Augen all der Leute hätten mich für immer in dieser Pose eingesperrt: Der namenlose Schwarze, ein prügelnder Lakai.«

»Und was hast du getan?« fragte Jamal.

»Ich habe mich an den Büfett-Tisch gelehnt. Wie einer, den es nicht betrifft. Wie einer, der *kein* Lakai ist und dieses Wort noch nie gehört hat. Wie einer, der gerade zufällig vorbeikommt und weitergeht. Auch wenn er weder Paß noch Geld noch eine Aufenthaltsgenehmigung hat und jedesmal zittert, daß ja keine Bullen auftauchen und ihm den Job wegnehmen. Gerade dann, Jamal. Gerade dann.«

Später sagte sich Jamal, daß er auf Amadou hätte hören sollen. Sobald man antwortete, etwas zurückgab, hatte man schon verloren. Verdammt, weshalb hatte er nicht daran gedacht, als der Abend langsam zu Ende ging, der Stoppelbärtige trinkend und lärmend zwischen seinen Bewunderern herumkurvte und dieses penetrante Ehepaar an den Büfett-Tisch gekommen war, sich nicht entscheiden konnte, herummäkelte und dann von Jamals Tablett zwei Gäser mit Orangensaft nahm, wobei sie tadelnd bemerkten, daß sie eigentlich Frischgepreßtes favorisierten. *Frischgepreßtes! Favorisierten!* Es war alles zu viel gewesen. Jamal war müde, unendlich müde. Außerdem hatte er selbst Hunger. Dabei hatte sich das Ehepaar – Anfang fünfzig und nach der Nörgeltour jetzt mit dem üblichen Toleranzzucken im Mundwinkel – doch nur erkundigen wollen, wo Jamal *eigentlich* herkam.

»Aus dem Libanon.« Punkt und *kein* Lächeln.

»Ach, wie interessant«, sagte der Mann. Jamal taxierte ihn träge. Wahrscheinlich wären er und seine Frau als Gäste bei irgendeinem Kammerkonzert besser aufgehoben gewesen. Wahrscheinlich hatte sie die geballte Ladung von Synthetic-Intelligenz überfordert. Und wahrscheinlich wollten sie sich nun an ihm schadlos halten; auch das war typisch.

»Aus dem Libanon! Sieh mal einer an. Wir waren vor ein paar Jahren in Ihrem Nachbarland. Mit Studiosus-Reisen.«

»In Israel?« fragte Jamal interesselos.

Das Ehepaar lachte nervös und sah sich kurz um. »Um Gottes willen, doch nicht da. In Jordanien waren wir. In Petra, wenn Ihnen das etwas sagt.«

Welcher Teufel hatte Jamal geritten, so zu antworten, wie er es jetzt tat?

»Sagt mir leider nichts. Ich war mal in Kerstin, aber das war in Hellersdorf. Nicht so toll, obwohl das auch eine Art Studiosus-Reise war.«

War er wahnsinnig geworden?

»Petra ist eine Felsengrotte, und wir *beide* waren da«, sagte der Mann und sah seine Frau irritiert an.

»Eine Felsengrotte? Das war diese Kerstin auch. Und ich war ganz *allein* in ihr; ein Trauma für's Leben.«

Er grinste, und in seinem Magen rumorte es wie in einem Techno-Keller. Nein, er war nicht betrunken. Und sobald die Worte heraus waren, bereute er sie auch schon. Das war nicht die Art Spaß, die hier geschätzt wurde. Schon gar nicht, wenn sie von einem vorlauten Araber aus dem Partyservice-Team kam.

Das Ehepaar nahm wortlos seine O-Saft-Gläser und suchte das Weite.

Und wenn schon, dachte Jamal, wir leben nicht mehr in der Kolonialzeit. Wenn alles synthetisch ist, dann wird sich wohl auch die Toleranz strecken lassen wie ein Kaugummi.

Er hatte falsch kalkuliert. Das auf Kultur-Events spezialisierte Partyservice-Unternehmen hatte mit Kaugummis nichts am Hut. Auch nicht mit Textlandschaften und scheißfreundlichem Als-ob-Getue. Am nächsten Tag, als Jamal gerade von der Universität zurückgekommen war, klingelte sein Telefon.

Eine unpersönliche Sekretärinnen-Stimme, die sich auf keinerlei Fragen einlassen wollte, teilte Jamal mit, daß all seine *Engagement*s hiermit annulliert seien. Das ihm noch zustehende Geld werde überwiesen; einen schönen Tag und Schluß.

Weder die dynamische Personaltante noch der schwule Tobias meldeten sich bei ihm, um etwas zu erklären. Geheuert, gefeuert. Das Ehepaar mußte sich beschwert haben. Hatte vielleicht sogar Verdächtigungen ausgesprochen und etwas Kriminelles vermutet, ein Schwarzjob-Reservoir für unverschämte Ausländer, und Tobias – natürlich war *er* das gewesen, da hatte Jamal keinen Zweifel – hatte kurzentschlossen die Notbremse gezogen. Das war nur logisch.

Jamal versuchte sich nicht aufzuregen. Immerhin war es beruhigend, daß nicht *alles* synthetisch war in dieser Stadt. Manche Reflexe funktionierten noch immer ganz unverfälscht. Besonders dann, wenn sich Leute wie er in Spiele mischten, die keine Spiele waren.

Es hätte ihn von Anfang an mißtrauisch machen sollen: Wassim hielt sich bedeckt. Er hielt sich sogar *sehr* bedeckt. Murmelte nur ein »Ah so« in den Hörer, als Jamal ihn anrief und an seinen Vorschlag erinnerte, wegen eines Schwarzjobs mit diesem Karim Kontakt aufzunehmen.

Dann, nach kurzem Schweigen: »Du hast es dir gut überlegt?«

»Darauf kannst du wetten«, sagte Jamal. Es half nichts; er mußte aufs Ganze gehen. Auch wenn er riskierte, die Polizei auf den Hals zu bekommen. Das zu erwartende Geld war es wert. Außerdem würde es nicht ohne Eindruck auf Katja bleiben, wenn sie sah, wie sich ihr bester Freund (und das war er doch, oder?) für eine nichtexistente, jedenfalls ihm bislang völlig unbekannte Frau abschuftete, um sie mit seinen magischen zehntausend zu einer Ehe zu überreden ...

Aber er wollte sich noch einmal vergewissern. »Wieviel hast du gesagt, wäre das im Monat?«

»Dreizwei«, antwortete Wassim. »*Ohne* Abzüge. Das heißt«, wieder ein Schweigen am anderen Ende der Leitung, ein Atmen, als müßten irgendwelche Worte, verräterische Silben, unterdrückt werden, »das heißt, wenn alles gut läuft.«

»Was soll schief gehen – außer einer Bullenkontrolle?« fragte Jamal. Er konnte sich keine Ängste und Skrupel leisten, und er wäre auch Wassim dankbar gewesen, wenn er jetzt wie immer geredet hätte: Selbstsicher, robust, gönnerhaft. Alles unter Kontrolle?

Statt dessen hörte ihn Jamal sagen: »Ich spreche mit Karim. Ich sage ihm, um was es geht und wer du bist. *Das* kann ich tun. Aber du mußt ihm gleich zu Anfang sagen, daß dreizwei vereinbart sind, hörst du? Gleich zu Anfang.«

Jamal sah aus dem S-Bahn-Fenster, sah die Zerrbilder der schlafenden Leute im Abteil. Wenige Minuten nach seinem Telefonat mit Wassim hatte ihn dieser Karim angerufen. Die Stimme hatte neutral – weder unfreundlich noch besonders herzlich – geklungen, und die Wegbeschreibung zu der Stelle, wo am nächsten Morgen früh um sechs Uhr ein Kleintransporter warten würde, war knapp und ohne jede Schnörkel gewesen. Jamal wollte noch ein »Dann bis bis morgen« sagen, aber da hatte Karim bereits aufgelegt. Nein, was ihn bis auf die Haut – angefangen von der Netzhaut seiner Augen bis zum Kribbeln auf seinen Armen – fühlen ließ, daß etwas vollkommen Neues begann, war die simple Tatsache gewesen, daß er oben auf dem Bahnsteig am Alexanderplatz nicht in die S-Bahn Richtung Zoo, Charlottenburg und Wannsee stieg, sondern in die Wagen, die in die entgegengesetzte Richtung fuhren. Ostkreuz, Lichtenberg, Biesdorf. Zum Glück war Hellersdorf nicht dabei.

Die Lichter eines Weihnachtsmarktes an der Jannowitzbrücke, der noch geschlossen war, deprimierten ihn ebenso wie das große Karussell, das wie ein verwirrter Saurier daneben stand und verschluckt wurde von grauen Neubauten mit lächerlichen Schwippbögen in den kastenartigen Fenstern, verfallenen Fabrikgebäuden (Adieu *Ostgut*, dachte er, adieu all ihr Techno-Schuppen hinter der Warschauer Straße) und schneebedeckten Brachflächen, die hinter den Fensterscheiben der ostwärts ratternden Wagen auftauchten. Auftauchten und wieder verschwanden. Friedrichsfelde-Ost aussteigen und den Bus nehmen, hatte Karim gesagt. Also stieg er im Gewühl von Hustenden und Keuchenden, von Frauen mit lila Jacken und falschem Pelzbesatz an den Kapuzenrändern, von Männern mit Schirmmützen und jungen Glatzköpfigen, die ihn jedoch nicht wahrnahmen, die matschige Treppe hoch, durchquerte einen Gang, der über die Gleise führte, zog seinen Schal fester, warf einen fragenden Blick in den noch nachtdunklen Himmel und stieg auf dem Bahnhofsvorplatz in den Bus, dessen Nummer ihm Karim genannt hatte. Sieben Stationen, zähl mit; bei der großen Straßenbahnhaltestelle raus und nach rechts, an den Plattenbauten entlang, bis du zu 'ner Treppe kommst; dort hinunter, die kleine Eisentür auf und um den letzten Block herum. »Wir warten auf dem Hof.«

Wer war *wir?*

Jamal folgte Karims Wegbeschreibung und marschierte an den Plattenbauten entlang (der gleiche öde Bautyp, wie damals im Gagarin-Weg, dachte er), deren Fenster abwechselnd erhellt und stockdunkel waren; ein trübes Schachbrettmuster vor dem Hintergrund eines Himmels, der nur langsam von Tiefschwarz zu Dunkelgrau wechselte. Als er auf den Hof kam, sah er keinen Menschen. Er lief weiter, lief an den Hauseingängen, die sich alle glichen, vorbei und kniff die Augen zusammen, um in der einsetzenden Morgendämmerung besser sehen zu können.

Im Schatten eines Fahrradunterstandes glimmten Zigaretten auf; nach ein paar Schritten schälten sich Konturen aus dem Dunkel. Er trat näher, sagte auf deutsch *Guten Morgen* und erhielt ein unbestimmtes Murmeln zur Antwort. Nur einer drehte sich sofort herum. Hochgewachsen, dunkles, zu einem Zopf gebändigtes Haar, arabische Augen und deutsche, hart und wachsam wirkende Gesichtszüge. Jeans und Cowboystiefel. Das war er. So hatte er ihn in Erinnerung behalten, seit Wassim vor über drei Jahren in seiner Fickbörse am Wittenbergplatz ein paar Bemerkungen über ihn hatte fallen lassen.

»Karim?« fragte Jamal.

»So isses«, sagte der andere. Er sah ihm prüfend ins Gesicht, ließ seinen Blick über Jamals alte Wattejacke und die Arbeitshosen gleiten und sagte: »Mit den Schuhen kannst du nicht arbeiten, damit versinkst du schneller im Dreck als du denkst. Sieh zu, daß du drüben im Transporter ein paar Stiefel findest, bevor die Bosnier sie dir wegschnappen. Stiefel und Fausthandschuhe.«

»Und Wassim hat ...?« fragte Jamal.

Karim hob abwehrend seine Hand. »Schon gut, keine Panik.« Er winkte Jamal, ihm einige Schritte weg von der Gruppe zu folgen, die ihrer Unterhaltung mit jener halbwachen Aufmerksamkeit gelauscht hatte, die nicht verriet, wieviel man von den deutschen Worten verstanden hatte.

Karim nahm einen Zug von seiner Zigarette, hielt sie in Schläfenhöhe und sagte: »Wassim hat gemeint, daß du legal hier bist. Korrekt?«

Jamal nickte. »Ich studiere hier. Und die Aufenthaltserlaubnis geht bis zum Frühjahr.« Überflüssigerweise fügte er hinzu: »Eigentlich.«

Über Karims schmales Gesicht huschte ein Lächeln. Es war hart und wissend, und Jamal gefiel es nicht. »Verstehe. Und vorher genug Knete machen, um daheim auf den Putz zu hauen oder hier ... Aber das geht mich nichts an. Und dich, wenn ich dir den Rat geben darf, geht auch nicht an, was die anderen treiben. Kapiert?« Wieder nickte Jamal.

»Hör zu, ich laß dich nach Tarif bezahlen. Dreitausend im Monat. Nicht dreizwei, da hat dir Wassim was Falsches erzählt.

Drei, hast du verstanden? Die Abrechnung läuft über mich oder über einen der Leute, die dir Bescheid geben. Und kein Wort zu den Bosniern oder den Polen oder wen du da sonst herumlaufen siehst. Vor allem nicht zu den Deutschpolacken. Wenn du was von Oppeln hörst, mach einfach den Mund zu und tu, als ob du kaum Deutsch verstehst. Soweit ich sehe, bist du der einzige Araber, und das ist gut so. Ich mach das alles nur aus Gefälligkeit für Wassim. Wäre blöd, wenn ich deshalb Ärger kriege.«

»Ärger?« fragte Jamal. »Wegen den Bullen?«

Karim ließ ein verächtliches Lachen hören. »Um die Bullen kümmern wir uns. Paß du auf, daß du die Norm schaffst und mit den anderen nicht zuviel quasselst. Hab' keine Lust, dich als Leiche aus 'nem Betonfundament herauskratzen zu müssen.«

Die Kleintransporter standen abfahrbereit auf einem schmalen Weg, der sich hinter dem umzäunten Areal der Plattenbauten befand und im Unterschied zu den umliegenden Straßen von keiner einzigen Lampe erhellt wurde. Jamal war überrascht, wieviel Männer sich um die Wagen drängten. Mindestens zwanzig, wenn nicht noch mehr. Müde, unrasierte Gesichter, Zigaretten zwischen den Lippen und Satzfetzen, deren Bedeutung er nicht verstand. Sie hatten in kleinen Gruppen herumgestanden und murrten, als Karim, der sie um Kopflänge überragte, dazwischenfegte, die Gruppen auseinanderriß und die Männer auf die drei Transporter verteilte. Erleichtert sah Jamal, daß Karim in dem Wagen Platz nahm, dem auch er zugeteilt worden war. Kurz vor dem Einsteigen ein kleiner Rippenstoß, und er hatte im muffig riechenden Inneren zwei schmutzverkrustete Fausthandschuhe und ein Paar Stiefel gefunden, die versteckt unter einer Sitzbank lagen. Er zog seine Schuhe aus – die Zehen reagierten trotz der Wollsocken sofort auf die Kälte – und schlüpfte in die Stiefel, spürte unter seiner Ferse etwas Unebenes, zog sie wieder aus, ließ Kieselsteine und Zigarettenkippen auf den verschneiten Boden fallen und stieg erneut in diese Särge, die ihm mindestens zwei Nummern zu groß waren. Jetzt mußte er nur noch seine eigenen Schuhe verstauen und sich überlegen, wie er morgen mit den Stiefeln zurechtkommen sollte. Vielleicht ein paar zusätzliche Socken. Oder Zeitungspapier.

Karim pfiff durch die Zähne. Die Männer zogen die Türen von innen zu und die Fahrer starteten die Wagen. Sie fuhren einen anderen Weg, als er vorher mit dem Bus genommen hatte. Jamal hatte keine Ahnung, wohin man sie brachte. Hätte er Karim danach fragen sollen?

Er schloß die Augen und versuchte ein wenig zu schlafen. Man würde ihn nach Tarif bezahlen, sogar Stiefel hatte er gefunden, jetzt fuhr man ihn irgendwo hin, wo er arbeiten, auf andere Gedanken kommen und seine Angst vergessen konnte – was wollte er mehr.

Als Amadou und Rachid erfahren hatten, daß er fristlos gekündigt worden war, hatten sie ihn sofort angerufen. Eine Menge Ideen hatten sie für ihn gehabt, Adressen von Jobs oder von Mittelsleuten, die – eventuell – Arbeit besorgen konnten. Aber die legalen Jobs hätten ihm niemals zehntausend eingebracht, und das illegale Zeug ... Vergiß es. Rachid hatte ihm erneut von seinen magischen Pizza- und Schwanzauslieferungen erzählt, doch das Härteste war gewesen, was er bei den Telefonaten mit seinen längst abgelegten Affären-Partnern zu hören bekommen hatte.

Ein Schwulenrestaurant am Nollendorfplatz, das muskulöse Männer suchte, die mit nacktem Oberkörper Wiener Schnitzel servierten. Warum ausgerechnet Wiener Schnitzel, dachte Jamal. Straßenstricher in der Jebensstraße gleich hinter dem Bahnhof Zoo oder regulärer Puff-Mitarbeiter in einem Laden in der Lietzenburger Straße – konnte das deren Ernst sein? Wofür hielten sie ihn eigentlich? Und vor allem: Wie hatte er sich in den Jahren und Monaten zuvor präsentiert, daß sie glaubten, ihm solche Vorschläge machen zu können?

Nachdem er den letzten Tip erhalten und nur mit Mühe freundlich geblieben war, hatte er den Hörer neben das Gerät geknallt und sein abgegriffenes Notizbuch an die Wand geschmissen. Porno-Darsteller! Sonst noch was? Fußfetisch-Porno-Darsteller! Und dann die Steigerung, Gipfel der Zumutung: Fußfetisch-Porno-Darsteller im brandenburgischen Dollgow-Döberitz, wo auf einem ehemaligen Armeegelände der Russen in letzter Zeit immer mehr Caravans mit Low-Budget-Teams anrauschten, um in den leerstehenden Kasernen ihre Filmchen zu drehen. Womöglich wäre er noch dazu verpflichtet worden, Regine Hildebrandts schorfige Zehennägel anzukauen!

Es ging alles sehr schnell. Die Baustelle befand sich, so weit Jamal das im diffusen Licht dieses Wintermorgens erkennen konnte, irgendwo zwischen Tiergarten und Potsdamer Platz. Ja, so mußte es sein, denn rechts reckten sich unzählige Bauten aus Glas und Beton in die Höhe, links bildeten Baumkronen, die direkt an den diesigen Himmel zu stoßen schienen, eine einzige graue Linie, während gleich da vorn, hinter der Kuhle, in der die Kleintransporter gehalten hatten, eine belebte Straße zu sehen war, die in Richtung Brandenburger Tor führte.

Jamal bekam einen Stoß in den Rücken. »Mensch, wo bleibst du? Rein in den Container da drüben, mach dein Kreuzchen und dann rüber zum Vorarbeiter.«

»Zu wem?« fragte Jamal. Außer ihm und Karim stand keiner mehr hier am Holzzaun, einer dunkelfleckigen Barriere, die die Welt dahinter zu einer Vermutung, einer bloßen Ahnung werden ließ.

»Zum Vorarbeiter, hab' ich gesagt. Der Deutsche, der die Schaufeln ausgibt. Halt dich ran, oder du kriegst nur noch so 'nen Kinderspaten, der dir das Kreuz zu Pudding macht.«

Jamal nickte und stolperte über Steinbrocken und gefrorene Erdhaufen zu dem gelbbraun gestrichenen Container, vor dem schon die Bosnier und Polen oder wer auch immer – er sah auch ein paar südländische Gesichter – standen, mit ihren Stiefeln auf den harten Boden trampelten und in die Fäuste bliesen oder, als wäre es ein militärisches Ritual, die Hände an ihre rot leuchtenden Ohren preßten.

Jamal unterschrieb, wo auch seine neuen Kollegen unterschrieben. Ein schmuddeliges Blatt, das unter einer Metallspange auf einem abgegriffenen Karton lag und nichts als das Datum und die Namen der Männer enthielt. Jamal versuchte zu entdecken, ob der Deutsche, der die Liste wie einen Bauchladen vor sich hielt, hinter seiner Unterschrift ein kleines Häkchen machte, um seinen Sonderfall, um die Ausnahme, die er ja doch war, festzuhalten, aber er konnte nichts entdecken. Man hatte ihm weder irgendein Zeichen noch einen Vertrag gegeben. Lief das mit den anderen Männern auch so? Vielleicht arbeiteten sie schon länger hier, hatten bereits einen Wisch unterschrieben und er, Jamal Kassim, war vergessen worden. Und weshalb hatte er Karim vor diesem Plattenbau im äußersten Osten Berlins treffen sollen? Das war doch ein Flüchtlingsheim, oder? Und die Arbeiter – außer den Polen alles Flüchtlinge und Asylanten? Was ging da vor?

Während des ganzen Vormittags mußte er mit seiner Schaufel die Schneeschicht über den kleinen Hügeln wegschippen und darunter Steine und vereistes Wurzelwerk abtragen, um innerhalb des Holzzauns eine freie, ebene Fläche zu schaffen. Er fragte sich, ob man ihn in eine Falle gelockt hatte. Was er auch tat, er wurde diesen Gedanken nicht los. Was wäre, wenn die Polizei kam? Nicht nur, daß er niemals Geld gesehen hätte, er wäre auch aus der Uni herausgeschmissen und sofort abgeschoben worden. So waren nun einmal die Gesetze.

Aber Karim hatte gesagt, er würde nach Tarif bezahlt werden. Und Karim kannte Wassim, und Wassim war ... Ja, was eigentlich? *Ein Landsmann*, dachte Jamal und sah, wie kleine Kieselsteinchen unter der Wucht des Schaufelstichs wie gefrorene Tropfen auseinanderspritzten. Ein Landsmann, der nur das Beste will. Und dafür – genügend fette Prozente kassiert.

Jamal hoffte für sich und die beiden anderen, daß nichts aufflog.

Und es flog nichts auf. Weder an diesem noch an den folgenden Tagen. Karim hatte sich nur noch selten auf der Baustelle sehen lassen und äußerst mürrisch reagiert, als Jamal einen Moment abgepaßt hatte, in dem er weder mit diesen Deutschen mit den gelben Helmen diskutierte noch irgend etwas in sein Handy sprach.

»Du schadest dir selbst, wenn du vor aller Augen mit mir quasselst.«

Karim sah ihn nicht an, während er sprach, sondern tat, als würde er Jamals Fausthandschuhe und den Schaufelgriff, glänzendes, abgegriffenes Holz, wie nach einer Beschwerde prüfen. »Die anderen werden mindestens sauer, wenn sie mitkriegen, das du 'ne Extrawurst willst. Dein Risiko, aber auch mein's. Also mach die Arbeit, quatsch nicht rum, und am Monatsende wirst du sehen, daß Karim dich nicht bescheißt.«

»Aber ich brauch den Job für *drei* Monate«, sagte Jamal. Er blickte ebenfalls auf seine klobigen Handschuhe und den Griff der Schaufel, ließ aber seine Augen verstohlen in Richtung der anderen wandern, die in einigem Abstand Eisenträger hin und herschleppten. Keiner von denen schien ihn zu bemerken.

»Das weiß ich«, sagte Karim gedehnt. Er holte einen einzelnen, in leuchtende Alufolie gewickelten Kaugummi aus seiner genoppten Jacke. »Wassim hat mir alles erzählt, was ich wissen muß. Also ...« Und wieder diese halb ungeduldige, halb drohende Geste. *Los, Mensch.*

»Okay«, sagte Jamal und biß die trockenen Lippen zusammen. »Okay.«

Als er eine Woche später in den Container gerufen wurde, erfuhr er, daß man ihn nicht vergessen hatte. Der Deutsche, bei dem sie jeden Morgen unterschreiben mußten, schloß die Tür und fragte knapp: »Student?«

Jamal nickte.

»Also teilweise arbeitsberechtigt. *Teilweise!* Mit deinen Papieren kommst du trotzdem nicht weit. Du brauchst 'ne neue Sozialversicherungskarte. Für alle Fälle.«

»Nicht nötig«, sagte Jamal.

Der Deutsche, ein Mann unbestimmten Alters mit rötlichem Haar und blaugeäderten Schläfen, sah ihn aufmerksam an. »Keine Ahnung von nichts, was? Und wenn die Bullen kommen? Oder die Gewerkschaftswichser, die dauernd herumschnüffeln? Was glaubst du eigentlich, was dann los ist? Jeder hat hier eine Absicherung. Sogar die da draußen, unsere Heimkinder.«

Jamal versuchte zu lächeln, aber der Deutsche verzog keine Miene.

»Die Karte ist Pflicht, Freundchen. Morgen bringst du ein Paßbild mit, aber eins, wo man dich auch wiedererkennt. Ein Paßbild und fünfhundert Em.«

»Fünfhundert Mark?« fragte Jamal. »Die hab' ich nicht.«

»Die hat er nicht«, wiederholte der Deutsche, und seine Stimme blieb leidenschaftslos. »Muß keine Vermittlung zahlen, muß kein Transportgeld berappen, denn wir reisen ja per U-Bahn an, nicht wahr. Muß keine Unterkunft zahlen, steht – Gott weiß, warum – unter Karims höchstpersönlichem Schutz und soll alles netto kriegen. Und hat keine lumpigen fünfhundert.« Er überlegte eine Weile. »Es bleibt dabei. Foto für die Karte. Morgen. Und zu Silvester dreitausend minus fünfhundert. Alles klar?«

»Ja«, sagte Jamal.

Der Deutsche hatte recht gehabt. Ja, er reiste mit der U-Bahn an. Jeden Morgen stand er auf dem Bahnsteig am Moritzplatz, um einen der ersten Züge nach Mitte zu nehmen. Und doch war alles anders geworden, kein Vergleich zu seinen Fahrten früher. Das

Legoland-Spiel der schnellen, unerwarteten Begegnungen wurde nicht mehr gespielt; die vielen Räume, die von ebenso vielen jungen Männern bevölkert gewesen waren, hatten sich aufgelöst und waren verdrängt worden von den hohen Bauten am Potsdamer Platz, riesigen Kinos, Restaurant- und Büroflächen, Metall, Chrom und Farbe und trotz all des verschwenderischen Glases undurchsichtig, unerreichbar für Jamal, dessen Platz bei den namenlosen Ameisen in ihrem Schatten war.

Er fuhr durch die Stadt, aber es war kein Springen, kein Gleiten mehr. Die Kanten der Stadt waren auf einmal glatt und gerundet wie die Architektur ihrer windschnittigen Häuser, und wer jetzt nicht auf ihnen tanzen konnte, würde es vielleicht nie mehr können. Es war wie der Unterschied zwischen Unter- und Obergeschoß in den U-Bahn-Stationen am Alexanderplatz und der Friedrichstraße. Unten die schmutzigen grünen und orangenen Kacheln, ein Geruch von Bockwurst und billigen Zigaretten, und oben all die neuen Shops, Parfüm- und Klamottenläden, sanft schnurrende Rolltreppen statt ausgetretener Stufen, leises Musikgeriesel statt des Gebrülls der Betrunkenen. Und alle, die hier umstiegen, hörten die Musik. Alle fuhren sie die Rolltreppen hinauf oder hinunter, so daß man glauben konnte, nichts sei geschehen. Jamal aber wußte es besser. Und gerade deshalb mußte er es wagen.

Er würde, da ihm keine andere Wahl blieb, noch ein letztes Mal zu springen versuchen: Tief, ganz tief hinunter in die Stadt, wo außer den Illegalen keiner hinkam und dann mit dem Geld wie auf einem Trampolin wieder nach oben in die Hände irgendeiner Frau, der hoffentlich Geld eine Menge bedeutete. Jamal lächelte in sich hinein, das harte Lächeln eines einsamen Fahrgastes am frühen Morgen zwischen Friedrichstraße und Unter den Linden. Er trug die verdreckten Arbeitsstiefel, denn so war es einfacher; die Schuhe, die er bei seiner Ankunft auf dem Hof des Flüchtlingsheims getragen hatte, waren spurlos verschwunden.

Jedesmal hatte er Angst, die Baustelle leer vorzufinden, allein dazustehen, im Niesel und Graupelregen, der seit Tagen die Schneedecke zerlöchert und dann weggeschmolzen hatte, allein mit seiner gefälschten Sozialversicherungskarte und den Fausthandschuhen, die er am Abend mit nach Hause nahm, damit sie keiner der anderen Arbeiter stehlen konnte. Er fürchtete, daß eine Razzia stattgefunden hatte und seine Geldquelle versiegt war, aber ebenso fürchtete er sich davor, obwohl er das jeden Morgen zu unterdrücken versuchte, dem deutschen Security-Mann mit dem sächsischen Akzent seine Karte zeigen zu müssen und dann ganz allein, als wäre er ein Stargast, auf den Platz zu laufen. Ein Platz, der wöchentlich wechselte und doch gleich blieb. Ein Holzzaun, ein paar Container, versteckt geparkte Kleintransporter und herumwuselnde Arbeiter, die kein Wort Deutsch verstanden.

Jamal erriet, daß genau das die Aufgabe der Firma war, in der Karim (sicher unter dem Kommando seines deutschen Vaters, den Wassim einmal kurz erwähnt hatte) die Zuführung der Arbeitskräfte übernommen hatte: Sie wurden vermietet, billiges menschliches Material, das auf jeder neu errichteten Baustelle die gröbsten Arbeiten verrichtete, die gerade noch ohne Bagger, Kräne und andere teure Maschinen erledigt werden konnten. Daimler-Sony-Debis. Und und und. Große Namen, große Schilder, und hinter dem Holzzaun Menschen ohne Namen, ohne Papiere, die Fundamente schaufelten, Beton mischten und keine Fragen stellten.

Und Fragen stellte auch Jamal nicht. Er achtete nur darauf, daß er von Zeit zu Zeit Karim zu Gesicht bekam und so wenigstens Blickkontakt aufnehmen konnte mit einem, der in seiner Vorstellung inzwischen fast ein Schutzengel geworden war, die Garantie für anständiges Geld und damit, *ins'h-allah*, für einen Paß, für ein neues Leben. Ja, so war es, und besser, er unterdrückte sein Mißtrauen und die Empörung darüber, wie man hier die Leute schuften ließ und ihnen sogar verbot, das umzäunte Areal während der Mittagspause zu verlassen. *Nix Essen gehen in Arkaden. Von Chef verboten, klar? Firma hat Wagen mit eigenem Essen, kapiert?* Und danach die Sätze des deutschen Brigadiers, der als einziger einen Helm trug, noch einmal wiederholt in drei oder vier anderen Sprachen, deren Vokale noch härter und fordender klangen.

Das jeden Mittag herangekarrte Essen, Fertiggerichte unter zerdellten Aludeckeln, war überteuert, aber die Polen und Bosnier, die Ukrainer, Portugiesen und Griechen zahlten den Preis. Nur die Albaner hielten sich abseits und packten unter dem vorspringenden Wellblechdach der Container ihre Fladenbrote und die kalten, scharf nach Gewürzen riechenden Rinderwürste aus.

Obwohl die Arbeit schwer war, machte sie Jamal weniger zu schaffen, als er geglaubt hatte. Als er seine ersten Schwielen auf den schmutzigen Handballen angeschaut und mit der Zunge darüber geleckt hatte, damit die aufgeblähte Haut nicht so brannte, hatte er sogar grinsen müssen. Das ist mein vorgezogenes Praktikum, dachte er. Die Universität müßte stolz auf mich sein. Jamal Kassim, Ingenieurstudent und Feldforscher, ein junger Libanese, der sich nicht zu schade ist, die Wunder der Baukonstruktion dort zu erforschen, wo von Bauen noch gar keine Rede sein konnte, wo es nichts gab außer matschigen Erdklumpen und schmutzigem Grundwasser, daß einem in die Stiefel schwappte. Sollten sie am Reuter-Platz ruhig weiter ihre Referate halten und Zeichnungen anfertigen, er selbst war schon tausend Schritte weiter!

Mit diesen Gedanken versuchte er, über den Tag zu kommen. Und ein Tag war wie der andere, windig, regnerisch und sich in den langen Stunden von der Mittagspause bis zur Abenddämmerung endlos hinziehend, wie eine dieser eklig schwarzen Schlangen heißen Teers, die er aus den Ritzen der Fundamente herauskratzen mußte.

Außer Besnik sprach kaum einer der Arbeiter mit ihm. Besnik war Albaner aus dem Kosovo und lebte seit Beginn der neunziger Jahre in Berlin. *Mit* Aufenthaltsgenehmigung. *Ohne* Asylantenstatus. Er sprach perfekt deutsch, und seine von Zeit zu Zeit theatralisch nach oben gedrehten Handteller erinnerten Jamal an die Eloquenz libanesischer Händler. Nie zuvor hatte er etwas über ein Land namens Kosovo gehört, und als Besnik ihm erzählte, daß es von den Serben besetzt sei, daß seine frühere Schule jetzt eine Kaserne wäre und er nach seinem Rausschmiß von der Universität in Priština keine Chance gesehen hatte, in seiner Heimat zu bleiben, staunte Jamal.

Es überraschte ihn, wie selbstverständlich der gedrungene Albaner mit dem Schnauz- und Kinnbart erzählte, wie er im Unterschied zu ihm gleichzeitig reden *und* verschlammte Erdhaufen wegschaufeln konnte, wie lebendig er wirkte. Die anderen dagegen hatten nur geschwiegen, innerhalb ihrer Gruppe gebrabbelt oder in lückenhaftem Deutsch mit den anderen Bauarbeitern gesprochen, wenn *Chef* etwas getan hatte, was sie alle betraf. Allein in diesen kurzen Momenten bekam Jamal mit, was hier sonst ablief, was auf den Baustellen vorging, wenn es dunkel wurde und die Peitschenlampen ihr Licht über die riesigen Areale ergossen. Dann, wenn *er* bereits wieder in der U-Bahn saß, in dreckverkrusteten Klamotten über seine Lage nachgrübelte, aber dennoch wußte, daß er spätestens in einer halben Stunde in einer mit heißem Wasser gefüllten Wanne sitzen würde und danach am Telefon Katja, der lieben, verständnisvollen und nun zum Glück immer mehr geschockten Katja von den Erlebnissen des heutigen Tages erzählen konnte. Währenddessen ging die Maloche (ein neues Wort, das er gelernt hatte) auf den Baustellen unvermindert weiter. Doch nur in den wenigen Fällen, wenn ein Unfall einmal einen Bosnier *und* einen Polen getroffen hatte, wurde am nächsten Morgen darüber geredet; Satzfetzen, die ebenso flüchtig waren wie die grauen Wolken am Himmel, der mit jedem Tag tiefer über ihnen zu hängen schien.

Chef sagt, wenn Ärger, dann Polizei. Moldawier wollen nur eine Mark, Bulgaren zwei – also was, sagt Chef. Sagt, daß Typ, der aus achten Stock von Rohbau springt, Verrückter war. Hat nichts mit Zahlung zu tun, sagt er. Zahlung immer pünktlich, keine miesen Tricks. Kennt ihr Arzt? Paßt auf, Polier gibt uns Geld für Besuch, wenn krank, aber dann von Lohn abgezogen; ihr müßt mitschreiben, wieviel er gibt; tak. Wenn Radek Schutzhelm will, dann vom Lohn abgezogen. (Wer war Radek? Vielleicht einer der Polen, die nebenan mit Baggern und Kränen hantierten; uninteressant für die Bosnier.)

Von Besnik erfuhr Jamal, daß nur wenige der Arbeiter aus den Flüchtlingsheimen kamen; hauptsächlich Bosnier und Männer aus dem Kosovo. Die meisten – Polen, Griechen, Portugiesen – hatten, als sie nach Deutschland kamen, ganz normale Arbeitsverträge unterschrieben. Nur waren diese Verträge nie die gleichen, die später von den Firmen mit den großen Unternehmen abgerechnet wurden. Diese hatten dann nie etwas zu befürchten, denn *ihre* Verträge entsprachen den gesetzlichen Tarifen.

»Und was ist mit den Subfirmen?« fragte Jamal.

Besnik grinste. »Die landen den großen Wurf. Kassieren die Lohndifferenz und lassen Legale illegal Überstunden machen, ohne sie zu bezahlen. Du solltest mal sehen, wo die pennen – in Containern und alten Kasernen am Rand der Stadt. Das heißt, wenn sie noch zum Pennen kommen nach vierzehn Stunden Maloche, auch am Wochenende. Und trotzdem sind sie Glückskinder im Vergleich zu denen, die überhaupt keinen Vertrag haben. Ich sag dir nur, paß auf, daß am Monatsende nicht plötzlich im Container des Deutschen das Licht aus ist. Keine Firma, keine Kasse, aber vor dem Eingang die Bullen.«

Besnik sprach über diese Dinge, als wären sie allgemein bekannt. Was sie vielleicht auch waren. Nur er, Jamal Kassim, hatte in all den Jahren nichts davon mitgekriegt. War durch die Stadt geglitten und hatte sich mit Katja im Tiergarten gesonnt. Hatte ihr von den fickrigen Bauarbeitern aus Osteuropa erzählt, aber das war alles gewesen.

Doch nun war er auf der anderen Seite der Schwulenwiese, *out of paradise* und mußte achtgeben, daß die anderen Arbeiter nicht auf ihn aufmerksam wurden; auf ihn, den Privilegierten, dem man aus irgendwelchen Gründen den Tariflohn versprochen hatte. War er ein Verräter? Vielleicht nicht gleich ein Verräter, aber doch ein Fremder. Ein Fremder gegenüber denen, die hier arbeiteten, leise miteinander tuschelten, meistens aber verbissen schwiegen, ihre Gefühle hinter den groben, geröteten, unrasierten Gesichtern versteckten und höchstens einmal in dröhnendes Lachen ausbrachen, wenn von den Nutten auf der Straße des 17. Juni die Rede war. *Ich hatte so eine, ich schwör's. Ach, du lügst doch, zu teuer, viel zu teuer. Und du wichst. Wichsen noch schlimmer als Lügen, tak!*

Jamal wagte nicht, mit Besnik von seinen Problemen zu sprechen. Gut, der lebte mindestens so lange in Deutschland wie er selbst, der war clever und witzig, der brauchte vielleicht auch zehntausend für eine deutsche Frau. Doch wer weiß? Jamal ließ es dabei bewenden, mit ihm über die Baustelle, über Brigadiere, Poliere und Wachmänner (»Alles alte Stasi-Typen, weißt du das?«) zu sprechen, über Kontrollen und Ämter. Einmal, als sie am Morgen wieder auf der Liste des rothaarigen Deutschen unterschreiben mußten, diesmal auf einem Platz hinter der Wilhelmstraße, in einem anderen Containerraum, drückte Besnik Jamals Schulter und zeigte mit dem Kopf auf ein paar Zeitungsauschnitte, die mit schwarzen Klebestreifen an der Wand angebracht waren.

Todesanzeigen für unsterbliche Berliner Lügen. *Manfred Stolpe: Jede Baustelle ist eine Hoffnungsstelle. BZ: Staumacher Bauarbeiter – zwei Kaffeepausen in einer Stunde.* Darunter kleinere Ausrisse: *Baustellen sind wie ein Wirbel, die Stadt gewinnt an Tempo. Schaustelle unter Kränen – ein neues Kultur-Event.*

Die sollten mir meine weiße Schürze wiedergeben, dachte Jamal. Irgendwann erzählte er Besnik von seinem Party-Job. Sie hatten zusammen gelacht, bis einer der Poliere aufgetaucht und sie zusammengestaucht hatte. »Verdammte Deutschpolen«, zischte der Albaner. »Denken, sie wären was Besseres.«

Jamal erinnerte sich an Karims Worte. Hatte der nicht auch vor diesen Deutschpolen gewarnt? Er mußte aufpassen, er mußte das hier überstehen. Das Jahr ging dem Ende zu, und wenn alles gutging, bekam er bald seine allerersten Dreizwei. Er verbesserte sich: Drei minus fünfhundert. Wurde Zeit, daß er die Regeln lernte.

Die Frauenstimme wies darauf hin, daß es gleich zwanzig Uhr sei und das Geschäft schließen würde. In drei Sprachen wünschte sie den Kunden einen guten Heimweg und schöne Feiertage, und sanft wanderten ihre Worte von der Champagnerbar hinüber zur Feinkostabteilung; auch in den übrigen Etagen des KaDeWe hörte man sie, und zwischen den Tischen, auf denen sorgsam drapierte Winterkleidung ausgelegt war, streiften die Kunden ihre Mantelärmel hoch und sahen seufzend auf die Uhr.

Auch Katja seufzte. Ein Tag vor Weihnachten und noch immer kein Geschenk für Mutter. Ihre Freunde (noch immer blieben Charakter und Geschlecht dieser *Freunde* im vagen) waren bereits mit ausgewählten Taschenbüchern versorgt worden, aber das wurden sie schließlich jedes Jahr.

»Hast *du* vielleicht eine Idee, was ich ihr schenken könnte?«

Nein, Jamal hatte keine Idee. Er war überrascht, daß Katja gerade hier ihre Weihnachtsgeschenke kaufte – so viel *konventionelles Konsumverhalten* (ein früheres Wort von ihr, er erinnerte sich gut) paßte nicht zu dem Bild, daß er von ihr hatte. Na dann, dachte er. Kommt eben ein neues Bild hinzu. 9 x 13, kleinstes Fotoformat, freundliches Gesicht und dazu ausreichend Farbe.

In diesem Moment, als er neben ihr herlief, ihren freundlich schweifenden Blick über all die Warentische sah, wurde ihm klar, daß er *nichts* von ihr wußte. Nichts von der Beziehung zu ihrer offensichtlich hypertraumatisierten Mutter, wenige Andeutungen nur über ihre Freunde und Bekanntschaften und kaum mehr über ihre Beweggründe, sich an *ihn* zu hängen, *ihn* anzurufen, *ihn* zu sehen. Meine beste Freundin, dachte er. Aber klar doch. Und ich ihr bester Freund, Kitschbild aus einer Vorabendserie.

Konnte es sein, daß auch sie irgend etwas Festes suchte, etwas Starkes, das mehr war als eine Meinung, ein angezapfter Fernsehkanal oder ein Mouse-Klick? Etwas, das es lohnte, aufzubauen – so wie sie ihn in all den Monaten zuvor aufgebaut und umerzogen und gezaust und kritisiert hatte? Hatte sie deshalb nicht protestiert, als er Avif aus seinem Leben verbannt und seinen Verrat mit äußerst fadenscheinigen Gründen gerechtfertigt hatte? Hatte nicht auch sie Angst gehabt vor einem, der *wirklich* kämpfen und sich durchsetzen mußte, der keine Zeit hatte für die sonnige Unverbindlichkeit, mit der sie wie auch Jamal in den Tag hineinlebten?

Zu dumm, daß er es nicht in Worte fassen konnte. Zu dumm, daß ihm jetzt nichts anderes einfiel, als sich bei Katja einzuhaken und mit ihr zusammen durch das Schneegestöber zu rennen, das den Weg vom KaDeWe zur U-Bahn-Station am Wittenbergplatz zu einem Abenteuer machte, das sie beide lachen und sich ihre Einkaufsbeutel als Schutzschild vor das Gesicht halten ließ, während die Fußgängerampel ewig auf Rot stehen blieb und die Scheinwerfer der Autos flüchtige Schneisen durch den Tauentzien schlugen.

Ich bin wie sie, dachte Jamal mit Erschrecken. Genau wie alle anderen, die ich so lange verspottet habe. Wie die Schwulen am Nollendorfplatz, die auch nur in Andeutungen sprachen und lebten, wie die Studis in ihrer wattierten Unentschiedenheit, wie sie alle hier, die ein halbes Jahrhundert Frieden und Reichtum zahm und schrullig gemacht hatte wie zu sehr gehätschelte Haustiere. Das Kriegskind aus dem Libanon, Abu Jamal, der schwule Araber, Prince of Kreuzberg – einer wie alle. Er lachte, und als er den Mund öffnete, trafen ihn die naßkalten Schneetropfen.

Nur gab es einen Unterschied, einen *beträchtlichen* Unterschied. Während die anderen ihre Zukunft ignorieren konnten, weil sie ihnen gefahrlos und milde erschien, wußte *er*, was bei ihm am Ende stand. Ein mürrischer, vielleicht aber auch nur korrekter Beamter in Schönefeld. Eine vor Freude weinende Familie in Beirut. Und danach bis zu seinem Tod ein Leben, wie man es für ihn vorgesehen hatte, ein mit besten Absichten gezimmertes Zwangskorsett, und der einzige Fluchtweg ab und zu der verstohlene Besuch in einem Hamam in der Rue Kasti. Darauf würde er sich reduzieren, ein primitives Körpertier, das in verborgenen Räumen heimlich abspritzte und den Rest seines Lebens in Lüge und Verstellung zubrachte. Nur das. Nicht mehr und nicht weniger. Keine Steinigung, keine Elektroschocks, kein Wühlen auf Müllkippen um das letzte Stück Brot.

Sogar jetzt, wo es schien, als sei er ganz unten, hatte er Glück gehabt. Hatte es fast geschafft, alles in den hintersten Winkel seines Gehirns zu verbannen – die Trauer über seine verlorene Eros-Bude und die Angst vor dem türkischen Graffiti ebenso wie das Gefühl von Einsamkeit und Scham, das Avifs Abwesenheit in ihm auslöste, wenn er sich nicht zusammenriß. Hatte es fertiggebracht, einen Job zu bekommen, in dem er als einziger nach Tarif bezahlt wurde. Mußte Weihnachten weder in einem Flüchtlingsheim noch in einem dieser stinkenden, entweder überheizten oder eiskalten Container zubringen, in denen die Vertragsarbeiter schliefen, deren Verträge nichts abwarfen außer ein paar Almosen, die sie an ihre Familien weiterschickten.

Statt dessen stand er inmitten der erleuchteten Säulen und Rundbögen in der Eingangshalle der U-Bahn-Station, strampelte sich den Schnee von den gefütterten Stiefeln, die *keine* Arbeitsstiefel waren, achtete weder auf die Bettler noch auf die Verkäufer der Obdachlosenzeitungen und wurde von beuteltragenden Einheimischen gegen Katjas Brust gedrückt. Und lachte. Dachte an die unbefristete Aufenhaltsberechtigung – den deutschen Paß. Stellte sich vor, mit Katja vor dem Standesbeamten zu stehen und wie damals bei Silvia und Yousuf dessen Cognacfahne zu riechen. Stellte sich ein Leben vor, das ihm eine Chance gab. Strich sich und ihr wie bei ihrem ersten Kennenlernen den Schnee aus den Haaren. Und lachte.

Bekam die Elfenkönigin mit, wie bitter es klang?

Natürlich bekam sie es nicht mit. Er selbst mußte sich ja anstrengen, um es wirklich fühlen zu können. Die Fakten waren da, niederschmetternd genug. Aber die Gefühle?

Damals in diesem Kleinbus, der ihn mit den verhärmten, schweigenden Männern auf die Baustelle brachte, hatte er sich gesagt: *Das* müßte Katja sehen. *Das* würde sie aus der Ruhe bringen. Und mir die Kraft geben, dieses folgenlose Pingpong zwischen uns wegzufegen und sie dazu zu *zwingen*, mir zu helfen. Nichts davon war geschehen. Der jugendliche Held, der sich für die Liebe seiner Prinzessin in tödliche Gefahren begibt – ein verlogenes Märchen. Er hatte bereits ihre Freundschaft, und von Liebe – siehe Avif – verstand er nur soviel, als daß sie ihm Angst machte. Alles, was er wollte, war eine unromantische Aufenthaltsberechtigung, auf die nie wieder der Stempel *Abgelaufen* knallen würde. Nie wieder!

Er erzählte Katja von der Situation auf dem Bau, von der Lage der Sklaven, die überall das neue Berlin hochziehen mußten, gut versteckt hinter Holzzäunen, deren Vorderseiten voll mit Plakaten waren, die für Konzerte, Ausstellungen und *Events* warben. Erzählte ihr von seiner Angst, die unterbezahlten Arbeiter könnten neidisch auf ihn werden und ihm etwas antun; schließlich waren die Baugruben tief genug und die Sicherheitsbestimmungen ausreichend lax, um solche Dinge geschehen zu lassen. Erzählte ihr, wie er sich immer unsichtbarer vorkam, herausgefallen aus dem Rhythmus der Stadt. Und doch waren es, so kam es Jamal vor, nur Worte, Worte.

»Keine andere Möglichkeit als diese Art Heirat?« fragte Katja. Sie saßen in einem Café in Kreuzberg, und erst hier hatte Jamal die während der ganzen U-Bahn-Fahrt an ihm nagende Sorge verlassen, sie könnten von einem der polnischen oder bosnischen Bauarbeiter gesehen werden.

Lustlos rührte er in seinem Cappuccino. »Keine andere Möglichkeit. Deshalb arbeite ich ja jeden Tag von früh bis spät, um die zehntausend zusammen zu kriegen.« Von früh bis spät! Wie dramatisch das klang. Und doch, es war die Wahrheit. Wie aber sollte er Katja dazu bringen, ihm zu glauben, wenn selbst er sich noch immer gegen die Einsicht wehrte, das alles bitterer Ernst geworden war? Von früh bis spät diese Angst, das *war* wahr. Wahr, wie vielleicht wenig von dem, was er Katja jemals gesagt hatte, wahr gewesen war.

»Und so eine Frau, ich meine . . . jemand, der sich dafür bezahlen läßt, könntest du dem vertrauen?« Katjas ängstlicher Blick.

Jamal sah ihr in die Augen. »Vertrauen, Vertrauen . . . Glaubst du, daß ich eine andere Wahl habe?«

Sie schwieg. Wandte das Gesicht ab, rührte nun auch in ihrem Cappuccino, bis er kleine Wellen an den Rand der Tasse warf.

Jamal spürte, wie sich sein Körper spannte. Wie er auf der Lauer lag, wie seine Augen zu schmalen Schlitzen wurden. Wie er ihre Reaktion abschätzte. Wie er sich dafür haßte.

»Gib mir etwas Zeit, ja?« Ihre Stimme war leise, fast tonlos.

Blitzschnell griff seine Hand nach ihrem Arm. Fast hätte er sie gekniffen, so stark war seine Erregung. Aber gerade jetzt mußte er sich unter Kontrolle halten. Ein sanfter Druck nur, nicht mehr. Begütigend, beruhigend und doch auf stille, fast untertänige Weise fordernd. Wie lange sollte er das aushalten? Die Schwielen an seinen Händen und Füßen waren nichts gegen diesen Seiltanz auf verhülltem Stacheldraht.

Irgendwann würde er in Heulkrämpfe ausbrechen oder losschreien, wie er niemals zuvor geschrien hatte.

Am ersten Tag des neuen Jahres stand Jamal vor dem Badezimmerspiegel und versuchte sich die Wunde genauer anzusehen. Das war nicht einfach, denn der Spiegel wurde nur von einer winzigen Glühlampe beleuchtet. In dem verstaubten Plastikrahmen zeigte sich die aufgeschürfte und aufgeplatzte Haut neben den Augenbrauen allein als eine dunkle Fläche, auf der getrocknetes Blut langsam Krusten bildete.

Jamal stellte sich auf die Zehenspitzen und drückte die Nase seitlich an den Spiegel, um besser sehen zu können. Vielleicht sollte er nachprüfen, ob seine Sehfähigkeit noch intakt war. Und was war mit der Gehirnerschütterung, die er glaubte, sich eingefangen zu haben – kurz nach Mitternacht, als die Tür hinter dem anderen schwer ins Schloß gefallen war und er, während von der Oranienstraße die Geräusche aufzischender Raketen hereindrangen, halbnackt im Zimmer stand, die Hände auf den Tisch stützen mußte, und die Unterarme, mit denen er sich über die entsetzlich wummernde Stirn fuhr, voller Blut waren?

Inzwischen hatte das Dröhnen in seinem Kopf nachgelassen.

Während seines unruhigen Schlafs waren all die grellen Streifen und hinter der Netzhaut explodierenden Sterne wieder und wieder aufgetaucht und hatten ihn dazu gebracht, sich stöhnend von einer Seite des Bettes auf die andere zu wälzen. Lange hatte er geschlafen, das Bluten hatte aufgehört, und nur wenn die Kuppe seines Zeigefingers zu nah an die von dem verdreckten Spiegel als dunkel – wahrscheinlich war sie eher rot, knallrot – gezeigte Fläche kam, kehrte der irrsinnige Schmerz aus den ersten Stunden des neuen Jahres wieder. Vielleicht mußte er nicht einmal zum Arzt. Vielleicht tat es auch etwas Penaten-Creme, von der er in dem Spiegelschrank eine halbvolle Dose gefunden hatte. Die Creme und ein paar Pflaster auf seine Schläfen.

Karim würde bestimmt denken, er hätte die zweitausendfünfhundert Mark, die er am 31. Dezember tatsächlich gegen Quittung bekommen hatte, in einem Spielsalon oder einem Puff verjubelt. Es war ihm egal. Drei Monate noch mußte er durchhalten, mit oder ohne Pflaster, das spielte keine Rolle. Er hatte sich doch nur, das erste Mal in seinem Leben, von seinen Sorgen, seiner Angst, seiner täglich wachsenden Wut überrollen lassen.

Soll nicht wieder vorkommen, Herr Kassim. Jamal sah sein unrasiertes, lädiertes Gesicht im Spiegel und probierte ein Grinsen. Na bitte, dachte er. Tut ja gar nicht weh.

Nein, er war nicht in Heulkrämpfe ausgebrochen. Er hatte nicht geschrien. Er hatte nur in dumpfer Wut und mit zusammengebissenen Lippen Schläge ausgeteilt und Schläge eingesteckt. Das hieß, mit den Schlägen hatte der andere angefangen, Jamal hatte sich nur gewehrt. Und wahrscheinlich etwas übertrieben, denn der andere hatte sehr wohl geschrien, als Jamals Faust immer wieder in sein Gesicht, seinen Magen, in seine Rippen gefahren war, als wäre es ein Automatismus, der, einmal in Bewegung gesetzt, nicht mehr aufzuhalten war.

Ein Schlag für das *Ben Ibneyim* an der Tür seiner Eros-Bude, zwei Schläge (wahrscheinlich die heftigsten, denn danach war dem anderen die Lippe aufgesprungen) für diese tausendmal verfluchte Araber-Art, für dieses Mitgehen in die Wohnung, dieses Herumnesteln am eigenen Schwanz, das Aber-ich-bin-nicht-schwul-Gequatsche dazwischen und die unverhüllte Aggressivität, nachdem Jamal sich geweigert hatte, mitzuspielen. Der Rest waren Schläge, die wohl den Typen im Fernsehen gegolten hatten. Der verkniffen lügenden Verkäuferin, dem froschgesichtigen Politiker und der melodiösen Lügen-Stimme, die ihn eine ganze Stunde lang mit Erfolgsmeldungen über den Aufbau von Daimler-City gequält hatte. Ein Schlag – aber da war er schon erschöpft gewesen, hatte die Deckung seines Gesichts vergessen und Sekunden später Blut, richtiges Blut in seine Augenwinkel rinnen gespürt –, ein Schlag für die Zehntausendmark-Frau, die er noch immer nicht kannte, weil sie ein nebulöser Mix aus all den Frauen geblieben war, die ihn in diesen Cafés und Studi-Fabriken hatten abblitzen lassen. Ein Schlag für sich selbst, für seine Dummheit und Panik, und ein Schlag – ein allerletzter, nicht mehr als ein verzweifeltes Wedeln, um den sich zurückziehenden Körper des anderen doch noch zu berühren –, ein solcher Schlag, wer konnte es wissen, vielleicht sogar für Katja und ihren *Laß mich nachdenken*-Satz, dem nichts gefolgt war.

Schon als er vor Mitternacht die Wohnung verlassen hatte, um hinüber ins *SO 36* zu gehen, war er vor Spannung so elektrisiert gewesen, daß es einem Wunder glich, daß sich seine Füße auf dem Trottoir noch zu regelmäßigen Schritten hoben und senkten. Als wäre alles ganz normal. Als wäre er einer der vielen, die in diesen Minuten der Discothek zuströmten, um dort das neue Jahr zu beginnen.

Natürlich hätte er lieber mit Katja gefeiert, anstatt dieses Silvester, das vielleicht sein letztes in Berlin war, so zu verbringen, wie er es in all den Jahren zuvor getan hatte: In einer Discothek oder einem Club inmitten von fremden, mit ihren sektgefüllten Plastikbechern anstoßenden Menschen, aus denen er sich irgendwann einen herauspickte, um mit ihm die Nacht zu verbringen und am darauffolgenden Morgen in ein völlig fremdes und ziemlich verquollenes Gesicht *Happy New Year* hineinzumurmeln und zu überlegen, wie er den Gedanken, die sich ihm zum neuen Jahr aufdrängten, am besten entkommen könnte.

❏

Avif griente ihn an. »Du hast dich geprügelt? Alle Achtung, Mann. Aber wieso wegen dem Fernsehen? Versteh ich nicht. Haben die dich beim Schwarzgucken erwischt und dir ’ne saftige Gebührenrechnung zugeschickt?«

Jamal schaute zur Seite. »Sehr witzig. Gebührenrechnungen! Mein Briefkasten ist seit langem leer.«

»Und der Brief von Silvia und Yousuf?« fragte Avif.

»Der ist mir von meiner alten Adresse nachgeschickt worden. Hab’ ihn irgendwo verloren, als ich mein mieses kleines Zimmer für die Übergabe freiräumen mußte. *Besenrein*, wie sie hier sagen.« Plötzlich stutzte er. »Wieso«, er runzelte die Stirn, »wieso weißt *du* von diesem Brief?«

Avif sah ihn erstaunt an. »Weil mir Silvia bei unserem Picknick damals ihre New Yorker Adresse aufgeschrieben hat. Wärst du damals nicht so verdammt mit dir selbst beschäftigt gewesen, hättest du’s gesehen.«

»Spielt keine Rolle mehr«, sagte Jamal leise. Verflucht, wie lange sollte das so weitergehen? Er hatte das Gefühl, schon stundenlang zu reden. Aber außer einem Pärchen, das nur zwei Tee bestellt und sich händchenhaltend in die hinterste Ecke des Restaurants verzogen hatte, waren bis jetzt keine weiteren Gäste aufgetaucht. Hielt Avif die etwa mit irgendwelchen telepathischen Tricks fern?

»Die beiden kommen Ende der Woche nach Berlin.«

»Richt' ihnen schöne Grüße aus«, sagte Jamal. Seine Stimme verriet keine Aufregung. Nur diese müde Resignation, die unausgesprochene Bitte, Avif möge ihn mit solchen Sachen verschonen. Die besten Freunde als die wahre Familie – lächerlich. Schon morgen erwarteten ihn seine Eltern und Geschwister in Beirut.

»Die schönen Grüße richtest du ihnen gefälligst selbst aus. Du und Katja.« Avif hatte es mit vollem Ernst gesagt.

»Kleine Macke, was?« Jamal zündete sich eine Zigarette an. Seine Finger zitterten kaum.

»Was war nun mit dem Fernsehen?«

»Nichts Besonderes. Vielleicht nur der Vorwand, endlich auszuflippen und jemanden eins in die Fresse zu geben.«

❏

In Brandenburg hatte es wieder einen Toten gegeben.

Ein junger Algerier, den Skins nach einem Disco-Besuch durch die Stadt gejagt hatten und der, als er sich mit einem Sprung durch die Glastür eines Wohnhauses retten wollte, auf der Treppe verblutet war. »Det war doch nich det janze Land«, hatte danach die schreckliche Regine gekeift und die West-Journalisten beschimpft, aus reiner Sensationsgier alles zu überspitzen. Es war zum Kotzen.

Wenig später kamen die Kurdenproteste. Ein paar Erschossene mitten im Berliner Schnee, verwüstete türkische Läden und am Abend die besorgte Frage des *Heute*-Nachrichtensprechers an einen Sachverständigen: »Wer ersetzt uns das eigentlich alles?« Wieso *uns*, hatte Jamal gedacht und ungläubig dem gelauscht, was der live zugeschaltete Sachverständige herunterspulte: Hausratversicherung, Haftpflicht-, Brand-, Gas- und Feuerversicherung. »Es hängt ganz davon ab, wie hoch der Eigenanteil ist, so daß leider viele darauf sitzenbleiben werden.«

Worauf würden sie sitzenbleiben? Auf den Scherben, auf den Leichen? Und noch immer zogen aufgebrachte Kurden durch die Nebenstraßen zum Kottbusser Tor.

Bambule vor dem gestrandeten Dampfer. *Eigenanteil!*

Und dann waren die Deutschen wieder unter sich. Fürchteten sich bei eilig einberufenen Fernseh-Diskussionen um die Wette, von Ausländern mit deutschem Paß überrollt und um die Früchte ihres harten Schaffens gebracht zu werden. *Das christliche Abendland!*, rief ein froschgesichtiger Politiker, der in irgendeinem Bundesland Ministerpräsident werden wollte, in die Kamera. Zum Glück war wenigstens Wassim da, der sich theatralisch vorbeugte, sein nach unten hängendes rechtes Augenlid hochklappte und laut fragte, was bitteschön mit ihm wäre. Beifall im Publikum. Auch Jamal klatschte, rief in seinem Zimmer mit den zugezogenen Vorhängen *gib's denen!* und wußte, daß dies natürlich *nicht* Wassim war. Was hätte der in einer Talkshow zu suchen gehabt? Außerdem sah Michel Friedman um Längen besser aus, allein schon wegen des Solariums.

Was ihn ein paar Tage später noch mehr in Rage gebracht hatte, waren die Verkäuferinnen im Kaufhof am Alex gewesen, die, während irgendwelche widerlichen Filialleiter-Typen in lila Ossi-Anzügen hinter ihnen standen, in die Kamera hineinwisperten, daß sie gern – *sehr gern sogar* – sonntags arbeiten würden. Es war offensichtlich, daß sie logen, denn wer bediente am Sonntagnachmittag schon freiwillig Horden von Gehirnamputierten, die nicht bis Montag warten konnten, um geschmacklosen Kaufhof-Tineff zu raffen und damit ihre noch geschmackloseren Behausungen am Strausberger Platz vollzustopfen? Es war zum Lachen und zugleich so eklig. Dabei konnte sich Jamal nicht einmal überwinden, Mitleid zu empfinden. So wie diese Verkäuferinnen aussahen, hätten sie auch zu denen gehören können, die sich jetzt wie wilde Tiere *vor* den Ladentischen in die Rippen rempelten. Konnte er unter diesen Menschen eine Frau finden und für immer hier leben?

Wie eine Rakete jedoch ging er hoch, als er sich zufällig in diesen Film über Daimler-City hineingezappt hatte. Grün leuchtete der Debis-Würfel in der Dunkelheit, lautlos öffneten und schlossen sich die Türen vom Hotel Hyatt, gedämpft rollten die Roulettekugeln im Casino, bewegten sich Männer im Smoking von Tisch zu Tisch und schnell, sehr schnell kamen die glitschigen Lügen. Oder zumindest die verschwiegenen Wahrheiten. *Nichts,* kein einziges Wort, von den illegalen Arbeitern, die von Baustelle zu Baustelle geschleust wurden. Nichts von den Security-Männern, von denen sogar die Bulgaren und Mazedonier wußten, daß sie für die Geheimpolizei des verschwundenen Staates gearbeitet hatten, der hier an dieser Stelle, wo nun endlos in Handys gequasselt wurde, eine Mauer und ein Minenfeld angelegt hatte. Nichts davon.

Nichts als Kameraschwenks in prallgefüllte Boutiquen, Freßecken oder hinein in die riesigen CinemaxX-Säle, in denen sich lärmende Kids tummelten und die abgenagten Holzstiele ihrer Langnese-Lutscher durch stumm herumhuschende thailändische Angestellte aufsammeln ließen. Natürlich sah man auch das nicht. Nur die Konsumation, nie den Dreck. Und schon gar nicht die, die den Dreck wegzuschaffen hatten. Unterwürfig, stumm und schnell.

Was tat es zur Sache, daß auch er selbst bis zu diesem Winter kaum einen Gedanken an diese sorgsam verborgene Wirklichkeit verschwendet hatte? Er war zornig, und es kam ihm vor, als wäre er der einzige, der beide Welten kannte, der einzige, der berichten konnte, was hier tatsächlich passierte.

In dieser aufgereizten Stimmung war er am letzten Tag des Jahres kurz vor Mitternacht ins *SO 36* gegangen, und die einzige Freude, die er spürte, war die über den kurzen Weg von seiner Wohnung bis zur Discothek in der Oranienstraße. Katja feierte mit Studienfreunden oder mit ihrer Mutter; er hatte nicht genau hingehört oder es inzwischen vergessen. Ein paar ältere Türken liefen in dem Telefon-Shop an der Oranien/Ecke Adalbertstraße herum, wärmten sich auf, tranken Tee oder standen in den nach vorn offenen Zellen, um bei günstigem Tarif nach Hause zu telefonieren und die Distanz mit ihren Stimmen zu überschreien, so daß man sie draußen auf der Straße noch hörte. Jamal sah, wie zutraulich sich ihre harten Gesichter mit den eingefallenen Wangen und weißen Bartstoppeln über den Hörer beugten, als käme aus ihm irgendeine Hoffnung. Im Unterschied zu ihm *hatten* sie jemanden, mit dem sie sprechen konnten heute nacht.

Jamal tanzte nicht. Er trank sein Beck's und stand am Rand der Bühne. Ganz wie jene, die er in den Jahren zuvor höchstens aus den Augenwinkeln heraus wahrgenommen hatte, traurige Gestalten, die sich an einer Flasche Bier festhielten und starr über die Köpfe der Tanzenden hinweg ins Leere blickten. Einsame, Verklemmte und Verschlossene, Psychos, vielleicht der eine oder andere Infizierte auch, jedenfalls Leute, auf die man in jeder Discothek traf, obwohl jeder sich bemühte, sie für unsichtbar zu halten.

Später sagte er sich, daß alles anders gekommen wäre, hätte er nicht am Bühnenrand gestanden, nicht in dieser typischen Pariahaltung. Hätte er doch getanzt oder wäre wie früher als schnurrender Panther zwischen die erhitzten Körper geglitten auf der Suche nach Zärtlichkeit und Beute. Hätte, wäre. Und aufgerissene, blutige Haut am Neujahrstag.

So stand er nur da und schaute sich zögernd um. Einige von denen, die ihm gefielen, hatte er früher einmal mit nach Hause genommen; jetzt wich er ihren Blicken aus. Wich ihnen aus und taumelte – unlustig und gelangweilt, erschöpft von der Arbeit, auf jeden Fall gereizt von den Fernsehbildern, die ihn aufgeputscht hatten wie eine Droge – in das Blickfeld eines anderen, der die ganze Zeit neben ihm gestanden und ihn beobachtet hatte. Ein Araber, ungefähr in Jamals Alter. Groß, schlank und offensichtlich nervös. Eine auf und ab wippende Zigarette zwischen den schmalen Lippen, gerunzelte Augenbrauen, die etwas zu nah beieinanderstanden, aber schönes gekräuseltes Haar und ein sonnengebräuntes Gesicht. *Kein* Solarium, das sah Jamal sofort.

»Entschuldigung, wo kommst du her?«

»Marokko. Und du?«

»Libanon.«

Zurückgeworfene Köpfe als Zeichen des Einverständnisses. Aber schon falsch, absolut falsch und daneben. Seit wann begann er Unterhaltungen mit der Frage, wo einer herkam? Und seit wann wurde er nicht mißtrauisch, wenn der andere, sich wie eine sausende Gerte um die eigene Achse drehend und noch näher an Jamal heranrückend, irgendeine konfuse Geschichte über eine Verlobte erzählte, die da unten bei ihrer Familie in einem Haus am Meer lebte?

»Deshalb also die Bräune«, sagte Jamal lächelnd.

Der andere hatte das Lächeln erwidert. Spätestens damit schien alles klar zu sein.

Sie tauschten noch ein paar Belanglosigkeiten aus, der Marokkaner rauchte seine Zigarette zu Ende, Jamal stellte die leere Bierflasche zurück auf die Theke, und gemeinsam verließen sie die Discothek. Es war inzwischen Mitternacht, und über die verschneite Oranienstraße schlitterten eine Menge Leute mit Rotweinflaschen und Silvester-Raketen in den Händen. Der Marokkaner warf ihnen schnelle, verlegene Blicke zu, vergrub die Hände in den Taschen seiner schwarzen Lederjacke und achtete darauf, ein paar Meter Abstand zu Jamal zu halten. Jamal bemerkte es nicht. Oder wollte es nicht bemerken. Die Neujahrsnacht zur Abwechslung mal im Bett mit einem Marokkaner; warum nicht.

Wenn er gefürchtet hatte, daß den anderen die schäbige Einrichtung des Zimmers stören würde, so hatte er sich getäuscht. Der Marokkaner behielt zwar die Schuhe an, zog jedoch sofort die Lederjacke aus und steuerte direkt auf den runden Holztisch zu, um den Aschenbecher zu sich heranzuziehen und eine neue Zigarette anzuzünden.

Jamal betrachtete ihn. Er fragte sich, ob es für ihn nicht etwa das erste Mal war.

Kaum, denn schon öffnete er den Reißverschluß seiner Jeans, schob seinen steifen Schwanz über den Bund der Shorts und bedeutete Jamal, vor ihm in die Hocke zu gehen.

»Wollen wir uns nicht lieber ausziehen?« fragte er.

»Etwa wie Schwule?« fragte der Marokkaner und blies verächtlich den Zigarettenrauch zur Decke.

Jamal lächelte und machte eine einladende Handbewegung. »Wir könnten diese Nacht ja mal was ganz Neues erfinden, was meinst du?«

Da kam sie zurück, die gute Lust an den Worten, die noch jedesmal stark genug gewesen war, das Leben in die Richtung zu bringen, die ihm, Jamal Kassim aus Beirut, im Moment gerade gefiel. So wie Schwule? Wo denkst du hin, Habibi? So wie *Hyper*-Schwule, wie Kreuzberg-Lover, wie die Besten vom Besten ... Noch immer lächelte er, aber das Gesicht des Marokkaners blieb mürrisch.

Um es ihm zu erleichtern, zog sich Jamal aus. Öffnete das weiße Hemd, ließ seinen nackten Oberkörper sehen und die Erektion unter seinen Boxershorts.

»Ich hab ’ne Freundin«, sagte der Marokkaner.

Jamal überhörte die Warnung und begann, über seinen Hals zu streichen. Der andere schloß die Augen und ließ es geschehen.

530

Jamals Hand wanderte den Körper hinunter und berührte seinen Schwanz. Als er jedoch die Gürtelschnalle öffnen wollte, packte ihn der Marokkaner am Handgelenk, daß es schmerzte. Gut, dann eben nicht.

»Hol mir einen runter.«

Jamal räusperte sich. »Sorry«, sagte er, »ich glaube, das klappt nicht so richtig mit uns beiden.«

»Du sollst mir einen wichsen«, wiederholte der Marokkaner. Er hatte die Augen zu schmalen Schlitzen geöffnet. Die Stirn war gefurcht und es schien, als wären seine Augenbrauen noch enger zusammengerückt.

»Das klingt ja wie in einem Billig-Porno«, sagte Jamal und versuchte, irgendeinen Dreh zu kriegen, damit der andere auch einmal lächelte – über sich, über ihn, über die Situation, über was auch immer –, leichter wurde und entspannter und ... na ja, deswegen war er ja da, auch ein bißchen geiler.

Es sah aus wie eine einzige Bewegung. Die Zigarette im Aschenbecher ausgedrückt, den Schwanz zurück in die Hose geschoben und dann mit der Faust nach oben geschnellt, direkt unter Jamals Kinn. Er taumelte, versuchte, sein Lächeln zu halten, aber das war ein Fehler, der den anderen noch wütender machte. Ein, zwei, drei Schläge ins Gesicht; nicht die Nase dachte Jamal, nicht die Nase und auch nicht den Mund. Er hatte die Augen zugekniffen, denn da lief auf einmal Blut, ein Vorhang, der ihn blind machte. Nur am Keuchen des Marokkaners erkannte er, wo der sich gerade befand, und dorthin schlug er jetzt.

Schlug und konnte mit jedem Schlag besser sehen. Sah den anderen nun selbst überrascht, auf dem Rückzug in Richtung Tür, sich über den Stuhl beugend, um nach seiner Lederjacke zu greifen. Sah diesen sich beugenden Körper und trat zitternd vor Wut in dessen Rippen, in die Rippen eines Typen, der längst mehr war als einer der üblichen komplexbeladenen Araber oder Türken, die sich selbst haßten und andere dafür prügelten. *Ben Ibneyim, Ben Ibneyim.* In diesem Moment war er so viel mehr, war, was Jamal in den letzten Monaten erlebt hatte, all das, was ihn peinigte und zu einem Niemand machte. Oh nein, kein Niemand! Jetzt schlug Mister Nobody nämlich zurück und holte all die Schläge nach, die er viel zu lange vergessen hatte auszuteilen. Und nicht mit Silbertabletts und Baustellen-Schaufeln und

Handschuhen schlug er, sondern mit bloßen Fäusten, seinem fast nackten Körper, seinem ganzen Selbst.

Noch Minuten – oder waren es Stunden? – nachdem die Tür krachend ins Schloß gefallen und der Marokkaner verschwunden war wie ein böses Gerücht, hallten seine Schreie in Jamals Ohren. Aber vielleicht war er es selbst, der nun schrie und tobte und mit blutigen Schläfen durch das Zimmer rannte, ein Zimmer in einer toten, vergessenen Seitenstraße Berlins.

In den Tagen danach war er unschlüssig gewesen, ob er Katja von dieser Begegnung erzählen sollte. Dann tat er es. Wenn *er* sich weder schonte noch geschont wurde, weshalb sollte *sie* es dann nicht erfahren? Ganz gleich, wie sie reagierte. Sollte sie ruhig sehen, wie weit es gekommen war mit ihm, wie er auf einer Pechsträhne immer tiefer sank – bis dahin, wo ihm ein mit Selbsthaß und Dope abgefüllter Marokkaner den Befehl gab, ihn zu wichsen. Nein, das mußte sie sich anhören.

Noch während er sprach, Katja den Grind seiner Wunden zeigte und die Nacht in allen Einzelheiten schilderte, beobachtete er aus seinen geschwollenen Augenlidern ihre Reaktion. Sexuelle Gewalt, das mußte doch etwas sein, was sie *betroffen* machte! Sie und ihre Mutter, die nun vielleicht endlich kapierte, daß er, Jamal Kassim aus Beirut, nicht nur keine Ahnung von Paul Scheerbarts *Der Orient ist groß*-Delirien hatte, sondern am ersten Tag des Jahres sogar das Opfer eines Orientalen geworden war und platt gemacht wurde wie einer dieser Lima-Teppiche in der Schmargendorfer Diele. Compris, alter Drachen: Keine Gefahr weit und breit für dein behütetes Töchterchen!

Jamal hielt den Kopf schief und sah Katja schweigend an. Was nun, Elfenkönigin?

Und dann war der Krieg gekommen.

Er begann an einem frühen Morgen Ende Januar, und so lange er wie vom Donner gerührt stillstand, so lange er sich zu verstecken suchte, ja selbst so lange er rannte und nach Luft keuchte, hatte er keine Ahnung, warum ausgerechnet heute die Truppen aufmarschiert waren.

Gerade waren die Schaufeln ausgeteilt und die ersten Sandsäcke zu den Betonmischern geschleppt worden, als es losging. Jamal zählte mehrere Helikopter, die zwischen dem bewölkten Himmel und der Erde lärmend ihre Runden drehten, nach unten stießen, sich wieder erhoben und die Wellblechdächer auf den Containern zum Ächzen brachten. In dem Container, in dem man sie eine halbe Stunde vorher noch hatte unterschreiben lassen, brannte kein Licht mehr; die Tür war verschlossen, und auch von dem Audi, der hier geparkt hatte, war nichts zu sehen.

Jamal überlegte noch, was das bedeuten sollte, als bereits die Bodentruppen anrückten. Polizeitransporter mit aufheulenden Sirenen und Blaulicht, das sich wie ein verrückt gewordener Kreisel auf den Dächern der grünweißen Wagen drehte. Bullen in Uniform, die einen mit Walkie-talkies in den Händen, die anderen mit vorgestreckten Pistolen. Ein schlechter Western, aber ohne Überlänge. Alles verlief rasend schnell.

Diejenigen, die zuerst umzingelt wurden, weil sie zu nah am Eingang der Baustelle gearbeitet hatten, dachten gar nicht daran, auszubrechen oder sich zu wehren. Kamen aus einer freigeschaufelten Grube heraus, zogen korrekt die Elektrokabel aus den Betonmischern und streiften ihre Fausthandschuhe ab, als wollten sie den Polizisten das Klicken der Handschellen erleichtern. Nicht ein einziger versuchte zu fliehen. Wahrscheinlich hatten sie so etwas schon Dutzende Male erlebt.

Jamal hatte seine Schaufel weggeworfen und sich zwischen zwei Containern verkrochen. Vor dem schmalen Schlitz, durch den er die Baustelle im Visier behielt, lief der schlechte Western weiter. Die Bauarbeiter waren von einer Gruppe Polizisten umringt, während der andere Teil der Uniformierten weiter vordrängte und sich dabei wie ein Spinnennetz auffächerte. Offensichtlich sollten die Griechen, die da hinten seit Tagen in der Erde herumbuddelten und damit eine teure Planierraupe ersetzten, in die Zange genommen werden. Aber das konnte Jamal von seiner Position aus nur ahnen.

Vielleicht gab es eine Chance. Vielleicht kam er durch. Vielleicht konnte er sich durch die Ansammlung der verrammelten und verwaisten Container hindurch schlängeln, um auf der hinteren Seite des Geländes den Holzzaun zu erreichen. Die größte Gefahr drohte von den Helikoptern. Sobald er sich aus dem Schatten der Container herauswagte, war er sichtbar für die über ihm kreisenden Maschinen, die bestimmt mit den Bullen auf dem Boden in Funkkontakt standen.

Er hatte sich schon ein paar Schritte zurückgezogen, als ihn ein neues Geräusch vom Eingang der Baustelle her aufhorchen ließ. Was war das?

Ein Bus, ein richtiger Bus bog in das Areal ein; ihm entstiegen Fotografen und weitere Uniformierte, die knallrote Bänder in den Händen hielten.

»Wenn du erst einmal die am Gelenk hast, ist alles zu spät, mein Lieber.«

Jamal fuhr herum. Hinter ihm kauerte Besnik und machte Zeichen, sich nicht zu bewegen.

»Was ist mit den Bändern?« flüsterte Jamal.

»Die kriegst du, sobald du aus dem Bus wieder raus bist. Als Zeichen, daß man dich kontrolliert hat. Daß du im Bus deinen Ausweis abgegeben und deine Adresse genannt hast und im Computer gespeichert bist, damit sie dir entweder ein Verfahren anhängen oder dich gleich abschieben. Kommt ganz darauf an, ob du illegal hier bist wie die Polen und Griechen, oder ob du als Asylant ein bißchen Geld zu deinen Essensscheinen hinzuverdienen wolltest.«

»Kommt eher darauf an, ob wir hier rauskommen oder nicht«, preßte Jamal durch die Lippen. Verdammt, auf was warteten sie noch? Er machte seinen Rücken krumm, behielt die Vorderseite des Lagers im Blick und versuchte, an Besnik vorbeizukriechen. Der Albaner packte ihn mit einem harten Griff am Arm.

»Bist du wahnsinnig? Solange die nicht alle vor dem Bus versammelt haben, riskierst du nur, den Bullen in die Arme zu stolpern. Oder den Fotografen, diesen widerlichen Schweinen. Weißt du, daß die Zeitungen manchmal Anrufe vom Innensenat kriegen, damit auch die Journalisten bei den Razzien dabei sein können? Um geile Jagdfotos zu schießen und Wichsartikel über die schlimmen Schwarzarbeiter zu schreiben, aber nie auch nur ein Sterbenswörtchen über die deutschen Firmen, die davon profitieren.«

Gut, sagte sich Jamal. Mochte alles so sein, wie Besnik es ihm zuraunte. Aber jetzt war definitiv nicht der richtige Augenblick, Kommentare zur Lage abzugeben.

»Ich versuch's«, sagte er und kroch gebückt weiter zurück. Wenn in seinem Rücken die Bullen lauerten, dann war das Spiel eben aus. Es war sowieso nur noch eine Frage von Wochen.

Dieser Gedanke aber – das Geld futsch, die zehntausend nichts als eine Illusion, die unbekannte Frau nicht einmal mehr ein

Traum –, gerade das brachte Jamal dazu, zu kämpfen. Verflucht, wann er aus dieser Stadt wegging, entschied noch immer er selbst! Und keine Bullen mit Bändern, keine Fotografen, die ihn für einen gelungenen Schnappschuß auslieferten, und schon gar nicht die Arschlöcher da oben in ihren Helikoptern, die sich aufführten, als drehten sie hier den zweiten Teil von *Platoon*.

Sie rannten los. Schlängelten sich – Besnik, der mehr Erfahrung zu haben schien, als erster und Jamal hinter ihm her – zwischen den Containern durch, versuchten so wenig Lärm wie möglich zu machen und ihre Schritte zu dämpfen, sobald sie über abgestellte und vergessene Plastikplanen und Wellblechteile kraxeln mußten, hielten den Atem an und hörten das flappende Geräusch der Helikopter-Flügel, die Rufe der deutschen Beamten.

Zum Glück grenzte der letzte Container direkt an den Holzzaun. Jamal ging in die Hocke und schlang seine Hände ineinander. Als er Besniks harten Stiefelabsatz auf der Haut spürte, hätte er beinahe losgeschrien. Es dauerte nur wenige Sekunden, dann hatte der Albaner, gedrungen und behend wie er war, den Zaun erklommen. Er setzte sich, einen argwöhnischen Blick zum Himmel sendend, rittlings auf den Zaun und griff nach Jamals linker Hand.

»Mit dem rechten Fuß ran«, zischte er, und Jamal stieß den Stiefel gegen das Holz, wurde gleichzeitig von Besnik nach oben gezogen und kam schon im ersten Anlauf mit dem Bauch oben auf dem Zaun zu liegen. In einigem Abstand sah er Nägel aus dem Holz herausstehen. Besnik wartete unten auf der anderen Seite und machte ungeduldige Gesten. Noch einmal preßte Jamal die Lippen zusammen, wuchtete mit der Kraft der angewinkelten Arme seinen Körper hoch, hob die Beine an und sprang.

Die Helikopter hatten bereits abgedreht. Dennoch rannten sie. Überquerten eine Straße, die bereits am frühen Morgen von Autos verstopft war, stolperten über eine Brachfläche – irgendwo war der Tiergarten, irgendwo dieser verfluchte Potsdamer Platz, irgendwo die Bullen, aber da vorn schon das Brandenburger Tor. Richtig, sie rannten jetzt parallel zur Wilhelmstraße.

Was für ein Karriere, dachte Jamal, während ihm das Blut in den Kopf schoß und die Kälte auf die grindigen Schläfen drückte. Vor langer Zeit in einem Berliner Sommer: *Tresor-Club* und *Gate Sauna*, Techno und Sex, und danach mit dem ersten Frühbus hinunter nach Kreuzberg in seine geliebte Eros-Bude. Jamal, Prinz von Berlin.

Rennen, rennen. Er mußte sich konzentrieren. Besnik, schwer keuchend, ein kompaktes Paket – immer weiter vorwärtsdrängend, war einige Meter vor ihm.

Sein rudernder Arm. Nach rechts, sofort nach rechts! Also nicht vor zum Brandenburger Tor, sondern auf der Rückseite des Adlon entlanggehastet, um jeder möglichen Kontrolle zu entgehen. Vor zur Wilhelmstraße und wieder einen Haken geschlagen. Nach links, ein letzter Sprint und runter zur S-Bahn. *Unter den Linden*, ein Schild in alter deutscher Frakturschrift; Gänge, durch die der Wind pfiff, erste Fahrgäste, die sie mißtrauisch musterten, aber keine Bullen mehr. Keine Helikopter und nur noch das Geräusch ihres stoßweisen Atmens. Besniks und Jamals gerötete und verzerrte Gesichter. Die Tränen in seinen Augen, die vom schnellen Laufen kamen und von nichts sonst. Dann merkte er, daß die Handschuhe noch immer aus den Hosentaschen baumelten, verdreckte und vergessene Flügel irgendeines Engels, der sich grausame Späße erlaubte.

Als Katja ihn besuchte, sah sie auf dem Teppich ein Paar Turnschuhe, eine Florena-Dose sowie ein Paar Fausthandschuhe, an denen noch gelbliche Erdkrümel klebten; mit gekreuzten Beinen saß Jamal dazwischen und schob die Sachen in sinnloser Betätigung hin und her.

»Was tust du da?« fragte sie.

»Ich räume Zeug aus. Je weniger ich nach Beirut zurückschleppen muß, um so besser.«

»Aber . . .« Katja sah ihn bestürzt an.

»Alles ist zu Ende«, sagte Jamal.

Er wußte es, und sie wußte es auch; es gab keinen Ausweg mehr. Ihm fehlten ungefähr siebentausend Mark und eine Frau, die sich für Geld heiraten ließ. Ihm fehlte die Zeit – die Aufenthaltsgenehmigung war nur noch drei Monate gültig –, und wenn er genau nachdachte, so fehlte ihm auch der Mut. Mit fremden Augen sah er sich hier sitzen, auf dem Teppich eines ungeliebten Zimmers in einer toten Nebenstraße, in einem *Nebenleben* in einer Stadt, in der er es nicht packte, zurechtzukommen. Und so hatte er – ein trauriges altes Kind, ein Prinz ohne Land – die alten Requisiten noch einmal um sich versammelt, Zeichen von De-

mütigung, irrigen Hoffnungen und unabweisbaren Enttäuschungen.

Katja blickte auf den Ramsch und sagte: »Ein surrealistisches
Tableau.«

Jamal verstand nicht. Er ahnte nur, daß dies eine Bemerkung
aus jener fernen Katja-Welt sein mußte, in der man für alles, was
geschah, ein Beispiel, ein Symbol, ein Buch oder einen Film zur
Hand hatte; wo man in Rattan-Sesseln saß, Weißwein in kleinen
Schlucken trank und sich an solchen Vergleichen erfreute; sie
eigneten sich so prächtig, die störende Wirklichkeit weit, weit
draußen zu halten. Doch die Elfenkönigin hatte sich verschätzt.

Inzwischen war sie selbst draußen, war von ihrer Neugierde –
vielleicht auch von ihren Gefühlen, aber das spielte im Moment
keine Rolle – viel zu weit aus ihrer Schmargendorfer Diele getrieben worden, und Jamal hätte ein Narr sein müssen, wenn er
es nicht ausgenutzt hätte.

Ein surrealistisches Tableau also sollte es sein. Das war alles,
was sie dazu zu sagen hatte. *Ein surrealistisches Tableau!* Wie
hübsch. Er hörte das Wort und innerhalb einer Sekunde hatte er
sich entschieden. Nein, er würde nicht toben. Würde die Freundin nicht an die lähmende Zeit erinnern, in die man ihn wie in ein
leeres Schwimmbecken geworfen hatte, nachdem er in Beirut auf
dieses absurde Studium verpflichtet worden war, würde nicht
noch einmal das Ziellose seines bisherigen Lebens, des *Zwangs*,
so zu leben, vor ihr ausbreiten wie ein ... Wie ein *Tableau*. Dafür
war es zu spät. Was Katja jetzt nicht begriff, würde sie nie begreifen. Und deshalb würde er ihr auch nicht ein weiteres Mal von all
dem Dreck und der Angst erzählen, die er erlebt hatte, würde sie
nicht an die von den Bullen abtransportierten Bauarbeiter erinnern (*Abtransport*, vor solch einem Wort erschraken normalerweise die Sensiblen unter den Deutschen), er würde an ihr,
dem ehemaligen Au-pair-Mädchen, die Freunde hatte, die Studis
oder Zivis waren, an ihr, die so gern in Off-Theater und alte Filme
ging und im KaDeWe nach Geschenken für ihre Mutti suchte, er
würde niemals an ihr seine Wut auslassen. Verflucht noch mal,
das würde er nicht tun! Statt dessen ...

»Jamal, du weinst ja.«

Katja eilte herbei, stieß unwillig (er sah es auch unter Tränen)
die Turnschuhe und die Fäustlinge beiseite und hockte sich vor
ihn hin. Mit den Zeigefingern wischte sie ihm die herabrinnen-

den Tränen von den Wangenknochen und versuchte, beruhigend auf ihn einzureden.

Jamal schüttelte den Kopf. Jetzt weinte er nicht mehr, er schluchzte. Ich *muß* schluchzen, sagte er sich, und doch war es keine Täuschung. Er schluchzte, weil er nur so diese mordsmäßige Wut kanalisieren konnte, weil er nur so die Kraft finden würde, den entscheidenden, den *alles* entscheidenden Satz zu sagen. Und dieser Satz wäre keine Frage, ganz bestimmt nicht.

Er schluchzte, sein Oberkörper schüttelte sich, das Gesicht naß von salzigen Tränen, viel zu naß für Katjas Fingerspitzen, die sich erschrocken zurückgezogen hatten. Es war Theater und gleichzeitig wahr, wie noch nie etwas wahr gewesen war in seinem Leben.

»Katja, du mußt mich heiraten.«

Er hatte es aus sich herausgepreßt und sofort die Augen geschlossen. Selbst unter dem Tränenschleier wären seine Blicke zu prüfend gewesen.

Das Schweigen danach dauerte ein Jahrhundert. Es zog sich hin, und noch immer sah Jamal sie nicht an. Noch immer glaubte er, in einem Film zu sein. Kein billiger Western, nur eines von den Kammerstücken, die Katja so liebte. Er mußte aus den geschlossenen Lidern noch weitere Tränen herauskämpfen, herausdenken, doch als er merkte, wie schnell das ging, wie sein Gesicht zu einem Bachbett für Dutzende Rinnsale wurde, kamen ihm noch mehr.

Und nein, das war kein Film.

Ihre Antwort war weder leise noch kam sie zögernd.

»Ja«, sagte Katja. »Ja.«

Jamal griff nach ihrer Hand, fand sie nicht sofort, fand nur die glatte Scheibe dieses Florena-Deckels und wäre fast in Gefahr geraten, in ein irres Gelächter auszubrechen. Dann, endlich, spürte er die feinen Knöchel ihrer Finger.

❑

Avif klatschte in die Hände. »Sie hat's getan. Gott, sie hat's wirklich getan.«

Jamal antwortete nicht.

»Kannst du mir vielleicht verraten, warum du hier herumsitzt, anstatt mit deiner Zukünftigen die Ämter abzuklappern?«

»Die meisten Behörden hatten wir doch schon hinter uns«, sagte Jamal.

Ja, mein Gott! Wie er geweint hatte. Wie sie *Ja* gesagt hatte. Wie sie da zusammen auf dem schmutzigen Teppich seines Zimmers gesessen und sich stumm in den Armen gehalten hatten. Ein weiteres Erinnerungsbild, durch reichlich geflossene Tränen leicht verwischt. So verwischt und verschattet, als wäre es nur ein Traum gewesen. Als hätte dieser Moment allein in seiner Phantasie existiert.

»Willst du sie nicht endlich anrufen?« fragte Avif. Das war wieder typisch für ihn. Sieh her, da ist ein Problem – he Leute, wer kennt als erstes die Lösung?

Jamal schüttelte den Kopf. »Sie wird nicht mehr mit mir sprechen. Und dazu hat sie allen Grund.«

Er hatte sie überrumpelt, er hatte sie erpreßt. Und Katja hatte es nicht einmal gemerkt, es ihm zuliebe nicht merken wollen. Nur ihre Mutter hatte sich nichts vormachen lassen. Und dann waren die Karten neu gemischt worden – und zwar unter seiner, des wütenden Falschspielers aktivster Beteiligung. Es war unwiderruflich. Und Avif kam ihm mit einem Telefonhörer!

❏

Katjas Energie überraschte ihn. Schon zwei Tage später hatte sie alle Informationen zusammen, die sie benötigte.

»Hör zu«, sagte sie, und ihr Gesicht glühte vor Eifer, »alles, was du vorläufig brauchst, ist eine Kopie deiner Geburtsurkunde. Sag deiner Familie Bescheid, damit sie das Papier zur deutschen Botschaft bringen und beglaubigen lassen. Ich weiß nicht, wieviel das kostet, aber es wird bestimmt nicht lange dauern.«

»Nicht länger als einen Monat«, sagte Jamal.

Katja sah ihn ungläubig an. »So lange? Haben wir überhaupt noch Zeit, das Aufgebot zu bestellen? Und vergiß nicht das Kammergericht, das vorher prüft, ob du nicht schon verheiratet bist.« Sie lachte.

Jamal blieb ernst. »Kammergericht und Aufgebotsbestellung kriegen wir in drei Wochen hin.« Er mußte sich beherrschen, um nicht hinzuzufügen: Keine Angst, ich habe es kalkuliert, wir liegen gut in der Zeit. Und außerdem, liebste Katja, hat mir bereits Amadou alles erzählt, was ich wissen muß. Was ich wissen muß und was zu vermeiden ist. Vor allem jede Euphorie der Frau. In den ersten Tagen, hat er gesagt – Katja, hör gut zu –, in den ersten Tagen sind sie regelrecht besoffen von ihrem Mut, von ihrem Versuch, einmal so richtig undeutsch zu sein und etwas zu tun, was sonst kaum eine Frau wagen würde. Aber danach, Jamal, aber danach. Paß bloß auf und mute ihr nicht zuviel zu. Und wenn es nur der Gang zum Wohnungsamt ist, denn selbstverständlich müßt ihr zusammen auf dem Mietvertrag stehen.

Ihm war schwindlig geworden von all den Namen und Papieren und Stempeln und Vorschriften und Fristen und unbedingt zu vermeidenden Risiken, von denen Amadou gesprochen hatte, aber er hatte sich alles auf einem Zettel notiert.

Jetzt hielt er Katja die Liste unter die Augen. »Es sind nicht nur die Geburtsurkunden. Wir müssen uns auch zusammen versichern lassen. Und ich muß Wassim wegen des Mietvertrages fragen, ich . . .«

Sie ließ sich nicht aus der Ruhe bringen. »Dann tu's, Jamal, dann tu's einfach.

Und ich kümmere mich um die Papiere, die sie von *mir* wollen.« Dabei drückte sie seine Hand, als müsse sie *ihn* überreden, sich heiraten zu lassen. Es war unglaublich, und Jamal mißtraute der Schnelligkeit dieser Entwicklung. Das war nicht die Katja, die er kannte, und genau das könnte ein Problem werden.

Vorerst aber lief es blendend.

Wassim, der am Telefon zuerst merkwürdig zurückhaltend gewirkt hatte, schien erleichtert, als es nur um Informationen über Jamals Mietvertrag ging. Nein, eine Nebenmieterin – höre ich da etwa Mieter*in*, Habibi? – sei kein Problem, außer . . ., aber da gäbe es bestimmt, ich schwöre dir, keine Schwierigkeiten . . .

Jamal war sofort alarmiert. »Was ist los?«

Wassim druckste eine Weile herum, dann sagte er, daß die Wohnung gerade von einer Wohnungsbaugesellschaft übernommen worden sei und also bald einer von denen bei ihm auftauchen würde.

»Aber ich habe doch immer Miete gezahlt.«

»Genau«, bestätigte Wassims Baß, »und deshalb mußt dir auch keine Sorgen machen. Und sonst, wie geht's sonst?«

»Prima«, sagte Jamal. Ganz prima.

Natürlich machte er sich Sorgen. Jetzt geht's los, dachte er, verschwieg die Neuigkeit aber bei seinen täglichen Telefonaten mit Katja.

Er war erst wieder beruhigt, als er einen neuen Mietvertrag zugeschickt bekam, diesmal mit dem Stempel der Wohnungsbaugesellschaft. Er trug Katja als Nebenmieterin ein und jubilierte, wie gekonnt er am Telefon mit der für seine Wohngegend zuständigen Sekretärin gequasselt und den seriös-aber-witzigen-Mieter herausgekehrt hatte, von dem bestimmt nie und nimmer etwas Illegales zu erwarten war. Nein, es lief blendend. Je mehr deutsche Bürostimmen und Ämteradressen er um sich versammelte, um so geschützter würde er sein.

Auch die Universität besuchte er wieder regelmäßig, obgleich er sich geschworen hatte, dieser Einrichtung den Mittelfinger zu zeigen, sobald ihm die unbefristete Aufenthaltsgenehmigung sicher war. Bis dahin konnten nur Pläne geschmiedet werden. Ein Kurs als Dolmetscher für die arabischen Botschaften, die bald von Bonn nach Berlin ziehen würden. Ein neues, eher der Kunst oder den Sprachen gewidmetes Studium (natürlich Katjas Idee) oder irgend etwas im Medienbereich; heutzutage tummelte sich dort ja alles. Pläne, in seinem Zimmer oder an den Tischen von Cafés gesponnen, ausgeschmückt oder verworfen. Und während dieser ganzen Zeit seine Sehnsucht, irgendwann nichts *Besonderes* mehr sein zu müssen. Tun zu können, was alle taten, ohne ein Scheitern mit dem zu kurz bemessenen Aufenthalt im Land erklären zu müssen. Ein ganz normales Leben ohne diese Auf- und Abschwünge – ja, auch ohne Katjas fast krankhaft begeisterte Berichte über ihre allzu schnell kapitulierende Mutter –, ein Leben, in dem er sich nicht abwechselnd hellwach und todmüde fühlen mußte.

Noch war es nicht soweit. Noch arbeitete die deutsche Botschaft in Beirut an der Beglaubigung seiner Geburtsurkunde, die seine Mutter, stundenlang in einer Schlange Visasüchtiger wartend, beantragt hatte, ohne daß sie zuvor am Telefon Fragen gestellt hätte. War es die Angst, daß jemand – ob im Libanon oder dort im fernen Deutschland – das Gespräch mithörte und ihrem Sohn Schwierigkeiten machen könnte? Wußten die Eltern Bescheid und akzeptierten fatalistisch den neuen Schicksalsschlag, die Gewißheit, daß ihr Sohn höchstens als Tourist zurückkommen würde? Glaubten sie tatsächlich die Geschichte von der unumgänglichen Heirat mit einer Ungläubigen, damit er das Studium, das siebenjährige Studium auch wirklich abschließen konnte? Sie schwiegen und sie seufzten, aber keiner, nicht einmal sein Vater, sagte ein einziges böses Wort. Und Mutter brachte die nötigen Papiere zur deutschen Botschaft; Jamal hätte sie umarmen können.

Jeden Morgen fuhr er gutgelaunt zum Reuter-Platz, log mit auf Knopfdruck präsentem, stark arabischem Akzent den Dozenten etwas vor, damit sie ein Einsehen hatten und ihn einige verpaßte Prüfungen nachholen ließen; er begrüßte wie ein Scheich auf Staatsbesuch seine Kommilitonen und sah versonnen zu, wie einige der jüngeren Studenten – jünger, viel jünger als er – in dem kleinen Park hinter der Mensa Schneeballschlachten veranstalteten und mit ihren Zipfelmützen gegen die schneebedeckten Zweige der Bäume stießen.

Katja telefonierte mehrmals am Tag mit ihm. Oft trafen sie sich nach ihren Kursen in der Stadt, um spazierzugehen, zu reden; manchmal schob sie ihm eine neue Ausgabe von *Men's Health* in den Mantel. Oder sie setzten sich einfach in ein Kino, dessen Programm vorher nicht auf seinen pädagogischen Wert hin durchforstet wurde. Allein die CinemaxX-Säle am Potsdamer Platz blieben weiterhin tabu, und auch dafür war ihr Jamal dankbar.

Wenn das ein Ausnahmezustand war – und so empfand er ihn, wenn er sich mit überreizten Sinnen und doch wie ein Traumwandler durch die Tage bewegte –, so war es ein äußerst angenehmer Ausnahmezustand. Genügend Geld auf dem Konto – zusammen mit dem Partyservice-Geld und der monatlichen Überweisung der Eltern über dreitausend! –, eine Frau, die ihn heiraten wollte, und er selbst in permanenter Spendierlaune: Kleine Geschenke für Katja, nach dem Kino Einladungen ins Restaurant und für sie beide ein neuer CD-Player, damit sie in seinem abgelegenen Altmänner-Zimmer nicht die Musik vermissen mußten, die sie einander – so war es doch, oder? – in der Eros-Bude näher und näher gebracht hatte.

Er hielt Katja bei Laune, versuchte das Wissen, daß er sie mit seinen Tränen, seinen *ehrlichen* Tränen zu ihrer Entscheidung erpreßt hatte, zu vergessen, und fuhr fort, weiterhin an einer Atmosphäre aus begrenztem Luxus und grenzenloser Panik zu arbeiten. Er wußte, wie verdammt real alles war, aber er wußte auch, daß es nie real genug sein würde, um Katja mehr als nur zu beeindrucken. Für sie waren diese Wochen bestimmt das Dramatischste ihres bisherigen Lebens, ein mit tapferem Lächeln heruntergespielter Ur-Konflikt mit der Mutter, der Weg von der lernwilligen Germanistikstudentin zur todesmutigen Gesetzesbrecherin an der Seite eines arabischen Schwulen. Spannung, Spannung!

Aber es war kein Spiel, es war bitterster Ernst. Und er mußte Katja einen Geschmack davon geben, damit sie wenigstens annähernd begriff, um was es ging.

So kam es, daß sie ihre Flitterwochen schon *vor* der Hochzeit unternahmen.

Eine Reise in ein anderes Land; Berlin-Hohenschönhausen. Ein namenloses Flüchtlingsheim, Aufgang D. Dort, wo er die Männer getroffen hatte, die im Morgengrauen zu den Kleintransportern gegangen waren. Dort, wo Besnik, dem er seine Rettung verdankte, noch immer als *Geduldeter* lebte. Sollte Katja ruhig sehen, vor welchem Leben sie ihn bewahrte!

Diesmal fuhren sie mit der Straßenbahn. Jamal hatte sich einen Faltplan gekauft und gesehen, daß von der neuen Station, die man in der Mitte des Alexanderplatzes eingerichtet hatte, eine direkte Linie hinaus in dieses Lager führte. Je länger sie fuhren, um so leerer wurden die Wagen, um so schweigsamer wurde Katja. Jamal hatte ihr nicht gesagt, daß auch er diesen Weg erst auf dem Stadtplan hatte suchen müssen, dafür hatte er erzählt, wie er sich im Dezember per U-Bahn und Bus ab Friedrichsfelde-Ost den Weg in diese Ödnis gebahnt hatte, um anschließend mit Karims Truppe in diese Kleintransporter gesteckt zu werden.

Katja sah ihn mit erschrockenen Augen an. Wie sie sich von den anderen Frauen unterschied! Jamal dachte es mit Zärtlichkeit. Anders als die Schlaffis und Schluffis in den geisteswissenschaftlichen Seminaren. Anders aber auch als all die knautschigen Girlies und taffen Karrierefrauen, die – Raubkopien aus irgendwelchen Heike-Makkatsch-Katja-Riemann-Filmen – in den neuen Restaurants und Bars in Mitte herumstanden und eine so harte Eleganz zur Schau trugen, daß Jamal Angst vor ihnen bekam. Bei denen hätte er nie eine Chance gehabt. Niemals.

War Katja auf ihre Art nicht auch ein wenig verloren, ortlos, herausgefallen aus den bunten, schreienden Farben dieser Zeit?

Er fuhr mit ihr in dieses Heim, und er wußte, daß sie ihm alles glauben würde, was er sagte oder mit anklagender Geste zeigte. Die acht Wochen im Dreck des Potsdamer Platzes hatten sich rentiert, und der zweite Monatslohn, um den Karim ihn geprellt hatte, war durch Katjas Entscheidung mehr als ausgeglichen. Glückspilz Jamal Kassim.

Als sie in Besniks Zimmer traten, hatte sich Katja halbwegs vom ersten Schock erholt. Die abgelegene Lage, in der man die Asylanten wohnen ließ. Die Gefängniskulisse der Plattenbauten unter einem tief hängenden Himmel. Die vor den Eingängen A bis D herumlungernden Männer, die vielleicht auf einen Typen wie Karim und die Chance auf etwas Bargeld hofften. Der Pförtner mit der goldgelben Hornbrille, der sie erst einließ, nachdem er Katjas und Jamals Ausweisnummern in ein kartoniertes Heft eingetragen hatte. Der schmutzige Gang und der Geruch nach Zigarettenrauch, Erbrochenem und kaltem Fett. Die Blicke, die sie auf sich zogen, als sie zwischen nervösen Jugendlichen in Trainingsanzügen, die auf Sessellehnen saßen und Karten spielten, hindurchgingen und Besniks Zimmer suchten.

Das Teewasser kochte bereits. Besnik hatte den Fernseher leiser gedreht (CNN mit den neuesten Meldungen über irgendeinen neuen Konflikt) und auf den niedrigen Tisch, der zwischen der Couch und dem schmalen Ein-Mann-Bett stand, eine Zuckerdose und etwas Gebäck gestellt. Wortlos umarmte er Jamal und drückte ihm mit kräftigen Händen die Schulter. Katja reichte ihm mit verlegenem Lächeln die Hand, murmelte etwas von Schuhe ausziehen, ziemlicher Nässe da draußen und dem schönen Teppich, ehe sie sich, jetzt in Strümpfen, neben Jamal auf die Couch setzte und offensichtlich den Impuls niederkämpfte, sich weiter im Zimmer umzublicken.

Nach einer Weile, Besniks breiter Rücken war über den blubbernden Teekocher gebeugt, sah sie sich doch um. Die Bettdecke gefaltet, der Schrank, der die halbe Seite des Fensters versperrte, ohne Türen (zwischen ihm und dem Bett nur einige Zentimeter Platz), die Kleidung darin aber auf Bügeln hängend oder in den Fächern sorgsam zusammengelegt. Auf dem Teppich, sicherlich einer von *daheim*, kein Schmutz; sogar der Aschenbecher war sauber ausgewaschen. Gestapelte Kisten neben dem Waschbecken, Kante auf Kante, und unter dem Ausguß halb versteckt unter einem Wischtuch eine Viererpackung Klopapier. Der kleine Fernseher auf dem Kühlschrank, der Leitz-Ordner mit Papieren daneben. Die leuchtenden Ziffern des eingeschalteten Billig-Handys.

Jamal konnte ihre Gedanken lesen. Er spürte, wie er die gleiche Hochachtung empfand. Ein versifftes Flüchtlingsheim am Arsch der Welt, eine einzige Toilette auf jeder Etage, nur beim Pförtner ein Telefon und dann hier in Besniks kleinem Zimmer der unbedingte Wille, sich nicht kleinkriegen zu lassen, Würde zu wahren.

Dann tranken sie Tee – Besnik ließ eine Zitronenscheibe in das mit orangenen Streifen verzierte Glas fallen, das für Katja reserviert war – und redeten; über das Heim, über das Desaster mit dem Job, die Bullen-Razzia, über Besniks Zukunft.

»Ihr wollt heiraten, stimmt's.«

Es war keine Frage. In Besniks Stimme lagen weder Argwohn noch Ironie. Nur ein Blick glitt über Katja, blieb kurz an ihrem Mund und den sich unter ihrem Winterpullover abzeichnenden Brüsten hängen; ein Kenner-Männer-Blick, aber ohne Anmaßung. Jamal schmunzelte.

»Mein Lieber, du hast's gut. Wohnst mitten in der Stadt. Weißt du, was das heißt? Wenn ich von hier nach Mitte will, ist das eine Weltreise. Und sich dann am Hackeschen Markt die Beine krumm stehen und auf den Nachtbus warten, während alle um dich herum in die Clubs abschweben … Selbst um zum Sozialamt zu fahren, um deine achtzig Mark Taschengeld abzuholen, mußt du eine Expedition starten …«

»*Achtzig* Mark?« fragte Katja.

Besnik lächelte ihr zu. »Achtzig Mark und Vollverpflegung. Keine Arbeitserlaubnis und kein Hunger. Kein Recht hier zu bleiben, aber zur Zeit auch kein Zwang, zurückzumüssen, unter die Messer der Serben. Hoffentlich kommt bald der Krieg, dann fliegen die raus, und ich kann zurück.«

Katja sah ihn bestürzt an. »Ein Krieg?«

»Und ob. Das heißt, der Krieg gegen uns Albaner ist schon längst erklärt. Kein Tag ohne ein Massaker. Wird höchste Zeit, daß die NATO …« Besnik hob die Hände in Kopfhöhe.

Jamal betrachtete Katja von der Seite. Nein, sie sagte nichts.

Bemühte sich nur, ihren Blick nicht allzu verständnislos werden zu lassen. Flüchtlingsheime und Schwarzjobs, Taschengeld und Massaker – in was für eine Welt hatte sie Jamal da hineingetrieben?

Besnik schenkte ihr nochmals Tee ein. »Tut mir leid, ich wollte dir keine Angst einjagen. Guck mal, ich bin jetzt seit '92 hier. Viel länger als Jamal. Ich lebe nicht gut, aber immerhin lebe ich. Und mache nebenbei sogar etwas Geld.«

»Und die Razzia?« fragte Katja.

Besnik zuckte mit den Schultern. »Der übliche Trick der Bosse. Manchmal rufen sie die Bullen, manchmal kommen die Bullen von selbst und manchmal kommen sie gar nicht. Glückssache.«

Als Jamal merkte, wie sich Katjas Erstaunen in Bewunderung zu wandeln begann, drängte er zum Aufbruch. Es genügte, wenn sie *ihn* heiratete. Besnik würde schon allein zurechtkommen; er war nicht schwul und würde in einem Kosovo, in dem die Schulen keine serbischen Kasernen mehr waren, seinen Weg machen; da war er ganz sicher. Das war nicht seine Geschichte.

»Katja, ich glaube . . .«

»Wollt ihr nicht warten, um die Abschiebungen zu sehen?« fragte Besnik.

Katja, die sich gerade ihre Halbstiefel zuband, sah vom Boden auf. Jamal runzelte die Stirn.

»Wovon redest du?«

»Die Abschiebungen der Bosnier«, sagte Besnik. »Heute kommen die Leute von Aufgang C bis D dran. Warum glaubst du wohl, daß sich so viele der Männer noch in letzter Minute auf dieses Schwein Karim eingelassen haben? Nur um ein klein bißchen Geld zu machen, wenn es zurückgeht nach Sarajewo oder sonstwohin.«

»Dort ist jetzt ja auch Frieden«, sagte Katja.

Jamal drehte schnell sein Gesicht zur Wand, aber Besnik hatte kein Problem, ihr zu antworten. »Natürlich«, sagte er gelassen und kraulte seinen Schnauzbart, »dort ist jetzt Frieden. Schnee und zerschossene Dächer, aber Frieden. Die Hälfte der Leute gekillt oder fortgejagt, aber Frieden. Und der Innensenator schiebt fleißig ab, der gute Mann. Vielleicht tut er es ja nur, um uns Leuten aus dem Kosovo zu helfen. Platz schaffen für neue Flüchtlinge. Kommt mal in ein paar Wochen wieder hierher. Ich wette, dann ist das Heim voller Landsleute. Wie im Fernsehen, immer tolles Programm. Wird nie langweilig.«

Sein Lachen ging in einen trockenen Husten über, und es war ohne Zorn. Als er Jamal zum Abschied umarmte, zwinkerte er ihm unmißverständlich zu. Halt dein deutsches Vögelchen fest, mein Freund, damit es nicht im letzten Moment davonfliegt.

❏

»Tut mir leid, wenn ich dich unterbreche. Aber verrate mir mal, wie du nach all diesen Geschichten dazu kommst, freiwillig abzuhauen?«

»Wer spricht von freiwillig?« fragte Jamal.

»Ich.« Avif klang ungehalten. Jamal sah, wie Schweißperlen auf seiner Kopfhaut glänzten. Kein gutes Zeichen.

»Ich habe mich ganz einfach bei der Uni exmatrikulieren lassen und die Wohnung gekündigt.«

Avif stöhnte. »Aber zum Meldeamt bist du nicht zufällig auch noch gerannt? Oder zum Standesamt?«

Jamal balancierte auf den Hinterbeinen seines Stuhls und stützte sich mit den Händen auf die Tischplatte. Ein unvernünftiges Kind, das Auskunft zu geben hatte. Wie er das haßte!

Was hatte ihn nur dazu gebracht, sich hierher zu setzen und endlos zu quatschen, anstatt es bei einem kurzen Händedruck zu belassen? Die Fragen würden morgen in Beirut zeitig genug einsetzen. Was ist mit der Ungläubigen, weshalb hat sie dich im Stich gelassen, was ist mit dem Studium, denkst du überhaupt an deine Familie? Bitte, antworte uns. Bitte steig in den Wagen. Bitte iß, was wir für dich gekocht haben; jedenfalls bist du wieder zu Hause, Allah sei Dank.

»Nein, ich bin weder zum Standesamt noch zum Meldeamt gerannt«, sagte Jamal gedehnt und spürte, wie Wut in ihm aufstieg. »Sobald ich morgen nämlich den Zettel am Flughafen abgebe, erledigt sich alles von selbst. Sogar eine Bescheinigung, daß ich miet- und schuldenfrei bin, habe ich dabei.«

»Du verschwendest deine Energie.« Avif blieb unerbittlich.

»Vielleicht«, sagte Jamal. »Hör dir wenigstens an, wie es zu Ende gegangen ist.«

Wieso eigentlich stand er nicht auf und ließ Avif, der das Kinn in seine Fäuste gestützt hatte und ihn anstarrte, als wäre er bei einem Verhör, nicht einfach an diesem Tisch sitzen? Weshalb war er sogar kurz davor, ihn zu bitten, Katjas Nummer zu wählen?

❏

Als er wieder draußen auf der Straße stand, schwer atmend, und mit zitternden Fingern versuchte, den Reißverschluß seiner Jacke hochzuziehen, wußte er, daß es kein Mißverständnis war. Keine Aufregung in letzter Minute, kein winziger Schatten auf dem ungetrübten Glück eines zukünftigen Paares.

Es war aus. Endgültig vorbei. Und seltsam, fast beruhigte ihn das. Die Dinge waren wieder ins Lot gekommen, waren dorthin zurückgependelt, wo ihr angestammter Platz war.

Katja weinend bei ihrer Mutter, die auf grimmige Weise befriedigt zu sein schien, und Jamal draußen auf der Straße, sich von diesem Schmargendorfer Einfamilienhäuschen immer weiter entfernend und ebenso grimmig in allem bestätigt, was er hatte kommen sehen, seit er Katja mit seinem Schluchzen zu diesem unüberlegten Ja-Wort getrieben hatte. *Ja* hatte sie gesagt, schnell und laut, und damit waren die Proportionen ins Rutschen gekommen. Alles, alles war viel zu hastig geschehen.

Die Elfenkönigin, in Eilschritten aus ihrem Schatten tretend, hatte mit ihm Amt um Amt abgeklappert, hatte die beglaubigte Kopie der Geburtsurkunde *ihres Mannes* (zwei Wörter, die ihr zu mühelos über die Lippen gekommen waren, als daß Jamal nicht überrascht gewesen wäre) dem zuständigen Beamten höchstpersönlich in die Hände gedrückt und bei der Aufgebotsbestellung auf dem Standesamt problemlos zwei Freundinnen als Trauzeugen aus dem Ärmel geschüttelt, denn an Trauzeugen hatten sie in dem ganzen Trubel überhaupt nicht mehr gedacht. Einer von ihnen hätte Avif sein müssen, dachte Jamal, während er durch die stillen Straßen Schmargendorfs zur Bushaltestelle lief, dann wäre das Happy-End perfekt gewesen.

Nun war er wieder da, wo er begonnen hatte. Ein Gefühl, an Schwerelosigkeit grenzend. Er würde jetzt auf den Spätbus der Linie 129 warten, um dann auf dem Oberdeck über den Ku'damm zu fahren. Oberer Ku'damm, unterer Ku'damm und keinen Schreck bekommen, weil das Ku'dammeck abgerissen worden war: Auf die Nachrichtentafel des Gebäudes hatte er geschaut, als er Yousuf wiedergesehen hatte, damals vor dem Wühltisch von H & M. Kein Schreck und keine Nostalgie wegen dieses häßlichen Kastens. Statt dessen abmelden, was einmal angemeldet worden war, Koffer packen und versuchen, nicht zuviel darüber nachzudenken.

»Vielleicht gehöre ich nicht zu ihr, aber zu dir gehöre ich ganz bestimmt auch nicht«, hatte Katja ihm hinterhergeschrien – wirklich *geschrien* –, als er aus dem Haus gestürmt war. Seltsamerweise hatte der Satz wie eine Befreiung geklungen. Jamal Kassim: allein gekommen, allein gegangen. Niemand, der zu ihm gehört. Niemand, dem er gehört. Auch eine Form von Freiheit.

❏

»Du drückst dich herum«, sagte Avif. »Du windest dich.«

»Vielleicht«, sagte Jamal. Er sah auf die Uhr.

»Das MEA-Büro in Schönefeld hat noch offen«, meinte Avif. Sah nicht so aus, als wäre es ein Scherz gewesen. Jamal ging nicht darauf ein.

»Ich weiß, es ist schwer zu erklären. Nicht, daß ich froh gewesen wäre, als alles auseinanderbrach. Es war nur so, daß ich die ganze Zeit damit gerechnet hatte. Es ist kaputtgegangen, was nie zusammen gepaßt hat.«

Avif sah ihn verständnislos an. »Ich dachte, daß du und Katja unzertrennlich seid.«

»Das dachten wir auch.« Jamal biß sich auf die Lippen. Stop. Soweit sollte er sich nicht vorwagen. Nicht an seinem letzten Tag in Berlin. Keine tränenreichen Abschiedsszenen!

Avif schwieg, wandte seine Augen aber keine Sekunde ab.

»Nein, ich wußte nichts von Katja. Sie hat mir nie etwas über sich erzählt. Weder über sich noch über ihre Mutter. Dabei war die mir völlig egal. Eine Lesbe, okay. Und ich bin schwul, auch okay. Ich hatte kein Problem mit ihr. Hätte sie mich dann, verdammt, nicht einfach ihre Tochter heiraten lassen können? *Ohne* all diese Überprüfungen. Als hätten es uns die mißtrauischen Behörden nicht schon schwer genug gemacht.«

»Sie ist Katjas *Mutter*«, sagte Avif.

Jamal legte seinen Kopf auf die Schulter und kniff ein Auge zu. »Und das ist ein Grund, mich als halben Wilden zu betrachten?

Einen Wilden, der erst einmal zahm gemacht werden muß, ehe er in den Schoß der Familie einer völlig *männerlosen* Familie, aber das nur nebenbei, hineingewürgt wird? Mein Gott, die Alte hat mich angesehen, als hätte ich die Kleine gekidnappt.«

❏

Nein und nochmals nein. Es war kein Mißverständnis. Er *hatte* Katja überrumpelt. Und die Alte hatte es sofort gerochen und ihn auflaufen lassen. Ihn sozusagen bis zur Kenntlichkeit entstellt. Bis sie den egoistischen, ignoranten, tobenden, ja tätlich werdenden Araber vor sich sah, den sie schon immer in ihm gesehen hatte und nun endlich ihrer Tochter authentisch vorführen konnte. *Authentisch!*

Vergessen der ganze Schmus von Verantwortung Hilfe Mitleid Solidarität, von bester Freundin und bestem Freund, von im Duett aufgesagten Rilke-Gedichten und den penetranten Erwähnungen gemeinsamer Kinobesuche; Schluß mit dem Schmierenstück und *Vorhang auf* für einen selbstsüchtigen Macho, der die Stirn hatte, zwei wehrlose Frauen in ihrem eigenen Heim zu bedrohen! Mochte er Katja an der Nase herumführen, an ihrer Mutter würde er sich die Zähne ausbeißen. Und das hatte er getan. Gründlichst. Beim ersten Mal war es schief gelaufen, aber jetzt hatte sie ihn – Bingo! Wenn dieser Analphabet das Lebenswerk ihrer Selbstfindung ignorierte und in ihr nichts als eine alternde, leicht bescheuerte Single-New-Age-Lesbe sah, gut, dann würde sie eben seine Geschichtchen um Krieg, Familie, Onkel, Studium und beschränkte Aufenthaltserlaubnis (Gott im Himmel, gab es weltweit nicht andere Tragödien!) auch ignorieren und aus ihm das kleine aufgeblasene Arschloch herauskitzeln, das er nun einmal war.

So hatte sie gedacht, so *mußte* sie gedacht haben. Pech, daß Jamal an diesem Abend zwar hatte Gedanken lesen können, jedoch unfähig gewesen war, etwas darauf zu entgegnen. Er wußte, daß die Mutter aus ihrer Sicht recht hatte, daß es vollkommen logisch war, wie sie sich aufführte. Sein verfluchtes Verständnis!

Aber daß auch Katja an diesem Abend so zurückhaltend war, daß sie auf dem Weg von der Bushaltestelle zum Haus kaum ein Wort mit ihm gewechselt hatte und es danach beim Abendessen – es war wieder das gleiche Ritual, diesmal allerdings mit Artischocken statt Rucola – allein der Mutter überlassen hatte, ihn mit den unerwarteten Neuigkeiten zu bombardieren!

»Mein lieber Jamal, wir sollten miteinander sprechen. Ich war heute zusammen mit Katja bei einem Anwalt und einem Notar, denn Ihnen muß ich ja nicht groß erzählen, daß es immer gut ist, sich vor ... nun, vor einem solchen, äh ... *Schritt* genauer zu informieren und ...«

»Aber es gibt doch die Beratungsstellen«, fiel ihr Jamal ins Wort, und seine Stimme klang schon jetzt aufgeregter, als es ihm lieb sein konnte. »Beratungsstellen, die dazu noch *kostenlos* sind.«

Die Mutter schenkte ihm ein säuerliches Lächeln. »Kostenlos oder umsonst, das ist die Frage. Das man in diesen ... Stellen natürlich so berät, daß die deutsche Frau – oder meinetwegen auch der deutsche Mann – bei seinem *Ja* bleibt, ist wohl klar. Engagement und Manipulation, meine Generation kennt das zur Genüge.«

Wenigstens hat sie nicht *WIR kennen das zur Genüge* gesagt, dachte Jamal. Er versuchte Katja anzuschauen, aber sie wich seinem Blick aus und pellte Artischockenherzen aus ihrer dunkelgrünen Haut.

»Um darauf zurückzukommen: Der Notar und auch der Anwalt haben uns bestens informiert. Es wäre deshalb gut, wenn auch Sie Katja etwas entgegenkommen würden. Nicht viel, nur so weit, daß es gewisse Schutzmechanismen gibt.«

Schutzmechanismen?

»Und die wären?« fragte Jamal, und er haßte sich dafür, daß seine Stimme wie die eines Bittstellers klang.

Die Mutter fuhr mit dem Zeigefinger über die Holzplatte des Eßtischs, als ginge sie eine imaginäre Liste durch.

»Ein Sperrkonto für die Scheidungskosten wird eingerichtet – mit *Ihrem* Geld. Ja, ich weiß, Sie wollen meine Tochter nicht ewig behalten, sondern nur so lange ... Gut. Aber wenn es dann zur Scheidung kommt, sollte das Geld da sein. Sie müßten auch noch ein paar weitere Unterschriften leisten, denn – so wurde uns heute gesagt – falls Sie noch weiter absacken und vielleicht Sozialhilfe beantragen müssen, wäre normalerweise Ihre Frau dran, zu zahlen. Aber das, Sie verstehen, wäre doch etwas arg. Deshalb die Unterschrift, daß Sie sich im Fall des Falles selbst versorgen werden.«

Noch weiter absacken, Sozialhilfe ... Je länger sie sprach, unterschwellig drohte und diese schrecklichen Szenarien entwarf, um so elender kam er sich vor. Ein schmieriger Dieb, ein dreister Elfenköniginnen-Räuber.

»Zusätzlich zur Krankenversicherung müßte auch eine Pflegeversicherung abgeschlossen werden. Kostet natürlich etwas mehr, ist aber notwendig, ich sage *notwendig*, damit der eine Partner finanziell entlastet bleibt, wenn der andere plötzlich schlimm erkrankt. Sagen wir ... an Aids.«

Jamal starrte die Frau mit weitaufgerissenen Augen an. Ausdruckslos starrte sie zurück. Der Eisschrank dachte gar nicht daran aufzutauen.

»Auf die anderen Sachen will ich gar nicht eingehen. Selbstverständlich verändert sich bei einer Heirat auch Katjas Bafög-Anspruch, die Steuern und all das.«

»Sie wird keine Nachteile haben«, sagte Jamal schnell. »Ich habe mich erkundigt, und falls doch, gleiche ich es eben aus. Ist doch normal; bei allem, was sie für mich tut.«

Ein kleines Lächeln, schräg vorbei am Eisschrank, zur Burg der Elfenkönigin. Das Lächeln, das er zurückbekam, war denkbar schwach.

Er entschuldigte sich und ließ sich den Weg zur Toilette zeigen. Während er pinkelte und acht gab, daß das Zittern in seinem Körper nicht auch noch den Urinstrahl ergriff, sah er die auf dem Fensterbrett ausgebreiteten Zeitungsausschnitte. Er zog die Klospülung, wusch sich in dem kleinen Handwaschbecken, vermied einen Blick in den Spiegel und las die Überschriften. Merkwürdig, sie lagen aufgefächert wie an einem Kiosk aus. Als hätten sie gerade auf einen Leser wie ihn gewartet. Bestimmt hatte auch das die Hexe vorher arrangiert.

Jamal las: *Statt Hochzeit Abschiebung/Im Standesamt klicken die Handschellen/Kampf gegen Scheinehen nimmt zu/Er wollte heiraten und ging aufs Standesamt – er wurde verhaftet und abgeschoben.* Er hob die Ausschnitte ein wenig an und fand darunter einen mehrfach an den Rändern mit Kreuzen und Ausrufezeichen versehenen Artikel, in dem sich eine in Tunis lebende Deutsche mit unaussprechlichem Doppelnamen darüber Gedanken machte, welche unbewußte Regression deutsche Frauen zu Ehen mit Ausländern treibt, wie es zu einem *Sich-Fallen-Lassen in scheinbar starke Arme* kommt und weshalb *gerade das Frem-*

de, Unbekannte als Projektionsfläche uneingestandener Phantasmen herhalten muß.

Vor Schreck zog er gleich noch einmal die Wasserspülung. Waren denn alle verrückt geworden? Hatte er, um diese Verdächtigungen zu zerstreuen, deshalb mit Katja dieses dunkel raunende Gedicht eines Rainer Rilke proben müssen?

Sie machen mich zum Wilden, dachte er. Aber *sie* sind es, noch immer *sie*, die einen Defekt haben!

Als er zurückkam – mit bleichem Gesicht, als hätte er sich auf der Toilette übergeben müssen –, sah ihn die Mutter prüfend an. Ja doch, er hatte gelesen, was sie da für ihn vorbereitet hatte!

Aber noch immer war ihre Energie nicht erlahmt; ein zähes Muttertier, das verzweifelt sein Junges aus den Klauen des Wolfs retten will.

»Entschuldigen Sie, daß ich noch einmal darauf zurückkomme ... Nach dem Dessert ist Schluß damit, versprochen.« Ein falsches Lächeln, das das Kommende bereits vorauszuahnen schien. »Der Anwalt hat uns gesagt, daß nach geltendem libanesischen Recht im Falle Ihres Todes alle Wertsachen in den Besitz Ihres Bruders übergehen. Ist das tatsächlich so? Nein, Sie müssen mir jetzt nicht antworten, ich gehe ja nur mal kurz auf das ein, was geklärt werden müßte. Scheidung nach deutschem Recht ist kein Problem, im Libanon jedoch darf eine Frau ihren Mann nur dann verlassen, wenn bewiesen ist, daß er impotent oder zeugungsunfähig ist, in keinem anderen Fall sonst. Außerdem hat er das Recht, sie daheim einzusperren und den Gang auf die Straße zu verweigern.«

Ya Allah! Wo um Himmels willen sollte er Katja denn einsperren? Etwa in dem Hotelzimmer, in dem er letzten Sommer mit Missak geschlafen hatte?

»Mein Zuhause ist *Berlin*.« Jamal hatte es sehr laut gesagt.

Katja nickte vage, doch ihre Mutter nahm es als Kriegserklärung auf. »Das mögen Sie wünschen. Tatsache aber ist, daß Sie woanders aufgewachsen sind. Sie sind klug genug, die Differenz zu erkennen.«

Was sollte er erkennen?

Die harten Sätze der Mutter, seine weichen, immer mehr ins Stammeln abrutschenden Beteuerungen; so ging es eine ganze Weile weiter. Ich bin der Araber, und sie ist die Deutsche. So einfach war das, so falsch und so wahr. *Sie* ist es, die mich einsperrt, dachte Jamal. Sperrt mich ein in das Bild, das sie sich von mir macht. Und ich habe keine Chance.

Genau das begann er in diesen Minuten zu begreifen: Er hatte *in keinem Fall* eine Chance. Als Fremder, als den sie ihn den ganzen Abend beschrieben hatte, als eine Art ignoranter Wüstenscheich. Und gleichzeitig als einer, der sich in Deutschland verändert hatte, nichts als ein fieser Eindringling und Anpasser, ein Schleimer und Lügner und Täuscher. Zeige dich wie du bist, so lautete die Botschaft, und gib uns die richtigen Gründe, dich zu hassen.

Na gut, die sollte sie bekommen. Okay, er hatte Katja dazu getrieben, in diese Ehe einzuwilligen. Hatte geschluchzt und schlimme Geschichten erzählt, wahre und falsche, genauestens kalkuliert und doch am eigenen Leib erfahren. Aber so etwas würden sie nie verstehen – weder dieser Eisschrank noch die Elfenkönigin –, und all die Jahre hindurch, vier Jahre, bis er die unbegrenzte Aufenthaltsgenehmigung bekäme und vielleicht sogar die Chance auf einen deutschen Paß, vier Jahre lang würden sie ihn mit diesem Mißtrauen heimsuchen. Wollte er das? Hätte er das locker wegstecken können, hätte er die Mutter, so gut es ging, ignorieren und Katja weiterhin als beste Freundin umschmeicheln können? Vielleicht, vielleicht auch nicht.

Auf einmal fühlte er sich müde wie nie zuvor. *Todmüde.* Die Familie, der Onkel, all seine Versuche, sein Scheitern und sein fragiles Glück hier in Berlin – und nun die Aussicht auf vier weitere Jahre gegenseitigen Belauerns, vier Jahre Unsicherheit und Zittern. Würde Katja durchhalten, wenn es Probleme gäbe? In guten wie in schlechten Tagen ... Aber sie hatte niemals zuvor *schlechte Tage* erlebt! Zumindest nicht solche, die ihnen unter Umständen drohen könnten. Behörden-Tage, Razzia-Tage, Fristen- und Einspruchstage. An diesem Abend begriff er, daß er sich übernommen hatte. Und Katja auch.

Und jetzt, in diesem Moment, brach er zusammen. Vergaß all die klugen Sprüche von Sich-nicht-involvieren-Lassen und Distanzhalten- und Loslassen-Können, die ihn bislang so gut durch die undurchschaubare Stadt gelotst hatten.

Und so kam es, daß er sich plötzlich wie in einem bösen Traum vom Tisch aufspringen sah, wild gestikulierend und schreiend. Stieß die Mutter, die sich langsam erhoben hatte, gegen die

Schulter, so daß sie taumelte – diese Wiedererkennungsfreude auf ihrem Gesicht, trotz aller Wut! –, schrie Katja an; lallte *Paß Heirat Trauschein Verrat Versprechen Scheiß Deutsche* wie die deutschen Schauspieler auf den subventionierten Bühnen inmitten ihrer Eimer und konnte nicht mehr aufhören mit seinem Fluchen und Toben. Stürzte aus der Wohnung, rempelte nun auch Katja an – Gewalt, Gewalt! – und schrie, schon draußen an der Gartentür, weiter durch die Nacht.

»Dann geh zurück zu ihr, du Kuh! Und ich fliege raus in mein früheres Leben! Wie es alle für mich vorgesehen haben, die Bullen, dieses alte Nazi-Weib und sogar du!« Und Katja, sich an die Klinke der Haustür wie an einen Rettungsanker klammernd, schrie zurück: »Danke für die Offenheit! Und merk dir eins: Vielleicht gehöre ich nicht zu ihr, aber zu dir gehöre ich auch nicht!«

»Habe ich dich je gebeten, zu mir zu gehören?« Dieser Hohn, diese wie Stiefeltritte wild übereinander stolpernden Worte!

»Nein«, schrie sie. »Nicht einmal das. Nur für einen lumpigen Trauschein sollte es sein.«

»Wärst du glücklicher, wenn es fürs Bett gewesen wäre?« Jamals sich immer schriller überschlagende Stimme, einszweidrei aufleuchtende Lichtlein in den angrenzenden Häuschen und Katjas verheultes Gesicht im Halbdunkel der Tür.

Dann ihr Rücken, schmal, aber auf einmal unendlich fern für ihn. Nie wieder würde er ihn berühren.

Die zugeknallte Tür, die plötzliche Stille, Jamals sich langsam entfernende Schritte.

Nach einer Weile seine wiederkehrende Ruhe. Nein, es war kein Mißverständnis, keine vermeidbare Eruption. Gut, daß es jetzt gekommen war. Stählerne Klarheit in einer kalten Vorfrühlingsnacht in Schmargendorf. Er mußte jetzt nur ganz ruhig atmen – ein und aus, ein und aus – und alles käme wieder in die alte Balance. Oben und unten, drinnen und draußen, hier und dort.

Und *dort* würden sie sich bald freuen können; mit Umarmungen und Tränen mußte die Rückkehr des verlorenen Sohns gefeiert werden. Siehe, du gehörst zu uns. Sein ganzes Leben lang würde er nun zu ihnen gehören.

Und Almustafa, der Erwählte, sprach: Geduldig, allzu geduldig ist der Kapitän meines Schiffes. Der Wind weht, und rastlos sind

die Segel; selbst das Ruder bittet um Lenkung. Und meine See-
leute, die den Chor des offenen Meeres gehört haben, sie haben
mir geduldig zugehört. Nun sollen sie nicht länger warten. Ich
bin bereit.

❑

»Unsinn«, sagte Avif. »Natürlich bist du *nicht* bereit. Und du
solltest es auch nicht sein.«

»Hast du nicht gehört, was ich erzählt habe?«

»Ich habe es gehört, darauf kannst du wetten.«

Jamal hob seine Hände, ein kurzes, müdes Flügelschlagen.
Dann ließ er sie wieder sinken. Avif, siehst du nicht, daß das alles
ist, was es zu sagen gab? Mehr habe ich nicht zu bieten.

»Ein Vorschlag ...« Avif zog die Stirn in Falten, die schwarze
Linie seiner Augenbrauen hob und senkte sich. »Ein Vorschlag.
Noch kann alles rückgängig gemacht werden und ...«

»Morgen muß ich die Wohnung übergeben«, sagte Jamal. Avif
lachte auf.

»Und dich gleich mit, was? Sag nicht, daß das dein Ernst ist.
Nach allem, was du erlebt hast! Sitzt hier, redest was von Wohnung übergeben, schmeißt dein Leben weg. Und wieder mal nur
aus Angst und Stolz.« Jetzt lachte Avif nicht mehr.

Jamal ließ sich eine Weile Zeit mit der Antwort. »Wenn du das
denkst, es ist keine Angst. Schon gar nicht vor dieser verrückten
Mutter.«

»Sie ist eben eine Mutter«, sagte Avif. »Das Problem ist, daß
du zu stolz bist, auf sie zuzugehen, sie zu beruhigen oder auch
nur einen Waffenstillstand auszuhandeln.«

Jamal stöhnte. »Ich dachte, du hättest die Psychokurs-Scheiße
schon hinter dir.«

»Davon spreche ich nicht, das weißt du genau. Soweit ich es
kapiert habe, fühlst du dich von Katja verraten; *tajib*. Und sie
kommt sich ausgenutzt vor. Und genau das – nein, sag nichts –
hat dir doch gefallen. Ich nutze aus, ich werde bewundert, ich bin
kein Opfer.«

»Bin ich auch nicht«, sagte Jamal.

Avif tippte sich an die Stirn. »Und ob du das bist. Du schlitterst
gerade mitten hinein. Manipulierst aus Angst, selbst manipuliert
zu werden. Hast absolute Panik, versuchst alle Brücken abzubre-

chen, aber kommst zur Verabschiedung ausgerechnet zu mir. Mann!«

Jamal konnte nicht verhindern, daß seine Augen feucht wurden. Er schämte sich nicht dafür. Den Handrücken gegen die Stirn gestützt, murmelte er etwas.

»Ich verstehe dich nicht. Sprich lauter.«

»Und, aber das ist nur so eine Idee, wenn du ... ich meine ...«

Avif half ihm. »Du meinst, wenn *ich* sie anrufen würde ...«

Jamal nickte. »Sie weiß doch nicht mal, daß morgen schon das Flugzeug geht. Um den genauen Zeitplan hat sie sich ja nie gekümmert, völlig ahnungslos auch da.«

Avif klopfte auf den Tisch. »Nun mal halblang. Überschütte sie nicht schon wieder mit Vorwürfen, sie hat sich ganz schön tapfer gehalten. Aber das haben wir irgendwie alle, uns tapfer gehalten, was?«

Mein Gott, wie er jetzt lächelt! Jamal reibt sich eilig die Tränen weg, kämpft einen Kloß in der Kehle nieder. Sieht weg, sieht Avif erneut an, weiß nicht wohin mit seinen Augen.

Dann merkt er, wie Avif aufsteht, durch das leere Restaurant geht, hinter die holzverkleidete Theke, und zum Telefonhörer neben der Kasse greift.

Er hört nicht, was er sagt, weil er es nicht hören will. Noch nicht. Hört nur das Summen des Radios aus der Küche, ein paar Gesprächsfetzen von dem Paar in der Ecke, Autohupen und Fußgängerschritte auf der Straße, gleich hinter der Fensterfront, in der er sein Gesicht betrachtet. Müde, sehr müde.

Er kann nicht sagen, was es ist, aber etwas bringt ihn dazu, den Blick abzuwenden und Avif anzuschauen. Wie sich seine Lippen bewegen und schließen, skeptisch verziehen und zu einem Lächeln öffnen! Wieder spürt Jamal, daß etwas in seiner Kehle sitzt, im Bauch rumort, aber vielleicht ist es auch nur das Herz.

Noch ist es zu früh, das weiß er. Viel zu früh. Er muß ruhig bleiben. Noch vor einer Stunde wußte er, daß er Avif nie wiedersehen würde, daß er Katja – was soll das jetzt, aber nein, Avif winkt ihn herüber zum Telefon, kneift ein Auge zusammen und zeigt mit seiner rechten Hand auf den Hörer –, daß er auch Katja nie wiedersehen würde; durch wessen Schuld auch immer.

Mühsam wie ein alter Mann steht er von seinem Tisch auf, geht zu Avif. Der kreuzt die Finger und gibt Jamal den Hörer.

Danach wendet sich Avif ein wenig zur Seite. Hält nach Gästen

Ausschau, beginnt Gläser zu putzen, obwohl sie schon glänzen und auf der Theke aufgereiht sind zwischen der Schale mit den Streichholzschachteln und einem Tonkrug voller Gräser. Wahrscheinlich Gräser aus dem Süden, denn hier in Berlin wird es erst zaghaft Frühling, und noch immer ist es kalt, besonders jetzt, wenn draußen die Dämmerung einsetzt und er gleich zum Lichtschalter gehen muß, um Dutzende von Lampen einzuschalten, die die Holztische und die weißen Wände in ein freundliches Licht tauchen werden.

Gut, wenn man sich abzulenken weiß, denkt Avif. Gläser putzen, Licht anschalten und dabei unwillig den Gedanken vertreiben, daß er diesen verrückten Jamal Kassim liebt.

Katja hört Jamals Worte in ihrem Ohr.

Sie haben nichts Bittendes, nichts Forderndes, nichts Anklagendes, aber auch nichts Entschuldigendes. Sie sind ruhig und klar, und sie geben ihr eine Sicherheit zurück, von der sie dachte, sie sei auf immer verloren.

Sie sprechen lange, sehr lange, und Katja ist es egal, ob jemand mithört, hier in der Diele des Hauses, in dem sie aufgewachsen ist. Allein und doch nicht allein, und auch das wird Jamal Kassim irgendwann verstehen müssen. Wahrscheinlich wird sie sich ihre Hochzeitsrede selbst schreiben müssen.

Und auf einmal lachen sie. Eine Entscheidung in letzter Minute, Umschlag des Geschehens *kurz vor knapp;* natürlich kennt die Elfenkönigin den Ausdruck. Und sie kennt eine Geschichte. In achtzig Tagen um die Welt, und dann doch zu spät in London. Wette verloren. Aber nein: Wette gewonnen, die Reise um die Erde war ostwärts gegangen und damit ein ganzer Tag gewonnen. Beeilung, Beeilung!

»Drei Sekunden vor dem Ablauf der Zeit tritt Phileas Fogg in den Raum und sagt: Da bin ich, meine Herren!«

Katjas helles Lachen im Telefonhörer. Dann wieder ein Schweigen, Jamal macht merkwürdige Geräusche und Katja sagt: »Gib mir mal Avif.«

Jamal reicht ihm den Hörer und sieht, wie sich sein Gesicht entspannt.

»Na klar«, sagt Avif und dreht sich zu Jamal um, dem er mit hochgestrecktem Daumen ein Zeichen gibt. »Nein, nicht in der Schule. Im Fernsehen. Immer, wenn in Deutschland Feiertage waren, Weihnachten und so. *Der Kurier des Zaren, Kapitän*

Nemo ... Was sagst du? Na logisch! Phileas Fogg, das muß ich ihm noch beibringen.«

Avifs Lachen, das so ansteckend ist, daß auch Jamal lachen muß.

Ein Lachen unter zurückgehaltenen Tränen, aber was macht das schon. Und: He, was ging hier eigentlich vor? Klar kannte er Kapitän Nemo, er war ja nicht blöd.

Wer zum Teufel aber war Phileas Fogg?

Dank

an M. und B. – Shukrom ktir;

an Julia Naumann von der *taz*, die mir das Berlin der Asylantenheime und Baustellen-Sklaven zeigte;

an Kora Perle, Uwe Heldt und natürlich Karin Graf;

an Franziska Havemann und Carter Dougherty, die bei vielen Abendessen tapfer meinen Bericht über den Fortlauf der Arbeit erduldeten;

et comme toujours, mille mercis à Harry.